Le Québec statistique

2002 édition

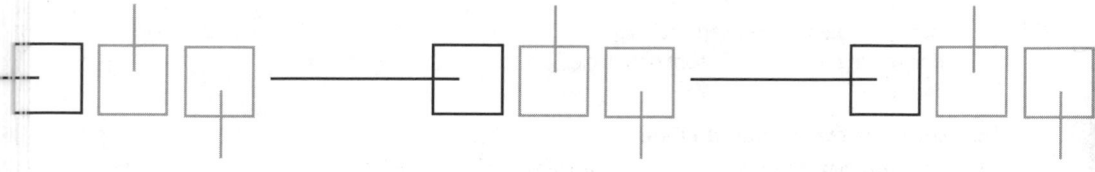

Québec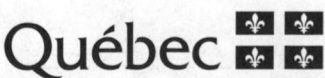

Pour tout renseignement concernant l'ISQ
et les données statistiques qui y sont disponibles,
s'adresser à :

Institut de la statistique du Québec
200, chemin Sainte-Foy
Québec (Québec)
G I R 5T4
Téléphone : (418) 691-2401

ou

Téléphone : 1 800 463-4090
(aucuns frais d'appel au Canada et aux États-Unis)

Site Web : www.stat.gouv.qc.ca

Dépôt légal
Bibliothèque nationale du Canada
Bibliothèque nationale du Québec
Deuxième trimestre 2002
ISBN 2-551-21482-3

Mai 2002

L'Institut de la statistique du Québec (ISQ) est fier de présenter la 61e édition du *Québec statistique*. Cet ouvrage, dont la parution initiale remonte à 1914, est la plus ancienne publication de l'Institut. Longtemps, ce document s'est appelé annuaire, car sa sortie se faisait annuellement. Depuis les vingt dernières années, il est publié sur une base quinquennale.

Au Québec, jamais un compendium de données n'aura été aussi complet. La diversité des sujets traités donne accès à l'essentiel des statistiques de base sur le Québec. Ce document de référence unique est indispensable à quiconque s'intéresse à l'actualité socioéconomique québécoise, et désire la situer à la fois dans un contexte historique et conjoncturel. La collection complète fait partie du patrimoine statistique québécois; elle relate l'histoire du Québec par le biais des chiffres. *Le Québec statistique* est non seulement un reflet du Québec d'aujourd'hui, mais aussi de celui d'hier.

Au fil des ans, cette production d'envergure a nécessité le concours de nombreux collaborateurs. D'ailleurs, cette année, près de 40 auteurs provenant des milieux universitaire, organisationnel et ministériel ont travaillé à la réalisation des 34 chapitres. L'édition 2002 étant la première du millénaire, son contenu a été enrichi de textes inédits. Rédigés par des spécialistes reconnus, ces textes offrent une rétrospective du 20e siècle sous divers aspects : grands événements, population, économie et culture. Pour compléter cette série, un texte portant un regard sur le Québec de 2005 projette le lecteur dans l'avenir.

Dans un souci d'évolution et de constante amélioration, *Le Québec statistique* est présenté pour la première fois en version électronique. En plus d'offrir toute l'information contenue dans le format papier, le cédérom permet notamment à l'utilisateur d'effectuer ses propres calculs mathématiques à l'intérieur des tableaux. S'ajoutent également des pages de faits saillants, des tableaux complémentaires, un moteur de recherche et de nombreuses photographies agrémentant la consultation. Aux fins de ce projet, la Direction de l'édition et des communications et la Direction des technologies de l'information de l'ISQ ont travaillé en étroite collaboration afin de rendre ce produit le plus convivial possible.

En terminant, je tiens à remercier personnellement toutes les personnes qui ont participé de près ou de loin à l'élaboration de cette prestigieuse publication. Celle-ci n'aurait pu voir le jour sans leur engagement et leur assiduité au travail.

Le directeur général,

Yvon Fortin

Le Québec statistique, édition 2002, a été réalisé à l'Institut de la statistique du Québec.

Responsables de la coordination :	Manon Leclerc Hélène Lepage Marie-Thérèse H. Thibault
Sous la direction de :	Jean Zal Directeur de l'édition et des communications
Correction linguistique et normalisation :	Laurent Audet Nicole Descroisselles Micheline Lampron Jocelyne Tanguay
Mise en page :	Claudette D'Anjou
Réalisation des figures :	Yvonne Landry
Cartographie :	Christian Savard
Conception graphique de la couverture :	Cyndie Martin

Cédérom

Conceptualisation :	Dominique Rhéaume
Développement informatique et conception graphique :	Jean-François Picard
Production :	Guy Breton
Avec la collaboration de :	Richard Guay Minh Vo

Table des matières

Abréviations et symboles principaux

Δ	Variation	h	Heure
μm ou μ	Micromètre	j	Jour
μg	Microgramme	a	Année
cm	Centimètre	n	Nombre
ha	Hectare	t	Tonne
hab	Habitant	tef	Tonne d'équivalent frais
kg	Kilogramme	tep	Tonne d'équivalent pétrole
km	Kilomètre	°C	Degré Celsius
kW	Kilowatt	$	Dollar
kWh	Kilowattheure	%	Pour cent
MW	Mégawatt	‰	Pour mille
l	Litre	‰○	Pour cent mille
m	Mètre	'000	En milliers
mm	Millimètre	'000 000	En millions
mg	Milligramme	'000 000 000	En milliards

Signes conventionnels

..	Donnée non disponible	e	Donnée estimée
...	N'ayant pas lieu de figurer	p	Donnée provisoire
–	Néant ou zéro	r	Donnée révisée
—	Donnée infime	x	Donnée confidentielle
		pr	Prévision révisée

Régions administratives

Conformément au nouveau découpage du Québec en 17 régions administratives adopté le 15 décembre 1999 (voir carte p. 865), la plupart des données régionales présentées dans cet ouvrage le sont selon la nomenclature et la codification suivantes :

01	Bas-Saint-Laurent	10	Nord-du-Québec
02	Saguenay–Lac-Saint-Jean	11	Gaspésie–Îles-de-la-Madeleine
03	Capitale-Nationale	12	Chaudière-Appalaches
04	Mauricie	13	Laval
05	Estrie	14	Lanaudière
06	Montréal	15	Laurentides
07	Outaouais	16	Montérégie
08	Abitibi-Témiscamingue	17	Centre-du-Québec
09	Côte-Nord		

Cartes

La carte des régions administratives et la carte des municipalités régionales de comté (MRC) du Québec se trouvent à la fin du volume.

Précision

À moins d'indications contraires, l'usage du masculin s'applique indistinctement aux hommes et aux femmes.

Revue du 20e siècle

par Paul-André Linteau*

* L'auteur est historien et professeur à l'Université du Québec à Montréal.
Il remercie Lee Bomhower, étudiant à l'UQAM, pour son aide dans la
cueillette de certaines informations. Cette chronologie a été élaborée à
partir de sources variées : *Annuaire du Québec*, *L'Encyclopédie du Canada*,
Histoire du Québec contemporain, *Horizon Canada*, les recueils des lois du
Québec et du Canada, des journaux, plusieurs autres ouvrages de
référence et de nombreuses études historiques. Ne sont pas inclus dans
cette chronologie les premiers ministres du Québec et les événements
littéraires ou artistiques, répertoriés ailleurs dans cet ouvrage. La date de
chaque loi est celle de sa sanction.

25 avril 1901   **MLHP**

On annonce la fusion de trois entreprises d'électricité et de la société de gaz pour former Montreal Light Heat and Power Company. Elle préfigure la vague de concentrations qui touchera le Canada au début du 20ᵉ siècle. MLHP exerce un monopole sur la distribution d'énergie dans la métropole et elle le protégera en achetant ses concurrentes potentielles qui font affaire dans la banlieue. Dès 1904, l'opinion publique s'en alarme et la question du « trust de l'électricité » reviendra souvent dans l'actualité jusqu'à l'étatisation de MLHP, en 1944.

1ᵉʳ mars 1903   **Ligue nationaliste**

La Ligue nationaliste canadienne adopte son programme. Cette organisation a été mise sur pied par un groupe de jeunes intellectuels dirigés par Olivar Asselin. Elle vise à propager les idées de Henri Bourassa, député à Ottawa et inspirateur du nationalisme canadien-français au début du 20ᵉ siècle. La Ligue lutte pour l'autonomie du Canada face à la Grande-Bretagne, l'autonomie des provinces face au gouvernement fédéral, la dualité linguistique et les droits scolaires des minorités.

4 janvier 1905   **Dominion Textile**

Création de Dominion Textile Company Limited. Elle est l'œuvre d'un groupe d'hommes d'affaires montréalais qui réalisent un profit considérable en fusionnant quatre grandes entreprises de filatures de coton. Dominion Textile occupera une place importante dans l'histoire économique du Québec pendant une bonne partie du 20ᵉ siècle. Avec ses usines établies dans plusieurs villes, elle dominera la production textile en employant une abondante main-d'œuvre faiblement rémunérée. Le déclin de cette industrie au Québec, dans les dernières décennies du siècle, entraînera le démantèlement de Dominion Textile.

20 juillet 1905   **Saskatchewan et Alberta**

De sa propre initiative, le Parlement fédéral crée deux nouvelles provinces, la Saskatchewan et l'Alberta, les 8ᵉ et 9ᵉ du pays. Leurs territoires faisaient jusque-là partie des Territoires du Nord-Ouest, administrés par le gouvernement fédéral. Cette mesure s'explique par le peuplement rapide de la Prairie, grâce à une forte immigration en provenance d'Europe et des États-Unis.

9 mars 1906   **Coopératives**

Grâce aux efforts d'Alphonse Desjardins, la Loi concernant les syndicats coopératifs vient encadrer légalement la formation des coopératives « de consommation, de production et de crédit » au Québec. Desjardins a fondé une première caisse populaire à Lévis, en décembre 1900, et la nouvelle loi lui permet de développer son mouvement et de multiplier les caisses. À la fin de l'année 1920, il y aura 140 caisses populaires en activité au Québec.

14 mars 1907 — HEC

Le gouvernement Gouin crée l'École des hautes études commerciales qui sera établie à Montréal. Il accède ainsi à la demande répétée des milieux d'affaires, surtout de la Chambre de commerce du district de Montréal. L'École des HEC ouvre ses portes en 1910 et deviendra affiliée à l'Université Laval à Montréal en 1915. Elle contribuera à former plusieurs générations de comptables et de gestionnaires québécois.

14 mars 1907 — Écoles techniques

Sanction des lois créant les Écoles techniques de Québec et de Montréal qui accueillent leurs premiers étudiants en 1911. Le gouvernement Gouin veut ainsi améliorer la formation de la main-d'œuvre et répondre aux besoins de l'industrie, en pleine croissance. Des établissements semblables seront ensuite implantés dans d'autres villes, formant un réseau d'écoles d'État qui existera jusqu'à la réforme scolaire des années 60.

26 mai 1907 — Féminisme catholique

Un groupe de femmes, animé par Marie Lacoste-Gérin-Lajoie, crée la Fédération nationale Saint-Jean-Baptiste, un regroupement des associations féminines catholiques de la métropole. Fortes de leur expérience au Montreal Local Council of Women (1893), elles veulent donner aux femmes un lieu de concertation, à l'enseigne du féminisme catholique. La Fédération rassemblera 22 associations caritatives, éducatives ou professionnelles. En 1912, la FNSJB lancera le mensuel *La Bonne Parole*. Elle réussit à faire ouvrir aux femmes les portes de l'enseignement supérieur, mais elle se heurte à l'opposition des évêques sur la question du droit de vote.

23 juillet 1908 — Tricentenaire de Québec

Devant le monument de Champlain, le prince de Galles inaugure officiellement les fêtes du Tricentenaire de la fondation de Québec. Le gouverneur général du Canada, Lord Grey, joue un rôle clé dans l'organisation de l'événement en y associant le souvenir de la bataille des plaines d'Abraham et la célébration de l'Empire britannique. Les festivités, qui se déroulent du 19 au 31 juillet, sont marquées notamment par des spectacles historiques en plein air, des défilés, des banquets, des bals et des feux d'artifice.

12 octobre 1908 — Premier collège classique féminin

L'École d'enseignement supérieur pour les filles ouvre ses portes en banlieue de Montréal. Ce premier collège classique féminin au Québec est l'œuvre de sœur Sainte Anne-Marie, de la Congrégation Notre-Dame, appuyée par des féministes montréalaises. Il leur a fallu plusieurs années pour convaincre la hiérarchie catholique de l'importance de permettre aux filles d'accéder à l'enseignement supérieur. En 1926, l'École devient le collège Marguerite-Bourgeoys.

4 décembre 1909 — Hockey

Fondation du club de hockey Canadien qui deviendra la plus célèbre équipe sportive de Montréal. Entre 1916 et 1993, les Canadiens gagneront 24 fois la coupe Stanley, emblème de la suprématie dans ce sport.

19 janvier 1910   **Le Devoir**

Parution, à Montréal, du premier numéro du quotidien *Le Devoir*. Fondé par Henri Bourassa, député et chef de file nationaliste, il en défend les idées : autonomie du Canada face à l'Angleterre, égalité des droits entre Canadiens français et Canadiens anglais, attachement à la langue française et à la religion catholique. Journal de combat, à la santé financière fragile, *Le Devoir* sera tout au cours du 20ᵉ siècle le principal organe des élites nationalistes au Québec. Longtemps défenseur du nationalisme canadien-français, traditionaliste et conservateur, le quotidien se convertit dans l'après-guerre au néonationalisme québécois, modernisateur et favorable à l'intervention de l'État. Tout au long de son histoire, il a été au cœur de plusieurs des grands débats qui ont agité la société québécoise.

26 avril 1910   **Transformation du bois**

Le gouvernement du Québec décrète que, à compter du 1ᵉʳ mai 1910, le bois coupé sur les terres publiques ne pourra plus être exporté à l'état brut, mais qu'il devra « être manufacturé au Canada ». Cette mesure, réclamée par les nationalistes, vise à faire profiter le Québec des retombées économiques de l'exploitation de sa principale matière première. Par la suite, l'industrie des pâtes et papiers connaît un essor substantiel.

4 juin 1910   **Loi Lavergne**

Sanction d'un amendement au Code civil du Québec, proposé par le député nationaliste Armand Lavergne, qui impose le bilinguisme dans les services publics. Désormais, les billets et les formulaires des compagnies exploitant des services publics (transports, électricité, téléphone, etc.) devront être imprimés en français et en anglais. Cette mesure est adoptée parce que plusieurs de ces compagnies n'imprimaient leurs documents qu'en anglais.

7 septembre 1910   **Congrès eucharistique**

Début à Montréal du 21ᵉ Congrès eucharistique international, l'une des plus importantes manifestations organisées par l'Église catholique au Québec, au cours du 20ᵉ siècle. Lors d'une des séances, en réponse à Mgr Bourne qui lie l'expansion du catholicisme en Amérique du Nord à la langue anglaise, Henri Bourassa répond par son célèbre « discours à Notre-Dame » dans lequel il met en lumière le lien entre le français et la religion au Canada.

11 avril 1911   **École sociale populaire**

L'archevêque de Montréal, Mgr Bruchési, approuve la création de l'École sociale populaire. Réponse de l'Église aux transformations sociales engendrées par l'industrialisation et l'urbanisation, elle vise à catholiciser les forces nouvelles en émergence, tel le syndicalisme. L'ESP diffusera la doctrine sociale catholique au moyen de brochures et de tracts et organisera, à compter de 1920, les Semaines sociales du Canada.

1ᵉʳ avril 1912   **Ungava**

Par sa Loi de l'extension des frontières de Québec, le Parlement fédéral attribue au Québec le territoire de l'Ungava, jusque-là un district des Territoires du Nord-Ouest. Simultanément, les frontières de l'Ontario et du Manitoba sont aussi étendues vers le nord. Le territoire québécois avait été agrandi une première fois en 1898, quand l'Abitibi lui avait été rattaché.

4 juin 1912   **Loi des bons chemins**

Le réseau routier était, jusqu'au début du 20e siècle, le parent pauvre des systèmes de transport au Québec. Les routes étaient le plus souvent mal construites et mal entretenues. Les besoins du transport des produits agricoles, mais aussi l'apparition de l'automobile, exigent un redressement. Par sa Loi des bons chemins de 1912, le gouvernement du Québec s'engage à aider financièrement les municipalités rurales et les villages à améliorer leur réseau routier. Deux ans plus tard, il crée un ministère de la Voirie, maître d'oeuvre de l'amélioration des routes provinciales.

21 décembre 1912   **Bureau des statistiques**

Création du Bureau des statistiques de Québec, six ans avant celle du Bureau fédéral. Un jeune fonctionnaire français arrive l'année suivante pour mettre sur pied le Bureau et il prépare la première édition de l'*Annuaire statistique*, parue en 1914. Il retourne en France en 1914 et des fonctionnaires québécois assurent la relève par la suite. En 1962, le nom de l'organisme est changé pour celui de Bureau de la statistique du Québec.

29 mai 1914   **Naufrage à Rimouski**

L'*Empress of Ireland*, un paquebot de la ligne Canadien Pacifique, qui fait route vers l'Angleterre, entre en collision avec un cargo norvégien dans le Saint-Laurent, au large de Rimouski. Le navire coule en quelques minutes et 1 027 personnes périssent noyées, tandis que 450 sont rescapées.

4 août 1914   **Première Guerre mondiale**

La Grande-Bretagne déclare la guerre à l'Allemagne et à l'Empire austro-hongrois. Le Canada, alors colonie britannique, entre automatiquement en guerre. L'effort de guerre canadien est substantiel : plus de 600 000 personnes sont mobilisées, dont près de 418 000 servent outre-mer. Les pertes sont considérables : 60 000 morts et 150 000 blessés. Les troupes canadiennes s'illustrent dans plusieurs batailles et leur plus importante victoire est remportée à Vimy, en 1917. La participation à l'effort de guerre provoque des tensions intérieures, les Canadiens français du Québec étant peu portés à s'enrôler et s'opposant à la conscription. La guerre se termine le 11 novembre 1918.

22 août 1914   **Loi des mesures de guerre**

Loi adoptée par le Parlement canadien au début de la Première Guerre mondiale. Elle permet au Conseil des ministres fédéral de gouverner par décret et de limiter la liberté des citoyens. Elle sera également mise en vigueur pendant la Deuxième Guerre mondiale, et elle sera aussi utilisée pendant la Crise d'octobre 1970, au Québec.

15 octobre 1914   **22e Régiment**

Le gouvernement fédéral approuve la formation d'un premier régiment canadien-français, le 22e bataillon (pendant la Première Guerre mondiale, l'armée canadienne appelait ses régiments des bataillons). Intégré à la 2e division du Corps d'armée canadien, le 22e arrive en France le 15 septembre 1915 et remporte sa première victoire importante à Courcelette, en septembre 1916. Il combat ensuite jusqu'à la fin de la guerre, puis participe à l'occupation de l'Allemagne. Il rentre au pays en mai 1919. Quand, l'année suivante, le gouvernement fédéral décide de créer une unité canadienne-française permanente, il lui donne le nom de 22e Régiment, marquant ainsi une continuité avec le 22e bataillon.

18 mai 1917   Conscription

Le premier ministre du Canada, Robert Laird Borden, annonce son intention d'imposer la conscription, c'est-à-dire l'enrôlement militaire obligatoire. La loi à cet effet est sanctionnée le 27 août et entre en vigueur le 13 octobre de la même année. Cette mesure provoque une nette division entre francophones et anglophones, aussi bien parmi les députés que dans l'ensemble de la population. Elle suscite aussi de nombreuses manifestations de protestation au Québec. La conscription n'aura que peu de résultats sur le plan militaire, puisque moins de 25 000 conscrits seront envoyés en France. Ses conséquences politiques seront plus considérables : polarisation des deux groupes linguistiques du Canada et rejet massif et prolongé du Parti conservateur par les francophones du Québec.

20 septembre 1917   Impôt sur le revenu

Pour financer l'effort de guerre, le gouvernement canadien a recours à des emprunts massifs et lance ses premières Obligations de la Victoire (ancêtres des obligations d'épargne). Il perçoit aussi de nombreuses taxes et crée l'impôt sur le revenu. La Loi de l'impôt de guerre sur le revenu est présentée comme une mesure temporaire et exceptionnelle, pour répondre aux besoins militaires. Le temporaire devient toutefois permanent et l'impôt sur le revenu formera une composante importante de la fiscalité canadienne au cours du 20ᵉ siècle.

24 mai 1918   Vote des femmes au Canada

Sanction à Ottawa de la Loi ayant pour objet de conférer le droit de suffrage aux femmes. L'année précédente, le droit de vote avait été accordé aux mères et aux épouses des soldats. C'est là le résultat des campagnes menées par les organisations féministes. Certaines provinces ont précédé le gouvernement fédéral dans cette voie et les autres suivront rapidement, sauf le Québec. Ainsi, les Québécoises ont le droit de voter aux élections fédérales, mais elles devront attendre 1940 pour qu'on leur accorde le même droit aux élections provinciales.

8 septembre 1918   Grippe espagnole

La grippe espagnole frappe presque tous les élèves du collège de Victoriaville. L'épidémie, qui fait le tour du globe, est d'abord transmise à Québec, en juin, par des soldats qui rentrent du front. Très virulente, elle se répand à une vitesse foudroyante dans tout le pays, faisant 50 000 morts au Canada, dont plus de 13 000 au Québec.

13 mars 1919   Salaire minimum

La Loi du salaire minimum pour les femmes, sanctionnée ce jour-là, reste longtemps un vœu pieux, puisque la Commission chargée d'administrer cette mesure ne commencera à fonctionner qu'en 1925. Elle illustre la conception, dominante à l'époque, que les femmes forment une catégorie particulière sur le marché du travail et qu'elles ont besoin de protection. Il faut attendre 1937 et la Loi des salaires raisonnables pour que la notion de salaire minimum s'applique aussi aux hommes.

16 mars 1919   Congrès juif canadien

Au Monument national, à Montréal, 209 délégués de toutes les parties du pays se réunissent pour fonder le Congrès juif canadien. Cette organisation vise à rassembler les diverses composantes de la communauté juive. Elle n'y parvient guère avant les années 30, quand l'industriel montréalais Sam Bronfman relance le Congrès et en fait le porte-parole le plus important de cette communauté.

22 août 1919   Pont de Québec

Inauguration officielle du pont de Québec par le prince de Galles. Érigé pour le nouveau chemin de fer National Transcontinental, qui relie Moncton à Winnipeg, c'est le premier pont à franchir le Saint-Laurent à l'est de Montréal. Sa construction est marquée par deux catastrophes : en 1906, une travée s'écroule, faisant 75 morts, puis en 1916, la travée centrale s'abîme dans le fleuve et 13 autres travailleurs y laissent leur vie. Le pont, terminé en 1917, permet la circulation des trains et des véhicules des particuliers.

22 octobre 1919   Cercles des fermières

Ouverture à Québec du premier congrès des Cercles des fermières. Sous l'égide du ministère de l'Agriculture du Québec, cette organisation rassemble les cercles paroissiaux qui ont commencé à s'organiser en 1915. Les Cercles fournissent aux femmes un lieu d'étude et d'action collective et valorisent leur rôle dans la famille et la société rurales. L'organisation connaît un réel succès et sera longtemps la plus importante association féminine au Québec.

14 février 1920   Université de Montréal

Depuis 1876, il existe à Montréal une université catholique et francophone qui est une succursale de l'Université Laval (1852), de Québec. Elle veut obtenir son autonomie pour mieux gérer son développement. Le pape y consent en 1919 et, l'année suivante, l'Assemblée législative adopte une loi à cet effet. L'Université Laval à Montréal devient ainsi l'Université de Montréal. À la fin du 20e siècle, elle sera devenue la plus grande université (quant au nombre de ses professeurs et de ses étudiants) sur le territoire québécois.

25 février 1921   Commission des liqueurs

Sanction de la Loi des liqueurs alcooliques par laquelle le gouvernement du Québec s'attribue le monopole de la vente d'alcool sur son territoire. La loi crée la Commission des liqueurs qui accorde les permis aux détaillants d'alcool et qui est la seule à pouvoir vendre de l'alcool en bouteilles aux consommateurs dans ses propres magasins. Dès les années 20, les revenus substantiels tirés de la vente d'alcool permettent au gouvernement d'augmenter ses dépenses pour la voirie. Aujourd'hui, la Société des alcools du Québec est l'une des plus importantes sociétés d'État.

19 mars 1921   Assistance publique

La Loi de l'assistance publique vise à payer le coût de l'hébergement des indigents dans les hôpitaux et dans les autres établissements d'assistance au Québec. Elle prévoit un financement tripartite par l'État, les municipalités et les établissements eux-mêmes. La loi vise aussi à faciliter l'agrandissement des hôpitaux grâce à des subventions spécifiques. Il s'agit de la première grande politique sociale mise en place par l'État québécois qui intervient ainsi dans un secteur qui relevait jusque-là de l'initiative privée.

29 septembre 1921   CTCC

Naissance de la Confédération des travailleurs catholiques du Canada (CTCC), lors d'un congrès tenu à Hull. Elle rassemble les syndicats catholiques et nationaux mis sur pied, au cours des années précédentes, pour contrer l'expansion au Québec des syndicats internationaux, d'origine américaine. La CTCC a l'appui de la hiérarchie religieuse qui nomme son aumônier. À ses débuts, elle rassemble entre le cinquième et le quart des syndiqués québécois. Elle est plus présente à Québec et en région, là où la population est plus massivement canadienne-française et catholique, qu'à Montréal, là où se côtoient des travailleurs d'origines et de religions diverses.

8 mars 1922   Écoles des beaux-arts

La Loi des écoles des beaux-arts crée deux établissements, l'un à Québec, l'autre à Montréal, pour l'enseignement des arts. Ces écoles d'État relèvent directement du gouvernement qui pourvoit aux frais de leur fonctionnement et de la construction de leurs immeubles. Elles joueront un rôle essentiel dans la formation de plusieurs générations d'artistes.

2 octobre 1922   Radio

Le quotidien *La Presse* met en ondes CKAC, la première station de radio de langue française en Amérique. À Montréal, il avait été précédé par la compagnie Marconi qui avait lancé la station anglophone CJAD en 1919. À Québec, le quotidien *Le Soleil* inaugure CKCI le 23 mars 1924.

4 octobre 1922   Canadien National

Un décret du gouvernement fédéral crée officiellement Les chemins de fer nationaux du Canada. Ceux-ci rassemblent sous une direction unifiée les anciennes propriétés gouvernementales (celles de l'Île-du-Prince-Édouard, l'Intercolonial et le National Transcontinental) et les entreprises privées en difficultés financières étatisées au cours des années précédentes (Grand-Tronc, Grand-Tronc Pacifique et Canadien Nord). La nouvelle société hérite d'une dette colossale, résultat du surinvestissement dans les chemins de fer pendant la période de croissance rapide d'avant-guerre.

15 juin 1923   ACFAS

Réunion de fondation de l'Association canadienne-française pour l'avancement des sciences. Cet organisme rassemble les principales sociétés savantes francophones et deviendra le porte-parole du milieu scientifique. À compter de 1933, l'ACFAS organise un congrès annuel qui permet la communication des résultats des recherches de ses membres.

15 février 1924   Banque Canadienne Nationale

Sanction de la loi qui autorise le gouvernement du Québec à prêter 15 millions de dollars à la Banque d'Hochelaga, afin qu'elle achète la Banque Nationale, dont le siège est à Québec. Cette dernière est au bord de la faillite et le gouvernement intervient pour protéger ses petits épargnants, mais surtout ses actionnaires, membres de la bourgeoisie de la capitale. Après la fusion, la Banque d'Hochelaga changera son nom, en 1925, pour celui de Banque Canadienne Nationale. Elle est alors le plus important établissement financier appartenant à des francophones.

1ᵉʳ octobre 1924   UCC

À Québec, ouverture du congrès de l'Union catholique des cultivateurs de la province de Québec (UCC). Malgré des débuts difficiles, cette association professionnelle devient le principal porte-parole des agriculteurs auprès des gouvernements et dans la société en général. En 1972, elle change son nom pour devenir l'Union des producteurs agricoles (UPA).

24 juillet 1925   **Arvida**

Début de la construction de l'usine d'aluminium d'Alcoa (plus tard Alcan) à Arvida, au Saguenay. La compagnie avait déjà une usine à Shawinigan (1901), mais celle d'Arvida est beaucoup plus considérable et propulse le Québec au rang des plus grands producteurs d'aluminium au monde. La disponibilité d'énergie hydroélectrique à faible coût représente un facteur d'attraction considérable pour cette industrie. Au cours du 20e siècle, les installations d'Alcan au Saguenay seront substantiellement agrandies, puis déménagées ailleurs dans la région, tandis que plusieurs autres entreprises choisiront le Québec pour y établir des alumineries.

1er mai 1926   **Unités sanitaires**

Une première Unité sanitaire de comté est créée en Beauce. Dès 1928, une loi vient encadrer le fonctionnement de telles unités. Elles relèvent du Service provincial d'hygiène qui finance leurs activités, conjointement avec les municipalités de comté. Jusqu'en 1932, la Fondation Rockefeller leur octroie aussi des subventions. Les unités sanitaires ont pour mandat de développer l'hygiène publique, surtout en milieu rural, par le dépistage des maladies et par des mesures de prévention et d'éducation. Le Québec en compte 22 en 1930, 45 en 1940 et 69 en 1956.

1er mars 1927   **Labrador**

Le Comité judiciaire du Conseil privé, à Londres, rend sa décision dans le conflit frontalier qui oppose le Québec à Terre-Neuve à propos du Labrador. Le problème concerne l'étendue des côtes du Labrador. Le Québec prétend que ce territoire se limite à la bande côtière, mais le Conseil privé établit la frontière à la ligne de partage des eaux et attribue à Terre-Neuve un territoire considérable. Pendant plusieurs décennies, le gouvernement du Québec refuse d'accepter cette décision et continue à réclamer une partie de ce territoire. Dans les faits cependant, il n'a d'autre choix que de reconnaître la décision de 1927.

17 décembre 1927   **Rouyn**

La compagnie Noranda produit sa première coulée de cuivre à Rouyn, une ville nouvelle créée quelques mois plus tôt. Cinq ans de travaux d'exploration et de construction ont permis de mettre en exploitation une très riche mine d'or et de cuivre. D'autres mines seront ouvertes au cours des années suivantes. Jusque-là limitée à la colonisation agricole et à l'exploitation forestière, l'Abitibi est ainsi propulsée au rang de principale région minière du Québec.

22 mars 1928   **Commission des accidents du travail**

Création de la Commission des accidents du travail qui prend la relève des tribunaux en matière d'indemnisation des travailleurs accidentés. Son mandat est élargi en 1931 et, surtout, la loi établit le principe du risque professionnel, assorti d'une responsabilité collective des employeurs envers les accidentés. En 1980, elle est remplacée par la Commission de la santé et de la sécurité du travail (CSST) dont le mandat accorde une plus grande place à la prévention des accidents.

24 octobre 1929   **Crise économique**

Le « jeudi noir », à la bourse de New York, la valeur des actions, gonflée par la spéculation, s'effondre subitement. C'est le signe annonciateur de la grande crise économique qui s'abat sur le monde. Le Canada est gravement touché. Au plus fort de la dépression, en 1932-1933, entre le quart et le tiers de la main-d'œuvre est en chômage. Au Québec, la situation est particulièrement grave dans la métropole et dans les villes qui dépendent des ressources naturelles. Pour un grand nombre de personnes, les années 30 sont celles de la misère et des rêves brisés. Il faut attendre 1940 pour que l'économie retrouve son niveau de production de 1929.

26 octobre 1929   Cours primaire supérieur

Approbation du premier programme officiel du cours primaire supérieur pour les écoles publiques catholiques. Ce cours, qui couvre les 9ᵉ, 10ᵉ et 11ᵉ années d'enseignement, est l'ancêtre du cours secondaire actuel. L'enseignement de ce niveau avait commencé dans des écoles de Montréal au début des années 20, puis s'était répandu ailleurs au Québec. Le Comité catholique du Conseil de l'Instruction publique résiste d'abord au développement de cet enseignement, mais finit par l'accepter en 1929.

24 mai 1930   Pont Jacques-Cartier

Inauguration officielle du pont du Havre qui sera rebaptisé Jacques-Cartier en 1934. Après le pont Victoria (1859), c'est le second ouvrage permettant de franchir le fleuve à proximité du centre-ville de Montréal. Construit pour la Commission du havre de Montréal, qui relève du gouvernement fédéral, il vise à faciliter la circulation automobile entre, d'une part, Montréal et, d'autre part, la rive Sud et les destinations plus lointaines du Québec et des États-Unis. Sa construction est terminée en 1929.

31 juillet 1930   R-100

Le dirigeable britannique R-100 arrive à Saint-Hubert, sur la rive sud de Montréal. Il attire des foules de curieux et la Bolduc lui consacre une chanson. Pour le recevoir, le gouvernement fédéral a fait construire à Saint-Hubert les installations requises, dont une tour d'amarrage, et en a profité pour aménager son premier aéroport civil qui desservira la région de Montréal jusqu'à l'ouverture de celui de Dorval, en 1941. Quant au programme de dirigeables, il est abandonné dès 1930, après l'écrasement du R-101, jumeau du R-100. La tour d'amarrage de Saint-Hubert sera démolie en 1938.

22 septembre 1930   Aide aux chômeurs

Devant la gravité de la crise économique, le gouvernement fédéral fait adopter la Loi remédiant au chômage qui prévoit le financement tripartite (fédéral, provincial, municipal) de mesures exceptionnelles d'aide aux chômeurs, surtout par des programmes de travaux publics. Il s'agit à la fois de la première mesure d'intervention des gouvernements en faveur des victimes du chômage et de la première incursion de l'État fédéral dans ce champ de compétence provincial.

11 décembre 1931   Statut de Westminster

Loi du Parlement britannique qui consacre la pleine indépendance des *dominions*, dont le Canada, en reconnaissant leur pouvoir de faire des lois dans les domaines où ils le jugent à propos, sans passer par Londres. L'amendement de la constitution canadienne reste cependant du ressort du Parlement britannique jusqu'au rapatriement de 1982.

26 mai 1932   **Radio**

Le gouvernement fédéral fait adopter la Loi canadienne de la radiodiffusion. Celle-ci crée une Commission qui a la double tâche de réglementer l'ensemble du secteur, y compris les stations privées, et de développer un réseau public de stations de radio. En 1936, la Commission est remplacée par la Société Radio-Canada qui donnera une forte impulsion au réseau public.

9 mars 1933   **Programme de restauration sociale**

Un groupe de prêtres se réunit à Montréal pour élaborer un Programme de restauration sociale. C'est la réponse de l'Église aux problèmes engendrés par la crise économique, mais aussi aux solutions proposées par les socialistes et les communistes. Une seconde version du Programme, plus élaborée, est ensuite préparée par un groupe d'intellectuels laïcs. Elle propose un train de mesures pour soulager les victimes de la crise et une réforme sociale axée sur la doctrine du corporatisme, présentée comme une troisième voie entre le capitalisme et le socialisme.

3 juillet 1934   **Banque du Canada**

Une loi crée la Banque du Canada qui sera en activité à compter de 1935. Le gouvernement fédéral se dote ainsi d'un organisme, jouissant d'une grande autonomie, qui pourra gérer la masse monétaire au pays et orienter le niveau des taux d'intérêt. Les banques privées perdent alors leur privilège d'émettre du papier monnaie.

10 juin 1936   **Pensions de vieillesse**

Le Québec adhère au programme de pensions de vieillesse lancé en 1927 par le gouvernement fédéral qui en paie une partie des coûts (d'abord 50 %, puis 75 %). Le gouvernement québécois s'était d'abord opposé à cette mesure, parce qu'elle ne respectait pas l'autonomie provinciale, mais l'aggravation de la situation des personnes âgées, pendant la crise, le conduit à revoir sa position. Les pensions sont alors réservées aux personnes de 70 ans et plus, dont les revenus sont considérés comme insuffisants.

12 novembre 1936   **Ministère de la Santé**

Loi créant le ministère (alors appelé département) de la Santé. Le gouvernement du Québec s'occupe depuis longtemps de santé publique. Le Conseil d'hygiène, dont les origines remontent à 1887, a été remplacé en 1922 par le Service provincial d'hygiène. Les interventions de ces organismes ont permis l'adoption de mesures de santé publique dans les municipalités et le lancement de campagnes de vaccination et de dépistage qui ont contribué à la réduction marquée de la mortalité. Le nouveau ministère prend la relève et reçoit aussi la responsabilité de l'assistance publique ainsi que de l'inspection des hôpitaux, des asiles et des autres institutions charitables. Au fil des ans, il deviendra l'un des plus importants ministères du Québec.

12 novembre 1936   **Crédit agricole**

La Loi du crédit agricole du Québec répond à une demande pressante des agriculteurs, malmenés par la crise économique. Elle crée un Office du crédit agricole qui fournira aux exploitants de fermes, et aux jeunes qui veulent le devenir, des prêts hypothécaires à long terme, à un faible taux d'intérêt (2,5 %).

21 décembre 1936   **Bombardier**

Joseph-Armand Bombardier, de Valcourt, dépose la demande de brevet pour l'autoneige qu'il a inventée. Muni de patins à l'avant et entraîné par des chenilles de caoutchouc, son véhicule permet des déplacements rapides sur les routes enneigées. L'inventeur, devenu industriel, conçoit aussi divers autres véhicules utilitaires à chenilles et lance, en 1959, son Ski-doo, la première motoneige. Après la mort de son fondateur, en 1964, la société Bombardier poursuit sa forte croissance et devient une multinationale du matériel de transport et l'une des grandes entreprises du Québec.

24 mars 1937   **Loi du cadenas**

La Loi protégeant la province contre la propagande communiste, familièrement appelée « loi du cadenas », est l'œuvre du gouvernement Duplessis. Elle interdit l'utilisation d'une maison « pour propager le communisme ou le bolchévisme par quelque moyen que ce soit ». Elle autorise le procureur général à faire fermer toute maison où on contrevient à cette règle et à y faire saisir et détruire les documents utilisés à des fins de propagande. La loi sera déclarée inconstitutionnelle par la Cour suprême, en 1957.

10 avril 1937   **Air Canada**

Le gouvernement fédéral crée les Lignes aériennes Trans-Canada, une société d'État offrant un service public de transport aérien. Elle prend officiellement le nom d'Air Canada en 1965. Ayant son siège à Montréal, elle est, depuis sa fondation, la plus importante entreprise d'aviation au pays. La société est privatisée en 1989 et, en l'an 2000, elle acquiert sa principale concurrente, Les lignes aériennes Canadien.

14 avril 1937   **Mères nécessiteuses**

Sanction de la Loi instituant l'assistance aux mères nécessiteuses. Celle-ci vise à aider financièrement les mères de famille qui vivent dans la pauvreté. Elle concerne principalement les veuves et les épouses dont le mari est invalide ou a abandonné le domicile conjugal; elle exclut les mères célibataires et les divorcées. Ce programme, créé et géré exclusivement par le Québec, représente une étape, encore fort limitée, vers l'établissement d'un régime d'aide sociale.

14 août 1937   **Commission Rowell-Sirois**

La Commission royale d'enquête des (sic) relations entre le Dominion et les provinces est créée par le gouvernement fédéral pour étudier le fonctionnement du fédéralisme canadien et la répartition des pouvoirs et des ressources. Présidée successivement par N. W. Rowell et Joseph Sirois, elle propose en 1940 que le gouvernement fédéral joue un rôle accru dans la perception des impôts et la redistribution des ressources aux provinces et qu'il soit seul responsable de l'assurance-chômage et des pensions de vieillesse. Ce rapport marque la première étape de la vision centralisatrice que le gouvernement fédéral développera à partir de la guerre.

10 septembre 1939   **Deuxième Guerre mondiale**

Le Canada déclare la guerre à l'Allemagne, dix jours après l'Angleterre et la France. Sa marine protège les convois sur l'Atlantique Nord et participe au transport des troupes et du matériel. Son armée et son aviation sont engagées sur divers théâtres d'opérations; elles prennent part notamment à la campagne d'Italie, puis au débarquement de Normandie et à la reconquête du nord-ouest de l'Europe. Plus d'un million d'hommes et de femmes servent dans les forces armées, mais le nombre de pertes de vies (42 042) est moins élevé que pendant le conflit précédent. En outre, le Canada joue un rôle économique important auprès des Alliés, produisant un grand nombre d'avions, de navires, de chars et d'autres véhicules militaires et fournissant des munitions, des matières premières essentielles ainsi que des aliments en grande quantité.

25 avril 1940 — Vote des femmes au Québec

Sanction de la Loi accordant aux femmes le droit de vote et d'éligibilité. Depuis longtemps, les élites politiques francophones et la hiérarchie catholique s'opposent vigoureusement à la participation des femmes à la vie politique. Dirigées par Thérèse Casgrain et Idola Saint-Jean, les féministes mènent une campagne pour obtenir un droit qu'elles peuvent déjà exercer au niveau fédéral. Elles réussissent à convaincre le chef du Parti libéral, Adélard Godbout qui, après sa victoire aux élections de 1939, est en mesure de leur donner satisfaction.

21 juin 1940 — Mobilisation

À la suite de la détérioration de la situation militaire en Europe, le Parlement canadien adopte la Loi sur la mobilisation des ressources nationales. Celle-ci autorise le gouvernement fédéral à mobiliser les personnes et les biens nécessaires à la défense du pays. Elle permet donc la conscription militaire pour la défense du pays. Elle s'en tient cependant au recrutement volontaire pour le service outre-mer, mais cette disposition sera modifiée après le plébiscite de 1942.

7 août 1940 — Assurance-chômage

Sanction de la Loi sur l'assurance-chômage. Après avoir obtenu le consentement des provinces à l'adoption d'un amendement constitutionnel lui réservant ce champ d'activité, le gouvernement fédéral crée un régime d'assurance-chômage et une commission pour le gérer. Il s'inspire de la loi britannique adoptée en 1911. Les travailleurs et les employeurs paient des cotisations à la caisse d'assurance-chômage, dont les fonds permettent de verser des prestations à certaines catégories de chômeurs. L'ampleur et la couverture du régime seront ensuite modifiées à plusieurs reprises.

29 avril 1941 — Avocates

La Loi du Barreau interdisait aux femmes l'accès à la profession d'avocat, même quand elles avaient fait des études en droit. Après des décennies de tentatives et de rebuffades, elles obtiennent un amendement à cette loi en 1941. Pour le notariat, il leur faudra attendre 1956 avant que le droit de pratiquer cette profession leur soit reconnu.

11 septembre 1941 — Dorval

Mise en service de l'aéroport de Dorval, en banlieue de Montréal, construit par le gouvernement fédéral. Il remplace celui de Saint-Hubert, désormais réservé aux besoins militaires. Sa construction répond à l'accroissement du trafic aérien engendré par l'effort de guerre, mais aussi aux besoins de l'aviation civile. Dorval devient l'aéroport le plus achalandé au Canada et le point d'arrivée des vols internationaux. À compter des années 60, il sera déclassé par celui de Toronto.

27 avril 1942   **Plébiscite**

Le gouvernement fédéral tient un plébiscite pour demander aux Canadiens de le libérer de sa promesse de ne pas imposer la conscription pour le service outre-mer. Les chefs de file nationalistes canadiens-français créent la Ligue pour la défense du Canada qui fait campagne pour le « non ». Près des deux tiers des Canadiens acceptent la demande gouvernementale, mais le pays est profondément divisé : au Québec, le « non » l'emporte avec 73 % des voix, tandis que dans les autres provinces, le « oui » obtient 80 %.

13 mai 1942   **Accords fiscaux**

Sanction de la loi qui autorise le Québec à adhérer aux accords fiscaux proposés par le gouvernement fédéral pour la durée de la guerre. En vertu de ces accords, la province abandonne au gouvernement fédéral ses pouvoirs d'imposer le revenu des particuliers et des entreprises et reçoit une compensation financière. De 1941 à 1947, le gouvernement fédéral perçoit au Québec deux milliards de dollars à ce titre et ne verse que cent millions de dollars à son homologue québécois.

19 août 1942   **Dieppe**

Les Alliés déclenchent un raid contre les positions allemandes à Dieppe, en France. Environ 5 000 hommes, en majorité des Canadiens, y participent, dont 584 Québécois membres du régiment des Fusiliers Mont-Royal. Le raid est un échec total et se solde par un grand nombre de morts, de blessés et de prisonniers.

26 mai 1943   **Fréquentation scolaire obligatoire**

Sanction de la Loi concernant la fréquentation scolaire obligatoire. Cette mesure fait l'objet de débats acrimonieux au Québec depuis au moins le début du 20ᵉ siècle. Les partisans du développement de l'éducation la réclament afin de hausser le faible niveau de scolarisation des francophones. La hiérarchie religieuse s'y oppose vigoureusement, au nom du respect du droit des parents, et les gouvernements n'osent pas intervenir. Un vent de réformes souffle sous l'administration Godbout qui impose la fréquentation scolaire jusqu'à l'âge de 14 ans; même les évêques finissent alors par reconnaître que cette mesure est nécessaire.

3 février 1944   **Loi des relations ouvrières**

Adoption de la Loi des relations ouvrières, le premier véritable Code du travail au Québec. Inspirée du Wagner Act (1935) américain, elle établit les principes qui régiront l'accréditation syndicale et la négociation des conventions collectives. La loi crée aussi la Commission des relations ouvrières, responsable de l'accréditation des syndicats et de la surveillance du respect des mécanismes de la négociation.

14 avril 1944   **Hydro-Québec**

Création de la Commission hydroélectrique de Québec (Hydro-Québec) et étatisation de Montreal Light, Heat and Power et de ses filiales d'électricité. Le gouvernement d'Adélard Godbout répond ainsi aux demandes répétées d'un groupe de pression, dirigé par Philippe Hamel, qui combat le monopole des entreprises d'électricité privées et les tarifs élevés qu'elles imposent aux consommateurs. Le territoire d'Hydro-Québec se limite pour l'instant à la région de Montréal et il faudra attendre la seconde vague d'étatisation, en 1963, pour que cette société d'État desserve l'ensemble du Québec.

15 août 1944   Allocations familiales

Le gouvernement fédéral crée un régime d'allocations familiales qui entre en vigueur le 1er juillet 1945. Les allocations sont versées à la mère pour chacun de ses enfants âgé de moins de 16 ans. Il s'agit du premier grand programme universel inspiré des principes de l'État-providence. Il témoigne de la volonté du gouvernement fédéral d'investir directement le champ social, sans passer par les provinces. Le programme vise à améliorer la situation matérielle des enfants, mais aussi à relancer l'économie après la guerre, en soutenant la consommation.

3 octobre 1944   Canadair

Le gouvernement fédéral crée une société d'État, Canadair, à partir de l'ancienne division de construction d'avions de Canadian Vickers. Dans ses usines de Saint-Laurent, Canadair produit surtout des appareils militaires. L'entreprise est vendue à une compagnie américaine en 1946, puis rachetée par le gouvernement fédéral trente ans plus tard et enfin cédée à Bombardier en 1986.

24 mai 1945   Électrification rurale

La Loi de l'électrification rurale permet aux agriculteurs, mal ou pas desservis par les entreprises d'électricité, d'avoir accès à cette forme d'énergie, devenue indispensable. Elle crée un Office de l'électrification rurale qui prête à des coopératives locales l'argent nécessaire à la mise en place d'un réseau de distribution. Cette loi contribue à la modernisation de l'agriculture québécoise dans l'après-guerre. En 1963-1964, la plupart des coopératives seront rachetées par Hydro-Québec.

18 décembre 1945   SCHL

Loi créant la Société centrale d'hypothèques et de logement (SCHL), dans la foulée de la réforme de la Loi nationale sur l'habitation adoptée l'année précédente. L'objectif du gouvernement fédéral est double : contribuer à réduire la pénurie de logements qui s'est aggravée pendant la guerre, et relancer l'emploi en stimulant la construction résidentielle. La SCHL joue un rôle important dans le secteur du prêt hypothécaire qu'elle rend plus accessible. En 1979, son nom sera changé pour celui de Société canadienne d'hypothèques et de logement.

17 avril 1946   CIC

Loi constituant la Corporation générale des instituteurs et institutrices catholiques de la Province de Québec (CIC), créée l'année précédente et qui rassemble trois fédérations de syndicats d'enseignants catholiques. L'organisation changera de nom à quelques reprises : Corporation des enseignants du Québec (1966), Centrale de l'enseignement du Québec (1974), Centrale des syndicats du Québec (2000).

21 janvier 1948   Drapeau du Québec

Par arrêté en conseil, le gouvernement du premier ministre Maurice Duplessis adopte le fleurdelisé comme drapeau du Québec. Il répond ainsi aux demandes répétées de plusieurs groupes de pression. Mais contrairement au modèle proposé, dont les fleurs de lys étaient inclinées vers le centre, celui qui est adopté les présente redressées. Ce choix sera confirmé par une loi en 1950. Le fleurdelisé devient dès lors le symbole de l'État et du peuple québécois, et est abondamment utilisé pour exprimer la fierté nationale.

9 août 1948   **Refus global**

Lancement à Montréal du manifeste *Refus global*, rédigé par le peintre Paul-Émile Borduas et signé par 15 membres du mouvement automatiste. Dénonçant l'étouffement d'une société accrochée à des valeurs traditionnelles, le manifeste réclame une véritable libération, axée sur l'ouverture à l'universel. Il provoque une réaction très négative des élites : Borduas est démis de ses fonctions d'enseignant et s'exile à l'étranger, comme le font plusieurs autres artistes de son groupe. *Refus global* est perçu comme une étape importante dans l'accession du Québec à la modernité.

13 février 1949   **Grève de l'amiante**

Début de la grève des ouvriers de la compagnie Johns Manville, à Asbestos, affiliés à la CTCC. Le mouvement s'étend rapidement à la plupart des mines d'amiante des Cantons de l'Est. La grève, illégale, dure jusqu'en juillet. Le gouvernement Duplessis appuie le patronat et fait intervenir la Police provinciale. De son côté, le clergé, évêques en tête, soutient les grévistes et un vaste mouvement de solidarité touche tout le Québec, donnant au conflit valeur de symbole.

31 mars 1949   **Terre-Neuve**

Terre-Neuve devient la dixième province du Canada. Lors d'un référendum tenu le 22 juillet 1948, les électeurs de cette province ont choisi par une mince majorité (52 %) l'adhésion à la confédération, plutôt que la création d'un Dominion autonome. Le chef de file des partisans de la solution canadienne, Joseph Smallwood, sera premier ministre de la province de 1949 à 1972.

8 avril 1949   **Commission Massey**

Le gouvernement fédéral crée la Commission royale d'enquête sur l'avancement des arts, des lettres et des sciences au Canada qui remettra son rapport en 1951. Son président est Vincent Massey et son vice-président, le père Georges-Henri Lévesque. Elle recommande que l'État fédéral investisse plus substantiellement dans les champs de la culture et de l'éducation.

10 décembre 1949   **Cour suprême**

Le Parlement fédéral abolit le droit d'appel au Comité judiciaire du Conseil privé de Londres. Désormais, la Cour suprême du Canada sera la cour de dernière instance en matière d'appel. Cette mesure s'inscrit dans la stratégie de canadianisation des institutions lancée par le gouvernement fédéral dans l'après-guerre.

6 mai 1950   **Incendie de Rimouski**

Une conflagration d'envergure éclate à Rimouski. L'incendie, apparu dans un dépôt de bois, est poussé par de forts vents vers la partie ancienne de la ville. Il détruit des centaines de logements, des immeubles commerciaux et plusieurs institutions, faisant plus de 2 000 sinistrés.

25 juin 1950   **Guerre de Corée**

La guerre éclate entre la Corée du Nord et la Corée du Sud. À l'instigation des États-Unis, l'Organisation des Nations Unies met sur pied une force internationale pour défendre le Sud. Le Canada décide d'y participer en juillet 1950 et enverra en Corée un peu plus de 25 000 personnes. La guerre se termine le 27 juillet 1953.

6 septembre 1952   Télévision

Entrée en ondes de CBFT (le canal 2), la première station de télévision au Québec. Appartenant à Radio-Canada, elle diffuse en français et en anglais jusqu'en 1954, alors qu'une station anglophone distincte est lancée. La télévision a un impact culturel considérable. Sa popularité est telle que dès 1960, 89 % des foyers québécois possèdent un téléviseur.

12 février 1953   Commission Tremblay

Sanction de la Loi instituant une commission royale d'enquête sur les problèmes constitutionnels. Les milieux nationalistes ont convaincu le premier ministre Duplessis de la nécessité de cette mesure afin de mieux articuler la réponse québécoise à la stratégie centralisatrice du gouvernement fédéral. Présidée par le juge Thomas Tremblay, la Commission mène une enquête approfondie. Elle permet aux représentants des élites de divers milieux d'exprimer publiquement leur vision des besoins de la société québécoise, identifiant ainsi des enjeux qui seront au cœur de la Révolution tranquille. Son rapport, déposé en 1956, constitue l'expression la plus achevée de la conception de l'autonomie provinciale que prônaient les élites nationalistes.

5 mars 1954   Impôt provincial

Sanction de la Loi de l'impôt provincial sur le revenu. Le gouvernement Duplessis rétablit ainsi la perception par le Québec de son propre impôt sur le revenu, qui avait été cédée temporairement au gouvernement fédéral pendant la guerre. Dans un premier temps, Ottawa refuse de réduire son propre impôt en proportion, mais le gouvernement de Louis Saint-Laurent doit reculer et accepte d'accorder une remise de 10 % aux contribuables québécois. Le Québec gagne ainsi une autonomie fiscale accrue.

5 mars 1954   Université de Sherbrooke

Le séminaire Saint-Charles-Borromée devient l'Université de Sherbrooke. C'est la première université francophone hors des grands centres de Québec et de Montréal. Elle se distinguera par ses programmes innovateurs, caractérisés par des stages, en complément de la formation théorique.

31 juillet 1954   Sept-Îles

Inauguration officielle des installations de la compagnie Iron Ore, à Sept-Îles. Le fer extrait des mines de la région de Schefferville est acheminé par train et on le charge alors sur des navires à destination des aciéries américaines. Une nouvelle page de l'histoire de la Côte Nord et du Nord Québécois s'ouvre alors.

9 janvier 1955   Carnaval de Québec

Début de la première édition du Carnaval d'hiver de Québec. Reprenant une tradition qui avait existé sporadiquement dans le passé, un groupe d'hommes d'affaires organise cette fête de l'hiver qui sera ensuite reprise chaque année. Avec son Bonhomme Carnaval, son palais de glace, ses défilés et ses nombreuses activités sportives et récréatives, elle deviendra un des grands événements touristiques dans la capitale.

17 mars 1955   **Émeute du Forum**

Maurice Richard, surnommé le *Rocket*, est suspendu par le président de la ligue nationale de hockey pour avoir frappé un juge de ligne. Les partisans des Canadiens, frustrés par l'absence de leur plus grande vedette, déclenchent une véritable émeute. Certains observateurs y ont vu une manifestation annonciatrice d'un réveil nationaliste des francophones.

16 février 1957   **FTQ**

Naissance de la Fédération des travailleurs du Québec (FTQ). À la suite de la réunification des deux grandes centrales ouvrières américaines (AFL et CIO) en 1955, leurs affiliés canadiens font de même. Au Québec, la Fédération provinciale du travail (1937) et la fédération des unions industrielles (1952) s'unissent pour former la FTQ. Celle-ci représente les syndicats québécois affiliés aux grandes unions internationales. Elle est cependant subordonnée au Congrès du travail du Canada et il lui faudra plusieurs années pour obtenir une plus grande autonomie.

30 novembre 1958   **Autoroute des Laurentides**

Inauguration d'un premier tronçon de l'Autoroute des Laurentides qui relie Montréal à Saint-Jérôme. La construction de cette voie à péage témoigne d'un double phénomène : la croissance considérable du parc automobile dans l'après-guerre et la grande popularité de la villégiature parmi les citadins.

26 juin 1959   **Voie maritime du Saint-Laurent**

Inauguration de la Voie maritime du Saint-Laurent. Sa construction débute en 1954, dans le cadre d'une entente entre le Canada et les États-Unis. Son réseau de canaux et d'écluses améliore de façon notable la navigation entre le Saint-Laurent et les Grands Lacs et permet à des navires de plus fort tirant d'eau d'y circuler. La Voie maritime élimine la rupture de charge à Montréal qui perd ainsi son rôle historique de lieu de transbordement obligatoire des marchandises. Elle facilite la livraison du minerai de fer, provenant de la Côte-Nord québécoise, aux aciéries américaines et canadiennes de la région des Grands Lacs.

22 juin 1960   **Révolution tranquille**

L'arrivée au pouvoir des libéraux, dirigés par Jean Lesage, marque le début de la Révolution tranquille, cette période intense de réformes accélérées, portée par un nouveau nationalisme québécois. Caractérisée par une volonté de « rattrapage » et de modernisation, elle provoque une transformation en profondeur de l'État, de ses institutions, de son personnel et de son rôle dans la société. Elle témoigne d'une conversion aux principes de l'État-providence et d'une volonté de promotion économique des francophones. Elle touche aussi l'éducation, avec sa réforme scolaire, ainsi que les secteurs de la santé et des services sociaux, y entraînant une décléricalisation rapide. Valorisant une nouvelle affirmation nationale, elle provoque une remise en question de l'équilibre des pouvoirs dans la fédération canadienne, ainsi qu'une présence accrue du Québec sur la scène internationale. La Révolution tranquille tient une place considérable dans l'imaginaire collectif et devient une référence incontournable dans l'histoire du Québec contemporain.

6 septembre 1960   Les insolences

Lancement de l'ouvrage *Les insolences du frère untel*, rédigé par un frère enseignant, Jean-Paul Desbiens. L'auteur y dénonce les faiblesses du système d'éducation au Québec. Il met aussi en lumière les insuffisances de la langue parlée qu'il qualifie de « joual ». Véritable succès d'édition, ce livre aura un retentissement considérable au moment où s'amorce la Révolution tranquille.

29 septembre 1960   CSN

La CTCC devient la Confédération des syndicats nationaux (CSN). Plus qu'un changement de nom, ce geste marque la fin du processus de déconfessionnalisation amorcé dans l'après-guerre. Dès lors, la CSN se distingue par son militantisme et réussit à augmenter substantiellement le nombre de ses membres au cours des années 60, notamment dans le secteur de la fonction publique et parapublique.

15 décembre 1960   Assurance-hospitalisation

Par sa Loi instituant l'assurance-hospitalisation, le Québec adhère au programme à frais partagés lancé par le gouvernement fédéral en 1957. Cette mesure assure à la population un accès universel et gratuit aux soins hospitaliers de base. Jusque-là, la majorité des Québécois devaient payer pour obtenir ces soins, car seuls les indigents bénéficiaient (depuis 1921) de la gratuité.

13 février 1961   Télé-Métropole

L'entrée en ondes de la station Télé-Métropole, le canal 10, bouleverse le paysage télévisuel. Radio-Canada perd ainsi le monopole qu'elle exerçait sur ce nouveau média. Par la suite, Télé-Métropole prendra la tête d'un réseau privé, TVA.

24 mars 1961   Affaires culturelles

Le Québec crée un ministère des Affaires culturelles pour « favoriser l'épanouissement des arts et des lettres dans la province et de leur rayonnement à l'extérieur ». Cette décision, prise dans le contexte de la Révolution tranquille, indique la volonté du gouvernement Lesage d'attribuer à l'État québécois un rôle plus dynamique dans la société. Le niveau modeste des crédits accordés au nouveau ministère limite quelque peu sa capacité d'agir, mais à long terme sa présence a un impact important sur le développement des institutions culturelles.

24 mars 1961   Commission Parent

Création de la Commission royale d'enquête sur l'enseignement, présidée par Mgr Alphonse-Marie Parent. C'est l'une des plus importantes commissions d'enquête de toute l'histoire du Québec. Elle est au cœur de la vaste réforme scolaire entreprise dans les années 60. Après une longue étude des problèmes, elle recommande notamment la création d'un ministère de l'Éducation, la modification du système scolaire afin d'offrir un cheminement unifié et intégré, la mise sur pied d'un niveau préuniversitaire (les futurs cégeps) et la modernisation des programmes d'enseignement.

5 octobre 1961   Le Québec à Paris

Jean Lesage inaugure la Maison du Québec à Paris qui loge la nouvelle Délégation générale, chargée de représenter les intérêts du Québec en France. Il existe déjà une délégation à

New York, Londres aura la sienne en 1962 et d'autres s'ajouteront par la suite. Ces agences à l'étranger ont d'abord un rôle économique, mais on y ajoute bientôt, surtout à Paris, une mission de représentation culturelle, puis politique.

14 décembre 1961   Première femme élue

Claire Kirkland-Casgrain, candidate libérale, remporte les élections partielles dans la circonscription de Jacques-Cartier, en banlieue de Montréal. Elle est la première femme élue à l'Assemblée législative et sera aussi la première à accéder au Conseil des ministres. Elle laissera sa marque en présentant une loi qui mettra fin à l'incapacité juridique des femmes mariées (1964).

6 juillet 1962   SGF

Sanction de la Loi constituant la Société générale de financement du Québec, l'un des instruments économiques collectifs créés pendant la Révolution tranquille. La SGF a pour mission de contribuer au développement industriel du Québec en prenant des participations dans la propriété d'entreprises. Faisant d'abord appel à des capitaux publics et privés, elle est transformée en société d'État à part entière en 1972, alors que le gouvernement en devient l'unique actionnaire.

13 septembre 1962   Place Ville-Marie

Inauguration de la Place Ville-Marie, à Montréal. Dominé par sa célèbre tour cruciforme de 45 étages, ce complexe d'immeubles à bureaux marque une étape importante dans le développement du nouveau centre-ville de la métropole. Il est le premier d'une génération de grands ensembles immobiliers multifonctionnels. Avec sa galerie de boutiques et son couloir le reliant à la gare centrale et à un hôtel, il amorce la constitution de la ville souterraine.

22 février 1963   Nationalisation de l'électricité

Hydro-Québec transmet une offre d'achat aux actionnaires des grandes entreprises privées qui produisent ou distribuent de l'électricité au Québec. La nationalisation de l'électricité, proposée par le ministre René Lévesque, a été le thème dominant de la campagne électorale de 1962, que les libéraux de Jean Lesage ont menée avec le slogan « Maîtres chez nous ». Le 30 avril 1963, l'opération est réalisée et sera complétée plus tard pour la plupart des coopératives et des petits réseaux de distribution locaux. Désormais, Hydro-Québec sera le maître d'œuvre du développement et de la vente de l'électricité sur tout le territoire québécois. Seules les sociétés industrielles, telle Alcan, qui produisent l'électricité pour leurs propres besoins, ne sont pas étatisées.

6 mars 1963   FLQ

Fondation du Front de libération du Québec, un mouvement qui utilise l'action terroriste dans le but de faire progresser la cause de l'indépendance et du socialisme. Ses militants commettent un grand nombre d'attentats à la bombe. Leur action la plus spectaculaire, en 1970, provoquera la Crise d'octobre. Le FLQ disparaîtra en 1971.

19 juillet 1963   Commission Laurendeau-Dunton

Le gouvernement fédéral crée la Commission royale d'enquête sur le bilinguisme et le biculturalisme, coprésidée par André Laurendeau et Davidson Dunton, et dont les travaux se poursuivront jusqu'en 1969. Elle commande de nombreuses études dont certaines montrent l'ampleur de la position minoritaire et subordonnée des francophones dans l'économie du

Québec. La Commission recommande que le gouvernement fédéral et les institutions qui en dépendent deviennent réellement bilingues et fournissent des services dans la langue de la minorité partout où la demande le justifie. Elle propose aussi la création de districts bilingues où les services à tous les niveaux seraient disponibles dans les deux langues.

16 novembre 1963   Cascades

La famille Lemaire, active dans la récupération, produit son premier échantillon de papier dans une vieille usine de Kingsey Falls. C'est le point de départ de la société Cascades, créée en 1964, qui deviendra une des grandes entreprises québécoises et une multinationale papetière.

19 mars 1964   Ministère de l'Éducation

S'appuyant sur une recommandation de la Commission Parent, le gouvernement Lesage crée le ministère de l'Éducation qui prend la relève du Conseil de l'Instruction publique (1875). La mesure provoque la résistance des évêques qui, après négociations, obtiennent de solides garanties quant au maintien du caractère confessionnel du système d'éducation. Au ministère s'ajoute un Conseil supérieur de l'Éducation.

15 juin 1964   Le Journal de Montréal

Profitant d'une grève à *La Presse*, Pierre Péladeau lance le premier numéro du *Journal de Montréal*, un quotidien populaire de format tabloïd mettant l'accent sur les sports et les faits divers. Il en fera la pierre angulaire d'un empire de presse et d'édition qui portera le nom de Quebecor. Dès 1967, la publication essaime dans la vieille capitale, avec la fondation du *Journal de Québec*, auquel s'ajouteront ensuite plusieurs autres quotidiens et hebdomadaires.

18 juin 1964   Droits de la femme mariée

Jusqu'en 1964, le Code civil du Québec maintenait une inégalité de droits entre les époux. La femme mariée y était traitée comme une mineure et ne pouvait signer un contrat ni faire quelque acte juridique que ce soit sans obtenir l'accord de son mari. La loi de 1964, connue sous le nom de « Bill 16 », met fin à cette incapacité juridique et fait prévaloir le principe de l'égalité entre les époux.

22 juillet 1964   Code du travail

Adoption d'un nouveau Code du travail qui répond aux attentes du mouvement syndical. En plus de simplifier le processus de négociations, il accorde le droit de grève à certaines catégories de travailleurs des services publics, un droit qui sera étendu, l'année suivante, aux enseignants, puis aux employés de la Fonction publique.

15 février 1965   Drapeau du Canada

L'unifolié devient officiellement le drapeau du Canada, remplaçant le *Red Enseign* aux couleurs britanniques qui était utilisé de façon officieuse depuis longtemps. Son adoption fait l'objet de très longs débats aux Communes, en 1964, mais par la suite le nouveau drapeau devient rapidement populaire, surtout dans le Canada anglophone. Au Québec, sa diffusion est moins généralisée, compte tenu de la popularité du fleurdelisé. Là, les tensions dans les relations fédérales-provinciales s'expriment souvent dans ce qu'on appelle des « guerres de drapeaux ».

27 février 1965   **Coopération France-Québec**

Signature à Paris d'une entente de coopération entre la France et le Québec en matière d'éducation. Elle met en place un programme d'échanges et des mécanismes pour le gérer. C'est la première entente internationale signée par le Québec. Elle marque le point de départ d'un vaste mouvement de coopération et d'échanges avec la France qui s'intensifiera par la suite.

15 juillet 1965   **Régime de rentes**

Les régimes de retraite des employeurs, publics ou privés, ne touchant alors qu'une minorité de travailleurs, le gouvernement du Québec crée un Régime de rentes couvrant l'ensemble de la population. Il se distingue ainsi en mettant sur pied son propre programme, alors que les autres provinces adhèrent au Régime de pensions du Canada, proposé par le gouvernement fédéral. Le nouveau programme est administré par la Régie des rentes du Québec et ses fonds sont gérés par la Caisse de dépôt et placement du Québec, deux organismes créés simultanément.

15 juillet 1965   **Caisse de dépôt**

Création de la Caisse de dépôt et placement du Québec, dont la première tâche est de gérer et de faire fructifier les cotisations versées au Régime de rentes du Québec. Par la suite, le gouvernement lui confiera la gestion d'autres caisses de retraite. En quelques années, la Caisse devient le plus important fonds de retraite du Canada et un intervenant majeur sur les marchés financiers. Elle contribue aussi au développement économique du Québec en prenant des participations dans plusieurs entreprises québécoises et en investissant dans le secteur immobilier.

6 août 1965   **Ville de Laval**

Sanction de la loi créant la Ville de Laval qui fusionne les 14 municipalités de l'île Jésus. Depuis l'après-guerre, celles-ci avaient connu une expansion rapide causée par l'essor de l'automobile et le déplacement des Montréalais vers la banlieue. La fusion est perçue comme un moyen d'assurer un développement plus ordonné du territoire. Elle suscite toutefois des résistances et certaines des municipalités visées ont tenu des référendums au cours desquels leurs électeurs se sont fortement opposés aux annexions obligatoires. La nouvelle ville vient au second rang au Québec (après Montréal) quant à sa population.

6 août 1965   **Fonction publique**

La Loi de la fonction publique marque une étape importante dans la réalisation d'un des grands objectifs de la Révolution tranquille : doter l'État québécois d'un corps de fonctionnaires plus qualifiés, aux tâches mieux définies et dont le recrutement serait exempt de favoritisme politique. Une nouvelle Commission de la fonction publique est formée, et les fonctionnaires obtiennent le droit de grève.

11 mars 1966   **Fédération des femmes du Québec**

Émission des lettres patentes créant la Fédération des femmes du Québec dont le congrès de fondation a lieu le 23 avril suivant. Regroupant à la fois des membres individuelles et des associations, la fédération vise à coordonner leur travail d'action sociale. Au fil des ans, elle intervient régulièrement pour promouvoir la cause des femmes. Elle se distingue en organisant la marche « Du pain et des roses », puis la « Marche mondiale des femmes de l'an 2000 ».

14 octobre 1966   Métro

Le métro de Montréal est mis en service. Desservant 26 stations, il parcourt 25 km. Des prolongements subséquents en portent la longueur totale à 66 km, avec 65 stations. De conception française, le métro roule sur pneumatiques. En l'an 2000, il a transporté 209 millions de voyageurs.

27 avril 1967   Expo 67

Inauguration de l'Exposition universelle et internationale de Montréal qui fermera ses portes le 29 octobre. Composée principalement de pavillons nationaux et de pavillons thématiques, elle présente aussi un vaste éventail de spectacles et d'activités culturelles. Attirant plus de 500 millions de visiteurs, Expo 67 connaît un succès considérable et marque de façon importante toute une génération de Québécois. Le maire Jean Drapeau cherchera à prolonger l'esprit de cette « Terre des Hommes » en maintenant sur le site une exposition annuelle pendant quelques années.

29 juin 1967   Cégeps

Loi créant les Collèges d'enseignement général et professionnel. Elle entraîne la disparition d'une institution pluriséculaire, le collège classique. Les cégeps offrent à la fois une formation générale de deux ans, préparatoire à l'université, et une formation professionnelle de trois ans, habituellement terminale.

23 juillet 1967   De Gaulle

Début de la visite officielle du général Charles de Gaulle, président de la République française. Le lendemain, il parcourt en automobile le chemin du roi, de la capitale à la métropole, puis, du balcon de l'hôtel de ville de Montréal, lance son célèbre « Vive le Québec libre ». Ce geste réjouit les indépendantistes, mais provoque l'ire des fédéralistes et la réprobation du gouvernement fédéral. De Gaulle décide alors d'écourter sa visite et de rentrer en France sans passer par Ottawa.

12 août 1967   Bibliothèque nationale

Création de la Bibliothèque nationale du Québec. Installée dans l'immeuble de la bibliothèque Saint-Sulpice, à Montréal, elle hérite de sa collection de livres et autres documents. La Bibliothèque nationale est appelée à jouer un rôle central dans la conservation du patrimoine imprimé du Québec.

16 août 1967   Immigration

Le gouvernement canadien présente sa nouvelle réglementation en matière d'immigration. Elle fait disparaître les derniers éléments de discrimination raciale ou ethnique qui avaient longtemps caractérisé la politique d'immigration et qu'on avait commencé à démanteler en 1962. Elle établit aussi un système uniforme de points pour la sélection des immigrants. À partir de ce moment, la composition ethnique des immigrants se transforme rapidement, avec une part croissante occupée par ceux qui viennent d'autres continents que l'Europe.

23 novembre 1967   États généraux

Début des assises nationales des États généraux du Canada français. Majoritaires, les délégués québécois font adopter la reconnaissance du Québec comme territoire national des Canadiens français. Ce faisant, ils rompent avec la conception du Canada français qui avait prévalu pendant un siècle. Par la suite, leurs homologues des autres provinces, dont les besoins et les objectifs ne coïncident plus avec les leurs, seront amenés à choisir une stratégie distincte, centrée sur la défense des minorités et s'appuyant sur le gouvernement fédéral.

20 décembre 1967   Pont Laviolette

Inauguration du pont qui franchit le Saint-Laurent, entre Trois-Rivières et Bécancour. Il sera appelé pont Laviolette, du nom du fondateur et premier commandant de Trois-Rivières.

25 mars 1968   Power

On annonce la fusion de Valeurs Trans-Canada, dirigée par Paul Desmarais, et de Power Corporation, présidée par Peter Thomson. C'est la première étape d'un processus qui permettra à Desmarais, étoile montante du milieu financier, d'obtenir le contrôle de Power. Il en fera une très grande entreprise, dont les filiales sont actives au Canada et à l'étranger.

26 septembre 1968   Manic 5

La cérémonie devant marquer le parachèvement du barrage de Manic 5 est perturbée par le décès, quelques heures auparavant, du premier ministre Daniel Johnson. Long de 1,3 km, cet ouvrage est le plus imposant du complexe de barrages et de centrales hydroélectriques aménagés sur les rivières Manicouagan et des Outardes. Réalisé dans l'atmosphère euphorique des années 60 et de la Révolution tranquille, ce grand projet prend valeur de symbole. Construit surtout par des ingénieurs et des travailleurs francophones, il devient source de fierté collective pour les Québécois. En 1969, le barrage sera nommé Daniel-Johnson, en hommage au premier ministre disparu.

5 novembre 1968   Ministère de l'Immigration

Le Québec crée son propre ministère de l'Immigration. La mesure, réclamée depuis un certain temps dans divers milieux, contraste avec l'apathie qui a longtemps caractérisé le gouvernement québécois en ce domaine. Le nouveau ministère a pour premier objectif de faciliter une meilleure intégration à la société francophone et, en 1970, il prendra la responsabilité des Centres d'orientation et de formation des immigrants (COFI) créés par le ministère de l'Éducation. Il envoie aussi à l'étranger des agents d'information pour renseigner les immigrants et pour attirer l'immigration francophone.

14 novembre 1968   Mariage civil

Une nouvelle loi institue le mariage civil au Québec. Jusque-là, tous les mariages devaient être célébrés par un prêtre catholique ou un ministre d'un autre culte qui tenaient les registres de l'état civil. Ceux-ci conservent leur pouvoir de célébrer des mariages religieux reconnus civilement, mais les couples peuvent désormais choisir de se marier au Palais de justice, devant le protonotaire ou son adjoint.

14 novembre 1968   Protecteur du citoyen

Inspiré par l'exemple scandinave de l'*ombudsman*, le gouvernement québécois fait adopter la Loi du Protecteur du citoyen. Jouissant d'une large autonomie, ce haut fonctionnaire a pour tâche d'étudier les plaintes des citoyens à l'endroit de l'administration et d'obtenir un redressement de la situation lorsque c'est nécessaire.

9 décembre 1968   Commission Gendron

Dans le contexte de la crise linguistique de Saint-Léonard, le gouvernement crée la Commission d'enquête sur la situation de la langue française et sur les droits linguistiques au Québec. Présidée par Jean-Denis Gendron, elle dépose son rapport le 31 décembre 1972. Elle recommande que le français devienne « la langue commune des Québécois » et propose d'en accroître l'usage dans le monde du travail. Elle affirme aussi le droit du gouvernement de légiférer en matière de langue d'enseignement.

18 décembre 1968   Assemblée nationale

L'Assemblée législative porte désormais un nouveau nom, celui d'Assemblée nationale du Québec. De plus, la loi abolit le Conseil législatif, la Chambre haute du Québec, qui existait depuis 1867 et dont les racines historiques remontaient à la création des institutions parlementaires en sol québécois.

18 décembre 1968   Université du Québec

La création de l'Université du Québec répond à un double besoin : celui d'ouvrir une seconde université de langue française à Montréal et celui d'offrir des services universitaires en région. Organisée en réseau, sur le modèle des universités publiques de plusieurs états américains, elle établit des constituantes locales à Montréal, Trois-Rivières, Chicoutimi et Rimouski, puis en Abitibi-Témiscamingue et à Hull. Elle englobe aussi des instituts de recherche et des écoles spécialisées. Sa constituante la plus importante est l'Université du Québec à Montréal (UQAM) qui, depuis 1989, a un statut d'université associée qui lui confère plus d'autonomie.

28 mars 1969   McGill français

Une manifestation spectaculaire est organisée devant l'Université McGill, à Montréal, par des militants indépendantistes et syndicaux. Brandissant le slogan « McGill français », les manifestants réclament à la fois la création d'une seconde université de langue française dans la métropole et une francisation accrue de l'Université McGill.

9 juillet 1969   Langues officielles du Canada

La Loi sur les langues officielles établit la politique linguistique du gouvernement fédéral, dirigé par Pierre Elliott Trudeau. Elle affirme que « l'anglais et le français sont les langues officielles du Canada pour tout ce qui relève du Parlement et du Gouvernement du Canada » et qu'elles y « ont un statut, des droits et des privilèges égaux ». La loi repose sur la reconnaissance du droit individuel des citoyens de recevoir des services dans leur langue, partout au Canada, quand le nombre le justifie. Elle crée un poste de Commissaire aux langues officielles, responsable de veiller au respect de la loi.

10 septembre 1969   Émeute à Saint-Léonard

Depuis 1967, la question de la langue d'enseignement pour les enfants allophones divise la communauté de Saint-Léonard, une ville de la banlieue montréalaise. Des parents francophones réclament l'enseignement obligatoire en français, tandis que des parents d'origine italienne, appuyés par des anglophones, défendent le libre choix entre l'anglais et le français. Les premiers forment le Mouvement pour l'intégration scolaire (MIS), tandis que les seconds mettent sur pied la Saint Leonard English Catholic Association of Parents. En septembre 1969, le MIS organise une série de manifestations à Saint-Léonard. Elles entraînent des confrontations qui conduisent le maire de la ville à proclamer la Loi de l'émeute. Les événements de Saint-Léonard marquent le début de ce qui a été appelé « la bataille linguistique ». Celle-ci touchera l'ensemble du Québec et forcera plusieurs gouvernements successifs à légiférer.

28 novembre 1969 — Loi 63

Le gouvernement unioniste de Jean-Jacques Bertrand fait adopter la Loi pour promouvoir la langue française au Québec (connue comme la loi 63). C'est la première d'une série de lois linguistiques qui jalonnent le dernier tiers du 20ᵉ siècle. Elle vise à régler la crise linguistique de Saint-Léonard. La loi consacre la liberté des parents de choisir entre le français et l'anglais comme langue d'enseignement pour leurs enfants. Elle prévoit aussi que tous les enfants inscrits à l'école anglaise devront acquérir une connaissance d'usage du français. Plutôt que d'apaiser les tensions linguistiques, l'adoption de cette loi stimule le militantisme des partisans d'un Québec français.

12 décembre 1969 — Aide sociale

La Loi de l'aide sociale transforme en profondeur l'assistance aux personnes dans le besoin. D'abord, elle prend la relève de tous les programmes spécialisés mis en place depuis l'établissement de l'assistance publique, en 1921. Surtout, elle établit un régime d'aide modulée selon les ressources et les besoins des bénéficiaires et selon leur situation familiale.

20 mars 1970 — Agence de coopération

Création officielle, à Niamey, de l'Agence de coopération culturelle et technique des pays francophones, dont le principe avait été adopté l'année précédente. Le Québec y aura le statut de gouvernement participant, selon des modalités qui feront l'objet d'une entente avec le gouvernement canadien en 1971. L'ACCT deviendra éventuellement l'Agence de la Francophonie.

17 juillet 1970 — Assurance maladie

La Loi de l'assurance maladie établit un régime universel d'accès gratuit aux soins de santé. L'année précédente, le gouvernement québécois avait créé la Régie de l'assurance maladie en lui donnant le mandat de préparer la mise en place du régime, puis de l'administrer. Le gouvernement fédéral contribue partiellement au financement, de même que les particuliers et les employeurs. En juillet 1970, les bénéficiaires commencent à recevoir leur carte d'assurance-maladie, et le régime entre en vigueur le 1ᵉʳ novembre de la même année.

5 octobre 1970 — Crise d'octobre

Le diplomate James Richard Cross est enlevé par une cellule du Front de libération du Québec qui exige la libération des prisonniers politiques et la diffusion de son manifeste. Le 10 octobre, le ministre Pierre Laporte est à son tour enlevé par une autre cellule du FLQ et sera tué le 17. Il en résulte une crise politique sans précédent. Le gouvernement Bourassa est dépassé par les événements et son homologue fédéral applique la Loi des mesures de guerre. L'armée s'installe dans les rues de Montréal et plus de 450 personnes sont arrêtées; la plupart seront ensuite relâchées. La crise se termine le 3 décembre, quand M. Cross est libéré.

7 novembre 1970   **Pont Pierre-Laporte**

Inauguration d'un nouveau pont autoroutier reliant Québec à la rive sud, sur le Saint-Laurent. Le toponyme initialement prévu – pont Frontenac – est remplacé par celui de pont Pierre-Laporte, en hommage au ministre décédé pendant la Crise d'octobre.

30 avril 1971   **Baie James**

Le premier ministre Robert Bourassa annonce « le projet du siècle » : l'aménagement hydroélectrique des rivières du bassin de la baie James. Le projet amènera le harnachement des rivières La Grande et Eastmain et la construction de plusieurs centrales. Sa réalisation est entravée par des conflits syndicaux qui provoquent le « saccage de la baie James » en 1974. Le développement envisagé suscite aussi le mécontentement des Autochtones avec qui le gouvernement devra négocier une entente, la convention de la baie James, conclue en 1975. Les travaux, d'une envergure exceptionnelle, s'étendent sur plusieurs années et la première centrale, celle de LG 2, est inaugurée le 25 octobre 1979.

23 juin 1971   **Charte de Victoria**

Robert Bourassa annonce que le Québec ne peut accepter la Charte de Victoria, un projet de réforme et de rapatriement de la constitution canadienne auquel les premiers ministres fédéral et provinciaux ont donné leur accord une semaine plus tôt. Ce projet suscite un tollé de protestations au Québec, dont les demandes concernant la décentralisation et les politiques sociales n'ont pas été satisfaites, ce qui entraîne le premier ministre à lui retirer son appui.

29 juin 1971   **Petites créances**

La Loi favorisant l'accès à la justice établit une Cour des petites créances qui jugera toutes les causes relatives à des créances inférieures à 300 $ (ce montant sera augmenté à quelques reprises par la suite). Les procédures sont simplifiées, sans recours à des avocats, et les frais exigés sont à la fois fixes et peu élevés. Cette loi vient soulager les petits contribuables qui, jusque-là, devaient acquitter des frais judiciaires substantiels pour des dettes de faible valeur.

14 juillet 1971   **Protection du consommateur**

La Loi de protection du consommateur vise à encadrer les droits et les devoirs des consommateurs et des commerçants qui signent des contrats de crédit ou de prêt. Son application est confiée à un nouvel Office de protection du consommateur qui s'occupe aussi d'éducation à la consommation, notamment par son magazine *Protégez-vous*.

24 décembre 1971   **CLSC**

La Loi sur les services de santé et les services sociaux réorganise tout le système de prestations des soins et des services au Québec. Sa principale nouveauté est la création de Centres locaux de services communautaires (CLSC). Ceux-ci sont conçus comme la porte d'entrée du système, à la fois pour les soins de santé et les services sociaux. L'implantation des CLSC sur tout le territoire prendra quelques années et se heurtera parfois à des résistances.

11 avril 1972   **Grève du Front commun**

Les trois grandes centrales syndicales s'associent en un Front commun pour négocier les conventions collectives dans les secteurs public et parapublic. La grève générale est déclenchée le 11 avril 1972. Le 21, une loi spéciale ordonne le retour au travail, mais les présidents des trois centrales recommandent de défier la loi et les injonctions, et ils seront condamnés à un an de prison. À la fin des négociations, les syndiqués obtiennent que leur principale revendication – un salaire minimum de 100 $ par semaine – soit satisfaite.

22 mai 1972   **CSD**

Des dirigeants syndicaux de la CSN, insatisfaits de la radicalisation de leur centrale, décident d'en fonder une nouvelle, la Centrale des syndicats démocratiques. Celle-ci rassemble alors surtout des ouvriers des secteurs traditionnels de l'industrie manufacturière (vêtement, textile, métallurgie) et de la construction, principalement dans les PME installées en région.

8 juillet 1972   **Aide juridique**

La Loi de l'aide juridique permet aux personnes économiquement défavorisées d'obtenir gratuitement les services d'un avocat pour les représenter devant les tribunaux. Les frais de ce programme d'aide sont payés par l'État québécois qui crée une Commission des services juridiques pour administrer la loi.

6 juillet 1973   **Conseil du statut de la femme**

Création du Conseil du statut de la femme. Organisme consultatif, il mène des enquêtes et donne des avis au gouvernement sur des questions relatives à l'égalité et au respect des droits et du statut de la femme. Sa création témoigne de la vigueur du mouvement de revendications des droits des femmes au début des années 1970. En 1978, le Conseil produit un rapport important, *Pour les Québécoises : égalité et indépendance*.

31 juillet 1974   **Loi 22**

Le gouvernement de Robert Bourassa fait adopter la Loi sur la langue officielle (connue comme la loi 22). Celle-ci affirme que « le français est la langue officielle du Québec ». Elle contient des mesures pour accroître la francisation des lieux de travail et des communications internes dans les entreprises. Elle restreint l'accès à l'école anglaise pour les allophones en imposant des tests linguistiques aux enfants. Elle crée aussi une Régie de la langue française. Perçue comme insuffisante par un grand nombre de nationalistes francophones et comme discriminatoire par la majorité des anglophones et des allophones, la loi 22 relance la bataille linguistique.

24 août 1974   **Université Concordia**

Création de l'Université Concordia, résultat de la fusion de deux établissements montréalais : le collège Loyola, fondé par les jésuites en 1899 pour desservir les catholiques anglophones, et l'Université Sir George Williams, d'abord créée par la Young Men's Christian Association pour offrir des cours aux adultes et qui a obtenu son statut universitaire en 1959. C'est la seconde université de langue anglaise à Montréal, après McGill (1821).

19 janvier 1975   Radio-Québec

Un nouveau réseau de télévision, Radio-Québec, entre en ondes avec ses propres stations. Depuis 1968, Radio-Québec produisait des émissions diffusées par d'autres réseaux ou grâce à la cablodistribution. Propriété de l'État québécois, Radio-Québec a une mission éducative et culturelle. En 1996, son nom est changé pour celui de Télé-Québec.

27 juin 1975   Charte des droits

Sanction de la Charte des droits et libertés de la personne du Québec. Cette loi fondamentale a préséance sur les autres lois, bien que l'Assemblée nationale puisse y déroger à certaines conditions. Elle garantit à tous les Québécois et les Québécoises un certain nombre de droits fondamentaux et interdit la discrimination à leur égard. Une Commission des droits de la personne veille au respect de la Charte et examine les plaintes pour discrimination.

4 octobre 1975   Aéroport de Mirabel

Inauguration de l'aéroport de Mirabel. La décision des autorités fédérales de construire un second aéroport international à Montréal alimente une querelle au sujet du site. Le gouvernement du Québec le voudrait sur la rive Sud, mais en 1969, le gouvernement fédéral en choisit plutôt un au nord de Montréal. Il exproprie une quantité considérable de terres agricoles, provoquant un mouvement de contestation qui se prolongera pendant plusieurs années. L'aéroport reçoit les vols internationaux (sauf pour les États-Unis) réguliers et nolisés. En 1997, les vols internationaux réguliers sont rapatriés à Dorval, ce qui ne laisse à Mirabel que les vols nolisés.

11 novembre 1975   Convention de la Baie-James

Signature de la Convention de la Baie-James et du Nord québécois entre, d'une part, les Cris et les Inuit et, d'autre part, les gouvernements du Québec et du Canada. Négociée à la suite de la contestation judiciaire du projet hydroélectrique de la baie James, elle marque une étape importante dans la reconnaissance des droits des Autochtones. La Convention définit leurs droits territoriaux et leur garantit le versement d'une indemnité de 225 millions de dollars. Elle leur assure aussi une certaine mesure d'autonomie gouvernementale, ainsi que des programmes de développement économique et communautaire.

17 juillet 1976   Jeux Olympiques

Début, à Montréal, des Jeux de la XXIe Olympiade qui prendront fin le 1er août. Leur organisation s'est faite dans la controverse à cause de la hausse vertigineuse des coûts de construction des installations, notamment du stade olympique. La dette considérable qui en résulte n'est pas encore éteinte à la fin du 20e siècle. Les Jeux eux-mêmes sont un succès et sont marqués par la performance de la gymnaste roumaine Nadia Comaneci, « la reine du stade ».

26 août 1977   Loi 101

Le gouvernement de René Lévesque fait adopter la Charte de la langue française (connue comme la loi 101). Celle-ci accentue la politique de francisation du Québec déjà amorcée par les lois linguistiques antérieures. Elle limite l'accès à l'école anglaise aux seuls enfants dont un des parents a fait ses études primaires en anglais au Québec. Elle impose l'usage exclusif du français dans l'affichage. Elle étend et rend plus coercitive l'exigence de francisa-tion des entreprises apparue dans la loi 22. Des décisions judiciaires viendront plus tard invalider ou atténuer la portée de certaines de ces mesures, mais la Charte a un impact considérable sur le statut du français au Québec.

20 février 1978   Accord Cullen-Couture

L'accord signé par les ministres fédéral et provincial de l'Immigration (Bud Cullen et Jacques Couture) succède à des ententes plus limitées signées en 1971 et 1975. Il accorde au Québec une participation au processus de sélection des immigrants. Il lui assure aussi une meilleure emprise sur son immigration, depuis le choix des candidats jusqu'à leur adaptation à la société d'accueil.

22 décembre 1978   Zonage agricole

La Loi de protection du territoire agricole répond aux inquiétudes provoquées par la dimi-nution constante des terres consacrées à l'agriculture sous la pression de l'urbanisation. Elle crée une Commission qui sera responsable du zonage du territoire et qui se prononcera sur tout projet de conversion de terres à un usage autre que l'agriculture.

22 juin 1979   Épargne-actions

La Loi sur les régimes d'épargne-actions est sanctionnée. Elle accorde un crédit d'impôt aux particuliers qui achètent de nouvelles actions d'entreprises québécoises cotées en bourse. Ce régime favorise une meilleure capitalisation de plusieurs jeunes entreprises québécoises, souvent de taille modeste. Il conduit parfois à des abus auxquels la chute des valeurs bour-sières de 1987 mettra fin.

29 juin 1979   Banque Nationale

On annonce la fusion de la Banque Canadienne Nationale et de la Banque Provinciale pour former la Banque Nationale du Canada. Tout comme ses deux composantes, la nouvelle entreprise a une direction francophone et son siège social est établi à Montréal. La fusion est entérinée par les actionnaires le 4 septembre de la même année.

20 mai 1980   Référendum

Lors des élections de 1976, le Parti québécois, dirigé par René Lévesque, avait promis de ne pas tenter de réaliser la souveraineté sans d'abord consulter la population. Le référendum promis a lieu le 20 mai 1980. Il suscite des débats passionnés et une forte polarisation de l'opinion publique. Le gouvernement demande à l'électorat de lui accorder le mandat de négocier avec le reste du Canada une entente de souveraineté-association, avec la garantie que toute entente éventuelle serait soumise à un nouveau référendum. Le résultat est né-gatif, puisque le « non » recueille 59,6 % des voix et le « oui » 40,4 %.

27 juin 1980   Ô Canada

La Loi sur l'hymne national consacre le choix du *Ô Canada*. Avec une musique de Calixa Lavallée et des paroles d'Adolphe-Basile Routhier, ce chant patriotique était depuis 1880 considéré comme l'hymne national des Canadiens français. En 1967, le Parlement canadien en approuve l'usage pour tout le pays et sa loi de 1980 confirme ce choix.

3 juillet 1980 — Festival de jazz

Début de la première édition du Festival international de jazz de Montréal. Devenu annuel, l'événement attire des foules croissantes grâce à sa formule mêlant concerts payants en salles et spectacles gratuits en plein air. Il représente un des grands moments du tourisme d'été dans la métropole.

5 novembre 1981 — Entente sur le rapatriement

Le gouvernement fédéral et ceux de neuf provinces s'entendent pour rapatrier au Canada la constitution qui est toujours une loi britannique. L'entente prévoit une formule d'amendement ainsi que l'adoption d'une Charte des droits et libertés (avec possibilité d'y déroger sur certains points). Le Québec rejette cette entente, mais le gouvernement Trudeau, estimant jouir d'un appui suffisant, ne tient pas compte de ce refus et amorce le processus de rapatriement.

17 avril 1982 — Nouvelle constitution

Proclamation à Ottawa de la Loi constitutionnelle de 1982 qui remplace l'Acte de l'Amérique du Nord britannique de 1867. Elle reprend l'essentiel de ce dernier, avec les modifications qui ont fait l'objet de l'entente de 1981. Elle y ajoute une Charte canadienne des droits et libertés. Le Québec continue à s'objecter à cette constitution, mais comme il n'a pas droit de veto, la loi s'applique dans cette province comme dans toutes les autres.

23 juin 1983 — Fonds de solidarité

Alarmée par la hausse du chômage provoquée par la récession du début de la décennie 80, la FTQ veut contribuer à la relance de l'emploi. Elle met sur pied le Fonds de solidarité des travailleurs du Québec. Celui-ci recueille auprès des syndiqués et du public des contributions, donnant droit à une déduction fiscale, ensuite investies dans des entreprises sous forme de capital de risque. Créé en 1983 et lancé au début de l'année suivante, le Fonds de solidarité connaît une popularité indéniable et, à la fin de l'an 2000, il compte 426 000 actionnaires et un actif de 3,85 milliards de dollars.

6 septembre 1986 — Quatre-Saisons

Entrée en ondes du réseau Quatre-Saisons, la seconde chaîne francophone de télévision privée au Québec.

30 avril 1987 — Accord du lac Meech

Dans le but de lever les objections du Québec à la constitution, le premier ministre Bourassa énonce les cinq conditions qui lui permettraient de se rallier, dont la reconnaissance du caractère distinct du Québec. Les premiers ministres, réunis au Lac Meech, lui donnent satisfaction et s'entendent sur un ensemble d'amendements à la constitution. Cet accord, approuvé dans sa version finale le 3 juin, doit être entériné dans un délai de trois ans. Au terme de ce délai, deux provinces ne l'ont pas ratifié, de sorte qu'il doit être abandonné. L'échec de l'Accord du Lac Meech a un impact considérable sur l'opinion publique au Québec.

2 septembre 1987 — Sommet de la Francophonie

Début à Québec du Sommet des chefs d'État et de gouvernement de pays ayant le français en partage. Quarante pays et gouvernements y participent. Un premier sommet s'était tenu l'année précédente à Versailles et avait donné naissance au régime de la Francophonie, une organisation de coopération multilatérale. Le Québec est membre de la Francophonie et participe aux Sommets selon des modalités définies dans une entente avec le gouvernement fédéral.

22 décembre 1988   Langue d'affichage

Dérogeant aux chartes des droits canadienne et québécoise, l'Assemblée nationale maintient, par sa loi 178, l'usage exclusif du français dans l'affichage public à l'extérieur des établissements, tout en permettant l'usage d'une autre langue à l'intérieur, à condition que le français prédomine. Ces dispositions seront assouplies en 1993 pour permettre l'emploi d'une autre langue à l'extérieur, avec prédominance du français.

1ᵉʳ janvier 1989   Libre-échange

Entrée en vigueur de l'Accord de libre-échange conclu entre le Canada et les États-Unis en 1987. Il libéralise les échanges entre les deux pays et met en place un mécanisme de règlement des conflits. L'Accord entraîne une augmentation substantielle des exportations canadiennes aux États-Unis, dont profitent plusieurs entreprises québécoises, et une intégration accrue des économies des deux pays. Des points de friction subsistent néanmoins, notamment à propos du bois d'œuvre.

22 juin 1989   Patrimoine familial

Dans le but de « favoriser l'égalité économique des époux », une nouvelle loi prévoit une division égale du patrimoine familial en cas de dissolution du mariage. Ce patrimoine comprend la résidence familiale, la résidence secondaire, les meubles, les automobiles et les droits aux rentes de retraite.

6 décembre 1989   Massacre à l'école Polytechnique

Un forcené armé se rend à l'école Polytechnique, à Montréal, et vise spécifiquement les femmes (étudiantes et employées). Il en tue 14 et en blesse de nombreuses autres avant de s'enlever la vie. Ce drame projette dans l'actualité le problème de la violence envers les femmes.

11 juillet 1990   Crise d'Oka

Un raid de la Sûreté du Québec déclenche la crise d'Oka. Des Mohawks y ont érigé des barricades pour protéger un territoire qu'ils estiment sacré. L'intervention policière provoque l'extension du conflit à Kahnawake où les Mohawks bloquent l'accès au pont Mercier. Les négociations traînent en longueur et, le 8 août, on annonce l'intervention de l'armée. Peu à peu, celle-ci réussit à obtenir la levée des barricades. La crise se termine le 26 septembre, mais il faudra beaucoup plus de temps pour régler les revendications territoriales des Mohawks de Kanesatake.

4 septembre 1990   Commission Bélanger-Campeau

À la suite de l'échec de l'Accord du lac Meech, l'Assemblée nationale crée la Commission sur l'avenir politique et constitutionnel du Québec. Coprésidée par Michel Bélanger et Jean Campeau, elle comprend à la fois des parlementaires et des représentants de divers milieux socioéconomiques. Elle procède à une vaste consultation et son rapport est publié le 27 mars 1991. La Commission recommande la tenue d'un référendum sur la souveraineté en 1992 et l'étude de toute offre de partenariat économique ou constitutionnel qui proviendrait du gouvernement du Canada et des autres provinces.

12 août 1991   SNC-Lavalin

On annonce la fusion des deux plus importantes sociétés d'ingénierie québécoises, SNC et Lavalin. Provoqué par les difficultés financières de cette dernière, ce mariage donne naissance à l'une des plus grandes firmes d'ingénierie au monde, qui portera le nom de SNC-Lavalin.

28 août 1992   Accord de Charlottetown

L'échec de l'Accord du lac Meech a provoqué des remous importants au Québec et dans le reste du Canada. De nombreuses consultations sont tenues. Les premiers ministres du Canada et des provinces autres que le Québec conviennent d'examiner les revendications, non seulement du Québec, mais aussi des autres provinces et des autochtones (d'où l'expression *Canada Round*). Le 7 juillet 1992, une proposition complexe de réforme constitutionnelle est présentée. Elle est adoptée à Charlottetown le 28 août, après que Robert Bourassa eut obtenu quelques amendements. L'Accord est soumis à deux référendums simultanés, le 26 octobre 1992, l'un au Québec, l'autre dans le reste du Canada. Au Québec, il est rejeté par 55 % de l'électorat. Il est aussi rejeté par une majorité dans cinq des neuf autres provinces.

1er janvier 1994   ALENA

Entrée en vigueur de l'Accord de libre-échange nord-américain entre le Canada, les États-Unis et le Mexique. Il remplace celui qui existait depuis cinq ans entre les deux premiers pays et en reproduit les principales caractéristiques.

1er janvier 1994   Code civil

Entrée en vigueur du nouveau Code civil du Québec, sanctionné le 18 décembre 1991. Fruit de plusieurs années de préparation, il remplace le Code civil du Bas-Canada qui datait de 1866 et dont plusieurs dispositions ne correspondaient plus à l'évolution de la société et des mentalités.

30 octobre 1995   Référendum

Le Parti québécois, dirigé par Jacques Parizeau, reprend le pouvoir en 1994 et commence à préparer un nouveau référendum. Il présente un projet de loi sur l'avenir du Québec et demande à la population de lui accorder le mandat de réaliser la souveraineté du Québec, assortie d'une offre de partenariat économique et politique avec le reste du Canada. La campagne référendaire est intense et entraîne une très forte participation (près de 94 %) à la consultation du 30 octobre 1995. La proposition gouvernementale est rejetée par une très mince majorité : le « non » obtient 50,6 % des voix et le « oui » 49,4 %.

19 juillet 1996   Déluge du Saguenay

Des pluies d'une ampleur exceptionnelle s'abattent sur le Saguenay, provoquant le débordement de rivières et la rupture de barrages. Des ponts, des routes, des centaines de maisons et de chalets sont emportés par les flots. Des milliers de personnes sont évacuées. Le désastre suscite une vague de solidarité sans précédent. Six mois plus tard, après une enquête minutieuse, la Commission Nicolet montre que les effets du désastre naturel ont été amplifiés par une mauvaise gestion des barrages.

29 octobre 1996   **Sommet sur l'économie et l'emploi**

Ouverture à Montréal du Sommet sur l'économie et l'emploi qui réunit des représentants des grands secteurs sociaux, économiques et politiques du Québec. Préparé par une conférence en mars, puis par des groupes de travail spécialisés, il conduit, malgré quelques tiraillements, à un accord sur les priorités : déficit zéro, aide à la création d'emplois, fonds de lutte à la pauvreté, appui à l'économie sociale, relance de la métropole, politique familiale.

5 janvier 1998   **Crise du verglas**

Première de trois tempêtes de verglas qui, en quelques jours, provoquent la chute spectaculaire de poteaux et de fils, puis de nombreux pylônes. Près de la moitié de la population du Québec est affectée par des pannes d'électricité prolongées. Dans la Montérégie, particulièrement touchée, les maisons doivent être évacuées et il faudra parfois plusieurs semaines pour rétablir l'alimentation en électricité.

20 juin 1998   **Institut de la statistique du Québec**

La Loi sur l'Institut de la statistique du Québec crée un nouvel organisme qui prend la relève du Bureau de la statistique du Québec, de l'Institut de recherche et d'information sur la rémunération, du groupe responsable de l'Enquête sur la rémunération globale du Centre de recherche en statistiques sur le marché du travail et celui responsable de l'Enquête sur la santé et le bien-être de la population de Santé Québec.

1ᵉʳ juillet 1998   **Commissions scolaires linguistiques**

Les commissions scolaires confessionnelles sont remplacées par des commissions scolaires linguistiques. Cette mesure faisait l'objet de discussions depuis longtemps, mais sa mise en œuvre exigeait deux conditions : d'abord réaliser un consensus sur cette question parmi la société québécoise et les partis politiques, puis obtenir un amendement à la constitution qui, depuis 1867, garantissait des droits scolaires confessionnels. Ces conditions sont réunies en 1997, ce qui permet de mener à bien cette réforme d'envergure.

21 août 1998   **Avis de la Cour suprême**

Dans la foulée du référendum québécois de 1995, le gouvernement fédéral, dès l'année suivante, demande à la Cour suprême de se prononcer sur la légalité de la sécession éventuelle du Québec. Dans son avis, la Cour constate que, légalement, il n'existe pas de droit de sécession. Elle estime toutefois que, à la suite d'un référendum, avec une question claire et une majorité claire en faveur de la séparation, le reste du Canada aurait l'obligation de négocier.

1ᵉʳ avril 1999   **Nunavut**

Le territoire du Nunavut, détaché des Territoires du Nord-Ouest, est officiellement créé par le gouvernement fédéral. Peuplé à 85 % par des Inuits, il est doté d'un gouvernement représentant tous les habitants, Inuits et non-Inuits, et comprenant une assemblée législative élective.

29 juin 2000   **Loi sur la clarté**

À la suite de l'avis de la Cour suprême de 1998, le gouvernement fédéral fait adopter la « loi sur la clarté », comme elle est familièrement désignée. Elle impose des conditions draconiennes pour qu'un référendum sur la sécession d'une province entraîne, pour les autres partenaires, une obligation de négocier. Elle prévoit notamment que la Chambre des Communes se prononce sur la clarté de la question posée – en excluant d'avance toute référence à un partenariat éventuel – et sur la clarté des résultats.

13 décembre 2000   **Droits du Québec**

Sanction de la Loi sur l'exercice des droits fondamentaux et les prérogatives du peuple québécois et de l'État du Québec. Il s'agit de la réponse québécoise à la « loi sur la clarté » adoptée quelques mois auparavant par le Parlement fédéral. Elle réaffirme notamment le droit du peuple québécois à disposer de lui-même selon ses propres modalités, la souveraineté du Québec dans ses domaines de compétence et le statut du français comme langue officielle.

20 décembre 2000   **Fusions municipales**

La loi 170 impose une restructuration d'envergure dans les régions métropolitaines. Toutes les municipalités de l'île de Montréal sont regroupées en une seule, tandis qu'une grande ville est constituée sur la rive sud de Montréal. Dans la capitale, deux grandes villes sont formées : Québec sur la rive nord et Lévis sur la rive sud. À Hull, les principales municipalités sont fusionnées et forment la Ville de Gatineau.

La population du Québec au 20e siècle : un siècle de mutations

par Louis Duchesne *

* De l'Institut de la statistique du Québec.

D'importants changements sont survenus au siècle dernier dans le domaine démographique; on peut même dire qu'ils étaient impensables il y a cent ans, même dans l'imagination des utopistes. La première révolution fut celle de la mortalité, suivie de celle de la fécondité et de celle, plus récente, de la nuptialité. L'augmentation de la population est aussi considérable, et les changements dans sa structure sont remarquables. Les statistiques du début du siècle, que l'on trouve dans les premiers Annuaires du Québec, particulièrement celles du premier quart du siècle, sont moins fiables que les données plus récentes; elles sont cependant suffisamment précises pour donner un ordre de grandeur des phénomènes.

La population totale

La population mondiale atteint environ 6,0 milliards d'humains à la fin du 20ᵉ siècle, en regard d'une estimation de 1,6 milliard au début du siècle. Celle du Québec a été multipliée par 4,4, passant de 1,6 à 7,4 millions d'habitants (tableau 1). La population du Québec représente à peine un humain sur 1 000, alors que l'on compte près de un milliard d'Indiens (1 humain sur 6) et encore plus de Chinois (1 humain sur 5). L'ensemble de la population canadienne est passé de 5,4 à 30,8 millions au cours du siècle, soit une multiplication par 5,7. Comme la population de l'ensemble du Canada croît plus vite que celle du Québec, le poids du Québec dans le Canada a diminué de 31 % à 24 %.

Tableau 1
Population, naissances et décès, Québec, 1901-2000

Année	Population	Augmentation			Naissances[3]	Décès[3]	Accroissement naturel[3]
	n	n	%[1]	%[2]	n		
1901	1 648 898	...	...		...	...	...
1911	2 005 776	356 878	21,6	...	678 156	312 565	365 591
1921	2 360 510	354 734	17,7	...	829 500	375 484	454 016
1931	2 874 662	514 152	21,8	...	849 017	349 920	499 097
1941	3 331 882	457 220	15,9	...	786 984	330 084	456 900
1951	4 055 681	723 799	21,7	...	1 069 742	339 982	729 760
1956	4 628 378	572 697	...	14,1	653 963	171 344	482 619
1961	5 259 211	630 833	29,7	13,6	712 456	178 569	533 887
1966	5 780 845	521 634	...	9,9	671 653	188 489	483 164
1971[4]	6 137 368	356 523	16,7	6,2	514 123	197 377	316 746
1976	6 396 735	259 367	...	4,2	458 974	213 643	245 331
1981	6 547 704	150 969	6,7	2,4	488 881	216 944	271 937
1986	6 708 352	160 648	...	2,5	447 144	220 606	226 538
1991	7 064 735	356 383	7,9	5,3	444 301	239 558	204 743
1996	7 274 019	209 284	...	3,0	463 399	254 148	209 251
2000	7 372 448	98 429	...	...	386 200	268 000	118 200

1. Augmentation décennale.
2. Augmentation quinquennale.
3. Durée de 10 ans, de 5 ans ou de 4 ans selon le cas. Par exemple, on compte 678 156 naissances de 1901 à 1910.
4. La population est corrigée du sous-dénombrement depuis 1971.

Source : Statistique Canada, Recensements du Canada; Estimations de la population.

La figure 1 permet de suivre l'évolution de la population. Le recensement de 1911 révèle déjà un effectif de 2,0 millions; 40 ans plus tard, la population a doublé avec 4,1 millions d'habitants en 1951. Les années 50 sont témoins d'une croissance spectaculaire de 30 %, et on dénombre 5,3 millions de personnes en 1961. En 1976, on en compte un million de plus et encore un autre million à la fin du siècle. La croissance s'essouffle cependant, et la dernière décennie ne connaîtra qu'une augmentation de 5 %. En observant la courbe à la hausse de la figure 1, on a peine à imaginer que si les dernières projections (présentées à la fin de ce chapitre) se réalisent, on atteindra environ 7,8 millions d'habitants en 2026, pour ensuite revenir au niveau actuel de 7,4 millions vers le milieu du 21e siècle. L'examen du mécanisme de renouvellement de la population aidera à comprendre ce renversement de tendance.

Figure 1
Population, Québec, 1901-2000

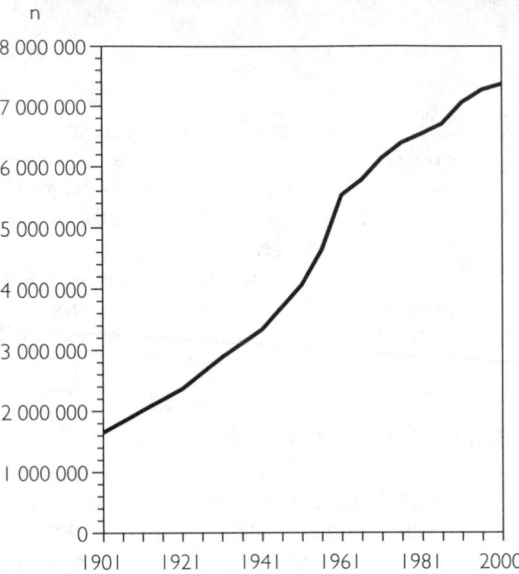

Source : Statistique Canada, Recensements du Canada; Estimations de la population.

La structure par âge et par sexe

La façon habituelle de présenter la structure de la population est de construire des pyramides où les effectifs des plus jeunes forment la base et ceux des plus vieux le sommet, et où les femmes et les hommes sont par convention représentés à droite et à gauche respectivement. Quatre pyramides sont dessinées à la figure 2, soit celles de 1901, de 1951, de 1971 et de 2000. Les effectifs de la pyramide de 1901 sont par groupes d'âge et l'abscisse est différente de celle des trois autres pyramides.

La pyramide de 1901 est typique de celle d'une population à forte fécondité et à forte croissance. Dans la pyramide par année d'âge de 1951, on observe le creux occasionné par le faible nombre de naissances survenues pendant les années 30 et la reprise de la natalité au début de la deuxième guerre. Si les histogrammes de 1951 sont si réguliers, c'est que les données du recensement ont été lissées par Statistique Canada. On voit bien dans la pyramide de 1971 le rétrécissement à la base causé par la chute de la fécondité débutant au milieu des années 60. Les générations du baby-boom sont encore bien en évidence dans la pyramide de 2000, où l'on remarque aussi la faiblesse des effectifs aux très jeunes âges.

De nos jours, ce sont les naissances qui déterminent l'allure générale des pyramides, sauf aux âges élevés, où la mortalité est importante. Les migrations n'influent pas beaucoup sur la structure par âge. Il est assez évident que les femmes sont de plus en plus nombreuses au sommet des pyramides. Cela s'explique principalement par le fait que leur vie moyenne est maintenant beaucoup plus longue que celle des hommes. En revanche, à la base des pyramides, le nombre de garçons dépasse celui des filles, puisqu'il y a un peu plus de naissances masculines.

Figure 2
Pyramides des âges, Québec, 1901, 1951, 1971 et 2000

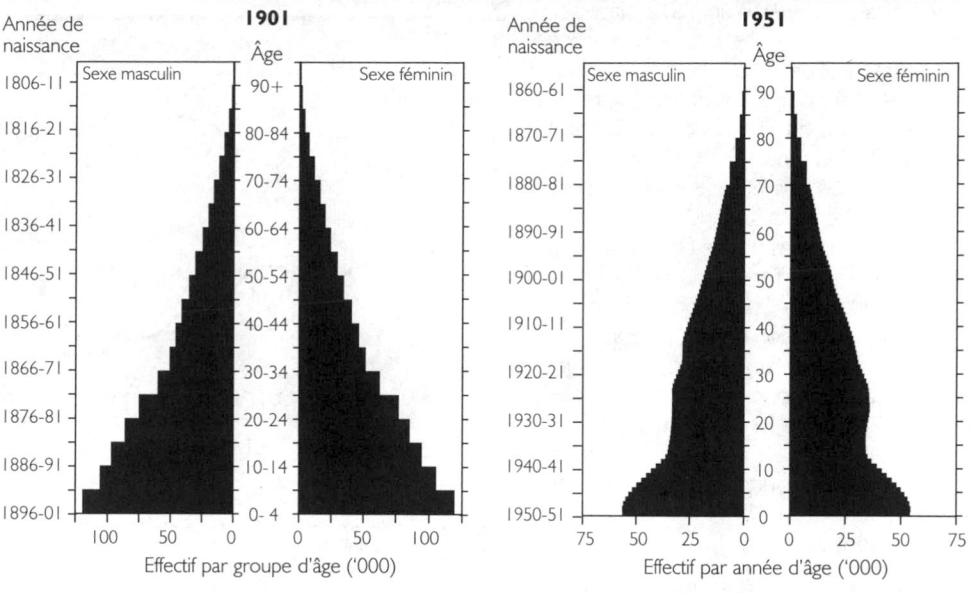

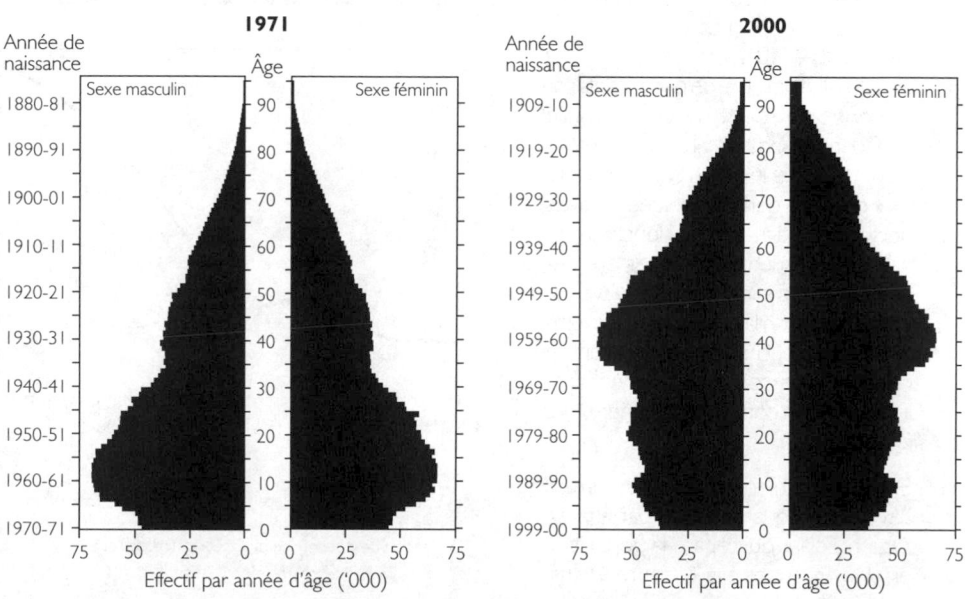

Source : Statistique Canada, Recensements du Canada; Estimations de la population.

On peut résumer la structure par âge en la répartissant en trois grands groupes aux frontières un peu arbitraires : les jeunes de 0-14 ans, les personnes d'âge actif de 15-64 ans et les personnes âgées de 65 ans et plus (figure 3). Au début du 20e siècle, on comptait 39 % de jeunes, 56 % de personnes de 15-64 ans et 5 % de personnes âgées de 65 ans et plus. Les proportions n'ont pas bougé beaucoup dans la première moitié du siècle, mais, depuis les années 60, on observe une forte diminution de la proportion des jeunes et une augmentation corollaire des autres groupes. On ne trouve plus en 2000 que 18 % de jeunes, soit un peu moins de la moitié de la proportion du début du siècle, mais 69 % de personnes de 15-64 ans et 13 % de personnes âgées.

Le rapport de dépendance mesure le poids relatif des jeunes et des aînés en comparaison de la population de 15-64 ans. Au début du siècle, le rapport est de 0,77; il baisse pendant les années 30 et 40, mais remonte à 0,70 en 1961. Le nombre de dépendants par personne de 15-64 ans chute ensuite de façon importante; il se situe autour de 0,45 depuis le milieu des années 70. La « charge » démographique pour les personnes d'âge actif est donc maintenant relativement faible, mais elle devrait s'accroître dans le futur, avec le vieillissement de la population. Il faut préciser que la « charge » d'un enfant et celle d'une personne âgée varient dans le temps, tout comme les frontières des âges d'activité.

Enfin, le dernier indicateur résumant l'évolution de la structure par âge est l'âge médian, qui sépare la population en deux groupes égaux (figure 4). Jusqu'au début des années 20, la population était si jeune que la moitié des personnes avaient moins de 21 ans. L'âge médian a augmenté lentement, pour atteindre 25 ans au début des années 70. Depuis ce temps, il a crû rapidement et se situe à 38 ans en 2000. D'après les dernières projections de population, il se pourrait qu'au milieu du 21e siècle, près de la moitié de la population ait 50 ans ou plus.

Figure 3
Proportion des grands groupes d'âge, Québec, 1901-2041

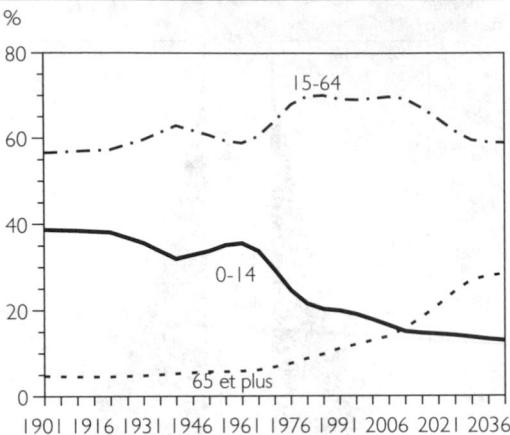

Sources : Statistique Canada, Recensements du Canada; Estimations de la population.
Institut de la statistique du Québec, Thibault et autres (1999), Projections de la population.

Figure 4
Âge médian de la population, Québec, 1901-2041

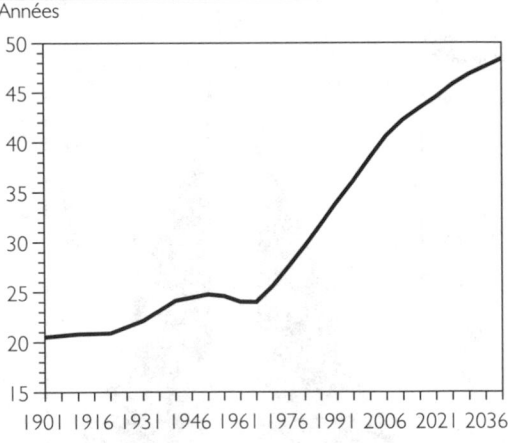

Sources : Statistique Canada, Recensements du Canada; Estimations de la population.
Institut de la statistique du Québec, Thibault et autres (1999), Projections de la population.

La population compte tout au long du siècle à peu près autant d'hommes que de femmes, mais depuis quelques décennies, une légère majorité féminine semble s'établir. Cependant, ce qui ressort avant tout de l'évolution des rapports de masculinité (nombre d'hommes pour 100 femmes), c'est la féminisation croissante des personnes âgées. Aux recensements de 1901 à 1931, on dénombre autant d'hommes que de femmes dans le groupe des 65 ans et plus, mais la proportion de femmes augmente beaucoup dans la deuxième moitié du siècle, si bien qu'en 2000, 59 % des personnes âgées sont des femmes. Plus l'âge est avancé, plus le contraste est grand : chez les personnes de 85-89 ans, par exemple, on compte 91 hommes pour 100 femmes en 1901, 77 en 1951, 65 en 1971 et seulement 41 en 2000. Ces écarts s'expliquent par le fait que les progrès réalisés dans la lutte contre la mortalité ont d'abord avantagé énormément les femmes. Dans l'avenir, si l'on se fie à une tendance récente, les rapports de masculinité devraient être moins déséquilibrés.

La répartition géographique

Il est pratiquement impossible de présenter l'évolution de la population sur une base régionale à très long terme, puisque les frontières des municipalités, des comtés et des régions sont en constant changement. Mentionnons qu'en 1901, les cités de Montréal et de Québec comptent respectivement 267 730 et 63 840 citoyens et qu'en 1996, on y a recensé pour l'une et l'autre 1 016 376 et 167 264 personnes. Ces villes sont aujourd'hui au centre de régions métropolitaines de 3,5 et de 0,7 millions d'habitants. Près de la moitié (47 %) de la population du Québec est maintenant concentrée dans la conurbation montréalaise.

Depuis le début des années 20, plus de la moitié de la population du Québec est urbaine (figure 5). Cette proportion croît rapidement jusqu'au début des années 70, alors qu'elle atteint 80 %; elle est restée stable depuis à un niveau un peu plus bas, soit 78 %. La définition du caractère urbain a cependant changé au cours du temps. Au début du 20ᵉ siècle, on considère comme urbains les habitants des cités, villes et villages, alors qu'aujourd'hui, on se base sur le critère d'une concentration d'au moins 1 000 habitants et d'une densité d'au moins 400 habitants au kilomètre carré.

Figure 5

Proportion de la population urbaine, Québec, 1901-1996

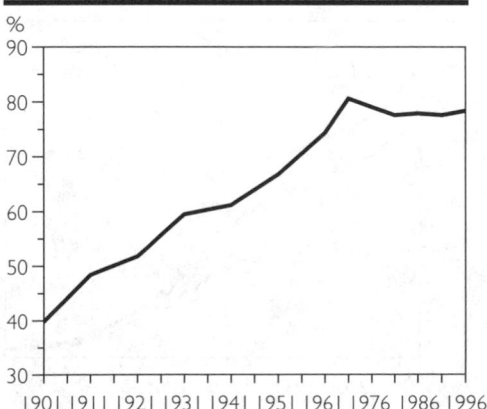

Source : Statistique Canada, Recensements du Canada.

Figure 6

Décès, Québec, 1900-2000

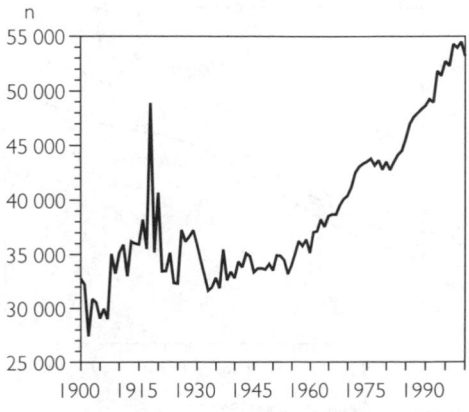

Source : Institut de la statistique du Québec.

Les décès et la mortalité

Comme il fallait un permis pour l'inhumation d'une personne décédée, l'enregistrement des décès est meilleur que celui des naissances dans les premières décennies du 20e siècle, malgré l'excellence des registres paroissiaux catholiques. Il est cependant incomplet. Le travail d'estimation des indices de mortalité pour le début du siècle a été fait par Bourbeau et autres (1997), et nous utiliserons leurs résultats.

Dans la première moitié du siècle, ou du moins à partir de 1910, le nombre annuel de décès oscille autour de 35 000 (figure 6). Il n'y a qu'un seul écart, et il est énorme : c'est 1918, année où l'épidémie de grippe espagnole fait monter le nombre de décès à près de 49 000. Depuis le début des années 50, il augmente régulièrement, jusqu'à se rapprocher de 55 000 à la fin des années 90. Notons que les décès des soldats à l'étranger ne sont pas inclus dans les statistiques de l'état civil, et que les décès étaient classés selon leur lieu d'occurrence plutôt que de résidence jusqu'en 1943.

L'espérance de vie – ou la vie moyenne – et le taux de mortalité infantile sont les deux indicateurs principaux non seulement de la mortalité, mais aussi de la santé des populations. D'après les conditions de mortalité du début du 20e siècle, l'espérance de vie à la naissance n'est que de 45 ans chez les hommes et de 48 ans chez les femmes (figure 7). Les progrès réalisés depuis sont énormes, puisque à l'aube du 21e siècle, la vie moyenne des hommes est de 75 ans et celle des femmes, de 81 ans. La vie des hommes s'est donc allongée de 30 ans et celle des femmes, de 33 ans. Les progrès ont été plus importants dans la première moitié du siècle, puisqu'en 1951 l'espérance de vie des hommes est déjà de 64 ans et celle des femmes, de 69 ans. Le niveau actuel du Québec est un des plus élevés au monde, mais au Japon – qui détient le record avec 77 ans chez les hommes et 83 ans chez les femmes – l'espérance de vie continue d'augmenter.

L'inégalité des sexes devant la mort est très importante. Dans la première moitié du siècle, les femmes vivent en moyenne 3 ans de plus que les hommes, mais l'écart augmente considérablement, jusqu'à atteindre plus de 7 ans pendant les années 70 et 80. Au cours des derniers lustres, cependant, cet écart s'est rétréci un peu.

Figure 7
Espérance de vie à la naissance selon le sexe, Québec, 1901-1998

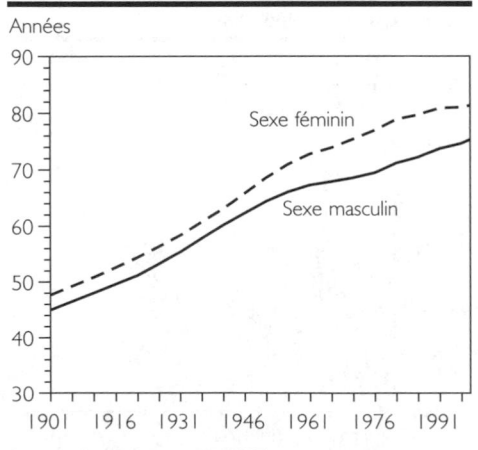

Sources : Bourbeau et autres (1997).
Institut de la statistique du Québec.

Figure 8
Taux de mortalité infantile selon le sexe, Québec, 1901-1998

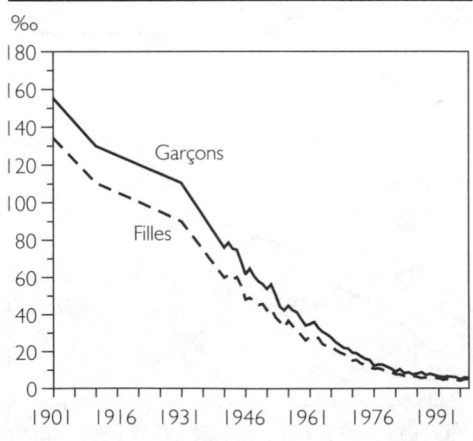

Sources : Bourbeau et autres (1997).
Institut de la statistique du Québec.

Le taux de mortalité infantile représente la proportion d'enfants qui décèdent avant leur premier anniversaire. On imagine mal aujourd'hui une hécatombe chez les bébés comme c'était le cas au début du 20e siècle alors qu'environ 15 % des enfants mouraient au cours de leur première année (figure 8). Le taux de mortalité était de 16 % chez les garçons et de 13 % chez les filles. Au milieu du siècle, ce taux a diminué à 6 % chez les garçons et à 5 % chez les filles. Au début des années 80, le taux est descendu sous le seuil du 1 % et il a baissé de moitié encore depuis; il était de 0,6 % chez les garçons et de 0,5 % chez les filles en 1998, ce qui est 10 fois moins que le niveau de 1950.

Il est difficile de déterminer l'importance des principaux facteurs expliquant ces progrès : de meilleures conditions d'hygiène et d'alimentation des bébés, l'accouchement en milieu hospitalier, la diffusion de la vaccination, l'invention des antibiotiques, etc. Les statistiques annuelles de l'état civil permettent de mesurer la progression du nombre de naissances à l'hôpital. Vers 1925, seulement 5 % des accouchements ont lieu à l'hôpital et dix ans plus tard, la proportion n'augmente qu'à 10 %. Cependant, au début des années 40, la progression est très rapide. Le seuil de 50 % est franchi en 1951, et, en 1961, on est à 92 %. Depuis le milieu des années 60, la presque totalité des accouchements, soit 99 %, se font en milieu hospitalier. On peut penser que le séjour à l'hôpital contribue à améliorer l'éducation des mères et à assurer de meilleurs soins aux bébés et aux mères. Ce n'est cependant pas le seul facteur qui a fait baisser la mortalité infantile, puisqu'elle avait déjà baissé considérablement dans les premières décennies. Le Conseil supérieur d'Hygiène de la Province de Québec mentionne dans son *Rapport 1915-16* qu'il fait remettre à toute famille qui fait « baptiser ou enregistrer la naissance d'un enfant, un petit opuscule sur l'hygiène du nouveau-né » et qu'il fait « donner dans les municipalités, par ses inspecteurs régionaux, des conférences sur l'hygiène et les soins à donner aux nourrissons ».

Même franchi le premier anniversaire, les années de l'enfance sont encore très difficiles à traverser au début du siècle dernier. Selon la table estimée pour 1901, seulement 75 % des garçons et 77 % des filles survivent à leur 10e anniversaire, alors qu'aujourd'hui plus de 99 % des enfants atteignent cet âge. Ce n'est qu'au début des années 40 que la table de mortalité donne environ 90 % de survivants et au début des années 50, ce sont 93 % des garçons et 95 % des filles qui se rendent à cet âge.

On considère habituellement le 65e anniversaire de naissance comme un seuil pour établir le grand groupe des personnes âgées. Selon les conditions de mortalité au début du 20e siècle, 35 % des hommes et 41 % des femmes se rendent à 65 ans, et leur vie moyenne à cet âge est de 11 ans chez les hommes et de 12 ans chez les femmes. Au milieu du siècle, 63 % des hommes et 72 % des femmes célèbrent cet anniversaire, et il leur reste en moyenne 13 et 14 années à vivre. Aujourd'hui, ce sont 82 % des hommes et 90 % des femmes qui atteignent 65 ans, et ils peuvent s'attendre à vivre encore 16 et 20 autres années respectivement. Non seulement de plus en plus de gens parviennent à la vieillesse, mais celle-ci est de plus en plus longue.

Plus du tiers des décès étant ceux d'enfants de moins d'un an au début du siècle dernier, les causes qui y sont associées prennent une part importante dans l'ensemble des causes de décès. Les décès du début du siècle sont classés selon la Nomenclature internationale Bertillon, l'ancêtre de la Classification internationale des maladies. Cependant, pour les 36 000 décès de l'année 1914, par exemple, il y a plus de 3 000 décès dont la cause est mal définie ou non indiquée. La diarrhée est responsable du plus grand nombre de décès (surtout la diarrhée et entérite au-dessous de 2 ans), soit 6 400 (20 % des causes déclarées), et la tuberculose emporte 3 400 personnes (10 %). D'autres maladies contagieuses sont aussi présentes : on compte 650 décès causés par la diphtérie (2 %), 450 par la fièvre typhoïde (1 %), et 290 par la fièvre scarlatine (1 %). En incluant les pneumonies, les bronchites aiguës et chroniques et les broncho-pneumonies, on ajoute 2 900 décès (9 %). On compte 1 000 décès par cancer (3 %) et 1 400 par maladies organiques du cœur (4 %). Il n'y a que 63 suicides qui ont été déclarés en 1914. Comme il n'y a encore que quelques milliers d'automobiles en circulation, on ne parle pas encore des décès causés par ce moyen de transport. Ces statistiques proviennent de l'Annuaire du Québec de 1916 et ne sont données qu'à titre indicatif.

Au milieu du siècle, les causes de décès ont déjà bien changé avec une diminution fort importante des maladies infectieuses, dont certaines ont pratiquement disparu. En 1951, par exemple, on compte 34 900 décès, soit un nombre rapproché de celui de 1914 donné en exemple, avec une population beaucoup plus importante. La diarrhée ne figure plus dans la liste intermédiaire des causes et on ne trouve que 12 décès dus à la dysenterie. La diphtérie avec 26 décès, la fièvre typhoïde avec 7 et la scarlatine avec 14 font maintenant figure d'exception. On compte cependant encore 1 553 décès dus à la tuberculose, ce qui représente 4 % des décès. Le nombre de décès causés par une bronchite ou une pneumonie, soit 1 471 (4 %), correspond à la moitié de la proportion de 1914. Les décès par cancer ont toutefois augmenté à près de 5 000 et constituent 14 % des décès. On note 258 décès par cancer du poumon (1 %) et 441 décès par cancer du sein (1 %). Il est difficile de trouver la correspondance avec ce qu'on appelait au début du siècle les « maladies organiques du cœur », mais les maladies de l'appareil circulatoire causent 36 % des décès au début des années 50 et, parmi ces dernières, les maladies ischémiques du cœur sont responsables de 18 % de l'ensemble des décès. Avec l'augmentation du nombre de véhicules à moteur, le nombre de décès qui y sont associés atteint 814 en 1951, soit 2 % des décès. Enfin, 177 suicides sont déclarés en 1951, ce qui représente 0,5 % des décès.

À la fin du 20e siècle, les maladies infectieuses n'ont plus du tout l'importance d'antan. En 1998, on ne compte aucun décès dû à la typhoïde, à la scarlatine et à la diphtérie. Il n'y a que 27 décès associés à la tuberculose, la plupart des décédés étant assez âgés. De nouvelles maladies infectieuses ont cependant fait leur apparition, et le sida cause 0,3 % des décès en 1998 (149 décès). Cette maladie semble devenir moins mortelle puisqu'elle entraîne 586 décès en 1995. Elle est loin, en tout cas, d'avoir l'ampleur de la tuberculose il n'y a pas si longtemps. La proportion des décès dus à une bronchite ou à une pneumonie est la même qu'au milieu du siècle, soit 4 %. La part du cancer a toutefois beaucoup augmenté et représente maintenant 31 % des décès. En 1998, 5 000 personnes sont mortes à la suite d'un cancer du poumon (9 % des décès). C'est à peu près 20 fois le nombre de 1951 et c'est une proportion semblable à celle de la tuberculose au début du siècle. Le cancer du sein a aussi augmenté sa part dans l'ensemble des causes de décès (2,5 %). La proportion des décès dus à des maladies de l'appareil circulatoire est de 34 % à la fin du siècle, comme au début des années 50. Il faut toutefois préciser que cette catégorie était beaucoup plus importante dans les années 70 et en 1979-1980, alors qu'elle était responsable de pas moins de 46 % des décès. La même tendance est observée pour les accidents de véhicule à moteur, qui causent 2 % des décès en 1951, 3,6 % en 1979-1980, mais dont la part diminue à 1,2 % en 1998. Même en nombres absolus, avec 663 décès en 1998, on compte moins de décès qu'au milieu du siècle et que dans les années 80 (1 537 en 1980). Les suicides sont maintenant plus importants que les accidents de véhicule, et ils constituent 2,5 % des causes de décès.

Les changements sont donc considérables tout au long du siècle, non seulement dans la distribution par âge des décédés, mais aussi dans les principales causes de décès.

Les naissances et la fécondité

À la fin du 20ᵉ siècle, le nombre de naissances n'est pas tellement éloigné de celui du début du siècle. En effet, dans les années 10 et 20, on compte chaque année un peu plus de 80 000 naissances, mais on n'atteint pas ce nombre ces dernières années. Au début du 20ᵉ siècle, le nombre de naissances est un peu plus de 60 000. À cette époque, seuls les catholiques ont un système d'enregistrement satisfaisant. Les estimations qui corrigent le sous-enregistrement présentées ici ont été faites par Henripin en 1968 pour les années d'avant 1921. La correction est faible dans les dernières années, mais peut atteindre 15 % pour certaines et même 20 % pour 1902. Il faut donc considérer les nombres des naissances du début du 20ᵉ siècle comme un ordre de grandeur.

Ce qui ressort d'abord de l'examen de la figure 9 qui présente l'évolution du nombre de naissances par année, c'est la protubérance de la courbe dessinée par les enfants du baby-boom. Le nombre de naissances, qui descend en bas de 80 000 au milieu des années 30, augmente régulièrement jusqu'à dépasser 140 000 à la fin des années 50. Puis, il redescend très rapidement jusqu'au début des années 70, à un niveau inférieur à 100 000. Le maximum est atteint de 1957 à 1959, avec 144 000 naissances. Il est difficile de déterminer le début et la fin du baby-boom. Habituellement, la période 1946-1966 est retenue comme référence, mais on voit bien sur la figure que les naissances augmentent énormément à la fin de la crise, à partir de 1938, et pendant les années de la 2ᵉ guerre, et que la croissance ne change pas vraiment de rythme après la guerre. À la fin du baby-boom, la vague redescend jusqu'au début des années 70.

Depuis les 30 dernières années, il y a eu deux petites vagues dans le nombre de naissances, soit des sommets de près de 100 000 en 1979 et 1990 et des creux de 84 000 en 1987 et de 72 000 en 2000. Le mini baby-boom de la fin des années 80 n'apparaît avec le recul que comme une légère fluctuation.

Les 7,4 millions de Québécois de la fin du 20ᵉ siècle ont « produit » à peu près le même nombre de naissances que les 2,0 millions du début des années 10. Le taux de natalité, qui est le rapport du nombre de naissances à la population totale, a donc chuté considérablement, de près de 40 ‰ à un peu plus de 10 ‰. La meilleure façon de décrire l'évolution de la fécondité est

Figure 9

Naissances, Québec, 1900-2000

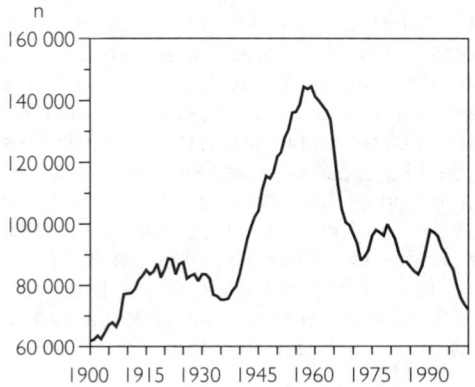

Sources : Henripin (1968).
         Institut de la statistique du Québec.

Figure 10

Indice synthétique de fécondité, Québec, 1891-2000

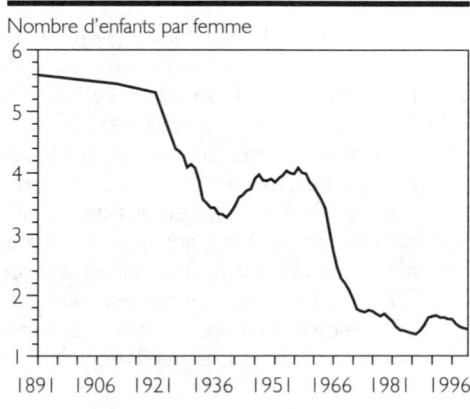

Sources : Henripin (1968).
         Institut de la statistique du Québec.

cependant d'utiliser les indices synthétiques de fécondité, qui sont la somme des taux de fécondité par âge et qui représentent le nombre moyen d'enfants par femme d'une génération qui aurait les taux de fécondité d'une année donnée. Les taux par âge ne sont disponibles que depuis 1926, mais Henripin (1968) a estimé les indices pour les années 1851, 1871, 1891, 1911 et 1921. Il vaut la peine de mentionner que l'indice de 1851 est estimé à 6,8 enfants, celui de 1871 à 6,4 et celui de 1891 à 5,6. Il y a donc eu une baisse importante à la fin du 19e, suivie d'un plateau jusque vers 1921 (Henripin, 1989; Gauvreau et Gossage, 1997). La fécondité était plus élevée en Ontario en 1871, avec un indice de 6,8, mais elle y a baissé plus vite qu'au Québec puisqu'elle est de 4,0 enfants en 1891.

Contrairement à l'Ontario, où la baisse de la fécondité se poursuit au début du 20e siècle, le Québec connaît un plateau jusque vers 1921 de 5,3 enfants par femme (figure 10). Survient ensuite une diminution importante de l'indice, qui n'est plus que de 3,3 entre 1937 et 1939. Cela représente 2,0 enfants de moins par femme en moyenne sur une période d'une quinzaine d'années seulement. Bien avant la crise des années 30 – laquelle n'a sûrement pas aidé – la fécondité avait commencé à baisser, mais la reprise économique accompagnant la guerre l'a fait repartir à la hausse. C'est le début du baby-boom, et l'indice remonte à près de 4 enfants par femme de 1946 à 1960. La baisse des années 60 est énorme; l'indice n'est que de 2,1 en 1970, et il chute à 1,4 de 1983 à 1988. On observe une petite remontée à 1,7 au début des années 90, suivie d'une autre chute à 1,5. Le Québec, qui avait une fécondité plus forte que celle de l'Ontario jusque dans les années 60, en affiche ensuite une plus faible, mais à la fin du siècle, les niveaux sont très rapprochés.

On oublie souvent la baisse importante de la fécondité des années 20 et 30, qui est due à l'utilisation de méthodes naturelles de contraception et aussi à un délai dans l'âge du mariage. Gauvreau et Gossage (1997) décrivent les méthodes utilisées. Si les méthodes naturelles peuvent être relativement efficaces, la pilule contraceptive qui est apparue dans les années 60 a donné aux couples la possibilité d'un contrôle à peu près total de leur fécondité. La légalisation des interruptions volontaires de grossesse en 1969 donne un outil pour parer aux échecs de la contraception. On peut donc considérer les naissances actuelles comme délibérément voulues ou du moins acceptées par les parents.

L'âge moyen à la maternité a aussi considérablement changé. Au début du siècle, il est près de 31 ans. Il augmente au début des années 30 jusqu'à près de 31,5 ans de 1934 à 1936, puis il baisse constamment jusqu'au milieu des années 70; il n'est plus que de 27,3 en 1976. Il augmente ensuite d'un an et est de 28,5 en 2000.

Avec les taux de fécondité par âge présentés aux figures 11a et 11b, nous observons des fluctuations encore plus grandes que celles obtenues par les indices plus globaux. Les taux par âge ne sont disponibles que depuis 1926. Chez les plus jeunes femmes, on voit une baisse jusqu'au milieu des années 30, la remontée jusque dans les années 50, la chute de la décennie suivante, puis une légère tendance à la baisse ou une stabilisation ces dernières années. Le taux correspondant aux femmes de 24 ans, par exemple, passe de 214 ‰ en 1926 à 136 ‰ au milieu des années 30, puis il monte jusqu'à dépasser 250 ‰ au milieu des années 50. Vingt ans plus tard, il a baissé de moitié et au milieu des années 80, il est autour de 100 ‰. La tendance à la baisse se poursuit et le taux n'est plus que de 80 ‰ en 2000. La fécondité des adolescentes est assez faible. Chez les filles de 16 ans, le taux est proche de 6 ‰ depuis le milieu des années 60. Au milieu des années 20, il était aussi à ce niveau, mais il a baissé en bas de 4 ‰ dans les années 30 puis augmenté à un maximum de 9 ‰ à la fin des années 50.

Figure 11
Taux de fécondité selon l'âge, Québec, 1926-2000

a) 16 à 26 ans

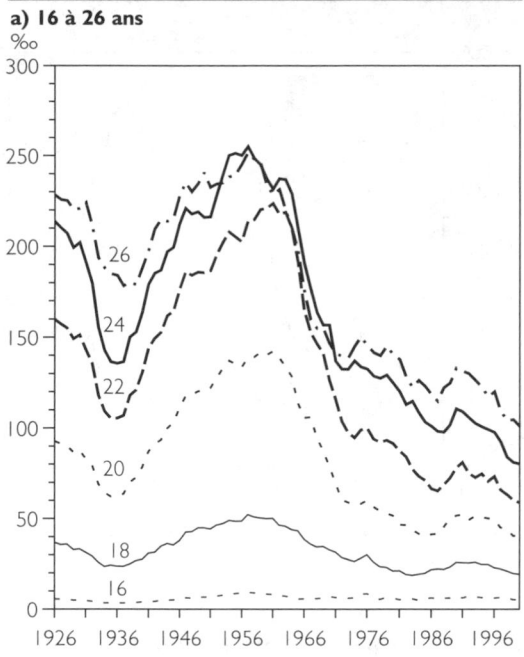

b) 28 à 48 ans

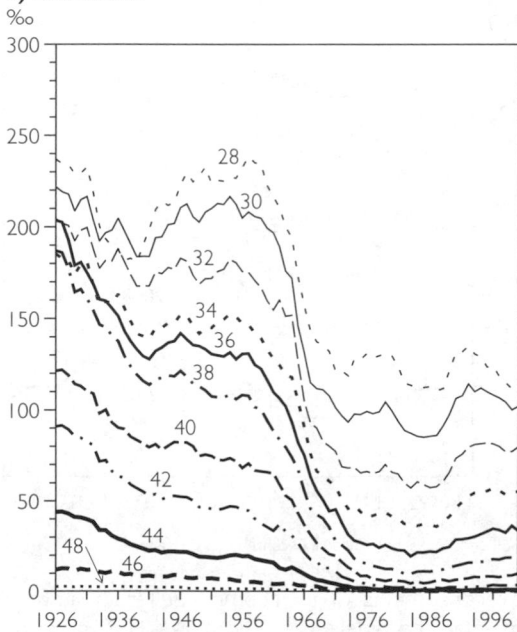

Source : Institut de la statistique du Québec.

C'est chez les femmes plus âgées que l'on voit les changements les plus importants : en effet, les femmes de plus de 40 ans n'ont presque plus d'enfants. Le taux de fécondité des femmes de 42 ans, par exemple, qui était de 91 ‰ en 1926, descend régulièrement jusqu'à 35 ‰ au début des années 60 et chute rapidement ensuite, pour n'être que de 2 ou 3 ‰ depuis la fin des années 70, ce qui est moins que la fécondité des femmes de 16 ans. À ces âges, il n'y a pas eu vraiment de remontée pendant les années du baby-boom; tout au plus peut-on observer que la baisse est moins forte que pendant les années 20. De toute évidence, il y avait déjà une limitation des naissances de plus en plus importante. L'arrivée de la pilule et le recours à la ligature ont accéléré la baisse. Les taux de fécondité des femmes dans la trentaine ont ceci de particulier qu'ils sont un peu plus élevés pendant les années 90 que pendant les années 70 et 80; c'est ce qui explique la remontée de l'âge moyen à la maternité dont on a parlé plus haut.

Une bonne partie de la fécondité était si l'on peut dire « annulée » au début du siècle par la mortalité infantile, qui emportait près du quart des enfants avant leur 10ᵉ anniversaire. Ce n'est plus le cas heureusement aujourd'hui, mais la fécondité n'assure plus le remplacement des générations depuis le début des années 70, le nombre moyen d'enfants par femme étant inférieur à 2.

Les mariages et la nuptialité

Dans la plupart des sociétés, le mariage a traditionnellement été le rite de passage le plus important pour les individus, en marquant leur entrée définitive dans la vie adulte et la fondation d'une nouvelle famille. Cependant, cette institution est bien malmenée depuis quelques décennies avec le développement de l'union libre, si bien que les mesures de la nuptialité traditionnelle deviennent insuffisantes.

Au début du 20ᵉ siècle, 10 000 mariages ont été célébrés (figure 12). Le nombre augmente ensuite progressivement jusqu'à atteindre le sommet de l'année 1972, avec 54 000 mariages, puis diminue de moitié jusqu'à environ 22 000 en 2000. On note une réduction du nombre de mariages pendant la 1ʳᵉ guerre, puis un rattrapage en 1919 et 1920. La crise des années 30 infléchit aussi la courbe des mariages, de sorte qu'il y a un creux en 1932 et 1933. La reprise est cependant forte et dure jusqu'en 1940. Le nombre de mariages ne fait qu'augmenter légèrement dans les années 40 et 50, mais l'arrivée sur le marché matrimonial des premières générations du baby-boom accentue la tendance à la hausse jusqu'au début des années 70. La désaffection qui suit est draconienne : malgré l'arrivée de générations nombreuses et la possibilité de remariage après un divorce, le nombre de mariages dégringole, si bien que l'on en a célébré ces dernières années la moitié moins que pendant les années 70.

Le nombre de divorces est négligeable jusqu'à la fin des années 60. Depuis le milieu des années 80, on en compte environ 20 000 par année. Ces dernières années, le nombre de divorces est même supérieur au nombre de mariages de célibataires chez les hommes et presque similaire chez les femmes.

Il y a peu de données détaillées sur la nuptialité dans la première moitié du siècle, mais la répartition de la population selon l'état matrimonial par groupe d'âge est disponible dans les recensements depuis 1911. En 1951 cependant, les données sont décennales plutôt que quinquennales, pour

Figure 12
Mariages et divorces, Québec, 1900-2000

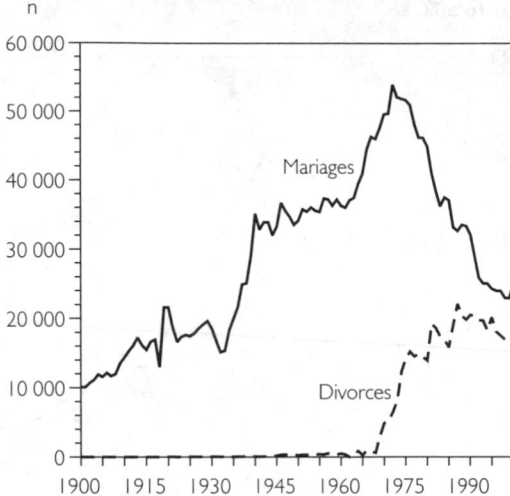

Source : Institut de la statistique du Québec.

Figure 13
Proportion de personnes mariées selon le sexe pour quelques groupes d'âge, Québec, 1911-1996

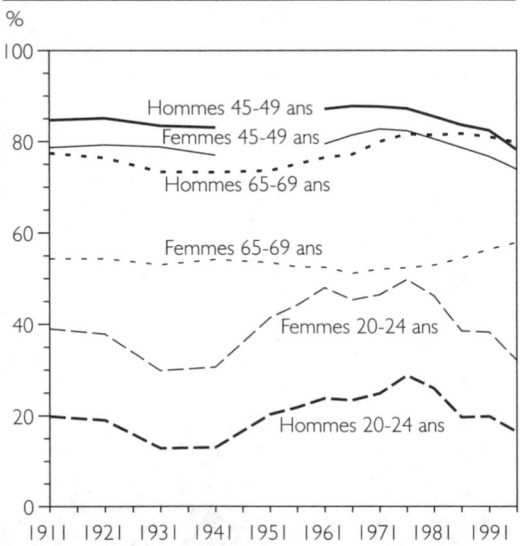

Source : Statistique Canada, Recensements du Canada.

certains groupes d'âge. Dans les derniers recensements, on tient compte de l'état matrimonial de fait, les partenaires en union libre étant considérés comme mariés. Il s'agit donc d'une mesure de la vie en couple.

En regardant la proportion des jeunes de 20-24 ans qui sont mariés (figure 13), on constate d'abord l'importante précocité des femmes. Tout au long du siècle, la proportion des femmes mariées dépasse d'environ 20 points celle des hommes. En 1911, près de 40 % des femmes de 20-24 ans sont mariées et 20 % des hommes. Pendant les années de la dépression, le nombre de mariages a diminué beaucoup, si bien qu'en 1931 et en 1941, seulement 30 % des femmes et 13 % des hommes sont mariés à ces âges. Dans les décennies qui suivent, on assiste à une augmentation assez régulière et en 1976, la moitié des femmes et près de 30 % des hommes sont mariés. Depuis, de moins en moins de jeunes de 20-24 ans vivent en couple : en 1996, il n'y en a plus que 32 % chez les femmes et 16 % chez les hommes. Rappelons que les concubins sont ici inclus parmi les personnes mariées. S'il y a plus de jeunes femmes mariées que de jeunes hommes mariés, c'est l'inverse que l'on observe dans le groupe des 45-49 ans, chez qui la proportion des hommes mariés dépasse celle des femmes mariées d'environ 5 points tout au long du siècle. En cent ans, il y a eu relativement peu de changements dans la proportion de gens mariés à ces âges, mais c'est quand même dans les années 60 et 70 que les proportions sont les plus fortes, avec un sommet de 88 % chez les hommes en 1966 et 1971 et de 83 % chez les femmes en 1971. Au cours des derniers lustres, cette proportion a diminué et en 1996, seulement 78 % des hommes et 74 % des femmes ont un conjoint. La situation est différente chez les personnes plus âgées, qui sont plus nombreuses à vivre en couple ces dernières années. En fait, pour celles-ci, c'est la baisse de la mortalité qui réduit le veuvage, comme nous le verrons plus loin. L'écart entre les hommes et les femmes est cependant considérable. En 1996, par exemple, 80 % des hommes de 65-69 ans vivent en couple, contre 58 % des femmes des mêmes âges. En 1911, l'écart était semblable, alors que 77 % des hommes et 54 % des femmes étaient mariés.

Le veuvage a considérablement diminué au cours de la deuxième moitié du siècle, surtout chez les hommes et particulièrement les hommes plus âgés. La proportion d'hommes veufs de 80-84 ans, par exemple, qui était de 47 % au début des années 40, n'est plus que de 25 % dans les années 90. Chez les femmes de ces âges, à peu près les deux tiers sont veuves tout au long du siècle. L'écart observé est dû évidemment à la plus grande longévité des femmes, à la différence d'âge entre les conjoints et aussi au remariage plus fréquent chez les hommes. Chez les hommes de 65-69 ans, la proportion de veufs, qui était de plus de 15 % jusqu'au milieu du siècle, chute de moitié et n'est plus que de 6 % ces dernières années. Près du tiers des femmes sont veuves à ces âges tout au long du siècle, sauf depuis quelques lustres. La proportion a en effet diminué et s'approche maintenant du quart. Chez les personnes de 45-49 ans, le veuvage diminue dans la deuxième moitié du siècle; on compte aujourd'hui dans ce groupe environ 1 % de veufs et 2 % de veuves, en regard de 5 % et 8 % en 1911. Rappelons qu'il s'agit ici de l'état matrimonial observé aux différents recensements; une personne veuve qui s'est remariée n'est pas considérée comme veuve, mais comme mariée.

À chaque recensement depuis 1971, les proportions de divorcés augmentent, sauf chez les plus jeunes. Ainsi, en 1996, 10 % des hommes de 50-54 ans et 14 % des femmes des mêmes âges sont divorcés, contre 4 % et 5 % en 1981. À chaque divorce, il y a un homme et une femme, mais les hommes se remettent plus souvent en couple que les femmes. Chez les plus jeunes, les proportions de divorcés diminuent. Chez les femmes de 30-34 ans, par exemple, la proportion de divorcées passe de 6 % en 1986 à 4 % en 1996. Cela est dû en bonne partie à la popularité grandissante de l'union libre chez les plus jeunes. Lors d'une rupture d'union libre, il n'y a pas de divorce.

Si le divorce s'est développé à la suite d'une libéralisation de la législation, l'union libre est apparue en marge de l'intervention des législateurs. La différence entre le *common law union* des autres provinces et l'union libre selon le code civil est fondamentale. Les concubins des autres provinces sont rejoints par le droit commun, tandis que ceux du Québec demeurent des étrangers devant la loi, même si de plus en plus on reconnaît certains droits et obligations aux partenaires en union libre. L'union libre augmente considérablement, surtout chez les jeunes couples. Ainsi, en 1996, 33 % des femmes et 29 % des hommes de 25-29 ans vivent en couple sans être mariés, en regard de 17 % et 16 % dix ans plus tôt. La majorité des personnes de ces âges qui vivent en couple en 1996 sont en union libre, soit 52 % des femmes et 60 % des hommes. Les femmes en union libre sont plus jeunes que les hommes. En fait, les femmes entrent plus tôt que les hommes dans la vie conjugale, que ce soit en union libre ou dans le mariage.

Les migrations

Si les statistiques des naissances, mariages et décès du début du siècle sont parfois incomplètes, les données sur les migrations sont beaucoup moins satisfaisantes encore. Même de nos jours, seule l'immigration internationale fait l'objet d'un enregistrement à peu près complet. L'émigration internationale et les migrations interprovinciales résultent, quant à elles, d'estimations établies à partir des changements d'adresse dans certains fichiers administratifs, comme les déclarations de revenus. Il faut aussi mentionner que les immigrants qui arrivent au Québec comme au Canada n'y restent pas toujours. Au début du 20e siècle et jusqu'en 1930, il n'est pas obligatoire de détenir un visa pour entrer aux États-Unis, et un grand nombre d'immigrants s'y dirigent rapidement. Pour les résidents canadiens, les recensements permettent cependant de mesurer assez précisément certains aspects des résultats globaux des échanges migratoires, en donnant par exemple le nombre de personnes nées à l'étranger ou dans les autres provinces.

Les données de l'immigration internationale de 1910 jusqu'en 1929 ne sont présentées à la figure 14 qu'à titre indicatif; il s'agit de données par année financière se terminant au 31 mars. On note au Québec un pic important avant la 1re guerre, avec 80 000 immigrants. C'est aussi cette année-là le record absolu pour l'ensemble du Canada, avec 400 000 immigrants. Pendant la 1re guerre, il y a évidemment peu d'entrées au Québec, environ 10 000 par année. Durant les années 20, le nombre oscille entre 10 000 et 20 000, mais pendant les années 30 jusqu'à la fin de la 2e guerre, il entre très peu de personnes (seulement 1 400 en 1942 et en 1943). L'immigration reprend après la guerre; on observe d'importantes fluctuations selon les politiques d'immigration et les programmes d'entrée de réfugiés. Ainsi, en 1957, le pic correspond à l'arrivée massive de réfugiés hongrois. Au début des années 90, la « régularisation » des revendicateurs du statut de réfugié amène un nouveau sommet. La moyenne des 50 dernières années est de 28 000 immigrants,

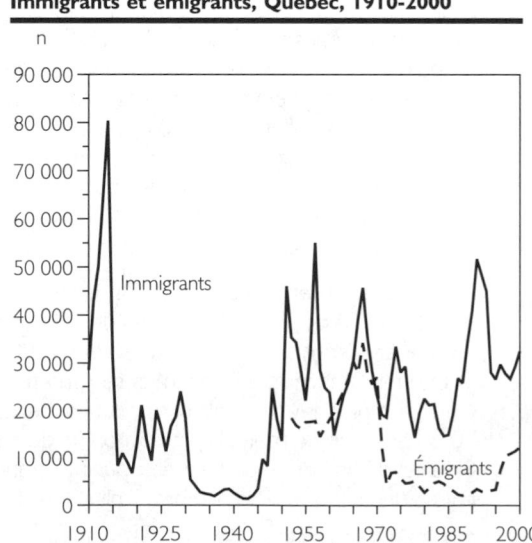

Figure 14

Immigrants et émigrants, Québec, 1910-2000

Sources : Annuaires du Québec.
Statistique Canada; Estimations de la population.

avec quelques années de plus de 50 000 et quelques années de moins de 20 000.

La part de l'immigration canadienne à destination du Québec bouge relativement peu au cours du siècle et est en moyenne de 17,4 %. À la fin des années 10, pendant les années 20 et à la fin des années 90, la proportion est inférieure à 15 %, tandis qu'elle dépasse souvent 20 % au cours des décennies 50 et 60. Rappelons que la proportion de la population du Québec dans le Canada était de 31 % au début du siècle, de 29 % au milieu et de 24 % à la fin.

Nous avons mentionné plus haut que les statistiques annuelles sur les immigrants peuvent ne pas refléter le nombre de personnes qui s'établissent au pays. Les recensements permettent de compter les personnes

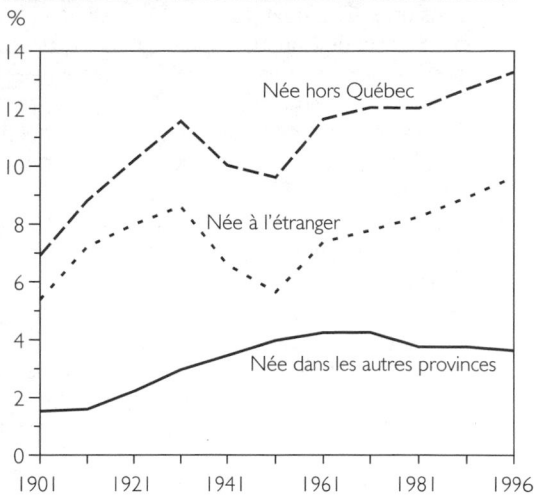

Figure 15

Proportion de la population née à l'extérieur du Québec, 1901-1996

Source : Statistique Canada, Recensements du Canada.

nées à l'extérieur du Canada et ainsi de mesurer l'effet le plus direct de l'immigration. Au recensement de 1921, par exemple, on dénombre 189 000 personnes d'origine étrangère, en comparaison de 146 000 en 1911. Pourtant, on a reçu de 1911 à 1920 plus de 310 000 immigrants. Il est évident qu'un grand nombre de ces personnes n'ont fait que passer et sont parties s'établir ailleurs. Ces dernières années aussi, le taux de présence des immigrants n'est pas très élevé. On ne retrouve au recensement de 1996 que 151 000 des 209 000 immigrants des années 1991-1996, ce qui représente une perte de près de 30 %. Il n'en reste pas moins que l'on compte 665 000 personnes d'origine étrangère en 1996, contre 89 000 au début du siècle. Leur nombre a augmenté tout au long du siècle, sauf dans les années 30 et 40, alors que l'immigration était négligeable. C'est pendant les années 50 que la population née à l'étranger croît le plus; elle passe de 289 000 en 1951 à 388 000 en 1961. À titre d'anecdote, on peut mentionner que les Annuaires du début du siècle répartissent en trois groupes les pays de naissance autres que le Canada : les autres parties de l'Empire britannique, les États-Unis et les autres pays. Les autres sujets britanniques ne sont pas considérés comme des étrangers dans l'Annuaire du Québec de 1929. De plus, on mentionne que les personnes nées aux États-Unis sont souvent des « fils et des filles de Canadiens-Français émigrés en Nouvelle-Angleterre », soit les enfants d'émigrés qui se sont rapatriés.

La part de la population née à l'étranger parmi la population totale n'est que de 5,4 % au début du siècle (figure 15), mais elle augmente rapidement pour atteindre 8,6 % en 1931. Avec l'arrêt de l'immigration, elle fléchit pour retrouver en 1951 à peu près le niveau du début du siècle. Après une hausse importante pendant les années 50 (7,4 % en 1961), elle atteint 9,5 % en 1996, ce qui est le plus haut niveau du siècle. À titre de comparaison, en Colombie-Britannique, la proportion de personnes nées à l'étranger passe de plus de la moitié en 1911 au quart à la fin du siècle, et en Ontario elle passe du cinquième au quart.

Aujourd'hui encore, l'émigration internationale est le mouvement démographique le plus difficile à estimer. Pour les mouvements du début du siècle, il est préférable de renvoyer le lecteur à l'article de Lavoie (1973), qui, selon Charbonneau (1973, p. 18), a mis « de l'ordre dans un fouillis inextricable ». Des estimations annuelles du nombre d'émigrants sont faites par Statistique Canada depuis le milieu du siècle. Pendant les années 50, on estime le nombre d'émigrants à environ 18 000 par année. Leur nombre augmente dans les années 60 jusqu'à un maximum de 34 000 en 1967, puis chute énormément entre 1970 et 1972. Il est possible que cette baisse subite s'explique par un changement de méthodologie, lequel réduit de beaucoup la part des émigrants canadiens en provenance du Québec (de 33 % à 17 %). Depuis 1972, le nombre d'émigrants baisse légèrement et n'est plus important. Dans les années 90, il est d'environ 6 000 annuellement. Au début des années 50, environ 30 % des émigrants canadiens provenaient du Québec; la proportion a baissé à 17 % pendant les années 70, pour être inférieure à 14 % pendant les années 90. Rappelons que l'émigration internationale comprend les immigrants étrangers qui retournent dans leur pays ou vont s'établir dans un autre pays. Il n'y a donc pas d'exode dans la 2e moitié du 20e siècle, comme à la fin du 19e siècle. Lavoie estime la migration nette du Québec avec les États-Unis à - 140 000 pour la dernière décennie du 19e siècle, à - 100 000 pour la première décennie du 20e siècle, à - 80 000 pour les années 10 et à - 130 000 pour les années 20.

Les migrations interprovinciales sont plus importantes que les migrations internationales, du moins pour les années où l'information est disponible. Depuis les années 60, il y a chaque année (sauf une exception) plus de sortants vers les autres provinces que d'entrants en provenance des autres provinces (figure 16). Au cours des années 60, le nombre de sortants passe de moins de 50 000 à plus de 70 000 en 1970, mais il redescend dans la première moitié des années 70, puis connaît un soubresaut en 1977, avec une deuxième année de plus de 70 000. Les sorties diminuent ensuite considérablement pendant une dizaine d'années et l'on en compte près de 30 000 en 1986. Depuis lors, le nombre de sortants oscille entre 30 000 et 40 000 par année. En rapportant le nombre de sortants à la population moyenne de l'année, on obtient un taux de sortie interprovinciale. Les taux du Québec sont de beaucoup inférieurs à ceux de l'ensemble des provinces et même un peu plus faibles que les taux ontariens. En 1972, par exemple, les taux sont respectivement de 9, 11 et 17 ‰ au Québec, en Ontario et dans l'ensemble des provinces; en 1992, ils sont de 5, 8 et 11 ‰ pour les mêmes régions.

Le nombre d'entrants interprovinciaux, qui était autour de 40 000 pendant les années 60 jusqu'au milieu des années 70, baisse à cette époque et se situe depuis entre 20 000 et 30 000 par année. Depuis le milieu des années 80, la part du Québec dans l'ensemble des migrants au Canada est faible, soit entre 8 et 9 %, alors que celle des sortants est entre 11 et 12 %. Le Québec

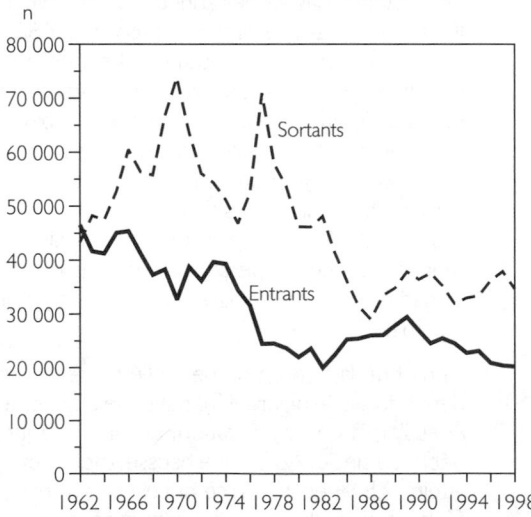

Figure 16
Migrations interprovinciales, Québec, 1962-1998

n

80 000

70 000   Sortants

60 000

50 000

40 000   Entrants

30 000

20 000

10 000

0

1962 1966 1970 1974 1978 1982 1986 1990 1994 1998

Source : Statistique Canada, Division de la démographie,
Section des estimations démographiques.

contribue peu aux échanges interprovinciaux, mais il n'en reste pas moins qu'il essuie à l'occasion de ces échanges une perte nette annuelle de plusieurs milliers de personnes. Il faut souligner que la mobilité interprovinciale est beaucoup plus forte chez les Québécois de langue maternelle anglaise. Ainsi, à partir des données du recensement de 1981, on peut estimer que les deux tiers (65 %) des sorties interprovinciales de la période 1976-1981 sont le fait de personnes de langue maternelle anglaise, en regard du quart seulement pour les personnes de langue française. Par ailleurs, la moitié (52 %) des entrants sont de langue française et 41 % de langue anglaise.

Les recensements permettent d'évaluer l'effet des migrations interprovinciales depuis le début du siècle. Il s'agit de la différence entre le nombre de personnes nées dans les autres provinces résidant au Québec et celui des personnes nées au Québec résidant ailleurs au Canada. Cette mesure simple est révélatrice, bien que les migrants puissent avoir effectué leur migration de nombreuses années avant le recensement, et elle est la seule disponible pour la première moitié du 20e siècle. Ainsi, au recensement de 1901, on dénombre 85 000 personnes nées au Québec qui résident dans une autre province. Ce nombre augmente au cours des deux premières décennies, mais ne bouge pas beaucoup pendant les années 20 et 30. Des années 40 (158 000 en 1941) aux années 80, le nombre croît considérablement, pour atteindre 515 000 en 1991. C'est la décennie 40 qui affiche le taux de variation le plus élevé, avec 37 %, tandis qu'en nombres absolus, la décennie 70 voit l'effectif augmenter de 123 000. Il y a un certain ralentissement pendant les années 80 et surtout au cours de la première moitié des années 90.

Pour mieux comparer le début et la fin du siècle, il est préférable de calculer le rapport de ces personnes nées au Québec et résidant dans les autres provinces au total des personnes nées au Québec et résidant aussi bien au Québec qu'ailleurs au Canada, à chaque recensement. En 1901, la proportion des personnes résidant dans une autre province parmi celles nées au Québec est de 5,3 %. On constate que les Québécois ont peu choisi les autres provinces comme lieu pour s'établir, à en juger par la forte émigration nette vers les États-Unis lors des dernières décennies du 19e siècle. Lavoie estime la migration nette des années 1890 à - 140 000. C'est pour une décennie seulement beaucoup plus que les 85 000 migrants « à vie » que l'on trouve dans les autres provinces. La proportion augmente à 6,4 % en 1921, puis descend à 5,0 % en 1941, ce qui indique qu'il y a peu de mouvements pendant ces années. La hausse est de 2 points entre 1961 et 1981, alors que la proportion atteint 7,8 %. Le niveau n'a pas bougé beaucoup depuis, puisqu'il est de 8,0 % en 1991 et de 7,9 % en 1996. Si l'on compare le Québec aux autres provinces pour cette proportion, on constate que c'est ici qu'elle est la plus faible. En 1996, on compte 15 % de Canadiens qui ne résident pas dans leur province de naissance : 41 % pour les personnes nées en Saskatchewan, plus du quart pour les personnes nées dans les maritimes et 9,6 % pour celles nées en Ontario.

Jusqu'au début des années 60, la population résidant au Québec mais née dans une autre province croît rapidement, si bien que l'on recense 223 000 de ces personnes en 1961, comparativement à 25 000 en 1901. L'effectif de ce groupe fléchit cependant dans les années 70 et remonte un peu à 254 000 en 1991 et en 1996. En proportion de la population totale du Québec, ces personnes comptent pour 1,5 % seulement au début du siècle, mais leur part augmente jusqu'à un maximum de 4,3 % en 1971, pour diminuer par la suite à 3,6 à la fin du siècle. En 1996, c'est au Québec que la proportion des citoyens nés dans une autre province est la plus faible, et c'est en Colombie-Britannique qu'elle est la plus élevée, avec 27 % (un peu plus d'un million de personnes).

Le solde de la population née au Canada est négatif pour le Québec. Au début du siècle, la perte nette est de 60 000, puis de 92 000 en 1921, mais elle n'est plus que de 45 000 en 1961. Pendant les années 70, l'écart entre les entrants et les sortants s'élargit, et le solde atteint - 232 000 en 1981, puis - 269 000 en 1996. En fait, seulement trois provinces affichent des soldes positifs, la Colombie-Britannique ayant le plus élevé avec 790 000. La Saskatchewan a la perte nette la plus importante, avec un solde de - 422 000.

La répartition linguistique

Aux recensements du début du siècle, on ne posait qu'une question sur l'origine ethnique. En 1931, on commence à demander la langue maternelle, puis on ajoute en 1971 la langue d'usage au foyer. Comme les groupes ethniques et linguistiques sont très proches au début du 20e siècle, nous avons mis bout à bout à la figure 17

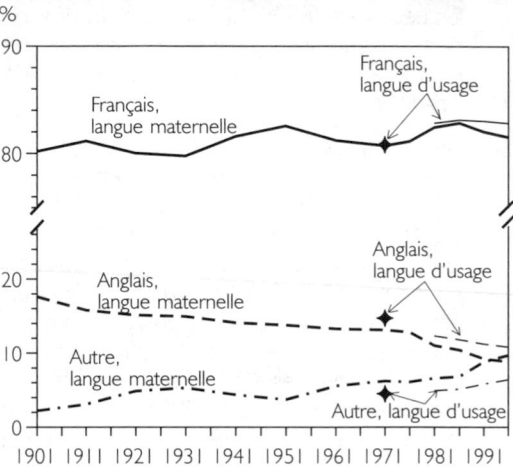

Figure 17

Répartition de la population selon le groupe ethnique, 1901-1911, la langue maternelle, 1921-1996 et la langue d'usage, 1971-1996, Québec

Source : Statistique Canada, Recensements du Canada.

(sur les tendances démolinguistiques au 20e siècle) les données de 1901 à 1921 sur les groupes ethniques et celles de 1931 à 1996 sur les groupes linguistiques.

C'est en 1931 que la proportion de Québécois de langue maternelle française est la plus faible, avec 79,8 %. Avec l'arrêt de l'immigration, le poids de ce groupe augmente jusqu'à 82,5 % en 1951, puis diminue à 80,7 % en 1971, ce qui provoque alors de grandes inquiétudes. La tendance est renversée jusqu'à 1986; la proportion est de 82,8 %, soit la plus élevée du siècle, mais elle diminue à 81,5 % en 1996. Le terme « francophone » s'applique à la population qui a le français comme langue d'usage au foyer. En 1971, la proportion de francophones est très proche de celle des individus de langue maternelle française, mais elle la dépasse de plus en plus. Il y a maintenant plus de transferts linguistiques vers le français qu'auparavant, si bien que la proportion de francophones est de 82,8 % en 1996, soit 1,3 point de plus que la proportion de personnes de langue maternelle française.

On oublie parfois l'importance du poids démographique du groupe ethnique britannique à la fin du 19e siècle (20,4 % en 1871 et 17,6 % en 1901). En 1931, les proportions de personnes de ce groupe (15,1 %) et des individus de langue maternelle anglaise (14,9 %) sont très proches. La proportion de personnes de langue anglaise diminue tout au long du siècle, mais la baisse s'accentue après 1976 et le pourcentage tombe à 8,8 % en 1996, à la suite d'une forte émigration interprovinciale. Si l'on définit les anglophones avec la langue d'usage, la proportion augmente de 2 points, soit à 10,8 % en 1996. Le gain plus élevé des anglophones que celui observé chez les francophones indique que les transferts linguistiques (abandon de la langue maternelle pour une langue d'usage autre) favorisent ce groupe.

Au début du 20e siècle, on ne compte que 2,2% de Québécois d'origine ethnique autre que française et britannique. La proportion de Québécois de langue maternelle autre est de 5,3 % en 1931; elle baisse avec l'arrêt de l'immigration internationale, mais repart à la hausse après la guerre. L'augmentation est particulièrement importante depuis 1976 et en

1996, la proportion est de 9,7 %. C'est une coïncidence que cette proportion soit très proche de celle des personnes nées à l'étranger, de 9,7 %, puisqu'il y a des personnes nées à l'étranger de langue française ou anglaise et des personnes nées ici d'une autre langue. Il n'en reste pas moins que l'immigration internationale est la principale source de population de langue maternelle autre. À cause des transferts linguistiques particulièrement importants dans ce groupe, il n'y a que 6,4 % d'allophones en 1996, soit une diminution de 3,3 points en regard de la langue maternelle.

La répartition linguistique résulte de l'interaction de nombreux facteurs qui n'ont pas toujours eu le même rôle dans l'histoire. Ainsi, la fécondité qui favorisait le groupe francophone est maintenant plus élevée chez les allophones. L'immigration internationale a avantagé les groupes anglophone et allophone. Les transferts linguistiques ont également beaucoup favorisé le groupe anglophone, mais avec l'adoption de politiques linguistiques correctrices, il y a maintenant plus de transferts vers le français qu'autrefois. Les migrations interprovinciales ont contribué à réduire le poids des anglophones pendant le dernier quart du siècle.

Les perspectives

Il faut être prudent en abordant les perspectives de population puisque des changements importants dans les comportements n'ont pas été prévus dans le passé et ce sera probablement le cas encore dans l'avenir. En fait, les projections sont établies en poursuivant les tendances des dernières années et en faisant certaines hypothèses de variation à la hausse ou à la baisse. Les dernières projections démographiques de l'Institut de la statistique du Québec donnent ainsi une population de 7,8 millions pour l'année 2026 selon le scénario moyen ou de référence et des effectifs de 7,1 millions et de 8,4 millions selon les scénarios faible et fort (tableau 2). La fourchette de 1,3 million est assez large et représente une marge d'environ plus ou moins 8 % par rapport au scénario de référence. Pour l'année 2041, l'hypothèse moyenne prévoit une population de 7,6 millions et les hypothèses faible et forte, 6,3 et 8,6 millions respectivement.

Tableau 2
Projection de la population et de la structure par âge, Québec, 2006-2041

	Scénario			Grands groupes d'âge[1]				Âge médian[1]
	Référence	Faible	Fort	0-14	15-64	65+	total	
	'000 000			%				n
2006	7,54	7,43	7,64	16,3	69,7	14,1	100,0	40,8
2011	7,65	7,42	7,88	14,9	69,2	15,9	100,0	42,4
2016	7,73	7,37	8,09	14,5	67,0	18,5	100,0	43,6
2021	7,78	7,28	8,28	14,2	64,3	21,5	100,0	44,8
2026	7,79	7,12	8,43	13,9	61,3	24,8	100,0	46,1
2031	7,75	6,90	8,53	13,4	59,2	27,4	100,0	47,2
2036	7,67	6,62	8,60	12,9	58,7	28,4	100,0	48,0
2041	7,55	6,31	8,64	12,7	58,4	28,9	100,0	48,9

1. Selon le scénario de référence.

Source : Institut de la statistique du Québec, Thibault et autres (1999), Projections de la population.

En comparaison à la croissance importante observée au 20e siècle, la variation future s'annonce plutôt chétive, quand ce n'est pas une décroissance comme dans le scénario faible. Dans le scénario moyen, la population croîtrait jusque dans les années 20 pour diminuer par la suite et retrouver au début des années 40 un effectif semblable à celui d'aujourd'hui.

Un même effectif dans l'avenir camoufle cependant des changements importants dans la structure par âge de la population. L'élément qui retient le plus souvent l'attention est le vieillissement de la population. L'effectif des personnes de 65 ans et plus atteindrait, selon le scénario de référence, 1,9 million de personnes en 2026 et 2,2 millions en 2041, contre 0,9 million en 2000. Alors que les personnes âgées comptent pour 13 % de la population en 2000, leur proportion serait de 25 % en 2026 et de 29 % en 2041. La proportion des enfants de moins de 15 ans, qui est de 18 % en 2000 ne serait plus que de 14 % en 2026 et de 13 % en 2041. La population de 15 à 65 ans, qui est de 5,1 millions en 2000, diminuerait à 4,8 millions en 2026 et à 4,4 millions en 2041 et ne représenterait plus que 58 % de la population contre 69 % en 2000. Le paysage « humain » sera donc considérablement modifié et près de la moitié de la population aura plus de 50 ans, alors que l'âge médian était d'environ 20 ans au début du 20e siècle, de 25 ans au milieu et de 38 ans à la fin.

D'un point de vue géographique ou même politique, on peut regarder la proportion de la population canadienne qui résidera au Québec en 2026. Alors que la proportion est en 2000 de 24 %, les projections de Statistique Canada laissent entrevoir un poids situé entre 20 et 21 %, ce qui représente une diminution du même ordre de grandeur que celle observée depuis 1976, alors que la proportion du Québec était de 27 %.

Conclusion

L'impact de certains événements historiques sur les phénomènes démographiques est très diffus. Du point de vue démographique, l'apparition de la pilule contraceptive sur le marché en 1960 est probablement l'événement du 20e siècle. Les couples n'ont cependant pas attendu la pilule pour contrôler la fécondité; pendant les années 20, on a observé une baisse de la fécondité aussi importante que celle des années 60, soit de 2 enfants par femme en moyenne en une quinzaine d'années (de 5,3 vers 1921 à 3,3 en 1937), et cela avec des méthodes qu'on peut qualifier de « naturelles ».

Dans le domaine de la démographie familiale, les année 1968 et 1969 sont très importantes puisque avec la loi sur le divorce et le célèbre « bill omnibus », on légalise le divorce, l'avortement et l'homosexualité. Avec les moyens contraceptifs et l'avortement, on peut penser que la très grande majorité des naissances d'aujourd'hui sont voulues ou du moins acceptées. En fait, même en régime de forte fécondité, les enfants sont voulus ou acceptés, mais d'une façon plus « naturelle ». La loi de 1968 a marqué le début d'une ère de rupture d'union qui rend les mariages d'aujourd'hui beaucoup plus fragiles. Par ailleurs, personne n'avait prévu et on n'a pas encore compris l'engouement pour l'union libre apparu au milieu des années 70 dans beaucoup de pays.

Dans le domaine de la santé publique mesurée par ces deux indicateurs principaux que sont l'espérance de vie et la mortalité infantile, aucun seuil ne se dégage au cours du 20e siècle. L'amélioration de ces indicateurs est plus importante dans la première moitié du siècle que dans la seconde. Les progrès en matière de santé publique ont été graduels. Il est indubitable que le Québec du début du 20ᵉ siècle avait un retard important en comparaison des régions plus avancées, mais ce retard a été comblé.

L'examen des variations annuelles de la mortalité ne fait ressortir qu'un événement au cours du siècle dernier : la grippe espagnole de 1918. Les décès des soldats morts à l'étranger ne sont cependant pas comptés dans les statistiques de l'état civil, les décès étant classés par lieu d'occurrence plutôt que de résidence. La première guerre ne semble pas avoir eu d'effet sur la natalité, mais on voit bien qu'elle a perturbé les courbes des mariages; il y a en effet beaucoup moins de mariages en 1918 et un fort rattrapage en 1919 et 1920.

La grande dépression des années 30 a eu un impact important sur la fécondité et la nuptialité. En fait, dans une population où l'on pratique peu la contraception, le retard du mariage est une façon de limiter la natalité. Les femmes plus âgées (et mariées) avaient pourtant déjà commencé à afficher une baisse de fécondité.

La deuxième guerre s'est accompagnée d'une reprise économique et démographique, si bien que le baby-boom commence en 1938 plutôt qu'en 1946, comme il est habituellement reconnu. Les années 40 et 50 sont des années fastes pour les noces et les baptêmes. Cependant, les femmes plus âgées n'ont pas participé à la reprise de la fécondité, mais elles affichent plutôt des taux de fécondité qui continuent à décroître lentement.

En fait, les grands mouvements de la mortalité, de la fécondité et de la nuptialité ne sont pas propres au Québec, mais partagés avec des décalages (parfois en avance, parfois en retard) de calendrier et d'intensité avec les autres pays développés.

L'immigration internationale est plus intimement liée aux conflits internationaux et aux décisions politiques que les autres événements démographiques. La première guerre marque la fin des grandes migrations de la fin du 19ᵉ siècle. Le nombre d'immigrants devient très faible pendant la récession des années 30 et la deuxième guerre, si bien que le poids du Québec dans le Canada augmente de 2 points entre 1921 et 1941. L'immigration est beaucoup plus importante dans la deuxième moitié du siècle que dans la première. Le nombre d'immigrants est beaucoup plus important dans le reste du Canada, et l'immigration internationale de la deuxième moitié du 20ᵉ siècle est un facteur important de la perte du poids démographique du Québec dans la confédération canadienne.

Les Québécois participent peu aux migrations interprovinciales. En 1996, si l'on compare le lieu de naissance et le lieu de résidence au Canada, c'est le Québec qui a les plus faibles proportions de personnes nées dans une province et résidant dans une autre, ainsi que de personnes nées dans une autre province. Il n'en reste pas moins que le Québec connaît à ce chapitre un solde négatif important qui contribue à la perte de son poids démographique au Canada.

Les perspectives de population laissent entrevoir un croissance moindre et peut-être une décroissance selon certains scénarios. Cependant, le vieillissement de la population est un phénomène inéluctable qui exigera de grands efforts d'adaptation ici comme dans tous les pays à faible fécondité.

Références

BEAUJOT, Roderic. *Population change in Canada, the challenges of policy adaptation*, Toronto, McClelland & Stewart Inc., 1991, 379 p.

BOURBEAU, Robert et autres. *Nouvelles tables de mortalité par génération au Canada et au Québec, 1801-1991*, Ottawa, Statistique Canada, 1997, 95 p. (91F001MPF)

CHARBONNEAU, Hubert (éd.). *La population du Québec : études rétrospectives*, Montréal, Les Éditions du Boréal Express, 1973, 111p.

CONSEIL SUPÉRIEUR D'HYGIÈNE DE LA PROVINCE DE QUÉBEC. *Rapport 1915-16*, Québec.

DESROSIERS, Denise et autres. *La migration au Québec : synthèse et bilan bibliographique*, Montréal, Ministère de l'Immigration, 1978, 106 p.

DUCHESNE, Louis. « Rétrospective du 20e siècle », dans *La situation démographique au Québec, bilan 1999*, Québec, Institut de la statistique du Québec, 292 p.

GAUTHIER, Hervé et autres. *D'une génération à l'autre : évolution des conditions de vie, volume 1*, Québec, Bureau de la statistique du Québec, 1997, 257 p.

GAUTHIER, Hervé et autres. *D'une génération à l'autre : évolution des conditions de vie, volume 2*, Québec, Bureau de la statistique du Québec, 1998, 261 p.

GAUVREAU Danielle et Peter GOSSAGE. « Empêcher la famille : Fécondité et contraception au Québec, 1920-1960 », *The Canadian Historical Review*, vol. 78, n° 3, 1997.

HENRIPIN, Jacques. *Tendances et facteurs de la fécondité au Canada*, Ottawa, Bureau fédéral de la statistique, 1968, 425 p.

L'ACTION NATIONALE. « Dossier sur la situation présente et l'avenir prévisible de la population du Québec », *L'Action nationale*, vol. 78, n° 5, 1988, p. 218-382.

LAFONTAINE, Pierre. *La statistique du mouvement de la population au Québec, 1926-1974*, Québec, Ministère des Affaires sociales, 1976, 107 p.

LANGLOIS, Georges. *Histoire de la population canadienne-française*, Montréal, Éd. Albert Levesque, 1934, 309 p.

LAVOIE, Yolande. « Les mouvements migratoires des Canadiens entre leur pays et les États-Unis au XIXe et au XXe siècles : étude quantitative », dans *Charbonneau, 1973*, p. 73-88.

THIBAULT, Normand, Hervé GAUTHIER et Esther LÉTOURNEAU. *Perspectives démographiques du Québec 1996-2041, Régions administratives et régions métropolitaines* , [Cédérom], Québec, Institut de la statistique du Québec, 1999.

La croissance de l'économie du Québec au 20e siècle

par Roma Dauphin*

* L'auteur est économiste et professeur au Département d'Économique de l'Université de Sherbrooke.

Nous entrons à peine dans un nouveau millénaire que déjà nous nous posons des questions sur le siècle qui se termine. Depuis 1970, quatre livres[1], des centaines de cahiers de recherche, des milliers de documents et des millions de calculs ont porté sur l'économie du Québec. On a cru que tout avait été dit. On avait oublié cependant qu'un recul de cent ans permet d'avoir une meilleure vision de la marche du Québec tout au long du siècle dernier. Cette étude, à cause de la longue période couverte, implique forcément des coûts : à savoir qu'on laisse de côté certains aspects qui auraient trouvé une place dans un ouvrage couvrant une plus courte période.

Le texte ci-joint est étroitement lié à la figure 1 qui trace sur cent ans l'évolution du revenu personnel réel par habitant au Québec. Cet indicateur, qui évolue généralement au même rythme et dans la même direction que le niveau des salaires, est un excellent indice du niveau de vie des Québécois. Selon nos calculs, le revenu réel par habitant aurait été en moyenne de 2 000 $ entre 1900 et 1910, comparé à un chiffre qui dépasse les 20 000 $ en l'année 2000. Cela signifie que le revenu réel par habitant est dix fois plus élevé aujourd'hui qu'au début du siècle, un résultat vraiment spectaculaire pour une petite économie qui ne représente environ que 2 % de celle de l'Amérique du Nord.

Le tableau 1 présente le taux de croissance par décennie du revenu personnel réel par habitant. Il indique que quatre décennies ont connu des croissances décennales de plus de 50 % soit 1900-1910, 1940-1950, 1960-1970 et 1970-1980, alors qu'uniquement trois décennies ont présenté des performances inférieures à 20 %. Dans cette catégorie, on retrouve les deux dernières décennies du siècle ainsi que celle de la grande dépression.

Tableau 1
Revenu personnel réel par habitant et taux de croissance décennal, Québec, 1900-2000

Année	Revenu personnel réel par habitant	Période	Taux de croissance décennal
	$[1]		%
1900	1 500		
1910	2 500	1900-1910	66,7
1920	3 000	1910-1920	20,0
1930	3 752	1920-1930	25,1
1940	3 827	1930-1940	2,0
1950	5 851	1940-1950	52,9
1960	7 786	1950-1960	33,1
1970	11 855	1960-1970	52,3
1980	18 071	1970-1980	52,4
1990	20 441	1980-1990	13,1
2000	23 500[2]	1990-2000	15,0[2]

1. Dollars constants de 1992.
2. Estimation préliminaire de l'auteur.

Sources : Statistique Canada, Cansim D20707 (pour la période de 1981 à 1999); *Statistiques historiques du Canada* (pour la période de 1926 à 1980); Cansim P 100 000 pour l'indice des prix à la consommation (1992=100).
Estimations de l'auteur (pour la période de 1900 à 1925).

---

1. Voir les références à la fin du texte.

Figure 1
Revenu personnel réel par habitant, Québec, 1900-2000

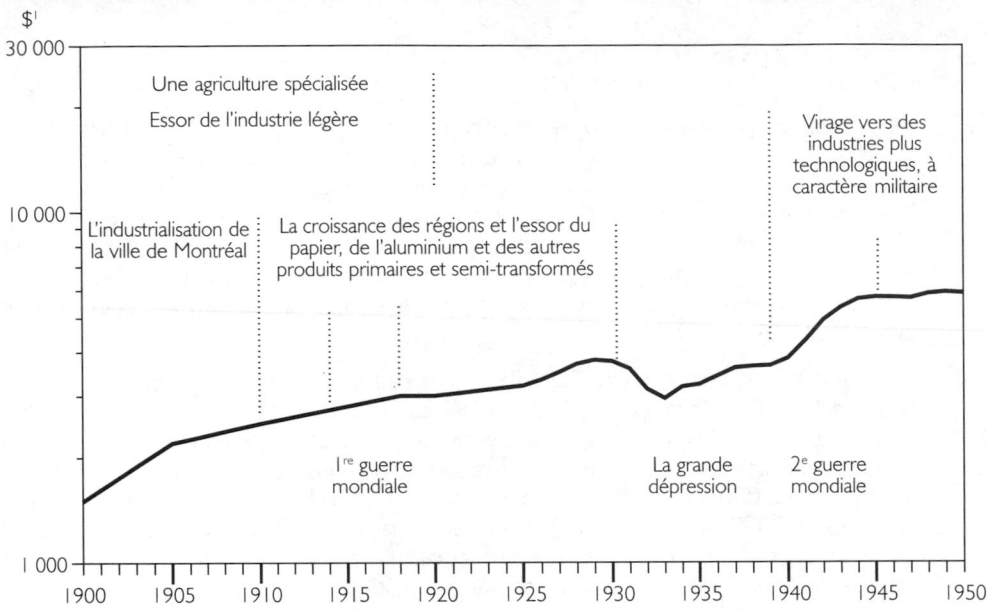

1. Dollars constants de 1992.

Sources : Statistique Canada, Cansim D20707 (pour la période de 1981 à 1999); *Statistiques historiques du Canada* (pour la période de 1926 à 1980); Cansim P 100 000 pour l'indice des prix à la consommation (1992=100).
Estimations de l'auteur (pour la période de 1900 à 1925).

Comment ces résultats étonnants quant à l'évolution du pouvoir d'achat des Québécois durant le dernier siècle peuvent-ils être expliqués? D'abord en général, hausse du revenu et hausse des salaires vont de pair[2]. Ensuite, une hausse de salaire réel sans hausse préalable dans la productivité de la main-d'oeuvre est impossible. Finalement, identifions les principaux éléments qui font augmenter la productivité. Ceux-ci sont nombreux : les investissements, la demande accrue pour les ressources naturelles, la taille du marché, l'adoption de la technologie la plus récente, la masse des connaissances de la population et enfin l'épargne, pour ne nommer que les six principales sources de richesse d'un pays.

Dans le reste de ce texte, nous allons constamment nous référer à l'un ou l'autre de ces six facteurs pour expliquer la performance d'une décennie du dernier siècle. Ainsi traçons-nous le démarrage de l'économie du Québec à l'abandon d'une technologie agricole désuète, soit l'agriculture de subsistance. Cette révolution agricole a été une condition nécessaire à la révolution industrielle du début du siècle au cours de laquelle la ville de Montréal a attiré toute la production canadienne des industries légères.

Ensuite la croissance dans les industries liées aux ressources naturelles a été permise par l'ouverture du marché des États-Unis, par les investissements massifs et surtout par l'abondance des ressources naturelles au Québec conjuguée à une pénurie dans la région du nord-est des États-Unis.

2. Le revenu personnel est composé de salaires pour les deux tiers alors que l'autre tiers est constitué par des transferts et des revenus de placements. En conséquence, il y a une forte corrélation entre salaire et revenu personnel. Par exemple, si l'on prend la période de 1960 à 1990, près de 100 % des hausses de revenu personnel sont attribuables à des hausses de salaires. Par contre, durant la décennie 90, l'absence de hausse dans le revenu personnel est reliée à des salaires stagnants durant cette décennie.
Voir Roma Dauphin, *Économie du Québec*, 1994, p. 153.

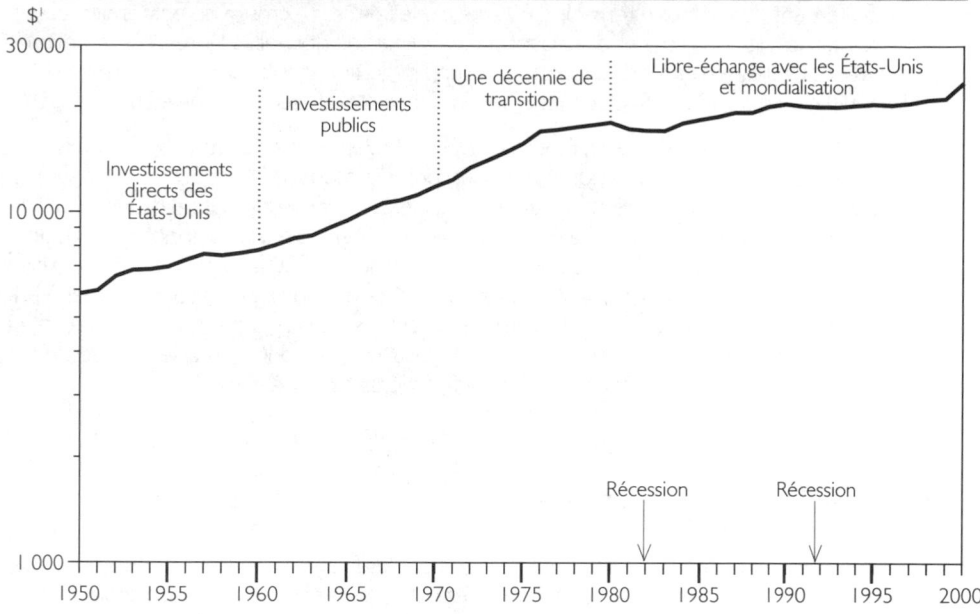

La grande dépression de 1929 et la Deuxième Guerre mondiale sont des événements dont l'impact fut diamétralement opposé. La grande dépression causait une chute dans les exportations de produits semi-transformés, propulsant le taux de chômage à un taux de 25 % et réduisant le taux d'utilisation des usines. Par ailleurs, la Deuxième Guerre mondiale élimina le chômage et produisit un taux d'utilisation sans précédent des usines et ressources du Québec.

L'épargne ainsi que les investissements privés et publics ont été le moteur de la période 1950-1970. Les années 70 sont marquées par une période de transition au cours de laquelle la productivité de la main-d'oeuvre a chuté pour ne plus jamais revenir à son niveau antérieur. Aujourd'hui, on espère que la mondialisation et le libre-échange entre les États-Unis et le Canada revitaliseront l'économie mondiale et québécoise, que la productivité et les revenus retrouveront la croissance des belles années glorieuses.

L'abandon d'une agriculture de subsistance

Le tournant du siècle marque une étape décisive de transition à partir de l'ère préindustrielle vers un système industriel dont la caractéristique fondamentale est un progrès technologique presque continu. En 1901, les ruraux représentent encore 60 % de la population du

Québec, et la plupart des fermes pratiquent une agriculture de subsistance, chacune essayant de répondre à tous les besoins de la famille. Une famille de 10 individus pouvait modestement vivre sur une terre de 100 acres; une fois ce maximum de personnes atteint, les colons devaient s'enfoncer dans la forêt et défricher de nouvelles terres. Cette poussée vers de nouvelles terres n'est qu'un aspect d'une migration très importante, celle au cours de laquelle environ 500 000 Québécois ont émigré vers les États-Unis entre 1851 et 1901[3].

À l'approche du tournant du siècle, il s'est peu à peu développé une nouvelle agriculture spécialisée qui pourra à la longue améliorer la production et la productivité, nourrir une population croissante incluant une population strictement urbaine. La nouvelle agriculture générera un surplus de main-d'oeuvre et deviendra éventuellement indispensable à la naissance des industries dans les villes, et à Montréal en particulier. On assiste donc de 1880 à 1901 à une réorientation de l'agriculture québécoise. L'habitant délaissera la culture de subsistance pour s'adonner à l'industrie laitière dont l'excédent des besoins de la famille sera vendu aux usines de beurre et fromage. En 1901, le succès de la conversion de l'agriculture en production laitière est désormais assuré, et les retombées sur les industries manufacturières restent à venir.

L'industrialisation de Montréal

À la première explication avancée pour l'émigration des Francophones, il faut en ajouter une autre complémentaire : soit l'incapacité de créer au Québec suffisamment d'emplois industriels pour absorber la croissance rapide de la population dans une société rurale qui n'avait plus de terres cultivables disponibles. Cette incapacité du Québec est attribuable à la politique protectionniste des États-Unis et à l'exiguïté des marchés du côté canadien. La politique nationale de 1879 éliminera l'obstacle d'un marché trop petit en incitant les Canadiens à s'approvisionner strictement chez les marchands de Montréal.

Le tableau 2 indique les quatre industries qui, en 1901, accaparaient les deux tiers de la production manufacturière du Québec. Ce sont l'alimentation, le cuir, le vêtement et le textile. Ces industries auront durant tout le siècle une position dominante. En 1992, elles

Tableau 2
Part de certaines industries motrices dans la production manufacturière, Québec, 1901, 1950 et 1992

Industries motrices	1901	1950	1992
		%	
Industries légères	**66,2**	**40,0**	**26,6**
Alimentation	26,6	18,5	16,7
Cuir	16,4	2,2	—
Vêtement	13,3	10,1	5,4
Textile	9,9	9,2	4,5
Industries technologiques	...	**20,3**	**26,5**
Produits chimiques	...	4,5	8,1
Matériel de transport	...	3,8	7,3
Produits électroniques	...	3,4	6,3
Produits métalliques	...	8,6	4,8

Sources : Michel Beauséjour, *Introduction à l'économie du Québec*, p. 7, pour l'année 1901.
Statistique Canada, *Industries manufacturières du Canada*, pour les années 1950 et 1992.

3. Le lien entre la fertilité des terres et l'émigration a été étudié par Marvin McInnis. « La grande émigration canadienne », *L'actualité économique*, mars 2000.

détiennent encore 26,6 % de la production manufacturière du Québec, une proportion qui se compare à la performance (26,5 %) des industries dites technologiques, qui étaient déjà présentes au Québec dans les années 50 à cause de la Deuxième Guerre.

L'apport d'une agriculture spécialisée, accompagnée d'un surpeuplement rural et de la protection du marché canadien accordée par la politique nationale ont provoqué une croissance accélérée de la production manufacturière du Québec. Quelques indices suffisent à montrer l'ampleur des changements : entre 1900 et 1910, la production manufacturière effectue un bond de 76 %, le revenu personnel réel par habitant s'accroît de 66,7 % (tableau 1), la population québécoise grimpe de 20 % pour la seule décennie 1900-1910, et enfin, la ville de Montréal, la grande gagnante, triplera sa population en dix ans.

La croissance des régions et le secteur des ressources

Dans le paysage industriel, on pouvait dès 1900 entrevoir qu'un deuxième grand groupe allait à son tour amener une croissance dans tout le Québec, mais particulièrement dans les régions éloignées. Il s'agit des industries directement issues de l'exploitation des richesses naturelles et du développement de l'hydro-électricité : le bois, les pâtes et papiers, l'industrie de la réduction et de l'affinage des métaux non ferreux (aluminium), la production minière.

Deux facteurs vont stimuler ce nouveau secteur. Le premier fut la Première Guerre mondiale qui va exercer une demande accrue sur les ressources naturelles du Québec. Le second, c'est le besoin en matières premières des États-Unis. En effet, la prédominance incontournable acquise par les États-Unis, avec une part de la production mondiale de 35 %, se reflétera dans des besoins importants en matières premières, et celles-ci seront importées du Québec. Cette demande des États-Unis pour nos ressources s'est concrétisée par l'entrée massive de capitaux américains au Québec. De 24 millions de dollars au Canada en 1896, ces capitaux ont atteint 546 millions en 1913.

Ce sont les Américains, par exemple, qui ont installé au Québec la première usine d'aluminium, se sont occupés de la production des pâtes et papiers, ont construit les centrales électriques et, enfin, ont creusé les mines québécoises. À partir de la décennie 20, les États-Unis sont devenus les premiers clients du Canada; ils achètent près de 80 % de la production des produits semi-transformés du Québec.

Tableau 3
**Importance relative de certaines industries dans le produit intérieur brut,
Québec, 1926, 1951, 1975 et 1998**

Industries[1]	1926	1951	1975	1998
		%		
Industries du secteur primaire				
Agriculture	20,0	7,6	2,8	1,5
Forêts, mines, électricité	10,0	5,0	8,9	1,5
Industries du secteur manufacturier				
Bois et papier	17,0	12,0	10,2	8,3
Réduction et affinage (alumineries)	1,7	4,4	5,0	8,5
Total	**48,7**	**29,0**	**26,9**	**19,8**

1. L'industrie de la construction a été exclue.

Source : Statistique Canada, *Produit intérieur brut provincial par industrie* (15-203).

Au tableau 3, la production du secteur primaire et celle des produits semi-transformés du secteur manufacturier ont été additionnées pour mesurer l'importance de ce nouveau secteur. En 1920, les papetières, les alumineries, les centrales électriques et les mines constituent 48,7 % du total de la production primaire et manufacturière, incluant la part relative encore élevée de l'agriculture (20 %). Dans les décennies qui suivront, le déclin de l'agriculture se poursuivra, mais les papetières et les alumineries demeureront les plus grandes entreprises exportatrices du Québec avec une production dépassant 15 % du total de la production des biens pour chacune des quatre années du tableau 3.

La grande dépression

La grande dépression vient troubler le cours normal des choses. Cette crise a commencé en 1929 aux États-Unis et a atteint son creux en 1933. Le taux de chômage atteignit alors des sommets inégalés (taux supérieur à 25 %), surtout dans les grandes villes. Quant aux ruraux, ils s'en sortirent mieux à cause de la proximité d'une agriculture encore de subsistance et produisant des biens de consommation des plus essentiels. Dans la figure 1, le revenu personnel réel par habitant baisse de 3 785,80 $ en 1929 à 2 941,20 $ en 1933. Paradoxalement, c'est en 1933, au moment où le revenu personnel réel par habitant au Québec atteint un creux, que celui-ci est à son sommet par rapport à la moyenne canadienne. Cela s'explique par la plus grande sévérité de la crise dans l'Ouest et dans le centre du pays.

En 1930, l'économie du Québec dépendait beaucoup de ses exportations de produits semi-transformés : alumineries, bois et papier. Beaucoup d'entreprises dans ces industries s'étaient implantées au Québec dans le « boom » des années 20. Cette implantation récente explique en partie pourquoi la crise frappa plus durement que les autres l'industrie du papier journal.

Au Québec, la reprise, à partir du creux de 1933, fut exceptionnellement lente, et le chômage persista jusqu'en 1940. Cependant l'anticipation d'une guerre a encouragé une baisse du chômage et favorisé une élévation du revenu personnel réel par habitant dès 1938.

La Deuxième Guerre mondiale et la structure industrielle de l'après-guerre

De 1939 à 1953, il y eut deux guerres, la Seconde Guerre mondiale et celle de Corée (1951-1953). Ces deux conflits ont provoqué une croissance accélérée de l'économie qui fera atteindre au secteur manufacturier l'apogée de sa position relative. En effet, la production manufacturière occupera en 1951, 38,6 % de la main-d'oeuvre du Québec et générera 45,9 % du produit intérieur brut (PIB), des chiffres qu'on ne reverra plus.

L'effort de guerre a fouetté surtout des nouvelles industries. Quatre industries, qui étaient à peine existantes en 1930, occuperont ensemble en 1950 plus de 20 % de la production manufacturière (tableau 2). Ce sont les industries chimiques, du matériel de transport (avions et navires), des produits électriques, et enfin, des produits métalliques.

La hausse phénoménale dans le revenu réel par habitant s'explique bien : de 1939 à 1945, les salaires versés par le secteur manufacturier triplent et les emplois manufacturiers doublent, passant de 220 000 à 437 000. La performance des quatre industries est étroitement reliée à celle de l'économie dans son ensemble. En dépit de la croissance des nouvelles industries souvent axées sur le militaire, l'industrie légère demeure le grand pourvoyeur des emplois au Québec. Comme le tableau 2 le suggère, l'industrie légère domine encore largement en 1950. Ce n'est qu'après 1990 que l'industrie légère perd sa position dominante et cela au profit des quatre industries qui avaient bénéficié de la Deuxième Guerre mondiale. En effet, après avoir peu évolué entre 1950 et 1990, la chimie, le matériel de transport et les produits électriques, trois productions à caractère technologique, ont connu à la fin du siècle des hausses remarquables dans leur production et leurs exportations. En fait, en 1992, l'industrie légère et les industries technologiques sont nez à nez, chaque secteur ayant près de 27 % de la production manufacturière du Québec. Selon toute vraisemblance, la production de ces quatre industries atteindra le tiers de la production manufacturière du Québec en l'an 2000, reléguant à un fait du passé la prédominance de l'industrie légère au Québec.

Les investissements privés et publics de 1950 à 1970

Au début des années 50, deux forces poussaient l'économie vers une croissance rapide : les dépenses de l'État en expansion et l'énorme demande étrangère pour des ressources naturelles. En fait, le bois, les pâtes et papiers, l'amiante, l'aluminium et le cuivre comptaient pour plus de 60 % des exportations internationales du Québec dans les décennies qui ont suivi la Deuxième Guerre mondiale.

À cause de l'abondance des ressources naturelles au Québec, la demande des États-Unis a été, à nouveau, à l'origine d'un autre bond du secteur des ressources naturelles. Les auteurs du *Rapport Paley* de 1952 indiquent, en effet, que les États-Unis connaissaient une pénurie de matières premières. Aussi recommandent-ils aux entreprises d'accroître leurs opérations et leurs investissements à l'étranger, notamment au Canada et au Québec. Ce signal déclencha une période où les États-Unis ont massivement investi au Québec.

Figure 2
Part du Québec dans l'investissement[1] total fait au Canada, 1951-2001

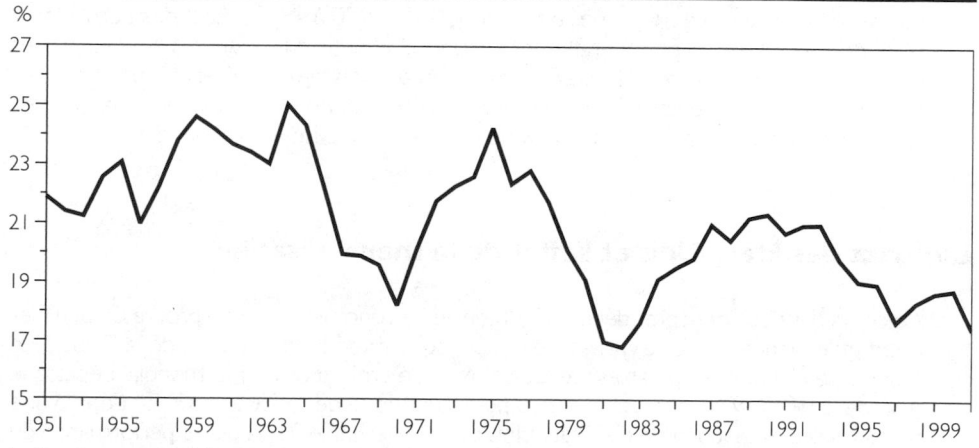

1. Investissement non résidentiel.

Source : Statistique Canada, Division de l'investissement et du stock de capital (1951 à 1998); Cansim, matrice 11500 et 11524 (1999-2001).

À côté de ces investissements de nature privée, les années 60 donnent lieu aussi à plusieurs investissements publics tels que la construction du complexe de la Manicouagan, d'écoles, d'hôpitaux, d'équipements de toute nature, du métro de Montréal, de routes et d'autoroutes un peu partout au Québec. La figure 2 reflète bien le « boom » des investissements réalisés au cours de cette période. En effet, l'investissement total fait au Québec entre 1950 et 1970 correspond à environ 22-23 % de l'investissement total fait au Canada, alors que la part du Québec dans les investissements du Canada tombe à environ 20 % dans la période 1970-2000. Compte tenu de l'absence de puits de pétrole au Québec et du secteur minier moins important que dans le reste du Canada, deux secteurs exigeant beaucoup d'investissements, la production québécoise exige normalement moins d'investissements qu'ailleurs au Canada.

Les investissements ont indéniablement eu pour effet de pousser vers le haut les salaires et le revenu personnel au cours de la période 1950-1990. En effet, il y a eu dans les années 60 des investissements qui viendront dès 1970 stimuler les salaires et l'économie. Ce sont les investissements en éducation faits à chaque année depuis le début des années 60.

Une décennie de transition : les années 70

La décennie 70 donne lieu à la construction du vaste complexe de la baie James à un moment où les investissements privés diminuent.

Cette décennie est marquée par des contradictions : un taux de chômage élevé qui tire vers le bas le niveau de vie, alors que certains groupes s'en tirent avec des hausses importantes de revenu. La montée du chômage fut enclenchée par une hausse du prix du pétrole sur le plan mondial. En 1973, le prix du pétrole quadruple, une hausse qui désorganise tellement la production que la productivité de la main-d'oeuvre s'en ressent encore trente ans plus tard. Cette forte hausse du prix de l'énergie a eu pour effet de rendre désuète une grande partie des équipements productifs qui n'étaient pas conciliables avec les coûts énergétiques élevés.

En même temps que l'économie ralentissait, les salaires dans le secteur public et le secteur manufacturier du Québec ont entrepris une envolée qui leur a permis de rejoindre les hauts salaires de l'Ontario. Le niveau des prix a doublé de 1970 à 1980 faisant des perdants de ceux dont le salaire ne pouvait rattraper l'inflation. À partir du milieu des années 70, les gouvernements luttent contre l'inflation, ce qui entraîne des taux d'intérêt records. Le ralentissement économique atteint son sommet en 1982, année pendant laquelle le Québec subit la plus forte diminution de son revenu réel depuis la crise des années 30.

L'impact des États-Unis et l'effet de la mondialisation

Au cours des deux dernières décennies du siècle, l'économie mondiale progresse péniblement et les années de forte croissance qui ont suivi immédiatement la fin de la Deuxième Guerre semblent irrécupérables. Le taux annuel de croissance du PIB mondial dépassa le 4 % de 1950 à 1973, puis baissa à 2 % pour la période de 1973 à 1989. En dépit d'une performance exceptionnelle des États-Unis pour la décennie 90, la piètre performance du

Japon vient réduire la croissance de l'économie mondiale[4]. Quant à l'économie du Québec, les décennies 80 et 90 sont à l'image de l'économie mondiale avec les plus faibles taux de croissance du revenu réel du siècle, exception faite de la grande dépression.

Un deuxième phénomène, en plus d'une croissance lente de l'économie, caractérise la dernière période du siècle, c'est celui de la mondialisation et du libre-échange avec les États-Unis. Par mondialisation, on se réfère ici à la baisse phénoménale dans le coût des communications. Cette baisse a pour conséquence de rendre les capitaux plus mobiles tout en rendant les taux de change instables. Ce phénomène de mondialisation incite les pays à la défensive. Par ailleurs le libre-échange est souvent l'expression d'une stratégie plus offensive : un petit pays cherchant à obtenir la protection d'un voisin plus puissant.

L'impact économique des États-Unis

Dans ce nouveau contexte international, il est utile de revenir en arrière et d'examiner, depuis le début du siècle, l'impact économique des États-Unis sur le Canada et le Québec. Nous avons dit que le capital investi par les États-Unis le fut surtout dans la transformation des ressources naturelles et le développement des industries à caractère technologique. Dans la décennie 60, la présence américaine au Québec et au Canada était si visible que des inquiétudes se sont fait sentir à ce sujet. À la fin de 1960, les non-résidents contrôlaient le tiers de tout le capital employé dans les industries non financières au Canada; leur participation dans l'industrie manufacturière du Canada dépassait les 60 % et le Canada leur devait en 1980 près de 50 milliards de dollars. Cette somme constituait 80 % de la dette extérieure totale du Canada.

Emprunter à l'étranger n'a rien de bon ou de mauvais en soi. Tout dépend de la raison de l'emprunt et de l'usage des fonds obtenus. On peut vouloir emprunter lorsqu'il se présente des occasions d'investir susceptibles de procurer un bon rendement au-delà même de l'intérêt à payer sur le capital emprunté. C'est ce qui est arrivé au Québec entre autres pour une raison précise : les États-Unis ont surtout prêté au Canada sous forme d'investissements directs. Ce type de transfert de fonds avait comme inconvénient que le contrôle de l'usine passait alors dans les mains des Américains. Par contre, le Canada n'avait pas à rembourser une dette en versant à chaque exercice une somme fixe en intérêts. Les dividendes à payer aux États-Unis pouvaient être minimes, comme au cours de la grande dépression, ou plus élevés dans les périodes de haute conjoncture. Cette souplesse dans le remboursement de la dette s'est avérée très utile pour accroître les échanges entre les deux pays.

Qu'est-il advenu, depuis le début du siècle, des échanges commerciaux entre le Canada et les États-Unis? Le tableau 4 présente l'évolution, de 1900 à 2000, de la part des exportations et des importations canadiennes allant aux États-Unis ou en provenance des États-Unis. Il indique une hausse graduelle de l'importance du marché des États-Unis pour les exportations canadiennes sans que, par ailleurs, les importations canadiennes en provenance de ce pays n'augmentent vraiment tout au long du siècle. Ces deux phénomènes sont à la source de l'important surplus commercial du Canada avec son voisin du Sud. Le surplus est apparu dans la décennie 70 et atteindrait en l'an 2000, 54 milliards de dollars canadiens.

---

4. W. O. Brown et J. S. Hagandom, *International Economics*, New York, Addison-Wesley, 1994, p.10.

Tableau 4
Part des exportations et des importations canadiennes, vers ou en provenance des États-Unis, Canada, 1900-2000

Année	Exportations	Importations
	%	
1900	38,3	60,3
1910	38,0	60,8
1920	45,6	69,0
1930	42,8	68,8
1940	41,1	66,1
1950	53,6	67,1
1960	55,7	67,2
1970	65,4	68,0
1980	66,0	70,1
1990	75,4	68,7
2000	86,1	73,5

Source : Statistique Canada, *Annuaires du Canada*.

La hausse des exportations canadiennes se fait en trois étapes

Un accroissement des exportations de ressources naturelles et de produits à caractère militaire fera passer de 41,1 % en 1940 à 53,6 % en 1950 la part des exportations du Canada allant aux États-Unis.

Dix autres points de pourcentage seront acquis durant la décennie 60 (de 55,7 % à 65,4 %) grâce au Pacte de l'automobile de 1965. Ce pacte est une entente, dite de libre-échange, pour rationaliser la production d'automobiles entre les États-Unis et le Canada. L'assemblage des automobiles doublera en peu de temps; le Québec héritera d'une usine construite au nord de Montréal. Cependant, c'est l'Ontario qui fut la grande gagnante avec plus de 85 % de la production canadienne. Cette entente de 1965, comme c'est le cas pour tout accord de libre-échange qui n'est pas ouvert à tous les pays et à tous les produits, sera jugée discriminatoire par l'Organisation mondiale envers les entreprises japonaises et européennes. Un autre aspect particulier de cet accord, c'est que les trois grands de l'automobile en Amérique du Nord (General Motors, Ford, Chrysler) ont joué un rôle prédominant dans les négociations du Pacte de 1965. Bref, les négociations ne furent pas bilatérales entre le gouvernement du Canada et celui des États-Unis mais se concentraient, d'une part, entre le Canada et les trois grands et, d'autre part, entre les États-Unis et les trois grands, laissant beaucoup de jeu aux trois multinationales pour réaliser des gains.

Enfin, l'accord de libre-échange de 1989, entre le Canada et les États-Unis, aura aussi définitivement l'effet de faire grimper les exportations du Canada vers les États-Unis de 20 points de pourcentage (de 66,0 % en 1980 à 86,1 % en 2000). Le Québec fait maintenant partie de l'ALENA, et il est invité avec 34 pays à entrer dans une vaste zone de libre-échange hémisphérique en l'an 2005. Les États-Unis seront le leader incontesté de cette nouvelle zone, ce qui viendra compenser pour un certain recul du leader du monde sur le plan international au cours des quarante ans qui ont suivi la fin de la Deuxième Guerre mondiale[5]. Par ailleurs, si les pays des Amériques se mettent à travailler ensemble, ils peuvent faire contrepoids aux États-Unis.

---

5. Le déclin des États-Unis se mesure par l'évolution de son produit intérieur brut (PIB) en proportion de celui des cinq autres pays (Allemagne, France, Italie, Japon et Royaume-Uni) qui présentent les PIB les plus élevés; en 1950, le PIB des États-Unis représentait 57,0 % de l'ensemble des PIB des 6 pays, alors qu'en 1994, cette proportion est passée à 47,1 %. Un autre indicateur du recul des États-Unis au plan mondial, c'est l'accroissement de sa dette (déficit au compte courant) depuis 1984.

Ce parti pris du Québec envers le libre-échange comporte certains risques puisqu'il ouvre la porte aux entreprises multinationales. Ces entreprises deviennent graduellement le maillon essentiel entre les États-Unis et le Québec tant sur le plan des mouvements de capitaux, des flux technologiques que des circuits commerciaux. Bref, les mutations actuellement en cours à l'échelle mondiale se caractérisent par une intégration dans laquelle les sociétés multinationales jouent un rôle incontournable.

Cette tentative de rentabiliser l'économie mondiale par la mondialisation et le libre-échange, sans être vouée à l'échec, rencontrera beaucoup de résistance. Plusieurs reprochent aux multinationales de contribuer à creuser un fossé entre bien-nantis et pauvres. Faut-il rappeler que, en dépit de ces craintes légitimes, l'État est encore un acteur important et qu'un accord de libre-échange ne peut être conclu sans l'aval des États.

Dans le nouveau contexte international, le Québec risque-t-il de gagner ou de perdre? Depuis deux siècles, l'économie du Québec, en s'arrimant aux différents chefs de file de l'économie mondiale, a réussi à suivre le courant. Cette stratégie s'est avérée particulièrement bonne lorsque le Québec a accepté de lier l'évolution de son économie à celle des États-Unis. Elle pourrait s'avérer encore profitable puisque les États-Unis, dont le PIB a décliné de 1950 à 1990, se sont fortement redressés dans la décennie 90 avec un taux de croissance qui a dépassé celui de tous les autres puissants pays du monde. Cette situation accroît les risques de pertes pour le Québec s'il devient trop dépendant et incapable de s'adapter à un contexte sur lequel il n'a plus aucune prise.

L'effet de mondialisation et la dette extérieure

Alors que le libre-échange entre deux pays accroît la part des exportations d'un pays vers son partenaire, et donc la dépendance du premier pays, la mondialisation, qui est l'ouverture d'un pays à l'ensemble des autres pays, tend, au contraire, à réduire la dépendance d'un pays. Il devient facile pour celui-ci de diversifier les sources de son financement à l'étranger, notamment.

Cette diversification, qui est une facette de la mondialisation des marchés financiers, constitue une tendance globale relativement récente avec pour point de départ la décennie 80. Elle est en grande partie le résultat de bien meilleurs moyens de communication internationale ainsi que d'une déréglementation plus poussée des marchés intérieurs.

Prenons un exemple concret de cet effet de mondialisation. Jusqu'en 1980, près de 80 % de la dette extérieure du Canada était une somme due aux États-Unis. Vingt ans plus tard, les États-Unis ne détiennent plus que 40 % de la dette extérieure canadienne. Comment cette réduction si importante dans la dépendance du Canada par rapport aux États-Unis fut-elle possible? À partir du début des années 80, le Canada a stabilisé sa dette envers les États-Unis. Ensuite il s'est mis à satisfaire ses besoins financiers nouveaux au Japon et en Europe. La multiplication des créanciers est un avantage non négligeable pour une petite région comme le Québec qui a besoin d'emprunter à l'étranger.

Enfin, comme les hausses de dette extérieure furent surtout le résultat des déficits du secteur public, les prêts ont été faits sous la forme d'obligations plutôt que d'investissements directs, les frais d'intérêt devenant beaucoup plus importants que les dividendes.

En dépit de l'effet de mondialisation et des faibles niveaux d'intérêts payés, le service de la dette extérieure n'a jamais été aussi élevé qu'à la fin de la décennie 90. En l'an 2000, le Canada verse 30 milliards en intérêts et dividendes à des non-résidents, un chiffre qui est égal à 10 % de la dette extérieure nette du Canada. Cette hausse dans la dette extérieure est le résultat des déficits du secteur public qui heureusement ont été effacés récemment.

L'austérité au Québec depuis 1990, telle que mesurée par la courbe du revenu personnel réel par habitant, est la conséquence du remboursement de la dette extérieure. Le service d'une dette extérieure se fait toujours par un surplus de la balance commerciale... surplus qui signifie un manque à gagner au pays.

La chute du dollar canadien à environ 65 cents américains est étroitement reliée au service de la dette extérieure. Du début du 20e siècle jusqu'en 1981, le dollar canadien fut au pair à 10 cents près avec le dollar américain. Un dollar aussi faible que 65 cents américains est le moyen pour le Canada de dégager le surplus nécessaire pour le service de la dette à payer aux non-résidents. Enfin, pourrait-on apporter un contre-argument à l'effet de la mondialisation. En effet, à cause de ce phénomène, le dollar canadien est probablement sous-évalué et en conséquence, le fardeau de la dette extérieure est d'autant plus élevé. Évidemment cela suppose que le Canada doit rembourser une partie de sa dette en devises étrangères.

La croissance comparée de l'économie du Québec

Dans une comparaison internationale des niveaux de vie des pays, il est préférable, plutôt que d'utiliser un seul indicateur comme nous l'avons fait jusqu'à présent, de recourir à plusieurs informations complémentaires. Le revenu personnel d'une région est une mesure du revenu gagné par les particuliers, plus les paiements de transferts reçus de l'État; c'est le principal critère utilisé dans une comparaison des régions d'un même pays.

Quand la comparaison se fait entre deux pays, les choses se compliquent. À cet effet, on préfère comparer les PIB, une mesure couramment utilisée dans les comparaisons internationales. Comme, depuis la mondialisation, la mobilité accrue des capitaux rend les taux de change très instables, la méthode traditionnelle qui consiste à convertir le PIB d'un pays en taux de change courant peut envoyer de faux signaux sur la situation relative d'un pays. Il existe toutefois différents moyens de contourner ce problème, et lorsque l'on y recourt, les chiffres sur l'évolution du revenu personnel et du PIB d'une région ou d'un pays convergent[6].

Nous avons calculé, en se servant du revenu personnel, que le coefficient multiplicateur du niveau de vie des Québécois au cours du 20e siècle était d'environ 10. Celui-ci est supérieur aux coefficients les plus comparables calculés pour un certain nombre de petits pays : Belgique et Pays-Bas, 5, et Norvège et Suède, 9[7]. Cette comparaison indique bien que la croissance de ces pays aujourd'hui industrialisés a été remarquable, avec le Québec en tête.

Le PIB et le revenu personnel sont des agrégats dont la mise en valeur des composantes peut véhiculer une information. Par exemple, la croissance de la population, une composante de ces deux agrégats, peut expliquer à elle seule l'évolution de ceux-ci. C'est la raison pour laquelle il est normal de présenter ensemble les chiffres sur la population et ceux sur le revenu par habitant.

---

6. Par exemple, en ce qui concerne la période de 1926 à 1986, le revenu personnel réel par habitant s'est multiplié par 4,7, alors que le PIB augmente d'un facteur de 4,2. Calculs faits à partir des données de Germain Hébert dans « Les comptes économiques de 1926 à 1987 », article paru dans *Le Québec statistique*, 1989.
7. A. Madison, *L'économie mondiale de 1820 à 1892*, Paris, OCDE, 1995.

Tableau 5

Proportion du revenu réel par habitant par rapport au revenu réel moyen national, et part de la population régionale dans l'ensemble de la population du pays, région du Nord-Est des États-Unis, provinces de l'Atlantique, Québec et Ontario, 1926-2000

Année	Nord-Est des États-Unis		Provinces de l'Atlantique		Québec		Ontario	
	Population	Revenu réel par habitant	Population	Revenu réel par habitant	Population	Revenu réel par habitant	Population	Revenu réel par habitant
					%			
1926	30,0	127,0	13,6	66,0	27,6	85,0	33,0	114,0
1933	30,0	129,0	12,6	61,0	27,7	94,0	33,0	129,0
1940	27,4	121,0	12,2	70,0	29,0	88,0	32,9	124,0
1950	25,8	109,0	11,5	70,0	29,0	85,0	32,8	121,0
1960	24,8	106,0	10,4	72,0	28,8	90,0	34,0	117,0
1970	24,1	108,0	9,5	72,0	28,0	89,0	35,7	118,0
1980	21,7	106,0	9,0	74,0	25,8	94,0	36,0	107,0
1990	20,4	112,0	8,5	76,2	25,5	93,0	36,6	114,0
2000	..	..	7,8	..	24,0	..	37,7	..

Sources : *Statistical Abstract of States*, 1999.
Statistique Canada, Cansim.

Le tableau 5 présente la proportion du revenu réel par habitant par rapport au revenu réel moyen national et la proportion de la population régionale dans l'ensemble de la population du pays, et ce, pour le Nord-Est des États-Unis (Nouvelle-Angleterre et région de l'Atlantique) d'une part, et pour les provinces de l'Atlantique, le Québec et l'Ontario, d'autre part. Les trois régions choisies pour établir une comparaison avec le Québec y sont limitrophes.

L'analyse de ces données permet de faire ressortir les faits suivants quant à l'évolution économique du Québec au 20ᵉ siècle.

- La part de la population québécoise comme celles des provinces de l'Atlantique et de la région du Nord-Est des États-Unis ont toutes décliné par rapport à la population totale de leur pays. Ce n'est pas le cas en Ontario. Parmi les trois régions ayant une population relative déclinante, le Québec était encore en 1998 celle qui avait la chute relative de population la plus faible, les provinces de l'Atlantique étant la pire région avec un recul de 5,8 points de pourcentage, passant de 13,6 % de la population canadienne en 1926 à seulement 7,8 % en 2000.

- Le Québec, à l'instar des provinces de l'Atlantique, a vu la part de son revenu personnel par habitant par rapport au revenu canadien moyen par habitant s'accroître au cours du siècle. En effet, sur le plan de son niveau de vie, le Québec se situait en 1926 à 85 % de celui du Canada alors qu'en 2000, il en est à 93 %. Le Québec devance les provinces de l'Atlantique dont le revenu par habitant n'est qu'à 76,2 % de celui du Canada. Par ailleurs, la région du Nord-Est des États-Unis et l'Ontario se situent toutes les deux à un niveau de vie d'environ 14 % plus élevé que la moyenne de leur pays respectif.

- Les deux composantes du revenu personnel (population et revenu personnel par habitant) prises ensemble suggèrent que le Québec a su très bien s'adapter au cours du siècle, adoptant les stratégies qui s'imposaient pour rester dans la course des régions. Des quatre régions citées, il ne fait pas de doute que c'est au Québec que sont advenus les plus grands changements dans les valeurs de la société et la gouvernance de celle-ci : la révolution tranquille de 1960 est arrivée juste à temps pour que le Québec puisse prendre le train de la fin du siècle.

III

- Une comparaison entre les États-Unis et le Canada permet de déceler quelques gains de ce dernier par rapport au premier :

  - sur le plan de la population canadienne notamment qui passe de 7,0 % de celle des États-Unis en 1900 à 11,3 % en 1999;

  - sur le plan du PIB par habitant : en 1900 les Canadiens n'avaient un PIB par habitant que de 68,0 % de celui des États-Unis, alors que celui-ci se situe aujourd'hui entre 70,8 % et 88,0 % selon le taux de change choisi[8];

  - quant au PIB du Canada, il a probablement doublé par rapport à celui des États-Unis au cours du siècle.

Conclusion

Jusqu'en 1900, le Québec et son économie préindustrielle reposent sur une agriculture de subsistance.

Deux événements importants prédominent à partir de ce moment. D'une part, l'agriculture se spécialise dégageant un surplus de production et de main-d'oeuvre. D'autre part, au même moment, un démarrage industriel axé sur l'industrie légère s'effectue. Enfin, le contexte de la Deuxième Guerre et une richesse accrue aux États-Unis favorisent l'émergence d'un deuxième grand secteur de spécialisation au Québec : les industries liées à l'exploitation des ressources naturelles et au développement de l'hydro-électricité.

Les années 1929-1938 sont des années de crise. Le passage à une économie de guerre, de 1939 à 1945, permet le retour d'une croissance accélérée. De nouvelles industries apparaissent : celles des produits chimiques et des appareils électriques. Ces industries deviendront un demi-siècle plus tard les moteurs de l'économie.

Des investissements américains et publics viennent, de 1950 à 1970, soutenir une croissance rapide. Les investissements en éducation faits à partir de 1960 ont été une source importante de croissance au cours de la décennie 70. En dépit d'une croissance remarquable, cette décennie en est une de transition entre, d'une part, la croissance accélérée des années antérieures et, d'autre part, le développement plus lent des deux décennies suivantes.

À partir de 1980, s'amorce une période de ralentissement de l'économie mondiale et de celle du Québec. À l'instar des autres économies, on compte sur la mondialisation et le libre-échange pour insuffler à l'économie l'énergie qui sortira le Québec d'une période de stagnation. La hausse décennale dans le revenu personnel réel par habitant ne fut que de 15 % environ au cours de la décennie 90.

---

8. Depuis l'ère de la mondialisation notamment, depuis que les mouvements de capitaux ont plus d'influence sur les taux de change que les flux de commerce, il est devenu impossible de comparer le PIB du Canada à celui des États-Unis comme on pouvait le faire en 1950 strictement en convertissant le PIB américain en dollars canadiens au moyen du taux de change courant. Cet obstacle est contourné en présentant deux estimations du PIB, l'une sur la base du taux de change en 1990 (1 $ US = 1,30 $ can.), l'autre avec le taux de change courant de 1998 (1 $ US = 1,50 $ can.).

Références

AITKEN, G. J., et autres. *The Americain economic impact on Canada*, Durham, N.C., Duke University Press, 1959.

BEAUSÉJOUR, Michel. *Introduction à l'économie du Québec*, Montréal, Études Vivantes, 1996.

BROWN, W. O. et J. S. HAGANDOM. *International Economics*, New York, Addison-Wesley, 1994.

CALDWELL, G. et B. D. CZOTNOCKI. « Un rattrapage raté. Le changement social dans le Québec d'après guerre 1950/1974 : une comparaison Québec/Ontario », *Recherches sociographiques*, vol. XVIII, n° 1, janvier-avril 1977.

COMEAU, Robert (éd.). *Économie québécoise*, Montréal, Presses de l'Université du Québec, 1969.

DAUPHIN, Roma. *Économie du Québec*, Montréal, Beauchemin, 1994.

FORTIN, Pierre. *L'endettement extérieur croissant du Canada*, dans les actes du congrès de l'ASDEQ, 1993.

FRÉCHETTE, Pierre et Jean-Paul VÉZINA. *L'Économie du Québec*, 4ᵉ édition, Montréal, Études Vivantes, 1990.

HAMELIN, Jean et Jean PROVENCHER. *Brève histoire économique du Québec*, Montréal, Fides, 1971.

HÉBERT, Germain. « Les comptes économiques de 1926 à 1987 », *Le Québec statistique*, Québec, Bureau de la statistique du Québec, 1989.

HÉBERT, Germain. « Les multiplicateurs d'emploi de l'économie québécoise », *Revue statistique du Québec*, Bureau de la statistique du Québec, mars 1974, p. XVI-XX.

HIRSCH, Robert D. *Les origines et la nature des déséquilibres régionaux du Québec*, Québec, Conseil d'orientation économique du Québec, 1967.

LALIBERTÉ, Lucie. « La mondialisation et le bilan des investissements du Canada », *Cahier de recherche*, Ottawa, Statistique Canada, 1997.

MADISON, A. *L'économie mondiale de 1820 à 1892*, Paris, OCDE, 1995.

REYNAULD, André. *Institutions économiques canadiennes*, Montréal, Beauchemin, 1964.

TREMBLAY, Diane G. et Vincent VAN SCHENDEL. *Économie du Québec et de ses régions*, Montréal, Saint-Martin, 1991.

IV

Le 20e siècle de la culture québécoise : la quête d'une identité

par Christine Eddie*

* Du ministère de la Culture et des Communications.

1900. Le jeune Émile Nelligan, déjà en proie à la névrose, s'est réfugié à la Retraite Saint-Benoît. Le comédien Julien Daoust vient d'ouvrir le premier théâtre francophone à Montréal, dans l'espoir d'y promouvoir les talents « canadiens ». Albani, la grande cantatrice née à Chambly, connaît un succès fulgurant en Europe et en Amérique. Le sculpteur Louis Jobin est sur le point de quitter Québec pour installer son atelier à Sainte-Anne-de-Beaupré. Folkloriste et musicien, Ernest Gagnon continue de faire connaître la culture musicale québécoise en France. Le peintre Ozias Leduc, âgé de 36 ans, mène une carrière discrète sur les bords du Richelieu, tandis que l'écrivain Louis Fréchette, dont les œuvres sont connues au Québec et en France, n'a plus, à 60 ans, que quelques années devant lui. Parmi les enfants de ce siècle qui commence, Conrad Kirouac (le Frère Marie-Victorin) est un adolescent de quinze ans, Mary Travors (La Bolduc) commence sa vie d'écolière à Newport, pendant qu'Albert Tessier et Gérard Morisset sont des bambins, encore loin de songer à consacrer leur vie au cinéma ou aux œuvres d'art.

Un mythe tenace voudrait que la culture québécoise soit née en même temps que la Révolution tranquille des années 60. Il y a pourtant au Québec, entre 1850 et 1950, une vie artistique et intellectuelle de plus en plus déterminée à s'exprimer. Certes, les succès internationaux des musiciens, peintres, chanteurs, danseurs, poètes et écrivains du Québec d'avant 1960 – il y en eut bien davantage qu'on le croit généralement – ont sans doute eu plus d'échos hors des frontières québécoises qu'auprès de la population locale. De même, les spectacles présentés sur les scènes québécoises sont alors davantage axés sur l'interprétation d'œuvres étrangères que sur la création locale. C'est que créer librement, dans le Québec des premières décennies du 20ᵉ siècle, exige du courage et de la persévérance.

Un début de siècle très difficile pour les artistes

Le Canada est en pleine mutation. Les droits des francophones catholiques qui vivent hors Québec régressent depuis 1864[2]. L'exode des Québécois vers les États-Unis atteint des sommets. L'industrialisation et l'urbanisation modifient en profondeur les structures et le mode de vie traditionnels. Un vent de laïcisme et de libéralisme souffle en Europe et notamment sur la France, principale référence culturelle du Québec. Dans ce climat chargé d'appréhensions, le clergé et les élites du Québec sont galvanisés. Ils développent une stratégie de survivance qui exacerbe les valeurs morales, religieuses et nationales. Jusqu'en 1940 et même au delà, ils imposent leur conservatisme et leur méfiance à l'endroit de tout ce qui évoque la modernité, dont les arts.

---

1.   Cet article traite plus spécifiquement de l'évolution québécoise des arts et des lettres.
2.   Les franco-catholiques perdent leurs écoles en Nouvelle-Écosse dès 1864, au Nouveau-Brunswick en 1871, au Manitoba en 1890, en Saskatchewan et en Alberta en 1905, et en Ontario en 1912. Voir : Fernand Harvey, « Le Canada français et la question linguistique », dans Conseil de la langue française, *Le français au Québec. 400 ans d'histoire et de vie*, Fides, Les Publications du Québec, 2000, p. 145.

La lente progression de la scolarisation[3]

Bien que n'en faisant pas un absolu, la plupart des études sur les comportements culturels démontrent que plus on est scolarisé, plus on est susceptible de s'intéresser à l'univers artistique et culturel. Or, au Québec, il faudra attendre la laïcisation de l'enseignement, durant les années 60, pour assister à une véritable démocratisation de l'éducation.

Deux systèmes scolaires, l'un pour les francophones, l'autre pour les anglophones

À partir de la Confédération canadienne, deux systèmes scolaires séparés et autonomes sont établis au Québec : l'un protestant et anglophone et l'autre, catholique et francophone. Le système francophone, qui encadre l'éducation de plus de 85 % de la population, est contrôlé par le Comité catholique dont les membres laïcs ont peu de latitude. Les tentatives incessantes des intellectuels et des milieux progressistes pour contrer cette structure peu démocratique échoueront les unes après les autres. Quand le 20e siècle commence, l'Église, déterminée à sauvegarder la langue française et la foi – ce qu'elle réussira –, régit donc tout le domaine de l'éducation, de l'école primaire à l'université, en passant par les couvents, collèges classiques, écoles normales, écoles d'infirmières et écoles ménagères[4].

Tandis que l'Ontario rend l'instruction obligatoire en 1870 et que les protestants québécois peuvent, dès les années 20, poursuivre leurs études jusqu'à l'université sans rupture, le discours francophone qui domine au Québec associe la scolarisation à un danger[5], s'inspirant en cela des préceptes des papes Pie X et Pie XI. Le clergé québécois élabore donc lui-même les programmes scolaires, établit les règlements disciplinaires, choisit les livres et les instituteurs. L'enseignement devient « une profession qui s'exerce à l'ombre du presbytère », pour reprendre l'expression de Lemelin et Marcil. En 1929, les prêtres, frères et religieuses représentent plus de 43 % du personnel enseignant, tous niveaux confondus; le fait d'appartenir à une communauté religieuse permet d'ailleurs d'enseigner sans diplôme. À la même époque, le gouvernement n'assume que 12 % des dépenses d'éducation et le budget global consacré à l'éducation au Québec est le plus faible au Canada.

Quelques éclaircies ne suffisent pas à assurer de véritable essor. En 1923, on porte à huit le nombre d'années d'instruction offertes à l'école publique, et des spécialisations émergent : agriculture, industrie, commerce et art ménager. Toutefois, trois ans plus tard, on note toujours que 94 % des élèves de la Commission des écoles catholiques de Montréal quittent l'école en 6e année[6]. En 1928, l'Académie de Québec organise un cours secondaire moderne d'une durée de six ans et le Mont Saint-Louis à Montréal offre un cours préparatoire qui permet d'entrer aux Hautes études commerciales, à l'École Polytechnique et dans les facultés universitaires de sciences. Cependant, les collèges classiques – seuls les collèges classiques, ouverts aux garçons essentiellement, aux plus fortunés et aux futurs séminaristes, mènent à l'université – ferment toujours la porte aux sciences. En 1929, l'école primaire dite supérieure est créée et constitue l'embryon d'un enseignement secondaire.

Des changements à partir des années 40

Finalement, en 1939, le diplôme de l'École normale est exigé des candidats à l'enseignement et, en 1943, après de longs débats, le gouvernement d'Adélard Godbout rend l'instruction

3. Sauf indication contraire, les informations contenues dans cette section proviennent de : André Lemelin (en collaboration avec Claude Marcil), *Le purgatoire de l'ignorance L'éducation au Québec jusqu'à la grande réforme*, Beauport, MNH, 1999.

4. Guy Laperrière, « L'adaptation à de nouveaux modes de vie », dans *Le grand héritage L'Église catholique et la société du Québec*, Québec, Musée du Québec, 1984, p. 138.

5. Les dangers appréhendés par le clergé et associés à une scolarisation prolongée et gratuite sont l'athéisme, la criminalité, le divorce et le bolchévisme. Lemelin et Marcil, *op.cit.*

6. Françoise Tétu de Labsade, *Le Québec Un pays une culture*, deuxième édition revue et augmentée, Montréal, Boréal, 2001, p. 231.

obligatoire jusqu'à l'âge de 14 ans. En 1944, la loi assurant la gratuité de l'enseignement et des livres de classe dans les écoles publiques est promulguée. Après la guerre, l'évêque de Chicoutimi autorise l'ouverture, dans un établissement public, d'un cours classique gratuit[7].

De la fin du 19ᵉ siècle au milieu du 20ᵉ, l'école élémentaire est la seule qui soit majoritairement fréquentée par les catholiques du Québec : en 1950, seulement 2 enfants sur 100 inscrits en première année se rendront jusqu'à la douzième année d'école. Les acteurs de la révolution tranquille mettront toutefois les bouchées doubles pour redéfinir toute la structure du système d'éducation québécois, de manière à rendre la scolarisation accessible à un plus grand nombre.

Des progrès constants à partir des années 60 permettent au retard accumulé de s'atténuer. Mais, en 1989, les capacités de lecture faibles ou insuffisantes étaient toujours décelables chez 19 % des Québécois âgés de 16 à 69 ans; le Québec accusait, à cet égard, un léger décalage par rapport à la moyenne canadienne[8]. En 1996, le taux de scolarisation des groupes québécois anglophone et allophone dépassait encore celui du groupe francophone[9]. La réforme québécoise de l'éducation, entreprise à la fin du 20ᵉ siècle, devrait permettre de résorber ces difficultés.

Censure religieuse et idéologie conservatrice, à leur apogée de 1900 à 1940

L'Église règne sur l'éducation, mais aussi sur la santé, les œuvres sociales et les loisirs… Ses effectifs sont partout alors que la société québécoise se « cléricalise » constamment : durant les années 40, on compte, au Québec, un religieux pour 87 catholiques[10]. À partir de l'institution centrale qu'est la paroisse, l'autorité du clergé règne sur les familles, les groupes de jeunes, les mouvements coopératifs, les syndicats, les clubs sociaux, les mouvements féminins. Inévitablement, et d'autant plus qu'ils sont associés aux idées libérales, les arts se retrouvent également sous sa férule.

« Défense d'écrire des livres qui ne feraient pas bâiller! »[11]

L'Église « a la main lourde dans le domaine culturel, et tout particulièrement dans le secteur du livre »[12] depuis 1840, date à laquelle elle soumet les bibliothèques à ses exigences. Se prévalant de l'*Index librorum prohibitorum* de Rome, les membres du clergé intensifient leur chasse aux « mauvaises » lectures. Ils combattent l'instauration de bibliothèques publiques – les luttes contre l'Institut canadien de Montréal et celui de Québec au 19ᵉ siècle et contre la Bibliothèque de Montréal au début du 20ᵉ siècle sont restées célèbres – pour leur préférer les bibliothèques paroissiales dont ils assument l'entière gestion; on recense 225 de ces bibliothèques en 1924, qui contiennent en moyenne 625 livres chacune[13], essentiellement religieux. Ils dirigent les lectures de leurs paroissiens, prescrivent leurs sélections aux libraires dont ils sont les principaux clients, semoncent les journaux qui annoncent des livres, dominent les prix littéraires, proposent une ligne de conduite et même des sujets aux écrivains… En 1937, l'Ontario compte 460 bibliothèques publiques et le Québec, 26… dont 17 sont anglophones[14].

Constatant qu'à partir des années 40 le marché des libraires se développe et que la lecture populaire prolifère malgré les interdits, le clergé accentue sa présence dans le commerce du livre : un nombre croissant de communautés enseignantes écrivent, éditent, vendent, distribuent

7.   Françoise Tétu de Labsade, *op.cit,* p. 232.
8.   Ministère de la Culture et des Communications, *Le temps de lire, un art de vivre. État de la situation de la lecture et du livre au Québec,* 13 mars 1998, p. 25-26.
9.   Conseil de la langue française, *Le français au Québec. 400 ans d'histoire et de vie,* Fides, Les Publications du Québec, 2000, p. 398.
10. Guy Laperrière, *op.cit,* p. 138.
11. Jean-Charles Harvey, *Les demi-civilisés,* Montréal, L'Actuelle, 1970, p. 59. Paru en mars 1934, ce roman fut condamné par l'Église et son auteur, rédacteur en chef au *Soleil,* fut congédié.
12. Fernande Roy, *Histoire de la librairie au Québec,* Montréal, Leméac, 2000, p. 65.
13. Province de Québec, *Annuaire statistique 12ᵉ année,* Québec, 1925, p. 153.
14. Paul-André Linteau, René Durocher, Jean-Claude Robert et François Ricard, *op.cit,* tome II, p. 185.

et achètent leurs propres livres. Il faudra attendre le rapport de la Commission Bouchard sur le commerce du livre, en 1963, pour qu'éclate le scandale et que cessent les conflits d'intérêts[15].

Les artistes gardés à vue

Mais la censure n'est pas que littéraire. L'Église balise aussi les autres loisirs des Québécois, leur offrant peu d'occasions de s'intéresser à une culture qui ne fasse pas l'apologie de la religion et de la ruralité. Devant l'engouement des foules pour le cinéma qui fait son entrée dans les salles québécoises en 1906, elle mène des campagnes pour interdire les projections aux enfants et pour l'établissement d'un *Bureau de censure des vues animées*[16], lequel sera créé en 1912 et prévaudra durant plusieurs décennies. Le répertoire théâtral français qui est joué par des troupes locales se compose de pièces « adaptées, triturées, transformées pour répondre aux exigences du clergé et au climat de moralité publique de l'époque »[17]; quant aux troupes françaises et américaines en tournée au Québec, elles font l'objet de « mandements extrêmement sévères des évêques de Montréal et de Québec »[18], ce qui n'empêche toutefois pas, par exemple, un public nombreux de faire un triomphe, pour la cinquième fois en 1905, à la grande Sarah Bernhardt, jugée particulièrement « amorale » par l'Église[19]. La danse, même folklorique, est peut-être l'art qui subit le plus de tracasseries religieuses et « à plus forte raison les nouvelles danses *lascives* [qui sont] régulièrement dénoncées »[20], même encore en 1952 quand le cardinal Léger interdit formellement les danses modernes et exige que les séances de folklore soient surveillées par un prêtre[21].

Par contre, la musique – son enseignement en particulier – doit beaucoup aux religieux, même si les recommandations de Pie X en 1903, qui ordonnent la disparition des chorales mixtes au profit de voix d'enfants et interdisent les instruments autres que l'orgue ainsi que les œuvres musicales modernes, « sont généralement respectées »[22]. Les arts visuels, pour leur part, sont encouragés et même soutenus par le clergé, dans la mesure où ils servent la cause religieuse et font l'éloge du terroir : la richesse et la beauté du patrimoine religieux du Québec tiennent en grande partie aux œuvres des nombreux peintres et sculpteurs à qui l'on a autrefois demandé de décorer les églises.

Dès 1935, une contestation du pouvoir de l'Église vient régulièrement de l'intérieur même du clergé. Tous les religieux ne sont pas contre la culture moderne : plusieurs d'entre eux, parmi les plus érudits, ont contribué activement à stimuler la création artistique et la curiosité intellectuelle au Québec. Marie-Victorin défend avec ardeur l'enseignement des sciences et crée, en 1923, l'Association canadienne-française pour l'avancement des sciences[23]. Albert Tessier, quoique tenant des valeurs traditionnelles, aura combattu toute sa vie en faveur de l'éducation et sera l'un des pionniers, durant les années 30, du cinéma documentaire québécois. Émile Legault crée les Compagnons de Saint-Laurent en 1937, d'abord conçus comme une simple troupe paroissiale de théâtre mais qui, pendant quinze ans, permettront à toute une génération de comédiens et metteurs en scène de découvrir un répertoire international exigeant. Durant les années 40, Marie-Alain Couturier, un grand défenseur de l'art moderne réfugié à New York pendant la guerre et que Borduas a rencontré à Paris en 1929,

15. Ces informations proviennent de Fernande Roy, *op.cit*, p. 190-195.
16. Marcel Fournier, *Culture et société au Québec. Rapport de recherche* (remis au ministère de la Culture et des Communications), 10 avril 1992, p. 5.
17. Paul-André Linteau, René Durocher, Jean-Claude Robert et François Ricard, *op.cit, tome I*, p. 722.
18. Archives des lettres canadiennes, *Le théâtre canadien-français. Évolution témoignages bibliographie*, Montréal, Fides, 1976, p. 12.
19. Voir notamment Luc Bureau, *Paysages et mensonges Le Québec sous la plume d'écrivains et de penseurs étrangers*, Montréal, Boréal, 1999, p. 99-109.
20. Guy Laperrière, *op.cit*, p. 130.
21. Iro Tembeck, *Danser à Montréal Germination d'une histoire chorégraphique*, Sillery, Presses de l'Université du Québec, 1991, p. 77.
22. Odette Vincent, *La vie musicale au Québec. Art lyrique, musique classique et contemporaine*, Sainte-Foy, Presses de l'Université Laval, 2000, p. 30.
23. Sera renommée, en 2001, l'Association francophone pour le savoir.

présente une exposition des peintres modernes à Québec et à Montréal et donne des conférences qui favorisent l'essor de la Société d'art contemporain créée en 1939. Les Clercs de Saint-Viateur font du Collège de Joliette un véritable centre culturel où se côtoient la musique, le théâtre et les arts plastiques. Après la guerre, Georges-Henri Lévesque réussit à implanter l'enseignement des sciences sociales à l'Université Laval. D'autres encore souhaitent des ajustements et une plus grande liberté intellectuelle au Québec.

Cette action cléricale progressiste favorise un changement des mentalités, même si le climat général continue de marginaliser les arts. Les coups d'éclats conduits par les artistes pour se faire connaître d'un public, qui par ailleurs défie souvent les autorités, deviennent plus fréquents. L'effervescence artistique du début du siècle se manifeste, essentiellement dans les centres urbains, au rythme d'une vie musicale riche, de quelques expositions, de nombreux spectacles et d'incessants débats sur l'art et ses rapports avec l'identité « canadienne » ou « canadienne-française ».

Les événements catalyseurs

L'avance des Anglo-Québécois : musique, livres, théâtre, danse et beaux-arts

Plusieurs événements agissent comme catalyseurs sur l'émergence d'une culture québécoise dynamique. En amont de ceux-ci, il faut mentionner l'activité artistique et intellectuelle des Anglo-Québécois qui, contrairement aux francophones, évoluent plus librement au plan culturel. Soustraits au joug de l'Église catholique parce qu'ils sont surtout de confession protestante ou juive[24], les Anglo-Québécois proviennent généralement d'une classe sociale aisée[25], plus scolarisée que la moyenne[26].

Activités et institutions culturelles anglophones dès le 19e siècle

Dès le 19e siècle, le milieu artistique québécois est vivifié par une élite anglophone qui se dote d'écoles, d'universités, de musées, de bibliothèques, de cercles littéraires, de sociétés d'histoire, d'orchestres, d'opéras, etc. Le Théâtre Molson, par exemple, premier théâtre québécois à vocation exclusivement théâtrale, ouvre ses portes au public anglophone en 1825, 75 ans avant le premier théâtre francophone. Vers 1850, les anglophones commencent déjà à se donner des bibliothèques publiques. En 1860, ils créent la Art Association of Montreal, ancêtre du Musée des Beaux-arts de Montréal. Après une vogue d'harmonies militaires et civiles, ils forment un premier orchestre symphonique en 1875. De 1875 à 1900, les peintres anglophones dominent temporairement la peinture québécoise. Ce sont les anglophones, surtout, qui pratiquent la danse de façon continue, puisqu'ils ne sont pas assujettis aux interdictions de l'Église. Même dans la ville de Québec, le théâtre se joue alors surtout en anglais. Toutes ces activités et ces institutions créent un effet d'entraînement, tant chez les francophones que chez les anglophones, bien que, selon le chercheur Eric Waddell, elles « reflètent avant tout l'autoritarisme bienveillant d'une communauté linguistique dominante sur l'ensemble des citoyens »[27].

---

24. « Jusqu'en 1945, la communauté juive exprimera surtout sa culture en langue yiddish, faisant de Montréal l'un des foyers les plus importants de la culture yiddish; ce n'est qu'après la Deuxième guerre mondiale qu'elle optera pour la langue anglaise. » Paul-André Linteau, *Histoire de Montréal depuis la Confédération*, Montréal, Boréal, 1992, p. 529.

25. « Au début des années 1960, le revenu annuel d'un anglophone unilingue atteint presque le double de celui d'un francophone unilingue. » Gary Caldwell et Éric Waddell, *Les anglophones du Québec de majoritaires à minoritaires*, Québec, Institut québécois de recherche sur la culture, Collection Identité et changements culturels, n° 1, 1982, p. 65.

26. « Près de dix fois moins nombreux que les francophones, les anglophones du Québec envoient deux fois plus d'étudiants à l'université en 1911. » Marcel Rioux, *La question du Québec*, Montréal, L'Hexagone, Collection Typo essai, 1987, p. 93.

27. Gary Caldwell et Eric Waddell, *op.cit*, p. 31.

Jusqu'aux années 30, solidarité artistique, quelle que soit la langue

Durant les premières décennies du 20ᵉ siècle, il y eut probablement plus d'osmose entre les milieux artistiques et intellectuels des deux communautés linguistiques du Québec qu'on serait porté à l'imaginer, des décennies plus tard. D'une part, le cinéma encore muet, les arts visuels, la danse et la musique ne connaissent pas de barrière de langue et rallient un public anglophone aussi bien que francophone, même si les goûts des deux communautés divergent parfois. En outre, Montréal, justement à cause de son caractère biculturel, devient rapidement la première étape du circuit de tournées nord-américaines pour les troupes artistiques. Le début du siècle accueille ainsi dans la métropole les spectacles progressistes d'un nombre considérable d'artistes étrangers, danseurs, comédiens et musiciens, et ce, malgré la piètre qualité des transports, que l'on arrive du continent ou d'outre-mer[28].

D'autre part, les intellectuels et les artistes québécois sont trop peu nombreux pour ne pas se fréquenter et s'épauler. En 1918, la revue artistique multidisciplinaire *Le Nigog* publie ses articles en français, mais aussi quelques textes en anglais; son combat en faveur de la modernité sera repris, vingt ans plus tard, par des francophones mais aussi des anglophones dont le peintre John Lyman et les critiques d'art Robert Ayre, Walter Abell et Graham McInnes. Les milieux de la peinture, de la musique et de la danse, en particulier, sont solidaires, quelle que soit leur langue. Même dans le domaine du théâtre, Iro Tembeck affirme que « le théâtre professionnel francophone est issu en grande partie du théâtre anglo-américain et a survécu à ses débuts grâce à l'appui anglophone »[29].

Cependant, quand paraît en 1945 le célèbre roman du Montréalais Hugh MacLennan, *Two Solitudes*, les deux communautés se sont bel et bien éloignées. Il faut dire que la population montréalaise d'origine britannique est passée de 34 % en 1901 à 20 % en 1941[30]. De plus en plus branchée sur les courants new-yorkais, l'élite anglophone s'ouvre à l'internationalisme tout en affirmant un nouveau nationalisme canadien : son centre culturel se déplace vers Toronto. Pendant ce temps, la population canadienne-française est davantage à la recherche de sa culture propre et son élite a déjà commencé à prendre le relais des anglophones en instituant des lieux de formation, de production et de diffusion culturelles bien à elle. Les enjeux culturels et les angoisses ne sont plus les mêmes.

Se déraciner pour pouvoir être un artiste

Quitter le Québec durant quelques mois, parfois quelques années, permettra à un grand nombre de Québécois d'approfondir et d'exercer leur art. Dès le 19ᵉ siècle, les artistes québécois, francophones et anglophones, choisissent principalement Paris, même si certains préfèrent Boston, New York, Londres et Bruxelles, pour compléter leur formation artistique. À l'orée du 20ᵉ siècle, ils se regroupent, « presque secrètement » note Marie-Thérèse Lefebvre[31], et partent vers l'Europe à la recherche d'une modernité dont ils ont trop peu d'échos au Québec. La Première Guerre mondiale et, pour une autre génération, la Seconde, les forceront à rentrer, parfois plus tôt qu'ils ne l'avaient espéré.

Ces artistes, qu'on appelle par dérision les « retours d'Europe » ou les « exotistes »[32], découvrent le monde et le ramènent avec eux au Québec. Julien Daoust joue d'abord durant quelques années aux États-Unis avant de revenir au Québec pour faire du théâtre. En 1907, après

28. Entre 1897 et 1913, Montréal applaudit, avec un décalage plus ou moins grand, les mêmes spectacles d'art lyrique que New York, Boston et Chicago. Odette Vincent, *op.cit*, p. 49.
29. Iro Tembeck, *op.cit*, p.11.
30. Paul-André Linteau, *op.cit*, p. 162 et 318.
31. Marie-Thérèse Lefebvre, « La musicologie et l'histoire musicale du Québec », dans *Québec 2000 Multiples visages d'une culture*, Montréal, Hurtubise HMH, Cahiers du Québec, 1999, p. 222.
32. Marie-Andrée Beaudet, page de couverture de : *Le Nigog, Réimpression à l'identique des 12 numéros : janvier à décembre 1918*, Montréal, Comeau & Nadeau, 1998.

un long séjour à Paris, Marc-Aurèle Suzor-Côté s'installe à Arthabaska, converti à l'impressionnisme. Le 29 mai 1913, le pianiste et critique musical Léo-Paul Morin est présent lors du scandale provoqué par la première du *Sacre du printemps* de Stravinski à Paris; il rentre au Québec conquis par la musique de ses contemporains, qu'il s'empresse de faire connaître.

Ce sont aussi des chanteuses comme Béatrice La Palme, Pauline Donalda, Louise Edvina, Éva Gauthier et d'autres qui participent à l'histoire musicale du monde... ou des chefs d'orchestre comme Wilfrid Pelletier, déjà au Metropolitain Opera de New York en 1922. Ce sont encore les peintres Marc-Aurèle Fortin qui étudie à Chicago, ou John Lyman et Alfred Pellan qui exposent à Paris aux côtés des plus grands peintres de leur époque. En 1919, la revendicatrice revue *Le Nigog* disparaît, moins à cause de difficultés financières que parce que la plupart des membres de son équipe de rédaction[33] repartent en France; certains y resteront jusqu'à la guerre de 1939. Le danseur Gérald Crevier étudie à Londres de 1932 à 1934 où il fait partie du Ballet Royal d'Angleterre, avant de rentrer à Montréal pour fonder sa propre Académie de danse. Gabrielle Roy passera aussi quelques années en Europe. De fait, avant 1940, peu d'artistes québécois ne séjournent pas au moins quelque temps à l'étranger.

Ce va-et-vient hors frontières s'intensifie encore par la suite. Une nouvelle génération de jeunes artistes quitte le Québec pour parfaire sa formation, travailler dans un milieu plus accueillant et trouver, sinon la gloire, à tout le moins un public plus large. Parmi les plus connus, on peut mentionner Jean-Paul Riopelle, Léopold Simoneau, Pierrette Alarie, Raoul Jobin, Anne Hébert et les premiers chansonniers de l'après-guerre, Félix Leclerc en tête, que le directeur de Polydor, Jacques Canetti, recrute en 1950 et qui s'impose à Paris en trois ans. Mais dans le sillage de chacun, se trouve une pléiade d'intellectuels et d'artistes qui, s'ils n'ont pas toujours connu de grandes carrières internationales, ont tissé ailleurs tout un réseau d'amitiés et de relations professionnelles.

La mise sur pied d'écoles qui enseignent la maîtrise d'un art

Les séjours en Europe ne suffisent pas. La création de lieux de formation et d'échanges, qui deviendront d'importants foyers artistiques, est majeure pour permettre aux artistes québécois de progresser.

Un premier Conservatoire national de musique, financé par le gouvernement fédéral, a dû cesser ses activités en 1901, faute de fonds, après seulement six années d'existence. Ce sont donc, au début du siècle, les collèges, les couvents et quelques écoles supérieures qui enseignent la musique. Mais ce sont aussi, pour la musique comme pour les autres disciplines artistiques, une multitude d'académies, d'écoles, de cours et de studios privés qui assurent la formation. En musique comme en danse, leurs dirigeants sont fréquemment des immigrants qui souhaitent poursuivre une carrière commencée dans leur pays d'origine. En théâtre, la formation s'acquiert essentiellement par la pratique, souvent semi-professionnelle, jusqu'à la mise sur pied du Montreal Repertory Theatre qui, de 1930 à la guerre, propose un premier lieu de recherche et de création. En arts plastiques, l'apprentissage se fait traditionnellement dans l'atelier d'un maître.

Grâce au secrétaire provincial du gouvernement Taschereau, Athanase David, le gouvernement québécois se préoccupe peu à peu des arts. Les conditions d'accès à la carrière artistique vont pouvoir changer. En 1922, une École des Beaux-Arts est créée à Montréal et, l'année suivante, à Québec. Deux des premiers élèves de ces écoles, Paul-Émile Borduas dans la métropole et Alfred Pellan dans la capitale, deviendront les pionniers de l'avant-garde québécoise en peinture, vingt ans plus tard. Ces écoles, ainsi que l'École du meuble créée en 1935 – où Riopelle rencontre Borduas –, rassemblent les artistes, favorisent l'émulation et les

---

33. Léo-Paul Morin, Marcel Dugas, Robert de Roquebrune et Fernand Préfontaine.

débats. L'enseignement y est foncièrement académique et les partisans de l'art figuratif tradi-tionnel s'opposent aux précurseurs de l'art abstrait.

Dans la même foulée, David fait passer de cinq à quinze le nombre de « bourses d'Europe » qui permettent chaque année à des étudiants de tous les domaines, dont la musique et l'art dramatique, de se perfectionner à l'étranger. Il accorde aussi des bourses spéciales à des professeurs qu'il envoie en mission. Le musicien Eugène Lapierre, par exemple, est ainsi délégué en Europe pour y examiner l'organisation des conservatoires de musique.

Il faudra toutefois attendre encore et combattre les préjugés, avant que naisse un Conserva-toire d'État. « Mais que conserve-t-on vraiment dans un conservatoire? » aurait demandé un politicien perplexe lorsque, dans les années 40, le secrétaire du gouvernement, Hector Perrier, et le chef d'orchestre Wilfrid Pelletier réussissent enfin à convaincre les dirigeants de créer une institution artistique, gratuite et accessible par voie de concours aux jeunes Qué-bécois qui ont du talent[34]. Le Conservatoire de musique est créé à Montréal en janvier 1943, puis à Québec en 1944; à partir des années 60, il s'établit également à Trois-Rivières, Chicoutimi, Hull, Val-d'Or et Rimouski. En 1964, la moitié des instrumentistes de l'Orches-tre symphonique de Montréal sont formés au Conservatoire[35].

Le Conservatoire d'art dramatique, pour sa part, accueille ses premiers étudiants à Montréal en 1954 et à Québec en 1958. En 1960, le gouvernement fédéral situe son École nationale de théâtre à Montréal. Cette fois, un théâtre professionnel et une tradition dramatique peu-vent s'implanter. D'autant que Gratien Gélinas a ouvert une brèche importante du côté de la création québécoise avec *Tit-Coq*, que Marcel Dubé a déjà écrit ses premières pièces et que, sur les traces des Compagnons de Saint-Laurent, plusieurs troupes professionnelles sont nées.

La Seconde Guerre mondiale : ruptures et ouvertures

L'édition française à Montréal : premier répit pour la censure et l'Index[36]

Temporairement, une partie des livres normalement édités en France seront imprimés au Québec. Accablés par la guerre, les éditeurs français sont rationnés en matériel d'impres-sion; éditeurs, auteurs et libraires sont au front, en prison, aux prises avec des difficultés de tous ordres. L'occupation nazie, à partir de juin 1940, accentue l'effondrement d'une des industries culturelles les plus importantes au monde : l'édition française de livres passe de 10 000 titres annuels à environ 1 200.

En 1940, le premier ministre canadien déclare que « le sort tragique de la France lègue au Canada français le devoir de porter haut les traditions de culture et de civilisation françaises, [une] nouvelle responsabilité [qu'il faut] accepter avec fierté ». Réelle noblesse d'intention… ou intérêts commerciaux? Le gouvernement canadien permet aux éditeurs canadiens de réimprimer tous les titres français non disponibles sur le marché. Gide, Colette, Rimbaud, Green, Baudelaire, Flaubert, Proust, Balzac… Pour les éditeurs québécois, c'est la manne : entre 1940 et 1945, on évalue que 1 000 titres français et 700 titres canadiens ont été imprimés en 19 millions d'exemplaires. La production d'ouvrages de religion et de spiritua-lité n'est plus que marginale : à peine 30 titres. Les éditeurs québécois diffusent leur nou-velle production dans une cinquantaine de pays, les inventaires des libraires sont transformés, l'édition littéraire québécoise connaît son premier véritable essor et, pour un temps, l'Église n'a plus le contrôle du livre.

---

34. Rapporté par la journaliste Marie Laurier dans « Cinquante ans, ça se fête en musique », *Le Devoir*, 3 octobre 1992.
35. Odette Vincent, *op.cit*, p. 77.
36. Toutes les informations touchant cette question sont extraites de Fernande Roy, *op.cit.*

Le déclin s'amorce à partir de 1947 et, en 1949, la situation générale ressemble à nouveau à ce qu'elle était avant la guerre. L'effet n'en a pas moins été majeur, tant pour la littérature que pour la circulation des idées et les échanges intellectuels. De nouvelles bibliothèques publiques francophones sont inaugurées durant les années 40, ce qui porte leur nombre total à 17. Les Éditions Fides, créées en 1937, ouvrent une succursale au Brésil en 1945 et à Paris en 1949. Des maisons d'édition naissent, dont une douzaine font faillite à la fin des années 40, mais l'élan est donné pour permettre au Cercle du livre de France (1949), à l'Hexagone (1953), à Leméac (1957), aux Éditions de l'Homme (1958) de voir le jour. Les éditeurs craignent moins l'Index et défient plus ouvertement le clergé. Des librairies, celle d'Henri Tranquille à Montréal dès 1937, celle de Paul Michaud à Québec à partir de 1941, sont partisanes de la lecture libre et deviennent des centres culturels à elles seules. Et puis, après la guerre, les grandes maisons d'édition françaises s'installent au Québec, ce qui favorise aussi la libre circulation des livres.

Ébullition et renouveau de la création

Pendant la guerre, les artistes exilés rentrent au pays et des intellectuels européens séjournent au Québec où ils animent des ateliers, donnent des conférences, publient des livres. Parmi eux, André Breton ou André Malraux ont mauvaise presse auprès de l'élite. Mais les Québécois découvrent aussi des philosophes thomistes, des dominicains et d'autres chrétiens dont le discours critique bouscule les idées reçues puisque, tout en étant catholiques, ils ne partagent pas forcément les opinions du clergé. La Révolution tranquille se prépare déjà.

La littérature se ravive avec une toute nouvelle génération d'écrivains. Félix-Antoine Savard, Ringuet, Saint-Denys Garneau, Germaine Guèvremont et Alain Grandbois publient des œuvres qui révèlent leur talent. *Au pied de la pente douce* de Roger Lemelin, premier roman québécois reflétant une réalité urbaine, préfigure les mutations sociales en marche. En 1945, le premier roman de Gabrielle Roy, *Bonheur d'occasion*, connaît un succès rapide et sans précédent dans l'histoire littéraire du Québec. Réédité à Paris, traduit en anglais, en espagnol, en danois, en slovaque, en suédois, en norvégien, en roumain et en russe, couronné par plusieurs prix, *Bonheur d'occasion* séduit aussi le lectorat québécois : en 1982, son tirage au Québec dépassait les 130 000 exemplaires.

Une pensée moderne émerge en musique et la composition devient plus audacieuse avec Jean Papineau-Couture, Gabriel Charpentier, Maurice Blackburn et Pierre Mercure. La musique québécoise et ses interprètes ont dorénavant une tribune sur scène, à la radio et bientôt à la télévision. Un public se forme progressivement, notamment grâce au travail de Gilles Lefebvre et Anaïs Rousseau qui ont fondé les Jeunesses musicales du Canada en 1949.

Au théâtre, c'est surtout le burlesque qui remplit les salles; on y présente des spectacles polyvalents à très bas prix, où se côtoient théâtre mélodramatique, humour, cirque, cinéma, chansons de folklore, romances françaises et autres variétés. Simultanément, les Québécois ont accès petit à petit à un théâtre de répertoire, joué par des acteurs québécois qui acquièrent du métier, souvent au sein de troupes qui ne durent pas cependant; à cet égard, les Compagnons font figure d'exception en assurant une présence régulière ou intermittente auprès des étudiants et du public. Le goût du théâtre se répand progressivement dans plusieurs villes du Québec, des salles s'ouvrent, des troupes circulent, elles franchissent les interdits de la censure avec des pièces qui, néanmoins, tiennent l'affiche.

Dans le domaine de la peinture et des arts visuels, un éclatement et un épanouissement sans précédent se préparent.

Les voix de la liberté : *Prisme d'yeux, Refus global, Cité libre, Liberté, Hexagone...*

En février 1948, l'exposition d'une quinzaine de peintres s'accompagne d'un court manifeste d'une page et demie intitulé *Prisme d'yeux*[37]. Plaidoyer pour la liberté des œuvres et des styles, *Prisme d'yeux* témoigne en faveur du pluralisme des options picturales et esthétiques.

Six mois plus tard, 400 exemplaires d'un autre manifeste sont en vente dans la petite librairie Tranquille à Montréal. En couverture, une aquarelle de Riopelle. À l'intérieur, plusieurs œuvres et, surtout, un texte « incendiaire » intitulé *Refus Global*, qui donne son nom à la publication. Le manifeste est signé par seize artistes québécois de langue française, neuf hommes et sept femmes qu'on appelle les Automatistes[38]. Plus radical, plus virulent et plus politique que *Prisme d'yeux*, *Refus global* passe inaperçu dans le grand public, mais son caractère anticlérical et dénonciateur produit un remous considérable au sein de la petite élite québécoise. Borduas, qui revendique la paternité du groupe, est renvoyé de l'École du meuble. Les signataires se dispersent, mais le manifeste demeure le symbole d'une soif de liberté et d'un refus du conformisme qui s'exprimeront, à partir de cette époque, avec de plus en plus d'insistance.

Le message de *Refus global* est repris. La contestation trouve de nouveaux canaux. Les revues *Cité libre*, créée en 1950 par Gérard Pelletier et Pierre Trudeau, et *Liberté*, fondée en 1958 par Jean-Guy Pilon, aux titres évocateurs, en sont. Mais le journal *Le Devoir*, jusque-là plutôt conservateur, le groupe de l'Hexagone mené par Gaston Miron, le travail de jeunes universitaires et la prolifération d'organismes culturels durant les années 50 participent aussi à l'éveil culturel d'un « petit peuple [... jusqu'alors] serré de près aux soutanes [et] tenu à l'écart de l'évolution universelle de la pensée »[39].

La télévision de Radio-Canada et l'ONF : d'extraordinaires laboratoires de création

La radio ne cesse de se développer depuis les années 20. Concurrencé par des stations privées qui connaissent une ascension marquée, le réseau français de Radio-Canada s'étend et offre, depuis 1936, une programmation où priment les émissions éducatives et culturelles. La série *Radio-Collège*[40], en particulier, reste exemplaire avec ses 5 000 émissions diffusées entre 1941 et 1955 sur des sujets aussi variés que la littérature, l'histoire, le théâtre, les beaux-arts, l'architecture, la sculpture, la géographie, la musique et les sciences.

Puis est arrivée l'image.

Une télévision d'abord résolument culturelle[41]

Fernand Seguin aurait déjà lancé en boutade que les deux événements importants de notre histoire étaient l'arrivée de Jacques Cartier et... celle de la télévision de Radio-Canada[42]. Cette première télévision s'appelle CBFT. Née le 6 septembre 1952[43], elle cesse d'être

---

37. *Prisme d'yeux* est signé par Alfred Pellan, appuyé par Louis Archambault, Léon Bellefleur, Jean Benoît, Jacques de Tonnancour, Albert Dumouchel, Gabriel Filion, Pierre Garneau, Arthur Gladu, Lucien Morin, Mimi Parent, Jeanne Rhéaume, Goodridge Roberts, Roland Truchon et Gordon Webber.
38. Ce sont, autour de Paul-Émile Borduas, Madeleine Arbour, Marcel Barbeau, Bruno Cormier, Marcelle Ferron, Claude Gauvreau, Pierre Gauvreau, Muriel Guilbault, Fernand Leduc, Françoise Lespérance, Jean-Paul Mousseau, Maurice Perron, Louise et Thérèse Renaud, Jean-Paul Riopelle, Françoise Sullivan.
39. *Refus global Le manifeste*, reproduit dans *Le Devoir*, Cahier spécial « Les cinquante ans du Refus global », 10 mai 1998, p. E3.
40. Voir à ce sujet Marie-Thérèse Lefebvre, *Jean Vallerand et la vie musicale du Québec*, Montréal, Méridien, 1996, p. 38-42.
41. Sauf indication contraire, les informations contenues dans cette section proviennent de Christine Eddie, *Les conditions de production et de réception des téléromans diffusés à Radio-Canada (CBFT, Montréal), 1952-1977*, Thèse de doctorat, Faculté des lettres, Université Laval, août 1985.
42. Rapporté par Françoise Tétu de Labsade, *op.cit*, p. 99.
43. La première soirée de programmation se termine avec la télédiffusion de la pièce de Jean Cocteau, *Oedipe-Roi*.

bilingue en janvier 1954 et s'affranchit rapidement dès lors. Plutôt que de rediffuser des émissions américaines doublées ou des émissions importées de France, la petite équipe qui fait CBFT à ses débuts, essentiellement issue des milieux du cinéma et du théâtre, recrute des écrivains, musiciens, danseurs, chanteurs, metteurs en scène, costumiers, décorateurs, etc. pour produire elle-même une programmation dont le parti pris est résolument culturel. Pour la première fois au Québec, la culture connaît une diffusion massive. Pour la première fois, les Québécois peuvent mettre des visages sur les voix de la radio. Pour la première fois, un grand nombre d'artistes trouvent plus facilement du travail rémunéré.

S'il n'y a que 17 000 téléviseurs à Montréal au moment de l'inauguration de la télévision qui, d'ailleurs, ne peut alors être captée que dans cette ville, en 1961, ce sont 91 % des foyers québécois qui ont la télévision chez eux et très bientôt, presque tous, au fur et à mesure que se ramifie le réseau télévisuel de Radio-Canada. Les émissions préférées des Québécois sont tout de suite les téléromans qui, dès les premiers épisodes de *La famille Plouffe* en novembre 1953, suscitent un enthousiasme que rien ne démentira. Jusqu'en 1967, les textes de ces feuilletons sont majoritairement écrits par des auteurs reconnus, comme l'étaient déjà un grand nombre de populaires radioromans. Les Germaine Guèvremont, Roger Lemelin, Claude-Henri Grignon, Marcel Dubé, André Giroux, Robert Choquette et une quinzaine d'autres écrivains signent des histoires qui feront à jamais partie de l'imaginaire collectif. Des centaines de comédiens y personnifient les nouveaux héros que le public québécois découvre passionnément chaque semaine.

Radio-Canada, tant qu'elle est en situation de monopole, présente aussi des concerts symphoniques, de l'opéra, du ballet, des causeries et des téléthéâtres; c'est, par exemple, grâce à ces émissions que naissent Les ballets Chiriaeff qui deviendront Les Grands Ballets Canadiens en 1958. Quand Télé-Métropole est créée en 1961, la télévision de Radio-Canada doit revoir sa programmation si elle veut maintenir ses cotes d'écoute. La tendance est désormais beaucoup plus au divertissement populaire. Seuls les téléromans conserveront une grande visibilité dans la grille horaire. Radio-Canada n'en a pas moins eu le temps de devenir un laboratoire exceptionnel qui « [fait] contrepoids à l'influence cléricale en permettant l'expression d'idées nouvelles et en fournissant une tribune différente »[44].

Le déménagement de l'ONF, d'Ottawa à Montréal[45]

Le National Film Board est créé en 1939. Située à Ottawa, l'agence fédérale ne produit en français que de courts films d'actualités sur la guerre. L'équipe française y est d'abord quasi inexistante jusqu'à ce que, progressivement, quelques francophones embauchés parmi le personnel régulier et d'autres, nommés au Conseil d'administration, en dénoncent la francophobie. En 1956, dans la foulée du Rapport Massey qui suggérait d'accorder une meilleure attention à la création de films pour le Canada français, et devant l'unanimité des journaux québécois qui revendiquent une production en langue française, l'Office national du film déménage ses bureaux à Montréal.

Une équipe francophone est née. Parmi ses premiers membres, on trouve Michel Brault, Gilles Carle, Claude Fournier et Gilles Groulx... et bientôt Claude Jutras, Pierre Perreault, Jacques Godbout, Arthur Lamothe, entre autres. Avec peu d'argent, beaucoup d'idéalisme et une détermination à toute épreuve, l'équipe grandit. La télévision naissante a besoin d'images. La censure connaît ses derniers sursauts. Les cinéastes québécois de l'ONF réalisent des documentaires, du cinéma-vérité, des courts, moyens et longs métrages d'auteurs

---

44.   Paul-André Linteau, *op.cit*, p. 529.
45.   Voir à ce sujet : Service des émissions culturelles de la radio de Radio-Canada, réseau FM. *Les 50 ans de l'ONF*, Montréal, Éditions Saint-Martin/Les Entreprises Radio-Canada, 1989 et Carol Faucher (sous la direction de), *La production française à l'ONF 25 ans en perspective*, Montréal, Cinémathèque québécoise / Musée du cinéma, Les dossiers de la Cinémathèque numéro 14, 1984.

et, à partir de 1966, des films d'animation, qui révèlent le Québec aux Québécois, mais aussi au monde entier[46]. Ils se donnent un mandat social. On leur reproche leur nationalisme. Leur parcours sera souvent difficile. Mais le cinéma québécois existe, désormais.

À partir de la Révolution tranquille…

Le rôle des gouvernements

Un geste majeur en faveur du soutien public des arts sera initié par la Ville de Montréal qui, dès 1956, se dote d'un Conseil des arts de la région métropolitaine, chargé d'octroyer des subventions aux artistes et aux organismes qui produisent leurs œuvres. Quelques années plus tôt, le gouvernement fédéral, cédant à dix années de pressions de la part des artistes canadiens, avait créé une Commission royale d'enquête sur les arts, les lettres et les sciences (Commission Massey-Lévesque) dont l'une des principales recommandations touche l'aide à la création : le Conseil des arts du Canada est créé en 1957.

Le gouvernement québécois, jusqu'alors timide en matière de culture, ne tarde pas à emboîter le pas. L'« équipe du tonnerre » de Jean Lesage arrive au pouvoir en 1960, avec un vaste programme de réformes dont le tout premier article propose la création d'un ministère des Affaires culturelles, inspiré de celui qui vient d'être institué en France. Le Québec se dote donc, en 1961, d'un ministère dont la mission première est de faciliter l'épanouissement des arts et des lettres, et leur rayonnement à l'extérieur.

Le premier titulaire du ministère des Affaires culturelles, Georges-Émile Lapalme, s'entoure d'intellectuels nationalistes parmi lesquels on retrouve l'historien Guy Frégault et le journaliste Jean-Marc Léger. Leur ministère est d'abord formé de services hérités soit du ministère de la Jeunesse, soit du Secrétariat d'État et de quelques organismes tels le Conseil provincial des arts et la Commission des monuments historiques. Doté d'un budget de moins de trois millions de dollars l'année de sa constitution, le petit ministère se donne par ailleurs de grandes ambitions.

Il faut dire que tout est à faire. L'aide à la culture est non seulement limitée mais, canalisée par le Secrétariat de la Province, elle est souvent attribuée de manière aléatoire et, dans plusieurs secteurs, carrément inexistante. Il n'y a pas ou peu d'équipements culturels, surtout hors des centres urbains. Certes, les Prix du Québec, la Commission des monuments historiques et le Musée du Québec ont été institués durant les années 20. La première Loi sur le cinéma date de 1938. Radio-Québec existe sur papier depuis 1945. Quelques conservatoires permettent déjà à toute une vie musicale et dramatique de graviter autour de leur personnel et de leurs installations. On a commencé à s'occuper de bibliothèques publiques à la fin des années 50. Mais ces efforts demeuraient sporadiques et sans coordination.

Rapidement, le ministère des Affaires culturelles met donc en place un mode de financement de la création artistique et ouvre la voie à son rayonnement international. En quelques années, il encadre l'édition et les librairies, subventionne la création de bibliothèques, de musées et de salles de spectacles et crée de grandes institutions chargées de préserver et de diffuser la culture : la Place des Arts, la Bibliothèque nationale, la Loi sur les Archives nationales, le Grand Théâtre de Québec et le Musée d'art contemporain voient tous le jour entre 1962 et 1972.

---

46.   De 1959 à 1984, l'ONF produit 170 films en français qui remportent 424 prix dans 261 festivals de 34 pays.

Dès lors, l'essentiel de l'organisation culturelle qui prévaudra jusqu'à la fin du siècle se met en place. Les années 70 sont celles du patrimoine et la décennie suivante voit grandir le poids des industries culturelles dont le développement s'accélère : les deux tiers des maisons d'édition en place à la fin du siècle naissent après 1970, les deux tiers des maisons de production audiovisuelle, après 1980 et la moitié des entreprises de production de disques, après 1985.

Entre 1961 et 2000, 19 ministres – 11 hommes et 8 femmes – se succèdent à la tête du ministère des Affaires culturelles qui change deux fois de nom pour devenir, en 1992, le ministère de la Culture et, en 1994, le ministère de la Culture et des Communications. Le budget de départ s'est considérablement accru, passant de 2,7 millions de dollars en 1960-1961 à 432,8 millions en 2000-2001[47] mais, malgré cette croissance, il sera toujours considéré comme insuffisant par le milieu artistique et culturel. La vocation centrale change aussi alors qu'en 1992, la loi créant le Conseil des arts et des lettres du Québec[48] délègue à un conseil d'administration composé d'artistes, la responsabilité de l'aide à la création. À la fin du siècle, ce sont 13 sociétés d'État et 19 lois qui relèvent de la ministre responsable de la culture, faisant du ministère, autrefois principal initiateur de mesures en faveur de la culture, le coordonnateur d'une action désormais assumée par de nombreuses instances. L'importance des arts et des lettres dans une société qui, quelques décennies auparavant, s'en préoccupait à peine, s'affirme peu à peu.[49]

Expo 67 et l'ouverture au monde

En 1960, deux pays sont encore en lice pour l'Exposition universelle de 1967 : l'URSS qui soulignerait ainsi le cinquantenaire de son régime, et le Canada qui fêtera alors son premier centenaire. Après quelques scrutins, l'Union soviétique l'emporte mais, étonnamment, se désiste deux ans plus tard. Le Canada est dès lors choisi à l'unanimité. Défendue avec enthousiasme par Jean Drapeau, son nouveau maire[50], Montréal sera la ville hôtesse. L'Exposition de 1967 aura donc lieu sur une île Sainte-Hélène agrandie et sur une autre île créée de toutes pièces pour l'occasion, à l'entrée d'une région métropolitaine qui compte, déjà à cette époque, presque deux millions et demi d'habitants. Malgré sa courte durée – 185 jours, du 28 avril au 28 octobre 1967 –, l'événement agira certes comme catalyseur économique, en accélérant la construction d'autoroutes, du métro, d'édifices urbains et d'hôtels; mais, indéniablement, son influence la plus déterminante sera culturelle.

L'occasion d'inviter les plus prestigieux artistes à Montréal

Le thème emprunté au roman de Saint-Exupéry, *Terre des hommes*, fait en effet une place majeure à la création artistique avec ses 6 000 concerts gratuits présentés par des ensembles amateurs et professionnels[51], et aussi ses deux événements culturels internationaux : le Festival mondial qui célèbre les arts de la scène, et le Musée d'art qui rassemble une riche collection d'œuvres d'art.

Le Festival mondial offre, dans les salles de la Place des arts et de l'Expo Théâtre, près de 500 représentations d'opéra, de ballet, de théâtre, de concerts et de récitals donnés par les plus prestigieux artistes du monde. Le Bolchoï, la Scala de Milan, les Opéras de Vienne et de Hambourg ou le Ballet de l'Opéra de Paris, pour ne nommer que quelques compagnies, sont au programme. Des artistes tels que les comédiens Jean-Louis Barrault, Madeleine

---

47. Direction de l'action stratégique, de la recherche et de la statistique, Ministère de la Culture et des Communications, décembre 2000.

48. Le Conseil provincial des arts, créé en 1961 mais sans budget, sans fonds et sans pouvoirs, avait cessé ses activités en 1968.

49. En 1998-1999, les dépenses publiques en culture au Québec dépassaient le milliard de dollars; 43 % de ces sommes étaient imputables au gouvernement du Québec, 36 % au gouvernement fédéral et 21 % aux municipalités. Ministère de la Culture et des Communications, *Miser sur la créativité et l'innovation Plan stratégique 2001-2004*, 2001, p. 21.

50. Jean Drapeau a été maire de Montréal de 1954 à 1957 et de 1960 à 1986.

51. Odette Vincent, *op.cit*, p. 103.

Renaud et Sir Laurence Olivier, les chefs d'orchestre Leonard Bernstein, Herbert von Kara-jan et Claudio Abaddo, les chorégraphes Maurice Béjart et Georges Balanchine, les musi-ciens de jazz Duke Ellington et Sarah Vaughn, ainsi que des centaines d'autres virtuoses de toutes les disciplines se succèdent sur les scènes montréalaises. Deux millions de billets sont vendus pour cette suite ininterrompue de spectacles venus de tous les continents[52].

Quant au Musée d'art[53], il présente, durant six mois, 188 œuvres internationales prêtées par une centaine de grands musées. Les sculptures, peintures, mosaïques, dessins, tapisseries et manuscrits qui composent cette exposition témoignent d'un patrimoine artistique mondial parmi lesquels se trouvent des œuvres de Modigliani, Van Gogh, Manet, Rembrandt, Picasso, Toulouse-Lautrec, Braque, Cézanne, Rodin, Corot, Delacroix, Chagall, Pollock et bien d'autres. Le Commissaire général d'Expo 67, Pierre Dupuy, parlera du Musée d'art comme de « la porte monumentale du Thème et de l'Exposition »[54].

La participation des artistes québécois

Dans toute cette effervescence artistique, les créateurs québécois sont mis à contribution, même s'ils figurent marginalement au Musée d'art où seuls Borduas et Riopelle voient une de leurs toiles exposée. Ils participent à l'aménagement de l'Exposition; c'est, par exemple, la musique électroacoustique de Gilles Tremblay qui sonorise le Pavillon du Québec. Ils se produisent dans le cadre du Festival mondial qui fait largement appel à l'Orchestre symphonique de Montréal et inscrit également le Théâtre du Nouveau Monde, les Grands Ballets canadiens, le Théâtre du Rideau Vert et l'Orchestre des Jeunesses musicales à sa programmation. Une semaine de la chanson québécoise a lieu en mai et deux journées sont consacrées au cinéma canadien, en août.

Pour plusieurs créateurs d'ici, l'événement constitue une étape fondamentale dans un cheminement professionnel qui allait rapidement prendre de l'envol. Pour l'ensemble des Québécois, venus très nombreux à l'Expo, ce sera l'occasion d'une découverte émerveillée du monde et de ses cultures. Les jeunes, en particulier, à qui l'Expo fait une place importante, occupent tous les soirs la Place des Nations pour faire et écouter de la musique et danser. Expo 67 sera une longue fête animée où l'architecture, le design urbain, les arts, la gastronomie, le dépaysement et les hommages unanimes venus d'ailleurs changeront à jamais le visage de Montréal et du Québec.

La culture comme expression d'une identité nationale

Depuis le début du siècle, une culture populaire que l'Église aura de plus en plus de difficulté à contenir naît avec fracas. Venue des États-Unis, dynamisée d'abord par la presse à grand tirage, le cinéma et la radio, puis par la télévision, elle tranche de plus en plus avec la culture intellectuelle qui se nourrit d'influences françaises. La bande dessinée paraît très tôt, d'abord dans les journaux avant d'être diffusée sous forme de fascicules et d'albums. De 1930 à 1950, le théâtre burlesque remplit les salles, partout au Québec. La danse folklorique, puis les danses sociales et les rythmes sud-américains connaissent une vogue croissante à travers la « Belle Province ». Après la guerre, les Éditions Police-Journal publient en fascicules des histoires policières, des histoires d'amour et de cow-boys qui connaissent une immense diffusion. Mais, si la culture populaire pratique presque tous les arts avec succès, c'est sans doute dans le domaine de la chanson que la tradition québécoise est la plus forte : la Bolduc, le Soldat LeBrun et Alys Robi préfigurent, dès la première moitié du 20e siècle, la grande vogue de la chanson populaire au Québec et l'engouement constant qu'elle suscitera.

---

52. Yves Jasmin, *La petite histoire d'Expo 67*, Montréal, Québec Amérique, p. 407.
53. Construit expressément pour l'Expo, il hébergera ensuite le Musée d'art contemporain jusqu'à ce que celui-ci déménage dans le quadrilatère de la Place des arts, en 1992.
54. Pierre Dupuy, *Expo 67 ou la découverte de la fierté*, Montréal, Éditions La Presse, 1972, p. 89.

« Le Québec est un pays divisé, sauf quand il chante »[55]

Opéra, opérette, chant solo ou choral, *La bonne Chanson*[56], romance française, ballade américaine, chanson western, chanson grivoise, comédie musicale, chanson à texte… les Québécois ont toujours aimé chanter. Après la mode des chansons lyriques et au plus fort de celle des variétés américaines et européennes, durant laquelle les auteurs et mélodistes étrangers monopolisent les ondes de la radio, la chanson québécoise émerge, surtout à partir de 1945. Des auteurs-compositeurs-interprètes trouvent alors en Guy Maufette, Fernand Robidoux, Robert L'Herbier et l'équipe de CHRC à Québec, notamment, leurs premiers promoteurs. À Québec, Gérard Thibault accueille des chanteurs français et locaux dans le cabaret qui porte son nom. *Les Nuits de Montréal* sont animées par Jacques Normand au Faisan Doré, de 1948 à 1952. Félix Leclerc triomphe en France en 1951. Avant d'être délaissées, vers 1967, au profit de la Place des arts qui réservera un traitement royal aux chansonniers, les boîtes à chansons deviennent des scènes alternatives : d'abord Chez Bozo, créée pour présenter des spectacles en appui aux réalisateurs de Radio-Canada durant leur grève de 1959, puis le Patriote, le Chat noir, la Butte-à-Mathieu et une multitude d'autres… Tous les chansonniers s'y forment.

Les poètes, déjà, nommaient le pays. Les chansonniers le mettent en musique. Ils réinventent le folklore, parlent du fleuve, de l'hiver, de la ville, des ancêtres, de la langue et de la difficulté d'être minoritaire en Amérique. Ils se nomment Ferland, Brousseau, Léveillée, Desrochers, Blanchet, Lévesque, Vigneault, Dor, Gauthier, Calvé, Julien, Leyrac, Létourneau, Miville-Deschênes. Ils expriment le malaise d'une société qui se sent de plus en plus québécoise et de moins en moins canadienne-française. Le public en redemande.

Puis, en 1968, quatre jeunes artistes se voient offrir le Théâtre de Quat'Sous pour un mois. Robert Charlebois, Mouffe, Louise Forestier et Yvon Deschamps improvisent un spectacle bruyant, contestataire et irrévérencieux : *L'Osstidcho* va ouvrir les portes de l'Europe à Charlebois mais, surtout, donner au Québec la liberté de faire du rock en français. L'âge d'or de la chanson québécoise commence.

Le début d'un temps nouveau

Tout bascule et change. Rapidement. L'année de *L'Osstidcho* est aussi celle de la création des *Belles-sœurs* de Michel Tremblay, des premiers spectacles de *Poèmes et chants de la résistance*, de la fondation du Théâtre d'aujourd'hui, de la parution de *Nègres blancs d'Amérique* de Pierre Vallières, des débuts du *Groupe Nouvelle Aire* en danse et du premier Festival d'été de Québec. Bientôt, le Grand cirque ordinaire va bousculer la tradition théâtrale en y intégrant des chansons et de l'improvisation. La première Nuit de la poésie, au Gésù en mars 1970, transforme musiques, chansons et poèmes en fête. Le cinéma-vérité bat son plein. Offenbach, Diane Dufresne, Ville Émard Blues Band, Harmonium, Les Séguin et Beau Dommage changent la scène musicale québécoise. La Superfrancofête de 1974 instaure une nouvelle tradition de rassemblements populaires autour de la chanson. Plus de cinquante troupes professionnelles de théâtre vont se constituer, durant les seules années 70, à travers tout le Québec. La génération née après la guerre envahit la scène artistique.

Un fort sentiment nationaliste donne une couleur originale, non seulement à la chanson mais à tous les arts. Prose, poésie, dramaturgie, musique, cinéma, gestuelle et langue expriment un caractère, une personnalité et un style qu'on appelle désormais « québécois ».

---

55. Félix Leclerc, cité par Françoise Tétu de Labsade, *op.cit*, p. 416.
56. « Pour contrer l'inquiétude de l'Église devant la popularité de la chanson américaine, l'abbé Paul-Émile Gadbois lance, en 1937, l'œuvre de *La bonne chanson* qui propage un patrimoine folklorique tronqué et aseptisé mais connaît néanmoins un succès phénoménal durant 20 ans. » Robert Giroux, Constance Havard et Rock Lapalme, *Le guide de la chanson québécoise*, Montréal, Triptyque, 1996, p. 17.

L'imagination se débride. La création est collective. Elle est médiatisée. Une partie importante de la culture devient enfin populaire.

La prise de parole des femmes

La culture québécoise au féminin

Au Québec comme ailleurs, les femmes participent et ont toujours participé étroitement à la vie culturelle. Le recensement de Statistique Canada de 1996 indique que 51 % des travailleurs de la culture et des médias du Québec sont des femmes. Certes, il existe encore, à la fin du 20e siècle, des chasses gardées masculines où l'apport féminin demeure marginal : les femmes représentent à peine le cinquième des architectes, des chefs d'orchestre, des compositeurs et des arrangeurs. Par ailleurs, elles sont très majoritaires (plus de 80 %) en danse et dans les bibliothèques; elles représentent un peu plus de la moitié des écrivains et du personnel des musées ou des galeries d'art; elles forment presque la moitié des gens de théâtre, des peintres et sculpteurs et des artisans[57].

Les femmes sont également de grandes – et parfois les principales – consommatrices de culture. Sans doute est-ce pour cette raison qu'on doit à plusieurs Québécoises, non seulement d'avoir enseigné les arts mais d'avoir donné leur première impulsion à un grand nombre de bibliothèques, ensembles ou clubs musicaux[58], associations d'artistes, théâtres, galeries d'art ou compagnies de danse… Une multitude d'organismes culturels québécois sont nés grâce à l'acharnement de femmes comme Éva Circé-Côté, Monique Marcil, Gertrude Gendreau, Maryvonne Kendergi, Martha Allan, Yvette Brind'Amour, Mercedes Palomino, Françoise Berd, Agnès Lefort ou Jeanne Renaud.

Les historiens notent leur présence importante en peinture, durant les années 20 en particulier, quand se forme le Groupe de Beaver Hall, même si, note Robert Bernier, « il est toujours étonnant de constater, considérant le nombre de femmes artistes qui ont œuvré tout au long de cette décennie, que leur contribution à l'histoire de la peinture d'ici soit si peu remarquée »[59]. On dénombre aussi, en 1935, 55 musiciennes francophones qui ont accédé à une notoriété internationale et, entre 1900 et 1940, 80 romans ou recueils de poésie écrits par des femmes[60]. On peut également souligner qu'au Québec, les prix littéraires internationaux les plus populaires n'ont encore été octroyés qu'à des écrivaines[61]. Ou encore que 7 des 15 signataires du *Refus global* étaient des femmes dont l'influence sur la vie artistique aura été absolument remarquable. Enfin, aucune histoire des arts et de la culture dans le Québec du 20e siècle ne saurait se raconter sans évoquer les noms de Germaine Malépart, Pauline Donalda, Jeanne Maubourg, Martine Époque, Sylvia Daoust, Denise Pelletier, Françoise Loranger, Pol Pelletier et de tant d'autres encore.

Cependant, malgré leur nombre, l'histoire ne se souvient pas d'elles. Une anthologie récente de la poésie québécoise[62] ne retient que 23 femmes sur un total de 140 poètes, alors que l'*Anthologie de la poésie des femmes au Québec*, pourtant, « réunit des textes de 128 de

---

57. Ministère de la Culture et des Communications, *La population active expérimentée des secteurs de la culture et des communications au Québec Données du recensement de 1996*, Direction de la recherche et de la statistique, septembre 1999.

58. Tels les célèbres *Ladie's Morning Musical Club* dans plusieurs villes québécoises, dès 1892.

59. Robert Bernier, *Un siècle de peinture au Québec Nature et paysages Regards de nos plus grands peintres*, Montréal, Les Éditions de l'Homme, 1999, p. 77.

60. Collectif Clio, *L'histoire des femmes au Québec depuis quatre siècles*, Montréal, Le Jour éditeur, 1992, p. 292-294.

61. Le Prix Fémina à Gabrielle Roy pour *Bonheur d'occasion* en 1947 et à Anne Hébert pour *Les fous de Bassan* en 1982; le Prix Médicis à Marie-Claire Blais en 1966 pour *Une saison dans la vie d'Emmanuel*; le Prix Goncourt à l'Acadienne installée à Montréal, Antonine Maillet, pour *Pélagie-la-Charrette* en 1979.

62. Laurent Mailhot et Pierre Nepveu, *La poésie québécoise*, Montréal, Typo poésie, 1996.

nos meilleures [femmes] poètes »[63]. Les femmes peintres ne comptent généralement que pour le cinquième des peintres cités dans les histoires québécoises de la peinture[64]. Entre 1968 et 2000, le gouvernement du Québec a remis 102 Prix du Québec à des artistes de la littérature, des arts de la scène, des arts visuels et du cinéma... dont 18 à des femmes[65].

Si l'histoire des femmes reste peu connue, celle de leur rôle dans l'évolution culturelle du Québec l'est encore moins. L'édition spéciale de la revue *L'Actualité*[66], consacrée aux 100 Québécois qui ont fait le 20e siècle, n'aura retenu que 11 personnalités féminines. Et parmi 51 « semeurs d'idées, créateurs, raconteurs, artistes de la scène et porteurs d'âme » choisis pour illustrer le siècle... que 3 Québécoises!

L'émergence d'un féminisme rassembleur et revendicateur

Les idées féministes se manifestent dès le 19e siècle mais une véritable prise de parole collective émerge, au plan artistique, au cours des années 70 et 80. Cette parole dénonce et ébranle. Des pièces de théâtre – *La nef des sorcières*, en 1976, *Les fées ont soif*, en 1978, celles du Théâtre des cuisines ou des Folles Alliées –, des installations visuelles comme *La chambre nuptiale* de Francine Larivée d'abord exposée en 1976, des chansons portées par Pauline Julien, Marie-Claire Séguin, Clémence Desrochers, et d'autres... dérangent. La création des revues *Québécoises Deboutte!*, *Les Têtes de pioche* et *La vie en rose*, la fondation des Éditions du remue-ménage, des Éditions de La pleine lune, de la galerie Powerhouse (devenue, depuis La Centrale) ou du Théâtre expérimental des femmes, les productions des femmes de l'ONF, le spectacle de la Saint-Jean-Baptiste de 1975 qui, pour souligner l'Année internationale des femmes, ne présente que des femmes ou encore l'exposition, annuelle depuis 1986, des Femmeuses... rassemblent.

Le mouvement s'essouffle avec les années 90. Mais les mentalités ont changé et une voix supplémentaire est désormais donnée aux femmes du Québec, à travers la création artistique. De plus, les recherches féministes se poursuivent et permettent régulièrement de lever le voile sur l'histoire des créatrices québécoises dont on reconnaîtra sans doute de mieux en mieux la contribution.

Métissage culturel et apports venus de l'extérieur

Comme tous les pays neufs, le Québec a hérité d'une multitude d'influences culturelles. Les Premières nations lui ont légué leur connaissance de la nature et du territoire, dont les échos résonnent encore aujourd'hui, notamment à travers la toponymie. La France fut, jusqu'à la première moitié du 20e siècle, la référence culturelle la plus valorisée et imitée. La Grande-Bretagne a profondément marqué l'organisation démocratique et les États-Unis, tout un mode de vie. Et puis, l'immigration. « Sait-on, demande Simon Langlois, qu'une partie importante de nos artistes, de nos écrivains et de nos intellectuels sont de souche récente? »[67].

L'ensemble du 20e siècle culturel s'imprègne, au Québec, d'apports venus de l'extérieur. Ces influences reviennent avec les artistes nés au Québec, qui se sont temporairement expatriés. Mais, très tôt, l'immigration d'artistes étrangers vient grossir les rangs de la colonie artistique québécoise. Ils et elles arrivent de France et de Grande-Bretagne, mais aussi de

---

63. Nicole Brossard et Lisette Girouard, *Anthologie de la poésie des femmes au Québec*, Montréal, Les Éditions du remue-ménage, 1991.
64. Voir, par exemple, Guy Robert, *La peinture au Québec depuis ses origines*, Sainte-Adèle, Iconia, 1978 ou encore Robert Bernier, *op.cit*.
65. Ce chiffre et plusieurs informations sur les créatrices québécoises nous ont été fournis par l'historienne Liliane Blanc, auteure du livre *Elle sera poète, elle aussi!*, Montréal, Le Jour, 1991.
66. *L'Actualité*, édition souvenir, « 100 Québécois qui ont fait le 20e siècle », janvier 2001.
67. Simon Langlois dans Commission sur l'avenir politique et constitutionnel du Québec, *Les avis des spécialistes invités à répondre aux huit questions posées par la Commission*, document de travail n° 4, 1991, p. 583.

l'Europe entière et, bientôt, du reste du monde. Les musiciens originaires de Belgique, par exemple, jouent un rôle déterminant dans l'évolution de la vie musicale montréalaise du début du siècle[68]. Au théâtre, Ludmilla Pitoëff, réfugiée à Montréal pendant la guerre, a une influence déterminante sur le jeu des Compagnons de Saint-Laurent.

Après la Seconde guerre mondiale, une nouvelle loi d'immigration favorise l'entrée au pays d'artistes immigrants au même titre que les travailleurs spécialisés[69]. La danse bénéficie ainsi du talent de Ruth Abramowitz Sorel, d'Elizabeth Leese, de Seda Nercessian Zaré, de Ludmilla Chiriaeff. La littérature accueille, entre autres, les Naïm Kattan, Monique Bosco, Jacques Folch-Ribas et Alice Parizeau. On voit arriver les comédiens Françoise Faucher, Paul Buissonneau, François Rozet, Jacques Catelain et les peintres Vilallonga et Pierre Debain…

À la fin du siècle, tandis que s'amplifie l'immigration, 120 communautés culturelles cohabitent à Montréal, la ville qui exprime le plus le cosmopolitisme moderne du Québec. Même chez des artistes dont l'anglais est la principale langue d'usage, c'est le caractère français de Montréal et la conjonction des identités qui attirent[70]. Ils viennent du Brésil (Sergio Kokis), du Japon (Miyuki Tanobe), du Liban (Wajdi Mouawad), du Mexique (Lhasa de Sela), de Chine (Ying Chen), d'Uruguay (Gloria Escomel), de Haïti (Dany Laferrière), du Chili (Marilù Mallet), du Cameroun et du Sénégal (Dubmatic). En jetant l'ancre au Québec et en choisissant d'y exercer une profession artistique, ils apportent dans leurs bagages des héritages culturels qui enrichissent une culture elle-même de plus en plus appelée à faire le tour du monde.

Conclusion : confiance, profusion et éclectisme

Un sentiment de confiance et de fierté s'est installé. Des centaines d'organismes artistiques sont nés. Les artistes éditent, exposent, présentent et produisent une création dont l'éclectisme et la profusion étonnent. L'inconvénient du retard historique serait devenu un avantage : n'étant prisonnière d'aucune tradition, la culture québécoise révèle sa souplesse, son ouverture et sa créativité. Le rattrapage est si spectaculaire que certains n'hésitent pas à parler de miracle culturel québécois.

Le Québec compte désormais beaucoup d'artistes dont le public, québécois et international, ne cesse de grandir. La Guilde des musiciens du Québec, à l'œuvre depuis 1917, défend les intérêts de 3 000 musiciens à la fin du 20e siècle. L'Union des artistes, créée en 1937 autour de ses 64 premiers membres, regroupe, en l'an 2000, quelque 3 500 comédiens et 1 000 chanteurs et chanteurs-compositeurs. L'Union des écrivains et écrivaines du Québec, fondée en 1977, compte 1 000 membres en l'an 2000. Mille artistes sont également réunis, depuis 1989, au sein du Regroupement des artistes en arts visuels. Le Regroupement québécois de la danse, institué en 1984, représente 400 danseurs et chorégraphes.[71]

La création québécoise émane, surtout à partir des années 70, de toutes les régions du Québec. Malgré une forte concentration qui se maintient dans la région montréalaise, les organismes artistiques, événements culturels, lieux de production et de diffusion artistique essaiment tout le territoire. Même des villes québécoises de moins de 50 000 habitants sont, à la fin du 20e siècle, indissociablement liées à des pratiques et événements artistiques : la poésie à Trois-Rivières, la musique actuelle à Victoriaville, la musique classique à Joliette ou à Saint-Irénée, la sculpture à Saint-Jean-Port-Joli, le cinéma à Rouyn-Noranda, la peinture à Baie-Saint-Paul…

---

68.   Maryse Darsigny, Francine Descarries, Lyne Kurtzman et Évelyne Tardy (sous la direction de), *Ces femmes qui ont bâti Montréal*, Montréal, Les Éditions du remue-ménage, 1994, p.177-179.
69.   Iro Tembeck, *op.cit*, p. 52.
70.   Guy Bellavance, *Monde et réseaux de l'art. Diffusion, migration et cosmopolitisme en art contemporain*, Montréal, Liber, 2000, p. 248.
71.   Ces chiffres sont avancés à titre indicatif puisque tous les artistes ne sont évidemment pas membres de telles associations.

Le rayonnement n'est pas que national. Quand le 20ᵉ siècle se termine, les événements artistiques québécois présentés à l'étranger se comptent par centaines chaque année. Le Cirque du Soleil, les Violons du Roy, les comédies musicales de Luc Plamondon, les chorégraphies d'Édouard Lock, de Ginette Laurin ou de Jean-Pierre Perreault, le cinéma de François Girard ou de Léa Pool, les pièces de Robert Lepage ou de Michel Tremblay, les productions pour enfants du Théâtre des Deux Mondes ou des Éditions de la courte échelle, les œuvres picturales de Betty Goodwin ou de Geneviève Cadieux, pour ne nommer que ceux-là, voyagent maintenant dans une multitude de pays.

L'abondance de la création québécoise et l'élargissement de son rayonnement n'empêchent pas divers problèmes de persister, les plus importants restant celui de la réception de l'art, considérée par plusieurs comme étant toujours trop limitée, et celui du financement des arts, jugé insuffisant. Les artistes québécois, au milieu du 20ᵉ siècle, se battaient pour obtenir davantage de liberté; à partir des années 80, ils se regroupent pour réclamer un financement plus adéquat et déplorer que, dans la foulée d'une logique marchande imposée par les industries culturelles, la création soit jugée à l'aune de la rentabilité et des échos qu'elle aura dans les médias.

Ces préoccupations et d'autres – la concentration de la création dans les centres urbains, la défense des droits de propriété intellectuelle à l'ère de l'électronique, la marginalisation de cultures produites par de « petits » pays dans un village globalisant – sont des inquiétudes que le Québec partage avec d'autres pays. Il partage également, avec plusieurs d'entre eux, les phénomènes strictement artistiques – mouvements d'avant-garde, éclatement des disciplines, mélange des genres, métissage des influences, impact des nouvelles technologies, etc. –, mais aussi les phénomènes sociaux qui ont marqué son évolution culturelle.

En effet, l'historien Gérard Bouchard, dans un vaste exercice de comparaison des cultures du Nouveau Monde découvre de surprenantes similitudes chez les collectivités qu'il appelle « neuves » : « de *grandes noirceurs* entre 1920 et 1960 en Australie, en Nouvelle-Zélande, aux États-Unis, au Canada et au Québec; des *révolutions tranquilles* un peu partout; des effervescences culturelles dans les années 1960-1970, alimentées par des retours à la culture populaire et au folklore, mues par une quête de l'authenticité, des racines, etc. »[72]

C'est davantage le caractère de cette quête qui exprime l'originalité du 20ᵉ siècle culturel au Québec. L'ambiguïté identitaire du Québec s'est, en effet, constamment manifestée durant ces 100 années constellées, à la fois, de ruptures et de continuités. Elle s'est révélée à travers la difficulté de se choisir une langue française, tantôt parisienne, tantôt internationale, tantôt québécoise, un drame qui a déchiré poètes, romanciers, dramaturges, cinéastes et, encore à la fin du siècle, beaucoup d'intellectuels. Elle a souvent fait osciller les artistes entre l'attachement au passé et l'attrait de la modernité. Elle a constitué le cœur de débats artistiques parfois virulents, qui ont opposé régionalistes et exotiques, nationalistes et internationalistes, tenants d'une culture populaire et tenants d'une culture d'élite. L'histoire de la culture québécoise aura d'abord été une très longue quête d'identité. Elle débouche, à la fin du 20ᵉ siècle, sur un caractère universel qui permet au Québec de participer activement à l'avant-garde artistique mondiale.

Le peintre Paul-Émile Borduas, exilé à Paris où il mourra seul en 1960, écrit ces mots en 1959 à son ami le poète Claude Gauvreau : « Je me suis reconnu de mon village d'abord, de ma province ensuite, Canadien-français après, plus Canadien que Français à mon premier voyage en Europe, Canadien (tout court, profondément semblable à mes compatriotes) à New York, Nord-Américain depuis peu. De là, j'espère *posséder* la terre entière »[73].

---

72. Bouchard, Gérard, *Genèse des nations et cultures du Nouveau Monde. Essai d'histoire comparée*, Montréal, Boréal, 2000, p. 400.
73. Rapporté par Françoise Tétu de Labsade, *op.cit*, p. 314.

IV

Références

ARCHIVES DES LETTRES CANADIENNES. *Le théâtre canadien-français Évolution témoignages bibliographie*, Montréal, Fides, 1976.

BELLAVANCE, Guy. *Monde et réseaux de l'art Diffusion, migration et cosmopolitisme en art contemporain*, Montréal, Liber, 2000.

BERNIER, Robert. *Un siècle de peinture au Québec Nature et paysages Regards de nos plus grands peintres*, Montréal, Les Éditions de l'Homme, 1999.

BOSSÉ, Eveline. *Les grandes heures du Capitol La vie artistique et culturelle de la ville de Québec dans son théâtre le plus prestigieux*, à compte d'auteur, 1991.

BOUCHARD, Gérard. *Genèse des nations et cultures du Nouveau Monde Essai d'histoire comparée*, Montréal, Boréal, 2000.

BOUDREAU, Diane. *Histoire de la littérature amérindienne au Québec*, Montréal, L'Hexagone, 1993.

BUREAU, Luc. *Pays et mensonges Le Québec sous la plume d'écrivains et de penseurs étrangers*, Montréal, Boréal,1999.

CALDWELL, Gary et Éric WADDELL. *Les anglophones du Québec de majoritaires à minoritaires*, Québec, Institut québécois de recherche sur la culture, 1982, (Collection Identité et changements culturels, n° 1).

CARON, Louis. *La vie d'artiste Le cinquantenaire de l'Union des artistes*, Montréal, Boréal, 1987.

COLLECTIF CLIO. *L'histoire des femmes au Québec depuis quatre siècles*, Montréal, Le Jour éditeur, 1992.

CONSEIL DE LA LANGUE FRANÇAISE. *Le français au Québec 400 ans d'histoire et de vie*, Fides, Les Publications du Québec, 2000.

La culture dans tous ses états, série documentaire en vidéos de 60 minutes, Synercom téléproduction et INRS-Culture et Société, 1998.

DARSIGNY, Maryse, Francine DESCARRIES, Lyne KURTZMAN et Évelyne TARDY (sous la direction de). *Ces femmes qui ont bâti Montréal*, Montréal, Les Éditions du remue-ménage, 1994.

DÉRY, Louise. *Un archipel de désirs : les artistes du Québec et la scène internationale*, Québec, Musée du Québec, 1991.

DUPUY, Pierre. *Expo 67 ou la découverte de la fierté*, Montréal, Les Éditions La Presse, 1972.

DUQUETTE, Jean-Pierre (sous la direction de). *Montréal 1642-1992*, Montréal, Hurtubise HMH, 1992.

EDDIE, Christine. *Les conditions de production et de réception des téléromans diffusés à Radio-Canada (CBFT, Montréal), 1952-1977*, Thèse de doctorat, Faculté des lettres, Université Laval, août 1985.

FALARDEAU, Mira. « La BD française est née au Canada en 1904 », *Communications & langages*, 126, décembre 2000, p. 23-46.

FAUCHER, Carol (sous la direction de). « La production française à l'ONF 25 ans en perspective », *Les dossiers de la Cinémathèque numéro 14*, Montréal, Cinémathèque québécoise/Musée du cinéma, 1984.

GIROUX, Robert, Constance HAVARD et Rock LAPALME. *Le guide de la chanson québécoise*, Montréal, Triptyque, 1996.

GREFFARD, Madeleine et Jean-Guy SABOURIN. *Le théâtre québécois*, Montréal, Boréal, 1997.

HARVEY, Fernand et Peter SOUTHAM. *Chronologie du Québec 1940-1971*, Québec, Institut supérieur des sciences humaines, Université Laval, janvier 1972.

HARVEY, Fernand et Andrée FORTIN (sous la direction de). *La nouvelle culture régionale*, Québec, Institut québécois de recherche sur la culture, 1995.

JASMIN, Yves, *La petite histoire d'Expo 67*, Montréal, Québec Amérique, 1997.

KALLMAN, Helmut, Gilles POTVIN et Kenneth WINTERS (directeurs). *Encyclopédie de la musique au Canada* (trois tomes), Montréal, Fides, 1993.

LAHAISE, Robert (sous la direction de). *Québec 2000 Multiples visages d'une culture*, Montréal, Hurtubise HMH, 1999, (Cahiers du Québec).

LANGLOIS, Simon (sous la direction de). *La société québécoise en tendances 1960-1990*, Québec, Institut québécois de recherche sur la culture, 1990.

LAMONDE, Yvan et Esther TRÉPANIER (sous la direction de). *L'avènement de la modernité culturelle au Québec*, Québec, Institut québécois de recherche sur la culture, 1979.

LEBEL, Johanne. *Les Clercs de Saint-Viateur à Joliette La foi dans l'art*, Joliette, Musée d'art de Joliette, 1997.

LEFEBVRE, Marie-Thérèse. *Jean Vallerand et la vie musicale du Québec*, Montréal, Méridien, 1996.

Le grand héritage L'Église catholique et la société du Québec, Québec, Musée du Québec, 1984.

LEMELIN, André (en collaboration avec Claude Marcil). *Le purgatoire de l'ignorance L'éducation au Québec jusqu'à la grande réforme*, Beauport, MNH, 1999.

LEMIRE, Maurice (sous la direction de). *Dictionnaire des œuvres littéraires du Québec*, Montréal, Fides, 1980 (tome II 1900 à 1939), 1984 (tome III 1940 à 1959), 1987 (tome IV 1970 à 1975), 1994 (tome V 1976 à 1980).

LINTEAU, Paul-André, *Histoire de Montréal depuis la Confédération*, Montréal, Boréal, 1992.

LINTEAU, Paul-André, René DUROCHER, Jean-Claude ROBERT et François RICARD. *Histoire du Québec contemporain De la confédération à la crise (1867-1929) tome I; Le Québec depuis 1930 tome II*, Montréal, Boréal, 1989.

Le Nigog, Réimpression à l'identique des 12 numéros : janvier à décembre 1918, Montréal, Comeau & Nadeau, 1998.

MINISTÈRE DE LA CULTURE ET DES COMMUNICATIONS. *La population active expérimentée des secteurs de la culture et des communications au Québec Données du recensement de 1996*, Direction de la recherche et de la statistique, septembre 1999.

PROVENCHER, Jean. *Chronologie du Québec 1534-1995*, Montréal, Boréal, 1997.

RIOUX, Marcel. *La question du Québec*, Montréal, L'Hexagone, 1987, (Collection Typo essai).

ROBERT, Guy. *La peinture au Québec depuis ses origines*, Sainte-Adèle, Iconia, 1978.

ROY, Fernande. *Histoire de la librairie au Québec*, Montréal, Leméac, 2000.

SERVICE DES ÉMISSIONS CULTURELLES DE LA RADIO DE RADIO-CANADA, RÉSEAU FM. *Les 50 ans de l'ONF*, Montréal, Éditions Saint-Martin/Les Entreprises Radio-Canada, 1989.

TEMBECK, Iro. *Danser à Montréal Germination d'une histoire chorégraphique*, Sillery, Presses de l'Université du Québec, 1991.

Terre des hommes, exposition internationale des beaux-arts, 28 avril-27 octobre 1967, Expo 67, Montréal, Canada, 1967.

TÉTU DE LABSADE, Françoise. *Le Québec Un pays une culture*, deuxième édition revue et augmentée, Montréal, Boréal, 2001.

TREMBLAY, Danielle. *Le développement historique et le fonctionnement de l'industrie de la chanson québécoise*, [En ligne], 1995, [http://www.filtronique-son-or.com/chanson/].

VINCENT, Odette. *La vie musicale au Québec Art lyrique, musique classique et contemporaine*, Sainte-Foy, Les Éditions de l'IQRC, 2000.

Quelques événements de l'histoire des arts et des lettres au Québec, 1900-2000

1900 – Théâtre National (jusqu'en 1952).

1903 – Orchestre symphonique de Québec. Publication de l'œuvre d'Émile Nelligan. Premier enregistrement sonore québécois. Autorisation de fonder la Bibliothèque municipale de Montréal (ouvre ses portes en 1917), malgré l'opposition de Mgr Bruchési. *Motu proprio*, encyclique de Pie X s'opposant à certaines pratiques musicales. Projet de loi contre les mauvais théâtres.

1904 – Conservatoire de musique de l'Université McGill. Condamnation, par Mgr Bruchési, du roman québécois *Marie Calumet* de Rodolphe Girard. Les *Aventures de Timothée* d'Albéric Bourgeois, dans *La Patrie*, première bande dessinée de langue française au monde.

1905 – Conservatoire de musique de Lavallée-Smith. Polémique sur l'existence d'une littérature canadienne.

1906 – Le Ouimetoscope à Montréal, première salle de cinéma.

1907 – Théâtre populaire du Québec à Québec. Conservatoire Lassalle. Mgr Bruchési interdit la représentation de *La Rafale* au Théâtre des nouveautés.

1908 – Mgr Bégin interdit une représentation de *La Tosca* à Québec. L'École d'enseignement supérieur (Montréal), premier des deux collèges classiques ouverts aux filles.

1910 – Compagnie d'opéra de Montréal (jusqu'en 1913). Le quotidien *Le Devoir*.

1911 – Prix d'Europe (permet un séjour de deux ans d'études en Europe).

1912 – Polémique sur le futurisme, dans *Le Devoir*. Bureau de censure des vues animées.

1916 – Début des enquêtes ethnographiques de Marius Barbeau. *Maria Chapdelaine*, roman posthume de Louis Hémon.

1917 – Association des musiciens du Québec (Guilde des Musiciens en 1988). Premier concert de musique moderne.

1918 – Publication des 12 numéros de la revue artistique multidisciplinaire *Le Nigog*.

1919 – CFCF, première station radiophonique québécoise.

1920 – Université de Montréal (créée à partir de la succursale montréalaise de l'Université Laval). Faculté de musique de l'Université McGill.

1921 – Société canadienne d'opérette (jusqu'en 1933). Association des auteurs canadiens. Lettre pastorale de Mgr Bruchési contre la mode, la danse, le cinéma et le théâtre.

1922 – École de musique de l'Université Laval. École des Beaux-Arts de Montréal. Prix Athanase-David. CKAC, première station radiophonique de langue française.

1923 – École des Beaux-Arts de Québec. Semaine annuelle de la musique (jusqu'en 1939). Lettre pastorale de Mgr Bégin sur les danses modernes, les robes immodestes, la fabrication de l'alcool et le cinéma corrupteur.

1926 – École normale de musique des sœurs de la Congrégation Notre-Dame (devient le module de musique de l'UQAM en 1969).

1927 – Incendie du cinéma Laurier Palace à Montréal qui, causant la mort de 78 enfants, renforce le discours sur les dangers du cinéma.

1929 – Premier concert d'œuvres de compositrices. 1 319 orgues fabriqués par Casavant frères pour toute l'Amérique, depuis 1893. *L'Heure provinciale* (musique de concert) à CKAC.

1930 – Montreal Repertory Theatre (jusqu'en 1952). Théâtre Barry-Duquesne, première troupe professionnelle dirigée par des francophones. Le Trio lyrique.

1932 – École supérieure de musique d'Outremont (Vincent-d'Indy). Palais Montcalm à Québec. *Manifeste de la jeune génération*, rédigé par André Laurendeau.

1933 – Musée du Québec.

1934 – Orchestre de la Société des concerts symphoniques de Montréal (devient l'Orchestre symphonique de Montréal en 1953). Début de l'inventaire des œuvres d'art du Québec par Gérard Morisset. Condamnation, par le Cardinal Villeneuve, du roman québécois de Jean-Charles Harvey, *Les demi-civilisés*. Débuts de Raoul Jobin, à l'Opéra de Paris. *L'auberge des chercheurs d'or* d'Alfred Rousseau, premier radioroman.

1935 – École du meuble.

1936 – Les Variétés lyriques (jusqu'en 1955). Entrée en ondes de la radio de Radio-Canada.

1937 – Éditions Fides. Les Compagnons de Saint-Laurent (jusqu'en 1952). *Les Cahiers de La Bonne Chanson* de l'Abbé Charles-Émile Gadbois. Première librairie d'Henri Tranquille à Montréal. Fédération des artistes de la radio (ancêtre de l'Union des artistes).

1938 – Centre catholique d'action cinématographique. Première tournée des *Fridolinades* de Gratien Gélinas. Première loi sur le cinéma. *L'heure symphonique* à la radio de Radio-Canada.

1939 – Société d'art contemporain (jusqu'en 1948). Orchestre symphonique de Sherbrooke. Polémique sur la poésie contemporaine dans *Le Jour*.

1940 – Essor temporaire de l'édition québécoise. Montreal Women's Symphony Orchestra (jusqu'en 1960). Polémique autour des *Sept mystères du destin d'Europe de Jules Romains*, après sa visite au Québec.

1941 – The Opera Guild (jusqu'en 1970). Exposition des peintres dits « Indépendants », à Québec. Librairie de Paul Michaud à Québec. *Radio-Collège* à la radio de Radio-Canada (jusqu'en 1955). Service de ciné-photographie du Québec. École des arts graphiques de Montréal. Conférence de Kingston (Ontario) au cours de laquelle des artistes canadiens dénoncent l'indifférence des gouvernements à l'endroit des arts.

1942 – Manifeste des membres de la future troupe de théâtre l'Équipe, publié dans *la Presse*. *À la croisée des chemins* de Jean-Marie Poitevin, premier long métrage de fiction « parlant » réalisé au Québec.

1943 – Adoption de la loi qui rend la fréquentation scolaire obligatoire jusqu'à l'âge de quatorze ans. L'Équipe (remplacée par le Rideau Vert en 1948). Conservatoire de musique du Québec à Montréal. *Les Sagittaires*, exposition d'art moderne à Montréal. Marche des artistes canadiens à Ottawa et dépôt d'un mémoire réclamant un financement public des arts et la création d'un Conseil des arts du Canada.

1944 – Loi sur la gratuité des livres scolaires. Conservatoire de musique du Québec à Québec. École des arts graphiques de Montréal. Studio de danse d'Elizabeth Leese à Montréal. Ruth Sorel Modern Dance Group. L'Académie canadienne-française. Archives de folklore de l'Université Laval. André Breton au Québec. *Au pied de la pente douce* de Roger Lemelin, premier roman « urbain » de la littérature québécoise.

1945 – Loi autorisant la création d'un service provincial de radiodiffusion (désigné sous le nom de Radio-Québec). Élargissement des pouvoirs du Bureau provincial de censure du cinéma.

1946 – Première exposition des peintres automatistes à Montréal. Participation des Automatistes québécois à l'exposition internationale du surréalisme à New York. Querelle opposant Robert Charbonneau et *la Nouvelle relève* à Aragon, Cassou et d'autres écrivains *de Lettres françaises*.

1947 – Première exposition des peintres automatistes à Paris. *Revue d'histoire de l'Amérique française*. Prix Fémina à *Bonheur d'occasion* de Gabrielle Roy. Cinémathèque municipale de Montréal. L'Archevêché de Montréal interdit la représentation des *Enfants du paradis* de Marcel Carné à l'Université de Montréal.

1948 – Scandale provoqué par la représentation de *Lucrèce* d'Obey par les Compagnons de Saint-Laurent. Manifestes *Prisme d'yeux* et *Refus global*. Borduas, congédié de l'École du meuble. Apparition des premiers disques 33 tours. Les Ballets-Québec.

1949 – Second manifeste publié par Borduas, *Projections libérantes*. Jeunesses musicales du Canada. Apparition des premiers disques 45 tours. Prix du Cercle du livre de France. Polémique dans le *Petit Journal* autour du livret de Claude Gauvreau pour l'opéra de Pierre Mercure *Le Vampire et la Nymphomane*. Commission royale d'enquête sur l'avancement des arts, lettres et sciences au Canada (rapport déposé en 1951).

1950 – Faculté de musique à l'Université de Montréal. Galerie Agnès Lefort, première galerie d'avant-garde. Quebec Dance Teachers Association. La revue *Cité libre*. Loi sur les publications et la morale. Querelle autour du manuel unique d'histoire du Canada.

1951 – Théâtre du Nouveau Monde. Centre musical du Mont Orford. *La petite Aurore, l'enfant martyre*, le film. Félix Leclerc, lauréat du Prix de l'Académie du disque Charles-Cros.

1952 – Entrée en ondes de la télévision de Radio-Canada. Faculté de musique de l'Université de Montréal. Les Ballets Chiriaeff (deviennent Les Grands Ballets canadiens en 1958). Recommandations du Cardinal Léger sur la danse. Première participation de peintres québécois (Alfred Pellan et Goodridge Roberts) à la Biennale de Venise. Premier club de livres. 59 millions d'entrées dans les salles de cinéma du Québec.

1953 – Éditions l'Hexagone. Premier festival de ballet à Montréal. Borduas s'exile aux États-Unis. *Zone* de Marcel Dubé, au Dominion Drama Festival. *Tit-Coq* adapté au cinéma. Théâtre-Club (jusqu'en 1964). *La famille Plouffe* de Roger Lemelin, premier téléroman.

1954 – Conservatoire d'art dramatique du Québec à Montréal. Premier concert de musique contemporaine. *L'heure du concert* à la télévision de Radio-Canada. L'Université de Sherbrooke. Âge d'or des ciné-clubs au Québec (jusqu'en 1962). Interdiction, par le gouvernement québécois, d'utiliser les films de l'ONF dans les écoles. L'Union des jeunes écrivains.

1955 – Galerie l'Actuelle à Montréal, première galerie d'art non figuratif. Théâtre de Quat'Sous. Rétrospective des œuvres d'Alfred Pellan à Paris. Première tournée du TNM à Paris. *Séquences* et *Images*, deux revues consacrées au cinéma. Polémique entre Fernand Leduc et Borduas autour de l'exposition *Espace 55*. Manifeste plasticien d'un groupe d'artistes montréalais. Premier théâtre d'été, à Sun Valley.

1956 – Conseil des arts de la région métropolitaine (à Montréal). Premier concours de la chanson canadienne. Déménagement des bureaux de l'ONF à Montréal. Association des artistes non figuratifs de Montréal. La revue *Vie des arts*.

1957 – Conseil des arts du Canada. Éditions Leméac. Théâtre de l'Estoc à Québec (jusqu'en 1967). Comédie canadienne (jusqu'en 1970), premier théâtre subventionné par le gouvernement québécois. Montreal Theatre Ballet (jusqu'en 1959). Première rencontre des poètes canadiens (devient la Rencontre des écrivains en 1960). Rapport de la Commission Fowler sur la radio et la télévision.

1958 – Éditions de l'Homme. Loi québécoise sur les bibliothèques publiques. Conservatoire d'art dramatique du Québec à Québec. Association canadienne du théâtre amateur (devient l'Association québécoise du jeune théâtre en 1972). *Le temps des lilas* de Marcel Dubé, joué à Paris et à Bruxelles. Salon de la jeune peinture à l'École des beaux-arts de Montréal. Groupe de Danse Moderne. Le TNM à New York. Premier concours des jeunes auteurs à Radio-Canada. *Les raquetteurs*, premier film de cinéma-vérité québécois. La revue *Liberté*.

1959 – Les Bozos. Théâtre de l'Égrégore (théâtre expérimental) (jusqu'en 1968). Théâtre de la Marjolaine à Eastman. Première participation d'un artiste québécois (Jean-Paul Riopelle) à la Documenta de Cassel. Début des subventions gouvernementales aux bibliothèques publiques. Premières boîtes à chansons. Scandale créé par la présentation de *La Plus Belle de Céans* de Charlotte Boisjoli à Radio-Canada. Grève des réalisateurs de Radio-Canada.

1960 – Éditions Hurtubise HMH. Festival international du film à Montréal. Revue *Objectif*, consacrée au cinéma. École nationale de théâtre du Canada, à Montréal. Apparition des livres de poche en langue française. Le Canada, lauréat du prix de la meilleure représentation nationale au Concours Guggenheim avec des œuvres de Borduas, Riopelle, Bellefleur, Alleyn et Town. 1000e représentation du TNM. Polémique autour des *Insolences du Frère Untel* de Jean-Paul Desbiens.

1961 – Ministère des Affaires culturelles du Québec. Rétrospective Borduas à Amsterdam. Éditions du Jour. Première Semaine internationale de la musique actuelle. Commission royale d'enquête sur l'enseignement (Rapport déposé en 1963). École nationale de théâtre du Canada. Télé-Métropole.

1962 – Presses de l'Université de Montréal. Exposition de peintres québécois à Spolète en Italie. Achat, par le gouvernement, d'un atelier à Paris mis à la disposition des artistes québécois. Demande d'abolition de la censure, par le *Rapport Régis* sur la censure au Québec. Loi sur l'assurance-édition. Musée d'art contemporain. Première participation du Québec à la Journée mondiale du théâtre de l'UNESCO. Premier disque de Gilles Vigneault.

1963 – Manifestations autour de l'inauguration de la Place des Arts de Montréal. Revue *Parti pris*. Association professionnelle des cinéastes. Connaissance du cinéma (devient la Cinémathèque canadienne en 1964, puis la Cinémathèque québécoise en 1971). Éditions du Boréal Express. Scandale à Asbestos autour d'une sculpture d'Armand Vaillancourt. Rapport de la Commission d'enquête sur le commerce du livre dans la province de Québec. Centre dramatique du Conservatoire (devient le Théâtre populaire du Québec en 1966).

1964 – Livre blanc sur la culture de Pierre Laporte. Rapport de la Commission d'enquête sur le commerce du livre. Première tournée du Théâtre du Rideau Vert à Paris. Salon du livre itinérant, présenté à Amos, Rouyn-Noranda, Hull et Chicoutimi. Conservatoire de musique de Trois-Rivières. Début de la coopération culturelle franco-québécoise. Éditions Parti pris. Nouvelle compagnie théâtrale. Première tournée du Rideau vert à Paris. Premier symposium international de sculpture à Montréal. Nouveau débat sur le joual avec la publication de *Le Cassé* de Jacques Renaud.

1965 – Loi québécoise sur les librairies. Musée d'art contemporain. Conservatoire de musique de Val d'Or. Revue littéraire *La barre du jour*. Centre d'essai des auteurs dramatiques (CEAD). *Une maison, un jour* de Françoise Loranger, joué à Paris et en Russie. Loi établissant l'accréditation des libraires. Premières mises en scène d'André Brassard. Premier prix au Festival international de la chanson à Sopot (Pologne) à Monique Leyrac, avec la chanson *Mon pays* de Gilles Vigneault.

IV

1966 – Commission d'étude sur l'enseignement des arts au Québec. Société de musique contemporaine du Québec. Association des producteurs de films du Québec. Groupe de la Place Royale, première troupe de danse moderne. École supérieure des Grands Ballets canadiens. Prix Médicis à *Une saison dans la vie d'Emmanuel* de Marie-Claire Blais.

1967 – Exposition universelle à Montréal. Syndicat des écrivains du Québec. Bibliothèque nationale du Québec. Conservatoire de musique de Chicoutimi. Conservatoire de musique de Hull. Débats sur la censure à la suite des nombreuses descentes de l'escouade de la moralité de la ville de Montréal. Construction de centres culturels à travers le Québec. Quatuor du nouveau jazz libre du Québec.

1968 – *L'Osstidcho*. Théâtre d'aujourd'hui. Troupe de danse Groupe Nouvelle Aire (jusqu'en 1982). Radio-Québec. Université du Québec. *Les Belles-sœurs* de Michel Tremblay au Théâtre du Rideau Vert : nouveaux débats sur le joual. *Poèmes et chants de la résistance*. Festival d'été de Québec. Acquisition, par le gouvernement, du bateau-théâtre l'Escale qui entreprend une tournée à travers les villes et villages du Québec. Option théâtre au Cégep Lionel-Groulx de Sainte-Thérèse.

1969 – Hubert Aquin refuse le Prix du gouverneur général. Centaur Theatre Company. Baccalauréat en art dramatique à l'Université du Québec à Montréal. Option théâtre au Cégep de Saint-Hyacinthe. *Lindbergh* de Charlebois, primée au Festival de Spa. Festival de la chanson de Granby. Premiers ciné-parcs.

1970 – Première Nuit de la poésie au Gésù. Grand cirque ordinaire. L'Infonie. *L'homme rapaillé* de Gaston Miron. Censure, par l'ONF, du film de Denys Arcand, *On est au coton*. Pauline Julien et Gilles Vigneault lauréats du Grand Prix du disque de l'Académie Charles-Cros. Vague de cinéma érotique québécois. *Mainmise*, organe de contre-culture. Emprisonnement de plusieurs artistes québécois sous la Loi des mesures de guerre, lors de la Crise d'octobre. Querelle autour de la murale de Jordi Bonet et de l'inscription de Claude Péloquin au futur Grand Théâtre de Québec.

1971 – Grand Théâtre de Québec. L'Opéra du Québec (jusqu'en 1975). Le Trident, 1re troupe de théâtre professionnel à Québec. Manifeste de l'Association professionnelle des cinéastes du Québec. Premiers monologues d'Yvon Deschamps. Écrits des forges. Éditions du Noroît. Controverse au sujet de la censure au cinéma.

1972 – Création à l'ONF du programme *En tant que femmes* (puis, en 1974, du Studio D, le studio des femmes). Les Ballets Jazz de Montréal. Premier récital de Diane Dufresne à l'Olympia de Paris. Débats autour du joual quand les gouvernements du Québec et du Canada refusent de subventionner la présentation des *Belles-sœurs* au festival du Théâtre des Nations. Censure du téléroman *Le paradis terrestre* de Jean Filiatrault.

1973 – Théâtre Les Gens d'en Bas (Bic). Association des réalisateurs de films du Québec. Conservatoire de musique de Rimouski. Quotas de chansons francophones imposés aux radios canadiennes de langue française. La Galerie Flamings Aprons (deviendra Powerhouse en 1974), premier centre d'exposition multidisciplinaire pour les femmes.

1974 – Occupation, par les réalisateurs, du Bureau de surveillance du cinéma du Québec pour protester contre les lenteurs du gouvernement du Québec à légiférer en matière de cinéma. Compagnie de danse Eddy Toussaint. Éditions Québec Amérique. Éditions de la courte échelle. La Superfrancofête.

1975 – Loi sur le cinéma et création de l'Institut du cinéma. Rapport Miville-Deschênes sur la situation du théâtre au Québec. Éditions de la Pleine lune. Éditions Quinze. Les Enfants du Paradis (deviendra Carbone 14 en 1980). Rencontre internationale de la contre-culture à Montréal à laquelle participent William Burroughs et Allen Ginsberg. Spectacle de la Saint-Jean-Baptiste entièrement produit et présenté par des femmes.

1976 – Livre vert de Jean-Paul L'Allier, *Pour l'évolution de la politique culturelle*. Conseils régionaux de la culture. Démantèlement de l'exposition *Corridart* par la Ville de Montréal, la veille de l'ouverture des Jeux olympiques. Premier succès de la comédie musicale *Starmania*. Les revues *Lettres québécoises* et *Cahiers de théâtre Jeu*. Éditions du Remue-ménage.

1977 – *J.A. Martin photographe* de Jean Beaudin, primé au Festival de Cannes. L'Union des écrivains du Québec. L'orchestre des jeunes du Québec. Création de deux nouveaux Prix du Québec : arts de la scène et arts visuels. Festival des films du monde de Montréal. Ligue nationale d'improvisation.

1978 – Livre blanc de Camille Laurin, *La politique québécoise de développement culturel*. Festival international de Lanaudière. Orchestre symphonique de Trois-Rivières. Société de développement des industries culturelles (devient la SOGIC en 1987 et la SODEC en 1994). Scandale autour de la pièce *Les fées ont soif* de Denise Boucher. Charles Dutoit à l'Orchestre symphonique de Montréal.

1979 – Orchestre symphonique du Saguenay–Lac-Saint-Jean. Formation supérieure en danse au Cégep du Vieux-Montréal, à l'Université Concordia, à l'Université du Québec à Montréal et à l'Université de Montréal. Maîtrise en art dramatique à l'UQAM. Prix Goncourt à *Pélagie-la-Charrette* d'Antonine Maillet. Théâtre expérimental des femmes. Festival international de Jazz de Montréal. Plan quinquennal visant le développement des bibliothèques (Plan Vaugeois).

1980 – Les Événements du Neuf (déjeuners-causerie présentant la démarche de jeunes compositeurs). Opéra de Montréal. Incendie à la Bibliothèque nationale du Québec. Création d'un Prix du Québec pour les artistes du cinéma. Lock-Danseurs (devient La La La Human Steps en 1982).

1981 – Politique d'intégration des arts à l'architecture et à l'environnement. Inauguration d'un studio du Québec à New York. Société professionnelle des auteurs et compositeurs du Québec. États généraux du théâtre. Premier vidéoclip québécois. Festival international du film sur l'art.

1982 – Maison québécoise du théâtre pour l'enfance et la jeunesse. Controverse suscitée par l'exposition *Art et féminisme* au Musée d'art contemporain. Prix Fémina aux *Fous de Bassan* d'Anne Hébert. Rapport du Comité d'étude sur la politique culturelle fédérale (Applebaum-Hébert). Premier Oscar de Frédéric Back pour *Crac*. Biennale nationale de céramique (Trois-Rivières). Symposium international de la nouvelle peinture (Baie-Saint-Paul). Festival du cinéma international en Abitibi-Témiscamingue.

1983 – Bibliothèque Gabrielle-Roy (Québec). Festival international de musique actuelle de Victoriaville. Conseil québécois du théâtre. Artistes pour la paix.

1984 – Opéra de Québec. Le Cirque du Soleil. Festival international du Domaine Forget. Festival en chanson de Petite Vallée. Orchestre symphonique de Laval. Orchestre symphonique de Joliette-Lanaudière. Regroupement québécois de la danse. Les Violons du Roy. Nouvelle Loi sur le cinéma qui crée l'Institut québécois du cinéma et la Société générale du cinéma.

1985 – Festival de théâtre des Amériques. Les 100 jours d'art contemporain (jusqu'en 1996). Festival international de la Poésie (Trois-Rivières).

1986 – Coalition du monde des arts et des industries culturelles (en faveur d'un investissement de 1 % du budget de l'État en culture). Orchestre symphonique de la Montérégie. Orchestre symphonique régional d'Abitibi-Témiscamingue. Télévision Quatre Saisons. Festival des films du monde de Québec. Festi Jazz international de Rimouski.

1987 – Premiers succès internationaux de Robert Lepage avec *La trilogie des dragons*. Orchestre symphonique de Mont-Royal. Festival international Nuits d'Afrique (Montréal). Coup de cœur francophone.

1988 – Musée de la civilisation du Québec. Adoption de deux lois québécoises sur le statut professionnel des artistes. Festival du film international de Baie-Comeau.

1989 – L'opéra romantique *Nelligan*, première œuvre lyrique québécoise à connaître un succès populaire. Regroupement des artistes en arts visuels. Le mois de la photo à Montréal (biennal). Les FrancoFolies de Montréal.

1990 – Nouvel ensemble moderne. Les 20 jours du théâtre à risque. Festival international de théâtre amateur du Québec – Les Coups de théâtre francophone.

1991 – Espace Go (Montréal).

1992 – La politique culturelle du Québec, *Notre culture, notre avenir*. Conseil des arts et des lettres du Québec. Festival international de nouvelle danse (Montréal). Carrefour international de théâtre de Québec.

1993 – L'Internationale du cinéma de l'Estrie.

1994 – Festival de la littérature mondiale. Ex Machina (à Québec).

1995 – Orchestre symphonique de l'Estuaire (Bas Saint-Laurent). Librairie du Québec à Paris. Usine C (Montréal). L'internationale de sculpture (Saint-Jean-Port-Joli). Rendez-vous international de théâtre jeune public. Montréal, siège social de l'International Symposium of Electronic Arts.

1996 – Attribution d'un mandat culturel à la télévision éducative Radio-Québec qui devient Télé-Québec. Première participation du Québec à la journée mondiale du livre. Carrousel international du film de Rimouski. Politique de diffusion des arts de la scène, *Remettre l'art au monde*.

1997 – Biennale internationale d'art miniature (Ville-Marie). Biennale Champ libre. Manifestation internationale architecture, vidéo et art électronique (Montréal).

1998 – Grande Bibliothèque du Québec. La Biennale de Montréal. Rencontres internationales du court métrage de Montréal. Festival des musiques du monde de Lévis. La Cité du multimédia (Montréal). Québec Writers Federation. Politique de la lecture et du livre, *Le temps de lire, un art de vivre*.

1999 – Biennale internationale d'estampe contemporaine de Trois-Rivières. Festival littéraire international de Montréal Métropolis Bleu. Printemps du Québec à Paris.

2000 – Mouvement pour les arts et les lettres. Festival Montréal en lumière. Festival international du nouveau cinéma et des nouveaux médias de Montréal. Politique muséale, *Vivre autrement la ligne du temps*.

V

Le Québec en 2005? Un regard sur l'avenir

par Michel Cartier*

* Michel Cartier est professeur au Département des communications de l'UQAM depuis 1975 : télévision, multimédia, nouveaux médias et communautique. Il est aussi consultant auprès de diverses institutions, autant en Europe qu'en Amérique, dans le domaine des nouvelles technologies de l'information et des communications (NTIC). Depuis 1980, il participe à l'élaboration de réseaux de toutes sortes, surtout à la mise au point de diverses applications : enseignement à distance, e-gouvernement, commerce électronique. En 1992, il crée le réseau de veille sur les technologies de l'information (RVTI). Ancien directeur-fondateur de l'Ensemble national des Feux-Follets, il possède une grande expérience dans les secteurs de l'édition traditionnelle et électronique, de la télévision, autant dans la mise en scène que dans la mise à l'écran.

Ce texte a été difficile à écrire pour deux raisons. Premièrement, si prévoir le futur, même à court terme, est une entreprise périlleuse, c'est encore plus vrai au début des années 2000, une période marquée par l'absence de précédent pour nous guider. Deuxièmement, décrire l'évolution probable des États-Unis d'ici 2005 est chose relativement aisée, à cause de leur position de leader dans plusieurs domaines et aussi parce que les feux de l'actualité sont constamment braqués sur leurs succès. Mais comment décrire adéquatement l'avenir du Québec qui vit dans l'ombre de son puissant voisin?

La rédaction d'un tel texte demande de décrire la rupture que vit l'ensemble de la société nord-américaine à l'aube du XXIe siècle, puis de placer l'analyse du Québec dans ce contexte. Presque tous les analystes s'accordent maintenant pour identifier le moteur des changements en cours : la spirale finance/Internet, c'est-à-dire l'émergence d'une nouvelle économie poussée par les nouvelles technologies. C'est cette spirale qui métamorphose la société industrielle en une société du savoir. Les analystes s'entendent aussi sur l'actuel ralentissement de ce mouvement, ralentissement causé par les secousses boursières en l'an 2000, et s'interrogent sur l'avenir : une récession ou une reprise?

Établissons d'abord le contexte général d'une société en mutation pour aborder ensuite la place éventuelle du Québec, et analysons surtout l'impact qu'auront ces mutations sur nos décisions collectives en tant que pays. Voici l'ordre de l'analyse des mutations : la rupture, la nouvelle économie, la mondialisation, les nouvelles technologies de l'information et des communications. Ce texte se termine par une réflexion sur les défis du Québec à l'aube du XXIe siècle.

La rupture

L'alphabet, l'imprimerie, la télévision et maintenant l'Internet ont modifié la culture des sociétés où ils se sont implantés[1]. Chaque progrès transforme non seulement la langue et la culture, qui servent de filtres aux êtres vivant dans la société d'alors, mais, plus fondamentalement, il change l'imaginaire des gens. À la fois miroir et multiplicateur des changements, l'Internet devient le catalyseur des mutations qu'il intensifie pour le meilleur ou pour le pire.

La rupture actuelle ressemble fort à celle qui a marqué le passage du Moyen-Âge à la Renaissance. Une augmentation importante de la population et un foisonnement d'idées nouvelles ont suscité l'invention de l'imprimerie. Cette effervescence a pour noms Léonard de Vinci, Michel-Ange, Raphaël, Machiavel, etc., dont les œuvres ont modifié la perception qu'avaient les gens de leur espace et de leur temps, changé l'imaginaire collectif et sculpté l'avenir. Ces hommes ont entraîné l'esprit humain dans des voies nouvelles. Christophe Colomb a mieux compris son rêve en lisant les travaux du cartographe Toscanelli et en

---

1. La culture est la façon dont un groupe d'êtres humains symbolise son espace et son temps et utilise ces symboles pour s'adapter aux nouvelles situations. C'est l'adaptation de l'imaginaire collectif qui permet une initiation à la modernité en fournissant aux citoyens les symboles de la modernité du temps et de l'espace qu'ils habitent. La langue et la culture sont à la fois des héritages, des conquêtes et des projets; elles sont non seulement des instruments de communication mais surtout des moyens de vivre.

comparant les cartes géographiques de l'époque. La découverte du Nouveau Monde, consécutive à la poursuite de l'objectif économique de trouver une nouvelle route maritime vers les Indes, a changé l'Histoire, les cultures et l'économie. Aujourd'hui, l'Internet joue le même rôle que l'imprimerie, et les réseaux Web sont l'équivalent des anciennes routes maritimes qui firent la fortune des premiers grands empires coloniaux. Comme à la fin du XVᵉ siècle, nous n'avons qu'une idée imprécise du potentiel de ces mutations, car nous vivons entre le regret du passé et la crainte de l'avenir.

Figure 1
La société du savoir

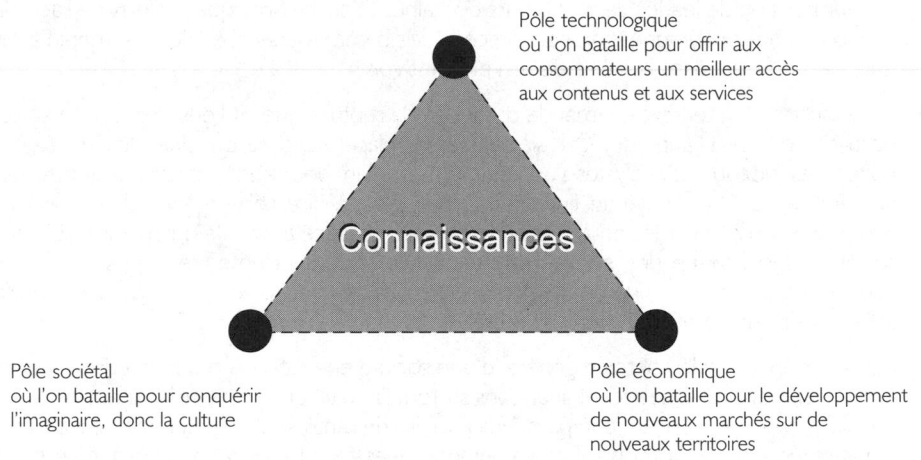

Pôle technologique
où l'on bataille pour offrir aux
consommateurs un meilleur accès
aux contenus et aux services

Connaissances

Pôle sociétal
où l'on bataille pour conquérir
l'imaginaire, donc la culture

Pôle économique
où l'on bataille pour le développement
de nouveaux marchés sur de
nouveaux territoires

On ne peut apprivoiser la société du savoir par l'étude des phénomènes pris un à un, mais plutôt par l'analyse de l'ensemble des tendances présentes dans ces trois dimensions.

Les mutations produisent des effets qui sont le reflet des grandes batailles que les mégamajors et les États-nations se livrent actuellement pour le contrôle de l'accès à l'information, de la nouvelle économie et de l'imaginaire des gens.

Les trois forces qui façonnent la nouvelle société

Trois nouvelles forces modifient la société occidentale en la dotant d'outils plus performants destinés à faciliter son passage vers la société du savoir.

• Les convergences (pôle technologique)

Le télescopage de plusieurs techniques crée une convergence qui devient plus que la somme des outils[2]. Chaque médiamorphose est une hybridation médiatique qui relâche des forces et des énergies nouvelles; c'est un moment de liberté où l'innovation devient possible parce que le contrôle est absent de ce domaine de l'information. Ainsi, les technologies de l'information deviennent des technologies catalysantes servant de fondation aux changements dans ce contexte de rupture.

---

2. Par exemple, si l'on combine la reconnaissance de l'écriture avec un micro-ordinateur, celui-ci se métamorphose en *notepad*.

- **La mondialisation (pôle économique)**

Le sentiment qu'ont des individus d'un peu partout dans le monde de vivre en même temps que tous les autres les mêmes défis est nouveau. Ce courant de pensée, surtout animé par les mégamajors[3] actuellement, suscite non seulement l'émergence de nouveaux outils tels que les alliances, les technopoles et la commercialisation de la culture, mais aussi une forte réaction anti-mondialisation de la part de citoyens de plus en plus nombreux[4].

- **La personnalisation (pôle sociétal)**

À cause de l'interactivité des services électroniques, l'Internet devient un outil décentralisateur, parce que ses réseaux répondent à une individualisation de la demande. Cette personnalisation des publics de masse devient le fondement du commerce électronique, car elle fait surgir des produits de plus en plus spécialisés répondant aux besoins de gens se réunissant en groupes d'intérêts.

Figure 2
Le passage de 1995 à 2005

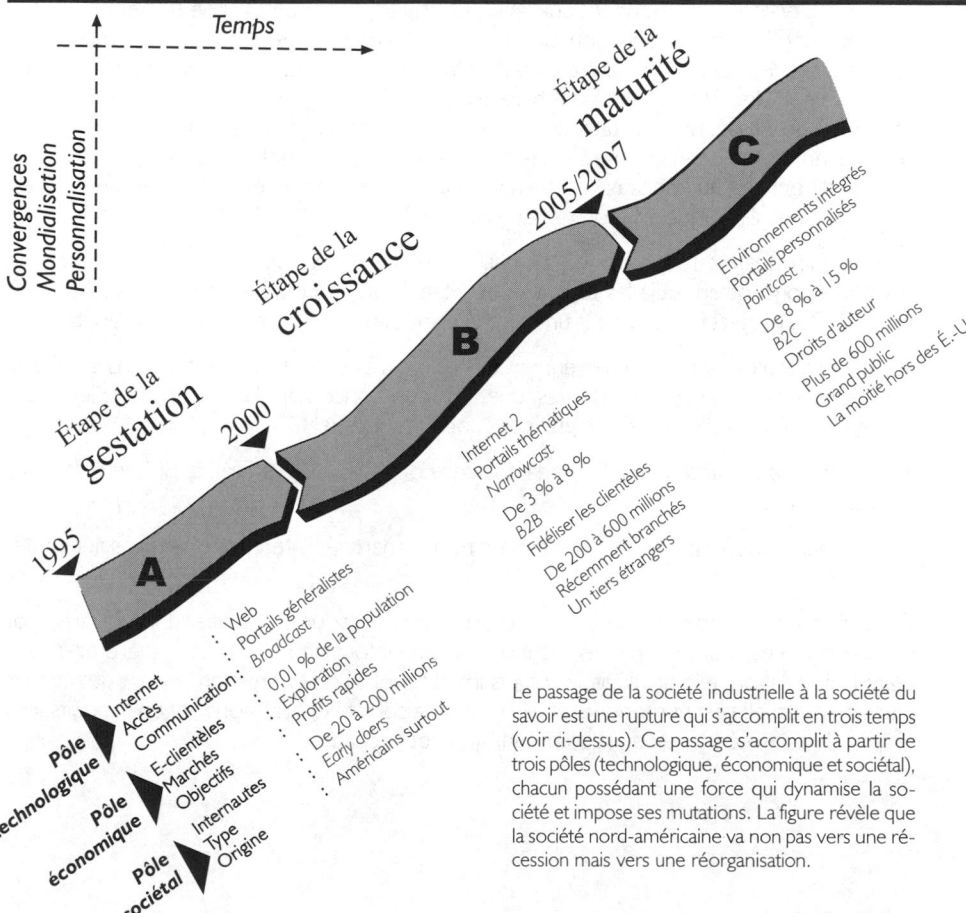

Le passage de la société industrielle à la société du savoir est une rupture qui s'accomplit en trois temps (voir ci-dessus). Ce passage s'accomplit à partir de trois pôles (technologique, économique et sociétal), chacun possédant une force qui dynamise la société et impose ses mutations. La figure révèle que la société nord-américaine va non pas vers une récession mais vers une réorganisation.

---

3. Conglomérat d'entreprises, par alliances verticales, visant à contrôler une partie de l'industrie du contenu (produits et services) dans plusieurs territoires-marchés.
4. Voir les échauffourées anti-OMC (Organisation mondiale du commerce) ou anti-ZLEA (Zone de libre-échange des Amériques) à Seattle, à Davos et à Québec.

La nouvelle économie

La rencontre de deux idées est à l'origine de la nouvelle économie : la première est celle du « nouvel ordre économique » suscité par la chute du mur de Berlin en novembre 1989, et la deuxième est celle du *Information Highway* lancée par messieurs Clinton et Gore aux États-Unis lors de leur première campagne présidentielle en 1992.

La spirale finance/Internet, qui démarre en 1995, modifie l'ancienne économie encadrée par les États-nations[5]. Nous passons d'une situation interventionniste, où l'État dominait la finance, à un libéralisme où les milieux financiers apportent leurs capitaux à ceux qui leur offrent plus d'avantages, c'est-à-dire en passant d'un État à l'autre. Alors, l'État-providence implose et ses rapports avec les différents acteurs sont remis en cause. Entre 1995 et 2000, le capitalisme s'est transformé parce que la finance a accaparé le pouvoir de décision grâce à la dérégulation et à la privatisation, le tout amplifié par l'Internet.

Avant l'ère industrielle, les êtres humains vivaient dans des communautés où les activités matérielles étaient subordonnées aux finalités sociales, politiques, religieuses et culturelles. Puis, les activités économiques sont devenues une fin en soi, prenant le pas sur la vie sociale et politique. Maintenant, une autre étape est franchie : la finance s'émancipe à son tour de l'économie réelle. Elle se met au service d'actionnaires, le plus souvent invisibles, qui ne cherchent qu'à maximiser un taux de rendement abstrait. Une telle spirale financière, fonctionnant en réseau et en temps réel, devient une formidable machine capable autant d'aspirer que de perdre des capitaux. Y a-t-il une limite à tout intégrer, et à une telle vitesse? Il est probable que oui. Laquelle? Nous le saurons vers 2005.

La spirale finance/Internet a comme objectif immédiat d'organiser les trois pôles bénéficiaires où se concentrent déjà les capitaux : les États-Unis, le Japon et l'Union européenne[6]. Après 2005, l'objectif est de créer un marché planétaire unifié. Cette spirale fait apparaître :

- de nouveaux dossiers qui deviennent des sujets très délicats de négociations au niveau international : l'accès aux marchés, une politique concernant la concurrence, les droits de propriété intellectuelle, les pratiques antidumpings, etc.;

- des acteurs qui accaparent l'agenda des décisions : l'OMC, le FMI, la BM, le G7[7] et les mégamajors;

- un fonctionnement en continu, c'est-à-dire des marchés interconnectés sans aucun décalage horaire.

Cette économie postindustrielle cesse de se massifier pour se ramifier. Elle est tirée par l'infor-mation et soutenue par les technologies de l'information (TI) : sa matière première étant l'information, elle privilégie les objets immatériels. Son énergie provenant des circuits électroniques, elle est numérique, et elle change la société en transformant en produits tout un pan de l'activité humaine : la communication et la culture.

---

5. Une économie mixte qui a commencé à se mettre en place après 1945.
6. Les affaires sont déjà gérées en trois blocs de huit heures : les États-Unis, l'Asie et l'Union européenne.
7. OMC : Organisation mondiale du commerce; FMI : Fond monétaire international; BM : Banque mondiale; G7 : principaux pays industrialisés : Allemagne, Canada, États-Unis, France, Italie, Japon, Royaume-Uni.

Les étapes de la nouvelle économie

A - L'étape de la gestation (1995-2000)

Attirés par les promesses d'une nouvelle économie qui prend rapidement son essor, les États-Unis investissent massivement à partir d'une vision du potentiel économique (grandement surévalué), sans aucune analyse des pôles sociétal et technologique. Les actions grimpent alors à des prix démentiels sans que les analystes prévoient les limites de ce nouveau système économique. C'est le début d'une courbe en S.

C'est une période excitante et débridée où s'organise la dérégulation des marchés financiers à l'échelle planétaire. Lorsqu'on l'analyse avec ses millionnaires instantanés, ses marchés qui émergent en trois mois et sa bulle boursière qui monte et descend comme des montagnes russes, on constate que ce sont là les premiers soubresauts d'un gigantesque marché qui émerge et qui cherche encore ses règles et ses publics[8]. L'essoufflement de la bulle technologique en l'an 2000 ne signale pas la fin de la spirale finance/Internet, mais seulement que les rapports de force se sont momentanément figés.

B - L'étape de la croissance (2000-2005/2007)

La correction que vivent tous les pays industrialisés en l'an 2000, et pas seulement les États-Unis, est d'une grande ampleur et touche autant les titres traditionnels que les titres technologiques. Le démarrage de cette phase est lent et flirte avec une dépression. La récession est évitée de justesse parce que la consommation a conservé jusqu'à maintenant une certaine vigueur. Mais la perte de confiance des promoteurs, des investisseurs et des consommateurs dans la nouvelle économie durera encore jusqu'à 2002-2003. L'économie, ancienne et nouvelle, ne reprendra probablement son élan qu'à partir de 2002, quand le cycle à la baisse des technologies tirera à sa fin et que les États-Unis reprendront leur rôle de locomotive mondiale. Ce sera une période pragmatique faite d'alliances, de technopoles et de *branding*[9], une étape plus équilibrée que la précédente en dépit de ses soubresauts et de ses corrections.

C - L'étape de la maturité (après 2005)

Cette période verra éventuellement la création d'environnements « intelligents »[10] comme le bureau, la maison, l'école et l'automobile, grâce aux prochaines mutations de l'Internet.

Les principaux passages, ou paradigmes[11], sont :

Ancienne économie		Nouvelle économie
Production manufacturière	→	Production de valeur ajoutée
Bâtie sur l'optimisation	→	Bâtie sur l'innovation
Distribution de proximité	→	Distribution en réseaux
S'appuyant sur les *mass media*	→	S'appuyant sur les NTIC
Clientèle de masse	→	Clientèle de groupes d'intérêts
Stratégie de compétition	→	Stratégie de coopétition
Marchés s'appuyant sur l'offre	→	Marchés s'appuyant sur la demande

8. « C'est comme l'invention de l'automobile. Les stations-service ne sont pas encore ouvertes, les routes pas encore construites. Mais nous avons un véhicule en état de marche, le voyage peut commencer. » (Dick Brass, V.P. Microsoft, août 2000)
9. Stratégie consistant à maximiser la vente d'un produit ou d'un service, en optimisant la marque de commerce afin de conquérir ou de fidéliser une clientèle.
10. Une meilleure intégration des applications et des services, c'est-à-dire une meilleure gérance des connaissances dans un espace donné.
11. Un paradigme est une nouvelle façon de voir ou d'interpréter une situation. Il surgit quand d'importantes mutations (une nouvelle masse critique ou des apports externes par exemple) exigent un nouveau cadre de pensée capable d'expliquer cette nouvelle réalité.

Les tendances

Une analyse des tendances des trois pôles, de 1995 à 2000, révèle le contexte suivant :

- il y a apparition de nouveaux outils économiques, qui se juxtaposent à ceux de l'économie traditionnelle (*branding*, alliances, guerre des prix), dont l'objectif est la conquête et la fidélisation des clientèles;

- le commerce électronique interentreprises, ou *B2B*, demeure l'activité principale (75 %);

- le courant de financiarisation propulse les financiers à la tête des mégamajors : la règle de base est désormais le profit.

La deuxième étape, de 2000 à 2005/2007[12], dans laquelle nous entrons, démarre avec plusieurs handicaps hérités de la première :

- malgré de récentes corrections boursières, la nouvelle économie continue de connaître un important essor, notamment parce que l'Union européenne et le continent asiatique s'y joignent;

- le *B2B* demeure l'activité principale, tandis que le commerce électronique grand public, ou *B2C*, continue d'expérimenter pour trouver son modèle économique;

- incapables de s'adapter au *e-business* et au modèle briques-et-clics, plus du tiers des entreprises disparaissent ou sont annexées à de plus importantes, donnant ainsi naissance aux mégamajors qui deviennent les locomotives de la nouvelle économie et de sa mondialisation.

Les éléments intangibles de la nouvelle économie

Pour les analystes traditionnels et les gens pressés par un rendement immédiat, les gains de la nouvelle économie ne sont pas évidents, surtout si l'on compare les chiffres de l'ancienne économie avec ceux de la nouvelle. À l'avenir, il faudra prendre en considération certains éléments intangibles dans les calculs :

- la réorganisation de la structure de l'entreprise, qui devient l'occasion d'une adaptation essentielle aux changements, notamment par rapport à ceux survenus chez les compétiteurs;

- la réorganisation de la chaîne de production-diffusion, qui permet de produire des volumes capables de générer des profits malgré la compétition (figure 4);

- l'installation et l'utilisation de l'Internet à trois niveaux, qui améliorent la communication entre les employés, le réseau de vendeurs et de fournisseurs, et le grand public.

Somme toute, la vraie révolution qu'apporte la spirale finance-Internet réside autant dans la réorganisation des anciennes entreprises que dans l'apparition de nouvelles apportant **volume, omniprésence** et **rapidité**. La nouvelle économie repose maintenant sur l'interaction des actifs beaucoup plus immatériels, ce qui rend plus difficile le calcul de sa productivité : le capital humain (le talent, les compétences, la culture de l'entreprise), le capital savoir (la recherche, l'innovation, les procédés), le capital client (le nombre de clients fidélisés), et le capital de la marque (sa notoriété).

---

12. L'année 2005 n'est pas une date butoir, mais approximative; la prochaine grande vague se situerait entre 2005 et 2007 en Amérique du Nord, et plus tard ailleurs.

Les principales mutations du tissu économique

Pour la première fois de son histoire, la société occidentale assiste au développement d'une économie fonctionnant comme une unité planétaire en temps réel. Certaines mutations du tissu économique sont à prévoir avant 2005.

- Une douzaine de mégamajors s'organisent pour devenir les locomotives de la nouvelle économie dans le cadre de l'ALENA. On assiste au même mouvement dans l'Union européenne. Après démarrera la phase de la mondialisation.

- On trouve en haut de la pyramide les grands groupes et les grandes entreprises qui fusionnent et deviennent des consortiums. Ils cherchent à intégrer leurs chaînes de production-diffusion à partir de l'Internet pour diffuser plus de volume sur des territoires de plus en plus grands. À ce palier, on se préoccupe surtout de la **diffusion**.

- En bas de la pyramide, on trouve les petites et moyennes entreprises, qui forment 80 % du tissu industriel et commercial à travers le monde. Elles se branchent sur les mégamajors et deviennent briques-et-clics. Elles développent leur connectivité pour produire des contenus de grande qualité. À ce palier, l'activité principale est la **production**.

- Il y aura toujours des entreprises indépendantes parce qu'elles sont spécialisées dans des applications ou des services très verticaux.

- Les publics de consommateurs sont formés par une multitude de groupes dont les membres sont liés par leurs intérêts et leur génération, donc à partir d'un mode de vie lié à des marques. Les consommateurs se promènent d'un consortium à l'autre, c'est-à-dire d'une « famille de produits » à l'autre, au gré des stratégies de *branding* et des cadeaux des majors.

Figure 3
La structure économique possible de 2005/2007

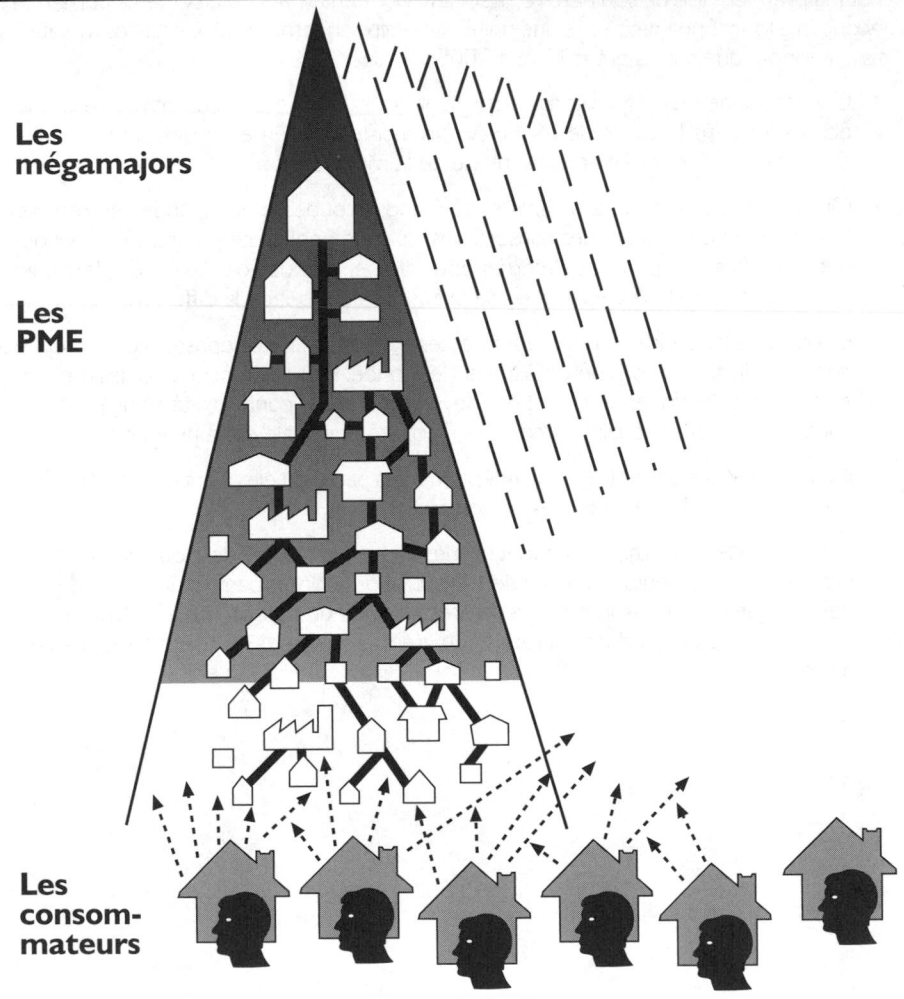

Les mégamajors

Les PME

Les consom- mateurs

Vers 2005-2007, une douzaine de mégamajors verraient le jour en Amérique du Nord et autant dans l'Union européenne, et un peu moins dans le pourtour du Pacifique. Ces forces du marché sont les moteurs de la nouvelle économie et de sa mondialisation. Leurs principaux outils seront le *bundling*[13], le *branding*, la guerre des prix et celle des clientèles.

Les consommateurs réagissent à partir d'une multitude de groupes d'intérêts et sont poussés par cette force qu'est la personnalisation. Ils se promènent d'une famille internationale de produits à une autre, au gré des stratégies des mégamajors.

13. Stratégie consistant à intégrer les méthodes de production et de diffusion des contenus afin de maximiser les profits des ventes.

Figure 4
Les flux de l'ancienne et de la nouvelle économie

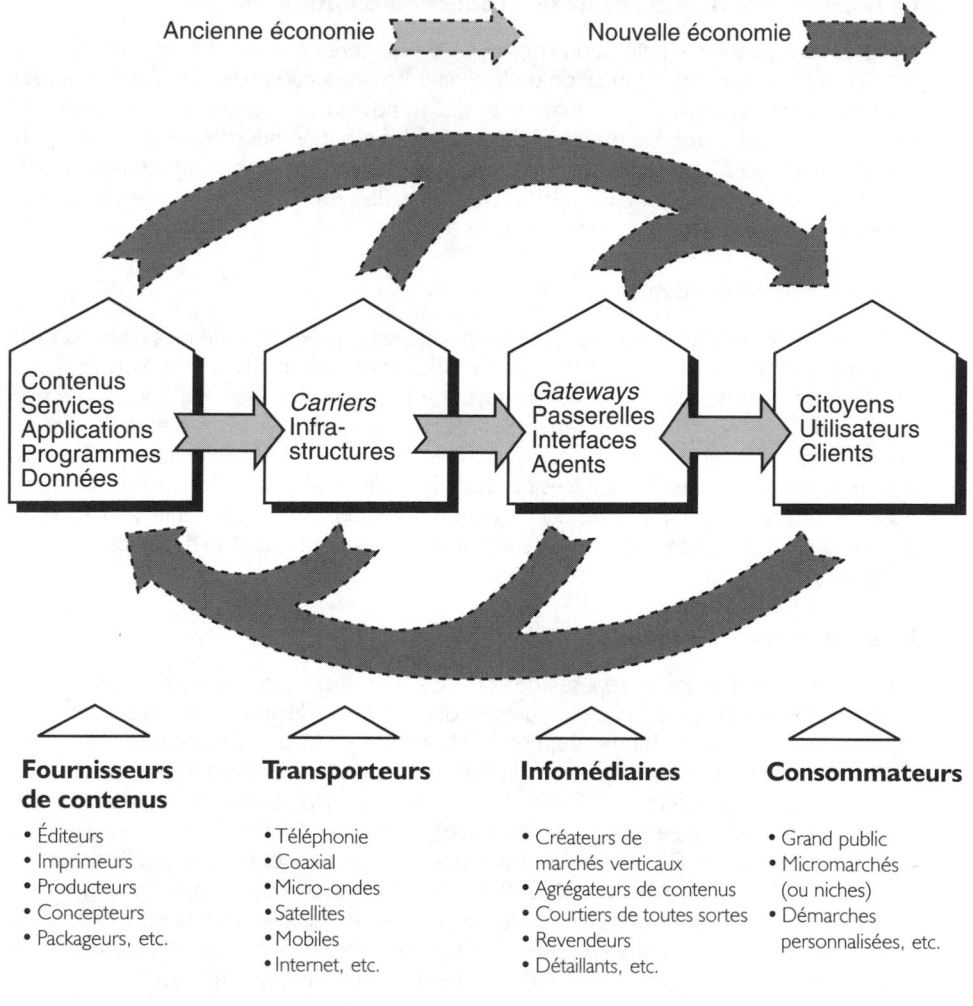

La dynamique de l'ancienne économie était plutôt linéaire (flèches gris pâle ci-dessus), circulant des fournisseurs – via les transporteurs – vers les consommateurs.

À cause des nouvelles technologies de l'information et des communications (NTIC), la nouvelle économie développe une dynamique différente (flèches foncées) :

- son organisation est plus circulaire, chaque point pouvant être relié à un autre sans avoir à passer linéairement par le chemin traditionnel;

- on voit émerger de nouveaux intermédiaires, appelés infomédiaires;

- ce dynamisme a trois conséquences : volume, omniprésence et rapidité.

Les principales caractéristiques de la nouvelle économie

La réorganisation de la chaîne de production-diffusion

Les pressions qu'exerce l'utilisation commune du numérique et de l'Internet par tous les acteurs imposent une réorganisation de la chaîne de production-diffusion, que les Américains appellent *bundling*. Dans un contexte de mondialisation, cette chaîne ne peut être gérée que par des *majors* car elle passe aux mains des groupes industriels et financiers pour lesquels un média n'est plus un outil technologique, mais plutôt un instrument de conquête de nouveaux marchés, donc de profits. Le mythe derrière cette réorganisation est : *Go global, if you're not everywhere you're nowhere.*

La recherche du volume

L'une des caractéristiques de la nouvelle économie est la production de plus de contenus[14] pouvant être diffusés à plus de territoires. Ce volume est créé par la conjugaison de quatre mécanismes : la nouvelle chaîne de production-diffusion numérique, les portails thématiques, l'Internet – qui permet de vendre les mêmes produits à plusieurs clientèles disséminées sur différents territoires – et les mécanismes d'agrégation[15] et de *matching*[16]. Tant et si bien que des produits et des services peuvent être offerts avec peu de bénéfices. Cependant, ces quelques sous, multipliés par le volume que représentent des centaines de milliers de consommateurs, créent les sommes importantes qui contribuent au développement de la nouvelle économie.

Une organisation briques-et-clics

On pense à tort que les entreprises de commerce électronique sont essentiellement des entreprises virtuelles, c'est-à-dire qui n'utilisent que des outils électroniques. Il n'en est rien : la nouvelle économie est le fait d'entreprises *bricks-and-clics,* c'est-à-dire moitié édifice (*bricks and mortar*) et moitié Internet (*clicks*). En 2000, 60 % des entreprises américaines sont déjà accessibles sous plusieurs formes. En fait, selon leurs activités, certaines sont un peu plus *bricks* (vente d'ordinateurs et de logiciels par exemple), tandis que d'autres sont un peu plus *clics* (vente de livres et de CD). Les bénéfices d'une telle intégration sont l'échange d'informations sur les clientèles *bricks* et les clientèles *clics*, donc une promotion croisée pour les deux clientèles, ce qui crée une meilleure distribution des profits. Actuellement, l'étape de la *Webinisation* se referme. Les entreprises qui n'ont pas développé leurs stratégies d'adaptation n'existeront plus en 2005 ou auront été absorbées par d'autres plus prévoyantes.

Les outils

Les alliances et les mégamajors[17]

Les alliances entre entreprises permettant de créer des consortiums existent depuis fort longtemps; ce qui est nouveau, c'est l'ampleur du phénomène. En 1995, les *majors* déclenchent une bataille pour la maîtrise des réseaux puis, en 2000, pour la mise au point de

---

14. Valeur ajoutée aux données, qui prend la forme de services, d'applications, de bases de connaissances, de programmes (au sens d'émissions de télévision ou de films), de didacticiels, de jeux électroniques, de télévision interactive, d'info-spectacles, etc., en un mot des ressources que le consommateur désire se procurer pour son bien-être.
15. Mécanisme qui réunit un grand nombre de vendeurs et d'acheteurs autour de prix préalablement fixés; ce sont de nouveaux infomédiaires.
16. Mécanisme qui permet aux acheteurs de devenir aussi des vendeurs, et vice-versa, autour de prix qui varient; ce sont de nouveaux infomédiaires.
17. Conglomérats, cartels, consolidations, fusions, *mergers*.

chaînes de production-diffusion qu'ils veulent étendre aux plus grands territoires possible[18]. D'autres secteurs économiques connaissent ensuite la même course aux consortiums : les banques, les lignes aériennes, l'automobile, le pétrole, l'aluminium, etc. C'est une course pour devenir un guichet unique offrant la meilleure panoplie de contenus. La nouvelle économie devient un champ de bataille où s'affrontent non plus les pays riches et les pays pauvres (le Nord et le Sud), mais des multinationales américaines et européennes.

Le *branding*

La marque est à la fois un signe d'identité, une signature et une caution qui dépend d'une stratégie de communication. Elle sert à simplifier le choix lorsque le consommateur est confronté à une grande sélection. Le *branding* protège la marque et en fait le marketing sur de nouveaux territoires; il souligne un produit parmi une centaine et devient la garantie de sa qualité[19]. Mais c'est un outil extrêmement coûteux que seules les entreprises les plus fortunées peuvent utiliser.

La variation des prix

Dans un contexte de concurrence où tout le monde a le droit de fournir n'importe quel service, n'importe où et à n'importe qui, l'un des principaux éléments est la variation des prix selon les demandes du moment[20]. Le premier défi des entrepreneurs consiste à passer de la tarification hebdomadaire ou journalière traditionnelle à une tarification par volume : ce n'est pas un défi technologique, mais plutôt un défi de gestion.

Un système imprévisible pour le moment

Le développement d'une économie fonctionnant en temps réel à travers le monde a créé un tel supersystème que personne ne sait aujourd'hui comment le monstre fonctionne. Celui-ci peut faire autant de mal que de bien; les organismes qui essaient de l'apprivoiser, comme l'OMC, la BM, le FMI et le G7, ne font que tenir le tigre par la queue. Le système est imprévisible à cause de plusieurs facteurs non maîtrisés : un besoin incessant de nouveaux capitaux, l'absence de garde-fous en cas de crise[21], un fonctionnement en temps réel, etc.

Tout cela rend la nouvelle économie imprévisible parce qu'elle réagit en temps réel dans un environnement qui repose sur la confiance, une confiance constamment minée par les médias qui amplifient surtout les mauvaises nouvelles.

La mondialisation

La mondialisation est une force qui façonne la société en exigeant de nombreux changements. Elle n'est pas chose nouvelle; notre histoire est une suite de progressions dans le sens de la mondialisation[22]. Ce qui diffère cette fois-ci, c'est l'ampleur du phénomène qui est multiplié par la spirale de la finance/Internet. Aujourd'hui, on a peut-être encore le choix : la subir ou la contrôler.

---

18. Les NTIC vivent ce que l'industrie de l'automobile a vécu. Avant la Seconde Guerre mondiale, il y avait 200 fabricants d'automobiles; il n'en reste que 12 aujourd'hui.
19. Interrogés par le Yankee Group, 83 % des directeurs américains d'entreprises pensent que *Building brand awareness* est l'élément principal du *e-business* actuellement.
20. Par exemple, *pay for play, pay by subscription, play for once, play for life,* etc.
21. Certaines de ces crises ont exigé d'importantes opérations de dépannage : Mexique en 1994, Asie du Sud 1997, Russie en 1998, Brésil en 1999, et Argentine et Turquie.
22. Voir la découverte des Amériques par les conquistadors espagnols, la création de l'empire de la Reine Victoria, la route de la soie ou celle des épices, etc.

La mondialisation est un courant de pensée qui a commencé à émerger il y a une trentaine d'années, avec la mise en place des premiers grands réseaux de télécommunication. Durant sa phase préhistorique, les spécialistes de la mondialisation parlent volontiers d'internationalisation puis de transnationalisation. Depuis 1995, les mots « mondialisation », « globalisation » et « glocalisation » sont associés, chacun agissant sur les deux autres pour devenir un système obéissant à de nouvelles règles.

La phase 1

Durant la période 1995-2000, la mondialisation est aussi exubérante que la nouvelle économie (figure 1). Mais après l'an 2000, on commence à la questionner à cause de l'opacité des négociations politiques et économiques en cours et des questions sans réponse qu'elle soulève. Cette mondialisation pousse à la conversion de tous à un modèle économique **unique** grâce à la mise en réseau **unique** de la planète[23]. Actuellement, ce courant repose sur deux affirmations : absolument tout (matière brute, objet, activité culturelle, service ou idée) devient une marchandise, et la mondialisation de l'économie marchande serait la seule voie du salut universel. Ce processus d'intégration sous-entend la création de marchés mondiaux, donc la coordination d'opérations simultanées dans de nombreux pays, une mobilité accrue et transfrontalière des capitaux, ainsi qu'une culture d'affaires adaptée au e-*business*.

La mondialisation a peut-être été une course vers le haut du point de vue économique, mais, durant sa première phase, elle a été aussi une dégringolade vers le bas du point de vue sociétal[24]. « La mondialisation par le haut a été un cauchemar pour le monde d'en bas »[25]. En effet, la phase 1 de la mondialisation a été « sauvage »; elle a failli en affaiblissant le tissu social et l'efficacité des gouvernements. Le conflit naît de la dissymétrie qui existe entre le pouvoir des marchés conjugué à celui des technologies et celui des individus soutenus par leurs groupes sociaux. Cette mondialisation commence à être remise en question par les citoyens qui acceptent de moins en moins un modèle tout-au-marché qui ne repose que sur la rentabilité; ils exigent maintenant une nouvelle phase « à visage humain ».

La phase 2

Aujourd'hui, on tente de définir la mondialisation comme un échange généralisé, quasiment en temps réel, entre différents acteurs de la société; le système-monde qui émerge sert d'espace pour l'échange des biens et des informations entre les citoyens. Contrairement à ce que les médias racontent, elle n'a pas converti la planète en un gros village, mais a créé un monde plus complexe à gérer, d'autant plus qu'on ne lui connaît actuellement aucun mode d'emploi.

Ce n'est pas la mondialisation qui est responsable des maux de la société occidentale, mais l'incapacité actuelle à civiliser cette force par des échéanciers, des règles bien définies[26], un encadrement des ententes et la mise sur pied d'organismes supranationaux, et autres. Si, durant la phase 1 de la mondialisation, il y eut une tentative de la part de certains promoteurs de prendre le contrôle de notre société, durant la phase 2, il y aura un apprentissage de la gestion d'un nouveau type de société, la société du savoir. La mondialisation ne sera pas ce que certains anticipaient vers 1995; elle demeurera une spirale de croissances inégalement

---

23. D'où les réactions vis-à-vis de la pensée unique véhiculée par ce modèle.
24. « Le système commercial a permis une élévation des niveaux de vie sans précédent dans quelques pays industrialisés... mais il nécessite un meilleur partage des bénéfices au profit des pays moins avancés. » (Mike Moore, nouveau président de l'OMC, *Le Devoir*, 2 septembre 1999, p. B.4)
25. Rapport Onyango-Udagama de l'ONU, août 2000.
26. Exemples de la liste des préoccupations que les États participant au sommet de la ZLEA, à Québec, en avril 2001, ont fait inscrire dans les négociations à venir : santé, sécurité collective, environnement, droits des travailleurs et investissement local.

distribuées[27]. Mais cette spirale s'adaptera aux cultures des différents milieux et pourrait créer plusieurs modèles. La société occidentale ne vivra pas dans un village global uniformisé, mais apprivoisera de nouvelles formes de métissage. La mondialisation est une révolution qui n'est qu'à ses débuts : elle sera ce que la société décidera qu'elle sera.

Les nouvelles technologies de l'information et des communications

Les nouvelles technologies de l'information (NTIC) sont un espace technologique où circulent les connaissances que les êtres humains utilisent pour s'adapter aux changements socioéconomiques. Elles modifient la façon dont nous vivons : *We shape our tools and they shape our minds, values and society*[28]. Le développement des NTIC de tous genres a pour but d'offrir aux gens d'affaires et aux citoyens un réseau intégré leur permettant d'échanger rapidement et à des coûts moindres des services et des produits.

Pour la première fois de son histoire, la société occidentale se dote d'un système de production et de diffusion électronique accessible théoriquement à tous, et qui s'affranchit de la passivité des moyens de communication de masse. Le changement n'est pas tant causé par la quantité phénoménale d'appareils de tous genres utilisés mais par leur banalisation. Pour la première fois également, la société se dote d'un moyen de communication mondial qui échappe au contrôle des gouvernements et pour lequel toute censure est absente. La réticence actuelle de certains pays vis-à-vis de l'implantation des NTIC sur leur territoire se traduira par un coût social[29] à payer et un retard économique[30] à rattraper. Les principaux passages, ou paradigmes, sont :

Anciennes technologies		Nouvelles technologies
Analogique	→	Numérique
Traitement des données	→	Traitement des connaissances
Machine à calculer	→	Machine à communiquer
Logique de fonctionnement	→	Logique d'utilisation
Informatique pure et dure	→	Électronique grand public
Micro-ordinateur seul	→	Réseau de réseaux

Les NTIC sont plus anciennes qu'on ne le pense généralement. On a célébré le cinquantième anniversaire du début de l'informatique et le trentième anniversaire du premier *e-mail* en 1997.

- Elles traitent et diffusent de très grandes quantités d'informations, et modifient ainsi l'économie de la société.

---

27. Par exemple, dans la ZLEA, les États-Unis ont un PIB trois fois plus important que leurs 33 partenaires.
28. « *People will find computing is woven into their lives at least to the degree electricity is in ours.* » (Nathan Myhrvold, *Microsoft chief technology officer*, 1998)
29. Les coûts sociaux sont :
    - l'incapacité des citoyens d'accéder aux informations essentielles à la vie en société se traduit par une plus grande aliénation, particulièrement dans certaines couches mal nanties de la population;
    - l'incapacité du gouvernement de bien renseigner les citoyens se traduit par une absence de consensus, donc par une plus grande difficulté à gouverner;
    - trop d'informations provenant des États-Unis se traduisent par une acculturation, en particulier par une dilution de la langue et de la culture;
    - une éducation non adaptée aux mutations de notre environnement signifie des emplois mal rémunérés ou pas d'emplois du tout.
30. Les spécialistes parlent de pays en deuxième vitesse, tandis que d'autres parlent de *digital darwinism* ou de *digital divide* pour expliquer l'apparition de ce nouveau tiers-monde de l'information.

- Elles exigent des utilisateurs une initiation aux nouvelles écritures médiatiques, ce qui, en retour, modifie leur langue et leur culture.

- Elles offrent des contenus destinés à des groupes d'intérêts, ce qui suscite non pas un grand marché mais plutôt une multitude de micromarchés et modifie le tissu industriel.

- Elles sont le soutien technique de la plupart des grandes épopées scientifiques, de la bombe atomique au génome, en passant par la conquête de la Lune.

Les mutations du tissu communicationnel

De 1995 à 2000, la société occidentale réorganise complètement la trame technique servant à ses communications. Poussée par ces forces que sont les convergences technologiques, une nouvelle génération de l'Internet naît. L'objectif est de rejoindre le plus grand nombre possible d'utilisateurs, partout où ils se trouvent, pour leur offrir un grand volume de produits et services à des prix plus avantageux. C'est la grande bataille pour le contrôle des accès physiques.

- En l'an 2000, le réseau des réseaux n'est pas encore complètement intégré (*seamless*). De plus, il ne s'est pas implanté partout, mais seulement là où des marchés émergents permettent de le financer.

- L'Internet a déçu : il n'est pas devenu l'agent de changement prévu par les cybergourous des années 1990-1995, notamment en ce qui concerne les inégalités sociales qui s'accroissent.

- La mise en place des réseaux n'a pas fait apparaître (par magie?) les contenus, d'où les coûts élevés pour des conduits où circulent peu de produits et de services attirant de véritables achats. De plus, l'Internet est encore prisonnier du mythe de la gratuité.

L'Internet[31]

En 2001, l'Internet n'existe comme phénomène de masse que depuis 2 000 jours; il n'est pas une nouvelle technologie, mais un système intégré de partage des ressources. Son but principal est de créer des échanges. C'est un système global d'informations sans barrière ni frontière, qui repose actuellement sur trois protocoles (le TCP/IP, l'hypertexte et le langage HTML) et qui fonctionne sept jours sur sept. Il est l'un des deux catalyseurs de croissance de notre société actuelle, l'autre étant les circuits électroniques[32]. En 1995, l'Internet commence à faire passer notre société des machines à calculer vers les machines à communiquer. Autour de 2005-2007, on parlera de machines à informer. Le centre de gravité des TI déplace pour sa part les intérêts des promoteurs du *hardware* au *software,* puis vers l'*infoware* ou contenu (figure 2).

En l'an 2000, l'Internet réunit environ 200 millions d'internautes, 300 millions de sites commerciaux et 2 milliards de pages Web accessibles grâce au courrier électronique, au Web et au sans-fil. À la fois norme, réseau, collection d'outils et cyberespace, l'Internet est important parce qu'il est un lieu de production culturelle, c'est-à-dire qu'il véhicule des informations qui, dans une société du savoir, sont une ressource stratégique essentielle pour le développement. L'Internet est également important parce que l'« économie Internet » joue déjà un rôle prépondérant aux États-Unis[33] : en 1998, elle fait travailler 1,2 million de personnes (la majorité de ces emplois n'existaient pas en 1994-1995)

---

31. Net, *matrix*, inforoute, *knowledge highway, digital information network, electronic highway, i-way, infobahn, infopike*, toile, Internet 2e génération.

32. Ceux-ci demeurent encore des catalyseurs importants, car les prochains circuits abaisseront considérablement les coûts de production et de diffusion.

33. Depuis 1995 (l'étape A de la figure 2), un tiers de la croissance américaine est liée aux NTIC.

et totalise plus de 300 milliards de dollars. Ramenée au rang du PIB, cette économie se situe au 18e rang mondial[34]. Elle est devenue la troisième industrie au monde, quelque part entre l'énergie et les drogues illégales. Après 2005, elle deviendra la première.

Les défis et les stratégies

Voici une série de questions non encore résolues qui constituent autant de défis créés par l'apparition des NTIC.

Les défis technologiques

L'avenir de l'Internet est assuré, mais sa forme est loin d'être figée. Le réseau se réorganise pour répondre aux défis technologiques suivants :

- créer suffisamment de largeurs de bande et d'espaces mémoire pour acheminer les images écran interactives;

- préparer la mise en place d'automates conviviaux remplaçant la plupart des anciens services traditionnels;

- mettre au point des méthodes industrielles de production et de diffusion des informations;

- élaborer une approche hybride, car il n'y aura pas de modèle technologique ou de système unique.

La sécurité et la cybercriminalité

La notion de sécurité est l'un des indices de l'évolution des NTIC. Il est curieux de constater qu'en 1999 nous pensions que les défis liés à la sécurité étaient surmontés; pourtant, les problèmes demeurent encore entiers. Si bien qu'actuellement le manque de confiance du consommateur empêche l'essor du commerce électronique. La réponse au problème est dans l'évolution du concept de sécurité qui, autrefois centré sur les technologies (le *firewall* par exemple), glisse maintenant vers les pôles économique (les transactions) ou sociétal (le respect de la vie privée). La sécurité[35] est donc à la base de la monnaie et du commerce électroniques, des portails, etc., c'est-à-dire du Web en général. Dans le secteur de la sécurité, il faudra donc surveiller :

- l'internationalisation des normes techniques;

- l'évolution du marché de la *privacy-protection technology*, qui progressera au fur et à mesure que certains consommateurs bien nantis (les *early doers*) seront prêts à débourser pour des services respectant leur vie privée;

- la redéfinition des législations à cause de la mondialisation des marchés; il faudra surveiller en particulier l'émergence de groupes supranationaux dans ce domaine.

Les défis du Québec à l'aube du XXIe siècle

Si nous analysons le Québec à partir des trois pôles (figure 1) formant la nouvelle société, nous remarquons qu'il est en 2001 dans une situation fragile.

---

34. *Le poids d'Internet, Le Devoir*, 11 juin 1999, p. A7.
35. La cryptographie avec ses clés publiques et privées, le coupe-feu, la fonction de hachage, la signature numérisée et les certificats. À ce sujet, on peut consulter *eSecurity Online.com*.

- **Pôle économique**. Le Québec fait peut-être partie des quinze premiers pays industrialisés, mais c'est un petit marché qui vend la plus grande partie de sa production à son voisin américain[36]. Parce qu'il croît moins vite que le Canada[37] et les États-Unis, sa situation pourrait rapidement se détériorer dans ce contexte très compétitif qu'est la mondialisation.

- **Pôle sociétal**. Le Québec est trois fois minoritaire : dans le Canada, dans l'ALENA (Accord du libre-échange nord-américain) et dans la francophonie; c'est un îlot francophone dans une mer anglophone. De plus, sa population est divisée quant à son avenir, aux prises avec les défis de son américanité[38] et affaiblie par sa dénatalité[39].

- **Pôle technologique**. Le Québec a pris le « virage technologique » sur papier seulement. Dans le domaine des NTIC, il est en retard de six mois par rapport au Canada qui, lui-même, est en retard d'un an et demi par rapport aux États-Unis[40].

Comme pour d'autres pays, la précarité de sa situation ne signifie pas nécessairement qu'il est en danger, mais qu'il devrait mieux préparer son prochain plan de société, notamment à plus long terme. Certains analystes résument leurs conclusions par l'expression populaire « C'est pas si pire ».[41] Grâce à la ténacité de ses ancêtres, le Québec a survécu 400 ans à des ruptures de toutes sortes; il peut encore le faire, mais à certaines conditions. Rien n'est perdu, rien n'est gagné, tout se passera en 2003-2004. Le résultat sera un Québec de première ou de seconde zone[42], selon la vision qu'il aura de sa propre place dans le monde à venir.

Peu de pays ont autant évolué que le Québec depuis 1967[43]. En effet, Terre des Hommes a été « le début d'un temps nouveau », comme disait une chanson d'alors. À cause de sa petite taille, le Québec ne sera jamais le premier, mais, comme d'autres[44], il pourrait très bien tirer son épingle du jeu avec les outils qu'offre une nouvelle économie supportée par les NTIC. Voici trois scénarios plausibles de l'évolution prochaine de la société et de l'économie québécoises, selon que des décisions, bonnes ou mauvaises, auront été prises ou non.

Un scénario sombre : Division.Québec

C'est le scénario de la prise de mauvaises décisions. Poussé par la spirale finance-Internet et de mauvaises décisions, le Québec devient plus ou moins un 51e État américain et manque de souffle pour chevaucher la reprise économique en 2003 ou 2004. Il pourrait devenir une Louisiane nordique, sorte de terrain de jeux exotiques des Amériques : un monde fait de festivals, d'environnements superbes, de loisirs et de casinos, avec un *French* accent assurant le dépaysement des visiteurs.

36. Un milliard trois cents millions de dollars US traversent les frontières chaque jour.
37. Le Canada croît le quart plus vite. Entre 1981 et 1999, le produit intérieur brut aux prix de 1992 a crû de 2,6 % au Canada et de 2,1 % au Québec, ce qui signifie un écart de 25,7 % entre les deux taux de croissance.
38. L'américanité est la conscience de vivre dans le Nouveau Monde, le consentement à appartenir au continent américain et la volonté d'en tirer les bénéfices économiques, politiques et culturels. Yvon Lamonde, *Nous sommes à la fois européens et américains*, Le Devoir, 12 avril 2001, A7.
39. Voir les impacts du taux de fécondité, qui est l'un des plus faibles parmi les pays industrialisés, accompagné du taux rapide de vieillissement et de la retraite des *baby-boomers*.
40. Évaluation globale basée sur un ensemble de critères, tels que l'existence d'un plan de société tenant compte des NTIC et de la nouvelle économie, les investissements en recherche et développement dans le domaine des NTIC, les investissements en éducation traditionnelle et continue, les investissements en formation professionnelle (NTIC), le nombre de machines à communiquer (et branchées) au bureau et à la maison, le nombre de technopoles, le poids des entreprises de TI sur le marché du financement, etc.
41. Jean Paré, dans *Actualité*, 15 septembre 2001, p. 95.
42. Certains parlent de pays en première ou en deuxième vitesse.
43. En fait, le Québec s'améliore constamment. Le problème vient du fait que ses voisins et compétiteurs progressent à un rythme plus rapide.
44. Irlande, Finlande, Suède, Brésil, etc.

Un scénario gris : Québec.inc

C'est le scénario de l'absence de prise de décisions éclairées. Vers 1970, poussée par les besoins à la fois économiques et culturels, l'intelligentsia de l'époque conçoit une panoplie d'outils de toutes sortes[45] et crée le Québec moderne. Cela a été l'épisode de la Révolution tranquille. Depuis 1995, l'intelligentsia québécoise a été placée devant plusieurs occasions pour répéter cet exploit. Si elle ne les saisit pas rapidement, les constats pour le Québec, à l'horizon 2005/2007, pourraient être les suivants.

- L'Internet, outil de décentralisation par excellence, aurait pu être utilisé pour devenir le support technique à une véritable régionalisation et un support administratif pour ces grands secteurs que sont la santé, l'éducation, l'environnement et les infrastructures.

- Le fort courant américain de commercialisation des produits culturels aurait pu être uti-lisé en harnachant la grande créativité des Québécois dans divers domaines[46] et devenir non seulement un levier économique très important, mais aussi une opération de *branding*, ce qui manque au Québec actuellement[47].

- Montréal aurait pu devenir une technopole et s'intégrer au réseau des villes-régions thématiques qui deviendront l'épine dorsale de la nouvelle économie[48].

- De grandes entreprises de télécommunications, en perte de vitesse, auraient pu changer leur situation en ayant une meilleure vision de l'éventuelle évolution de leur secteur d'activité[49]. Dans quelques années, le Québec pourrait ainsi avoir dilapidé un héritage essentiel à sa survie autant culturelle qu'économique.

Somme toute, Québec.inc, formé par les élites traditionnelles, ne prendrait pas le virage de la nouvelle société à cause d'une vision frileuse d'un Québec replié sur lui-même. De plus, le triangle État – universités – entreprises s'est effrité devant le « modèle québécois », selon lequel l'État devient le grand arbitre. Ce scénario est celui du statu quo : rien ne bouge. Cela est un mauvais choix quand tous les voisins progressent.

Un scénario optimiste : Québec.com

C'est le scénario de la prise de bonnes décisions. Pour arriver à Québec.com, il faudrait élaborer un plan de société à long terme qui puisse rassembler tous les acteurs et les créa-teurs : les ministères qui sont autant d'organisations isolées, les universités absentes des principaux débats et le secteur privé, qui veut tout faire, mais seul. Le Québec ne manque ni de talents ni de ressources, mais ces derniers sont fragmentés parce qu'il n'y a pas de plan commun ralliant les forces vives, en particulier chez la génération montante des jeunes entrepreneurs qui formeront le Québec de demain. Le Québec a un urgent besoin d'une nouvelle Révolution tranquille. Voici quelques suggestions pour concevoir un tel plan.

- Si l'avenir est aux riches, c'est-à-dire à ceux qui génèrent des produits spécialisés, le Québec doit cesser de saupoudrer ses efforts et ses subventions et concentrer ses efforts dans

---

45. Nationalisation de l'électricité, SGF, ministère des Affaires culturelles, Rapport Parent, Soquip, Sidbec, Télé-Québec, Caisse de dépôts et de placements, ministère de l'Éducation, allocations familiales, etc.

46. Exemples des chansonniers, des divers cirques ou spectacles comme Notre-Dame de Paris, des logiciels, etc.

47. L'étiquette « Québec » est inconnue ou presque de par le monde. Pour les Français, nous sommes des Canadiens et pour les autres des Nord-Américains. *Le Québec doit refaire à l'étranger son image,* par la ministre Louise Beaudoin, *Le Devoir,* 8 septembre 2001, G3.

48. Montréal devrait être une technopole des TI, du biopharmaceutique et de l'aéronautique avec l'organisation que cela suppose, ce qui n'est pas le cas.

49. Exemples de démêlés pour conserver à tout prix Vidéotron au Québec au moment où il fallait regarder plutôt du côté de l'ALENA. En fait, nos géants canadiens, bien petits à l'échelle de la mondialisation (Rogers, Astral, Alliance Atlantis, Shaw, Québécor) ont adopté des stratégies qui les confinent au territoire canadien (René Lewandowski, *La convergence version Power, La Presse,* 8 septembre 2001, B1.).

certains secteurs précis où il est déjà bien installé[50]. Mettre au point des stratégies, non pas à partir de la quantité mais de la qualité, parce que l'avenir appartient à la spécialisation, à la personnalisation et à la valeur ajoutée.

- Le Québec doit définir une politique proactive vis-à-vis de la langue; il faut la voir moins comme un problème politique que comme un défi économique[51]. Par ailleurs, il faut utiliser ce potentiel extraordinaire qu'est notre bilinguisme et développer encore plus ces industries de la langue qui sont la base du commerce électronique[52].

- Parce que le tissu industriel québécois est composé à 80 % de PME (figure 3), et que leur avenir immédiat est centré autour du *B2B*[53], le Québec doit les aider à se convertir au *e-business*, ce qui exige de leur part un important changement de mentalité, en particulier pour apprivoiser le KM et le CRM[54], la veille intégrée, etc.

- Les grands ensembles industriels québécois doivent devenir plus compétitifs. Il leur faut pour cela modifier leurs chaînes de production-diffusion, favoriser une organisation briques-et-clics et une production plurimédia, parce que l'industrie de l'immatériel qui émerge privilégie le tout numérique, base des transactions et diffusions plus rapides et moins coûteuses (figure 4).

- Le Québec doit anticiper le développement de la mondialisation en étudiant celui des mégamajors[55] et mettre au point des stratégies d'alliances à partir de son capital le plus précieux, soit ses marchés territoriaux (figure 3). Grâce à ces alliances, le Québec sera présent là où se prennent les décisions concernant 80 % de ses marchés avec ses partenaires nord-américains.

- Tout cela doit être accompagné par une politique intégrée d'éducation continue pour les citoyens et de formation professionnelle pour les employés, la base d'une société du savoir.

---

50. Où nous possédons une masse critique suffisante d'entreprises, de marchés locaux, beaucoup de talents, d'alliances, etc.

51. La culture devient un défi économique quand un livre ou un film en français coûte plus cher qu'en anglais.

52. Produire systématiquement en français, en anglais et en espagnol par exemple, aider tout ce qui est conception de dictionnaire, de traducteur, de navigateur et d'interface de troisième génération, etc.

53. Le *business-to-business*, c'est-à-dire les réseaux d'affaires interentreprises (employés, vendeurs, fournisseurs, etc.) sous forme d'intranet et d'extranet. C'est la première étape vers la conquête du volume, de l'omniprésence et des prix compétitifs, qui caractérisent la nouvelle économie.

54. *Knowledge management* ou la gérance des connaissances de l'entreprise et CRM (*customer relationship management*) ou la gérance des clientèles de l'entreprise.

55. Exemple de l'Union européenne qui, lors de l'annonce du démarrage du *Information Highway,* a mis immédiatement sur pied un observatoire capable de suivre les achats d'entreprises européennes par les Américains.

Références

Aspects sociétaux

CASTELLS, Manuel. *1- La société en réseaux, 2- Le pouvoir de l'identité, 3- Fin de millénaire*, Paris, Fayard, 1998 et 1999.
COMITÉ SÉNATORIAL PERMANENT DES AFFAIRES SOCIALES, DES SCIENCES ET DE LA TECH-NOLOGIE. *Rapport final sur la cohésion sociale*, Ottawa, Gouvernement du Canada, juin 1999.
LEVY, Pierre. *Cyberculture,* Rapport au Conseil de l'Europe, Paris, Éditions Odile Jacob, 1997.

Aspects économiques

ALDRICH, Douglas F. *Mastering the Digital Marketplace,* New York, John Wiley & Sons, 1999.
MAY, Paul. *The Business of E-commerce, From corporate stategy to technology,* Cambridge, Cambridge University Press, 2000.
MOODY, Patricia E. et Richard E. MARLEY. *The Technology Machine,* New York, Free Press, 1999.
PRICE WATERHOUSE, équipe de. *E-Business Technology Forecast,* Menlo Park, Pricewaterhouse Coopers, 1999.

Aspects technologiques

BERG, Eric M. (dir.). « From Atoms to Systems : A Perspective on Technology », dans *Technology Forecast : 2000,* Menlo Park, Pricewaterhouse Coopers, 2000.
COVELL, Andy. *Digital Convergence,* [s.l.], Aegis Publishing Group, 2000.
NEGROPONTE, Nicholas. *L'homme numérique,* Paris, Éditions Robert Laffont, 1995.
PRICE WATERHOUSE, équipe de, et Michael KATZ (éd.). *EMC Technology Forecast : 1998,* Menlo Park, Pricewaterhouse Coopers, 1998.

Vers 2005

CORPORATE ASSOCIATES PROGRAM. *2000 Ten-Year Forecast,* Menlo Park, Institute for the Future, 2000.
ECONOMIST INTELLIGENCE UNIT et DELOITTE & TOUCHE. *The 21st Century communications company, Managing the dynamics of change,* New York et Londres, The Economist, 1999.
EVANS, Philip et Thomas S. WURSTER. *Blow to bits, How the new economics of information transform strategy,* Boston, Harvard Business School Press, 2000.
FOOT, David K. *Entre le boom et l'écho 2000, Comment mettre à profit la réalité démographique à l'aube du prochain millénaire,* Montréal, Éditions du Boréal, 1999 (Collection Info Presse).
HAMEL, Gary. *Leading the Revolution,* Boston, Harvard Business School Press, 2000.
LETHWAIT, John Mick et Adrian WOOLDRIDGE. *A Future Perfect, The Challenge and Hidden Promise of Globalisation,* New York, Crow Business, 2000.
NALEBUFF, Barry et Adam BRANDENBURGER. *La Co-opétition, Une révolution dans la manière de jouer concurrence et coopération,* Paris, Éditions Village mondial, 1996.
PRICE WATERHOUSE, équipe de. *EMC Technology Forecast : 1998,* Menlo Park, Pricewaterhouse Coopers, 1997.
ROSELL, Steven A. *Refaire le monde, Gouverner dans un monde en transformation rapide,* Ottawa, Les Presses de l'Université d'Ottawa, Économie politique, 1995.
STEWART, Thomas A. *Intellectual Capital, The New Wealth of Organizations,* New York, Doubleday/Currency, 1997.
STRAUSS William et Neil HOWE. *The Fourth Turning, An American Prophecy, What the Cycles of History Tell Us About Americas's Next Rendez-vous with Destiny,* New York, Broadway Books, 1997.

Territoire

Liste des tableaux

Liste des figures

Ce chapitre a été réalisé par Hélène Lepage, de la Direction de l'édition et des communications de l'Institut de la statistique du Québec.

Ce chapitre décrit brièvement le milieu naturel québécois en introduisant des données générales sur le territoire du Québec et ses frontières, les grands ensembles physiographiques, le climat, l'hydrographie et la végétation. La question de la gestion du territoire est ensuite abordée en trois points, soit la tenure des terres, le découpage territorial et le Plan géomatique du gouvernement du Québec.

Des données portant sur le territoire sont apparues dès la première édition de l'*Annuaire statistique*, en 1914. Elles étaient alors réparties dans plusieurs chapitres, notamment celui intitulé « Description de la province de Québec » qui comportait quatre volets, soit la physiographie, la géologie, la faune et la flore. D'autres thèmes relatifs à la géographie du Québec étaient aussi abordés dans cette même édition, telles la climatologie, la superficie du territoire et les divisions administratives.

Le territoire québécois et ses frontières

Le Québec couvre un territoire de 1 667 926 km^2 et constitue, par le fait même, la plus vaste des 10 provinces canadiennes[1] (tableau 1.1). Au Canada, seul le territoire du Nunavut est plus grand. La superficie du Québec se compare à celle de l'Iran et correspond à la moitié de celle de l'Inde. Le Québec pourrait contenir 3 fois la France, 15 fois Cuba et 40 fois la Suisse (tableau 1.2). Situé au nord-est du continent nord-américain, le Québec a un large accès à l'océan Atlantique. En fait, sa surface maritime occupe 171 526 km^2; elle comprend le fleuve et le golfe Saint-Laurent, les échancrures des baies James, d'Hudson et d'Ungava, de même que celles du détroit d'Hudson. Le Québec est délimité par plus de 10 000 km de frontières terrestres, fluviales et maritimes. Il partage les premières avec l'Ontario, Terre-Neuve, le Nouveau-Brunswick et quatre États américains (Maine, New Hampshire, Vermont et New York), tandis que ses frontières maritimes se situent dans les mers septentrionales au sud du Nunavut, ainsi qu'à la ligne d'équidistance des rives des provinces maritimes. Les limites terrestres forment environ 50 % du périmètre total du Québec, alors que les limites fluviales et maritimes occupent respectivement 12 % et 38 % du périmètre (tableau 1.3).

Le territoire québécois se situe du 45e au 62e degré de latitude Nord et du 56e au 79e degré de longitude Ouest. Du sud au nord, le Québec s'étend donc sur un peu plus de 17 degrés de latitude et d'est en ouest, sur plus de 22 degrés de longitude. À titre de comparaison, Montréal se trouve à la même latitude que Milan et à la même longitude que New York.

---

1. Compte tenu des prétentions du Québec sur les eaux territoriales et de la non-reconnaissance de l'avis émis en 1927 par le Comité judiciaire du Conseil privé de Londres concernant la frontière du Labrador, attribuant à Terre-Neuve tout le territoire drainé par l'Atlantique au nord du 52e parallèle, le gouvernement du Québec considère que la superficie du Québec est de 1 667 926 km^2.

Les grands ensembles physiographiques[2]

Le bouclier canadien

Le bouclier est à la fois le plus vaste des ensembles structuraux et la plus vieille formation géologique du continent nord-américain. Il s'étend sur plus de 80 % du territoire québécois en un immense plateau ondulé d'âge précambrien. L'altitude moyenne de ce socle cristallin, surtout composé de granites et de gneiss, est inférieure à 600 m. Cependant, en quelques endroits, certaines montagnes s'élèvent à plus de 1 000 m au-dessus du niveau de la mer. La principale chaîne de montagnes, les monts Torngat, culmine à 1 652 m avec le mont D'Iberville, le plus haut sommet du Québec (tableau 1.4). En ce qui concerne les dépôts meubles, ils sont issus des matériaux ayant été érodés et transportés lors des mouvements du glacier, ou par sa fonte. Ces dépôts de type glaciaire, fluvio-glaciaire ou lacustre se retrouvent dans les dépressions, tandis que les affleurements rocheux prédominent en général dans les parties supérieures.

Les basses terres du Saint-Laurent

D'altitude généralement inférieure à 150 m, les basses terres du Saint-Laurent ont l'allure d'une plaine étroite orientée sud-ouest-nord-est le long du fleuve. En territoire québécois, elles s'étendent, de manière discontinue, depuis le lac Saint-François jusqu'à l'île d'Anticosti; elles incluent également les basses terres du lac Saint-Jean, enclavées dans le bouclier, mais reliées au Saint-Laurent par le fjord du Saguenay. Le socle est surtout constitué de roches sédimentaires paléozoïques disposées en couches horizontales (grès, calcaires, dolomies et schistes), au travers desquelles ont pénétré, au Crétacé, des injections de roches intrusives. L'érosion des matériaux des basses terres a permis le dégagement de ce qui constitue aujourd'hui cinq des huit collines montérégiennes, les trois autres étant localisées dans la région appalachienne. Des dépôts glaciaires et des dépôts marins sableux et argileux couvrent cet ensemble.

Les Appalaches

Au Paléozoïque, le contact répété d'une masse continentale à la marge sud-est du Québec a provoqué la formation de ce qui constitue aujourd'hui l'ensemble structural des Appalaches. Celles-ci forment une chaîne de montagnes qui s'étend du sud-est des États-Unis jusqu'à Terre-Neuve, en traversant les régions québécoises situées au sud du fleuve Saint-Laurent (Montérégie, Estrie, Chaudière-Appalaches, Bas-Saint-Laurent et Gaspésie–Îles-de-la-Madeleine). Cette chaîne de montagnes vallonnée, où les sommets dépassent rarement 1 000 m, culmine à 1 270 m avec le mont Jacques-Cartier, le plus haut sommet du Québec méridional. Le socle appalachien est principalement composé de roches sédimentaires et volcaniques, plissées et métamorphisées. Des dépôts glaciaires et fluvio-glaciaires recouvrent la majeure partie de cet ensemble montagneux.

---

2. Pour une description des 13 provinces naturelles du Québec, veuillez consulter l'édition 1995 du *Québec statistique* aux pages 122 à 125 et 131, ou le site WEB du ministère de l'Environnement du Québec pour des informations plus récentes et plus complètes à ce sujet.

Le climat

Le climat froid et humide du Québec est grandement déterminé par sa position nordique et maritime. Le Québec possède un climat beaucoup plus froid que celui de pays européens localisés aux mêmes latitudes. En effet, le Québec ne profite pas de la présence du Gulf Stream, ce courant marin chaud qui circule près des côtes d'Europe de l'Ouest et du Nord. Au contraire, le Québec se trouve sous l'influence du courant marin du Labrador qui refroidit l'ensemble des eaux du nord de l'Amérique du Nord (tableau 1.6). Ainsi, la capitale de la Norvège, Oslo, est dotée d'un climat plus doux que Montréal, qui est pourtant située 15 degrés de latitude plus au sud. Le Québec reçoit dans l'ensemble une quantité importante de précipitations, dont une bonne partie tombe en période hivernale sous forme de neige (tableau 1.7). Une autre particularité du climat québécois est que les masses d'air et les systèmes météorologiques qui l'influencent se forment à l'extérieur du Québec et souvent loin de celui-ci. À partir de leur lieu d'origine, les dépressions voyagent généralement vers l'est selon des trajectoires parallèles à la vallée du Saint-Laurent. Par ailleurs, en été, le sud du Québec est souvent influencé par des systèmes dépressionnaires se déplaçant à la hauteur du 55e parallèle, auxquels sont notamment associés des nuages accompagnés de précipitations.

Les principales zones climatiques[3]

La **zone arctique** se trouve à l'extrême nord du Québec. Elle présente un hiver rigoureux, très froid et sec, et une brève saison de dégel. Les températures quotidiennes moyennes ne sont supérieures à 0 °C qu'en juillet et en août et, même durant ces mois, elles n'atteignent que très rarement 10 °C. Dans cette zone, la température annuelle moyenne est de - 17 °C et les précipitations sont faibles, soit de 136 mm annuellement.

Dans la **zone subarctique**, qui s'étend entre les 50e et 58e degrés de latitude, le climat se compose d'un hiver très froid et long (six mois environ) et d'une saison estivale fraîche qui ne dure que quatre mois. Durant cette saison, les gelées sont courantes, sauf en juillet et en août. La température annuelle moyenne varie de - 5 °C à - 20 °C selon la latitude et le degré d'exposition. L'hiver reçoit environ un tiers des précipitations annuelles totales qui sont de 396 mm.

Dans la **zone continentale humide**, située au sud du 50e degré de latitude, l'hiver est froid, plutôt long et neigeux. L'été est chaud, assez court et légèrement humide. La température annuelle moyenne est de 4 °C; on observe généralement des températures supérieures à 0 °C de la fin mars jusqu'au mois de novembre. Les précipitations sont importantes tout au long de l'année, variant entre 900 mm et 1 400 mm. On compte environ 343 cm de neige par année.

La **zone maritime de l'Est** est localisée aux Îles-de-la-Madeleine. Elle est caractérisée par un hiver assez long, mais relativement doux, alors que l'été est plutôt court, chaud et pluvieux. Dans cette zone, les températures subissent l'influence modératrice de l'océan Atlantique. La température annuelle moyenne est de 4,7 °C, et les précipitations atteignent 1 037 mm annuellement, dont 248 cm tombent sous forme de neige.

---

3. Il existe d'autres classifications des climats, dont celle développée par McKenny en 1998. Ce dernier a divisé le Québec en 15 régions climatiques à l'aide de 9 variables. Une analyse de ces 15 régions, selon la classification mondiale de Litynski (1988), mène à un regroupement en 12 classes, présentées sur le site WEB du ministère de l'Environnement. En 2001, la façon d'y accéder est de sélectionner « Biodiversité », et de cliquer sur « Provinces naturelles » dans la section « Aires protégées ».

L'hydrographie

Au Québec, les nappes d'eau douce de surface recouvrent 10 % du territoire, soit 183 690 km². Dans l'ensemble, le Québec renferme près de 3 % des réserves d'eau douce de la planète. On estime à 750 000 le nombre de lacs qui alimentent les quelque 130 000 rivières sillonnant les trois grands bassins hydrographiques du territoire québécois (tableau 1.8). Les crues printanières représentent près de 30 à 40 % de l'écoulement annuel des eaux. Généralement, dans les régions du nord, la crue printanière survient un mois plus tard que dans les régions du sud. La possibilité d'embâcle s'avère donc beaucoup plus élevée dans le cas des rivières s'écoulant du sud vers le nord. En effet, la rupture du couvert de glace, qui se produit d'abord dans les zones méridionales, alors que les secteurs plus nordiques demeurent gelés, peut engendrer l'obstruction des cours d'eau par l'amoncellement des glaces. Il est à noter que la majorité des eaux douces du Québec s'écoulent vers les régions septentrionales du territoire, c'est-à-dire vers les baies James, d'Hudson et d'Ungava.

Les principaux bassins versants

Le bassin du Saint-Laurent

Avec une superficie de plus de 600 000 km² en territoire québécois, il s'agit du plus vaste des trois bassins hydrographiques. Il contient moins de lacs que les bassins du nord, mais certains sont tout de même importants, notamment le lac Saint-Jean (1 041 km²). Généralement, les rivières de la rive nord du fleuve Saint-Laurent sont plus longues que celles de la rive sud.

Le bassin des baies James et d'Hudson

Ce bassin de 518 000 km² renferme les deux lacs naturels les plus importants au Québec, soit le lac Mistassini (2 113 km²) et le lac à l'Eau Claire (1 243 km²). Il contient 65 rivières d'importance, dont 8 des 19 plus grandes au Québec, de même qu'un nombre incalculable de lacs de toutes tailles. Les grands réservoirs du complexe La Grande se trouvent aussi à l'intérieur de ce bassin versant.

Le bassin de la baie d'Ungava

Ce bassin d'une superficie de 492 000 km² occupe tout le grand nord du Québec, depuis les contreforts des monts Torngat jusqu'aux vastes étendues de toundra du plateau hudsonien à l'ouest de la baie d'Ungava. La façade maritime du détroit d'Hudson est découpée de fjords, tandis que la baie d'Ungava, avec ses grands estuaires, est le site de très fortes marées pouvant atteindre les 20 mètres dans la baie aux Feuilles.

Le fleuve Saint-Laurent

Le Saint-Laurent coule dans la grande zone déprimée entre les hautes terres du bouclier canadien et des Appalaches. En incluant les Grands Lacs, il s'agit du 19e plus long fleuve au monde (3 060 km). Il reçoit 244 affluents dans sa portion québécoise, ce qui le classe d'ailleurs au 15e rang mondial quant à la superficie de son bassin versant (1 307 800 km²). Avec un débit annuel moyen de 13 018 m³/s, le Saint-Laurent occupe le 13e rang au monde. De tous les grands fleuves, il présente également le tracé le plus rectiligne. Ses caractéristiques hydrologiques et morphométriques permettent néanmoins de le diviser en différents secteurs (figure 1.1).

Les divisions hydrographiques du Saint-Laurent

Le **tronçon fluvial** s'étend entre la sortie du lac Ontario et l'exutoire du lac Saint-Pierre sur 424 km, dont 240 km sont situés en territoire québécois. Il est caractérisé par la présence de rapides, de lacs fluviaux et d'archipels, et montre une alternance de zones de resserrements prononcés et d'élargissements peu profonds. Au total, 68 m de dénivellation séparent le lac Ontario du lac Saint-Pierre.

L'**estuaire fluvial** s'étend sur 160 km entre Pointe-du-Lac et la pointe est de l'île d'Orléans. De la partie amont jusqu'à Portneuf, l'écoulement des eaux se fait vers l'aval. Toutefois, au-delà de Portneuf, la marée exerce une influence de plus en plus grande jusqu'à Québec. Celle-ci se traduit, lors de la marée montante, par un renversement du courant et par un mélange de plus en plus homogène des eaux douces provenant de différents affluents.

Le **moyen estuaire** va de la pointe est de l'île d'Orléans jusqu'à l'embouchure du Saguenay, ce qui totalise 150 km. Il se produit dans cette portion du fleuve un mélange des eaux douces et des eaux salées entraînant, par le fait même, une augmentation du gradient de salinité. Ce mélange s'accompagne d'une remise en suspension des sédiments qui engendre, entre l'île d'Orléans et l'île aux Coudres, une forte turbidité des eaux. Le renversement des courants de marée contribue aussi à ce qu'une grande quantité de matières en suspension demeurent piégées dans ce secteur.

L'**estuaire maritime** s'étend de Tadoussac à Pointe-des-Monts sur 230 km. Entre ces points, la largeur de l'estuaire maritime passe de 24 km à 50 km. Par ailleurs, la rupture de pente observée à l'île Rouge, où la profondeur chute de 25 à 340 m sur une courte distance, marque l'extrémité amont du chenal laurentien. Cette profonde vallée sous-marine s'étend de l'embouchure du Saguenay jusqu'au plateau continental de l'Atlantique.

Le **golfe** est une mer semi-fermée de forme triangulaire qui couvre environ 195 000 km^2. Les eaux océaniques y pénètrent surtout par les deux bras du chenal laurentien. Au sud-est, le détroit de Cabot laisse pénétrer les eaux océaniques en profondeur, tandis qu'au nord-est, le courant froid du Labrador pénètre par le détroit de Belle-Isle.

Quelques aspects de la dynamique du fleuve

La circulation des eaux de surface de l'estuaire maritime et du golfe est caractérisée par la présence de grands mouvements tourbillonnaires (gyres). L'eau en provenance de l'estuaire moyen tend à pénétrer dans l'estuaire maritime le long de la rive sud, alors que l'eau qui provient du golfe remonte plutôt le long de la rive nord. La rencontre de certaines gyres provoque des courants transversaux dirigés vers le nord dans la région du Bic, et vers le sud vis-à-vis de Pointe-des-Monts. Par ailleurs, les vents d'ouest dominants favorisent la création de plusieurs zones de remontée d'eau froide dans l'estuaire maritime et dans le golfe, celles-ci permettant un enrichissement continu des eaux de surface en éléments nutritifs.

Les eaux du chenal laurentien présentent une stratification marquée. En été, les eaux superficielles relativement chaudes couvrent les eaux glaciales intermédiaires et les eaux de salinité élevée en profondeur. En hiver, l'étagement se modifie et seules deux masses d'eau se différencient : les eaux superficielles froides (- 1 à 2 °C), d'une profondeur de 60 à 100 m, recouvrent une immense masse d'eau plus chaude (2 à 5 °C). Il est à noter que la température des eaux profondes change peu au cours de l'année.

Une onde de marée se propage deux fois par jour, d'aval en amont, dans le golfe et l'estuaire du Saint-Laurent. Elle prend naissance aux Îles-de-la-Madeleine et met plus de six heures à parcourir la distance entre Pointe-des-Monts et Québec. Avec le rétrécissement du fleuve et l'élévation du fond, la hauteur moyenne de la marée s'amplifie. Le marnage maximum est de cinq mètres à l'île d'Orléans; il s'atténue progressivement jusqu'au lac Saint-Pierre. Une des caractéristiques des marées dans l'estuaire est que les niveaux d'eau s'élèvent plus vite qu'ils ne redescendent. De plus, dans l'ensemble, on observe que la marée est légèrement plus accentuée sur la rive nord que sur la rive sud de l'estuaire.

La végétation

Ce sont surtout les facteurs climatiques, généralement moins favorables au fur et à mesure que l'on se déplace vers le nord, qui déterminent la répartition de la végétation sur le territoire québécois. Dans le Québec méridional, les variations d'altitude, si elles sont importantes, peuvent entraîner un étagement de la végétation comparable aux changements causés par la latitude. La nature du sol, le régime hydrique, le relief et les perturbations comme les feux de forêts, les épidémies et les coupes, affectent aussi la répartition de la végétation. Le patrimoine végétal québécois comprend 8 800 espèces. De ce nombre, on compte 4 500 plantes invasculaires (algues, lichens, hépatiques et mousses), 1 500 champignons supérieurs, et 2 800 plantes vasculaires (prêles, lycopodes, fougères, conifères et plantes à fleurs), dont les deux tiers font partie de la flore indigène. Les forêts recouvrent plus de la moitié du territoire québécois, soit 757 900 km^2. Ce dernier possède d'ailleurs 18 % des forêts du Canada et près de 2 % des forêts mondiales. La végétation du Québec s'étend sur 17 degrés de latitude; il n'est donc pas étonnant d'y trouver 10 domaines bioclimatiques fort différents.

Les domaines bioclimatiques[4]

L'**érablière à caryer cordiforme**, confinée au sud-ouest de la province où le climat est plutôt clément, renferme la flore la plus méridionale du Québec, dont plusieurs espèces thermophiles. Les forêts y sont très diversifiées (1 600 espèces vasculaires, dont 49 espèces arborescentes) et les essences sont souvent mélangées, car le relief de plaine différencie peu les habitats. Certaines des espèces qui y croissent, dont le caryer cordiforme qui prête son nom au domaine, sont à la limite septentrionale de leur aire de distribution (figure 1.2).

L'**érablière à tilleul** occupe les zones situées au nord et à l'est du domaine précédent. Elle occupe la plate-forme de Québec, la cuvette du lac Saint-Pierre et déborde sur les piémonts laurentiens et appalachiens. On y trouve de vastes tourbières. Les forêts couvrent moins de 20 % de la superficie potentielle et les peuplements mûrs sont rares. La flore y est très diversifiée (1 500 espèces vasculaires, dont 43 espèces arborescentes).

---

4. Dans l'édition 1995 du *Québec statistique*, le territoire québécois était divisé en trois grandes zones de végétation : la toundra, la taïga et la forêt. Ici, une approche différente a été privilégiée, soit celle de la présentation de 10 domaines bioclimatiques. Toutefois, il est à noter qu'une nouvelle classification de la végétation élaborée par Beaubien et autres (1997), à partir d'images satellites, est disponible sur le site WEB du ministère de l'Environnement. On y trouve 15 classes de végétation présentées selon le type de territoire. Voir note 3 pour les directives d'accès à l'information sur ce site.

L'**érablière à bouleau jaune** couvre les coteaux et les collines qui bordent le sud du plateau laurentien et des Appalaches. Moins diversifiée, sauf sur les meilleurs sites, la flore regroupe de nombreuses espèces boréales, très répandues au Québec (900 espèces vasculaires, dont 23 espèces arborescentes). Le paysage est largement forestier. Comme dans les deux domaines plus méridionaux, la dynamique forestière est surtout attribuable aux trouées causées par les chablis.

La **sapinière à bouleau jaune** s'étend depuis l'ouest jusqu'au centre du Québec, entre les 47e et 48e degrés de latitude. Elle ceinture aussi la péninsule gaspésienne et elle englobe les collines des Appalaches, à l'est de Québec, les contreforts des Laurentides et l'enclave des basses terres du lac Saint-Jean. Il s'agit d'une véritable forêt mixte (900 espèces vasculaires, dont 18 espèces arborescentes). Sur les pentes, le bouleau jaune est souvent plus abondant que le sapin baumier.

La **sapinière à bouleau blanc** s'étend d'ouest en est entre les 48e et 50e parallèles. Elle couvre une grande partie de l'Abitibi-Témiscamingue, des Laurentides, des Appalaches et de la Gaspésie. La flore y est plutôt pauvre (500 espèces vasculaires, dont 12 espèces arborescentes). La dynamique forestière est surtout régie par la tordeuse des bourgeons de l'épinette, bien que le feu y joue aussi un rôle important.

La **pessière à mousses** occupe le nord de la sapinière à bouleau blanc, jusqu'au 52e parallèle approximativement. Les forêts fermées sur tapis de mousses dominent le paysage, sauf sur les escarpements, sur les plus hauts sommets et dans certaines tourbières. L'épinette noire est omniprésente et les arbustes éricacées abondent dans les sous-bois (850 espèces vasculaires, dont 9 espèces arborescentes). Le cycle des feux est le principal élément de la dynamique forestière.

La **pessière à lichens** couvre le territoire compris entre les 52e et 55e degrés de latitude. Elle se distingue notamment du domaine précédent par la faible densité du couvert forestier (600 espèces vasculaires, dont 8 espèces arborescentes). Les épinettes noires issues de graines y sont solitaires ou constituent des clones isolés les uns des autres, sur un tapis presque continu de lichens. Le feu y ravage périodiquement de vastes étendues.

La **toundra forestière** se situe entre les 55e et 58e parallèles, avec une enclave le long de la basse côte nord du golfe du Saint-Laurent. Une végétation apparentée à celle de ce domaine occupe les plus hauts sommets du Québec méridional. Le paysage a l'allure d'une mosaïque dominée par une végétation arbustive, ponctuée de forêts dans les sites abrités (500 espèces vasculaires, dont 6 espèces arborescentes). Cette mosaïque résulte des feux et du climat nordique, dont témoigne le pergélisol discontinu. La limite nord de ce domaine coïncide avec la limite des arbres.

La **toundra arctique arbustive** s'étend du 58e au 61e degré de latitude approximativement. La végétation ne dépasse généralement pas deux mètres de hauteur, les arbustes les plus développés se trouvant dans les endroits où le couvert de neige est le plus épais. Dans ce domaine, les saules et les bouleaux nains côtoient les plantes herbacées, ainsi que les mousses et les lichens (320 espèces vasculaires, dont deux espèces arborescentes sous forme rabougrie). Le pergélisol continu et les formes de terrain qui résultent de l'activité périglaciaire caractérisent la toundra arbustive.

La **toundra arctique herbacée** est le domaine le plus nordique du Québec. Le climat régional rigoureux fait que les arbustes sont rares et de petite taille. La végétation occupe les anfractuosités des rochers et les creux où le sol est plus meuble. Les cypéracées et les graminées se mêlent aux mousses et aux lichens pour dominer des paysages où le roc et le sol minéral sont souvent dénudés. Tout le territoire est couvert de pergélisol continu.

La gestion territoriale[5]

La tenure des terres

Depuis le début de la colonie, le territoire québécois a été morcelé selon les différents régimes en place. Lors du Régime français, la forme des terres concédées en seigneurie a été imposée par le fleuve. En effet, le Saint-Laurent servait de façade aux seigneuries qui s'établissaient d'abord sur les rives, afin que plus de seigneurs aient accès au fleuve. Les concessions étroites et longues présentaient aussi l'avantage de rapprocher les colons dans l'espace. À la fin du Régime français, 250 seigneuries avaient été découpées le long du fleuve et de ses affluents. Par la suite, avec le Régime anglais, les Loyalistes ont réclamé un territoire qu'ils pourraient exploiter et aménager à leur façon. En 1792, Londres décrète la division des biens de la Couronne en « townships », c'est-à-dire en cantons de type riverain ou intérieur. Avec la fin de la domination britannique, mais surtout à partir de 1875, l'exode rural a pris de l'ampleur. Alarmé par ce phénomène, le clergé tente de le freiner en développant un autre système d'organisation territoriale, soit celui des paroisses de colonisation, un mouvement qui permet une extension significative du territoire occupé. Avec le temps, l'urbanisation s'est accrue et l'utilisation des terres s'est intensifiée au rythme de l'accroissement démographique, obligeant l'État à s'adapter constamment .

Le domaine public

Les terres du domaine public couvrent aujourd'hui 92 % de la superficie terrestre du Québec (1 473 490 km^2), ce qui représente un patrimoine foncier peu commun, puisque ces terres recèlent la plus grande partie des ressources naturelles de la province. L'utilisation du territoire public aux fins de mise en valeur de ces dernières s'articule surtout autour des ressources forestières, fauniques, énergétiques et minérales. Outre la mise en valeur de ces ressources, le territoire public québécois est aussi partiellement voué à la conservation et à la protection du milieu naturel.

Le domaine privé

Le domaine privé au Québec représente 8 % de la superficie du territoire, soit 116 910 km^2. Les terres privées sont situées principalement dans les basses terres du Saint-Laurent, autour de la péninsule gaspésienne, du lac Saint-Jean et de la rivière Saguenay, ainsi que dans certaines parties de l'Abitibi-Témiscamingue. Environ 9 % du territoire privé (10 681 km^2) se situe plus au nord : il s'agit des terres transférées par lettres patentes aux corporations foncières autochtones à la suite des conventions signées dans le cadre du développement de la région de la Baie James et du Nord québécois.

---

5. Une partie de l'information contenue dans cette section du texte est tirée intégralement du site WEB du gouvernement du Québec.

Les terres fédérales

Le territoire québécois est également utilisé par le gouvernement fédéral pour l'exercice de ses compétences. Les terres fédérales couvrent une superficie approximative de 6 000 km^2, soit 0,4 % de la superficie terrestre du Québec. Elles sont utilisées à des fins diverses, notamment pour les besoins des autochtones, l'implantation d'établissements militaires, d'aéroports, d'installations maritimes et de parcs nationaux.

Le découpage territorial

Les régions administratives

Dans une optique de décentralisation de ses services et de coordination des activités régionales, le gouvernement du Québec a décidé, dès 1966, de diviser le territoire en 10 régions distinctes. À la suite d'une consultation auprès des milieux régionaux et des ministères concernés, un décret touchant la nouvelle carte des régions administratives a été adopté en 1987, portant dorénavant le nombre des régions à 16. Enfin, le 30 juillet 1997, un nouveau décret reconnaissait la subdivision de la région Mauricie–Bois-Francs en deux régions administratives distinctes et autonomes, soit la Mauricie et le Centre-du-Québec. Aujourd'hui, les régions administratives sont au nombre de 17. Elles visent à refléter des réalités économiques, sociales ou culturelles distinctes.

Les MRC

Les municipalités régionales de comté (MRC) sont nées en 1979, à la suite de la promulgation de la *Loi sur l'aménagement et l'urbanisme*. Par définition, ce sont des institutions supramunicipales qui regroupent l'ensemble des municipalités urbaines et rurales d'une même région d'appartenance. Des critères tels que le partage de caractéristiques physiques et sociales communes, les échanges de services entre municipalités, ainsi que la présence d'une ville importante et de sa zone d'influence ont permis de délimiter leur territoire. On compte présentement 96 MRC et 6 territoires équivalents, dont 3 communautés urbaines (tableau 1.10). Avec la réorganisation municipale en cours, les communautés urbaines de Montréal et de Québec seront appelées à devenir des communautés métropolitaines, alors que celle de l'Outaouais sera remplacée par une commission conjointe d'aménagement. Ce renforcement du palier supramunicipal touchera également les MRC situées en dehors de ces grandes agglomérations urbaines.

Les municipalités

La municipalité est une corporation locale formée d'un maire et d'au moins six conseillers élus par la population. Au 31 décembre 2000, 1 311 municipalités locales ont été répertoriées sur l'ensemble du territoire québécois, auxquelles s'ajoutent 110 territoires non organisés et 55 territoires amérindiens. Au total, on dénombre donc 1 476 entités, soit 123 de moins qu'au 1er janvier 1996. Cette diminution résulte de 107 regroupements impliquant 229 municipalités (soit une réduction nette de 122 entités territoriales), de la perte de 3 entités supplémentaires due aux annexions totales, et du gain de 2 entités entraîné par les constitutions en municipalité locale.

Près de 85 % des municipalités au Québec ont moins de 5 000 habitants. Cette importante fragmentation territoriale a amené la ministre d'État aux Affaires municipales et à la Métropole à redéfinir la structure municipale et à déposer, en l'an 2000, un Livre blanc contenant les nouvelles orientations gouvernementales à ce sujet. La réalisation du projet a débuté dès l'année 2001.

Le Plan géomatique du gouvernement du Québec

L'état de la situation

Créé en 1989 par le gouvernement du Québec, le Plan géomatique oriente la production et la diffusion de l'information géographique gouvernementale. Cette équipe multidisciplinaire s'est dotée de mécanismes de concertation pour gérer efficacement l'information géographique produite et utilisée par un regroupement de ministères et d'organismes d'État. Cet effort collectif facilite le transfert d'expertise et offre aux citoyens et aux entreprises des données numériques intégrées, actuelles et officielles.

Actuellement, au gouvernement du Québec, on estime à 140 le nombre d'unités administratives qui possèdent de l'information à référence spatiale. Elles produisent et traitent des données numériques relatives à environ 1 215 entités géographiques. L'information géographique s'inscrit de plus en plus comme l'une des composantes de base des systèmes corporatifs des ministères et des entreprises privées. Elle est appelée à circuler davantage sur Internet et sur des réseaux de télécommunications (téléphone cellulaire, GPS), ce qui contribue certainement à l'essor de la géomatique dans les secteurs publics comme privés.

Références

CENTRE SAINT-LAURENT. *Rapport synthèse sur l'état du Saint-Laurent*, Volume 1 : L'écosystème du Saint-Laurent, Montréal, Environnement Canada – région du Québec, Conservation de l'environnement, Éditions MultiMondes, 1996 (Collection BILAN Saint-Laurent).

ENVIRONNEMENT CANADA. *Atlas environnemental du Saint-Laurent*, planche « Un fleuve, des estuaires, un golfe : les grandes divisions hydrographiques du Saint-Laurent », Direction Connaissance de l'état de l'environnement, Centre Saint-Laurent, 1991.

ENVIRONNEMENT CANADA. Saint-Laurent Vision 2000, *Site de Saint-Laurent Vision 2000*, [En ligne], [http://www.slv2000.qc.ec.gc.ca] (11 octobre 2000).

GOUVERNEMENT DU QUÉBEC. Le territoire, *Site du Gouvernement du Québec*, [En ligne], [http://www.gouv.qc.ca/Vision/Territoire/Index_Territoire_fr.html] (9 août 2000).

GOUVERNEMENT DU QUÉBEC. Ministère de l'Environnement, *Site du Ministère de l'Environnement*, [En ligne], [http://www.menv.gouv.qc.ca] (octobre 2000 à janvier 2001).

GOUVERNEMENT DU QUÉBEC. Ministère des Ressources naturelles, *Site du Ministère des Ressources naturelles du Québec*, [En ligne], [http://www.mrn.gouv.qc.ca] (4 août 2000).

RICHARD, Pierre J. H. *Le couvert végétal au Québec-Labrador et son histoire postglaciaire*, Notes et Documents, Montréal, Département de géographie, Université de Montréal, 1987.

Définitions

Activité périglaciaire

Processus caractérisé par l'importance du gel dans l'évolution du relief.

Bassin versant

Font partie du même bassin versant les eaux qui se déversent dans un même cours d'eau et qui, en suivant une pente naturelle, atteignent une rivière, puis un fleuve et l'océan.

Catastrophe naturelle

Événement qui met en péril la vie et la santé de nombreuses personnes ou cause des dommages matériels considérables, et qui requiert des efforts coordonnés de la part d'organismes ayant des champs de compétence variés.

Chablis

Arbre ou groupe d'arbres abattus par le vent ou tombés de vétusté.

Crétacé

Période géologique, de la fin de l'ère Secondaire, qui s'étend de - 146 à - 65 millions d'années.

Cypéracée

Plante herbacée des milieux humides, voisine des graminées, mais dont la tige est triangulaire.

Éricacée

Plante arbustive portant des fleurs dont les pétales sont soudés entre eux.

Espèces thermophiles

Végétaux dont la croissance est favorisée à des températures plutôt élevées.

Géomatique

Discipline ayant pour objet la gestion des données à référence spatiale par l'intégration des sciences et des technologies reliées à leur acquisition, leur stockage, leur traitement et leur diffusion.

Graminée

Plante herbacée à tige cylindrique, aux minuscules fleurs en épis, et dont les petits fruits sont riches en amidon.

Hépatique

Plante à reproduction sexuée, intermédiaire entre les lichens et les mousses.

Lycopode

Plante vivace, dont les tiges rampantes ou dressées, portent un manchon de petites feuilles.

Marnage

Amplitude maximale entre la haute et la basse mer.

Morphométrique

Relatif aux formes du modulé terrestre.

Paléozoïque

Ère géologique qui s'étend de - 544 à - 245 millions d'années, aussi nommée ère Primaire.

Pergélisol

Dans les régions arctiques, couche de sol gelée en permanence.

Pessière

Forêt d'épinettes plus ou moins dense.

Plantes vasculaires

Végétaux supérieurs composés de tiges, de racines et de feuilles (opposé à plantes invasculaires ou cellulaires).

Précambrien

Ère géologique qui s'étend de - 4 500 à - 544 millions d'années.

Prêle

Plante à tige creuse et à épis terminaux, qui croît dans les endroits humides.

Roche métamorphisée

Roche sédimentaire ou éruptive dont les caractéristiques minéralogiques et texturales ont été transformées par des phénomènes mécaniques, thermiques ou chimiques, notamment l'élévation de la température (jusqu'à 1 200°C) et de la pression (environ 2 500 kg/cm^2).

Turbidité

Opacification causée par la présence de matières solides en suspension dans l'eau. État d'un liquide trouble.

Tableau 1.1
Superficie en terre et en eau douce, par province et territoire, Canada

Province et territoire	Superficie			Proportion de la superficie totale
	Terre	Eau douce	Totale	
	km²			%
Terre-Neuve	373 872	31 340	405 212	4,1
Île-du-Prince-Édouard	5 660	–	5 660	0,1
Nouvelle-Écosse	53 338	1 946	55 284	0,6
Nouveau-Brunswick	71 450	1 458	72 908	0,7
Québec	1 365 128	176 928	1 542 056 ¹	15,4
Ontario	917 741	158 654	1 076 395	10,8
Manitoba	553 556	94 241	647 797	6,5
Saskatchewan	591 670	59 366	651 036	6,5
Alberta	642 317	19 531	661 848	6,6
Colombie-Britannique	925 186	19 549	944 735	9,5
Yukon	474 391	8 052	482 443	4,8
Territoires du Nord-Ouest	1 183 085	163 021	1 346 106	13,5
Nunavut	1 936 113	157 077	2 093 190	21,0
Canada	**9 093 507**	**891 163**	**9 984 670**	**100,0**

1. Cette évaluation ne correspond pas à la superficie du Québec établie par le ministère québécois des Ressources naturelles, car elle exclut les prétentions du Québec sur les eaux territoriales et sur le territoire drainé par l'Atlantique au nord du 52ᵉ parallèle (attribué à Terre-Neuve). Elle résulte aussi de méthodes différentes de planimétrie pour calculer les superficies.

Source : Ressources naturelles Canada, Division GéoAccès.

Tableau 1.2
Comparaison entre la superficie du Québec et celle d'autres pays

Pays	Superficie	Rapport de superficie¹ Québec/pays	Pays	Superficie	Rapport de superficie¹ Québec/pays
	km²	%		km²	%
États-Unis	9 372 614	0,2	Nouvelle-Zélande	268 676	6,2
Inde	3 287 590	0,5	Roumanie	237 499	7,0
Mexique	1 972 547	0,8	Sénégal	196 192	8,5
Iran	1 648 000	1,0	Cambodge	181 035	9,2
Afrique du Sud	1 219 912	1,4	Tunisie	163 610	10,2
Égypte	1 001 449	1,7	Cuba	110 860	15,0
Chili	756 945	2,2	Panama	78 046	21,4
France	551 500	3,0	Costa Rica	51 100	32,6
Japon	377 835	4,4	Suisse	41 290	40,4
Italie	301 320	5,5	Belgique	30 513	54,7

1. La superficie du Québec utilisée pour le calcul du rapport de superficie est de 1 667 926 km².

Source : Atlas géographique mondial, **http://atlasgeo.span.ch/_index.htm**.

Tableau 1.3
Longueur et caractéristiques des frontières, Québec, 2000

Tronçon	Longueur	Type	Caractéristiques
	km		
Québec-Ontario	1 124	Fluvial et terrestre	Longe la rivière des Outaouais dans sa partie sud et se prolonge en ligne droite jusqu'à la baie James.
Québec-Nunavut	3 185	Maritime	S'étend le long des rives des baies James, d'Hudson et d'Ungava et du détroit d'Hudson.
Québec–Terre-Neuve	..[1]	Terrestre	Suit les limites du Labrador. Frontière non définitive.
Québec-Maritimes	940	Maritime	Inclut le fleuve et le golfe du Saint-Laurent jusqu'à la ligne d'équidistance des rives des provinces.
Québec–Nouveau-Brunswick	458	Fluvial et terrestre	La portion fluviale (294 km) longe les rivières Patapédia, Ristigouche et la baie des Chaleurs.
Québec–États-Unis	734	Fluvial et terrestre	Suit les États américains du Maine, du New Hamshire, du Vermont et de New York. Seule frontière internationale.

1. En raison de la non-reconnaissance de l'avis émis en 1927 par le Conseil privé de Londres relativement à la frontière du Labrador, aucune mesure précise ne peut être fournie. À titre indicatif, la longueur de cette frontière serait de plus de 4 000 km.

Source : Ministère des Ressources naturelles du Québec, Secteur du territoire.

Tableau 1.4
Principaux sommets[1], par région administrative, Québec, 2000

Région administrative[2] et sommets	MRC et territoires équivalents	Altitude
		m
01 Bas-Saint-Laurent		
Mont Logan	Matane	1 150
Mont Dodge	Matane	1 078
Mont des Loupes	Matane	1 076
02 Saguenay–Lac-Saint-Jean		
Mont Yapeitso[3]	Le Fjord-du-Saguenay	1 128
Mont Stefansson[3]	Le Fjord-du-Saguenay	1 039
Mont des Conscrits	Le Fjord-du-Saguenay	1 006
03 Capitale-Nationale		
Mont Raoul-Blanchard	La Côte-de-Beaupré	1 175
Mont Belle Fontaine	La Côte-de-Beaupré	1 150
Mont de la Québécoise	La Côte-de-Beaupré	1 110
04 Mauricie		
Mont Louis-Georges-Morin	Le Haut-Saint-Maurice	602
Mont Chatigny	Le Haut-Saint-Maurice	585
Mont Haulain	Le Haut-Saint-Maurice	563
05 Estrie		
Mont Gosford	Le Granit	1 186
Mont Mégantic	Le Haut-Saint-François	1 105
Mont Sandy Stream	Le Granit	950
06 Montréal		
Mont Royal	Communauté-Urbaine-de-Montréal	233
07 Outaouais		
Mont Grand Pic	Papineau	440
Montagne du Lac Sand	Pontiac	420
Montagne de la Tour	Papineau	398

Tableau 1.4 *(suite)*
Principaux sommets[1], par région administrative, Québec, 2000

Région administrative[2] et sommets	MRC et territoires équivalents	Altitude
		m
08 Abitibi-Témiscamingue		
Mont Dominant	Rouyn-Noranda	570
Colline Cheminis	Rouyn-Noranda	510
Mont Kanasuta	Rouyn-Noranda	500
09 Côte-Nord		
Mont Veyrier	Manicouagan	1 104
Mont Jauffret	Caniapiscau	1 065
Mont Babel	Manicouagan	952
10 Nord-du-Québec		
Mont D'Iberville	Kativik	1 652
Mont Jacques-Rousseau	Kativik	1 261
Mont du Lycopode	Jamésie	1 090
11 Gaspésie–Îles-de-la-Madeleine		
Mont Jacques-Cartier	La Haute-Gaspésie	1 270
Mont de la Passe	La Haute-Gaspésie	1 231
Mont Rolland-Germain	La Haute-Gaspésie	1 200
12 Chaudière-Appalaches		
Montagne du Midi	Les Etchemins	916
Mont Saint-Magloire	Bellechasse	861
Bonnet à Amédée	Montmagny	730
14 Lanaudière		
Montagne Noire	Matawinie	880
Le Carcan	Matawinie	880
Mont des Cenelles	Matawinie	840
15 Laurentides		
Pic Johannsen[4]	Les Laurentides	930
Pic Pangman	Les Laurentides	900
Pic White	Les Laurentides	870
16 Montérégie		
Sommet Rond[5]	Brome-Missisquoi	950
Mont Gagnon	Brome-Missisquoi	853
Mont Écho	Brome-Missisquoi	761
17 Centre-du-Québec		
Mont Proulx	Arthabaska	270
Mont Saint-Félix	Drummond	210

1. Quelques sommets innommés pourraient s'avérer plus élevés que ceux qui font l'objet de cette liste.
2. La région administrative de Laval (13) ne présente aucune élévation digne de mention sur son territoire.
3. Ce sommet est partagé entre les régions du Saguenay–Lac-Saint-Jean et du Nord-du-Québec.
4. Sommet le plus élevé du mont Tremblant.
5. Sommet le plus élevé des monts Sutton.

Sources : Commission de toponymie.
       Ministère des Ressources naturelles, Direction générale de l'information géographique, Service de la cartographie topographique.

Tableau 1.5

Extrêmes météorologiques au Québec, au Canada et dans le monde, 1900-2000

	Québec	Canada	Monde
Température maximale de l'air	40,0 °C Ville-Marie, Abitibi-Témiscamingue et La Tuque, Mauricie 6 juillet 1921 et 1er août 1975	45,0 °C Midale et Yellowgrass, Saskatchewan 5 juillet 1937	58,0 °C Al'azizyah, Libye 13 septembre 1922
Température minimale de l'air	- 54,2 °C Lac Doucet, Girardville, Saguenay–Lac-Saint-Jean 5 février 1923	- 63,0 °C Snag, Yukon 3 février 1947	- 89,6 °C Vostok, Antarctique 21 juillet 1983
Précipitations maximales en 24 heures	171,5 mm Barrage des Quinze, Angliers, Abitibi-Témiscamingue 30 août 1932	489,2 mm Ucluelet Brynnor Mines, Colombie-Britannique 6 octobre 1967	1 869,9 mm Cilaos, Île de la Réunion, France 15 mars 1952
Précipitations annuelles moyennes maximales	1 578 mm Station expérimentale de la Forêt-Montmorency, Capitale-Nationale	6 655 mm Henderson Lake, Colombie-Britannique	11 684 mm Mont Waialeaie, Hawaï, États-Unis
Précipitations annuelles minimales	Moyennes minimales : 418,1 mm Inukjuak, Nord-du-Québec	12,7 mm Arctic Bay, Nunavut 1949	0,0 mm Arica, Chili aucune pluie pendant 14 ans
Chute de neige maximale en un jour	99,1 cm Cap Whittle, Côte-Nord-du-Golfe-Saint-Laurent, Côte-Nord 19 mars 1964	145 cm Tahtsa Lake, Colombie-Britannique 11 février 1999	193 cm Silver Lake, Colorado, États-Unis 15 avril 1921
Nombre annuel moyen maximal de jours d'orages	24 jours Sud et est de l'Île de Montréal, Région de Montréal	34 jours Windsor et London, Ontario	322 jours Bogor, Indonésie
Chute de grêle maximale	.. ..	290 grammes Cedoux, Saskatchewan 27 août 1973	15 000 grammes Province de Guangdong, Chine 19 avril 1995
Vitesse horaire maximale du vent	201,1 km/heure Cape Hopes Advance, Quaqtaq, Nord-du-Québec 18 novembre 1931	201,1 km/heure Quaqtaq, Québec 18 novembre 1931	362 km/heure Mont Washington, New-Hamshire, États-Unis 12 avril 1934

Sources : Environnement Canada, Centre climatologique canadien.
Ministère de l'Environnement du Québec, Direction du suivi de l'état de l'environnement.

Tableau 1.6
Données relatives aux températures enregistrées dans 50 stations météorologiques, par région administrative et MRC, Québec, 1961-1990

Région	MRC ou territoire	Station météorologique	Température					Jours avec une température maximale >0°C
			Moyenne			Extrême		
			Janvier	Juillet	Annuelle	Minimum	Maximum	
			°C					n
01	Kamouraska	La Pocatière	- 11,3	18,8	4,2	- 36,7	35,0	264
01	La Matapédia	Amqui	- 14,1	17,5	2,3	- 40,0	33,9	252
01	Rimouski-Neigette	Rimouski	- 11,2	17,8	3,8	- 33,0	36,0	262
02	Le Domaine-du-Roy	Roberval	- 15,9	18,1	2,2	- 38,9	37,8	251
02	Le Fjord-du-Saguenay	Bagotville	- 15,8	18,0	2,2	- 43,3	36,1	253
02	Maria-Chapdelaine	Normandin	- 18,1	17,1	1,0	- 47,2	36,1	245
03	Charlevoix	Baie-Saint-Paul	- 11,9	18,5	3,9	- 36,0	35,6	270
03	CUQ	Québec	- 12,4	19,1	4,0	- 36,1	35,6	265
03	La Côte-de-Beaupré	Forêt-Montmorency	- 15,3	14,8	0,3	- 41,1	33,9	240
04	Francheville	Trois-Rivières	- 12,5	19,8	4,9	- 38,9	37,8	272
04	Le Centre-de-la-Mauricie	Shawinigan	- 12,7	19,6	4,6	- 47,0	37,2	269
04	Le Haut-Saint-Maurice	La Tuque	- 14,4	18,9	3,6	- 44,4	40,0	268
05	La Région-Sherbrookoise	Sherbrooke	- 11,6	18,0	4,1	- 40,0	33,7	279
05	Le Granit	Lac-Mégantic	- 11,5	18,2	3,9	- 38,3	35,6	265
05	Memphrémagog	Magog	- 10,3	19,6	5,3	- 37,2	34,4	276
06	CUM	Montréal (McGill)	- 8,9	22,1	7,4	- 33,9	36,1	286
07	CUO	Buckingham	- 12,2	19,7	4,9	- 40,5	36,1	..
07	Papineau	Montebello	- 11,6	19,2	4,7	- 41,1	37,8	274
07	Pontiac	Shawville	- 12,3	19,6	4,6	- 40,5	37,8	272
07	Vallée-de-la-Gatineau	Wright	- 12,9	19,2	4,3	- 44,0	37,2	276
08	Abitibi	Amos	- 17,3	17,1	1,1	- 52,8	37,2	237
08	Témiscamingue	Ville-Marie	- 15,3	18,4	2,7	- 50,0	40,0	..
08	Vallée-de-l'Or	Val-d'Or	- 17,0	17,1	1,2	- 43,9	36,1	245
09	La Haute-Côte-Nord	Tadoussac	- 12,5	16,9	3,0	- 37,2	35,6	260
09	Manicouagan	Baie-Comeau	- 14,0	15,6	1,5	- 47,2	32,2	254
09	Minganie	Natashquan	- 12,9	14,2	1,1	- 39,4	28,3	257
09	Sept-Rivières	Sept-Îles	- 14,6	15,2	0,9	- 43,3	32,2	248
10	Jamésie	Chapais	- 18,4	16,1	- 0,1	- 43,3	34,5	229
10	Kativik	Inukjuak	- 24,4	9,1	- 6,8	- 49,4	30,0	175
10	Kativik	Kuujjuaq	- 23,5	11,0	- 5,8	- 46,7	32,7	184
11	Bonaventure	New Richmond	- 11,3	17,9	3,7	- 36,7	34,4	272
11	La Haute-Gaspésie	Sainte-Anne-des-Monts	- 11,2	16,7	3,0	- 33,0	33,3	256
11	Le Rocher-Percé	Port-Daniel	- 10,7	17,3	3,5	- 38,3	37,8	270
12	L'Amiante	Thetford Mines	- 12,3	18,4	3,8	- 36,0	33,0	..
12	Montmagny	Montmagny	- 11,4	19,3	4,4	- 37,0	36,0	267
12	Robert-Cliche	Beauceville	- 12,3	19,1	4,5	- 41,1	37,0	274
14	D'Autray	Berthierville	- 11,5	20,3	5,4	- 43,3	37,8	277
14	L'Assomption	L'Assomption	- 11,9	20,2	5,2	- 43,3	37,2	278
14	Matawinie	Saint-Donat	- 13,5	18,0	3,2	- 41,1	36,1	..
15	Antoine-Labelle	Mont-Laurier	- 13,6	18,1	3,4	- 45,0	36,7	267
15	Deux-Montagnes	Oka	- 11,1	20,0	5,4	- 38,3	36,1	278
15	La Rivière-du-Nord	Saint-Jérôme	- 11,7	19,8	4,8	- 41,7	35,6	273
16	Champlain	Saint-Hubert	- 10,2	20,6	5,9	- 37,2	35,6	287
16	La Haute-Yamaska	Granby	- 10,1	20,2	5,8	- 37,0	36,1	280
16	Le Haut-Richelieu	Iberville	- 9,6	21,1	6,4	- 34,0	34,5	286
16	Les Maskoutains	Saint-Hyacinthe	- 10,5	21,1	6,2	- 38,0	35,6	282
16	Vaudreuil-Soulanges	Rigaud	- 10,6	21,2	6,1	- 36,1	36,1	281
17	Bécancour	Bécancour	- 12,3	19,8	4,7	- 39,0	35,6	272
17	Drummond	Drummondville	- 10,8	20,8	5,8	- 42,8	36,7	280
17	Nicolet-Yamaska	Nicolet	- 12,0	20,2	5,1	- 38,5	36,7	274

Source : Environnement Canada, *Normales climatiques au Canada, 1961-1990.*

Tableau 1.7

Données relatives aux précipitations enregistrées dans 50 stations météorologiques, par région administrative et MRC, Québec, 1961-1990

Région	MRC ou territoire	Station météorologique	Précipitations annuelles moyennes			Nombre de jours de précipitation		
			Pluie	Neige	Total	Pluie	Neige	Total
			mm	cm	mm		n	
01	Kamouraska	La Pocatière	645,3	280,3	929,6	106	58	157
01	La Matapédia	Amqui	667,3	315,5	983,3	102	71	167
01	Rimouski-Neigette	Rimouski	609,1	278,2	890,6	100	53	149
02	Le Domaine-du-Roy	Roberval	597,0	331,3	908,5	101	75	167
02	Le Fjord-du-Saguenay	Bagotville	641,0	344,7	929,7	115	95	195
02	Maria-Chapdelaine	Normandin	600,7	264,3	865,9	104	66	166
03	Charlevoix	Baie-Saint-Paul	686,5	252,0	935,2	90	36	123
03	CUQ	Québec	881,3	337,0	1 207,7	117	76	178
03	La Côte-de-Beaupré	Forêt-Montmorency	948,3	593,2	1 527,1	119	114	215
04	Francheville	Trois-Rivières	805,4	242,0	1 046,7	109	50	154
04	Le Centre-de-la-Mauricie	Shawinigan	782,7	250,1	1 041,7	103	49	148
04	Le Haut-Saint-Maurice	La Tuque	694,7	237,7	932,7	111	56	161
05	La Région-Sherbrookoise	Sherbrooke	834,5	288,2	1 108,9	124	79	189
05	Le Granit	Lac-Mégantic	747,5	287,7	1 036,3	109	63	166
05	Memphrémagog	Magog	834,1	292,9	1 126,8	114	60	166
06	CUM	Montréal (McGill)	798,5	230,4	1 029,9	118	56	162
07	CUO	Buckingham	787,4	203,7	990,5	101	45	142
07	Papineau	Montebello	866,1	237,9	1 104,7	114	56	164
07	Pontiac	Shawville	674,6	207,9	884,1	110	55	158
07	Vallée-de-la-Gatineau	Wright	704,0	264,6	968,3	99	58	152
08	Abitibi	Amos	678,3	243,9	920,0	103	56	154
08	Témiscamingue	Ville-Marie	594,5	215,7	813,5	98	60	153
08	Vallée-de-l'Or	Val-d'Or	630,0	317,6	927,2	108	105	196
09	La Haute-Côte-Nord	Tadoussac	691,5	310,1	998,5	91	46	134
09	Manicouagan	Baie-Comeau	661,6	362,0	995,9	106	73	166
09	Minganie	Natashquan	781,7	332,7	1 121,0	113	83	179
09	Sept-Rivières	Sept-Îles	728,5	415,1	1 127,9	101	76	166
10	Jamésie	Chapais	647,7	271,8	919,9	101	76	170
10	Kativik	Inukjuak	251,1	175,4	418,1	64	98	151
10	Kativik	Kuujjuaq	262,0	270,5	523,5	75	112	176
11	Bonaventure	New Richmond	766,5	253,3	1 019,0	106	43	142
11	La Haute-Gaspésie	Sainte-Anne-des-Monts	591,4	231,4	824,2	99	67	162
11	Le Rocher-Percé	Port-Daniel	905,0	359,2	1 265,4	90	41	126
12	L'Amiante	Thetford Mines	901,5	333,2	1 235,8	118	76	184
12	Montmagny	Montmagny	831,1	254,1	1 086,8	105	46	146
12	Robert-Cliche	Beauceville	769,5	242,2	1 009,8	114	58	166
14	D'Autray	Berthierville	783,8	216,0	1 000,2	111	46	151
14	L'Assomption	L'Assomption	757,1	202,5	963,6	114	52	157
14	Matawinie	Saint-Donat	815,4	283,9	1 100,6	108	62	165
15	Antoine-Labelle	Mont-Laurier	784,8	217,3	1 001,6	116	60	168
15	Deux-Montagnes	Oka	790,9	237,0	1 030,1	110	47	152
15	La Rivière-du-Nord	Saint-Jérôme	795,8	232,6	1 029,6	105	42	144
16	Champlain	Saint-Hubert	778,5	237,2	1 016,6	116	60	162
16	La Haute-Yamaska	Granby	893,9	280,7	1 176,9	119	63	172
16	Le Haut-Richelieu	Iberville	816,9	197,9	1 016,9	123	49	164
16	Les Maskoutains	Saint-Hyacinthe	827,5	205,7	1 033,2	117	44	154
16	Vaudreuil-Soulanges	Rigaud	757,7	156,9	916,8	93	36	127
17	Bécancour	Bécancour	805,2	223,4	1 028,6	93	38	128
17	Drummond	Drummondville	837,8	240,3	1 078,5	109	50	153
17	Nicolet-Yamaska	Nicolet	729,3	205,3	936,3	102	46	143

Source : Environnement Canada, *Normales climatiques au Canada, 1961-1990.*

Tableau 1.8
Caractéristiques des principales rivières, par bassin versant, Québec, 2000

	Longueur	Superficie de drainage	Débit moyen annuel[1]
	km	km²	m³/s
Rive sud du Saint-Laurent[2]			
Richelieu, Rivière	171	23 720	375
Saint-François, Rivière	297	10 228	219
Chaudière, Rivière	237	6 692	135
Yamaska, Rivière	186	4 784	75
Matane, Rivière	80	1 690	41
Rive nord du Saint-Laurent[2]			
Outaouais, Rivière des	1 271	146 000	1 938
Saguenay, Rivière	700	88 000	1 760
Manicouagan, Rivière	455	45 843[3]	870[3]
Saint-Maurice, Rivière	564	43 200	700
Moisie, Rivière	435	19 196	430
Baie James et baie d'Hudson			
Grande Rivière, La	895	175 900	4 115
Eastmain, Rivière	..	46 400	1 090
Rupert, Rivière	764	43 378	890
Baleine, Grande rivière de la	726	43 355	630
De Pontois, Rivière	265	19 082	348
Baie d'Ungava			
Caniapiscau, Rivière	390	51 315	930
Arnaud, Rivière	377	49 456	617
Mélèzes, Rivière aux	272	42 660	613
Georges, Rivière	581	41 683	868
Baleine, Rivière à la	429	31 732	542

1. Chiffres calculés à partir d'un nombre variable de données annuelles.
2. Les rivières des rives sud et nord du fleuve Saint-Laurent font partie du même grand bassin versant, celui du Saint-Laurent.
3. Données fournies par l'unité des Prévisions et des Ressources hydriques d'Hydro-Québec.

Source : Ministère de l'Environnement, Direction de l'hydraulique et de l'hydrique.

Figure 1.1
Les divisions hydrographiques du Saint-Laurent

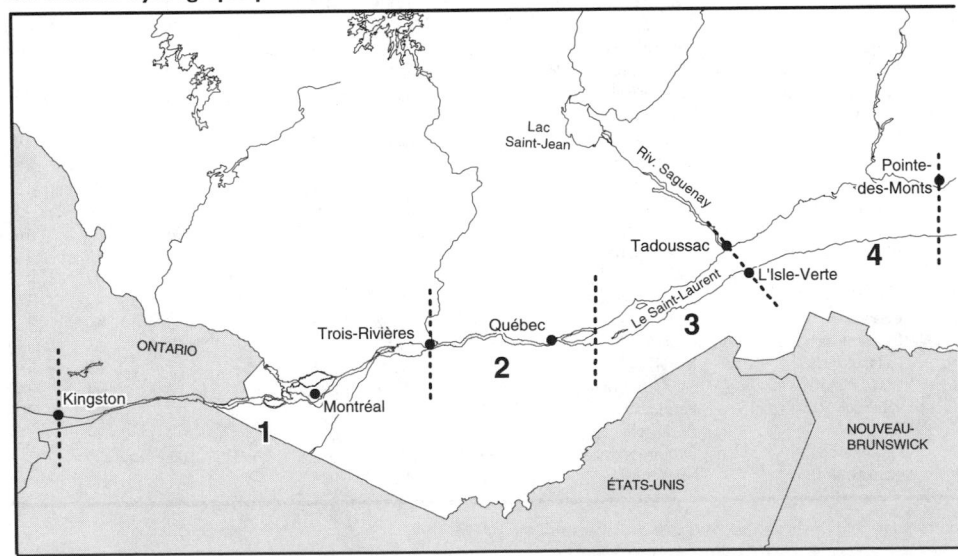

Source : Environnement Canada, Centre Saint-Laurent.
Réalisation cartographique : Institut de la statistique du Québec, Direction de l'édition et des communications, 2001.

Tableau 1.9
Principales catastrophes naturelles survenues au Québec, 1900-2000

Type de catastrophe	Localité	Date	Remarque
Avalanche	Kangiqsualujjuaq (Nord-du-Québec)	Janvier 1999	Plusieurs tonnes de neige pénètrent à l'intérieur du gymnase de l'école où sont rassemblés les gens du village pour les célébrations du Nouvel An.
Glissement de terrain	Saint-Jean-Vianney (Saguenay–Lac-Saint-Jean)	Mai 1971	Cratère de quelques centaines de mètres de diamètre. Le village entier est évacué.
Incendie de forêt	Ensemble du Québec	Juillet et août 1955	Plus de 100 feux brûlent pendant plus de 4 semaines.
Inondation	Vallée de la rivière Saguenay	Juillet 1996	Pluies diluviennes : 290 mm en moins de 36 heures.
Sécheresse	Ensemble du Québec	Juillet et août 1955	Récoltes de fruits et légumes compromises.
Tempête de grêle	Montréal	Mai 1987	Dommages de 125 millions de dollars.
Tempête de neige	Montréal	Mars 1971	Laisse 47 cm de neige, vents de 110 km/heure.
Tempête de verglas	Sud-ouest du Québec	Janvier 1998	Quatre millions de personnes affectées. Pannes électriques d'une durée variant de plusieurs heures à 4 semaines.
Tremblement de terre	Charlevoix-Kamouraska	Mars 1925	Magnitude 6,7 sur l'échelle de Richter.
Vague de froid	Ensemble du Québec	Janvier 1994	Le mois de janvier le plus froid en 100 ans.

Source : Base de données de Protection civile Canada sur les désastres.

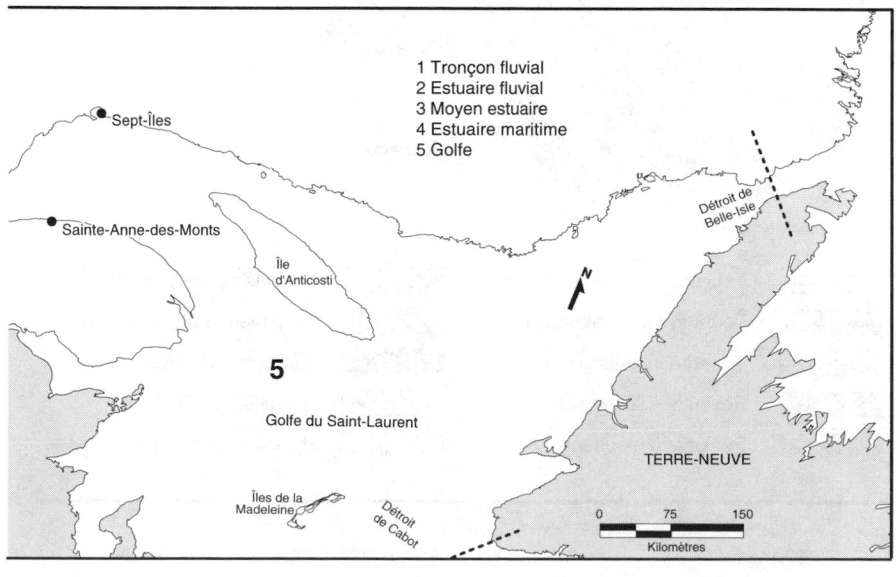

Figure 1.2
Les domaines bioclimatiques du Québec

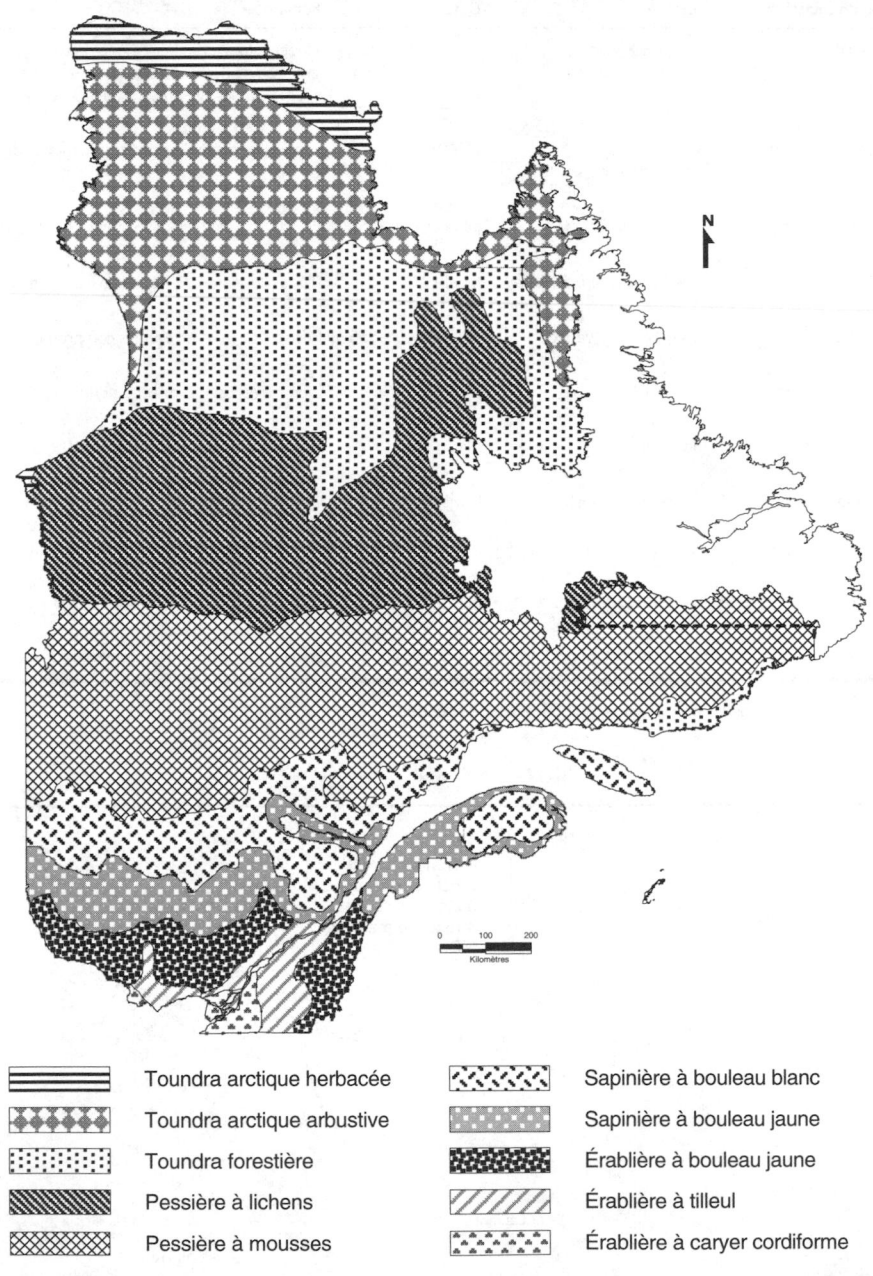

Toundra arctique herbacée		Sapinière à bouleau blanc	
Toundra arctique arbustive		Sapinière à bouleau jaune	
Toundra forestière		Érablière à bouleau jaune	
Pessière à lichens		Érablière à tilleul	
Pessière à mousses		Érablière à caryer cordiforme	

Source : Ministère des Ressources naturelles, Service des inventaires forestiers.
Réalisation cartographique : Institut de la statistique du Québec, Direction de l'édition et des communications, 2001.

Tableau 1.10

Données relatives aux MRC et territoires équivalents, Québec, au 31 décembre 2000

Code	MRC ou territoire équivalent	Région administrative	Superficie[1]	Densité de population[2]	Municipalités locales	Territoires non organisés	Territoires amérindiens
			km²	hab./km²	n		
01	Les Îles-de-la-Madeleine	11	191	69,9	7	–	–
02	Le Rocher-Percé	11	3 233	6,3	10	1	–
03	La Côte-de-Gaspé	11	4 108	4,8	5	2	–
04	La Haute-Gaspésie	11	5 230	2,5	8	2	–
05	Bonaventure	11	4 452	4,3	13	1	–
06	Avignon	11	3 530	4,5	11	2	2
07	La Matapédia	01	5 379	3,8	18	7	–
08	Matane	01	3 382	6,8	14	1	–
09	La Mitis	01	2 311	8,5	19	2	–
10	Rimouski-Neigette	01	2 762	19,2	15	2	–
11	Les Basques	01	1 130	8,9	11	1	–
12	Rivière-du-Loup	01	1 485	21,7	14	–	2
13	Témiscouata	01	3 922	5,9	20	–	–
14	Kamouraska	01	2 256	10,2	17	2	–
15	Charlevoix-Est	03	2 365	7,2	8	2	–
16	Charlevoix	03	3 819	3,5	7	1	–
17	L'Islet	12	2 149	9,2	14	–	–
18	Montmagny	12	1 720	13,9	14	–	–
19	Bellechasse	12	1 645	18,2	19	–	–
20	L'Île-d'Orléans	03	192	36,1	6	–	–
21	La Côte-de-Beaupré	03	4 977	4,4	9	2	–
22	La Jacques-Cartier	03	3 310	8,1	9	1	–
23	Communauté-Urbaine-de-Québec	03	545	944,1	14	–	1
24	Desjardins	12	255	206,2	4	–	–
25	Les Chutes-de-la-Chaudière	12	420	190,7	8	–	–
26	La Nouvelle-Beauce	12	798	32,5	10	–	–
27	Robert-Cliche	12	833	22,8	10	–	–
28	Les Etchemins	12	1 811	10,1	14	–	–
29	Beauce-Sartigan	12	2 006	24,1	20	–	–
30	Le Granit	05	2 726	8,1	20	–	–
31	L'Amiante	12	1 925	23,0	25	–	–
32	L'Érable	17	1 284	19,2	11	–	–
33	Lotbinière	12	1 649	16,7	19	–	–
34	Portneuf	03	4 105	11,1	20	3	–
35	Mékinac	04	5 608	2,4	10	4	–
36	Le Centre-de-la-Mauricie	04	1 405	47,3	12	2	–
37	Francheville	04	1 127	126,3	16	–	–
38	Bécancour	17	1 139	17,1	12	–	1
39	Arthabaska	17	1 889	34,5	24	–	–
40	Asbestos	05	787	19,0	7	–	–
41	Le Haut-Saint-François	05	2 286	9,8	16	–	–
42	Le Val-Saint-François	05	1 375	24,9	18	–	–
43	La Région-Sherbrookoise	05	414	331,1	9	–	–
44	Coaticook	05	1 295	12,4	11	–	–
45	Memphrémagog	05	1 314	31,7	20	–	–
46	Brome-Missisquoi	16	1 548	30,4	21	–	–
47	La Haute-Yamaska	16	752	108,3	10	–	–
48	Acton	16	579	27,3	8	–	–
49	Drummond	17	1 605	55,0	21	–	–
50	Nicolet-Yamaska	17	1 049	22,7	18	–	1
51	Maskinongé	04	1 894	12,6	13	–	–
52	D'Autray	14	1 003	39,2	16	–	–
53	Le Bas-Richelieu	16	604	85,1	14	–	–
54	Les Maskoutains	16	1 321	60,6	24	–	–

Tableau 1.10 *(suite)*
Données relatives aux MRC et territoires équivalents, Québec, au 31 décembre 2000

Code	MRC ou territoire équivalent	Région administrative	Superficie[1]	Densité de population[2]	Municipalités locales	Territoires non organisés	Territoires amérindiens
			km²	hab./km²		n	
55	Rouville	16	486	69,8	8	–	–
56	Le Haut-Richelieu	16	938	108,8	19	–	–
57	La Vallée-du-Richelieu	16	624	191,9	14	–	–
58	Champlain	16	163	1 982,8	6	–	–
59	Lajemmerais	16	447	230,6	7	–	–
60	L'Assomption	14	266	400,9	7	–	–
61	Joliette	14	421	130,0	10	–	–
62	Matawinie	14	10 417	4,3	15	12	1
63	Montcalm	14	718	55,6	11	–	–
64	Les Moulins	14	265	422,9	4	–	–
65	Laval	13	245	1 422,9	1	–	–
66	Communauté-Urbaine-de-Montréal	06	502	3 636,5	28	–	–
67	Roussillon	16	413	358,9	11	–	1
68	Les Jardins-de-Napierville	16	797	29,3	11	–	–
69	Le Haut-Saint-Laurent	16	1 202	20,6	13	–	1
70	Beauharnois-Salaberry	16	472	127,1	11	–	–
71	Vaudreuil-Soulanges	16	880	117,9	23	–	–
72	Deux-Montagnes	15	241	348,8	7	–	1
73	Thérèse-De Blainville	15	205	640,5	7	–	–
74	Mirabel	15	454	59,4	1	–	–
75	La Rivière-du-Nord	15	452	201,1	8	–	–
76	Argenteuil	15	1 303	22,0	10	–	–
77	Les Pays-d'en-Haut	15	690	46,5	11	–	–
78	Les Laurentides	15	2 583	15,4	20	–	1
79	Antoine-Labelle	15	15 531	2,3	22	11	–
80	Papineau	07	2 982	7,1	24	–	–
81	Communauté-Urbaine-de-l'Outaouais	07	344	658,3	5	–	–
82	Les Collines-de-l'Outaouais	07	2 088	17,3	7	–	–
83	La Vallée-de-la-Gatineau	07	13 599	1,5	20	5	2
84	Pontiac	07	13 959	1,1	18	1	–
85	Témiscamingue	08	19 247	0,9	20	1	4
86	Rouyn-Noranda	08	6 628	6,3	13	3	–
87	Abitibi-Ouest	08	3 683	6,2	24	2	–
88	Abitibi	08	7 961	3,2	17	2	1
89	Vallée-de-l'Or	08	27 623	1,6	10	5	2
90	Le Haut-Saint-Maurice	04	29 704	0,5	5	8	3
91	Le Domaine-du-Roy	02	18 865	1,8	9	1	1
92	Maria-Chapdelaine	02	38 332	0,7	12	2	–
93	Lac-Saint-Jean-Est	02	2 718	19,5	15	4	–
94	Le Fjord-du-Saguenay	02	44 138	3,9	20	3	–
95	La Haute-Côte-Nord	09	12 531	1,1	8	1	1
96	Manicouagan	09	39 717	0,9	8	1	1
971	Sept-Rivières	09	32 169	1,1	5	1	1
972	Caniapiscau	09	81 224	0,1	2	5	4
981	Minganie	09	128 512	0,1	8	1	2
982	Basse-Côte-Nord	09	4 316	1,4	5	1	2
991	Jamésie	10	340 299	0,1	14	–	9
992	Kativik	10	499 397	0,02	14	2	10
Le Québec		...	1 521 654	4,8	1 311	110	55

1. Superficie compilée par l'Institut de la Statistique du Québec, à partir des estimations de superficie des municipalités préparées par le service de l'arpentage du ministère des Ressources naturelles du Québec. Données arrondies à l'unité près.
2. Densité calculée à partir des données de population au 1er juillet 2000, révisées en novembre de la même année.

Source : Institut de la Statistique du Québec, Fichier du code géographique du Québec.

2

Environnement

Liste des tableaux

Liste des figures

Ce chapitre, dont la coordination a été assurée par Roger Lemire, du ministère de l'Environnement (DSÉE), a été réalisé grâce à l'effort conjugué de plusieurs auteurs.

La qualité de l'air :	Michel Bisson (DSÉE) René Bougie (DPSI) Gérard Houle (DPSI)
Les émissions de gaz à effet de serre :	René Bougie (DPSI) Jean-Pierre Plamondon (DCC)
Les précipitations acides :	Gilles Boulet (DSÉE)
La qualité de l'eau :	Serge Hébert (DSÉE) Jean Jobidon (DPSM) Michel Laurin (DI) Alain Riopel (DPSM)
Les ressources fauniques :	Serge Gonthier (DDF)
Les aires protégées :	Jacques Perron (DPÉDD)
Les résidus solides :	Gilbert Tremblay (DPSM)
La recherche et le développement en environnement :	Denis Mayers (DCPA) Francine Vaillancourt (DCPA)

Ministère de l'Environnement

DSÉE :   Direction du suivi de l'état de l'environnement
DPSI :   Direction des politiques du secteur industriel
DCC :   Direction des changements climatiques
DPSM :   Direction des politiques du secteur municipal
DPÉDD :   Direction du patrimoine écologique et du développement durable
DCPA :   Direction de la coordination des programmes d'aide

Ministère des Affaires municipales et de la Métropole

DI :   Direction des infrastructures

Société de la faune et des parcs

DDF :   Direction du développement de la faune

La protection de l'environnement et le développement durable de la société québécoise sont parmi les nombreux défis auxquels nous devons faire face présentement et dans l'avenir.

Les pages qui suivent donnent des informations sur l'air, l'eau, la faune, les aires protégées et les résidus solides, ainsi que sur la recherche et le développement. Elles permettront d'éclairer les lecteurs sur l'état de l'environnement au Québec.

L'environnement fait l'objet d'un chapitre dans l'*Annuaire du Québec* depuis 1973. À partir de 1977-1978, plusieurs des sujets aujourd'hui couverts sont abordés, notamment la pollution atmosphérique, les propriétés physico-chimiques et le traitement des eaux, les déchets solides, etc. En ce qui concerne la faune, il en a été question dès 1914, à l'intérieur du chapitre décrivant la province de Québec dans ses aspects physiques.

La qualité de l'air

L'air est une ressource fondamentale et en apparence quantitativement inépuisable. Malgré une amélioration marquée à l'égard de certains paramètres, la qualité de l'air demeure un sujet préoccupant. Les sources anthropiques d'émissions de contaminants atmosphériques provenant des activités industrielles, du transport et de l'utilisation de combustibles fossiles à des fins énergétiques sont concentrées majoritairement en milieu urbain, et sont susceptibles d'affecter la santé et de diminuer la qualité de vie de la population.

L'évolution de différents contaminants atmosphériques

Les grandes tendances de l'évolution de la qualité de l'air en milieu urbain entre 1975 et 2000 sont présentées à l'aide de quelques exemples représentatifs pour diverses agglomérations et différents contaminants.

Les particules en suspension (PST)

Dans l'ensemble, les concentrations moyennes annuelles de PST tendent à décroître ou à se stabiliser (tableau 2.1). La diminution du niveau de ces concentrations s'explique dans une large mesure par la réduction des émissions particulaires provenant d'activités industrielles résultant soit de travaux d'assainissement ou de modernisation, soit de la fermeture d'établissements industriels. Un meilleur entretien des voies urbaines ainsi qu'une surveillance plus adéquate des chantiers de construction peuvent aussi avoir contribué à la baisse globale. Il est toutefois à noter qu'une station de mesure située dans un quartier de Joliette a vu son niveau de particules en suspension ($72\ \mu g/m^3$) se maintenir au-dessus de la norme annuelle ($70\ \mu g/m^3$) au cours des dernières années.

Les particules fines (PM$_{10}$)

Pour faire suite à des préoccupations de santé environnementale, la mesure des particules fines (dont le diamètre aérodynamique est inférieur à 10 μm) est effectuée depuis quelques années. On peut voir à la figure 2.1 qu'il y a diminution ou stabilisation pour la majorité des stations. Seule l'agglomération de Shawinigan a vu sa valeur moyenne annuelle augmenter en l'an 2000 de 27 μg/m^3 à 32 μg/m^3.

Le dioxyde de soufre (SO$_2$)

Entre 1975 et 2000, les concentrations de SO$_2$ ont diminué ou sont demeurées à peu près stables pour plusieurs des stations d'échantillonnage du réseau québécois. La diminution de la teneur en soufre dans le mazout, le remplacement de ce dernier par d'autres sources d'énergie à des fins domestiques et industrielles, de même que la modification de procédés industriels sont autant de facteurs qui peuvent expliquer l'amélioration de la qualité de l'air à l'égard de ce contaminant. En 2000, il existe cependant quelques endroits au Québec où l'une ou l'autre des normes d'air ambiant est excédée à différentes intensités. Ces zones sont situées à proximité d'usines émettant encore des quantités importantes de SO$_2$ (Murdochville, Rouyn-Noranda, Sorel et Témiscaming).

La station Pointe-aux-Trembles dans l'est de la ville de Montréal, représentative d'un secteur résidentiel affecté par des émissions industrielles, illustre la diminution générale des concentrations de SO$_2$ au Québec. De l'ordre de 22 parties par milliard (ppb) en 1975, soit 10 % au-dessus de la norme annuelle (20 ppb), la concentration moyenne annuelle s'est graduellement abaissée à environ 6 ppb vers la fin de la période, soit 70 % au-dessous de la norme annuelle (figure 2.2).

L'ozone (O$_3$)

L'ozone au niveau du sol se forme au cours des mois chauds, alors que le rayonnement solaire provoque des réactions chimiques entre les oxydes d'azote (NO$_x$) et les composés organiques volatils (COV). La variation des concentrations moyennes quinquennales et annuelles de O$_3$ montre une légère augmentation ou une quasi-stabilité selon les milieux observés depuis le début des années 80. Les concentrations moyennes les plus élevées (28,2 ppb) ont été observées dans les zones rurales (figure 2.3). Le fait que les niveaux de O$_3$ soient souvent plus faibles dans les villes s'explique par sa forte réactivité avec le monoxyde d'azote, dont les concentrations sont plus élevées en zone de circulation dense.

L'ozone est l'un des polluants qui compose le smog. Celui-ci survient lorsque la concentration des divers polluants qui le forment augmente dans l'air au point où l'on peut observer un brouillard jaunâtre qui affecte la visibilité. Le nombre de jours où l'ozone s'élève au-dessus des 80 ppb varie considérablement d'une année à l'autre, comme le démontre le tableau 2.2 pour les années 2000 et 2001.

Les sources d'émission de contaminants atmosphériques

Les sources d'émission des principaux contaminants atmosphériques ont été regroupées en quatre grandes catégories : l'industrie, la combustion non industrielle, le transport et les autres activités non industrielles. La première catégorie englobe divers procédés industriels ainsi que la combustion des combustibles fossiles utilisés par l'industrie. La deuxième regroupe la combustion issue des activités des secteurs commercial, agricole, résidentiel et institutionnel, et celle engendrée par les centrales thermiques. La troisième catégorie inclut la combustion des carburants utilisés par les véhicules automobiles, les camions, les trains, les bateaux et les avions, de même que par les véhicules hors route et les moteurs fixes. Enfin, la quatrième catégorie comprend notamment l'utilisation de solvants, le revêtement de surface et le transfert de produits pétroliers, tels que l'essence et le diesel, lors des opérations de remplissage de réservoirs.

Le tableau 2.3 compare les émissions de ces différentes sources en 1990 et en 1999. Notons que l'industrie est la principale responsable des émissions de particules et de SO_2, de même que le transport pour les émissions de NO_x, de COV et de CO. Le détail des émissions de SO_2 selon les catégories d'industries est présenté au tableau 2.4. Durant cette période de dix ans, les émissions ont baissé de façon importante, soit de 389 717 tonnes à 288 270 tonnes.

Au Québec, entre 1990 et 1999, toutes les émissions de contaminants ont diminué de façon quasi constante, à l'exception des NO_x (tableau 2.5). Ceux-ci ont connu une baisse importante entre les années 1990 et 1993, soit de 376 663 à 321 667, mais ont depuis remonté près du niveau des NO_x de 1990.

D'une façon globale, les principaux facteurs de réduction des émissions de contaminants atmosphériques sont les suivants : changement de technologie ou de combustible, installation de systèmes d'épuration, application de mesures de conservation d'énergie, amélioration des procédés industriels et installation de catalyseur sur les automobiles. Par ailleurs, les facteurs qui tendent à faire hausser les émissions sont l'augmentation de l'activité économique, l'établissement de nouvelles industries et l'augmentation du nombre de véhicules automobiles.

Les émissions de gaz à effet de serre

La température de la Terre, l'un des indicateurs des changements climatiques sur la planète, est maintenue à son niveau actuel grâce à l'effet de serre naturel qui est produit par certains gaz atmosphériques appelés gaz à effet de serre (GES). Les principaux gaz à effet de serre qui existent naturellement dans l'atmosphère, mais dont la concentration peut être modifiée par l'activité humaine, sont le dioxyde de carbone (CO_2), le méthane (CH_4) et l'oxyde nitreux (N_2O). D'autres gaz à effet de serre importants découlent uniquement de l'activité humaine : ce sont les hydrofluorocarbones (HFC), les perfluorocarbones (PFC) et l'hexafluorure de soufre (SF_6). Le protocole de Kyoto traite de ces six gaz, ou groupes de gaz.

La quantité totale des principaux GES émise dans l'atmosphère terrestre par les activités humaines a été de 33 144 000 kilotonnes équivalent CO_2[1] en 1990, soit une moyenne de 6,3 tonnes équivalent CO_2 pour chaque être humain. Le pays qui contribue le plus largement à ces émissions de GES est les États-Unis, dont la part était de près de 18,8 % en 1990 avec seulement 4,7 % de la population mondiale, ce qui correspond à 25 tonnes équivalent CO_2 par habitant. Le Canada, avec 0,5 % de la population du globe, émettait 1,8 % des GES à l'échelle mondiale en 1990, soit 22,1 tonnes équivalent CO_2 par personne, ce qui le classe parmi les pays dont les émissions par habitant sont les plus élevées. De 1990 à 1999, ces émissions ont augmenté de 14,7 % en passant de 607 662 à 696 865 kilotonnes équivalent CO_2 (tableau 2.6).

---

1. Pour fins de comparaison, les quantités des divers gaz à effet de serre sont exprimées en équivalent CO_2. Cette unité de mesure correspond, pour un gaz donné, à la quantité de CO_2 nécessaire pour obtenir un réchauffement équivalent à celui du gaz en question. Par exemple, une tonne de méthane retient autant de chaleur que 21 tonnes de CO_2. Une tonne de méthane égale donc 21 tonnes équivalent CO_2.

En 1990, le Québec se situait près de la moyenne des pays de l'Europe de l'Ouest, avec environ 12 tonnes équivalent CO_2 par personne. Cette moyenne ayant diminué entre 1990 et 1999 de 12,4 à 12,0 tonnes, le Québec était, et demeure, la province qui émet proportionnellement le moins de GES au Canada. Cette bonne performance est généralement expliquée par le fait qu'au Québec, l'électricité est à plus de 95 % de source hydraulique. Mais cela n'est pas tout, puisque la moyenne des émissions par habitant du Québec est sensiblement plus faible que celle du Manitoba, où l'électricité est aussi presque entièrement d'origine hydraulique. La différence s'explique, en partie, par un plus grand recours à l'électricité comme source d'énergie pour le chauffage au Québec (41,7 %) par rapport au Manitoba (23,3 %).

Malgré cette bonne performance relative, il ne faut pas oublier que le Québec demeure fortement consommateur d'énergie (4,7 tep[2]/habitant comparativement à 2,6 tep/habitant pour l'Union européenne).

Les émissions québécoises de GES de 1990 à 1999

L'évolution des émissions totales de GES montre une tendance à la hausse depuis 1993 (figure 2.4), la baisse substantielle observée en 1991 et 1992 ayant été causée par un fléchissement de l'activité économique. Une analyse plus fine révèle que cette hausse aurait été plus importante encore sans une réduction des émissions chez certaines industries grandes émettrices de GES, dont l'industrie papetière et l'industrie de la fabrication du magnésium et de l'aluminium, et sans une diminution des émissions en provenance des déchets enfouis. Ces réductions ont réussi à compenser en partie les augmentations qui se poursuivent dans l'industrie de seconde transformation et le secteur des transports. Les émissions en provenance de ce dernier secteur ont en effet augmenté de 15,5 % pendant la période de 1990 à 1999, et elles ne donnent aucun signe de ralentissement.

Les activités émettrices

Au Québec, les principales activités émettrices de gaz à effet de serre sont : le transport, la production industrielle, le chauffage, l'agriculture et l'élimination des déchets (figure 2.5). Le transport et l'industrie constituent de loin les sources les plus importantes; en 1999, ils comptaient respectivement pour 38,6 % et 31,6 % du total. Une comparaison des statistiques de 1990 et de 1999 montre que la part des émissions du secteur des transports a augmenté sensiblement, alors que celles des émissions de l'industrie, des lieux d'enfouissement et du chauffage ont été réduites. Malgré la situation géographique du Québec, le chauffage ne représentait que 12,3 % des émissions de GES, étant donné le recours important à l'électricité comme source de chaleur. Si l'on analyse différemment les données, il ressort qu'environ le tiers des émissions de GES au Québec ont pour origine les activités directes des ménages associées au transport des personnes, au chauffage des résidences et à l'élimination des déchets. Les deux autres tiers découlent de la production de biens et de services.

Les précipitations acides

Les dépôts acides au Québec sont parmi les plus élevés en Amérique du Nord. L'acidité des précipitations est causée par le dioxyde de soufre (SO_2) et les oxydes d'azote (NO_x). Les émissions de SO_2 résultent principalement de l'activité des fonderies de première fusion des

---

2. Tep : tonne équivalent pétrole.

métaux non ferreux et de l'utilisation de combustible fossile à haute teneur en soufre. Les NO_x sont surtout produits lors de l'utilisation de combustible fossile et se retrouvent, en particulier, dans les gaz d'échappement des véhicules automobiles.

Entre les années 1982 et 1996, une baisse généralisée des dépôts de sulfates (SO_4) a été observée sur le sud du Québec (tableau 2.7). Les régions où les dépôts annuels moyens de SO_4 ont enregistré les diminutions les plus importantes sont l'Estrie (- 42,6 %), le Saguenay–Lac-Saint-Jean (- 41,7 %), l'Abitibi-Témiscamingue (- 37,3 %) et la Montérégie (- 32,1 %). Au cours de la même période, le pH annuel moyen des précipitations a subi une augmentation variant entre 0,04 et 0,15 unité dans le sud de la province.

La qualité de l'eau

La surveillance de la qualité de l'eau

Le Réseau-rivières suit l'évolution spatiale et temporelle de la qualité de l'eau à 138 stations réparties dans près de 40 bassins versants. Le tableau 2.8 présente la liste des rivières les plus importantes, ainsi que les valeurs médianes des principaux descripteurs de la qualité de l'eau pour la période de 1994 à 1999. Le nombre d'analyses varie d'une station à l'autre et d'un descripteur à l'autre. Pour la majeure partie des valeurs présentées, il oscille entre 60 et 90.

La qualité de l'eau du fleuve Saint-Laurent

La qualité de l'eau du fleuve Saint-Laurent est meilleure que celle de la plupart des tributaires qui s'y jettent. La grande capacité de dilution de ce cours d'eau explique les valeurs plus basses de la majorité des descripteurs. Toutefois, les eaux du fleuve sont plus minéralisées et montrent un pH plus élevé que la plupart de ses tributaires, notamment ceux de la rive nord. Les dépassements des critères de qualité y sont moins fréquents et leur importance est généralement moindre (tableau 2.9). L'influence des tributaires et des activités humaines se déroulant le long du Saint-Laurent est évidente lorsque l'on compare les données obtenues en amont de Montréal à celles provenant du lieu de la prise d'eau de la ville de Sainte-Foy. Il faut toutefois noter qu'avec les descripteurs utilisés, il est impossible d'évaluer l'ampleur de la pollution toxique.

La qualité de l'eau à l'embouchure des grands tributaires du fleuve Saint-Laurent

La pollution observée à l'embouchure des grands tributaires du fleuve est principalement de sources agricole, urbaine et industrielle.

La **pollution d'origine agricole** se manifeste surtout dans les rivières sillonnant les basses-terres du fleuve Saint-Laurent. Les rivières L'Assomption, Châteauguay, Du Loup, Maskinongé et Yamaska sont quelques exemples de cours d'eau affectés par cette source de pollution. Les concentrations élevées d'azote total, de phosphore total et de matières en suspension, ainsi que les valeurs de turbidité plus marquées sont des indices de l'impact des activités agricoles sur la qualité de l'eau.

La **pollution urbaine** se traduit par des valeurs élevées de coliformes fécaux, de phosphore et d'azote dans l'eau. Encore une fois, la zone habitée du Québec montre les valeurs les plus élevées pour ces paramètres. Les rivières des régions moins peuplées du Québec, notamment celles de l'Outaouais, du Saguenay–Lac-Saint-Jean et de Gaspésie–Îles-de-la-Madeleine, affichent des niveaux de pollution plus bas.

La **pollution industrielle** se manifeste surtout par le rejet de polluants toxiques, organiques et de fertilisants. Les rejets industriels peuvent aussi augmenter la turbidité. Il faut toutefois noter que la plupart des descripteurs mesurés dans le cadre des opérations du Réseau-rivières ne permettent pas d'évaluer l'ampleur de la pollution toxique.

L'assainissement des eaux

Les efforts d'assainissement consentis depuis 1980 ont permis de faire des gains appréciables quant à la qualité de l'eau du fleuve Saint-Laurent et des rivières du Québec. La pollution visuelle et les problèmes d'odeurs provenant des cours d'eau ont été réduits, sinon éliminés, à plusieurs endroits par les interventions d'assainissement urbain et industriel. La mise en service des stations d'épuration a aussi permis une baisse significative des concentrations de phosphore, une diminution de la turbidité et une amélioration de la qualité bactériologique. Toutefois, il reste des efforts à faire afin de retrouver une qualité d'eau permettant la récupération des usages.

Depuis 1978, les principaux programmes de subvention pour des ouvrages d'assainissement ont été le PAEQ (Programme d'assainissement des eaux du Québec), le PADEM (Programme d'assainissement des eaux municipales) et le PEVQ (programme Les eaux vives du Québec). La grande majorité des stations d'épuration ont été construites lors de la réalisation du PAEQ entre 1978 et 1995. Le pourcentage de la population raccordée à un réseau d'égouts municipal qui voit ses eaux traitées par une station d'épuration est maintenant de 98,9 %. Par ailleurs, la construction et l'exploitation des installations individuelles de traitement des eaux usées d'une population totale de 1 372 730 personnes non raccordée à un réseau d'égouts, sont assujetties au Règlement sur l'évacuation et le traitement des eaux usées des résidences isolées (*Q2, r.8*) (tableau 2.10).

La qualité de l'eau potable

L'eau consommée par la majorité des Québécois répond en général aux normes de qualité de l'eau potable. Relativement rare dans les grandes municipalités, le dépassement des normes de salubrité microbiologique pose davantage de problèmes aux municipalités de moins de 5 000 habitants, principalement durant les mois d'été. Après des baisses significatives au début des années 90, le nombre de fois où ces normes sont dépassées a eu tendance à augmenter depuis quelques années. Cette augmentation peut cependant être attribuable, en partie, à des contrôles plus rigoureux de la qualité de l'eau potable. Pour l'ensemble des municipalités, les avis à la population de faire bouillir l'eau de consommation sont passés d'un maximum de 542 en 1991 à un minimum de 372 en 1997, pour remonter à 464 en 2000 (figure 2.6).

Les ressources fauniques

La faune vertébrée du Québec comprend 653 espèces réparties de la façon suivante : 199 espèces de poissons, 21 espèces d'amphibiens, 16 espèces de reptiles, 326 espèces d'oiseaux et 91 espèces de mammifères. La diversité faunique québécoise comprend également des espèces invertébrées, lesquelles représentent le plus grand nombre d'espèces dont la plupart sont très peu connues. À eux seuls, les insectes, qui constituent le groupe le plus important et le plus diversifié d'invertébrés, comptent plus de 25 000 espèces. Les connaissances actuelles démontrent que sur les 653 espèces que compte la faune vertébrée du Québec, au moins 75 espèces ou populations seraient dans une situation préoccupante en raison d'une distribution limitée, d'une grande rareté ou d'une baisse marquée de la densité.

La participation aux activités de pêche et de chasse

Beaucoup de Québécois participent à des activités reliées à la faune. Ces dernières sont regroupées en deux grandes catégories, soit les activités avec prélèvement faunique et celles sans prélèvement faunique. Les premières font référence à la pêche, à la chasse et au piégeage, alors que les secondes renvoient à des activités pratiquées lors de déplacements d'intérêt faunique, comme les excursions ou les voyages effectués dans le but principal d'observer, de nourrir, de photographier ou d'étudier la faune.

En 1999, le nombre de pêcheurs et de chasseurs québécois, constitué d'hommes en grande majorité, s'élève respectivement à 1 042 200 et à 403 600, ce qui représente 17,3 % et 6,7 % de la population âgée de 15 ans et plus (tableau 2.11). Par ailleurs, les déplacements d'intérêt faunique ont séduit maints Québécois, et ce, autant les hommes que les femmes. En effet, en 1999, le nombre de participants à ces activités atteint 1,2 million de personnes, ce qui donne un taux de participation de 19,9 % de la population de 15 ans et plus.

Les dépenses effectuées par les Québécois lors d'activités reliées à la faune atteignent près de 2 milliards de dollars en 1999, dont 69,2 % par les pêcheurs, 15,5 % par les chasseurs et 15,3 % par les adeptes de déplacements d'intérêt faunique (tableau 2.12). Ces dépenses engendrent des retombées économiques importantes, soit l'équivalent de 15 583 emplois à temps plein pour une masse salariale de 373,2 millions de dollars. Les seules dépenses associées à la pratique de la pêche sportive totalisent près de 59 % des retombées économiques en matière d'emploi.

Le contrôle des activités reliées à l'exploitation de la faune

La Société de la faune et des parcs du Québec émet des permis qui donnent le droit aux détenteurs de pêcher ou de chasser selon les règlements en vigueur. En 1999-2000, le nombre de permis vendus pour la pêche récréative s'élève à 775 400 (tableau 2.13). De ce nombre, 62 943 sont délivrés à des gens ne résidant pas au Québec, ce qui représente 8,1 % du total; les autres (91,9 %) sont tous vendus à des Québécois. Il est important de préciser que pour l'année considérée, le nombre de pêcheurs excède le nombre de permis vendus, et ce, pour deux raisons. Premièrement, le permis de pêche familial était disponible; deuxièmement, dans certaines parties du fleuve Saint-Laurent, il est possible de pêcher sans permis.

Depuis 1989, les ventes de permis de pêche ont baissé globalement de 8,2 %. Les ventes aux résidents du Québec tendent néanmoins à se stabiliser depuis 1997. Pour leur part, les ventes aux non-résidents ont augmenté de plus de 30 % depuis l'introduction des permis de court séjour en 1993. Quant au nombre de permis de chasse vendus en 1999-2000, il s'élève à 508 272, dont 95,6 % sont délivrés à des Québécois. Contrairement à la pêche, le nombre de permis vendus pour la chasse est supérieur au nombre réel de chasseurs, car un chasseur peut acheter plus d'un permis. Depuis 1989, les ventes de permis de chasse ont connu une diminution de l'ordre de 22 %. Cependant, dans le cas particulier des permis destinés aux non-résidents, les ventes tendent à croître depuis 1995.

La pêche récréative fait l'objet d'une réglementation spécifique, notamment sur la limite annuelle des captures. Une enquête réalisée en 1995 sur la pêche récréative a révélé que le nombre de captures était de 60,1 millions, toutes espèces confondues (tableau 2.14). Les Québécois en accaparent la majorité avec 57,7 millions de poissons, ce qui représente 95,9 % des prises. L'omble de fontaine est l'espèce la plus exploitée, avec 22,8 millions de captures. Parmi les autres espèces qui se retrouvent le plus souvent dans le panier du pêcheur, mentionnons la perchaude et le doré (respectivement 11,7 et 7,6 millions de prises). Bien que le saumon de l'Atlantique soit une espèce recherchée, le nombre de captures ne s'élève qu'à 24 170.

Le chasseur de gros gibier est obligé d'enregistrer ses prises dans un délai de 48 heures suivant sa sortie de la forêt, ce qui permet un suivi de la récolte. Cette mesure s'additionne aux inventaires aériens pour suivre et contrôler les populations de gros gibier (caribou, cerf de Virginie, orignal et ours noir). Ces populations sont en général en croissance au Québec. En 1999, la récolte totale a été de 13 941 orignaux, 46 136 cerfs de Virginie, 18 108 caribous et 3 043 ours noirs (tableau 2.15). La récolte du cerf de Virginie a plus que doublé entre 1989 et 1999, en passant de 20 552 à 46 136.

Le piégeage des animaux à fourrure est une activité reliée à la faune. Elle se distingue des autres par la commercialisation du produit prélevé, soit la fourrure. Environ 8 000 adeptes pratiquent cette activité chaque année, certains détenant un bail de droits exclusifs sur les terres du domaine public. Afin de pouvoir piéger, les trappeurs doivent suivre une formation de 35 heures, nécessaire pour obtenir un certificat de compétence qui leur permet ensuite de se procurer un permis de piégeage. Les fourrures prélevées sont vendues et procurent un revenu de base ou d'appoint (tableau 2.16). Les prix des fourrures sur le marché exercent, selon le cas, une pression à la hausse ou à la baisse sur les activités des trappeurs. Une redevance est payée au gouvernement pour chaque fourrure vendue, de même qu'un loyer pour chaque bail octroyé.

Certains types de territoire faunique offrent des activités structurées aux adeptes de la chasse et de la pêche, ainsi qu'aux amateurs de la nature. C'est le cas des pourvoiries, des réserves fauniques, des zones d'exploitation contrôlée (zecs), des aires fauniques communautaires (AFC) et des refuges fauniques. Les pourvoiries sont des entreprises qui offrent, contre certains frais, de l'hébergement et des services ou des équipements pour la pratique de la chasse, de la pêche ou du piégeage. On en retrouve 702 à l'échelle du Québec, dont 510 qui ne détiennent pas de droits exclusifs et 192 qui ont des droits exclusifs de pêche, de chasse ou de piégeage sur un territoire couvrant 23 908 km^2. Les réserves fauniques sont publiques et se composent de 17 territoires, pour une superficie totale de 66 679 km^2. Les rivières à saumon peuvent également bénéficier du statut de réserve faunique; c'est le cas de 6 d'entre elles, qui courent sur 497 km. Par ailleurs, on retrouve au Québec 62 zecs de chasse et de pêche (47 947 km^2), 1 zec pour la chasse à la sauvagine (12,3 km^2) et 21 zecs de pêche au saumon (1 613 km). En 1999, il y a 2 AFC (1 112 km^2); ce sont de grands plans d'eau publics faisant l'objet de droits exclusifs de pêche à des fins communautaires, et dont la gestion est confiée à une corporation sans but lucratif. Enfin, il existe 5 refuges fauniques (129 km^2).

Bien qu'à première vue les territoires fauniques soient présents dans la majorité des régions du Québec (14 des 17 régions), certaines régions administratives en comptent davantage (tableau 2.17). Ainsi, les pourvoiries avec droits exclusifs sont très présentes dans la région de la Côte-Nord : on en retrouve 59, dont 22 sur une rivière à saumon. Ces dernières s'étendent sur une longueur totale de 1 118,1 km. Cette région compte 30,7 % du nombre total et 42,9 % de la superficie globale des pourvoiries avec droits exclusifs au Québec.

Quant aux réserves fauniques, en excluant celles situées dans le Nord-du-Québec, elles sont fortement concentrées sur la rive nord du fleuve Saint-Laurent, ainsi qu'en Gaspésie et dans le Bas-Saint-Laurent. Finalement, les zecs sont présentes dans presque toutes les régions du Québec, à l'exception de Montréal, de Laval, du Centre-du-Québec et du Nord-du-Québec. C'est dans la région du Saguenay–Lac-Saint-Jean que se trouve la plus grande proportion de zecs, soit 15,5 %.

Les aires protégées

Les aires protégées visent la sauvegarde d'échantillons représentatifs et particuliers de la diversité biologique. Elles touchent aussi les processus écologiques qui protègent et engendrent la vie sur terre, déterminent les climats et les régimes en eau, et permettent aux écosystèmes de se renouveler.

Le réseau des aires protégées est classifié selon les 6 catégories de l'Union mondiale pour la nature (1994). Il est constitué de 19 désignations juridiques ou administratives différentes, comporte quelque 1 100 sites et couvre une superficie de 48 638 km², soit 2,9 % du territoire québécois (tableau 2.18). Faible en pourcentage de territoire, si on le compare à la moyenne mondiale de 9,4 %, le réseau québécois des aires protégées devrait croître beaucoup à moyen terme.

Ainsi, on devrait assister à la création de 4 nouveaux parcs dans le Nord-du-Québec, dont 2 parcs représentatifs de la forêt boréale, de même qu'à la constitution d'une vingtaine de réserves écologiques supplémentaires. Les écosystèmes forestiers exceptionnels devraient être représentés par quelque 150 sites.

À ces actions de planification sectorielle, le gouvernement du Québec entend donner suite aux engagements qu'il a pris en regard de son adhésion à la Convention sur la diversité biologique. Il a adopté, en 2000, des orientations stratégiques qui visent à augmenter d'ici 2005 la superficie en aires protégées, de manière à atteindre 8 % de son territoire.

Les résidus solides

Chaque année, des millions de tonnes de matières de toutes sortes sont mises au rebut. Ces matières sont constituées de ressources renouvelables et non renouvelables qui doivent être gérées de façon appropriée, afin de ne pas engendrer de problèmes environnementaux.

La production et la gestion des résidus solides

On constate que les quantités de résidus récupérés sont passées de 1 597 600 tonnes en 1992, à 3 370 870 tonnes en 1998, soit plus du double (tableau 2.19). Parallèlement, les quantités éliminées, qui étaient de l'ordre de 5 513 000 tonnes, ont connu une diminution en 1994; depuis, la tendance semble être à la hausse puisque les quantités s'élevaient à 5 705 465 tonnes en 1998. Il est également intéressant de noter la variation du taux de récupération par personne, lequel est passé de 0,22 en 1992 à 0,46 tonne en 1998. Quant au taux de génération par personne, il a varié de 0,99 à 1,24 tonne au cours de la même période.

La récupération des résidus solides

Les collectes sélectives municipales de matières recyclables ont connu un essor surtout à compter de 1989, année de la création de Collecte sélective Québec qui offre, depuis lors, différents programmes de subvention pour supporter ce type de collecte. En effet, la population desservie par des services de collecte sélective municipale est passée de 2,6 millions de personnes en 1992, à 6,3 millions de personnes en 1998, ce qui représentait alors plus de 85 % de la population du Québec (figure 2.7). En ce qui concerne les quantités récupérées, celles-ci ont suivi la même courbe d'accroissement puisqu'elles se sont élevées de 132 000 à 294 444 tonnes.

La recherche et le développement en environnement

Au cours des dix dernières années, le ministère de l'Environnement a mis en place des programmes d'aide financière à la recherche et au développement en environnement, dont les deux plus importants sont le Fonds de recherche et de développement technologique en environnement (FRDT-E) et le Volet Environnement du Fonds des priorités gouvernementales en science et technologie (FPGST-E). Ce dernier est un programme administré et financé conjointement par le ministère de l'Environnement et le ministère de l'Industrie et du Commerce.

Dans le cadre du FRDT-E, le ministère de l'Environnement a autorisé, durant les années financières 1990-1991 à 1994-1995, 119 projets de recherche et de développement en environnement. La réalisation de ces projets s'est poursuivie jusqu'à 1999 et a engendré des investissements totaux d'environ 60 millions de dollars, dont 26,3 millions (43,8 %) proviennent du FRDT-E.

Quant au FPGST-E, il a mené à l'acceptation de 38 projets durant les années financières 1998-1999 à 2000-2001. Leur réalisation s'échelonnera jusqu'en juin 2004 et nécessitera des investissements de 23,6 millions de dollars, dont 6,7 millions provenant du FPGST-E (28,4 %) (figure 2.8).

Références

COLLECTE SÉLECTIVE QUÉBEC. *Site de Collecte sélective Québec*, [En ligne], [http://www.coselective.qc.ca/] (mars 2002).
GOUVERNEMENT DU QUÉBEC. Ministère de l'Environnement, *Site du Ministère de l'Environnement*, [En ligne], [http://www.menv.gouv.qc.ca] (mars 2002).
GOUVERNEMENT DU QUÉBEC. Recyc-Québec, *Site de Recyc-Québec*, [En ligne], [http://www.recyc-quebec.gouv.qc.ca/] (mars 2002).
GOUVERNEMENT DU QUÉBEC. Société de la faune et des parcs, *Site de la Société de la faune et des parcs*, [En ligne], [http://www.fapaq.gouv.qc.ca/] (mars 2002).

Définitions

Azote ammoniacal

Forme la plus toxique de l'azote qui comprend l'ammoniac dissous (NH_3) et l'ion ammonium (NH_4^+). Il provient des rejets urbains non traités et des rejets agricoles (purin).

Carbone organique

Dissous, il constitue une partie importante du carbone total. La photosynthèse produit du carbone organique dissous dans les systèmes aquatiques. Il peut également provenir des terres agricoles et des eaux résiduaires municipales et industrielles.

Catégories UICN

Système de classement des aires protégées de l'Union mondiale pour la nature (UICN) qui a notamment pour objet d'offrir une base de comparaison internationale. Voici les catégories qui existent au Québec et leur vocation principale :

I a Réserve naturelle intégrale

Recherche scientifique et protection intégrale d'espèces ou d'écosystèmes.

II Parc national

Protection de l'intégrité écologique des écosystèmes et récréation.

III Monument naturel /élément naturel marquant

Préservation d'éléments naturels spécifiques.

IV Aire gérée pour l'habitat et les espèces

Maintien des conditions nécessaires à la conservation d'espèces ou d'habitats par intervention active.

VI Aire protégée de ressources naturelles gérées

Utilisation durable à long terme des écosystèmes.

Coliformes fécaux

Bactéries provenant des déjections humaines et animales. Ils sont utilisés comme indicateur de contamination fécale par des animaux à sang chaud, dont les humains.

Conductivité

Mesure de l'aptitude de l'eau à conduire l'électricité, qui s'exprime en microsiemens par centimètre ($\mu S/cm$). Elle donne une bonne indication de la quantité des minéraux dissous dans l'eau.

Critères de qualité

Concentration sécuritaire uniquement basée sur des critères environnementaux dont le dépassement risque d'entraîner la perte complète ou partielle de l'usage auquel l'eau répond.

Dépôts humides

Substances qui sont dissoutes dans l'eau ou qui accompagnent les précipitations, qu'elles soient sous forme de pluie, de neige, de grêle ou même de brouillard.

Échelle de pH

Échelle qui mesure la valeur d'acidité ou d'alcalinité. Elle est graduée de 0 à 14. Le point de neutralité est défini au milieu de l'échelle, au pH de 7. Plus l'acidité est grande, plus le pH est petit; plus l'alcalinité est grande, plus le pH est grand.

Eutrophisation

Processus de vieillissement accéléré d'un plan d'eau causé par des concentrations trop élevées de phosphore. Elle se traduit par une production excessive d'algues et de plantes aquatiques. La surabondance d'algues peut entraîner une déficience en oxygène dissous, ce qui constitue une menace pour la faune aquatique.

Matières en suspension

Quantité de particules non dissoutes présentes dans l'eau. Elles sont exprimées en mg/l.

Nitrites et nitrates

Formes chimiques de l'azote. L'azote est un élément nutritif essentiel à la croissance des végétaux. Les engrais azotés inorganiques, ainsi que les excréments d'origine humaine et animale constituent les principales sources de ces formes d'azote.

Phosphore total

Mesure de toutes les formes de phosphore dans l'eau. Le phosphore est l'un des éléments nutritifs essentiels pour les végétaux. Ses principales sources sont les effluents municipaux, le lessivage des sols traités par des engrais et certains détergents contenant des phosphates. Au Québec, c'est généralement en limitant les quantités de phosphore rejetées dans les cours d'eau qu'on peut contrôler la croissance des algues et des plantes aquatiques.

Turbidité

Mesure du caractère trouble de l'eau, exprimée en unité néphélométrique de turbidité (UNT). Le degré d'absorption de la lumière par les particules en suspension dans l'eau permet de mesurer la turbidité.

Valeur médiane

Valeur centrale séparant l'ensemble des données en deux parties égales, la moitié des données étant inférieure à cette valeur médiane et l'autre moitié y étant supérieure.

Tableau 2.1

Évolution de la concentration moyenne géométrique annuelle des particules en suspension dans l'air de diverses agglomérations urbaines[1], Québec, 1980-2000[2]

Régions administratives et agglomérations urbaines	1980	1982	1984	1986	1988	1990	1992	1994	1996	1998	2000
						$\mu g/m^3$					
02 Saguenay–Lac-Saint-Jean											
Chicoutimi-Jonquière	61	60	56	39	54	38	31	32	33	30	25
Jonquière	63	52	56	39	50	54	40	40	36	33	30
Alma	..	..	..	..	..	..	..	35	44	53	36
La Baie	..	41	50	33	39	35	33	30	45	34	32
Laterrière	..	..	..	..	..	13	15	17	24	18	16
03 Capitale-Nationale											
Communauté-Urbaine-de-Québec	**90**	59	63	45	49	43	40	44	43	41	37
04 Mauricie											
Trois-Rivières	**75**	**70**	63	50	46	38	32	34	39	31	29
Cap-de-la-Madeleine	62	56	57	41	47	37	36	39	45	34	35
Shawinigan	**109**	**89**	**88**	40	54	53	40	47	47	49	37
La Tuque	..	..	..	..	46	39	47	45	40	33	37
05 Estrie											
Sherbrooke	61	53	53	39	44	36	37	35	37	29	25
Asbestos	60	39	33	31	38	28	45	29	29	26	27
06 Montréal											
Communauté-Urbaine-de-Montréal	**73**	**74**	59	54	50	55	48	43	44	47	38
07 Outaouais											
Hull	..	..	..	..	..	..	..	..	..	30	31
08 Abitibi-Témiscamingue											
Rouyn-Noranda	..	..	..	34	31	29	26	18	24	24	22
Témiscaming	..	..	..	..	..	..	..	44	32	32	28
09 Côte-Nord											
Sept-Îles	33	25	35	29	24	22	22	20	..	..	..
Baie-Comeau	30	19	23	18	16	17	15	17	..	..	..
11 Gaspésie–Îles-de-la-Madeleine											
Murdochville	30	32	22	24	24	19	22	24	19	20	16
12 Chaudière-Appalaches											
Thetford Mines	35	29	28	30	30	29	38	24	34	26	25
Black Lake	46	38	38	35	31	19	26	25	..	..	..
13 Laval											
Laval	44	37	38	25	37	27	31	28	33	31	31
14 Lanaudière											
Joliette	..	..	..	..	..	..	53	42	63	**73**	**72**
15 Laurentides											
Saint-Jérôme	..	..	..	..	..	..	..	43	42	40	38
16 Montérégie											
Rive-Sud de Montréal	65	36	43	32	36	28	28	28	34	38	41
Sorel	68	60	47	31	39	30	32	34	46	38	35
17 Centre-du-Québec											
Bécancour	..	..	..	28	31	24	27	27	22	26	20

1. Une seule station par agglomération est présentée. La comparaison entre les agglomérations doit être faite avec prudence parce que toutes les stations n'ont pas la même représentativité spatiale. La norme annuelle est de 70 microgrammes par mètre cube ($\mu g/m^3$). Les valeurs égales ou supérieures à cette norme sont en caractère gras.
2. Les données de ce tableau ne peuvent être comparées avec celles présentées dans l'édition 1995 du *Québec statistique*, à cause de la méthodologie qui diffère.

Source : Ministère de l'Environnement, Direction du suivi de l'état de l'environnement.

Figure 2.1
Particules fines en suspension[1] : évolution des moyennes annuelles dans différentes agglomérations, Québec, 1994-2000

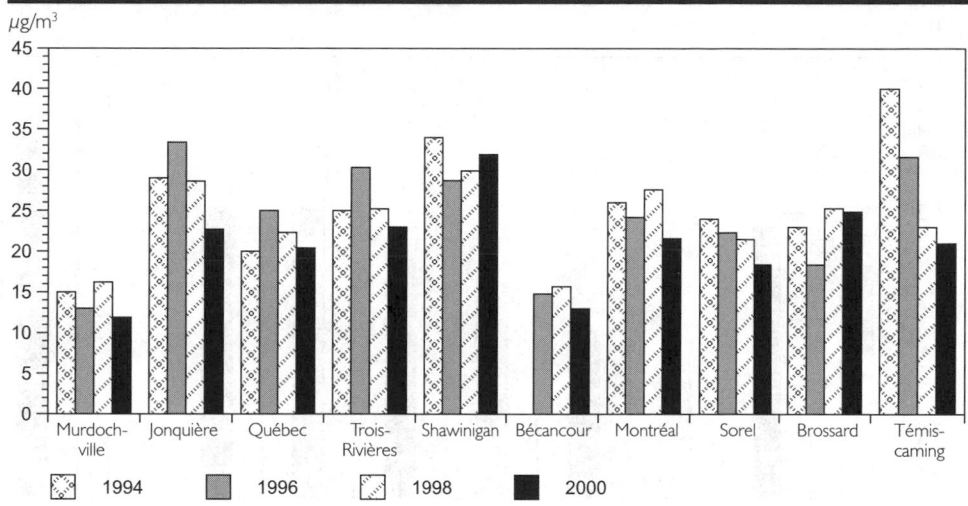

1. Dont le diamètre aérodynamique est inférieur à 10 micromètres (μm).

Source : Ministère de l'Environnement, Direction du suivi de l'état de l'environnement.

Figure 2.2
Dioxyde de soufre : évolution des moyennes annuelles et de la valeur des 99e centiles des concentrations sur une heure et vingt-quatre heures, Montréal, station Pointe-aux-Trembles, 1975-2000

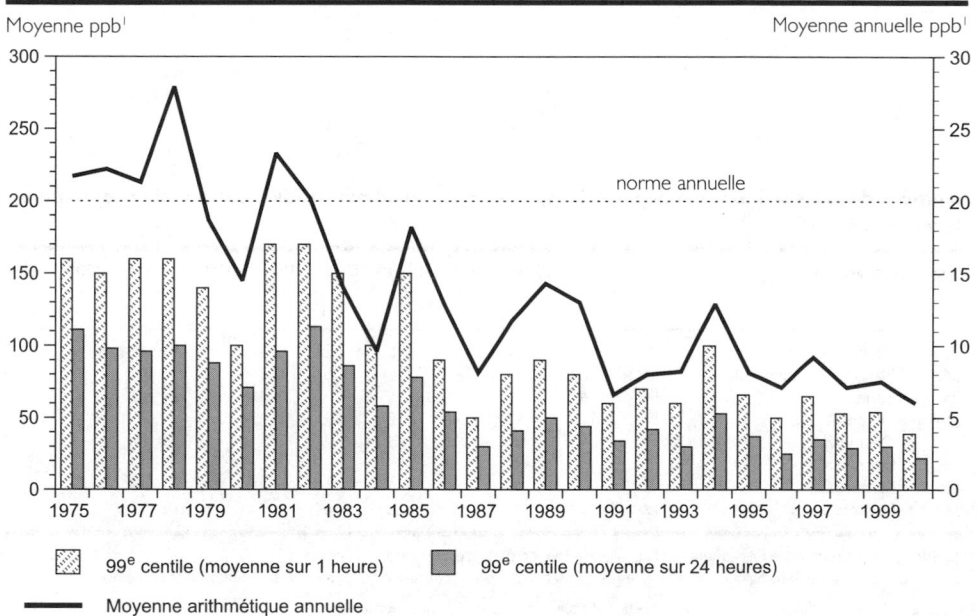

1. Partie par milliard.

Source : Ministère de l'Environnement, Direction du suivi de l'état de l'environnement.

Figure 2.3
Concentration moyenne quinquennale (1980-1999) et annuelle (2000) d'ozone selon le type de milieu, Québec, 1980-2000

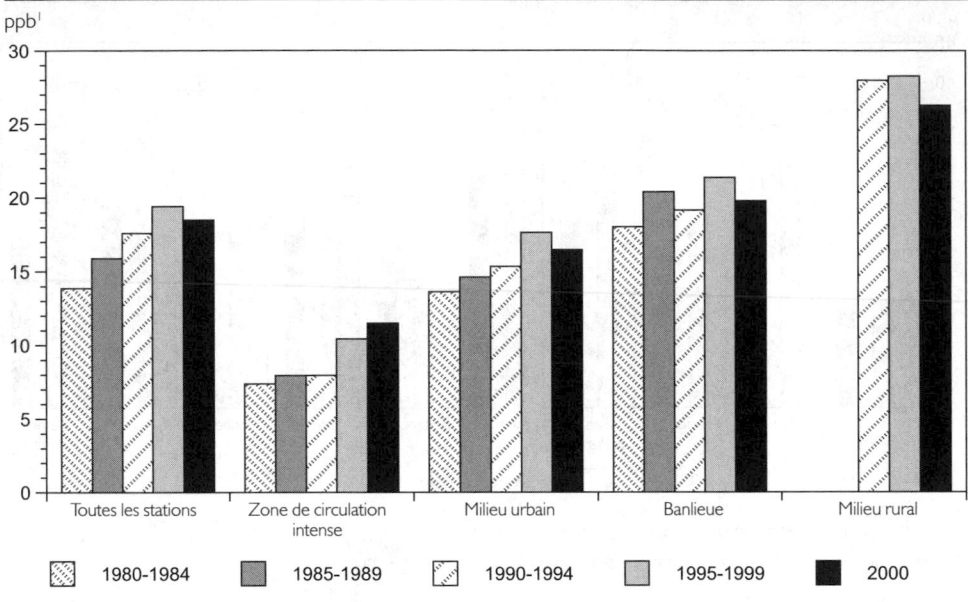

ppb[1]

1. Partie par milliard.

Source :   Ministère de l'Environnement, Direction du suivi de l'état de l'environnement.

Tableau 2.2
Nombre de jours où l'ozone a dépassé 80 ppb[1], par région administrative, entre mai et septembre, Québec, 1991-2001

Région administrative		1991	1992	1993	1994	1995	1996	1997	1998	1999	2000[2]	2001
						j						
03	Capitale-Nationale	10	7	7	1	5	2	4	5	5	1	5
04-17	Mauricie–Centre-du-Québec	13	8	8	4	16	5	6	5	14	1	15
05	Estrie	14	4	5	3	5	2	3	3	3	1	8
06-13	Montréal–Laval	17	12	11	6	12	2	11	11	15	1	17
07	Outaouais	13	5	8	7	3	2	3	5	12	1	12
14	Lanaudière	..	..	..	..	..	6	8	5	7	–	7
15	Laurentides	6	7	4	3	6	1	2	5	4	1	4
16	Montérégie	17	7	4	5	16	6	7	11	13	–	20

1. Norme horaire selon le Règlement sur la qualité de l'air, en parties par milliard.
2. Les conditions météorologiques défavorables de l'année 2000 ont fait en sorte qu'il y a eu très peu d'épisodes de smog.

Source :   Ministère de l'Environnement, Direction du suivi de l'état de l'environnement.

Tableau 2.3

Émissions dans l'atmosphère des principaux contaminants selon la source, Québec, 1990[1] et 1999

Source	Contaminants									
	Particules en suspension		Dioxyde de soufre (SO$_2$)		Oxydes d'azote (NO$_x$)		Composés organiques volatils (COV)		Monoxyde de carbone (CO)	
	1990	1999	1990	1999	1990	1999	1990	1999	1990	1999
	t									
Industries	148 790	88 893	335 481	252 567	44 563	41 227	93 055	106 349	346 374	344 956
Combustion non industrielle	33 527	42 710	24 112	15 904	17 961	20 166	43 903	57 613	203 966	269 190
Transport	18 015	15 069	30 124	19 799	314 139	303 380	202 831	111 828	1 820 080	885 345
Activités diverses non industrielles	—	—	—	—	—	—	83 220	50 440	—	—
Total	**200 332**	**146 672**	**389 717**	**288 270**	**376 663**	**364 773**	**423 009**	**326 230**	**2 370 420**	**1 499 491**

1. Les valeurs de 1990 ont été révisées et sont différentes des données présentées dans l'édition 1995 du *Québec statistique*.

Source : Ministère de l'Environnement, Direction des politiques du secteur industriel.

Tableau 2.4

Émissions de dioxyde de soufre (SO$_2$) selon le type de source, Québec, 1990[1] et 1999

Source	1990	1999	Source	1990	1999
	t			t	
Industries			**Autres sources**		
Usines de pâtes et papiers	41 947	22 434	Usage de solvants	—	47
Industries de transformation du bois	40	446			
Scieries	40	283	Incinérateurs	915	205
Usines de panneaux de bois	—	163			
Industries du fer et de l'acier	19 977	18 154	Centrales thermiques Hydro-Québec	11 272	7 792
Sidérurgies	9 750	8 446			
Fonderies de fonte et d'acier	95	56	Combustion non industrielle	12 841	8 112
Usines de bouletage et de minerai de fer	8 287	8 443	Administration publique	1 148	317
Usines de ferro-alliages	1 846	1 210	Agriculture	668	166
Alumineries	25 669	41 456	C.C.U.M./Montréal	19	89
Industries chimiques	14 478	6 482	Chauffage au bois	430	564
Industries de la chimie organique	370	100	Commerce et institution	3 152	1 938
Industries de la chimie inorganique	13 247	6 351	Résidentiel	7 424	5 038
Industries pétrochimique	862	30			
Raffineries de pétrole	13 808	15 173	Transport	30 124	19 799[2]
Cimenteries et usines de chaux	14 863	9 569	Aéronefs	890	735
Cimenteries	14 061	7 438	Automobiles diesel	217	39
Usines de chaux	802	2 131	Autres moteurs diesel	2 077	2 714
Usines d'extraction de zinc	4 055	5 044	Autres transports	—	—
Usines d'extraction de cuivre	189 618	128 757	Bateaux	12 540	10 097
Autres industries	10 111	4 798[2]	Camions lourds diesel	8 459	2 667
Industries des produits de plastique	127	–	Camions lourds essence	71	63
Industries des produits de caoutchouc	—	4	Camions légers diesel	622	104
Industries ayant des sources étendues	2 890	128	Camions légers essence	1 192	770
Usines d'abrasif	3 469	2 344	Chemins de fer	691	642
Usines de produits réfractaires	292	148	Hors route essence	76	44
Industries des produits en argile	—	167	Motocyclettes	5	3
Usines d'électrodes de carbone	253	128	Voitures essence	3 284	1 922
Industries des boissons et aliments	—	8			
Industries non classées	2 117	1 357			
Mines et moulins d'amiante	963	511			
Sites d'enfouissement	—	1			
Divers	–	2			
Total des industries	**334 566**	**252 314**	**Total des autres sources**	**55 151**	**35 956**[2]
Toutes les sources	**389 717**	**288 270**			

1. Les valeurs de 1990 ont été révisées et, dans certains cas, sont différentes des données présentées dans l'édition 1995 du *Québec statistique*.
2. En raison de l'arrondissement des données, les totaux peuvent différer de la somme de leurs parties.

Source : Ministère de l'Environnement, Direction des politiques du secteur industriel.

Tableau 2.5
Émissions dans l'atmosphère des principaux contaminants, Québec, 1980-1999

Année	Contaminants				
	Particules en suspension	Dioxyde de soufre (SO$_2$)	Oxydes d'azote (NO$_x$)	Composés organiques volatils (COV)	Monoxyde de carbone (CO)
	t				
1980	456 530	1 097 911	290 787	344 659	2 131 025
1985	309 841	692 715	239 876	359 192	1 914 503
1990[1]	200 332	389 717	376 663	423 009	2 370 420
1991	174 874	367 851	339 243	380 473	2 254 121
1992	165 024	375 652	329 916	372 639	2 230 866
1993	157 143	375 403	321 667	370 856	2 157 436
1994	166 579	371 924	334 260	362 982	1 992 011
1995	133 463	361 983	362 249	358 656	1 827 936
1996	142 905	353 070	344 634	334 707	1 683 480
1997	140 582	335 241	361 966	340 157	1 692 164
1998	146 248	313 216	368 714	332 447	1 550 178
1999	147 969	288 817	364 773	326 230	1 499 491

1. Les valeurs de 1990 ont été révisées et sont différentes des données présentées dans l'édition 1995 du *Québec statistique*.

Source : Ministère de l'Environnement, Direction des politiques du secteur industriel.

Tableau 2.6
Émissions de gaz à effet de serre, Canada, 1990 et 1999

Province et territoire	Émissions[1] de gaz			Émissions[1] de gaz par habitant	
	1990	1999	Variation 1999/1990	1990	1999
	kt équivalent CO$_2$		%	t équivalent CO$_2$	
Terre-Neuve	9 440	8 966	-5,0	16,4	16,6
Île-du-Prince-Édouard	1 960	2 007	2,4	15,0	14,6
Nouvelle-Écosse	19 393	20 283	4,6	21,4	21,6
Nouveau-Brunswick	15 890	19 044	19,8	21,5	25,2
Québec	86 571	88 158	1,8	12,4	12,0
Ontario	182 215	195 373	7,2	17,9	17,0
Manitoba	20 396	20 924	2,6	18,5	18,3
Saskatchewan	46 666	61 538	31,9	46,2	60,0
Alberta	170 292	214 590	26,0	67,6	72,5
Colombie-Britannique	53 055	63 900	20,4	16,3	15,9
Yukon	505	597	18,2	18,4	19,3
Territoires du Nord-Ouest et Nunavut	1 279	1 485	16,1	22,1	21,9
Canada	**607 662**	**696 865**	**14,7**	**22,1**	**22,8**

1. Ces données incluent les 6 gaz du protocole de Kyoto et excluent les puits de carbone.

Source : Environnement Canada.

Figure 2.4
Évolution des émissions[1] de gaz à effet de serre, Québec, 1990-1999

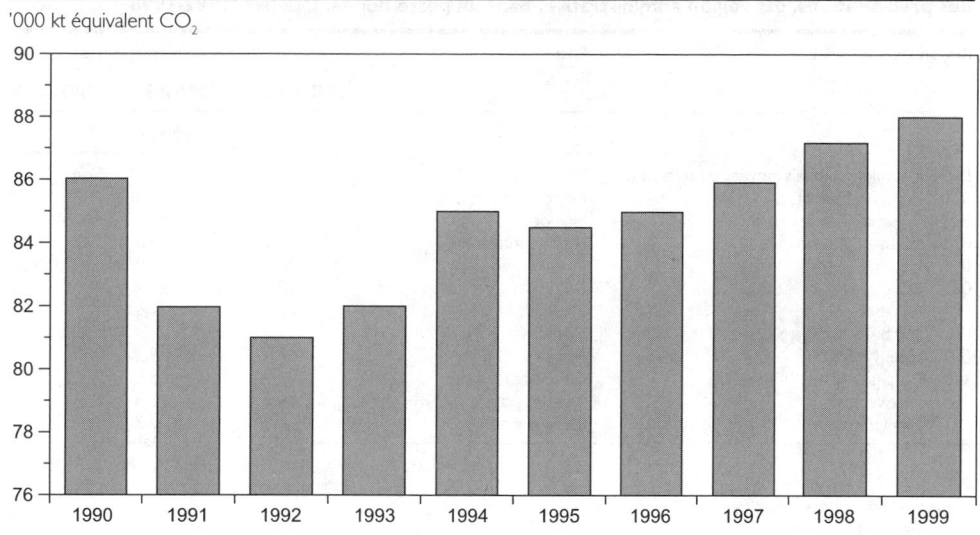

'000 kt équivalent CO_2

1. Ces données incluent les 6 gaz du protocole de Kyoto et excluent les puits de carbone.

Source : Ministère de l'Environnement, Direction des politiques du secteur industriel.

Figure 2.5
Émissions de gaz à effet de serre selon la source d'émission, Québec, 1990 et 1999

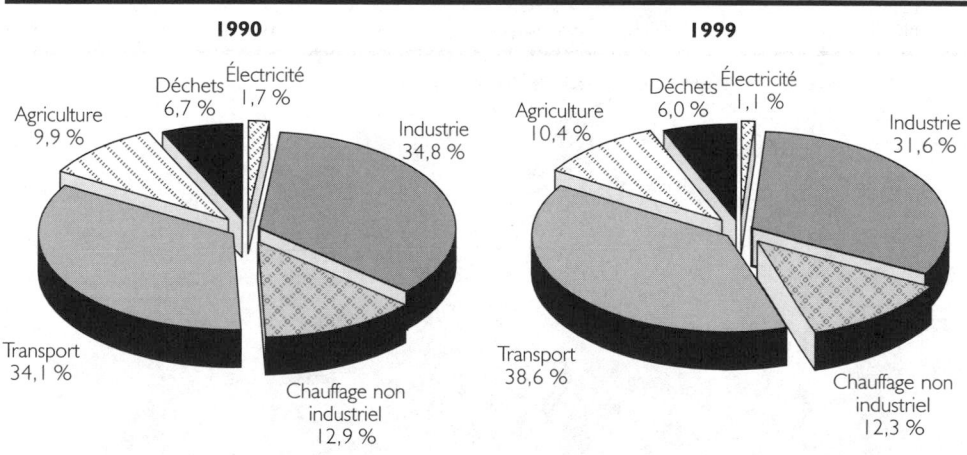

Source : Ministère de l'Environnement, Direction des politiques du secteur industriel.

Tableau 2.7
Dépôts humides annuels moyens quinquennaux de sulfates (SO$_4$) et pH annuel moyen quinquennal des précipitations, par région administrative, dans un poste donné, Québec, 1982-1996

Région administrative	Poste	Moyenne quinquennale		
		1982-1986	1987-1991	1992-1996
		kg/ha/a		
Dépôts humides annuels moyens de sulfates (SO$_4$)				
01 Bas-Saint-Laurent	Notre-Dame-du-Lac	14,6	14,5	10,9
02 Saguenay–Lac-Saint-Jean	Hémon	16,8	13,9	9,8
03 Capitale-Nationale	Forêt-Montmorency	25,3	19,5	18,2
04 Mauricie	Grande-Anse	21,5	21,9	15,2
05 Estrie	Ditton	28,2	20,2	16,2
07 Outaouais	Wright	22,7	21,4	19,3
08 Abitibi-Témiscamingue	Mont-Brun	22,5	21,6	14,1
09 Côte-Nord	Fermont	7,6	9,2	8,1
11 Gaspésie–Îles-de-la-Madeleine	Cap-Seize	12,1	13,6	10,9
15 Laurentides	Saint-Hippolyte	26,0	25,8	20,0
16 Montérégie	Hemmingford	26,5	22,7	18,0
		unité de pH		
pH annuel moyen des précipitations				
01 Bas-Saint-Laurent	Notre-Dame-du-Lac	4,52	4,52	4,62
02 Saguenay–Lac-Saint-Jean	Hémon	4,49	4,51	4,57
03 Capitale-Nationale	Forêt-Montmorency	4,37	4,40	4,48
04 Mauricie	Grande-Anse	4,37	4,37	4,48
05 Estrie	Ditton	4,37	4,42	4,45
07 Outaouais	Wright	4,30	4,32	4,36
08 Abitibi-Témiscamingue	Mont-Brun	4,33	4,36	4,48
09 Côte-Nord	Fermont	4,78	4,72	4,73
11 Gaspésie–Îles-de-la-Madeleine	Cap-Seize	4,61	4,56	4,65
15 Laurentides	Saint-Hippolyte	4,32	4,30	4,39
16 Montérégie	Hemmingford	4,31	4,35	4,44

Source : Ministère de l'Environnement, Direction du suivi de l'état de l'environnement.

Tableau 2.8

Principaux descripteurs[1,2] de la qualité de l'eau enregistrés dans le fleuve Saint-Laurent et à l'embouchure de quelques rivières, Québec, 1994-1999

Cours d'eau	Conduc-tivité	Turbidité	Matières en suspension	Carbone organique dissous	Nitrites-nitrates	Azote ammo-niacal	Phosphore total	Coliformes fécaux	pH
	µS/cm	UNT	mg/l		mg/l N		mg/l P	UFC/100 ml	unité
Fleuve Saint-Laurent									
Canal de Beauharnois	294	0,5	1	2,1	0,28	0,02	0,010	2	8,1
Prise d'eau de Montréal	285	1,0	1	2,2	0,30	0,02	0,012	3	8,1
Prise d'eau de Sainte-Foy	215	4,2	7	3,7	0,31	0,02	0,027	58	7,8
Rive sud du fleuve									
Du Loup	102	4,4	6	11,9	0,12	0,05	0,057	580	7,4
Du Sud	103	4,4	7	5,9	0,40	0,04	0,027	210	7,3
Boyer	261	9,0	16	6,8	2,20	0,08	0,108	345	7,8
Etchemin	140	2,6	8	5,9	0,67	0,05	0,041	94	7,7
Chaudière	123	3,0	7	7,0	0,33	0,05	0,033	205	7,6
Bécancour	188	2,9	5	6,1	0,42	0,04	0,034	103	7,9
Nicolet	235	2,4	5	5,2	0,67	0,04	0,036	117	8,1
Nicolet Sud-Ouest	248	4,4	9	6,8	0,59	0,07	0,070	110	8,0
Saint-François	172	3,8	10	7,0	0,29	0,05	0,036	134	7,7
Yamaska	350	21,0	37	7,4	1,32	0,11	0,134	250	7,9
Richelieu	187	4,8	11	3,5	0,33	0,04	0,041	260	7,8
Châteauguay	267	4,8	8	5,5	0,61	0,06	0,096	260	7,9
Rive nord du fleuve									
Kinojévis	152	9,9	11	9,8	0,32	0,05	0,028	15	7,0
Du Lièvre	29	1,1	3	5,0	0,09	0,02	0,013	47	6,8
Gatineau	43	1,2	2	5,4	0,09	0,03	0,012	25	7,1
Des Outaouais	87	2,6	3	6,0	0,19	0,06	0,018	44	7,4
Du Nord	183	3,8	37	5,0	0,42	0,10	0,068	500	7,3
Des Mille Îles	151	4,1	8	6,0	0,35	0,11	0,064	3 850	7,5
Des Prairies	95	3,9	6	5,9	0,21	0,04	0,025	600	7,5
L'Assomption	158	6,2	13	4,8	0,52	0,08	0,059	710	7,5
Maskinongé	70	6,3	13	5,3	0,19	0,04	0,038	600	7,2
Du Loup	72	9,5	17	4,7	0,20	0,06	0,052	1 000	7,1
Saint-Maurice	28	1,4	3	5,8	0,09	0,02	0,016	260	6,6
Batiscan	34	2,5	4	4,8	0,11	0,03	0,020	98	6,9
Sainte-Anne	47	3,4	6	4,3	0,19	0,02	0,035	350	7,2
Jacques-Cartier	56	1,3	3	5,0	0,28	0,02	0,019	87	7,2
Saint-Charles	332	4,6	10	3,9	0,38	0,05	0,035	1 000	7,7
Saguenay	28	1,3	2	6,7	0,09	0,02	0,013	62	6,9
Autres bassins versants									
Madawaska	139	0,8	2	4,3	0,16	0,01	0,012	7	7,8
Harricana	80	23,0	16	11,3	0,28	0,04	0,052	300	6,9

1. Valeurs médianes. Ces descripteurs sont définis à la fin du texte.
2. Le nombre de données varie généralement entre 60 et 90 selon la station et le paramètre.

Source : Ministère de l'Environnement, Direction du suivi de l'état de l'environnement.

Tableau 2.9

Fréquence de dépassement[1] des critères de qualité liés à la baignade et à la protection contre l'eutrophisation dans le fleuve Saint-Laurent et à l'embouchure de quelques rivières, Québec, 1994-1999

Cours d'eau	Baignade[2]	Protection contre l'eutrophisation[3]
		%
Fleuve Saint-Laurent		
Canal de Beauharnois	–	7
Prise d'eau de Montréal	2	9
Prise d'eau de Sainte-Foy	17	45
Rive sud du fleuve		
Du Sud	55	44
Boyer	58	99
Etchemin	32	73
Chaudière	52	60
Bécancour	33	59
Nicolet	34	55
Nicolet Sud-Ouest	30	96
Saint-François	42	67
Yamaska	57	99
Richelieu	58	75
Châteauguay	57	100
Rive nord du fleuve		
Kinojévis	6	48
Du Lièvre	13	10
Gatineau	11	6
Des Outaouais	10	17
Du Nord	81	100
Des Mille Îles	97	98
Des Prairies	88	35
L'Assomption	90	97
Maskinongé	82	73
Du Loup	85	85
Saint-Maurice	65	9
Batiscan	24	25
Sainte-Anne	77	58
Jacques-Cartier	28	24
Saint-Charles	88	59
Saguenay	14	9
Autres bassins versants		
Madawaska	4	3
Harricana	57	93

1. Le nombre de données varie entre 60 et 90 selon la station et le paramètre.
2. Critère de qualité : 200 UFC/100 ml. Valeur de coliformes fécaux ne devant pas être dépassée pour la baignade.
3. Critère de qualité : 0,030 mg/l de P. Valeur de phosphore total ne devant pas être dépassée pour la protection contre l'eutrophisation.

Source : Ministère de l'Environnement, Direction du suivi de l'état de l'environnement.

Tableau 2.10
Municipalités et population selon l'accès à un réseau d'égouts, Québec, décembre 2001

	Municipalités	Population
	n	
Municipalités desservies par un réseau d'égouts	859	5 949 570
Avec station d'épuration	730	5 881 850
Sans station d'épuration	129	67 720
Secteurs non desservis par un réseau d'égouts	...	1 014 540 [1,2]
Municipalités non desservies par un réseau d'égouts	411	358 190 [2]
Total	**1 270**	**7 322 300**

1. Population répartie sur le territoire des 859 municipalités qui ont un réseau d'égouts, mais qui n'est pas desservie par celui-ci.
2. Population de 1 372 730 personnes assujetties au Règlement sur l'évacuation et le traitement des eaux usées des résidences isolées (Q-2, r.8).

Source : Ministère des Affaires municipales et de la Métropole, Direction des infrastructures.

Figure 2.6
Nombre de réseaux municipaux desservis par un système ayant dérogé aux normes de qualité microbiologique, entre les mois de mai et d'octobre, et nombre annuel d'avis à la population de faire bouillir l'eau de consommation, Québec, 1991-2000

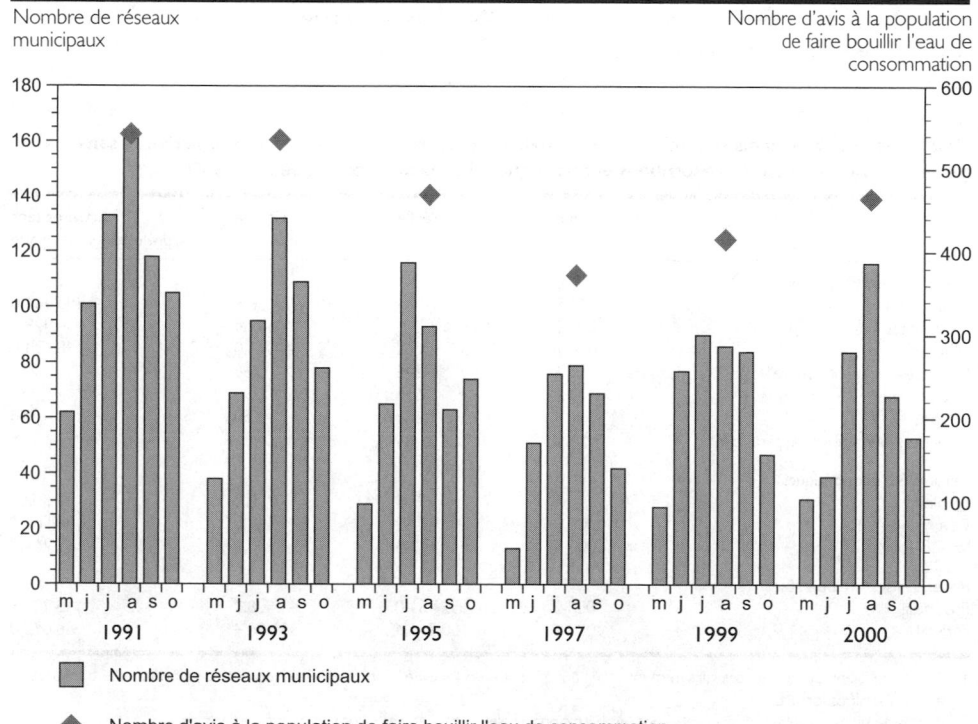

Source : Ministère de l'Environnement, Direction des politiques du secteur municipal.

Tableau 2.11

Participation des Québécois aux activités de pêche et de chasse et aux activités sans prélèvement faunique, et répartition des participants selon le sexe et le groupe d'âge, Québec, 1999[1]

	Unité	Pêche	Chasse	Activités sans prélèvement faunique
Indicateurs de participation				
Participants	'000	1 042,2	403,6	1 198,8
Nombre total de jours	'000	10 630,4	5 852,2	17 262,7
Nombre de jours par participant	n	10,2	14,5	14,4
Taux de participation	%	17,3	6,7	19,9
Répartition des participants				
Sexe				
Hommes	%	69,4	78,1	49,8
Femmes	%	30,6	21,9	50,2
Groupe d'âge				
15-24 ans	%	12,1	13,9	17,9
25-34 ans	%	21,8	22,2	26,6
35-44 ans	%	30,0	29,2	26,3
45-54 ans	%	20,8	20,2	16,6
55-64 ans	%	10,5	10,7	6,5
65 ans et plus	%	5,5	3,8	6,1

1. Le piégeage des animaux à fourrure ne figure pas parmi les activités présentées dans ce tableau. Toutefois, mentionnons qu'en 1998-1999, quelque 8 079 détenteurs d'un permis de piégeage et 788 Autochtones ont participé à cette activité.

Source : Société de la faune et des parcs.

Tableau 2.12

Dépenses des Québécois participant aux activités de pêche et de chasse et aux activités sans prélèvement faunique, et retombées économiques de ces activités, Québec, 1999

	Unité	Pêche	Chasse	Activités sans prélèvement faunique
Dépenses des Québécois				
Dépenses annuelles totales	000 $	1 331 109,4	298 166,4	293 364,0
Courantes[1]	000 $	655 273,6	117 554,4	154 929,6
Capital[2]	000 $	675 835,8	180 612,0	138 434,4
Dépenses moyennes annuelles par participant	$	1 296	758	250
Courantes	$	638	299	132
Capital	$	658	459	118
Dépenses journalières par participant	$	63	21	9
Retombées économiques				
Emplois[3]	n	9 108	3 210	3 265
Revenus (bruts)[4]	000 $	203 227,4	84 341,3	85 588,1
Valeur ajoutée[5]	000 $	414 755,4	151 990,2	157 243,2
Revenus fiscaux et parafiscaux[6]				
Provincial	000 $	132 361,0	44 528,2	45 209,8
Fédéral	000 $	100 716,4	35 790,4	36 072,0

1. Achats de biens et de services directement reliés à la pratique de l'activité, comme l'hébergement, la nourriture, le transport, le matériel de location, etc.
2. Achats de biens durables, tels que véhicules, embarcations, chalets, etc., réalisés pour la pratique de l'activité.
3. La main-d'œuvre est comptabilisée en années-personnes et correspond à la charge totale de travail, sans distinction du type d'emploi (saisonnier, temps partiel ou autre).
4. Salaires et gages versés avant impôts à des résidents québécois.
5. Rémunération des facteurs de production à l'intérieur de l'économie québécoise, incluant la valeur estimée pour la masse salariale.
6. Comprenant les impôts sur les salaires et gages, la parafiscalité et les taxes indirectes, la TVQ et la TPS.

Source : Société de la faune et des parcs.

Tableau 2.13
Permis de pêche et de chasse émis selon le lieu de résidence, Québec, 1989-1999[1]

Année	Résidents du Québec		Résidents hors Québec		Total	
	Pêche	Chasse	Pêche	Chasse	Pêche	Chasse
			n			
1989	780 530	629 182	63 732	18 905	844 262	648 087
1990	797 992	622 165	61 166	18 758	859 158	640 923
1991	768 046	609 251	52 572	16 214	820 618	625 465
1992	744 904	563 940	48 476	14 928	793 380	578 868
1993	748 831	529 927	48 071	15 307	796 902	545 234
1994	754 706	508 751	54 270	15 583	808 976	524 334
1995	760 516	509 840	56 662	17 271	817 178	527 111
1996	732 888	496 680	56 198	17 604	789 086	514 284
1997	709 490	488 121	56 526	18 335	766 016	506 456
1998	711 896	481 331	61 057	19 311	772 953	500 642
1999	712 457	485 995	62 943	22 277	775 400	508 272

1. En date du 30 août 2000.
Source : Société de la faune et des parcs, Direction des permis et de la tarification.

Tableau 2.14
Captures dans la pêche récréative selon le lieu de résidence des pêcheurs, par espèce de poisson, Québec, 1995

Espèce de poisson	Résidents du Québec	Résidents hors Québec	Total des captures
		n	
Achigans	2 435 969	270 227	2 706 196
Brochets	2 947 804	392 358	3 340 162
Dorés	6 447 949	1 105 538	7 553 487
Omble de fontaine	22 393 884	363 412	22 757 296
Ouananiche	161 147	4 588	165 735
Perchaude	11 639 048	105 112	11 744 160
Saumon atlantique	15 264	8 906	24 170
Touladi	943 969	120 231	1 064 200
Truites	3 576 262	40 127	3 616 389
Autres poissons d'eaux douces	4 007 895	34 683	4 042 578
Autres poissons d'eaux salées	3 117 447	12 507	3 129 954
Total	**57 686 638**	**2 457 689**	**60 144 327**

Source : Pêches et Océans Canada.

Tableau 2.15
Captures dans la chasse de la grande faune, par espèce animale, Québec, 1989-1999

Année	Orignal	Cerf de Virginie		Caribou	Ours noir	
		Anticosti	Ailleurs		Chasse	Piégeage
			n			
1989	11 018	7 823	12 729	10 178	2 690	636
1990	12 447	7 304	13 759	12 710	2 799	720
1991	11 892	7 910	14 544	11 546	2 479	920
1992	11 952	7 670	14 736	11 591	3 000	1 332
1993	11 062	8 483	16 624	12 941	3 297	1 264
1994	9 262	8 654	17 202	12 791	3 137	1 780
1995	10 617	8 204	27 844	14 746	3 701	1 814
1996	9 956	7 422	30 442	19 150	2 377	1 481
1997	11 441	7 797	37 539	17 460	2 237	1 455
1998	11 625	7 959	40 978	18 992	1 899	453
1999	13 941	8 485	37 651	18 108	2 639	404

Source : Société de la faune et des parcs.

Tableau 2.16
Ventes de fourrures d'animaux sauvages, par espèce animale, Québec, 1998-1999 et 1999-2000[1]

Espèce animale	Fourrures		Valeur moyenne		Valeur totale	
	1998-1999	1999-2000[2]	1998-1999	1999-2000[3]	1998-1999	1999-2000
	n		$			
Belette	13 669	13 203	3,08	3,64	42 101	48 059
Castor	64 043	50 071	22,86	25,02	1 464 023	1 252 776
Coyote	2 162	2 924	19,16	21,85	41 424	63 889
Écureuil	7 038	5 199	0,74	0,85	5 208	4 419
Loup	293	445	96,83	66,06	28 371	29 397
Loutre	3 426	2 959	45,89	75,93	157 219	224 677
Lynx du Canada	1 105	1471	64,45	51,24	71 217	75 374
Martre d'Amérique	22 254	28 369	30,35	39,04	675 409	1 107 526
Mouffette rayée	128	97	4,01	2,44	513	237
Ours noir[4]	667	621	57,95	157,42	38 653	97 758
Ours polaire	40	45	522,55	695,33	20 902	31 290
Pékan	3 826	4 865	32,71	27,10	125 148	131 842
Rat musqué	90 872	78 151	2,36	2,65	214 458	207 100
Raton laveur	10 578	7 318	12,35	8,60	130 638	62 935
Renard argenté	60	64	23,59	19,48	1 415	1 247
Renard arctique	98	125	21,83	21,94	2 139	2 743
Renard croisé	279	405	16,61	19,17	4 634	7 764
Renard roux	9 722	12 810	17,85	26,22	173 538	335 878
Vison	8 423	8 456	14,76	14,13	124 323	119 483
Total	**238 683**	**217 598**	...	...	**3 321 335**	**3 804 393**

1. Données de récolte en date du 26 septembre 2000.
2. Ventes comptabilisées du 1er septembre 1999 au 31 août 2000.
3. Valeur moyenne des fourrures vendues aux enchères des compagnies Amérique du Nord, Encans de fourrure et Les Pelletiers Encanteurs Inc. La conversion en dollars canadiens a été effectuée à partir du taux de change pour les mois d'enchères, soit 1,49 $.
4. Application du plan de gestion de l'ours noir en 1998-1999 : quota de deux ours pour les trappeurs et un ours pour les chasseurs.

Source : Société de la faune et des parcs, Direction du développement de la faune.

Tableau 2.17
Territoires fauniques, y compris les rivières à saumon, faisant l'objet d'une protection particulière, par région administrative, Québec, 1999

Région administrative	Pourvoiries avec droits exclusifs			Pourvoiries sans droits exclusifs	Zones d'exploitation contrôlée			Réserves fauniques			Refuges fauniques		Aires fauniques communautaires	
	n	km²	km	n	n	km²	km	n	km²	km	n	km²	n	km²
01 Bas-Saint-Laurent														
Territoire	1	261,2	...	13	5	2 981,0	...	3	2 566,0	...	–	...	–	...
Rivières	–	...	12,0	–	4	...	223,1	–	...	...				
02 Saguenay–Lac-Saint-Jean														
Territoire	22	2 348,6	...	24	10	8 935,0	...	1	4 488,0	...			1	1 111,6
Rivières	–	...	...	–	3	...	241,1	1	...	14,0				
03 Capitale-Nationale														
Territoire	14	520,7	...	9	5	2 650,0	...	2	8 735,0	...	–	...		
Rivières	–	...	...	–	1	...	15,0	–	...	...				
04 Mauricie														
Territoire	21	1 928,8	...	62	11	7 317,8	...	2	2 356,0	...	–	...	–	...
05 Estrie														
Territoire	–	...	...	7	1	168,4	...	–	...	...	–	...		
06 Montréal														
Territoire	–	...	...	–	–	...	...							
07 Outaouais														
Territoire	25	3 071,1	...	68	4	4 694,3	...	3	14 243,0	...	–	...	1	302,4[1]
08 Abitibi-Témiscamingue														
Territoire	9	1 630,6	...	89	6	8 460,0		–	...					
09 Côte-Nord														
Territoire	37	10 263,1	...	45	7	5 267,0	...	1	6 423,0	107,5	–	...		
Rivières	22	...	1 118,1	–	5	...	260,1	–	...	...				
10 Nord-du-Québec														
Territoire	1	45,1	...	94	–	...	...	2	25 285,0	...	–	...		
11 Gaspésie–Îles-de-la-Madeleine														
Territoire	1	5,5	...	15	2	246,0	...	2	1 191,0	...	2	13,0	–	...
Rivières	–	...	...	–	8	...	873,7	4	...	375,5				
12 Chaudière-Appalaches														
Territoire	–	...	...	30	2	124,3	...	–	...	...				
13 Laval														
Territoire	–	...	...	–	–	...	...							
14 Lanaudière														
Territoire	15	694,6	...	7	4	1 734,0	...	–	...	...				
15 Laurentides														
Territoire	23	3 138,4	...	41	6	5 368,0	...	1	1 392,0	...	1	0,3	–	...
16 Montérégie														
Territoire	–	...	...	6	–	...	...	–	...	...	1	2,2	–	...
17 Centre-du-Québec														
Territoire	–	...	...	–	–	...	...				1	1,5	–	...
Le Québec														
Territoire	**169**	**23 907,7**	**...**	**510**	**63**	**47 946,6**	**...**	**17**	**66 679,0**	**...**	**5**	**17,0**	**2**	**1 414,0**
Rivières	**23**	**...**	**1 130,1**	**–**	**21**	**...**	**1 613,0**	**6**	**...**	**497,0**	**–**	**...**	**–**	**...**

1. Cette aire faunique communautaire touche aussi à la région des Laurentides.

Source : Société de la faune et des parcs.

Tableau 2.18
Superficie et proportion des aires protégées selon les catégories UICN, Québec, juin 2001

Catégories UICN (1994) – Désignations québécoises	Intervenant	Superficie[1]	Proportion[2]
		km²	%
I a – Réserve naturelle intégrale		**1 075,20**	**0,06**
Habitat d'une espèce menacée ou vulnérable	Gouvernement du Québec	0,06	—
Habitat faunique	Gouvernement du Québec	1,40	—
Milieu naturel protégé par une institution scolaire	Institution scolaire	5,00	—
Refuge d'oiseaux migrateurs	Gouvernement du Canada	107,97	—
Réserve écologique	Gouvernement du Québec	953,39	—
Réserve nationale de faune	Gouvernement du Canada	0,80	—
Site protégé par une charte d'organisme privé	Privé	6,58	—
II – Parc national		**7 092,04**	**0,42**
Milieu marin protégé	Gouvernements : Québec et Canada	1 138,00	—
Parc de la Commission de la capitale nationale (Canada)	Gouvernement du Canada	356,50	—
Parc national et réserve de parc national	Gouvernement du Canada	930,90	—
Parc québécois	Gouvernement du Québec	4 622,04	—
III – Monument naturel/élément naturel marquant		**422,03**	**0,03**
Milieu naturel protégé par une institution scolaire	Institution scolaire	6,00	—
Parc de la Commission de la capitale nationale (Canada)	Gouvernement du Canada	2,50	—
Parc d'intérêt récréotouristique et de conservation	Municipalité – Privé – Gouvernement du Québec	116,18	—
Parc et lieu historique national	Gouvernement du Canada	1,91	—
Parc québécois	Gouvernement du Québec	0,62	—
Parc régional urbain	Municipalité	11,26	—
Refuge d'oiseaux migrateurs	Gouvernement du Canada	277,17	—
Refuge faunique	Gouvernement du Québec – Municipalité	0,11	—
Réserve nationale de faune	Gouvernement du Canada	0,23	—
Site protégé par la Fondation de la faune du Québec	Gouvernement du Québec – Municipalité	1,96	—
Site protégé par une charte d'organisme privé	Privé	4,09	—
IV – Aire gérée pour l'habitat et les espèces		**9 705,36**	**0,58**
Habitat faunique	Gouvernement du Québec	9 674,25	—
Parc d'intérêt récréotouristique et de conservation	Municipalité – Privé	4,30	—
Refuge faunique	Gouvernement du Québec – Privé	2,24	—
Site protégé par la Fondation de la faune du Québec	Gouvernement du Québec – Privé – Municipalité	10,09	—
Site protégé par une charte d'organisme privé	Privé	14,48	—
VI – Aire protégée de ressources naturelles gérées		**30 343,42**	**1,82**
Habitat d'une espèce menacée ou vulnérable	Gouvernement du Québec	0,79	—
Habitat faunique	Gouvernement du Québec	28 749,07	—
Parc d'intérêt récréotouristique et de conservation	Privé	8,09	—
Refuge d'oiseaux migrateurs	Gouvernement du Canada	108,25	—
Refuge faunique	Gouvernement du Québec – Municipalité	14,66	—
Réserve nationale de faune	Gouvernement du Canada	43,94	—
Rivières à saumon (bande riveraine)	Gouvernement du Québec	1 390,35	—
Site protégé par la Fondation de la faune du Québec	Gouvernement du Québec – Municipalité	6,29	—
Site protégé par une charte d'organisme privé	Privé	21,98	—
Total		**48 638,05**	**2,91**

1. Plusieurs aires protégées se trouvent dans plus d'une désignation québécoise. Pour éviter un double comptage de leur superficie, celle-ci a été attribuée, en partie ou en totalité, dans l'une ou l'autre de ces désignations.
2. Proportion du territoire protégé par rapport à l'ensemble du territoire québécois.

Source : Ministère de l'Environnement, Direction du patrimoine écologique et du développement durable, juin 2001.

Tableau 2.19
Résidus totaux générés et taux annuel de génération de résidus par habitant, selon le mode de récupération ou d'élimination, Québec, 1992-1998

Mode de récupération ou d'élimination	1992	1994	1996	1998
	t			
Récupération des résidus	**1 597 600**	**1 993 510**	**3 005 590**	**3 370 870**
Résidus solides	1 595 600	1 973 510	2 985 090	3 348 870
Collectes pour recyclage (municipales)	178 600	221 570	300 880	333 670
Collectes pour recyclage (ICI)[1]	1 400 000	1 656 940	2 570 090	2 842 700
Collectes pour compostage (municipales)	17 000	51 000	84 300	90 700
Collectes pour compostage (ICI)[1]	..	44 000	29 820	83 800
Boues municipales – collectes (compostage/épandage)	2 000	20 000	20 500	22 000
Élimination des résidus	**5 513 000**	**5 189 400**	**5 491 000**	**5 705 465**
Résidus solides	5 389 000	5 029 400	5 326 500	5 537 465
Incinération	378 000	187 000	199 300	192 300
Enfouissement : LES[2], DET[2], dépotoirs	4 035 000	4 108 000	4 333 600	4 372 865
Enfouissement : DMS[2]	976 000	734 400	793 600	972 300
Boues municipales	124 000	160 000	164 500	168 000
Incinération	53 000	65 000	74 200	74 800
Enfouissement	71 000	95 000	90 300	93 200
Grand total des résidus générés	**7 110 600**	**7 182 910**	**8 496 590**	**9 076 335**
Grand total des résidus solides	**6 984 600**	**7 002 910**	**8 311 590**	**8 886 335**
Grand total des boues municipales	**126 000**	**180 000**	**185 000**	**190 000**
	t/pers./a			
Taux annuel de génération de résidus par habitant				
Génération de tous les résidus	0,99	0,99	1,18	1,24
Récupération	0,22	0,27	0,42	0,46
Élimination	0,77	0,71	0,76	0,78
Génération des résidus solides	0,98	0,96	1,15	1,21
Récupération	0,22	0,27	0,41	0,46
Élimination	0,75	0,69	0,74	0,76

1. ICI : industriel – commercial – institutionnel.
2. LES : lieu d'enfouissement sanitaire; DET : dépôt en tranchée; DMS : dépôt de matériaux secs.

Source : RECYC-QUÉBEC.

Figure 2.7
Quantité de matières récupérées par des collectes sélectives municipales de matières recyclables et population correspondante desservie, Québec, 1992-1998

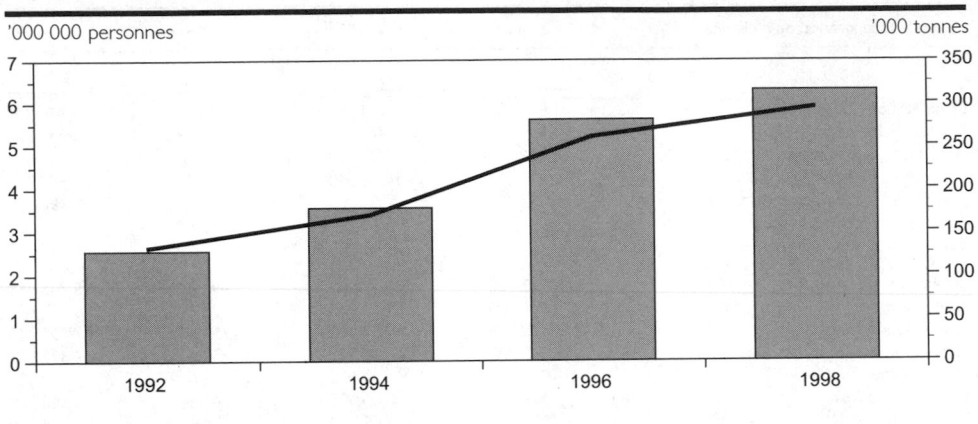

Nombre de personnes desservies par des collectes sélectives municipales de matières recyclables

Quantité de matières récupérées (tonnes métriques)[1]

1. Les quantités de matières récupérées par des collectes sélectives municipales de matières recyclables (papier, verre, métaux ferreux et non ferreux, et plastique) ne sont pas semblables à celles calculées par RECYC-QUÉBEC, car les méthodes d'inventaire et de compilation sont différentes.

Source : Collecte sélective Québec.

Figure 2.8
Évolution du Fonds des priorités gouvernementales en sciences et technologie – Volet Environnement, Québec, 1998-1999 à 2000-2001

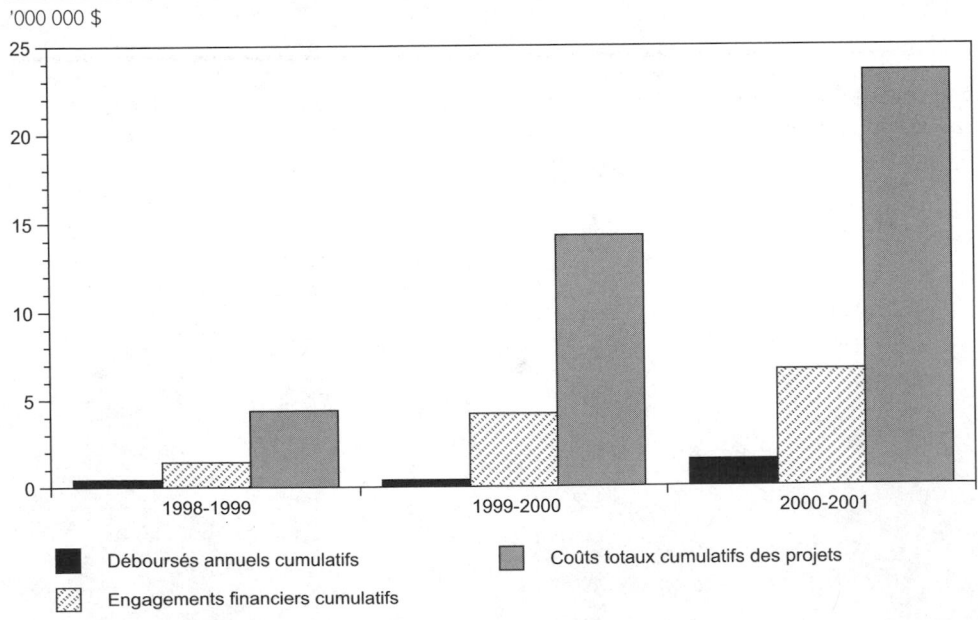

Déboursés annuels cumulatifs

Coûts totaux cumulatifs des projets

Engagements financiers cumulatifs

Source : Ministère de l'Environnement, Direction de la coordination des programmes d'aide.

3

Institutions politiques et judiciaires

Liste des tableaux

Ce chapitre a été réalisé par Manon Leclerc, de la Direction de l'édition et des communications de l'Institut de la statistique du Québec.

L'État québécois détient trois pouvoirs : législatif, exécutif et judiciaire. Ces pouvoirs sont exercés par les institutions politiques et judiciaires de la province et, dans le cas du pouvoir judiciaire, partagés avec des instances fédérales. Ce chapitre décrit la composition, le fonctionnement et le mandat de ces différentes institutions, afin de mieux comprendre les liens complexes qui existent entre le Parlement, le gouvernement et les tribunaux québécois.

Depuis la publication du tout premier *Annuaire statistique*, en 1914, les institutions politiques et judiciaires ont presque toujours fait partie des sujets abordés. Au cours des années, le traitement du thème des institutions judiciaires est demeuré relativement le même, soit l'analyse de l'activité des tribunaux et de l'organisation des différentes cours. Par ailleurs, un chapitre intitulé « Gouvernement » présentait à l'origine, comme dans les plus récentes éditions, la description des institutions politiques québécoises et une analyse des statistiques électorales. Une section était aussi consacrée aux institutions fédérales, aux organisations politiques municipales et scolaires, de même qu'aux finances publiques. Dans cette 61e édition, les thèmes des institutions politiques et des institutions judiciaires sont réunis dans un même chapitre pour la première fois.

Les institutions politiques

Le Parlement québécois existe depuis plus de 200 ans. La première séance de la Chambre d'Assemblée du Bas-Canada s'est tenue le 17 décembre 1792, à la suite de l'adoption de l'Acte constitutionnel de 1791 par le Parlement britannique. Plus tard, en 1867, l'Acte de l'Amérique du Nord britannique crée un nouvel État, le Canada. Celui-ci est composé de quatre provinces, dont le Bas-Canada, qui deviendra le Québec. Ce dernier a hérité d'un système parlementaire de type britannique, caractérisé notamment par le droit pour la population de participer à la législation par l'intermédiaire d'une assemblée élective.

Le Parlement

Au Québec, avant 1969, le Parlement comprenait le lieutenant-gouverneur, un conseil législatif et une assemblée législative. En 1968, le Conseil législatif (tableau 3.1) est aboli, et l'Assemblée législative devient l'Assemblée nationale. Dans le régime parlementaire québécois, le Parlement détient le pouvoir législatif; c'est lui qui étudie, discute, modifie et vote les lois.

Le **lieutenant-gouverneur**, comme la reine qu'il représente, règne sans gouverner. Théoriquement, il est chef de l'État, mais concrètement il exerce ses pouvoirs sur l'avis du Conseil exécutif. Il lui incombe notamment de convoquer, proroger et dissoudre le Parlement, ainsi que de ratifier les décrets. Au Québec, pour qu'une loi entre en vigueur, elle doit préalablement avoir été sanctionnée par le lieutenant-gouverneur (tableau 3.2).

En 2001, l'**Assemblée nationale** compte 125 députés représentant chacun une circonscription électorale. Au début de chaque législature, les députés procèdent à l'élection d'un président par vote secret, sous recommandation du premier ministre. En toute impartialité, le président élu, secondé par trois vice-présidents, dirige les séances de l'Assemblée nationale (tableau 3.3). Dans le système parlementaire québécois, c'est l'Assemblée nationale qui assume la fonction législative. Elle édicte des normes qui s'appliquent à l'ensemble du territoire de la province, dans les champs de compétence qui lui sont conférés par la constitution canadienne.

Au commencement de chacune des séances, la période de questions permet aux députés d'exercer un certain contrôle sur le pouvoir exécutif et l'Administration publique. Lors de cet exercice, les ministres doivent répondre sans préavis aux interrogations de l'opposition officielle sur n'importe quel sujet d'intérêt public de compétence québécoise.

Dix commissions parlementaires permanentes, chacune étant composée d'une dizaine de députés, assistent l'Assemblée nationale dans sa double fonction de législation et de contrôle. C'est la Commission de l'Assemblée nationale qui coordonne le fonctionnement des dix autres.

Trois institutions émanent de l'Assemblée nationale : le Directeur général des élections, le Protecteur du citoyen et le Vérificateur général. Nommé pour une période de sept ans, le **Directeur général des élections** veille à l'application de la Loi électorale en plus de celle qui porte sur la consultation populaire. Il agit également à titre de président de la Commission de la représentation électorale, dont la mission première est d'établir la délimitation des circonscriptions électorales. De son côté, le **Protecteur du citoyen**, élu pour une période de cinq ans, a pour mandat de recueillir les plaintes des personnes et des groupes qui s'estiment lésés par les ministères et organismes du gouvernement du Québec à la suite de négligences, d'erreurs, d'injustices ou d'abus. Le mandat du **Vérificateur général** s'étend sur une décennie, et seule l'Assemblée nationale peut le nommer ou le destituer. Par la vérification, il favorise le contrôle parlementaire sur les fonds et autres biens publics. Son rapport annuel informe l'Assemblée de la façon dont le gouvernement, ses organismes et ses entreprises gèrent l'argent des contribuables québécois.

Le gouvernement

Le gouvernement est issu du Parlement, et ce dernier le contrôle. Dans le système parlementaire québécois, le gouvernement assume le pouvoir exécutif en déterminant les politiques qui guident l'action de l'État.

Le **premier ministre** est le chef du gouvernement. Il préside et nomme la vingtaine de membres qui composent le Conseil exécutif, désigné également sous l'appellation de Conseil des ministres. En chambre, au début de chaque session, le premier ministre prononce le discours d'ouverture; par la suite, lorsqu'il est présent, il répond aux questions des députés (tableau 3.4).

Le **Conseil exécutif** administre l'État en conformité avec les lois votées par le Parlement (tableau 3.5). Même si la rédaction des lois revient à l'Assemblée nationale, dans les faits la majorité des projets de loi sont rédigés par le Conseil des ministres et soumis, par la suite, à l'Assemblée nationale qui les étudie, les amende au besoin et les adopte. Afin d'améliorer son efficacité, sa coordination et sa cohérence, le Conseil des ministres s'est entouré de conseils et de comités ministériels permanents. Au total, ils sont au nombre de neuf, les plus connus étant le Conseil du trésor, le Comité des priorités et le Comité de législation.

Les **ministres** sont responsables de divers secteurs de l'Administration publique. Particulièrement actifs à l'Assemblée nationale, ils doivent y défendre leurs projets de loi, ainsi que répondre, au début de chacune des séances, aux questions des députés en rapport avec leurs responsabilités ministérielles.

Les autres parlementaires

L'opposition officielle – Elle est constituée par le parti qui a réussi à faire élire, lors des élections générales, le deuxième plus grand nombre de députés. Au Québec, le chef de l'opposition officielle est le principal interlocuteur du premier ministre à l'Assemblée nationale (tableau 3.6).

Les groupes parlementaires – Tout parti politique qui, aux dernières élections générales, a réussi à faire élire 12 députés ou qui a obtenu 20 % des voix est reconnu par l'Assemblée nationale comme groupe parlementaire. Chacun des groupes désigne, parmi ses membres, un leader, un whip et des adjoints. Le leader parlementaire est le spécialiste des règles de procédure de l'Assemblée nationale, et le whip assure la discipline au sein du groupe ainsi que la coordination des actions des députés.

Les adjoints parlementaires – Parmi les députés, le premier ministre peut assigner aux ministres des adjoints parlementaires pour les assister dans leurs tâches quotidiennes. À ce titre, les députés doivent notamment répondre aux questions adressées au ministre ou en prendre note en son nom.

Les députés – Dans le système politique québécois, les députés représentent à la fois un parti et une circonscription électorale. À l'Assemblée nationale, le député participe au processus législatif et il agit en tant que contrôleur de l'action gouvernementale; il exerce en plus un rôle d'intermédiaire entre ses électeurs et l'Administration publique.

Les élections

Au Québec, le mode de scrutin utilisé est l'uninominal à un tour, c'est-à-dire que dans chacune des 125 circonscriptions, les électeurs votent pour un candidat, et celui qui obtient le plus grand nombre de voix est élu député. Des élections générales se tiennent au maximum tous les cinq ans. À quelques exceptions près, tout électeur peut poser sa candidature à une élection, soit comme indépendant ou en tant que représentant d'un parti politique reconnu par la loi (tableaux 3.7 et 3.8).

Pour acquérir la qualité d'électeur, il faut avoir 18 ans, être citoyen canadien et demeurer dans la province depuis au moins six mois. Il n'y a que deux catégories de personnes qui ne peuvent voter, soit celles reconnues coupables de fraude électorale dans les cinq dernières années et celles placées sous curatelle.

Aux élections générales du 30 novembre 1998, le Parti québécois a obtenu 76 sièges, comparativement à 48 pour le Parti libéral. En pourcentage des voix obtenues, ces résultats représentent 42,9 % des votes pour les péquistes et 43,6 % pour les libéraux. En ce qui concerne l'Action démocratique du Québec, le seul candidat élu à l'Assemblée nationale, depuis la fondation du parti en 1994, est le chef Mario Dumont (tableau 3.9).

L'appareil administratif de l'État

Au total, l'appareil administratif de l'État est composé d'une vingtaine de ministères et d'environ 175 organismes publics. Le rôle de l'appareil administratif consiste notamment à appliquer les nombreuses lois et à gérer les ressources publiques. Le ministère du Conseil exécutif et le Secrétariat du Conseil du trésor constituent le cœur de cet appareil étatique. Quotidiennement, dans l'exercice de leurs fonctions, les employés de l'État doivent faire preuve d'impartialité et d'honnêteté et agir dans l'intérêt public. De plus, chacune de leurs décisions ne peut aller à l'encontre des principes fondamentaux de la Charte québécoise des droits et libertés.

Les institutions judiciaires

En vertu de la Loi constitutionnelle de 1867, les pouvoirs judiciaires sont répartis entre le gouvernement fédéral et celui de chaque province. Depuis, l'organisation judiciaire n'a pas connu de bouleversements majeurs. En fait, le pouvoir judiciaire est exercé par les tribunaux puisque ce sont eux qui interprètent les lois votées par le pouvoir législatif. Le système judiciaire québécois comprend des cours de première instance et une cour générale d'appel. Le Québec est la seule province au Canada à utiliser un régime de droit civil codifié; sur le continent nord-américain, il partage cette particularité avec l'État de la Louisiane. En effet, le Code civil du Québec est fortement inspiré du Code de Napoléon, qui lui tire sa source du droit romain institué sous le règne de l'empereur Justinien. Dans les autres provinces canadiennes, le droit civil est basé sur la « common law ». En ce qui concerne le droit criminel et pénal, les tribunaux québécois comme ceux des autres provinces appliquent le Code criminel canadien.

Les tribunaux québécois

Les différentes cours

Il existe au Québec une dizaine de tribunaux de type judiciaire, administratif ou spécialisé (tableau 3.10).

La **Cour supérieure** compte 143 juges réguliers et quelques juges surnuméraires, tous nommés par le gouvernement fédéral. Elle siège dans tous les districts judiciaires du Québec. La Cour est dirigée par un juge en chef, un juge en chef associé et un juge en chef adjoint. La Cour supérieure est le tribunal de droit commun. Elle a compétence en matière civile et criminelle. Elle entend en première instance toutes les causes qui ne relèvent pas expressément de la compétence des autres tribunaux québécois. En tant que tribunal d'appel, cette cour possède les compétences pour entendre les appels des décisions rendues relativement à certaines dispositions du Code criminel par un juge de la Chambre de la jeunesse, de la Chambre criminelle et pénale, de la cour municipale ou encore par un juge de paix.

Il faut avoir exercé la profession d'avocat durant au moins 10 années et être inscrit au tableau de l'Ordre des avocats avant de pouvoir être nommé juge à la Cour supérieure du Québec. La nomination des juges se fait généralement par le gouvernement, après examen des candidatures par un comité de sélection constitué par le ministre responsable.

La **Cour du Québec** est composée d'au plus 270 juges. Le juge en chef est assisté dans l'exercice de ses fonctions par un juge en chef associé et trois juges en chef adjoints. Dix juges coordonnateurs et huit juges coordonnateurs adjoints complètent l'équipe de direction. Dans la province, la Cour du Québec est le tribunal de première instance, et elle entend le plus grand nombre de causes. Elle a compétence en matière civile, criminelle et pénale, ainsi que pour les questions relatives à la jeunesse. Il arrive que, dans des cas bien précis stipulés dans la loi, elle entende des causes d'ordre administratif ou en appel. La Cour du Québec siège dans tous les districts judiciaires du Québec et elle est constituée de trois chambres : la Chambre civile, la Chambre criminelle et pénale et la Chambre de la jeunesse.

Au Québec, les municipalités ont la possibilité de se doter d'une **cour municipale**; toutefois, elles ont également le choix de se regrouper pour former une cour commune. En plus des cours de Montréal, Québec et Laval, il y a 129 cours municipales réparties à travers la province et présidées par une centaine de juges municipaux. Si une municipalité n'a pas sa propre cour, les causes sont entendues par la Cour du Québec. Chaque cour municipale est présidée par au moins un juge, qui est nommé par le gouvernement du Québec. Ces cours ont compétence en matière civile, pénale et criminelle. Elles entendent les causes concernant les recours en recouvrement de taxes, les plaintes relatives à des infractions à des règlements municipaux ou à des lois provinciales, comme le Code de la sécurité routière. Il arrive également que la cour soit saisie de causes relatives à des poursuites mineures prévues au Code criminel.

Dans la province, il n'existe qu'un véritable tribunal général d'appel, soit la **Cour d'appel du Québec**. Cette dernière siège à Montréal et à Québec, et elle compte une vingtaine de juges, tous nommés par le gouvernement fédéral. La direction de la Cour est assumée par un juge en chef, qui est aussi le juge en chef du Québec. Pour autant que la loi le permet, la Cour d'appel est chargée de la majorité des jugements portés en appel provenant des différents tribunaux québécois.

Sur le territoire québécois, il existe **trois tribunaux dit spécialisés**, soit le Tribunal des droits de la personne, le Tribunal des professions et le Tribunal du travail. Le premier a compétence dans les cas de discrimination ou d'exploitation des personnes âgées ou handicapées et de programmes d'accès à l'égalité. Quant à lui, le Tribunal des professions entend notamment les appels des décisions rendues par les comités de discipline des différentes corporations professionnelles. Enfin, le Tribunal du travail a compétence exclusive en matière civile pour entendre les appels des décisions finales du commissaire du travail, et en matière pénale, il juge les appels relatifs aux poursuites intentées pour des infractions au Code du travail, à la Loi sur la santé et la sécurité du travail et à la Loi sur les accidents du travail et les maladies professionnelles. Le tribunal peut également statuer en appel sur les décisions de la Régie du bâtiment du Québec. Il arrive qu'il soit saisi en première instance de certaines causes relevant expressément du Code du travail et de la Loi sur l'équité salariale.

Le **Tribunal administratif du Québec** a été institué afin de juger les recours faisant suite à des décisions administratives rendues par certaines autorités de l'Administration publique. Le Tribunal comprend quatre sections : les affaires sociales, les affaires immobilières, le territoire et l'environnement, et les affaires économiques.

Les activités des tribunaux

En 1999, le Québec compte 429 juges en fonction, dont 44 sont surnuméraires ou contractuels. De 1994 à 1999, le nombre de juges permanents a diminué de 14[1], alors que l'effectif des surnuméraires ou contractuels a augmenté de 5. Dans la province, les juges siègent surtout dans la région de Montréal (44,5 %) et dans celle de la Capitale-Nationale (18,0 %).

---

1. Excluant les juges du Tribunal des professions.

En matière civile, 31 153 dossiers ont été ouverts à la Cour supérieure en 1998, ce qui représente une diminution de 22 297 dossiers par rapport à 1993 (tableau 3.11). Dans l'ensemble, le nombre de dossiers relatifs aux affaires familiales est passé de 40 928 en 1993 à 37 734 en 1998, soit une baisse de 7,8 %. Depuis 1989, le nombre annuel de mariages civils n'a jamais cessé de baisser; ainsi, en 1998, les tribunaux québécois ont enregistré 1 192 mariages de moins qu'en 1993. En ce qui a trait aux ordonnances de pension alimentaire, leur nombre a plus que triplé au cours de ces cinq années (de 11 377 à 41 905). Les dossiers de raison sociale ont pour leur part subi une décroissance de 65,6 % (- 80 771).

En 1998, la Cour du Québec enregistre l'ouverture de 30 827 dossiers en matière civile, comparativement à 80 670 en 1993 (tableau 3.11). Par ailleurs, les dossiers relatifs aux affaires de petites créances sont passés de 41 392 en 1993 à 34 346 en 1998. Durant cette période, à la Chambre de la jeunesse, le nombre de dossiers d'adoption a diminué légèrement (de 1 704 à 1 641). Toutefois, avec une baisse de 6 890 dossiers, la diminution la plus marquée revient aux dossiers d'infractions. Le nombre de dossiers de protection s'élève à 6 540 en 1998, en hausse de 2 112 dossiers par rapport à 1993. Quant aux dossiers de mesure d'urgence (+ 23,7 %) et de délinquance (+ 1,0 %), leur nombre a connu une croissance, mais moins forte que celle des dossiers de protection (+ 47,7 %). Enfin, à la Cour d'appel du Québec, le nombre de dossiers ouverts a diminué, tant en matière civile (- 31,6 %) que criminelle (- 19,9 %).

Selon le rapport annuel du Fonds d'aide aux recours collectifs, 26 requêtes d'autorisation pour exercer un recours collectif ont été déposées à la Cour supérieure en 1999 (tableau 3.12). La majorité de ces recours (61,5 %) sont intentés contre des corporations à but lucratif, 15,4 % le sont contre le procureur général du Québec et 11,5 % contre des organismes publics.

Au cours de l'année budgétaire 1999-2000, 259 759 demandes sont adressées à l'aide juridique et de ce nombre, plus de 80 % sont acceptées (tableau 3.13). Au total, de 1995 à 2000, dans toutes les branches du droit, les demandes traitées par des avocats salariés et de la pratique privée ont diminué de 27,0 %. Durant cette période, c'est le nombre de demandes en droit criminel et pénal qui a connu la plus forte décroissance (- 35,2 %), suivi des demandes en matière familiale (- 28,6 %). En 1999-2000, l'aide juridique a confié un peu plus de la moitié de ses demandes à des avocats de la pratique privée (52,0 %); à l'inverse, en 1995, 53,3 % des demandes étaient réglées par des avocats salariés.

Les tribunaux fédéraux

La **Cour suprême du Canada** est le plus haut tribunal au pays. Elle est composée de neuf juges nommés par le gouvernement fédéral, et elle siège à Ottawa. Traditionnellement, trois de ces juges viennent du Québec, trois autres de l'Ontario, deux des provinces de l'Ouest et un des provinces de l'Atlantique. Généralement, la Cour suprême autorise l'audition des appels qui soulèvent une question d'intérêt public ou une importante question de droit. Elle a compétence dans tous les domaines du droit.

La **Cour fédérale du Canada** est constituée d'une section de première instance et d'une section d'appel. Le siège de la Cour est situé à Ottawa, mais les juges des deux sections peuvent siéger presque partout sur l'ensemble du territoire canadien. La Cour fédérale détient les compétences nécessaires à l'examen des contestations en rapport avec les décisions des organismes, commissions et tribunaux fédéraux. Elle traite aussi les désaccords interprovinciaux et ceux entre une province et le gouvernement fédéral, les procédures en matière de propriété intellectuelle, les affaires touchant l'amirauté, les appels en matière de citoyenneté et les appels interjetés en vertu d'une loi fédérale.

La Charte des droits et libertés de la personne

Le 27 juin 1975, l'Assemblée nationale adoptait à l'unanimité la Charte des droits et libertés de la personne. Par son esprit et son contenu, cette charte est largement inspirée de la Charte universelle des droits de l'homme. L'adoption de la charte québécoise s'inscrivait alors dans un grand courant démocratique qui soufflait sur les pays occidentaux. La Charte est fondée sur le respect de la dignité humaine. Elle affirme et protège, pour toute personne, les libertés et droits fondamentaux, le droit à l'égalité sans discrimination, ainsi que les droits politiques, judiciaires, économiques et sociaux.

Références

ASSEMBLÉE NATIONALE DU QUÉBEC. *Rapport d'activité de l'Assemblée nationale 1999-2000.*
GOUVERNEMENT DU CANADA. Ministère de la Justice, *Site du Ministère de la Justice*, [En ligne], [http://Canada.justice.gc.ca/] (14 août 2000).
GOUVERNEMENT DU QUÉBEC. Assemblée nationale, *Site de l'Assemblée nationale*, [En ligne], [http://www.assnat.qc.ca/] (8 août 2000).
GOUVERNEMENT DU QUÉBEC. Commission des droits de la personne et des droits de la jeunesse, *Site de la Commission des droits de la personne et des droits de la jeunesse*, [En ligne], [http://www.cdpdj.qc.ca/] (12 septembre 2000).
GOUVERNEMENT DU QUÉBEC. Ministère de la Justice, *Site du Ministère de la Justice*, [En ligne], [http://www.justice.gouv.qc.ca/] (15 août 2000).

Tableau 3.1
Les présidents du Conseil législatif, 1867-1966[1]

Nom	Date de nomination	Tendance
Boucher de Boucherville, Charles-Eugène	15 juillet 1867	C
Ross, John Jones	27 février 1873	C
Lemaire, Félix-Hyacinthe	22 septembre 1874	C
Ross, John Jones	25 janvier 1876	C
Starnes, Henry	8 mars 1878	L
Ross, John Jones	31 octobre 1879	C
Boucher de la Bruère, Pierre	4 mars 1882	C
Starnes, Henry	23 avril 1889	L
Boucher de la Bruère, Pierre	17 mars 1892	C
Chapais, Thomas	5 avril 1895	C
Larue, Vildebon-Winceslas	12 janvier 1897	C
Archambeault, Horace	19 juin 1897	L
Turgeon, Adélard	2 février 1909	L
Nicol, Jacob	25 novembre 1930	L
Laferté, Hector	27 juillet 1934	L
Raymond, Alphonse	2 octobre 1936	UN
Laferté, Hector	17 janvier 1940	L
Raymond, Alphonse	31 décembre 1944	UN
Baribeau, Jean-Louis	1er février 1950	UN
Laferté, Hector	6 juillet 1960	L
Baribeau, Jean-Louis	23 juin 1966	UN

1. Le Conseil législatif fut aboli en 1968.

Source : Bibliothèque de l'Assemblée nationale.

Tableau 3.2
Liste des lieutenants-gouverneurs et date de leur serment, Québec, 1867-1996

Nom	Date du serment
Belleau, Narcisse-Fortunat	1er juillet 1867
Caron, René-Édouard	17 février 1873
Letellier de Saint-Just, Luc	16 décembre 1876
Robitaille, Théodore	26 juillet 1879
Masson, Louis-François-Rodrigue	7 novembre 1884
Angers, Auguste-Réal	29 octobre 1887
Chapleau, Joseph-Adolphe	12 décembre 1892
Jetté, Louis-Amable	1er février 1898
Pelletier, Charles-Alphonse-Pantaléon	15 septembre 1908
Langelier, François	6 mai 1911
Leblanc, Pierre-Évariste	12 février 1915
Fitzpatrick, Charles	23 octobre 1918
Brodeur, Louis-Philippe	31 octobre 1923
Pérodeau, Narcisse	10 janvier 1924
Gouin, Lomer	10 janvier 1929
Carroll, Henry George	4 avril 1929
Patenaude, Ésioff-Léon	3 mai 1934
Fiset, Eugène	30 décembre 1939
Fauteux, Gaspard	3 octobre 1950
Gagnon, Onésime	14 février 1958
Comtois, Paul	11 octobre 1961
Lapointe, Hugues	22 février 1966
Côté, Jean-Pierre	27 avril 1978
Lamontagne, Gilles	28 mars 1984
Asselin, Martial	9 août 1990
Roux, Jean-Louis	12 septembre 1996
Thibault, Lise	12 décembre 1996

Source : Bibliothèque de l'Assemblée nationale.

Tableau 3.3
Liste des présidents de l'Assemblée nationale et date de leur élection, Québec, 1867-1996

Nom	Date d'élection	Allégeance	Nom	Date d'élection	Allégeance
Blanchet, Joseph-Godric	27 décembre 1867	C	Sauvé, Joseph-Mignault-Paul	7 octobre 1936	UN
Fortin, Pierre	4 novembre 1875	C	Bissonnette, Bernard	20 février 1940	L
Beaubien, Louis	10 novembre 1876	C	Bienvenue, Valmore	12 mai 1942	L
Turcotte, Arthur	4 juin 1878	C	Dumaine, Cyrille	23 février 1943	L
Taillon, Louis-Olivier	8 mars 1882	CI	Taché, Alexandre	7 février 1945	UN
Würtele Saxton Campbell Jonathan	27 mars 1884	C	Tellier, Maurice	15 décembre 1955	UN
Marchand, Félix-Gabriel	27 janvier 1887	L	Cliche, Lucien	20 septembre 1960	L
Leblanc, Pierre-Évariste	26 avril 1892	C	Hyde, John Richard	9 janvier 1962	L
Tessier, Jules	23 novembre 1897	L	Lechasseur, Guy	22 octobre 1965	L
Rainville, Henri-Benjamin	14 février 1901	L	Paul, Rémi	1er décembre 1966	UN
Tessier, Auguste	2 mars 1905	L	Lebel, Gérard	22 octobre 1968	UN
Weir, William Alexander	25 avril 1905	L	Fréchette, Raynald	24 février 1970	UN
Roy, Philippe-Honoré	15 janvier 1907	L	Lavoie, Jean-Noël	9 juin 1970	L
Pelletier, Jean-Marie-Joseph-Pantaléon	2 mars 1909	L	Richard, Clément	14 décembre 1976	PQ
Delâge, Cyrille-Fraser	9 janvier 1912	L	Vaillancourt, Claude	11 novembre 1980	PQ
Galipeault, Antonin	7 novembre 1916	L	Guay, Richard	23 mars 1983	PQ
Francoeur, Joseph-Napoléon	10 décembre 1919	L	Lorrain, Pierre	16 décembre 1985	L
Laferté, Hector	10 janvier 1928	L	Saintonge Jean-Pierre	28 novembre 1989	L
Bouchard, Télesphore-Damien	7 janvier 1930	L	Bertrand, Roger	29 novembre 1994	PQ
Dugas, Lucien	24 mars 1936	L	Charbonneau, Jean-Pierre[1]	12 mars 1996	PQ

1. Pour la première fois au Québec, élu par un scrutin secret, le 2 mars 1999.

Source : Bibliothèque de l'Assemblée nationale.

Tableau 3.4
Liste des premiers ministres et date de leur serment, Québec, 1867-1996

Nom	Date du serment	Allégeance	Nom	Date du serment	Allégeance
Chauveau, Pierre-Joseph-Olivier	15 juillet 1867	C	Godbout, Joseph-Adélard	11 juin 1936	L
Ouimet, Gédéon	27 février 1873	C	Duplessis, Maurice Le Noblet	26 août 1936	UN
Boucher de Boucherville, Charles-Eugène	22 septembre 1874	C	Godbout, Joseph-Adélard	8 novembre 1939	L
Joly de Lotbinière, Henri-Gustave	8 mars 1878	L	Duplessis, Maurice Le Noblet	30 août 1944	UN
Chapleau, Joseph-Adolphe	31 octobre 1879	C	Sauvé, Joseph-Mignault-Paul	11 septembre 1959	UN
Mousseau, Joseph-Alfred	31 juillet 1882	C	Barrette, Antonio	8 janvier 1960	UN
Ross, John Jones	23 janvier 1884	C	Lesage, Jean	5 juillet 1960	L
Taillon, Louis-Olivier	25 janvier 1887	C	Johnson, Daniel (père)	16 juin 1966	UN
Mercier, Honoré (père)	29 janvier 1887	L	Bertrand, Jean-Jacques	2 octobre 1968	UN
Boucher de Boucherville, Charles-Eugène	21 décembre 1891	C	Bourassa, Robert	12 mai 1970	L
Taillon, Louis-Olivier	16 décembre 1892	C	Lévesque, René	25 novembre 1976	PQ
Flynn, Edmund James	11 mai 1896	C	Johnson, Pierre Marc	3 octobre 1985	PQ
Marchand, Félix-Gabriel	24 mai 1897	L	Bourassa, Robert	12 décembre 1985	L
Parent, Simon-Napoléon	3 octobre 1900	L	Johnson, Daniel (fils)	11 janvier 1994	L
Gouin, Lomer	23 mars 1905	L	Parizeau, Jacques	26 septembre 1994	PQ
Taschereau, Louis-Alexandre	9 juillet 1920	L	Bouchard, Lucien	29 janvier 1996	PQ

Source : Bibliothèque de l'Assemblée nationale.

Tableau 3.5

Liste des membres du Conseil des ministres et de leurs fonctions, Québec, mars 2001

Titulaire	Fonctions
Bernard, Landry	Premier ministre
Marois, Pauline	Vice-première ministre, Ministre d'État à l'Économie et aux Finances, Ministre de la Recherche, de la Science et de la Technologie
Arseneau, Maxime	Ministre de l'Agriculture, des Pêcheries et de l'Alimentation
Baril, Gilles	Ministre d'État aux Régions, Ministre de l'Industrie, du Commerce et du Tourisme, du Loisir et du Sport
Beaudoin, Louise	Ministre d'État aux Relations internationales, Ministre responsable de la Francophonie
Bégin, Paul	Ministre de la Justice
Boisclair, André	Ministre de l'Environnement
Brassard, Jacques	Ministre des Ressources naturelles, de la Réforme parlementaire et leader parlementaire du gouvernement
Chevrette, Guy	Ministre des Transports, de la Faune et des Parcs, de la Réforme électorale et délégué aux Affaires autochtones
Facal, Joseph	Ministre des Relations avec les citoyens et de l'Immigration, délégué aux Affaires intergouvernementales canadiennes et responsable des Relations avec les communautés francophones et acadiennes
Goupil, Linda	Ministre d'État à la Famille et à l'Enfance, Ministre de la Condition féminine et des Aînés
Harel, Louise	Ministre d'État aux Affaires municipales et à la Métropole
Julien, Guy	Ministre du Revenu
Legault, François	Ministre d'État à l'Éducation et à la Jeunesse
Lemieux, Diane	Ministre d'État à la Culture et aux Communications, Ministre responsable de la Charte de la langue française et de l'Autoroute de l'information
Ménard, Serge	Ministre de la Sécurité publique
Rochon, Jean	Ministre d'État au Travail, à l'Emploi et à la Solidarité sociale
Simard, Sylvain	Président du Conseil du trésor, Ministre d'État à l'Administration et à la Fonction publique
Trudel, Rémy	Ministre d'État à la Santé et aux Services sociaux
Baril, Jacques	Ministre délégué aux Transports et à la Politique maritime
Cliche, David	Ministre délégué à la Recherche, à la Science et à la Technologie
Legendre, Richard	Ministre délégué au Tourisme, au Loisir et au Sport
Léger, Nicole	Ministre déléguée à la Lutte contre la pauvreté et l'exclusion
Maltais, Agnès	Ministre déléguée à la Santé et aux Services sociaux et à la Protection de la jeunesse
Morin, Michel[1]	Whip en chef
Gendron, François[1]	Président du caucus du parti ministériel

1. À ce titre, il assiste au Conseil des ministres mais n'en est pas membre.

Source : Bibliothèque de l'Assemblée nationale.

Tableau 3.6
Liste des chefs de l'opposition officielle et la durée de leur mandat, Québec, 1869-1998

Nom	Mandat	Allégeance	Nom	Mandat	Allégeance
Joly de Lotbinière, Henri-Gustave	1869-1878	L	Lapalme, Georges-Émile	1953-1960	L
Chapleau, Joseph-Adolphe	1878-1879	C	Prévost, Yves	1960-1961	UN
Joly de Lotbinière, Henri-Gustave	1879-1883	L	Talbot, Antonio	Janvier/sept. 1961	UN
Mercier, Honoré (père)	1883-1887	L	Johnson, Daniel (père)	1961-1966	UN
Taillon, Louis-Olivier	1887-1890	C	Lesage, Jean	1966-1970	L
Blanchet, Jean	1890-1891	C	Bourassa, Robert	Janvier/avril 1970	L
Marchand, Félix-Gabriel	1892-1897	L	Bertrand, Jean-Jacques	1970-1971	UN
Flynn, Edmund James	1897-1904	C	Loubier, Gabriel	1971-1973	UN
Leblanc, Pierre-Évariste	1904-1908	C	Morin, Jacques-Yvan	1973-1976	PQ
Tellier, Joseph-Mathias	1909-1915	C	Lévesque, Gérard D.	1976-1979	L
Cousineau, Philémon	1915-1916	C	Ryan, Claude	1979-1982	L
Sauvé, Arthur	1916-1929	C	Lévesque, Gérard D.	1982-1985	L
Houde, Camillien	1929-1931	C	Bourassa, Robert	Juin/déc. 1985	L
Gault, Charles Ernest	1931-1932	C	Johnson, Pierre Marc	1985-1987	PQ
Duplessis, Maurice Le Noblet	1932-1936	C	Chevrette, Guy	1987-1989	PQ
Bouchard, Télesphore-Damien	1936-1939	L	Parizeau, Jacques	1989-1994	PQ
Duplessis, Maurice Le Noblet	1939-1944	UN	Johnson, Daniel (fils)	1994-1998	L
Godbout, Joseph-Adélard	1944-1948	L	Gagnon-Tremblay, Monique	Mai/octobre 1998	L
Marler, George Carlyle	1948-1953	L	Charest, Jean	1998-	L

Source : Bibliothèque de l'Assemblée nationale.

Tableau 3.7
Répartition des sièges aux élections générales, selon le parti politique, Québec, 1867-1998

Année	Total des sièges obtenus	Sièges obtenus					
		Parti libéral	Parti conservateur	Union nationale	Ralliement créditiste	Parti québécois	Autres
		n					
1867[1]	64	12	51	...	...	...	1
1871	65	19	46	...	...	...	–
1875	65	19	43	...	...	...	3
1878	65	31	32	...	...	...	2
1881	65	15	49	...	...	...	1
1886	65	33	26	...	...	...	6
1890	73	43	23	...	...	...	7[2]
1892	73	21	51	...	...	...	1
1897	74	51	23	...	...	...	–
1900	74	67	7	...	...	...	–
1904	74	67	7	...	...	...	–
1908	74	57	14	...	...	...	3
1912	81	63	16	...	...	...	2
1916	81	75	6	...	...	...	–
1919	81	74	5	...	...	...	2
1923	85	64	20	...	...	...	1
1927	85	74	9	...	...	...	2
1931	90	79	11	...	...	...	–
1935	90	47	17	...	...	...	26[3]
1936	90	14	...	76	...	...	–
1939	86	69	–	14	...	...	3
1944	91	37	...	48	...	...	6[4]
1948	92	8	...	82	...	...	2
1952	92	23	...	68	...	...	1
1956	93	20	...	72	...	...	1
1960	95	51	...	43	...	...	1
1962	95	63	...	31	...	...	1
1966	108	50	...	56	...	...	2
1970	108	72	...	17	12	7	–
1973	110	102	...	–	2	6	–
1976	110	26	...	11	1	71	1[5]
1981	122	42	...	–	...	80	–
1985	122	99	–	–	...	23	–
1989	125	92	–	...	...	29	4[6]
1994	125	47	–	...	...	77	1[7]
1998	125	48	–	...	...	76	1[7]

1. Pas d'élection dans Kamouraska en 1867.
2. Dont cinq députés nationalistes.
3. Dont vingt-cinq députés de l'Action libérale nationale.
4. Dont quatre députés du Bloc populaire.
5. Un député du Parti national populaire.
6. Quatre députés du Parti égalité.
7. Un député de l'Action démocratique du Québec.

Source :   Le Directeur général des élections du Québec, *Rapport des résultats officiels du scrutin du 30 novembre 1998*.

Tableau 3.8
Répartition des voix obtenues aux élections générales, selon le parti politique, Québec, 1867-1998

Année	Voix obtenues[1]					
	Parti libéral	Parti conservateur	Union nationale	Ralliement créditiste	Parti québécois	Autres
	%					
1867[2]	35,4	53,5	...	...	...	11,1
1871	39,4	51,7	...	...	...	8,9
1875	38,8	51,0	...	...	...	10,2
1878	47,5	49,5	...	...	...	3,0
1881	39,0	50,4	...	...	...	10,6
1886	39,6	46,2	...	...	...	14,2
1890	44,5	45,4	...	...	...	10,1
1892	43,7	52,4	...	...	...	3,9
1897	53,3	43,8	...	...	...	2,9
1900	53,1	41,9	...	...	...	5,0
1904	55,4	26,8	...	...	...	17,8
1908	53,5	39,9	...	...	...	6,6
1912	53,5	43,0	...	...	...	3,5
1916	60,6	35,1	...	...	...	4,3
1919	51,9	17,0	...	...	...	31,1
1923	51,5	39,3	...	...	...	9,2
1927	59,3	34,3	...	...	...	6,4
1931	54,9	43,5	...	...	...	1,6
1935	46,5	18,9	...	...	...	34,6
1936	39,4	...	56,9	...	...	3,7
1939	53,3	0,3	38,5	...	...	7,9
1944	39,4	...	38,0	...	...	22,6
1948	36,2	...	51,2	...	...	12,6
1952	45,8	...	50,5	...	...	3,7
1956	44,9	...	51,8	...	...	3,3
1960	51,4	...	46,6	...	...	2,0
1962	56,4	...	42,2	...	...	1,4
1966	47,3	...	40,8	...	...	11,9
1970	45,4	...	19,6	11,2	23,1	0,7
1973	54,7	...	4,9	9,9	30,2	0,3
1976	33,8	...	18,2	4,6	41,4	2,0
1981	46,1	...	4,0	...	49,2	0,7
1985	56,0	1,0	0,2	...	38,7	4,1
1989	50,0	0,1	...	...	40,2	9,7
1994	44,4	...	...	...	44,8	10,9
1998	43,6	...	...	...	42,9	13,6

1. Le pourcentage des voix a été calculé en fonction des votes valides.
2. Pas d'élection dans Kamouraska en 1867.

Source : Le Directeur général des élections du Québec, *Rapport des résultats officiels du scrutin du 30 novembre 1998.*

Tableau 3.9
Résultats des élections générales, par parti politique, Québec, 30 novembre 1998

Parti	Bulletins valides		Candidats	Sièges
	n	%	n	
Total	**4 068 472**	**98,9**	**657**	**125**
Parti libéral du Québec	1 771 858	43,6	125	48
Parti québécois	1 744 240	42,9	124	76
Action démocratique du Québec/ Équipe Mario Dumont	480 636	11,8	125	1
Parti de la démocratie socialiste	24 097	0,6	97	...
Parti égalité	12 543	0,3	24	...
Bloc-Pot	9 944	0,2	24	...
Parti de la loi naturelle du Québec	5 369	0,1	35	...
Parti marxiste-léniniste du Québec	2 747	0,1	24	...
Parti innovateur du Québec	2 484	0,1	20	...
Parti communiste du Québec	2 113	0,1	20	...
Indépendants et sans désignation	12 441	0,3	39	...

Source :   Le Directeur général des élections du Québec, *Rapport des résultats officiels du scrutin du 30 novembre 1998.*

Tableau 3.10
Liste des tribunaux judiciaires et administratifs, Québec, 2000

Nom	Type
La Cour d'appel du Québec	Judiciaire
La Cour supérieure du Québec	Judiciaire
La Cour du Québec	Judiciaire
La Chambre civile	Judiciaire
La Chambre criminelle et pénale	Judiciaire
La Chambre de la jeunesse	Judiciaire
Les cours municipales	Judiciaire
Tribunal administratif du Québec	Administratif
Tribunal des droits de la personne	Spécialisé
Tribunal des professions	Spécialisé
Tribunal du travail	Spécialisé
Comité de déontologie policière	Administratif
Commission de l'industrie de la construction	Administratif
Commission des lésions professionnelles	Administratif
Commission québécoise des libérations conditionnelles	Administratif
Conseil des services essentiels	Administratif
Régie du logement	Spécialisé

Source :   Gouvernement du Québec.

Tableau 3.11
Nombre total de dossiers ouverts auprès des tribunaux en matière civile, criminelle et pénale, Québec, 1993 à 1998

Juridiction	Dossiers ouverts					
	1993	1994	1995	1996	1997	1998
				n		
Matière civile						
Cour d'appel	3 128	2 723	2 556	2 304	2 214	2 138
Cour supérieure						
Civil (régulier)	53 450	42 821	40 478	41 433	33 160	31 153
Procédure allégée	...	...	...	...	5 207	4 989
Famille	40 928	40 425	40 428	39 823	38 758	37 734
Divorce	22 002	21 245	20 583	20 177	19 310	18 684
Mariage civil	8 739	7 974	7 858	7 734	7 726	7 547
Ordonnance de pension alimentaire	11 377	10 390	10 382	30 105	39 228	41 905
Faillite	6 519	9 802	10 250	12 220	11 569	10 554
Raison sociale	123 148	62 817	65 283	62 789	55 375	42 377
Recours collectif	27	21	15	25	43	29
Cour du Québec						
Civil (régulier)	80 670	62 743	68 616	71 710	31 014	30 827
Procédure allégée	...	...	...	...	37 709	35 532
Expropriation[1]	868	407	498	478	827	112
Petite créance	41 392	50 694	45 228	39 879	35 020	34 346
Chambre de la jeunesse						
Adoption	1 704	1 594	1 910	2 083	1 658	1 641
Protection	4 428	4 929	5 746	5 787	5 538	6 540
Mesure d'urgence	1 504	1 566	1 695	1 778	1 655	1 861
Matière criminelle et pénale						
Cour d'appel	648	603	667	634	532	519
Cour supérieure						
Criminel	1 797	1 741	1 586	1 370	1 047	1 289
De novo	1 715	1 721	1 651	1 627	1 330	1 087
Cour du Québec						
Criminel (cr)	150 835	142 071	129 943	124 238	114 982	116 265
Pénal (provincial et fédéral)[2]	225 910	142 029	220 528	285 922	272 329	223 006
Chambre de la jeunesse						
Infraction	10 109	3 848	7 667	5 466	5 089	3 219
Délinquance	14 828	14 362	14 656	15 761	15 752	14 983

1. Depuis le 1er avril 1998, les dossiers en matière d'expropriation sont ouverts au Tribunal administratif du Québec.
2. Le ministère a mené, en 1996 et 1997, diverses opérations qui ont conduit au traitement plus rapide des constats d'infraction et à la récupération du retard en ce domaine.

Sources : Ministère de la Justice, Direction générale des services de justice, *Rapport d'activité 1998-1999*.
Ministère de la Justice, *Rapport annuel 1994-1995, 1998-1999*.

Tableau 3.12
Principaux intimés dans les requêtes de recours collectifs, Québec, 1995-1999

Intimés	1995		1996		1997		1998		1999	
	n	%	n	%	n	%	n	%	n	%
Privé										
Corporation à but lucratif	11	84,6	12	50,0	28	77,8	12	54,5	16	61,5
Personne physique	–	–	–	–	–	–	–	–	–	–
Association syndicale	–	–	–	–	–	–	–	–	1	3,8
Corporation sans but lucratif	–	–	2	8,3	–	–	3	13,6	–	–
Public										
Cité et ville	1	7,7	3	12,5	2	5,6	2	9,1	2	7,7
Organisme public	1	7,7	4	16,7	5	13,9	4	18,2	3	11,5
Procureur général du Québec	–	–	3	12,5	1	2,8	1	4,5	4	15,4

Source : Fonds d'aide aux recours collectifs.

Tableau 3.13
Demandes acceptées à l'aide juridique selon la matière et la catégorie d'avocat retenue, par centre régional[1], 1999-2000

Centre régional	Matière[2]			Catégorie d'avocat		Total des demandes acceptées
	Familiale	Civile Autre	Criminelle et pénale	Salariée	Pratique Privée	
				n		
Total	**64 250**	**73 489**	**77 525**	**103 242**	**112 022**	**215 264**
Abitibi-Témiscamingue[3]	2 174	2 017	3 060	3 663	3 588	7 251
Bas-Saint-Laurent–Gaspésie	3 332	3 978	3 378	6 418	4 270	10 688
Côte-Nord	1 250	1 479	3 089	3 386	2 432	5 818
Estrie	4 007	5 241	3 611	7 053	5 806	12 859
Laurentides-Lanaudière	7 708	7 570	9 021	9 782	14 517	24 299
Mauricie–Bois-Francs	5 496	5 308	6 624	6 833	10 595	17 428
Montréal[4]	16 333	22 928	21 814	28 641	32 434	61 075
Outaouais	3 906	3 846	4 838	8 392	4 198	12 590
Québec[5]	6 342	8 808	9 283	10 923	13 510	24 433
Rive-Sud[6]	10 675	9 708	10 051	14 184	16 250	30 434
Saguenay–Lac Saint-Jean	3 027	2 606	2 756	3 967	4 422	8 389
Volet contributif seulement[7]	3 537	1 329	977	3 001	2 842	5 843

1. Découpage basé sur les régions administratives et les districts judiciaires.
2. Le total des demandes acceptées en matière civile correspond à la somme des demandes en matière familiale plus celles en matière civile autre que familiale.
3. Inclut les données du territoire de la région administrative du Nord-du-Québec.
4. Les données de la région administrative de Laval sont comptées dans celles de Montréal.
5. Les données de la région administrative Chaudière-Appalaches sont incluses dans celles de Québec.
6. Correspond à la région administrative de la Montérégie.
7. Si la situation financière du requérant et celle de sa famille excèdent un des trois barèmes prévus au volet gratuit, il peut tout de même être admissible à l'aide juridique moyennant le versement d'une contribution.

Source : Commission des services juridiques, *Rapport annuel 2000*.

4

Population, ménages et familles

Liste des tableaux

Liste des figures

Ce chapitre a été réalisé par Louis Duchesne, de la Direction des statistiques sociodémographiques de l'Institut de la statistique du Québec.

Ce chapitre traite de la population du Québec et de ses régions, des principaux événements démographiques des dernières années, et il donne un portrait d'ensemble des ménages et des familles. La tradition des statistiques démographiques est longue, et ce sujet occupe une place importante dès les premières éditions de l'*Annuaire statistique*. On y trouvait même une rétrospective de la population, des ménages, des naissances, des décès et des mariages depuis le début du 17ᵉ siècle. Parmi les curiosités, mentionnons les estimations de la population des municipalités qui étaient manifestement « optimistes » : ainsi, les estimations présentées, par exemple pour l'année 1914, donnaient de fortes augmentations par rapport aux chiffres du recensement de 1911, et dans la plupart des cas elles se sont avérées supérieures aux effectifs recensés en 1921.

La population du Québec et de ses régions

Au 1ᵉʳ juillet 2000, la population du Québec est estimée à 7,4 millions d'habitants (tableau 4.1). La croissance des 4 dernières années est assez faible, soit 1,4 %, alors qu'elle était de 3,0 % entre 1991 et 1996. L'effectif de 1991 était de 7,1 millions d'habitants. La croissance de la population de l'Ontario et de l'ensemble du Canada est beaucoup plus vigoureuse, et leurs effectifs passent de 10,4 et 28,0 millions respectivement en 1991 à 11,7 et 30,8 millions en 2000. Cela amène une diminution du poids démographique du Québec qui passe de 25,2 % en 1991 à 24,0 % en 2000.

La région de Montréal, qui correspond à l'île de Montréal, comprend 1 825 500 habitants en 2000 (tableau 4.2). Sa population n'a pas beaucoup bougé depuis 1991, alors qu'elle était de 1 815 200. Rappelons qu'elle atteignait près de 2 millions en 1971. L'accroissement entre 1981 et 1986 est dû à la correction du sous-dénombrement censitaire de 1986. La proportion de la population du Québec se trouvant dans la région de Montréal diminue, passant de 27,1 % en 1986 à 24,8 % en 2000, alors qu'en 1971, elle était de 32,5 %. La part de Montréal passe donc du tiers au quart en une vingtaine d'années.

La population de la Montérégie augmente de 9,9 % entre 1986 et 1991, pour atteindre 1 234 400 personnes. Depuis, elle s'est accrue de 6,7 %, pour se chiffrer à 1 317 200 personnes en 2000, alors qu'elle n'était que de 832 700 en 1971. Sa part dans la population totale du Québec progresse donc de 13,8 % en 1971 à 17,9 % en 2000. Les trois régions au nord de Montréal connaissent aussi des hausses substantielles. La région des Laurentides enregistre la plus forte augmentation entre 1991 et 1999, soit 19,8 %, et sa population atteint 468 900 personnes.

La population de la région de la Capitale-Nationale – la troisième en importance – se chiffre à 646 200 habitants en 2000. La part de la région dans l'ensemble du Québec ne bouge pas beaucoup depuis 25 ans et elle se situe à 8,8 % en 2000. Les autres régions sont beaucoup moins peuplées. Le Nord-du-Québec, qui comprend plus de la moitié du territoire québécois, a une population de 39 500 habitants. En plus de Montréal, les régions de Gaspésie–Îles-de-la-Madeleine, du Bas-Saint-Laurent et de la Côte-Nord ont, en 2000, une population inférieure à celle de 1971 (figure 4.1). La croissance de la population est très inégalement répartie dans les régions : certaines régions affichent une forte ou très forte croissance, tandis que l'on observe une stagnation ou même une décroissance dans la majorité d'entre elles.

Entre 1991 et 2000, 19 MRC enregistrent une progression de leur population supérieure à 10 % (tableau 4.3) et 14 MRC présentent un taux variant de 5 % à 10 %, que l'on peut qualifier d'élevé. La plupart de ces MRC se trouvent dans la grande couronne de Montréal, ou autour de la Communauté-Urbaine-de-Québec ou de la Communauté-Urbaine-de-l'Outaouais. D'autre part, 43 MRC voient leur population diminuer; elles sont situées surtout dans les régions administratives à faible croissance démographique.

Le mouvement de la population et la structure par âge

Pendant les années 1988 à 1990, le taux de croissance de la population dépasse 1 %, mais il baisse au cours des années qui suivent et n'est que d'un peu plus de 0,3 % à la fin de la décennie (tableau 4.4). Alors que l'on enregistrait 84 000 naissances en 1987 et 98 000 en 1990, leur nombre n'est plus que de 72 000 en 2000. Pour sa part, le nombre de décès a augmenté de 49 000 en 1990 à 53 000 en 2000, si bien que l'accroissement naturel, qui est obtenu en soustrayant les décès des naissances, chute de 49 000 en 1990 à 19 000 en 2000. La migration nette qui était très importante au début des années 90, est presque négligeable à la fin de la décennie. Les composantes de la migration seront abordées plus loin dans le présent chapitre.

Le tableau 4.5 résume la structure de la population par grand groupe d'âge, selon les frontières habituelles : les jeunes de 0-14 ans, la population d'âge actif de 15-64 ans et les personnes âgées de 65 ans et plus. En 2000, 17,9 % de la population a moins de 15 ans, 69,3 % est âgée de 15 à 64 ans et 12,8 % a plus de 64 ans. L'âge moyen de la population en juillet 2000 est de 38,1 ans. Toutefois, les hommes sont plus jeunes que les femmes : leur âge moyen est de 36,9 ans en regard de 39,3 ans chez les femmes. Depuis 1991, on observe une hausse de 2,4 ans de l'âge moyen qui était alors de 35,7 ans. L'âge médian, qui sépare la population en deux parties égales, atteint 38,0 ans en 2000. L'âge médian des hommes se situe à 37,0 ans et celui des femmes, à 39,1 ans. La proportion de personnes âgées de 65 ans et plus est beaucoup plus forte chez les femmes, soit 14,9 % en regard de 10,7 % chez les hommes. Les personnes très âgées, soit celles âgées de 75 ans et plus, représentent 5,5 % de la population; près des deux tiers sont des femmes.

Les décès

Si le nombre de décès croît pendant la décennie 90, ce n'est pas parce que les conditions de vie se sont détériorées, mais plutôt parce que la population âgée a augmenté. Les principaux indices de mortalité que sont l'espérance de vie à la naissance et le taux de mortalité infantile indiquent une baisse de la mortalité. Ainsi, la durée de vie moyenne calculée pour l'année 1998 est de 75,3 ans pour les hommes et de 81,3 ans pour les femmes, alors qu'elle était de 73,7 et 81,0 ans respectivement en 1990-1992 (tableau 4.6). L'écart entre les sexes est très important : 6,1 ans en 1998, mais il diminue puisqu'il était de 7,1 au début de la décennie 90.

On ne compte que 413 décès de bébés de moins d'un an en 1998 en regard de plus de 600 en 1990 (tableau 4.7). Il faut évidemment rapporter ce nombre de décès au nombre de naissances : le taux de mortalité infantile est de 5,4 ‰ en 1998, alors qu'il était de 6,4 ‰ en 1990. Comme les taux sont faibles, il y a des fluctuations annuelles assez importantes.

Les naissances

Le nombre de naissances a chuté d'environ 25 % pendant les années 90, mais cette baisse est due en partie à la diminution du nombre de femmes en âge de procréer. L'indice de fécondité, qui était de 1,63 enfant par femme en 1990, est rendu à 1,46 en 1999, soit un recul de 11 % (tableau 4.8). Autour des années 90, on a observé une certaine remontée de l'indice de fécondité qui était descendu jusqu'à 1,36 en 1987. Par ailleurs, l'âge moyen à la maternité augmente : il est de 28,5 ans en 1999, alors qu'il était de 27,7 ans en 1990 et de 27,4 ans en 1980. Le taux de fécondité des femmes de 35-39 ans passe de 19 ‰ en 1980 à 22 ‰ en 1990, et à 27 ‰ en 1999.

La proportion de naissances issues de parents non mariés atteint 57 % en 1999, en regard de 41 % en 1991 et de 30 % en 1987 (figure 4.2). La proportion d'enfants nés de père inconnu ou non déclaré n'est cependant que de 4,5 % en 1998. L'augmentation de la fréquence des naissances hors mariage est le résultat de la popularité grandissante de l'union libre chez les jeunes couples.

Les migrations

Le mouvement migratoire avec l'extérieur du Québec comprend l'immigration et l'émigration internationales, de même que les entrées et les sorties interprovinciales; le solde migratoire résulte de la somme de ces mouvements (tableau 4.9).

À partir des données provisoires, le solde migratoire total est estimé à 5 500 en 2000, en regard de 2 800 en 1999 et de 1 300 en 1998. À la fin des années 80, la hausse importante de l'immigration internationale avait fait augmenter le solde pendant quelques années, mais le nombre d'immigrants admis a chuté considérablement en 1994. La migration nette, qui était négative de 1977 à 1984 et de 1963 à 1972, est positive depuis 1985, sauf en 1997. Une nouvelle façon d'estimer l'émigration a été adoptée par Statistique Canada à l'automne 1999. Le nombre d'émigrants est maintenant la somme des émigrants (selon l'ancienne catégorie) et le solde des personnes temporairement à l'étranger (nouvelle catégorie), moins le nombre d'émigrants de retour (autrefois désignés Canadiens de retour). Cela amène une brisure dans la série depuis 1996. Le nombre d'émigrants d'avant 1996 a été défalqué du nombre de Canadiens de retour. Ces nouveaux nombres changent les soldes de la migration internationale et les soldes de la migration nette totale depuis 1996.

Pendant l'année 2000, le Québec a reçu 32 500 immigrants comparativement à 29 200 en 1999. Au début des années 90, il y avait eu une hausse considérable du nombre d'immigrants qui a même dépassé 50 000 en 1991, mais leur nombre chute en 1994. Il y a eu, d'une part, une baisse réelle du nombre de candidats à l'immigration et, d'autre part, un abaissement du nombre jugé souhaitable par le ministère responsable de l'immigration. Le nombre d'immigrants, qui avait fléchi au Canada en 1998 (174 200), augmente à 227 000 en 2000. Par rapport à l'ensemble des immigrants reçus au Canada en 2000, la part du Québec équivaut à 14,3 %.

La nouvelle façon d'estimer l'émigration internationale donne, pour l'année 2000, 12 200 personnes en regard de 11 400 en 1999. Il y a une brisure dans la série, de sorte que depuis 1996, les nombres ne sont pas comparables avec ceux des années précédentes.

Le fait que la migration nette totale soit positive revient au solde migratoire international, puisque le solde interprovincial s'avère négatif. Le solde de 2000 (- 14 700) résulte de 26 000 entrées et de 40 700 sorties, soit 66 600 mouvements interprovinciaux; le nombre de mouvements internationaux est de beaucoup inférieur (44 700).

Il faut noter cependant que les estimations provisoires des migrations interprovinciales sont établies à partir des fichiers des prestations fiscales pour enfants et les estimations définitives, à partir des fichiers de déclarations d'impôt. Les estimations définitives se révèlent souvent de beaucoup inférieures, et c'est pourquoi il est délicat de comparer les migrations interprovinciales provisoires de 1999 et de 2000 aux estimations définitives des années précédentes.

L'état matrimonial

Les statistiques des mariages et des divorces donnent une image bien incomplète de la formation des couples et des ruptures d'union, puisque l'union libre a davantage la faveur des jeunes couples. En 1990, 32 100 mariages ont été célébrés, alors que le nombre en 1999 n'est que de 22 900. Le nombre de divorces diminue aussi, de 20 500 en 1990 à 16 900 en 1998. Cette baisse du nombre de divorces reflète celle du nombre de mariages, puisqu'il faut être marié pour divorcer.

Le recensement de 1996 donne une image de la distribution de la population selon l'état matrimonial, et particulièrement en union libre (figure 4.3). Cependant, les statistiques qui proviennent des recensements ne tiennent pas compte uniquement de l'état matrimonial légal, mais aussi de la situation de fait, c'est-à-dire que les personnes vivant en union libre sont considérées dans certains tableaux comme « mariées », même si leur état matrimonial légal est célibataire, divorcé, veuf ou séparé. De plus, les partenaires en union libre peuvent être mariés légalement, mais être séparés de leur conjoint légitime.

Le tableau 4.10 donne la répartition des personnes de 15 ans et plus selon l'état matrimonial, en 1991 et en 1996. La proportion de célibataires de fait, qui est de 30,3 % chez les hommes et de 24,3 % chez les femmes en 1991, augmente à 31,6 % et à 25,4 % respectivement en 1996. La proportion de personnes « mariées » (au sens large) diminue beaucoup entre 1991 et 1996, et se situe à 61,3 % chez les hommes et à 58,0 % chez les femmes en 1996, en regard de 63,8 % et 60,2 % respectivement en 1991. La proportion de veufs ne bouge pas beaucoup : elle est de 2,1 % chez les hommes et de 10,0 % chez les femmes. Quant à la proportion de divorcés, elle augmente à 5,0 % chez les hommes et à 6,6 % chez les femmes.

En 1996, on compte 399 395 couples vivant en union libre, ce qui représente 14,3 % des hommes de 15 ans et plus et 13,4 % des femmes. Il s'agit d'une progression assez importante en regard de 1986, alors que les proportions étaient de 7,5 % chez les hommes et de 7,0 % chez les femmes. Il y a, en 1996, 23 % de partenaires en union libre parmi les personnes « mariées », 18 % en 1991, 12 % en 1986 et 8 % en 1981.

On trouve 127 000 célibataires de plus chez les hommes que chez les femmes en 1996, soit 17 %, mais les veuves (297 900) sont cinq fois plus nombreuses que les veufs (59 600) et le nombre de divorcées (197 800) représente 1,4 fois celui des divorcés (138 600). Ces différences s'expliquent par une durée de vie plus longue chez les femmes, leur plus jeune âge au mariage ou à la formation d'un couple, de même que par un taux de remariage moins élevé.

Les ménages

Au recensement de 1996, on a dénombré 2,8 millions de ménages privés (tableau 4.11). L'augmentation du nombre de ménages est de beaucoup supérieure à celle de la population, et le nombre de personnes par ménage baisse de 3,7 en 1971 à 2,9 en 1981, et à 2,5 en 1996.

Les ménages de grande taille diminuent considérablement : en 1971, 17 % des ménages comprennent 6 personnes ou plus, alors qu'en 1996, seulement 2 % des ménages sont de cette taille (tableau 4.12). La part des ménages de petite taille augmente, et particulièrement celle des ménages d'une personne qui passe de 12 % à 27 % au cours de ces années.

S'il y a 27 % de ménages d'une personne, il ne faut pas conclure que 27 % des Québécois vivent seuls. Pour mesurer la proportion de personnes qui vivent seules, il faut diviser leur nombre par le total de la population, et non par le nombre de ménages. Ainsi, on obtient une proportion de personnes vivant seules de 11 % en 1996. En fait, environ le quart des personnes vivent dans des ménages de 4 personnes (26 %) et de 2 personnes (25 %), alors que le cinquième se trouvent dans des ménages de 3 personnes (21 %). Il y a un peu plus de personnes qui vivent dans un ménage de 5 personnes (12 %) que seules. Enfin, il n'y a que 5 % de la population dans les ménages de 6 personnes ou plus, ménages que l'on pourrait qualifier de nombreux.

Le soutien d'un ménage est ici le principal responsable du paiement des dépenses du ménage. C'est dans le groupe des personnes de 35-44 ans que l'on en compte le plus grand nombre : le quart des soutiens de ménage sont dans ce groupe d'âge en 1996 (tableau 4.13). En 1986, le groupe le plus nombreux se trouve chez les 25-34 ans ; il s'agit donc de la même cohorte que l'on retrouve dix ans plus tard. Par ailleurs, on observe un vieillissement important des soutiens de ménage : ainsi leur nombre chez les personnes de 75 ans et plus augmente de 98 000 en 1981 à 194 000 en 1996, alors que chez les jeunes de 20-24 ans, il diminue de 153 000 à 106 000 pour la même période.

Le taux de soutien indique la proportion de personnes d'un groupe d'âge qui sont à la tête d'un ménage (au sens large). Les taux sont plutôt stables chez les jeunes adultes depuis 1981, alors qu'ils augmentent chez les plus vieux. Ainsi, chez les personnes de 25-34 ans, on observe le même taux en 1981 et en 1996, soit 48 %, alors que chez les personnes de 65-74 ans, le taux passe de 49 % à 63 %. L'augmentation des ménages d'une personne n'est pas étrangère à cette hausse des taux chez les personnes âgées, car c'est une situation domestique croissante chez elles.

Les femmes forment une bonne majorité (56 %) des personnes vivant seules (tableau 4.14). En fait, la proportion des personnes vivant seules est importante surtout chez les femmes âgées; elle est de 13 % chez les femmes de 45-54 ans et de 41 % chez celles de 80-84 ans. Cependant, aux très grands âges, la proportion diminue. Chez les hommes, la proportion croît relativement peu avec l'âge; elle est de 13 % chez les 45-54 ans et de 17 % chez les 80-84 ans. Cela s'explique en bonne partie par le veuvage plus fréquent chez les femmes.

Un portrait général de la situation domestique et familiale, par sexe et par groupe d'âge, est fourni au tableau 4.14 et à la figure 4.4. Les enfants de 0-14 ans vivent pour la plupart dans une famille. Chez les jeunes adultes de 20-24 ans, 63 % des hommes sont encore « enfants » dans une famille en regard de seulement 46 % des femmes. Ces dernières sont parents ou épouses beaucoup plus souvent que les hommes, soit dans une proportion de 36 % comparativement à 16 %. À ces âges, environ une personne sur cinq ne vit pas dans une famille, mais vit seule ou avec d'autres personnes. C'est dans le groupe des femmes de 35-44 ans que la proportion de mères ou d'épouses est la plus élevée, soit 85 %, tandis que chez les hommes, c'est dans le groupe des 55-64 ans, avec 80 %. Aux très grands âges, plusieurs personnes se trouvent dans les ménages collectifs; c'est le cas de 45 % des femmes de 85 ans et plus et de 31 % des hommes des mêmes âges.

Les familles

En 1996, on compte 1,9 million de familles dans lesquelles vivent 5,8 millions de personnes (tableau 4.11). La proportion de la population qui vit dans une famille s'élève donc à 82 %. Toutefois, cette proportion diminue puisqu'elle était de 89 % de 1971 à 1986. Depuis 1971, la taille moyenne des familles passe de 3,9 personnes à 3,0 en 1996.

Parmi les familles recensées en 1996, la grande majorité (84 %) comprennent un couple et 16 % sont des familles avec un seul parent au foyer (tableau 4.15). La proportion des familles monoparentales augmente depuis le milieu des années 60 alors qu'elles représentaient 8 % des familles. La plupart des parents seuls sont des femmes, soit 82 % en 1996; cette proportion s'est accrue puisqu'elle était de 76 % en 1961. Lors d'une rupture d'union, la garde des enfants revient plus souvent aux femmes. Par ailleurs, il y a moins de ruptures par veuvage qui amenaient un certain nombre de veufs parents seuls.

Près du quart des couples sont en union libre. Quand ils n'ont pas d'enfants au foyer, la proportion atteint même 28 %, alors qu'elle est de 21 % quand il y a des enfants. Plus du tiers (34 %) des familles n'ont pas d'enfants à la maison. Près de la moitié (48 %) des partenaires en union libre n'ont pas d'enfants, tout comme 38 % des couples mariés.

Parmi le 1,3 million de familles avec enfants en 1996, le nombre moyen d'enfants est de 1,75. Les familles monoparentales ont moins d'enfants, soit 1,47, alors que les familles époux-épouse ont en moyenne 1,84 enfant. La plupart des familles n'ont qu'un ou deux enfants à la maison. Dans seulement 16 % des familles, il y a trois enfants ou plus. Cette proportion diminue à 8 % dans le cas des familles monoparentales.

Si l'on considère la famille du point de vue des enfants, on obtient une meilleure perspective que si l'on s'en tient au point de vue des parents (tableau 4.16). Ainsi, bien qu'il y ait 24 % de familles monoparentales parmi les familles avec des enfants en 1996 (point de vue des parents), il y a 20 % des enfants dans les familles monoparentales (point de vue des enfants), puisque ces dernières ont moins d'enfants que les familles époux-épouse.

Les enfants plus jeunes se trouvent moins souvent dans une famille monoparentale; ainsi, en 1996, 14 % des enfants de 0-5 ans vivent avec un seul de leurs parents, alors que la proportion est de 21 % chez les enfants de 15-17 ans (figure 4.5). Par ailleurs, la proportion des enfants dans les familles monoparentales augmente beaucoup; elle était de 11 % en 1971 et de 15 % en 1981.

Certaines enquêtes permettent de distinguer parmi les familles époux-épouse, les familles intactes et les familles recomposées. Ainsi, on peut estimer que 76 % des enfants de 0-11 ans vivent dans une famille intacte en 1994-1995, alors que 8 % vivent dans une famille recomposée et 15 %, dans une famille monoparentale (tableau 4.17). Comparativement aux enfants des autres provinces canadiennes, les enfants québécois se trouvent moins souvent dans une famille monoparentale et un peu plus souvent dans une famille intacte. C'est en Colombie-Britannique que l'on observe la plus faible proportion d'enfants de 0-11 ans dans les familles intactes (71 %) et la plus élevée dans les familles monoparentales (18 %).

Parmi les régions du Québec, c'est à Montréal que l'on trouve la plus grande proportion de familles monoparentales (32 %) et d'enfants (de tous âges) dans les familles monoparentales (27 %) (tableau 4.18). Pour leur part, les régions du Nord-du-Québec et de Laval présentent les proportions les plus faibles. Dans la région du Nord-du-Québec, 17 % des familles n'ont qu'un seul parent et 15 % des enfants vivent avec un seul parent.

Références

CONSEIL DE LA FAMILLE ET DE L'ENFANCE et autres. *Un portrait statistique des familles et des enfants au Québec*, Québec, 1999, 206 p., [www.stat.gouv.qc.ca/publications/demograp/enfance.htm]
CONSEIL DE LA FAMILLE ET DE L'ENFANCE. *Le rapport 1999-2000 sur la situation et les besoins des familles et des enfants*, Québec, 2000, 66 p., [www.cfe.gouv.qc.ca/cfe-fra/pdf/rapport-1999-2000-situation-des-familles.pdf]
DUCHESNE, Louis. *La situation démographique au Québec, bilan 2000*, Québec, Institut de la statistique du Québec, 2000, 292 p., [www.stat.gouv.qc.ca/donstat/demograp/index.htm]
MARCIL-GRATTON, Nicole. *Grandir avec maman et papa? Les trajectoires complexes des enfants canadiens*, Statistique Canada, 1998, (89-566), [www.statcan.ca/francais/IPS/Data/89-566-XIF.htm]
PÉRON, Yves, et autres (1999). *Les familles canadiennes à l'approche de l'an 2000*, Ottawa, Statistique Canada, 1999, 369 p. (96-321-MPF).

Définitions

Accroissement migratoire ou migration nette

Variation de l'effectif d'une population due au solde des migrations internationales, interprovinciales ou régionales, selon le cas.

Accroissement naturel

Variation de l'effectif d'une population due au solde des naissances et des décès.

Âge médian

Âge qui sépare la population en deux parties égales.

Espérance de vie

Vie moyenne calculée à la naissance ou aux différents anniversaires, selon les conditions de mortalité d'une année donnée.

État matrimonial

État de célibataire, marié, divorcé ou veuf. Le recensement donne l'état matrimonial de fait (les personnes vivant en union libre sont considérées comme mariées), tandis que les statistiques de l'état civil donnent l'état matrimonial de droit.

Famille de recensement

Couple (avec ou sans enfants) ou parent seul demeurant avec au moins un fils ou une fille jamais marié.

Fils ou filles

Fils et filles apparentés par le sang, par alliance ou par adoption qui ne se sont jamais mariés, peu importe leur âge, et qui vivent dans le même logement que leur(s) parent(s).

Indice synthétique de fécondité

Nombre moyen d'enfants par femme selon les conditions de fécondité d'une année donnée; somme des taux de fécondité par âge (de 13 à 49 ans).

Ménage collectif

Personne ou groupe de personnes occupant un logement collectif et n'ayant pas de domicile habituel ailleurs au Canada. Il s'agit par exemple d'établissements pour personnes âgées, d'institutions religieuses, de prisons.

Ménage privé

Personne ou groupe de personnes (autres que des résidents étrangers) occupant un logement privé et n'ayant pas de domicile habituel ailleurs au Canada.

Mouvement migratoire ou migration

Changement de résidence. On distingue les migrations internationales (composées de l'immigration et de l'émigration internationales), les migrations interprovinciales (composées des entrées et des sorties interprovinciales) et les migrations internes ou régionales (définies selon le périmètre utilisé, résidence, municipalité, région, etc.).

Parent seul

Mère ou père, sans conjoint ni partenaire en union libre, qui habite un logement avec au moins un de ses fils ou une de ses filles n'ayant jamais été marié.

Partenaires en union libre

Personnes de sexe différent qui ne sont pas légalement mariées l'une à l'autre, mais qui vivent comme mari et femme dans le même logement.

Rapport de dépendance

Rapport entre la population jeune et âgée et la population d'âge actif (15-64 ans).

Rapport de masculinité

Nombre d'hommes pour 100 femmes.

Résidents non permanents

Il s'agit principalement des personnes résidant au Canada titulaires d'un permis de séjour pour études ou de travail, et des personnes revendiquant le statut de réfugié, incluant les personnes à charge.

Soutien de ménage

Personne responsable du paiement des dépenses du ménage. Si l y a plusieurs soutiens de ménage, le premier est retenu; s'il n'y a pas de responsables du paiement, la personne 1 est retenue (la première personne se trouvant sur le questionnaire du recensement).

Taux de fécondité et de mortalité par âge ou par groupe d'âge

Nombre de naissances ou de décès divisé par la population d'un âge ou d'un groupe d'âge (exprimé en ‰ ou pour 100 000). Exemple : le nombre de décès d'hommes de 20-24 ans divisé par la population masculine de 20-24 ans donne le taux de mortalité masculine de 20-24 ans.

Taux de natalité, de mortalité, de nuptialité

Nombre de naissances, de décès ou de mariages divisé par la population totale (exprimé en ‰).

Taux de mortalité infantile

Proportion des enfants nés vivants qui décèdent avant leur premier anniversaire (exprimé en ‰).

Tableau 4.1
Évolution de la population, Québec, Ontario, Canada, 1971-2000

Année (1er juillet)	Population			Accroissement quinquennal[1]			Répartition		
	Québec	Ontario	Canada	Québec	Ontario	Canada	Québec	Ontario	Canada
	n						%		
1971	6 137 368	7 849 002	21 962 082	4,2	7,2	6,8	27,9	35,7	100,0
1976	6 396 735	8 413 808	23 449 793	2,4	4,7	5,8	27,3	35,9	100,0
1981	6 547 704	8 811 311	24 820 382	2,5	7,1	5,2	26,4	35,5	100,0
1986	6 708 352	9 437 835	26 100 587	5,3	10,5	7,4	25,7	36,2	100,0
1991	7 064 735	10 427 621	28 030 864	3,0	6,5	5,9	25,2	37,2	100,0
1996	7 274 019	11 100 876	29 671 892	1,4	5,1	3,6	24,5	37,4	100,0
2000	7 372 448	11 669 344	30 750 087	...	...	...	24,0	37,9	100,0

1. De 1996 à 2000, le taux est calculé sur 4 ans.

Source : Statistique Canada, Estimations de la population.

Tableau 4.2
Population par région administrative, Québec, 1971-2000

Région administrative	Population						
	1971	1976	1981	1986	1991	1996	2000
	n						
01 Bas-Saint-Laurent	209 915	204 040	211 841	215 812	209 565	209 209	204 308
02 Saguenay–Lac-Saint-Jean	266 215	269 380	285 675	292 480	292 479	291 089	286 665
03 Capitale-Nationale	528 140	556 205	576 750	601 579	631 360	644 504	646 218
04 Mauricie	244 475	242 095	250 131	257 584	264 140	265 324	262 212
05 Estrie	240 970	245 950	256 114	264 331	274 375	283 295	288 530
06 Montréal	1 959 140	1 869 585	1 760 122	1 826 536	1 815 240	1 808 188	1 825 527
07 Outaouais	216 475	242 990	242 856	263 290	291 324	313 031	319 879
08 Abitibi-Témiscamingue	142 885	141 100	145 187	150 302	155 445	156 505	152 549
09 Côte-Nord	104 430	119 755	118 332	107 145	105 670	105 105	102 146
10 Nord-du-Québec	30 030	34 245	37 971	36 986	37 203	39 233	39 450
11 Gaspésie–Îles-de-la-Madeleine	115 885	114 625	115 032	115 050	108 190	106 757	101 793
12 Chaudière-Appalaches	306 370	319 695	349 426	365 286	375 988	386 841	389 578
13 Laval	228 010	246 240	268 335	291 888	321 943	336 226	349 172
14 Lanaudière	177 485	212 915	255 218	285 595	343 821	381 884	397 112
15 Laurentides	241 765	267 510	307 680	328 345	391 355	440 928	468 912
16 Montérégie	832 730	961 210	1 059 198	1 124 477	1 234 435	1 287 115	1 317 163
17 Centre-du-Québec	182 800	186 910	198 535	207 096	212 202	218 785	221 234
Le Québec	**6 027 720**	**6 234 450**	**6 438 403**	**6 733 782**	**7 064 735**	**7 274 019**	**7 372 448**

Source : Statistique Canada, *Recensements du Canada (1971-1981), Estimations de la population (1986-2000)*.

Figure 4.1

Variation de la population des régions administratives du Québec entre 1971 et 2000

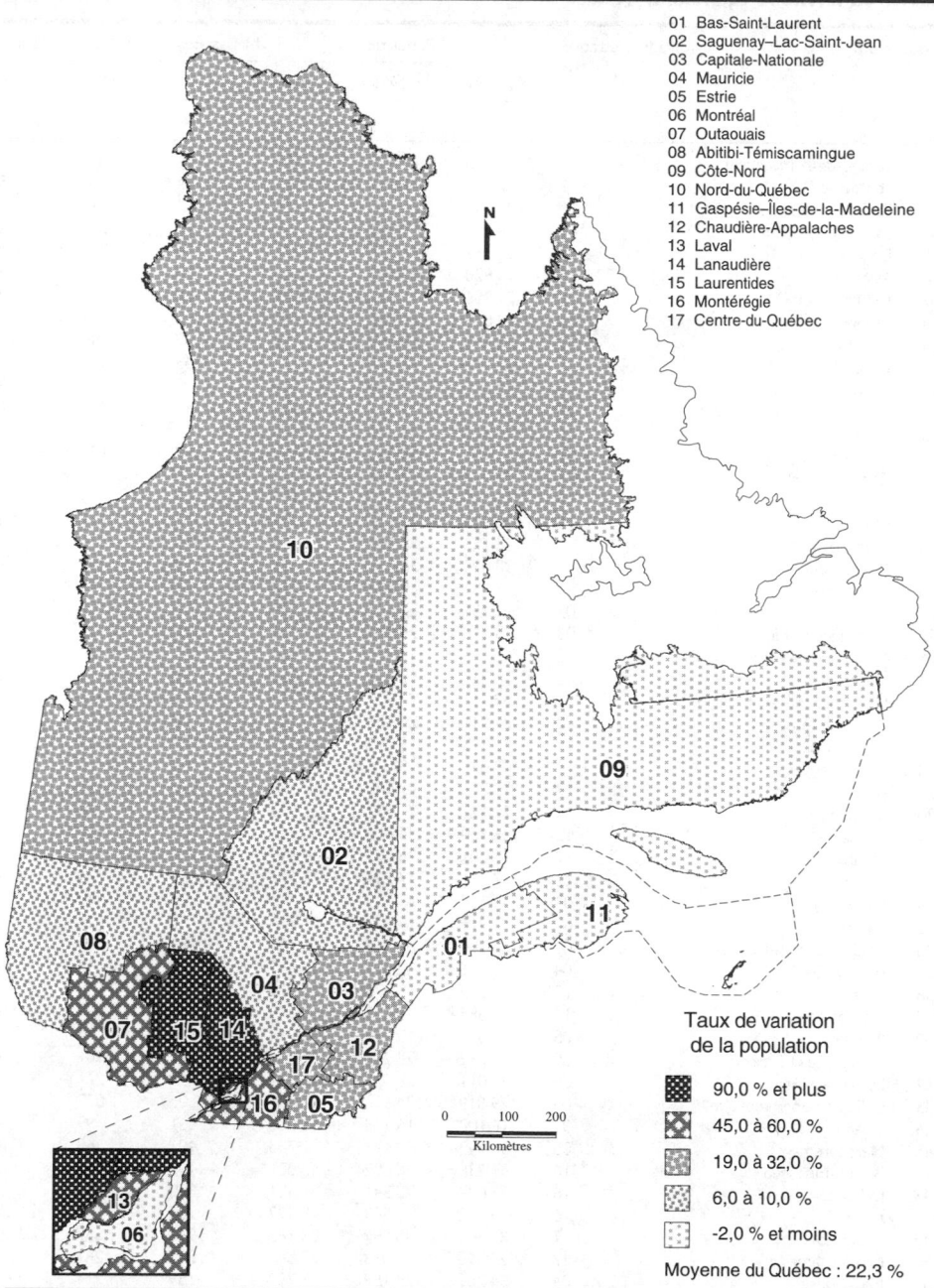

01 Bas-Saint-Laurent
02 Saguenay–Lac-Saint-Jean
03 Capitale-Nationale
04 Mauricie
05 Estrie
06 Montréal
07 Outaouais
08 Abitibi-Témiscamingue
09 Côte-Nord
10 Nord-du-Québec
11 Gaspésie–Îles-de-la-Madeleine
12 Chaudière-Appalaches
13 Laval
14 Lanaudière
15 Laurentides
16 Montérégie
17 Centre-du-Québec

Taux de variation de la population

- 90,0 % et plus
- 45,0 à 60,0 %
- 19,0 à 32,0 %
- 6,0 à 10,0 %
- -2,0 % et moins

Moyenne du Québec : 22,3 %

Source : Statistique Canada, Recensements du Canada (1971-1981); Estimations de la population (1986-2000).

Réalisation : Institut de la statistique du Québec, Direction de l'édition et des communications, 2001.

Tableau 4.3
Population (1991, 1996, 2000), naissances, décès et mariages (1998), par municipalité régionale de comté ou territoire équivalent, Québec

Code	Nom	Région administrative	Population			Naissances	Décès	Mariages
			1991	1996	2000		1998	
					n			
01	Les Îles-de-la-Madeleine	11	14 316	14 005	13 363	87	106	29
02	Le Rocher-Percé	11	22 171	21 686	20 480	194	184	51
03	La Côte-de-Gaspé	11	21 340	21 155	19 842	172	147	33
04	La Haute-Gaspésie	11	14 286	13 940	13 156	118	111	25
05	Bonaventure	11	20 257	19 840	19 122	156	173	44
06	Avignon	11	15 820	16 131	15 830	160	126	37
07	La Matapédia	01	21 356	21 201	20 397	198	173	49
08	Matane	01	24 839	24 075	22 989	198	241	45
09	La Mitis	01	20 566	20 462	19 743	169	188	41
10	Rimouski-Neigette	01	52 406	53 527	52 923	465	349	111
11	Les Basques	01	10 527	10 344	10 044	78	114	24
12	Rivière-du-Loup	01	32 150	32 614	32 266	264	275	88
13	Témiscouata	01	23 821	23 442	22 946	216	215	43
14	Kamouraska	01	23 900	23 544	23 000	207	196	45
15	Charlevoix-Est	03	17 777	17 204	16 954	144	133	65
16	Charlevoix	03	13 800	13 641	13 454	87	133	34
17	L'Islet	12	20 180	20 128	19 805	197	161	29
18	Montmagny	12	24 156	24 168	23 865	215	241	77
19	Bellechasse	12	30 094	30 131	29 991	283	238	65
20	L'Île-d'Orléans	03	7 087	6 994	6 932	62	47	26
21	La Côte-de-Beaupré	03	21 689	21 992	21 978	196	187	60
22	La Jacques-Cartier	03	23 906	25 336	26 718	326	100	59
23	Communauté-Urbaine-de-Québec	03	502 943	513 410	514 460	4 547	4 068	1 577
24	Desjardins	12	50 237	52 092	52 560	450	386	74
25	Les Chutes-de-la-Chaudière	12	69 131	77 006	80 059	962	257	90
26	La Nouvelle-Beauce	12	24 914	25 488	25 962	298	173	62
27	Robert-Cliche	12	18 983	19 012	19 014	194	155	93
28	Les Etchemins	12	19 057	18 646	18 202	165	165	40
29	Beauce-Sartigan	12	45 235	47 146	48 366	527	323	103
30	Le Granit	05	21 427	21 632	22 055	194	168	84
31	L'Amiante	12	46 770	45 670	44 243	345	388	142
32	L'Érable	17	25 207	25 077	24 603	267	230	42
33	Lotbinière	12	27 231	27 354	27 511	267	174	47
34	Portneuf	03	44 158	45 927	45 722	399	377	76
35	Mékinac	04	13 914	13 671	13 264	89	129	23
36	Le Centre-de-la-Mauricie	04	68 794	68 114	66 483	483	604	139
37	Francheville	04	140 506	142 832	142 359	1 188	1 142	345
38	Bécancour	17	19 569	19 978	19 516	203	145	29
39	Arthabaska	17	61 584	64 000	65 078	664	429	167
40	Asbestos	05	15 677	15 208	14 948	117	135	28
41	Le Haut-Saint-François	05	21 892	22 276	22 507	224	161	46
42	Le Val-Saint-François	05	33 011	33 973	34 221	315	211	50
43	La Région-Sherbrookoise	05	129 519	134 896	137 088	1 505	1 057	438
44	Coaticook	05	16 100	16 165	16 006	161	99	43
45	Memphrémagog	05	36 749	39 145	41 705	401	369	188
46	Brome-Missisquoi	16	46 235	46 692	47 021	402	456	186
47	La Haute-Yamaska	16	75 084	78 341	81 421	830	552	264
48	Acton	16	14 922	15 563	15 792	160	114	35
49	Drummond	17	81 446	85 697	88 188	960	657	214
50	Nicolet-Yamaska	17	24 396	24 033	23 849	215	261	46
51	Maskinongé	04	24 286	24 159	23 783	189	214	23
52	D'Autray	14	33 740	38 203	39 319	358	382	78
53	Le Bas-Richelieu	16	55 044	53 055	51 409	386	497	124
54	Les Maskoutains	16	78 564	80 056	80 007	849	679	235
55	Rouville	16	32 179	33 627	33 957	324	198	66
56	Le Haut-Richelieu	16	95 088	99 220	102 097	1 073	771	327

Tableau 4.3 *(suite)*

Population (1991, 1996, 2000), naissances, décès et mariages (1998), par municipalité régionale de comté ou territoire équivalent, Québec

Code	Nom	Région administrative	Population			Naissances	Décès	Mariages
			1991	1996	2000	1998		
					n			
57	La Vallée-du-Richelieu	16	107 354	115 843	119 787	1 289	631	359
58	Champlain	16	320 175	319 491	322 603	3 219	2 123	1 235
59	Lajemmerais	16	87 790	97 370	103 031	1 129	406	201
60	L'Assomption	14	93 927	103 988	106 510	988	546	153
61	Joliette	14	52 213	53 705	54 709	474	475	296
62	Matawinie	14	36 899	42 029	44 506	398	366	89
63	Montcalm	14	33 459	38 758	39 906	451	299	84
64	Les Moulins	14	93 583	105 201	112 162	1 318	419	134
65	Laval	13	321 943	336 226	349 172	3 509	2 140	983
66	Communauté-Urbaine-de-Montréal	06	1 815 240	1 808 188	1 825 527	20 570	15 649	7 848
67	Roussillon	16	127 752	141 988	148 208	1 570	757	254
68	Les Jardins-de-Napierville	16	22 499	23 342	23 388	224	191	55
69	Le Haut-Saint-Laurent	16	24 077	24 728	24 737	266	222	72
70	Beauharnois-Salaberry	16	61 089	60 733	60 004	508	504	274
71	Vaudreuil-Soulanges	16	86 583	97 066	103 701	1 161	598	316
72	Deux-Montagnes	15	73 808	81 554	83 954	891	490	153
73	Thérèse-De Blainville	15	107 466	121 607	131 499	1 543	549	230
74	Mirabel	15	18 459	23 216	26 979	397	127	59
75	La Rivière-du-Nord	15	75 640	85 367	90 933	899	621	431
76	Argenteuil	15	27 823	28 973	28 696	261	306	69
77	Les Pays-d'en-Haut	15	23 089	28 772	32 067	247	224	156
78	Les Laurentides	15	32 349	36 984	39 650	324	298	128
79	Antoine-Labelle	15	32 721	34 455	35 134	296	266	117
80	Papineau	07	19 925	20 671	21 037	163	171	64
81	Communauté-Urbaine-de-l'Outaouais	07	206 896	221 642	226 526	2 402	1 261	708
82	Les Collines-de-l'Outaouais	07	29 591	34 301	36 143	383	170	75
83	La Vallée-de-la-Gatineau	07	19 468	20 591	20 767	210	162	63
84	Pontiac	07	15 444	15 826	15 406	156	130	92
85	Témiscamingue	08	17 763	18 332	18 212	211	122	59
86	Rouyn-Noranda	08	43 028	43 367	42 016	501	238	107
87	Abitibi-Ouest	08	24 635	23 939	23 002	231	155	57
88	Abitibi	08	25 912	25 701	25 292	281	164	62
89	Vallée-de-l'Or	08	44 107	45 166	44 027	491	308	131
90	Le Haut-Saint-Maurice	04	16 640	16 548	16 323	176	129	43
91	Le Domaine-du-Roy	02	33 949	34 385	33 795	353	238	88
92	Maria-Chapdelaine	02	28 768	28 476	27 612	269	194	79
93	Lac-Saint-Jean-Est	02	53 093	53 208	52 976	476	351	141
94	Le Fjord-du-Saguenay	02	176 669	175 020	172 282	1 550	1 262	533
95	La Haute-Côte-Nord	09	13 848	13 663	13 293	122	92	33
96	Manicouagan	09	36 970	36 901	35 483	404	213	71
971	Sept-Rivières[1]	09	41 695	41 643	40 575	442	196	86
972	Caniapiscau	09	..	..	..	69	11	5
981	Minganie[2]	09	13 157	12 898	12 795	81	43	8
982	Basse-Côte-Nord	09	..	..	..	54	36	13
991	Jamésie[3]	10	37 203	39 233	39 450	526	137	85
992	Kativik	10	..	..	..	288	50	37
Le Québec			**7 064 735**	**7 274 019**	**7 372 448**	**75 674**	**54 004**	**22 940**

1. Incluant la population de la MRC de Caniapiscau (972).
2. Incluant la population du territoire de Basse-Côte-Nord (982).
3. Incluant la population du territoire de Kativik (992).

Sources : Statistique Canada, Estimations de la population.
           Institut de la statistique du Québec (naissances, décès, mariages).

Figure 4.2
Proportion des naissances hors mariage et de père inconnu, Québec, 1970-1999

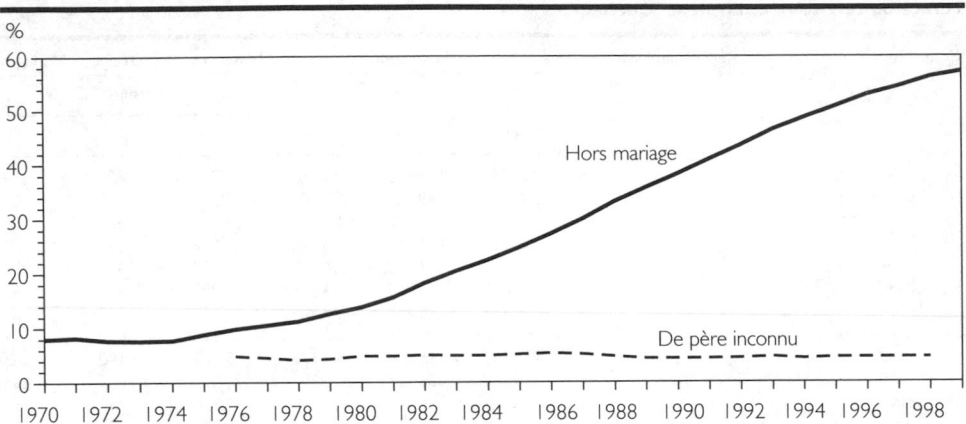

Source : Institut de la statistique du Québec.

Tableau 4.4
Mouvement de la population, Québec, 1980-2001

Année	Population[1] 1er janvier	Naissances	Décès	Accrois-sement naturel	Migration nette[2]	Accrois-sement total[3]	Résidu[4]	Taux Natalité	Taux Mortalité	Taux Accrois-sement total
				n					‰	
1980	6 478 988	97 498	43 515	53 983	-4 487	43 998	-5 498	15,0	6,7	6,8
1981	6 522 986	95 247	42 765	52 482	-5 009	42 292	-5 181	14,5	6,5	6,5
1982	6 565 278	90 540	43 485	47 055	-11 548	21 822	-13 685	13,8	6,6	3,3
1983	6 587 100	87 739	44 150	43 589	-7 804	26 494	-9 291	13,3	6,7	4,0
1984	6 613 594	87 610	44 544	43 066	-865	31 949	-10 252	13,2	6,7	4,8
1985	6 645 543	86 008	45 662	40 346	5 339	39 368	-6 317	12,9	6,9	5,9
1986	6 684 911	84 579	46 964	37 615	13 369	60 903	9 919	12,6	7,0	9,1
1987	6 745 814	83 600	47 626	35 974	17 137	61 263	8 152	12,3	7,0	9,0
1988	6 807 077	86 358	47 981	38 377	16 683	79 289	24 229	12,6	7,0	11,6
1989	6 886 366	91 751	48 336	43 415	23 197	75 298	8 686	13,2	7,0	10,9
1990	6 961 664	98 013	48 651	49 362	28 588	71 699	-6 251	14,0	6,9	10,2
1991	7 033 363	97 348	49 243	48 105	35 214	49 911	-33 408	13,8	7,0	7,1
1992	7 083 274	96 054	48 963	47 091	35 650	60 475	-22 266	13,5	6,9	8,5
1993	7 143 749	92 322	51 831	40 491	34 577	46 573	-28 495	12,9	7,2	6,5
1994	7 190 322	90 417	51 389	39 028	14 626	34 616	-19 038	12,5	7,1	4,8
1995	7 224 938	87 258	52 722	34 536	13 000	34 081	-13 455	12,0	7,3	4,7
1996	7 259 019	85 130	52 278	32 852	6 889	30 609	-9 132	11,7	7,2	4,2
1997	7 289 628	79 724	54 281	25 443	-285	23 394	-1 764	10,9	7,4	3,2
1998	7 313 022	75 674	54 004	21 670	1 273	23 254	311	10,3	7,4	3,2
1999	7 336 276	73 579	54 500	19 079	2 787	24 866	3 000	10,0	7,4	3,4
2000	7 361 142	72 000	53 000	19 000	5 485	22 158	-2 327	9,8	7,2	3,0
2001	7 383 300	...	...	...	...	...	...	...	...	...

1. La population tient compte des résidents non permanents.
2. La migration nette ne tient pas compte des résidents non permanents.
3. Accroissement calculé par la différence entre les effectifs estimés au 1er janvier d'une année donnée et au 1er janvier de l'année qui suit.
4. Le résidu est l'écart entre l'accroissement total et la somme de l'accroissement naturel et de la migration nette. Le solde des résidents non permanents est compris dans le résidu.
5. Le dénominateur pour le calcul des taux est la population au 1er juillet.

Sources : Statistique Canada, Estimations de la population.
Institut de la statistique du Québec.

Tableau 4.5
Population par grand groupe d'âge et par sexe, Québec, 1er juillet 2000

Groupe d'âge	Unité	Sexe masculin	Sexe féminin	Total
Population totale	**n**	**3 638 947**	**3 733 501**	**7 372 448**
	%	**49,4**	**50,6**	**100,0**
	%	**100,0**	**100,0**	**100,0**
0-14 ans	n	674 654	645 401	1 320 055
	%	51,1	48,9	100,0
	%	18,5	17,3	17,9
15-64 ans	n	2 575 323	2 532 596	5 107 919
	%	50,4	49,6	100,0
	%	70,8	67,8	69,3
15-44 ans	n	1 668 286	1 602 902	3 271 188
	%	51,0	49,0	100,0
	%	45,8	42,9	44,4
45-64 ans	n	907 037	929 694	1 836 731
	%	49,4	50,6	100,0
	%	24,9	24,9	24,9
65 ans et plus	n	388 970	555 504	944 474
	%	41,2	58,8	100,0
	%	10,7	14,9	12,8
65-74 ans	n	245 905	295 238	541 143
	%	45,4	54,6	100,0
	%	6,8	7,9	7,3
75 ans et plus	n	143 065	260 266	403 331
	%	35,5	64,5	100,0
	%	3,9	7,0	5,5
Âge médian	n	37,0	39,1	38,0
Âge moyen	n	36,9	39,3	38,1
Rapport de dépendance[1]	%	41,3	47,4	44,3

1. (0-14 ans + 65 ans et plus)/(15-64 ans)*100.

Source : Statistique Canada, Estimations de la population.

Tableau 4.6
Espérance de vie à la naissance et à 65 ans selon le sexe, Québec, 1980-1982 à 1998

Âge et sexe	1980-1982	1985-1987	1990-1992	1995-1997	1998	Variation entre			
						1980-1982 et 1985-1987	1985-1987 et 1990-1992	1990-1992 et 1995-1997	1995-1997 et 1998
					années				
À la naissance									
Hommes	71,18	72,16	73,69	74,60	75,26	0,98	1,53	0,91	0,66
Femmes	78,87	79,65	80,84	80,99	81,32	0,78	1,19	0,15	0,33
Écart	7,69	7,49	7,15	6,39	6,06	-0,20	-0,34	-0,76	-0,33
À 65 ans									
Hommes	14,08	14,22	15,20	15,46	15,64	0,14	0,98	0,26	0,18
Femmes	18,70	19,00	19,86	19,77	19,97	0,30	0,86	-0,09	0,20
Écart	4,62	4,78	4,66	4,31	4,33	0,16	-0,12	-0,35	0,02

Source : Institut de la statistique du Québec.

Tableau 4.7
Décès infantiles et taux de mortalité infantile, selon le sexe, Québec, 1980-1998

Année	Décès			Taux		
	Sexe masculin	Sexe féminin	Sexes réunis	Sexe masculin	Sexe féminin	Sexes réunis
	n			‰ naissances		
1980	533	407	940	10,6	8,6	9,6
1981	442	355	797	9,0	7,7	8,3
1982	474	333	807	10,4	7,6	9,0
1983	378	290	668	8,3	6,8	7,6
1984	392	268	660	8,7	6,3	7,5
1985	337	280	617	7,6	6,7	7,2
1986	345	259	604	8,0	6,3	7,1
1987	373	228	601	8,7	5,6	7,2
1988	320	246	566	7,3	5,9	6,6
1989	365	264	629	7,8	5,9	6,9
1990	355	264	619	7,1	5,6	6,4
1991	321	257	578	6,4	5,4	5,9
1992	302	220	522	6,1	4,7	5,4
1993	308	224	532	6,4	5,0	5,7
1994	291	213	504	6,3	4,8	5,6
1995	273	200	473	6,1	4,7	5,4
1996	219	175	394	5,0	4,2	4,6
1997	244	195	439	6,0	5,0	5,5
1998	222	191	413	5,7	5,1	5,4

Source : Institut de la statistique du Québec.

Tableau 4.8
Naissances, taux de fécondité par groupe d'âge[1] et indices globaux, Québec, 1980-1999

Année	Naissances	Taux de fécondité							Indice synthétique de fécondité	Âge moyen à la maternité
		15-19[2]	20-24	25-29	30-34	35-39	40-44	45-49		
	n				‰					années
1980	97 498	15,4	89,7	131,3	67,9	18,7	2,8	0,2	1,631	27,40
1981	95 247	14,4	85,0	128,4	66,8	17,5	2,6	0,2	1,574	27,45
1982	90 540	14,3	81,4	119,0	61,8	17,0	2,5	0,1	1,481	27,39
1983	87 739	13,4	78,0	115,4	60,2	15,8	2,3	0,2	1,427	27,41
1984	87 610	13,3	74,7	116,1	61,0	16,6	2,3	0,1	1,421	27,49
1985	86 008	13,7	71,6	114,2	60,3	16,7	2,1	0,1	1,394	27,52
1986	84 579	14,6	69,3	112,3	59,0	17,0	2,4	0,1	1,374	27,54
1987	83 600	15,3	67,5	110,1	59,4	16,9	2,5	0,1	1,359	27,56
1988	86 358	15,6	70,5	113,6	62,3	18,1	2,8	0,1	1,415	27,59
1989	91 751	16,6	74,7	120,1	68,3	19,4	2,6	0,1	1,509	27,62
1990	98 013	18,1	79,7	128,4	75,2	22,0	2,8	0,1	1,632	27,69
1991	97 348	17,6	80,0	129,3	78,0	22,7	3,0	0,1	1,654	27,76
1992	96 054	18,2	77,0	129,5	81,2	23,6	3,3	0,1	1,665	27,88
1993	92 322	17,6	75,9	124,2	81,4	24,1	3,6	0,1	1,634	27,95
1994	90 417	17,6	75,0	123,0	82,5	25,2	3,6	0,1	1,634	28,02
1995	87 258	17,2	73,0	118,8	83,1	25,9	3,8	0,1	1,610	28,11
1996	85 130	16,5	72,4	118,3	82,4	27,2	3,8	0,2	1,604	28,18
1997	79 724	15,6	67,5	111,6	80,8	26,6	3,8	0,1	1,530	28,27
1998	75 674	14,7	63,7	108,1	78,6	26,3	4,1	0,1	1,478	28,35
1999p	73 579	14,2	60,9	106,0	78,4	27,4	4,0	0,1	1,456	28,47

1. Les taux par groupe d'âge sont la somme des taux par année d'âge divisée par 5. Les dénominateurs sont les estimations corrigées de Statistique Canada.
2. Comprend les naissances des mères de 14 ans et moins.

Source : Institut de la statistique du Québec.

Tableau 4.9

Migrations internationales et interprovinciales, Québec, 1980-2000

Année	Migrations internationales			Migrations interprovinciales[2]			Solde total[3]	Résidents non permanents, solde[4]
	Immigrants	Émigrants[1]	Solde	Entrants	Sortants	Solde		
				n				
1980	22 527	2 731	19 796	21 913	46 196	-24 283	-4 487	3 265
1981	21 182	3 642	17 540	23 564	46 113	-22 549	-5 009	4 805
1982	21 336	4 715	16 621	19 941	48 110	-28 169	-11 548	-2 753
1983	16 374	5 098	11 276	22 348	41 428	-19 080	-7 804	1 598
1984	14 641	4 563	10 078	25 230	36 173	-10 943	-865	604
1985	14 884	3 522	11 362	25 426	31 449	-6 023	5 339	4 575
1986	19 459	3 070	16 389	26 012	29 032	-3 020	13 369	13 949
1987	26 823	2 276	24 547	26 039	33 449	-7 410	17 137	7 090
1988	25 789	2 103	23 686	27 839	34 842	-7 003	16 683	22 904
1989	34 171	2 595	31 576	29 454	37 833	-8 379	23 197	7 172
1990	40 842	2 687	38 155	26 864	36 431	-9 567	28 588	-7 377
1991	51 707	3 446	48 261	24 524	37 571	-13 047	35 214	-22 837
1992	48 377	2 942	45 435	25 480	35 265	-9 785	35 650	-3 617
1993	44 916	2 913	42 003	24 545	31 971	-7 426	34 577	-9 803
1994	28 017	3 139	24 878	22 718	32 970	-10 252	14 626	-342
1995	26 568	3 320	23 248	23 115	33 363	-10 248	13 000	5 279
1996	29 698	7 451	22 247	20 848	36 206	-15 358	6 889	-1 303
1997	27 755	10 481	17 274	20 354	37 913	-17 559	-285	-1 696
1998	26 650	10 865	15 785	20 156	34 668	-14 512	1 273	364
1999ᵖ	29 222	11 427	17 795	24 172	39 180	-15 008	2 787	1 546
2000ᵖ	32 454	12 245	20 209	25 936	40 660	-14 724	5 485	-1 999

1. Jusqu'en juillet 1996, le nombre des émigrants est défalqué du nombre de Canadiens de retour. Depuis juillet 1996, le nombre total d'émigrants est la somme des émigrants et du solde des personnes temporairement à l'étranger, moins le nombre d'émigrants de retour. La nouvelle méthodologie amène une brisure dans la série.
2. Les migrations interprovinciales sont estimées à partir des fichiers de Revenu Canada jusqu'en 1997. Les données provisoires de 1998 et de 1999 proviennent des fichiers des prestations fiscales pour enfants.
3. Total des soldes international et interprovincial.
4. Variation du nombre de résidents non permanents. Les soldes n'entrent pas dans le calcul de la migration totale.

Source : Statistique Canada, Estimations de la population.

Figure 4.3
État matrimonial selon l'âge et le sexe, Québec, 1996

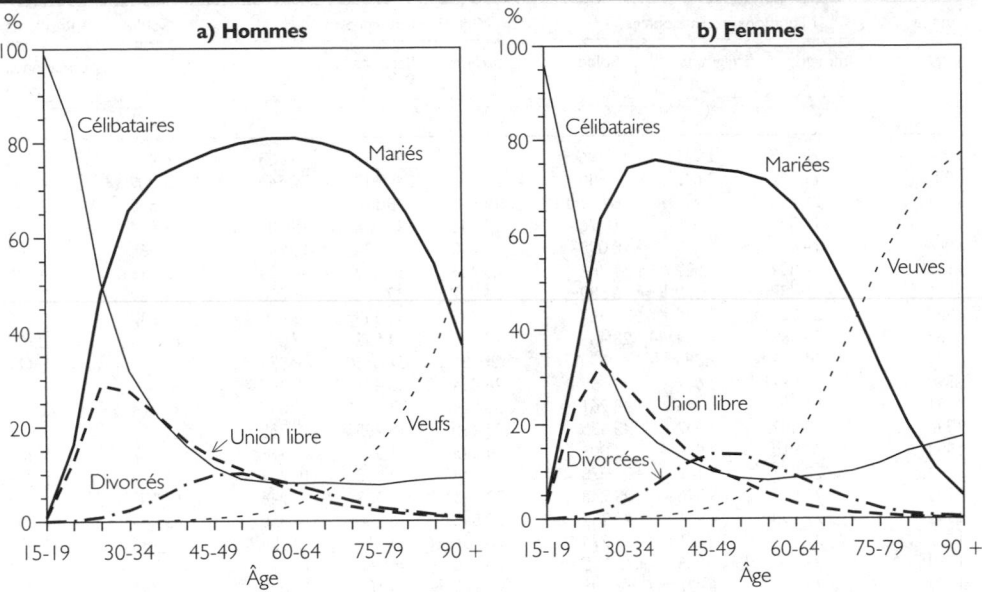

Source : Statistique Canada, Recensement de 1996.

Tableau 4.10
Population de 15 ans et plus selon le sexe et l'état matrimonial[1], Québec, 1991 et 1996

État matrimonial	Unité	Hommes		Femmes		Total	
		1991	1996	1991	1996	1991	1996
Célibataire	n	808 800	881 695	692 290	754 540	1 501 090	1 636 250
	%	30,3	31,6	24,3	25,4	27,2	28,4
Marié	n	1 703 450	1 711 750	1 712 050	1 724 720	3 415 495	3 436 500
	%	63,8	61,3	60,2	58,0	61,9	59,6
Partenaire en union libre	n	306 905	399 395	306 910	399 390	613 815	798 785
	%	11,5	14,3	10,8	13,4	11,1	13,9
Marié légalement	n	1 396 545	1 312 355	1 405 140	1 325 330	2 801 685	2 637 715
	%	52,3	47,0	49,4	44,5	50,8	45,7
Veuf	n	56 845	59 625	286 275	297 905	343 110	357 56
	%	2,1	2,1	10,1	10,0	6,2	6,2
Divorcé	n	102 620	138 575	155 465	197 760	258 085	336 325
	%	3,8	5,0	5,5	6,6	4,7	5,8
Total	n	**2 671 710**	**2 791 670**	**2 846 075**	**2 974 930**	**5 517 785**	**5 766 605**
	%	**100,0**	**100,0**	**100,0**	**100,0**	**100,0**	**100,0**

1. Il s'agit de l'état matrimonial de fait; les partenaires en union libre comprennent des célibataires (de droit), des mariés légalement (séparés), ainsi que des veufs et des divorcés (de droit). L'état matrimonial « marié » comprend les personnes mariées légalement et les partenaires en union libre.

Source : Statistique Canada, Recensements du Canada.

Tableau 4.11

Évolution de la population et du nombre de ménages et de familles, Québec, 1951-1996

Année	Population totale[1]	Ménages privés			Familles		
		Nombre	Personnes	Personnes par ménage	Nombre	Personnes	Personnes par famille
				n			
1971	6 027 764	1 605 747	5 874 430	3,7	1 357 183	5 287 952	3,9
1976	6 234 445	1 894 111	6 082 608	3,2	1 540 402	5 434 791	3,5
1981	6 438 403	2 172 858	6 296 434	2,9	1 671 538	5 491 195	3,3
1986	6 532 461	2 357 104	6 391 435	2,7	1 751 497	5 472 272	3,1
1991	6 895 963	2 634 301	6 747 062	2,6	1 883 234	5 676 293	3,0
1996	7 138 795	2 822 030	7 008 125	2,5	1 949 975	5 839 915	3,0

1. La population recensée est moindre que celle des estimations qui sont corrigées du sous-dénombrement.

Source : Statistique Canada, Recensements du Canada.

Tableau 4.12

Ménages privés selon le nombre de personnes, Québec, 1971-1996

Taille des ménages	1971	1976	1981	1986	1991	1996
				n		
Tous les ménages privés	**1 605 750**	**1 894 110**	**2 172 860**	**2 357 105**	**2 634 300**	**2 822 030**
Ménage de 1 personne	193 575	294 315	425 030	510 550	650 355	769 835
Ménage de 2 personnes	370 440	501 905	608 575	705 220	828 430	888 395
Ménage de 3 personnes	290 495	356 010	408 550	450 160	485 785	493 205
Ménage de 4 personnes	284 260	350 790	415 245	443 010	451 210	452 840
Ménage de 5 personnes	195 205	200 010	197 805	176 480	161 445	161 245
Ménage de 6 personnes et plus	271 765	191 095	117 650	71 675	57 085	56 500
				%		
Tous les ménages privés	**100,0**	**100,0**	**100,0**	**100,0**	**100,0**	**100,0**
Ménage de 1 personne	12,1	15,5	19,6	21,7	24,7	27,3
Ménage de 2 personnes	23,1	26,5	28,0	29,9	31,4	31,5
Ménage de 3 personnes	18,1	18,8	18,8	19,1	18,4	17,5
Ménage de 4 personnes	17,7	18,5	19,1	18,8	17,1	16,0
Ménage de 5 personnes	12,2	10,6	9,1	7,5	6,1	5,7
Ménage de 6 personnes et plus	16,9	10,1	5,4	3,0	2,2	2,0

Source : Statistique Canada, Recensements du Canada.

Tableau 4.13
Ménages privés selon l'âge de la personne soutien[1], et taux de personnes soutiens de ménage[2] dans ce groupe d'âge, Québec, 1971-1996

Groupe d'âge du soutien du ménage	1971	1976	1981	1986	1991	1996
				n		
Tous les ménages privés	**1 605 490**	**1 894 110**	**2 172 855**	**2 357 105**	**2 634 300**	**2 822 030**
15-24 ans	101 645	141 565	168 365	136 025	121 265	119 620
15-19 ans	..	12 545	15 470	10 750	11 935	14 015
20-24 ans	..	129 020	152 895	125 280	109 330	105 600
25-34 ans	370 775	472 890	548 285	567 805	587 835	527 255
35-44 ans	352 455	373 990	445 680	542 280	632 175	693 375
45-54 ans	317 585	357 530	374 400	384 315	465 105	572 680
55-64 ans	249 825	281 625	319 230	353 365	373 270	386 565
65 ans et plus	213 205	266 510	316 900	373 305	454 655	522 535
65-74 ans	..	..	219 150	247 815	292 725	328 615
75 ans et plus	..	..	97 750	125 490	161 930	193 920
				%		
15-24 ans	8,7	11,2	13,3	12,8	13,1	12,6
15-19 ans	..	1,9	2,5	2,2	2,6	2,8
20-24 ans	..	21,6	23,8	21,4	23,0	23,3
25-34 ans	43,3	45,9	48,2	47,4	47,4	48,3
35-44 ans	49,0	51,3	53,8	55,2	55,7	55,9
45-54 ans	51,1	52,8	54,9	56,1	57,6	58,7
55-64 ans	54,4	56,0	56,8	57,6	58,5	59,4
65 ans et plus	51,6	55,4	55,7	57,4	59,0	60,7
65-74 ans	..	..	59,2	60,8	61,9	63,2
75 ans et plus	..	..	49,0	51,6	54,4	56,9

1. Il s'agit du chef du ménage en 1971, du soutien en 1981 et en 1986, et du principal soutien du ménage en 1991 et en 1996.
2. Le taux est le nombre de soutiens divisé par la population du groupe d'âge idoine.

Source : Statistique Canada, Recensements du Canada.

Figure 4.4
Principales situations domestiques et familiales selon l'âge et le sexe, Québec, 1996

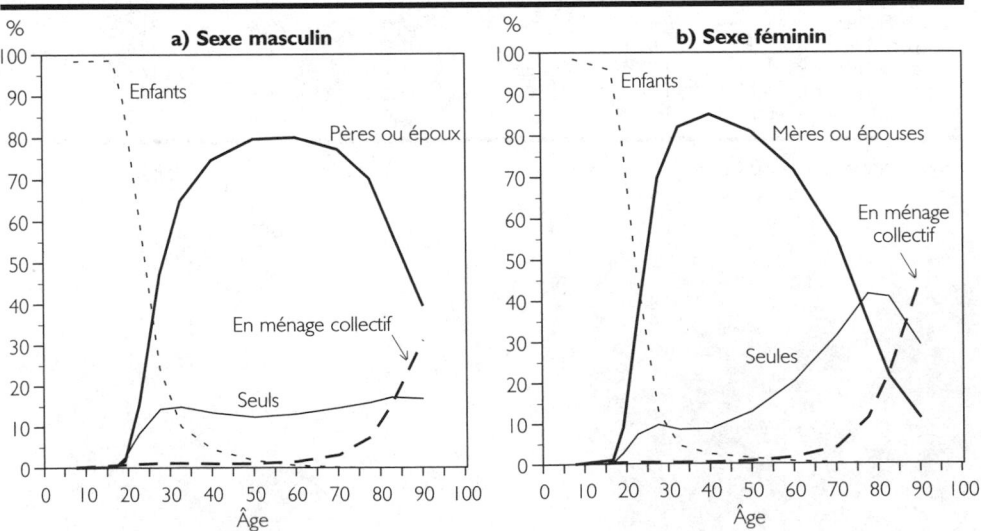

Source : Statistique Canada, Recensement de 1996, tableaux spéciaux.

Tableau 4.14

Situation domestique et familiale de la population totale selon le groupe d'âge et le sexe, Québec, 1996

Sexe et groupe d'âge	Dans les ménages privés						Dans les ménages collectifs	Total[2]	
	Dans les familles			Hors famille		Total[1]			
	Enfants dans les familles époux-épouses	Enfants dans les familles monoparentales	Parents ou époux	Vivant avec d'autres personnes	Vivant seules				
	%							%	n
Hommes	**27,3**	**7,1**	**48,6**	**5,7**	**9,8**	**98,5**	**1,5**	**100,0**	**3 493 370**
0-14 ans	81,9	16,5	–	1,5	–	99,9	0,1	100,0	701 700
15-19 ans	74,4	20,4	0,8	3,6	1,1	100,3	0,7	100,0	252 925
15-17 ans	77,4	21,2	0,2	2,1	0,1	101,0	..	100,0	154 180
18-19 ans	69,8	19,1	1,7	6,1	2,6	99,2	..	100,0	98 750
20-24 ans	49,3	13,4	15,6	12,2	8,4	98,9	1,0	100,0	228 380
25-29 ans	17,7	6,5	47,2	12,7	14,4	98,6	1,2	100,0	240 920
30-34 ans	6,5	3,6	64,9	8,6	14,9	98,6	1,2	100,0	305 055
35-44 ans	2,1	2,4	74,7	6,0	13,6	98,7	1,0	100,0	615 800
45-54 ans	0,5	1,3	79,7	4,8	12,5	98,8	1,0	100,0	483 395
55-64 ans	0,1	0,5	80,1	4,8	13,2	98,7	1,5	100,0	315 450
65-74 ans	–	0,1	77,2	5,2	14,7	97,2	3,2	100,0	230 935
75-79 ans	–	0,0	70,1	6,3	16,0	92,4	7,5	100,0	62 355
80-84 ans	–	–	57,7	7,8	17,3	82,7	15,5	100,0	35 750
85 ans et plus	–	–	39,4	9,9	16,9	66,2	31,1	100,0	20 700
Femmes	**23,1**	**5,7**	**51,9**	**5,4**	**11,7**	**97,8**	**2,1**	**100,0**	**3 645 425**
0-14 ans	82,0	16,5	–	1,5	–	99,9	0,1	100,0	670 485
15-19 ans	70,2	19,3	4,1	3,7	1,2	98,5	0,4	100,0	241 245
15-17 ans	75,1	20,7	1,0	2,2	0,2	99,1	..	100,0	146 135
18-19 ans	62,6	17,2	9,0	6,1	2,7	97,5	..	100,0	95 120
20-24 ans	36,6	9,6	35,6	10,7	7,2	99,9	0,4	100,0	225 430
25-29 ans	9,3	3,3	69,8	7,9	9,6	99,8	0,3	100,0	240 525
30-34 ans	2,8	1,6	82,1	4,9	8,4	99,8	0,3	100,0	304 885
35-44 ans	1,1	1,3	85,1	3,6	8,6	99,8	0,4	100,0	623 840
45-54 ans	0,3	1,1	80,9	4,4	12,8	99,6	0,7	100,0	492 595
55-64 ans	0,1	0,5	71,7	6,2	20,2	98,8	1,6	100,0	335 455
65-74 ans	–	0,1	55,2	8,7	31,4	95,4	4,0	100,0	288 745
75-79 ans	–	–	34,7	12,3	41,6	88,5	11,3	100,0	98 550
80-84 ans	–	–	21,5	14,2	40,9	76,6	22,4	100,0	68 220
85 ans et plus	–	–	11,1	14,5	29,1	54,7	44,9	100,0	55 450

1. La population dans les ménages privés provient des données-échantillon de 20 %, ce qui pourrait expliquer l'anomalie observée dans le groupe des 15-19 ans de sexe masculin chez lesquels la proportion dans les ménages privés dépasse 100 %.
2. Le total comprend aussi la catégorie des autres ménages.

Source : Statistique Canada, Recensement de 1996, tableaux spéciaux.

Tableau 4.15
Familles selon la structure et le nombre d'enfants de tous âges, Québec, 1991-1996

Structure	Toutes les familles	Familles sans enfants	Familles avec enfants	Nombre d'enfants de tous âges					Nombre total d'enfants	Nombre moyen d'enfants[1]
				1	2	3	4	5+		
				n						
1991	**1 883 235**	**642 060**	**1 241 175**	**551 005**	**494 255**	**156 345**	**31 655**	**7 915**	**2 178 705**	**1,76**
Famille époux-épouse	1 614 350	642 065	972 290	383 975	416 295	137 220	27 960	6 845	1 777 885	1,83
Couple marié	1 307 445	469 070	838 375	307 640	371 750	126 725	25 865	6 395	1 570 190	1,87
Couple en union libre	306 905	172 990	133 915	76 330	44 545	10 495	2 095	440	207 700	1,55
Famille monoparentale	268 880	...	268 880	167 030	77 960	19 125	3 695	1 065	400 820	1,49
Père seul	48 760	...	48 760	31 195	13 565	3 205	610	185	71 380	1,46
Mère seule	220 120	...	220 125	135 835	64 395	15 925	3 090	875	329 440	1,50
1996	**1 949 975**	**663 450**	**1 286 525**	**578 380**	**507 315**	**159 600**	**32 655**	**8 570**	**2 249 410**	**1,75**
Famille époux-épouse	1 640 535	663 455	977 085	382 530	419 285	139 025	28 665	7 585	1 794 515	1,84
Couple marié	1 240 270	472 410	767 855	275 940	341 950	118 530	24 750	6 695	1 451 465	1,89
Couple en union libre	400 270	191 035	209 230	106 585	77 340	20 495	3 920	885	343 050	1,64
Famille monoparentale	309 435	...	309 440	195 855	88 030	20 575	3 985	990	454 890	1,47
Père seul	56 920	...	56 920	39 255	14 335	2 755	495	80	78 610	1,38
Mère seule	252 515	...	252 520	156 600	73 690	17 820	3 485	915	376 280	1,49
				%						
1991	...	...	**100,0**	**44,4**	**39,8**	**12,6**	**2,6**	**0,6**	...	...
Famille époux-épouse	...	...	100,0	39,5	42,8	14,1	2,9	0,7	...	...
Couple marié	...	...	100,0	36,7	44,3	15,1	3,1	0,8	...	...
Couple en union libre	...	...	100,0	57,0	33,3	7,8	1,6	0,3	...	...
Famille monoparentale	...	...	100,0	62,1	29,0	7,1	1,4	0,4	...	...
Père seul	...	...	100,0	64,0	27,8	6,6	1,3	0,4	...	...
Mère seule	...	...	100,0	61,7	29,3	7,2	1,4	0,4	...	...
1996	...	...	**100,0**	**45,0**	**39,4**	**12,4**	**2,5**	**0,7**	...	...
Famille époux-épouse	...	...	100,0	39,2	42,9	14,2	2,9	0,8	...	...
Couple marié	...	...	100,0	35,9	44,5	15,4	3,2	0,9	...	...
Couple en union libre	...	...	100,0	50,9	37,0	9,8	1,9	0,4	...	...
Famille monoparentale	...	...	100,0	63,3	28,4	6,6	1,3	0,3	...	...
Père seul	...	...	100,0	69,0	25,2	4,8	0,9	0,1	...	...
Mère seule	...	...	100,0	62,0	29,2	7,1	1,4	0,4	...	...

1. Par famille ayant des enfants.

Source : Statistique Canada, Recensements du Canada.

Tableau 4.16
Enfants dans les familles selon la structure de la famille et l'âge des enfants, Québec, 1971-1996

Structure et âge	1971	1976	1981	1986	1991	1996
				n		
Ensemble des familles	**2 710 455**	**2 511 815**	**2 356 550**	**2 222 090**	**2 178 705**	**2 249 410**
0-5 ans	586 750	524 215	552 380	515 000	517 900	544 060
6-14 ans	1 164 895	985 640	808 885	797 750	828 250	806 480
15-17 ans	..	381 060	341 095	264 160	261 880	292 055
15-18 ans	471 575	..	..	..	..	..
18-24 ans	..	482 375	507 195	466 120	379 970	410 970
19-25 ans	355 760	..	..	..	..	..
25 ans et plus	131 475	138 515	146 995	179 050	190 710	195 845
Familles époux-épouse	**2 409 835**	**2 208 370**	**2 000 585**	**1 827 785**	**1 777 885**	**1 794 520**
0-5 ans	553 070	495 215	507 370	457 875	456 860	469 090
6-14 ans	1 063 935	888 220	704 735	676 165	691 790	655 520
15-17 ans	..	333 055	285 665	214 390	211 060	229 135
15-18 ans	414 840	..	..	..	..	..
18-24 ans	..	409 905	417 500	372 805	303 380	323 440
19-25 ans	301 220	..	..	..	..	..
25 ans et plus	76 770	81 970	85 310	106 545	114 800	117 335
Familles monoparentales	**300 620**	**303 445**	**355 970**	**394 305**	**400 820**	**454 890**
0-5 ans	33 675	29 000	45 010	57 125	61 040	74 970
6-14 ans	100 955	97 420	104 150	121 585	136 460	150 960
15-17 ans	..	48 005	55 430	49 770	50 820	62 920
15-18 ans	56 730	..	..	..	..	..
18-24 ans	..	72 470	89 695	93 315	76 590	87 530
19-25 ans	54 540	..	..	..	..	..
25 ans et plus	54 705	56 545	61 685	72 505	75 910	78 510
				%[1]		
Familles monoparentales	**11,1**	**12,1**	**15,1**	**17,7**	**18,4**	**20,2**
0-5 ans	5,7	5,5	8,1	11,1	11,8	13,8
6-14 ans	8,7	9,9	12,9	15,2	16,5	18,7
15-17 ans	..	12,6	16,3	18,8	19,4	21,5
15-18 ans	12,0	..	..	..	..	..
18-24 ans	..	15,0	17,7	20,0	20,2	21,3
19-25 ans	15,3	..	..	..	..	..
25 ans et plus	41,6	40,8	42,0	40,5	39,8	40,1

1. Proportion d'enfants dans les familles monoparentales.

Source : Statistique Canada, Recensements du Canada.

Tableau 4.17
Enfants de 0 à 11 ans selon le type de famille, Québec et autres régions canadiennes, 1994-1995

Région	Type de famille			
	Intacte	Recomposée	Monoparentale	Total
		%		
Atlantique	74,6	8,9	16,5	100,0
Québec	**76,4**	**8,3**	**15,3**	**100,0**
Ontario	76,4	7,5	16,0	100,0
Prairies	76,6	9,5	13,8	100,0
Colombie-Britannique	71,2	10,8	17,9	100,0
Canada	**75,7**	**8,6**	**15,7**	**100,0**

Source : Nicole Marcil-Gratton (1998), *Grandir avec maman et papa? Les trajectoires complexes des enfants canadiens*, Statistique Canada (89-566), p.6. Il s'agit de résultats tirés de l'Enquête longitudinale nationale sur les enfants et les jeunes (ELNEJ).

Tableau 4.18
Familles selon la structure et le nombre total d'enfants[1], par région administrative, Québec, 1996

Région administrative	Familles				Enfants		
	Avec enfants	Monoparentales		Toutes les familles	Dans les familles monoparentales		Tous les enfants
	n	n	%[2]	n	n	%	n
01 Bas-Saint-Laurent	37 605	7 765	20,6	56 960	11 180	16,7	66 770
02 Saguenay–Lac-Saint-Jean	55 890	11 365	20,3	80 110	16 860	16,7	100 965
03 Capitale-Nationale	112 045	27 735	24,8	171 770	38 810	20,8	187 035
04 Mauricie	45 835	11 225	24,5	72 325	16 085	20,7	77 605
05 Estrie	47 870	11 180	23,4	76 080	16 490	19,2	86 035
06 Montréal	289 480	91 860	31,7	450 070	136 400	27,4	497 120
07 Outaouais	57 970	13 920	24,0	86 560	20 335	20,4	99 665
08 Abitibi-Témiscamingue	28 965	6 075	21,0	42 815	8 840	17,1	51 725
09 Côte-Nord	20 600	4 430	21,5	29 150	6 515	18,3	35 640
10 Nord-du-Québec	7 195	1 225	17,0	9 185	2 430	14,5	16 740
11 Gaspésie–Îles-de-la-Madeleine	20 760	4 550	21,9	30 170	6 540	18,8	34 860
12 Chaudière-Appalaches	71 285	13 195	18,5	105 335	19 475	14,8	131 705
13 Laval	62 365	13 715	22,0	94 050	20 170	18,6	108 475
14 Lanaudière	72 250	14 445	20,0	107 585	21 665	17,0	127 245
15 Laurentides	80 190	17 280	21,5	122 850	25 610	18,3	139 840
16 Montérégie	237 690	51 230	21,6	355 645	74 970	18,0	417 235
17 Centre-du-Québec	38 465	8 200	21,3	59 285	12 475	17,6	70 685
Le Québec	**1 286 520**	**309 435**	**24,1**	**1 949 970**	**454 890**	**20,2**	**2 249 405**

1. Enfants de tous âges.
2. En proportion des familles avec enfants.

Source : Statistique Canada, Recensement de 1996.

Figure 4.5
Proportion d'enfants faisant partie de familles monoparentales selon l'âge, Québec, 1961-1996

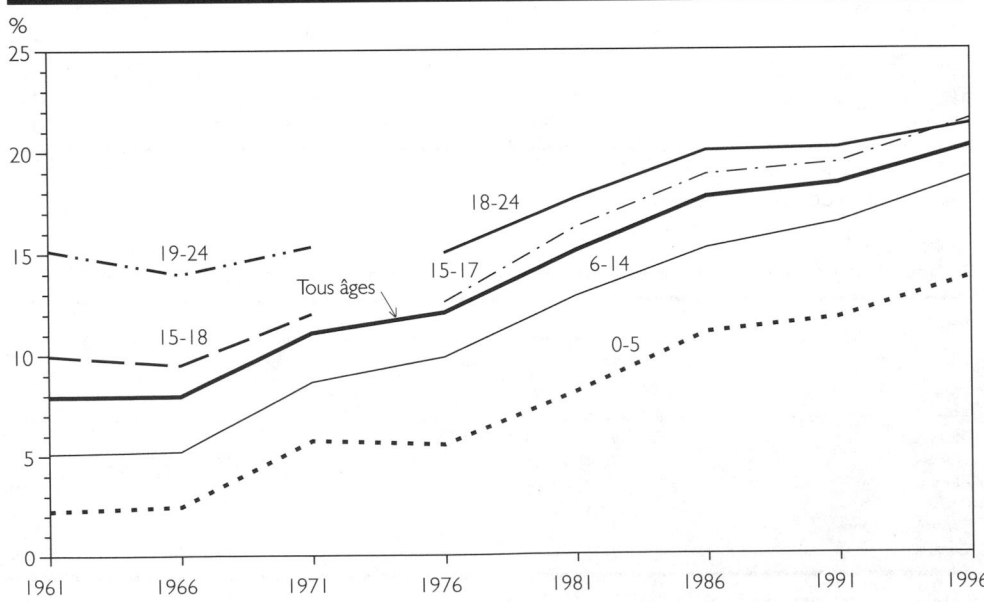

Source : Statistique Canada, Recensements du Canada.

5

Population active

Chapitre 5

Liste des tableaux

Liste des figures

Ce chapitre a été réalisé par Suzanne Asselin, de la Direction des statistiques sociodémographiques et Paul Comtois, de la Direction du travail et de la rémunération de l'Institut de la statistique du Québec.

Au cours des vingt dernières années, des changements institutionnels importants sont survenus sur les marchés du travail. L'économie a de plus été touchée par deux récessions qui ont affecté l'emploi durant les périodes 1981-1982 et 1990-1993. Parmi les changements, on peut signaler l'Accord de libre-échange avec les États-Unis (ALEA), signé par le Canada en 1989, suivi en 1994 par l'Accord de libre-échange nord-américain (ALENA) entre le Canada, le Mexique et les États-Unis. En 1997, le Québec signe l'Accord intergouvernemental canadien concernant l'Accord nord-américain de coopération dans le domaine du travail (ANACT), se joignant ainsi au gouvernement fédéral et aux deux provinces déjà signataires, l'Alberta et le Manitoba. À cela s'ajoutent, à compter de 1992, la lutte à l'inflation, qui devient et demeure prioritaire jusqu'à aujourd'hui pour la Banque du Canada[1], ainsi que les luttes aux déficits entreprises par les gouvernements. Au Québec, plusieurs lois importantes ont modifié le domaine des relations du travail. Mentionnons celle visant les négociations dans les secteurs public et parapublic (1985), la modification au Code du travail permettant l'allongement de la durée des conventions collectives au-delà de trois ans (1994) et la loi prévoyant la réduction des coûts de main-d'œuvre dans le secteur municipal (1998). Enfin, rappelons le contexte de la mondialisation des marchés et les pressions exercées sur les coûts de main-d'œuvre, la productivité, l'organisation du travail et les changements technologiques.

Le bilan statistique présenté dans la première partie de ce chapitre fournit une vue d'ensemble des changements importants qui ont influencé l'offre de travail, sous l'angle du travailleur, au cours des années 1995-2000. L'amélioration de la performance du marché du travail québécois caractérise cette période. La vitalité se ressent surtout à partir de 1998, et tous les groupes de la société aptes au travail en tirent profit. L'embauche reprend à plus grande échelle. Par ailleurs, la composition de la main-d'œuvre s'est modifiée par un regain de l'emploi à temps plein et une hausse de l'emploi autonome. Les travailleurs féminins continuent d'accroître leur présence sur le marché du travail, les jeunes y entrent de nouveau, bien que leur proportion soit en décroissance, et les personnes de 55-64 ans réintègrent le marché ou y prolongent leur présence. Les travailleurs appartiennent surtout au secteur tertiaire. Pour l'analyse, les personnes de 15-64 ans sont retenues, car le vieillissement de la population a pour effet de réduire le niveau d'activité général, du fait du poids grandissant qu'ont les 65 ans et plus, majoritairement inactifs. Dans la seconde partie du chapitre, la demande de travail, la rémunération et le domaine des relations de travail sont mis en lumière.

Dès 1914, le sujet de la population active était présenté dans l'*Annuaire statistique*. Il était abordé différemment, mais certains des sujets traités s'apparentaient à ceux développés aujourd'hui. Les syndicats, la conciliation et l'arbitrage, les coalitions et les grèves, ainsi que l'inspection du travail comptaient parmi les thèmes exposés. Les salaires et la durée du travail faisaient également l'objet d'une section de la publication.

---

1. La Banque du Canada a établi une fourchette entre 1 % et 3 % à l'intérieur de laquelle l'inflation doit demeurer (à l'exclusion du prix des aliments et de l'énergie).

Les indicateurs de l'emploi et du chômage

L'évolution du marché du travail

De 1995 à 2000, chez les 15-64 ans, 289 800 personnes en emploi (+ 9,3 %) se sont jointes au marché du travail québécois. Ce rythme d'insertion est toutefois moindre qu'en Ontario (+ 14,6 %) et qu'au Canada (+ 11,7 %). Ces résultats tranchent avec ceux de la période quinquennale précédente, où l'activité tant québécoise (+ 0,4 %) que canadienne (+ 2,1 %) était marquée par une récession et une lente reprise.

Historiquement, le Québec affiche des taux d'activité et d'emploi inférieurs à ceux du Canada, mais un taux de chômage supérieur. Ainsi, en 2000, les taux d'activité (73,6 %) et d'emploi (67,3 %) sont plus bas au Québec, respectivement de 2,7 et 3,8 points de pourcentage, pendant que le taux de chômage (8,4 %) est plus élevé de 1,5 point. Cependant, le ralentissement de la croissance de la population de 15-64 ans au Québec, combiné à une hausse du rythme d'activité de 1995 à 2000, a réduit l'écart des principaux indicateurs d'activité. Dans l'ensemble canadien, le redressement du marché du travail a abaissé la fréquence du chômage en 2000 au taux le plus bas depuis 1976 : 8,4 % au Québec et 6,9 % au Canada (figure 5.1). Il n'en demeure pas moins que la période de recherche d'un emploi au Québec demeure très longue et a moins régressé que dans l'ensemble canadien. En 2000, il faut en moyenne attendre 21,3 semaines avant de trouver un emploi au Québec, comparativement à 17,2 semaines au Canada, et la proportion de chômeurs de longue durée s'élève à 15,7 % contre 10,7 % (tableau 5.1). Par ailleurs, l'abandon de la recherche d'emploi en raison du découragement face à la conjoncture économique demeure plus fréquent au Québec; 27,4 % des chômeurs canadiens découragés résident au Québec. Ce taux était de 29,0 % en 1997.

L'emploi dans les régions

Se classant aux quatrième et cinquième rangs en ce qui concerne la population (15-64 ans) des 17 régions du Québec, Laurentides et Lanaudière affichent les plus fortes additions de travailleurs de 1995 à 2000 (tableau 5.2). Les taux de croissance respectifs de 21,5 % et 16,5 % sont largement supérieurs à celui de l'ensemble du Québec (+ 9,3 %). Cinq autres régions ont une croissance dépassant la moyenne, dont deux régions-ressources : Saguenay–Lac-Saint-Jean, Montérégie, Gaspésie–Îles-de-la-Madeleine, Outaouais et Estrie. Notons que dans la région de Gaspésie–Îles-de-la-Madeleine (+ 10,3 %), la création d'emplois s'est effectuée pendant que la population déclinait. Les travailleurs additionnels sont essentiellement occupés à temps plein, sauf dans cette dernière région, où plus de 80 % sont à temps partiel. Par ailleurs, quatre régions ont vu leur situation se dégrader. Ainsi, l'emploi a baissé dans les régions de la Côte-Nord et du Nord-du-Québec, en raison d'une perte de travailleurs à temps plein, et dans la région du Bas-Saint-Laurent, où le recul du temps partiel n'a pu être compensé par le temps plein. En Abitibi-Témiscamingue, la durée moyenne du chômage a augmenté, contrairement à ce qui s'est produit dans les autres régions.

En 2000, la région de la Montérégie affiche le plus haut taux d'emploi (71,9 %), alors que celle de Gaspésie–Îles-de-la-Madeleine présente le plus bas (50,1 %). Bien que les indicateurs de l'emploi soient élevés dans la région de Lanaudière, la durée moyenne de recherche d'un emploi (26,8 semaines) y est la plus longue, soit 5,5 semaines de plus que celle de l'ensemble du Québec. La durée la plus courte est observée dans la région de Chaudière-Appalaches (13,6 semaines).

L'emploi selon le sexe

L'avancée des femmes de 15-64 ans parmi les travailleurs se confirme toujours. L'effectif féminin représente maintenant 45,4 % des travailleurs. Le taux d'emploi des femmes (61,4 %) s'est élevé de près de 5 points de pourcentage de 1995 à 2000. Dans le dernier quart de siècle, les femmes ont grandement accru leur présence en emploi malgré les reculs enregistrés dans les deux premières moitiés des décennies 80 et 90, occasionnés par les récessions. Ainsi, de 1976 à 2000, le taux d'emploi est passé de 41,4 % à 61,4 %, la plus forte croissance étant concentrée chez les femmes de 25 à 54 ans.

Chez les hommes, les années 1995-2000 se démarquent des trois périodes quinquennales précédentes par la plus forte augmentation du taux d'emploi, et ce, à tous âges. En fait, contrairement aux femmes, la tendance du taux d'emploi masculin varie successivement à la baisse et à la hausse d'une période quinquennale à l'autre, pour enfin afficher en 2000 (73,3 %) un taux inférieur à celui de 1976 (75,8 %). La baisse est très accentuée chez les 55-64 ans.

Conciliation travail-famille

La hausse soutenue de l'accès des mères de 15 ans et plus au travail rémunéré se traduit en 2000 par une participation en emploi de 61,5 % des familles biparentales à deux gagne-pain avec enfants de moins de 6 ans (tableau 5.3). Cette part est de 46,5 % chez les familles monoparentales dont le soutien est une femme et de 77,2 % chez celles dont le soutien est un homme (tableau 5.4). De 1996 à 2000, les familles à deux soutiens sont plus nombreuses sur le marché du travail, peu importe l'âge des enfants. L'accroissement du nombre de parents en emploi se manifeste aussi du côté des familles monoparentales, mais il est plus modéré chez les mères avec enfants de moins de 6 ans.

Pour l'ensemble des mères, l'entrée sur le marché du travail est proportionnelle au vieillissement des enfants. En 2000, le taux d'emploi des mères avec enfants de moins de 3 ans est de 60,7 %. Il grimpe à 68,0 % dès que le plus jeune enfant est âgé de 3 à 5 ans, pour ensuite atteindre 72,0 % quand le cadet dépasse l'âge préscolaire (6 à 15 ans). Toutefois, l'absence de conjoint engendre un taux d'emploi moins élevé chez les mères avec enfants de moins de 6 ans, soit de 33,7 % (moins de 3 ans) et de 55,4 % (3 à 5 ans).

L'emploi selon les groupes d'âge

Au cours des vingt-cinq dernières années, la période 1995-2000 est la seule à enregistrer une croissance du taux d'emploi qui bénéficie à tous les groupes d'âge. Les jeunes n'avaient pas connu de hausse importante depuis la seconde moitié des années 80, et la dernière augmentation soutenue chez les 55-64 ans remonte avant 1980. La situation est différente du côté des 25-54 ans, pour qui la hausse est présente depuis 1993. L'analyse par sexe montre que chez les 55-64 ans la croissance du taux d'emploi des hommes est une tendance récente (dernière période quinquennale); les femmes, elles, connaissent une progression depuis plusieurs années. Chez les 15-24 ans, la même évolution à la hausse est observée chez les deux sexes. Par ailleurs, tant les étudiants que les non-étudiants ont accru leur présence sur le marché du travail. Cependant, l'écart du taux d'emploi entre les étudiants de 15-19 ans et ceux de 20-24 ans continue de s'élargir depuis le début de la décennie 90, et il affecte davantage les 15-19 ans.

L'évolution de la situation démographique du Québec, marquée par la réduction du nombre de jeunes et l'augmentation du nombre de *baby-boomers*, se reflète chez les travailleurs.

Selon le tableau 5.5, la répartition des travailleurs de 15-64 ans en 2000 est la suivante : 15,0 % de 15-24 ans, 76,2 % de 25-54 ans et 8,8 % de 55-64 ans. Par rapport à 1980, la part des jeunes a chuté de 10,4 points de pourcentage, celle des 25-54 ans s'est élevée de 10,8 points et celle des 55-64 ans s'est réduite d'un demi-point, bien qu'une remontée s'opère depuis 1995. Chez ces derniers, le redressement du marché du travail de 1995 à 2000 semble avoir eu un impact plus important que la prise de retraite avant 65 ans, laquelle proportion inclut la retraite anticipée avant 60 ans.

Le chômage

Comme il a été mentionné précédemment, la hausse du niveau d'activité de 1995 à 2000 a réduit le nombre de chômeurs et la durée moyenne de recherche d'un emploi. La période de recherche d'un emploi a diminué de 27,6 à 21,3 semaines chez les 15-64 ans. Le recul le plus important est survenu chez les 55-64 ans : de 42,9 semaines (maximum atteint au cours du dernier quart de siècle) à 24,4 semaines. Cela équivaut, pour la première fois depuis 1976, à la durée observée chez les 25-54 ans. Chez les 15-24 ans, la durée est plus courte, soit de 12,3 semaines.

Les jeunes recherchent moins longtemps un emploi, mais ils sont plus exposés au chômage (taux de 13,9 % par rapport à 8,4 % pour l'ensemble des Québécois). L'inexpérience pour la plupart d'entre eux (27,0 % des chômeurs de 15-24 ans), une contrainte de plus en plus importante, et le fait que le processus de diplomation ne soit pas complété rendent l'accès à l'emploi plus difficile, particulièrement pour les 15-19 ans. À l'autre extrémité des groupes d'âge se retrouvent des chômeurs de 55-64 ans qui, malgré toute leur expérience et leur scolarisation, éprouvent des difficultés à trouver un emploi (taux de chômage de 7,7 %). Parmi eux, 58,6 % ont perdu involontairement leur emploi, comparativement à 34,9 % chez les 15-24 ans (tableau 5.6).

Les professions et les secteurs d'activité

De 1995 à 2000, les travailleurs du secteur primaire perdent du terrain, alors que ceux des secteurs secondaire et tertiaire affichent un taux de croissance égal de 10 % (tableau 5.8). Au total, l'ajout de main-d'œuvre est composé à 52,9 % de femmes; selon l'âge, la part de l'augmentation attribuable aux jeunes est de 12,1 %, tandis que celle des 55-64 ans est de 23,6 %. Dans le secteur secondaire, l'augmentation vient de la fabrication de biens durables. Dans le secteur tertiaire, la croissance en pourcentage est surtout observée dans les quatre sous-secteurs suivants : services professionnels, scientifiques et techniques (+ 42,8 %), gestion d'entreprises et services administratifs (+ 29,3 %), commerce de gros (+ 28,1 %), information, culture et loisirs (+ 24,4 %). Selon les professions, le plus fort taux de croissance est enregistré dans les sciences naturelles et appliquées (+ 34,6 %), ce qui représente le cinquième des travailleurs ajoutés. En termes absolus, l'embauche demeure plus importante dans les ventes et services.

En 2000, les femmes occupent en forte proportion des emplois dans le domaine de la santé (78,6 % de l'effectif de la santé) et dans celui des affaires, de la finance et de l'administration (70,1 %) (tableau 5.7). Les jeunes sont davantage représentés dans les ventes et services (29,6 % de l'effectif), alors que les personnes de 55-64 ans sont plus également réparties au sein des diverses professions. Les cols blancs composent la majorité (74,5 %) des travailleurs.

Les emplois atypiques

Les salariés composent encore la principale main-d'œuvre des 15-64 ans; en 2000, leur proportion est de 85,5 %, mais de plus en plus de formes d'emploi apparaissent. Les formes que l'on qualifie généralement d'emploi atypique incluent l'emploi à temps partiel, l'emploi autonome et l'emploi salarié à durée temporaire. Cette dernière composante fait l'objet d'une collecte de données depuis peu. Au cours de la période 1995-2000, la part de l'emploi à temps partiel des 15-64 ans s'est réduite de 17,3 % à 16,7 %. Celle de l'emploi autonome s'est accrue de 1995 à 1999 (13,8 % à 14,7 %), pour marquer un recul en 2000 à 14,3 %. Quant à l'emploi salarié temporaire parmi l'emploi total, la récente tendance de 1997 à 2000 est à la hausse (11,2 % à 12,0 %).

Une femme sur quatre occupe un emploi à temps partiel, une part stable depuis plusieurs années. Par ailleurs, quatre jeunes sur dix effectuent moins de trente heures de travail par semaine, et ce, depuis la récession de 1990-1991. Pour 23,0 % des travailleurs à temps partiel, surtout les 55-64 ans (61,0 %), ce statut d'emploi est un choix personnel (tableau 5.9). Le travail à temps partiel répond aussi aux attentes des travailleurs dans la mesure où il leur permet de vaquer à d'autres activités en parallèle, comme les études et les obligations personnelles ou familiales (40,2 %). À peine 5,5 % des travailleurs évoquent la maladie, l'incapacité et d'autres raisons pour justifier leur statut. Enfin, pour 31,3 %, ce statut est plutôt perçu comme non désiré. La notion de travail à temps partiel involontaire dépend alors de la définition de recherche (active ou non) d'un emploi à temps plein. L'emploi à temps partiel se retrouve principalement dans le secteur tertiaire et surtout dans les professions liées aux ventes et services. Si la part de l'emploi autonome continue de s'élever, c'est lié uniquement à la croissance de propriétaires d'entreprise sans employé. Ces travailleurs sont plus jeunes et comptent plus de femmes que les propriétaires d'entreprise avec employés. Les emplois autonomes sont concentrés dans le secteur tertiaire, les professions de gestion, vente et service, métiers de la construction, transport et machinerie, et sont surtout occupés par des travailleurs des régions de Montréal et de la Montérégie (tableau 5.10).

Pour éviter les chevauchements entre les différents statuts d'emploi, les données de 2000 ont été classifiées afin de rendre les catégories mutuellement exclusives. La proportion de l'emploi atypique chez les 15-64 ans représente quatre travailleurs sur dix (36,2 %). Les jeunes (58,1 %), les 55-64 ans (44,5 %) et aussi les femmes (40,4 %) constituent les groupes les plus susceptibles d'occuper un emploi atypique (tableau 5.11).

La semaine de travail

En 2000, le temps de travail habituel à l'emploi principal accapare en moyenne 36,2 heures par semaine. Depuis 1997[2], la durée est stable mais la répartition change avec le recul du temps partiel : la hausse du nombre de travailleurs qui font une semaine normale de travail, soit de 35 à 40 heures (de 58,4 % à 61,2 %), est ainsi accompagnée d'une baisse de ceux effectuant une courte semaine de moins de 35 heures (de 25,3 % à 24,6 %) ou une longue semaine de plus de 40 heures (de 16,3 % à 14,2 %). Au début de la période 1976-1996, les Québécois travaillaient davantage (39 heures en 1976); la semaine s'est raccourcie avec

---

2. Un changement à l'enquête en 1997 a introduit un bris dans la série.

la montée du travail à temps partiel. La semaine moyenne de travail en 2000 peut s'étirer de 29,6 heures à 48,3 heures selon le statut d'emploi (figure 5.2). Des écarts de 10 heures et plus sont aussi notés, d'une part, entre les jeunes de 15-19 ans et ceux de 20-24 ans et, d'autre part, selon la profession exercée. La semaine de travail des femmes est inférieure de 6 heures à celle des hommes, un écart qui semble persister dans le temps. En plus du temps habituellement passé à l'emploi principal, certains travailleurs prolongent leur semaine en effectuant du temps supplémentaire (16,6 % des salariés) ou en cumulant d'autres emplois (3,4 % des travailleurs).

L'absence imprévue au travail pour cause de maladie, incapacité, obligations personnelles ou familiales (à l'exclusion du congé de maternité) est rapportée en 1999 par 6,0 % des salariés à temps plein, pour une durée moyenne annuelle de 8,7 jours perdus par salarié. Selon le tableau 5.12, ces indicateurs sont plus élevés chez les femmes, notamment celles ayant de jeunes enfants à la maison, et chez les salariés de 45-64 ans. La raison la plus fréquente des absences demeure la maladie ou l'incapacité.

La demande de travail

Pour l'ensemble des industries du Québec, la demande de travail augmente chaque année depuis 1994. La demande de travail équivaut à un niveau d'emploi rattaché à un niveau de rémunération à un moment donné dans le temps. De 1998 à 2000, pour l'ensemble des salariés, la rémunération hebdomadaire moyenne, en dollars courants, est passée de 599,93 $ à 612,91 $, soit une variation de 2,2 % (tableau 5.13). Le nombre de salariés inscrits sur la liste de paie des entreprises[3] a crû de 4,5 %, en passant de 2 824 072 à 2 950 856. Or, durant la dernière décennie, soit la période 1991-2000, l'emploi croissait de 5,9 %, la rémunération hebdomadaire moyenne augmentait de 12,7 % et l'indice des prix à la consommation, de 12,6 %.

Au cours de cette période, la demande de travail des différents secteurs de l'économie n'a pas réagi de la même manière. Examinons l'évolution des cinq plus grands secteurs selon l'importance du niveau d'emploi en 2000. Pour les industries manufacturières, la croissance de la demande de travail est soutenue de 1995 jusqu'à 2000. La récession de 1990 à 1993 ayant frappé durement le commerce de détail, la croissance de ce secteur a été faible, sauf en 1994 et 1997. Du côté des soins de santé et d'assistance sociale, il y a une contraction de la demande de travail de 1997 à 1999. De 1995 à 1999, les services d'enseignement connaissent également une baisse. Pour ces deux secteurs, l'année 2000, première de surplus budgétaire du gouvernement, est aussi une année où la masse salariale augmente. L'hébergement et les services de restauration progressent en 1995, ainsi que de 1997 à 2000.

Sur une base géographique, la rémunération annuelle moyenne des salariés en 1999 est le plus élevée dans les régions de la Côte-Nord et du Nord-du-Québec (47 500 $) et le plus faible dans celle du Bas-Saint-Laurent (32 907 $). À l'échelle du Québec, la rémunération moyenne des salariés est de 38 363 $ (figure 5.3).

---

3. Statistique Canada, Enquête sur l'emploi, la rémunération et les heures. Sont exclus l'agriculture, la pêche et la chasse, les organismes religieux, les ménages privés et le personnel militaire de la défense.

Chez les salariés rémunérés à l'heure, l'ajustement aux changements économiques est plus accentué que pour l'ensemble des salariés (tableau 5.14). Ainsi, de 1991 à 2000, le nombre d'emplois des premiers a augmenté de 17,1 %, soit de 1 333 294 à 1 561 651, comparativement à 5,9 % pour les seconds. De fait, la part relative des salariés payés à l'heure, par rapport à l'ensemble des salariés, passe de 47,9 % en 1991 à 52,9 % en 2000. Durant toute la période, le nombre d'heures de travail par semaine incluant le temps supplémentaire a peu varié : il était de 31,7 en 1991, de 31 en 1996 et de 31,5 en 2000. La rémunération horaire moyenne en dollars courants, incluant le temps supplémentaire, passe quant à elle de 13,86 $ en 1991 à 15,61 $ en 2000, soit une augmentation de 12,6 % équivalant à l'inflation.

La rémunération

Les salaires des syndiqués

La figure 5.4 permet de comparer la variation annuelle du salaire versé aux syndiqués du secteur public à celle du secteur privé[4]. À compter de 1992, le taux annuel d'inflation chute de façon importante à la suite de la mise en œuvre d'une politique de lutte à l'inflation par la Banque du Canada. La période qui précède, soit de 1986 à 1991, est celle où les augmentations salariales ont été les plus fortes : moyenne de 4,8 % pour le secteur public et de 4,5 % pour le secteur privé. Sauf en 1988 et 1990, les taux de croissance pour l'ensemble des syndiqués étaient cependant inférieurs au taux d'inflation. Considérant 1992 comme une année de transition, référons-nous à la période 1993-1998 qui correspond à celle des coupures dans les administrations publiques. Entre 1993 et 1998, la moyenne des augmentations est de 0,7 % pour le secteur public et de 1,5 % pour le secteur privé. Durant toute cette période, l'augmentation annuelle des salaires de l'ensemble des syndiqués est inférieure à l'inflation[5]. Avec la bonne performance de l'économie en 1999 et 2000, la hausse salariale dans les secteurs public et privé dépasse les 2 %. Les taux de croissance pour l'ensemble des syndiqués sont alors supérieurs à l'inflation. Les agents économiques semblent avoir accepté une politique macroéconomique rendant inefficaces des hausses salariales élevées qui seraient amputées par une inflation elle aussi importante. Dans un contexte de restriction salariale, les hausses ont été le plus souvent inférieures à l'inflation.

Les salariés au salaire minimum

Après un gel en 1999 et en 2000, le salaire horaire minimum passe en février 2001 de 6,90 $ à 7,00 $ pour un salarié régulier (tableau 5.15). La semaine normale de travail est ramenée graduellement de 44 heures, en octobre 1996, à 40 heures en 2000, à raison d'une réduction d'une heure le 1er octobre de chaque année entre 1997 et 2000. Cette modification à la Loi sur les normes du travail fait suite au consensus intervenu lors du Sommet sur l'économie et l'emploi d'octobre 1996, et elle s'inscrit dans un ensemble de mesures ayant pour objectif la création d'emplois. Depuis 1984, la proportion de salariés au

---

4. Le taux de salaire versé comprend l'augmentation générale, l'ajustement lié à l'inflation, de même que tout versement considéré comme montant forfaitaire sur une base horaire. Le secteur public regroupe l'ensemble des unités de négociation des sous-secteurs municipal, provincial et fédéral, ainsi que les entreprises publiques; le secteur privé comprend les autres unités. Les institutions publiques d'éducation, de santé et de services sociaux font partie de l'Administration publique provinciale.

5. En 1994, en excluant de l'indice des prix l'effet de l'abolition des taxes sur le tabac, l'inflation est de 0,7 % au lieu de -1,4 %, alors que la croissance salariale est de 0,4 % pour l'ensemble des syndiqués.

taux du salaire minimum parmi l'ensemble des salariés varie peu, oscillant entre 5 % et 7 % (soit entre 135 000 et 175 000 salariés). Par ailleurs, la part relative des salariés au salaire minimum va en s'amenuisant d'une année à l'autre. Selon une enquête menée auprès des employeurs du Québec par la Commission des normes du travail, en janvier 1995, 40 000 avaient le salaire minimum comme plancher de salaire dans leur établissement. Il s'agissait d'environ 25 % de l'ensemble des employeurs; ce pourcentage grimpait à 74 % dans l'hébergement et la restauration, où l'on retrouve les employés à pourboire, et à 34 % dans le commerce de détail.

La rémunération globale et les avantages sociaux

Le tableau 5.16 décrit, pour l'Administration québécoise, les composantes du coût de la rémunération globale en 2001, c'est-à-dire la rémunération versée par l'employeur aux salariés, ainsi que les sommes déboursées à des tiers au bénéfice des salariés. La rémunération globale par heure travaillée est le rapport entre la rémunération annuelle et le nombre d'heures de présence au travail. La rémunération annuelle s'obtient en ajoutant au salaire les éléments de la rémunération directe et indirecte, soit le coût des avantages sociaux. Le nombre d'heures de présence au travail est constitué des heures rémunérées, à l'exclusion du temps chômé payé.

Les employés de bureau et les employés de service ont les salaires moyens les moins élevés, ainsi qu'une rémunération indirecte inférieure à celle des salariés des autres catégories. Les employés de service et les ouvriers ont, en moyenne, un nombre d'heures travaillées supérieur à celui des salariés des autres catégories, ce qui fait chuter le coût de leur rémunération globale.

Le tableau 5.17 nous renseigne sur le pourcentage du salaire que représentent les avantages sociaux et le temps chômé payé dans l'Administration québécoise et le secteur privé. Les coûts liés aux avantages sociaux sont à parité entre les deux secteurs pour toutes les catégories d'emplois, sauf celle des employés de service. Parmi les avantages sociaux, les assurances sont les seules qui coûtent généralement moins dans l'Administration québécoise que dans le secteur privé, à l'exception de la catégorie des employés de service. Le coût du régime de retraite des techniciens et des ouvriers est également moindre dans le secteur public. Le temps chômé payé représente une part plus importante du salaire dans l'Administration québécoise que dans le secteur privé, sauf dans le cas des ouvriers (pour lesquels il est à parité). Globalement, le total des avantages sociaux et du temps chômé payé est à égalité dans les deux secteurs pour trois catégories d'emplois, les exceptions étant les professionnels et les employés de service.

La syndicalisation et les relations de travail

Le taux de syndicalisation et le taux de présence syndicale

Pour la période 1976-2000, il existe deux sources d'informations sur les statistiques syndicales : d'abord, la période 1976-1995 couverte par la Loi sur les déclarations des personnes morales et des syndicats (CALURA) et, ensuite, la période 1997-2000 visée par l'Enquête sur la population active (EPA)[6]. Le **taux de syndicalisation** représente le rapport entre

---

6. Les différences entre les estimations des deux sources sur l'adhésion syndicale rendent les données des deux périodes non comparables.

l'effectif syndiqué obtenu de CALURA et le nombre d'employés tiré de l'EPA. Durant la période 1976-1995, il passe de 34,9 % à 40,8 % au Québec, avec un maximum de 42,8 % atteint en 1992 pour 1 100 800 syndiqués et 2 570 900 employés (tableau 5.18). Après les changements profonds apportés à l'organisation du travail au cours de la récession, le taux de syndicalisation chute en 1994 au moment de la reprise de l'emploi. En effet, la croissance du nombre de syndiqués n'est pas proportionnelle à celle du nombre d'employés. Cette situation est tout à fait l'inverse de celle qui prévalait lors de la reprise de l'emploi en 1983. Le **taux de présence syndicale** est le rapport entre le nombre d'employés couverts par une convention collective et l'ensemble des employés selon l'EPA. De 1997 à 2000, ce taux varie au Québec de 41,4 % à 39,9 % (tableau 5.19). En 2000, le nombre d'employés couverts par un syndicat est de 1 168 500, tandis que le nombre total d'employés est de 2 926 400. Par rapport à 1999, le taux de présence syndicale augmente uniquement dans le secteur privé en 2000. Depuis 1997, il diminue régulièrement dans le secteur public[7], bien qu'il soit toujours plus élevé que dans le secteur privé.

Les requêtes en accréditation

L'accréditation est accordée par un organisme public compétent pour « attester le caractère représentatif d'un syndicat et lui donner l'autorité d'agir en qualité de représentant exclusif d'un groupe de salariés auprès d'un employeur dans la négociation d'une convention collective de travail et dans son administration : griefs…»[8]. Les données de 1980 à 2000 sur les requêtes en accréditation touchent uniquement la juridiction québécoise du travail et représentent le nombre de requêtes reçues et accordées par les commissaires du travail (tableau 5.20). De 1981 à 1993, la tendance du nombre de ces requêtes est à la baisse, et cela, malgré la croissance économique de 1983 à 1989. Les pics de 1986, 1989 et 1992 – tout comme ceux de 1995 et 1998 – correspondent aux périodes de maraudage dans les secteurs public et parapublic, conformément aux dispositions prévues à la Loi sur le régime de négociation des conventions collectives dans les secteurs public et parapublic (1985). Le creux dans le nombre de requêtes accordées va de 1991 à 1998 (sauf en 1992); il correspond à la récession et aux années qui l'ont suivie juste avant la forte reprise de 1999 et 2000. Ces dernières années pourraient marquer à la fois le début d'un mouvement d'organisation de nouveaux syndicats par les centrales syndicales et un changement d'attitude des travailleurs reflétant leur volonté d'avoir part à la croissance économique.

Les arrêts de travail

Les données de 1980 à 2000 révèlent une baisse très importante du nombre de jours-personnes perdus au cours de chaque année en raison de conflits de travail (grèves ou lock-out) (tableau 5.21). En vingt ans (de 1980 à 1999), ce nombre a diminué de 84,9 % au Québec, en passant de 4 314 999 à 652 747. Le ratio de temps perdu par 1000 employés s'évalue à 754 jours en moyenne pour la période 1980-1989, à 207 jours pour la période 1990-1999 et à 118 jours en 2000. Les ratios correspondants pour le Canada sont de 547 jours, 233 jours et 133 jours perdus[9]. Le rapport Québec/Canada, construit à partir des ratios moyens, égale 1,38 dans les années 80 et 0,89 dans les années 90 et en 2000. Une baisse aussi majeure (jours de travail perdus par 1000 employés), tant au Québec

---

7. Les employés du secteur public travaillent dans les ministères et les organismes gouvernementaux, dans les sociétés de la couronne ou dans les écoles, les hôpitaux et les autres établissements financés par l'État. Les employés du secteur privé représentent tous les autres salariés.

8. Gérard Dion, *Dictionnaire des relations du travail*, Les presses de l'Université Laval, deuxième édition, 1986.

9. Ernest B. Akyeampong, « Temps perdu en raison de conflits de travail », dans *L'emploi et le revenu en perspective*, Statistique Canada, août 2001, p. 6.

qu'au Canada, de même que l'inversion de la place du Québec en regard du Canada (le rapport moyen Québec/Canada passe de 1,38 à 0,89) supposent que des changements structurels, institutionnels et conjoncturels importants sont survenus sur les marchés du travail, comme il a été mentionné en introduction. À compter de 1991, le ratio des jours-personnes perdus baisse de façon durable et importante. En 2000, il atteint le niveau le plus faible de toute la période (118).

Les décrets de convention collective

En Amérique du Nord, le régime des décrets n'existe qu'au Québec (tableau 5.22). Ce régime assure l'extension d'une convention collective prépondérante à l'ensemble des employeurs et des salariés d'une catégorie professionnelle et d'un territoire. Un comité paritaire patronal-syndical gère l'application du décret. À compter de 1990, les employeurs dénoncent vigoureusement le régime des décrets; celui-ci est perçu comme désuet et trop lourd dans le contexte de la mondialisation des marchés. En 2000, les salariés visés par des décrets diminuent de 48,6 % par rapport à 1999 dans le secteur manufacturier, puisqu'il ne reste plus que quatre décrets en vigueur dans ce secteur visant 24 742 salariés. L'abolition des décrets dans l'industrie du vêtement est la principale cause de cette baisse. Dans le secteur des services, les 16 décrets en vigueur en 2000 touchent 68 975 salariés, soit une augmentation de 5,2 % par rapport à 1999.

Références

ASSELIN, Suzanne. « La population active », dans *Portrait social du Québec*, Québec, Institut de la statistique du Québec, 2001, chapitre 9, p. 197-224.
FORTIER, Yves. *Tendances du marché du travail au Québec*, [En ligne], Québec, Emploi-Québec, 1999, [http://emploiquebec.net/francais/imt/tendance.asp].
MINISTÈRE DU TRAVAIL. *L'indice de croissance des taux de salaire négociés des conventions en vigueur*, Statistique-Travail, Gouvernement du Québec.
STATISTIQUE CANADA. Données CALURA historiques dans CANSIM, Ottawa, Gouvernement du Canada.
STATISTIQUE CANADA. *Guide de l'Enquête sur la population active*, [En ligne], Ottawa, Gouvernement du Canada (71-543-GIF), [http://www.statcan.ca/francais/IPS/Data/71-543-GIF.htm].
STATISTIQUE CANADA. *L'emploi et le revenu en perspective*, Ottawa, Gouvernement du Canada, août 2001 (75-001-XIF).
STATISTIQUE CANADA. *L'emploi et le revenu en perspective*, *Le point sur la syndicalisation*, parution spéciale, Ottawa, Gouvernement du Canada, fête du Travail, 2000.
STATISTIQUE CANADA. *L'Enquête sur l'emploi, la rémunération et les heures*, données historiques dans CANSIM, Ottawa, Gouvernement du Canada.
STATISTIQUE CANADA. *Taux d'absence du travail 1987 à 1998*, Ottawa, Gouvernement du Canada, 1999, 155 p. (71-535 n° 10).

Définitions

Les définitions rattachées à l'Enquête sur la population active (EPA) peuvent être consultées sur le site de Statistique Canada; toutefois, voici les principales définitions utilisées dans ce chapitre.

Chômeur

Personne qui, au cours de la semaine de référence de l'enquête:

a) a été mise à pied temporairement, mais s'attend à être rappelée au travail et est disponible pour travailler;

b) est sans emploi, a activement cherché du travail au cours des quatre dernières semaines de l'enquête et est disponible pour travailler;

c) doit commencer un nouvel emploi dans quatre semaines ou moins à compter de la semaine de référence de l'enquête et est disponible pour travailler.

Cette mesure ne tient pas compte de la situation financière de la personne (bénéficiaire de l'assistance emploi ou prestataire de l'assurance-emploi).

Chômeur de longue durée

Chômeur dont la durée du chômage est d'une année ou plus.

Durée moyenne du chômage

Moyenne du nombre de semaines consécutives en chômage. Sont exclues du calcul de la durée les personnes correspondant à la catégorie C de chômeur, ainsi que celles qui n'ont pas cherché d'emploi durant la semaine de référence. Un changement apporté à l'enquête depuis 1997 permet la production de deux estimations : une basée sur les anciens critères d'avant 1997 limitant la durée maximale du nombre de semaines déclarées et une débutant en 1997 sans limite de durée.

Emploi à temps partiel

Emploi principal ou unique dont la durée de travail est habituellement inférieure à 30 heures par semaine.

Emploi autonome

Emploi occupé par un propriétaire actif d'entreprise constituée ou non en société et avec ou sans personnel.

Emploi salarié du secteur public

Emploi de l'administration municipale, provinciale ou fédérale, d'un organisme ou d'un service public, d'une société d'État ou encore d'un établissement public financé ou appartenant à l'État, comme une école ou un hôpital.

Emploi salarié temporaire

Emploi dont la date de cessation est prédéterminée ou qui se terminera à la fin du projet pour lequel il a été créé.

Personne en emploi ou travailleur

Personne qui, au cours de la semaine de référence de l'enquête :

a) a fait un travail quelconque contre rémunération ou contribué à une exploitation de type familial;

b) a un emploi mais n'est pas au travail pour l'une des raisons suivantes : maladie ou incapacité, obligations personnelles ou familiales, vacances, conflit de travail ou toute autre raison pertinente.

Population active

Partie de la population qui avait un emploi ou qui était en chômage pendant la semaine de référence de l'enquête.

Population (EPA)

Population en âge de travailler, soit de 15 ans et plus, à l'exception des résidents du Yukon, des Territoires du Nord-Ouest et du Nunavut, des personnes vivant dans des réserves indiennes, des membres à temps plein des Forces armées canadiennes et des pensionnaires d'établissement (par exemple les détenus des pénitenciers et les patients d'hôpitaux ou de maisons de repos pour plus de six mois). Pour la première section du chapitre, les personnes de 65 ans et plus sont exclues.

Région métropolitaine de recensement

Principale zone du marché du travail d'un noyau urbanisé ayant au moins 100 000 habitants.

Taux d'activité

Proportion de la population active dans la population.

Taux de chômage

Proportion de chômeurs dans la population active.

Taux d'emploi

Proportion de personnes en emploi dans la population.

Figure 5.1

Taux d'activité, taux d'emploi et taux de chômage des 15-64 ans, Québec, 1976-2000

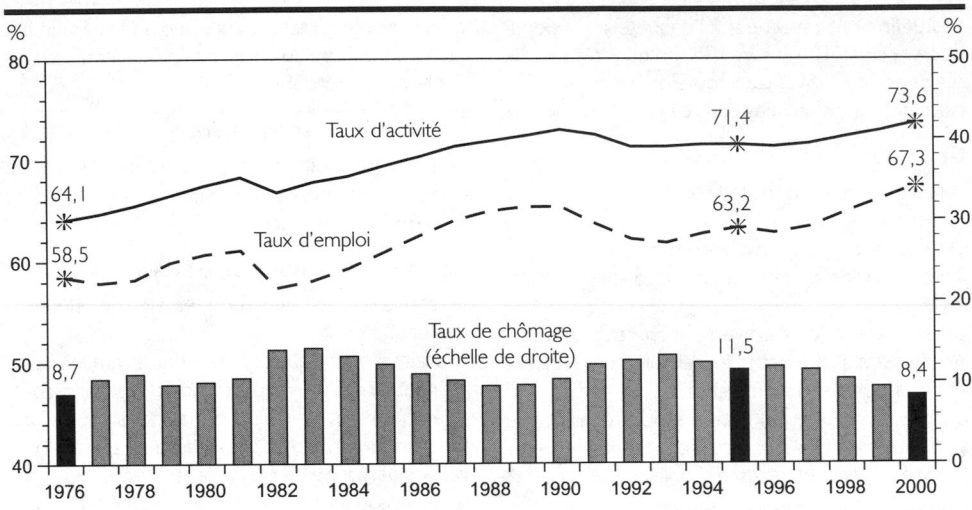

Source :   Statistique Canada, Enquête sur la population active.

Tableau 5.1

Caractéristiques de la population active des 15-64 ans selon le sexe, Québec, Ontario et Canada, 1995 et 2000

	Population des 15-64 ans					Chômage de longue durée	Durée moyenne[1] du chômage	Taux		
	Totale	Active	En emploi			En chômage			Activité	Emploi	Chômage
			Total	Temps plein	Temps partiel						
	'000						%	sem.	%		
Québec											
1995	4 936,9	3 524,8	3 119,8	2 581,5	538,4	404,9	18,9	27,6	71,4	63,2	11,5
2000	5 063,4	3 724,3	3 409,6	2 838,6	571,0	314,7	15,7	21,3	73,6	67,3	8,4
Hommes	2 543,1	2 040,4	1 863,3	1 680,6	182,7	177,1	17,9	23,0	80,2	73,3	8,7
Femmes	2 520,3	1 683,9	1 546,3	1 158,0	388,3	137,6	12,9	19,1	66,8	61,4	8,2
Ontario											
1995	7 321,9	5 532,5	5 047,0	4 119,2	927,8	485,5	18,5	25,9	75,6	68,9	8,8
2000	7 889,9	6 134,8	5 781,9	4 774,5	1 007,4	352,9	9,0	15,8	77,8	73,3	5,8
Hommes	3 929,9	3 270,3	3 087,9	2 780,6	307,4	182,4	9,6	16,4	83,2	78,6	5,6
Femmes	3 960,0	2 864,5	2 694,0	1 993,9	700,0	170,5	8,3	15,1	72,3	68,0	6,0
Canada											
1995	19 468,9	14 545,3	13 160,8	10 719,3	2 441,4	1 384,6	16,2	24,3	74,7	67,6	9,5
2000	20 685,9	15 781,5	14 697,7	12 087,7	2 610,1	1 083,8	10,7	17,2	76,3	71,1	6,9
Hommes	10 356,9	8 499,3	7 903,2	7 127,2	776,0	596,1	11,7	18,1	82,1	76,3	7,0
Femmes	10 329,0	7 282,2	6 794,5	4 960,5	1 834,1	487,7	9,5	16,0	70,5	65,8	6,7

1. Selon le critère de durée avant 1997 dont la collecte limitait la durée maximale à 99 semaines.

Source :   Statistique Canada, Enquête sur la population active.

Tableau 5.2

Indicateurs de l'activité des 15-64 ans, par région administrative et région métropolitaine de recensement, Québec, 1995 et 2000

Région adminstrative et région métropolitaine de recensement	En emploi		En emploi à temps partiel		Taux d'emploi		Taux de chômage		Durée moyenne[1] du chômage	
	1995	2000	1995	2000	1995	2000	1995	2000	1995	2000
	'000				%				sem.	
Le Québec	**3 119,8**	**3 409,6**	**17,3**	**16,7**	**63,2**	**67,3**	**11,5**	**8,4**	**27,7**	**21,3**
Région administrative										
01 Bas-Saint-Laurent	81,7	81,4	18,5	16,8	58,7	57,2	13,3	10,4	24,0	18,3
02 Saguenay–Lac-Saint-Jean	110,2	123,2	21,8	21,6	54,8	61,0	14,7	10,4	22,7	17,7
03 Capitale-Nationale	270,0	290,7	19,0	17,8	61,6	66,4	12,0	8,7	27,4	22,9
04 Mauricie	105,7	108,9	21,0	19,4	59,0	61,1	12,1	11,1	29,0	22,7
05 Estrie	124,0	136,1	19,1	17,6	66,1	68,2	10,4	7,9	24,2	23,7
06 Montréal	752,3	814,9	15,2	16,0	61,1	66,0	13,6	9,6	32,0	22,7
07 Outaouais	141,5	155,5	14,8	13,2	65,8	69,7	11,0	7,1	27,2	22,7
08 Abitibi-Témiscamingue	64,4	68,4	16,9	17,4	61,0	63,7	11,7	11,7	23,2	24,7
09-10 Côte-Nord & Nord-du-Québec	53,6	53,1	14,7	17,5	60,1	59,2	13,3	12,7	21,6	21,1
11 Gaspésie–Îles-de-la-Madeleine	31,0	34,2	13,2	19,6	43,2	50,1	20,7	20,1	29,1	19,9
12 Chaudière-Appalaches	177,5	187,3	17,5	15,8	67,2	70,2	7,3	6,1	19,7	13,6
13 Laval	161,3	171,2	17,2	14,2	68,6	71,0	10,0	6,5	24,3	20,6
14 Lanaudière	160,3	186,8	16,8	16,0	64,3	69,5	10,6	7,2	27,6	26,8
15 Laurentides	190,9	232,0	16,4	16,8	64,7	70,2	11,5	7,3	28,3	17,5
16 Montérégie	596,2	665,6	17,8	17,2	67,1	71,9	9,5	6,6	26,4	20,1
17 Centre-du-Québec	99,2	100,2	20,6	17,8	67,9	67,4	8,0	8,8	25,4	18,5
Région métropolitaine de recensement										
408 Chicoutimi-Jonquière	60,3	66,9	23,9	22,0	53,5	60,2	15,4	9,7	23,8	18,9
421 Québec	302,2	325,2	18,8	17,7	64,2	68,4	10,5	8,0	26,9	21,4
433 Sherbrooke	63,8	72,4	22,1	19,1	64,3	68,4	11,3	8,1	26,2	20,6
442 Trois-Rivières	60,9	61,4	22,3	19,9	61,2	62,3	11,4	10,6	26,6	22,4
462 Montréal	1 502,0	1 673,3	16,2	16,2	64,4	69,7	11,5	7,8	29,5	21,7
505 Ottawa-Hull	486,4	559,7	18,0	16,6	67,9	73,9	9,7	5,6	25,2	16,9

1. Selon le critère de durée avant 1997 dont la collecte limitait la durée maximale à 99 semaines.

Source : Statistique Canada, Enquête sur la population active.

Tableau 5.3

Répartition des familles biparentales avec enfants de moins de 16 ans, selon le statut d'emploi des deux parents[1] et l'âge des enfants, Québec, 1996 et 2000

Statut d'emploi	Avec enfants de moins de 6 ans				Avec enfants de 6 à 15 ans			
	1996	2000	1996	2000	1996	2000	1996	2000
	'000		%		'000		%	
Total des familles	**356,7**	**312,5**	**100,0**	**100,0**	**350,0**	**353,6**	**100,0**	**100,0**
Père en emploi et mère en chômage ou inactive	107,5	86,3	30,2	27,6	91,8	82,7	26,2	23,4
Mère en emploi et père en chômage ou inactif	20,9	14,1	5,9	4,5	22,0	21,6	6,3	6,1
Deux parents en emploi	193,5	192,2	54,2	61,5	210,2	232,3	60,1	65,7
Deux parents en chômage ou inactifs	34,7	19,8	9,7	6,4	25,9	17,1	7,4	4,8

1. Parents de 15 ans et plus.

Source : Statistique Canada, Enquête sur la population active.

Tableau 5.4

Répartition des familles monoparentales avec enfants de moins de 16 ans selon le statut d'emploi du parent[1] et l'âge des enfants, Québec, 1996 et 2000

Statut d'emploi	Avec enfants de moins de 6 ans				Avec enfants de 6 à 15 ans			
	1996	2000	1996	2000	1996	2000	1996	2000
	'000		%		'000		%	
Total des familles dont le chef est un père	5,3	7,9	100,0	100,0	18,3	19,6	100,0	100,0
Père en emploi	3,3	6,1	62,3	77,2	13,9	15,3	76,0	78,1
Père en chômage ou inactif	2,0	1,8	37,7	22,8	4,4	4,3	24,0	21,9
Total des familles dont le chef est une mère	47,4	39,6	100,0	100,0	73,3	72,8	100,0	100,0
Mère en emploi	18,0	18,4	38,0	46,5	45,7	53,0	62,3	72,8
Mère en chômage ou inactive	29,4	21,2	62,0	53,5	27,6	19,8	37,7	27,2

1. Parent de 15 ans et plus.

Source : Statistique Canada, Enquête sur la population active.

Tableau 5.5

Caractéristiques de la population active des 15 ans et plus selon le groupe d'âge et le sexe, Québec, 2000

Sexe et groupe d'âge	Population de 15 ans et plus					En chômage	Chômage de longue durée	Durée moyenne[1] du chômage	Taux		
	Totale	Active	En emploi						Activité	Emploi	Chômage
			Total	Temps plein	Temps partiel						
	'000						%	sem.	%		
Sexes réunis	5 935,9	3 753,2	3 437,7	2 856,4	581,3	315,5	15,7	21,3	63,2	57,9	8,4
15-64 ans	5 063,4	3 724,3	3 409,6	2 838,6	571,0	314,7	15,7	21,3	73,6	67,3	8,4
15-24 ans	969,7	592,7	510,2	295,3	214,9	82,5	6,2	12,3	61,1	52,6	13,9
25-34 ans	989,7	838,5	771,5	680,3	91,3	67,0	14,6	20,6	84,7	78,0	8,0
35-44 ans	1 280,6	1 094,5	1 016,2	900,3	115,9	78,4	18,5	24,8	85,5	79,4	7,2
45-54 ans	1 093,2	871,9	810,2	717,6	92,6	61,7	24,8	28,4	79,8	74,1	7,1
55-64 ans	730,3	326,6	301,5	245,1	56,4	25,1	19,1	24,4	44,7	41,3	7,7
65 ans et plus	872,4	28,9	28,2	17,8	10,3	—	—	15,3	3,3	3,2	—
Hommes	2 911,7	2 061,9	1 884,3	1 694,7	189,6	177,6	17,8	23,0	70,8	64,7	8,6
15-64 ans	2 543,1	2 040,4	1 863,3	1 680,6	182,7	177,1	17,9	23,0	80,2	73,3	8,7
15-24 ans	496,0	318,6	271,1	177,3	93,8	47,5	6,9	13,3	64,2	54,7	14,9
25-34 ans	503,0	452,1	414,3	391,1	23,2	37,8	16,4	21,9	89,9	82,4	8,4
35-44 ans	645,0	593,1	548,2	525,2	23,0	44,9	22,9	28,6	92,0	85,0	7,6
45-54 ans	543,0	474,0	441,1	422,0	19,1	32,8	27,1	30,5	87,3	81,2	6,9
55-64 ans	356,1	202,6	188,5	165,0	23,5	14,1	—	23,6	56,9	52,9	7,0
65 ans et plus	368,6	21,5	21,0	14,1	6,9	—	—	19,4	5,8	5,7	—
Femmes	3 024,1	1 691,3	1 553,5	1 161,7	391,8	137,8	12,8	19,1	55,9	51,4	8,1
15-64 ans	2 520,3	1 683,9	1 546,3	1 158,0	388,3	137,6	12,9	19,1	66,8	61,4	8,2
15-24 ans	473,7	274,1	239,1	118,0	121,1	35,0	—	11,1	57,9	50,5	12,8
25-34 ans	486,7	386,4	357,2	289,2	68,0	29,2	12,0	19,0	79,4	73,4	7,6
35-44 ans	635,6	501,4	467,9	375,1	92,9	33,5	12,2	19,4	78,9	73,6	6,7
45-54 ans	550,2	397,9	369,1	295,6	73,4	28,9	22,1	26,2	72,3	67,1	7,3
55-64 ans	374,2	124,0	113,0	80,1	32,8	11,1	—	25,4	33,1	30,2	9,0
65 ans et plus	503,8	7,4	7,2	3,7	3,5	—	—	8,3	1,5	1,4	—

1. Selon le critère de durée avant 1997 dont la collecte limitait la durée maximale à 99 semaines.

Source : Statistique Canada, Enquête sur la population active.

Tableau 5.6
Répartition des chômeurs de 15-64 ans selon la raison de la cessation du dernier emploi, le sexe et le groupe d'âge, Québec, 1995 et 2000

Raison	1995	2000	2000					
			Total	Sexe		Groupe d'âge		
				Hommes	Femmes	15-24 ans	25-54 ans	55-64 ans
	'000					%		
Total	**404,9**	**314,7**	**100,0**	**100,0**	**100,0**	**100,0**	**100,0**	**100,0**
Ont quitté leur emploi (volontairement)	48,6	49,3	15,7	15,0	16,5	27,3	11,9	8,8
Maladie ou incapacité	5,2	6,2	2,0	1,6	2,4	1,9	1,9	—
Obligations personnelles ou familiales	3,8	2,7	0,9	—	1,5	—	0,8	—
Vont à l'école	11,6	11,2	3,6	3,7	3,3	11,9	—	—
Insatisfaction	7,4	17,4	5,5	5,1	6,0	9,2	4,5	—
Ont pris leur retraite	—	—	—	—	—	—	—	—
Autres raisons	19,7	11,2	3,6	3,9	3,1	3,2	3,9	—
Ont perdu leur emploi (involontairement)	214,6	145,1	46,1	48,7	42,8	34,9	49,1	58,6
Mise à pied permanente	190,9	121,8	38,7	40,3	36,8	31,2	40,4	49,4
Mise à pied temporaire	23,7	23,3	7,4	8,5	6,0	3,8	8,6	9,2
N'ont pas travaillé durant l'année	121,0	85,1	27,0	26,4	27,9	10,8	33,0	31,5
Aucune expérience de travail	20,8	35,3	11,2	9,9	12,8	27,0	6,0	—

Source : Statistique Canada, Enquête sur la population active.

Tableau 5.7
Personnes en emploi de 15-64 ans selon les professions[1], Québec, 2000

Professions	Total	Proportion par profession			Répartition
		Femmes	15-24 ans	55-64 ans	15-64 ans
	'000		%		
Ensemble des professions	**3 409,6**	**45,4**	**15,0**	**8,8**	**100,0**
Gestion	331,6	34,6	4,2	12,0	9,7
Affaires, finance et administration	609,4	70,1	9,5	7,9	17,9
Sciences naturelles et appliquées et professions apparentées	224,7	21,3	10,3	4,9	6,6
Secteur de la santé	196,9	78,6	8,8	7,7	5,8
Sciences sociales, enseignement, administration publique et religion	240,7	62,7	6,2	9,2	7,1
Arts, culture, sports et loisirs	103,0	50,0	19,6	6,9	3,0
Ventes et services	832,4	54,5	29,6	8,7	24,4
Métiers, transport et machinerie	464,6	6,2	9,9	11,0	13,6
Professions propres au secteur primaire	90,8	18,9	17,0	12,3	2,7
Transformation, fabrication et services d'utilité publique	315,6	31,6	17,3	7,4	9,3
Cols blancs	2 538,7	90,6	77,2	71,6	74,5
Cols bleus	871,0	9,4	22,8	28,4	25,5

1. Selon la Classification type des professions de 1991.

Source : Statistique Canada, Enquête sur la population active.

261

Tableau 5.8

Personnes en emploi de 15-64 ans selon les secteurs d'activité[1], Québec, 1995 et 2000

Secteurs d'activité	1995	2000	2000		Variation 2000/1995		
	Emploi total		Répartition de l'emploi	Part de l'emploi à temps partiel	15-64 ans	15-24 ans	Femmes
	'000			%			
Ensemble des secteurs d'activité	**3 119,8**	**3 409,6**	**100,0**	**16,7**	**9,3**	**7,4**	**11,0**
Secteur de la production de biens	837,5	890,2	26,1	4,8	6,3	15,1	7,8
Agriculture	65,8	59,2	1,7	14,4	-10,0	-20,2	-20,4
Foresterie, pêche, mines, pétrole et gaz	46,1	40,4	1,2	4,7	-12,4	-9,1	—
Foresterie et exploitation forestière	23,7	22,3	0,7	—	-5,9	-12,8	-16,0
Pêche, chasse et piégeage	1,6	3,1	0,1	—	93,8	—	—
Extraction minière, de pétrole et de gaz	20,8	15,0	0,4	—	-27,9	—	4,5
Services publics	32,1	26,8	0,8	—	-16,5	—	-26,8
Construction	140,0	138,3	4,1	8,0	-1,2	-16,9	1,9
Fabrication	553,5	625,5	18,3	3,4	13,0	31,6	14,1
Biens durables	240,1	315,6	9,3	2,5	31,4	74,4	52,3
Biens non durables	313,5	309,9	9,1	4,2	-1,1	—	1,2
Secteur des services	2 282,3	2 519,4	73,9	21,0	10,4	5,4	11,6
Commerce	498,0	549,0	16,1	22,6	10,2	8,1	11,3
Commerce de gros	101,5	130,0	3,8	6,7	28,1	-6,2	19,2
Commerce de détail	396,5	418,9	12,3	27,5	5,6	9,5	10,1
Transport et entreposage	146,3	171,7	5,0	10,7	17,4	11,7	9,1
Finance, assurances, immobilier et location	192,9	179,0	5,2	13,0	-7,2	-34,3	-4,4
Finance et assurances	144,5	134,7	4,0	11,1	-6,8	-32,5	-7,7
Services immobiliers et de location	48,3	44,3	1,3	19,0	-8,3	-36,9	12,4
Services professionnels, scientifiques et techniques	138,6	197,9	5,8	11,3	42,8	15,0	42,6
Gestion d'entreprises, services administratifs	85,7	110,8	3,2	23,2	29,3	41,7	39,0
Services d'enseignement	221,8	218,8	6,4	29,0	-1,4	-2,6	5,3
Soins de santé et assistance sociale	345,4	376,0	11,0	24,5	8,9	-7,3	7,7
Information, culture et loisirs	116,0	144,3	4,2	20,4	24,4	24,1	19,4
Hébergement et services de restauration	180,0	202,0	5,9	38,6	12,2	9,7	19,9
Autres services	155,2	164,9	4,8	22,0	6,3	-13,6	15,1
Administrations publiques	202,4	205,0	6,0	7,7	1,3	7,1	6,4
Primaire	111,9	99,6	2,9	10,4	-11,0	-16,8	-16,7
Secondaire	693,5	763,8	22,4	4,2	10,1	23,0	13,0
Tertiaire	2 314,4	2 546,2	74,7	20,8	10,0	5,3	11,3

1. Selon le Système de classification des industries de l'Amérique du Nord (SCIAN).

Source : Statistique Canada, Enquête sur la population active.

Tableau 5.9

Répartition des personnes en emploi de 15-64 ans selon la raison de l'emploi à temps partiel, le sexe et le groupe d'âge, Québec, 1997[1] et 2000

Raison	1997	2000	2000					
			Total	Sexe		Groupe d'âge		
				Hommes	Femmes	15-24 ans	25-54 ans	55-64 ans
	'000					%		
Total	**554,9**	**571,0**	**100,0**	**100,0**	**100,0**	**100,0**	**100,0**	**100,0**
Maladie ou incapacité	9,0	12,1	2,1	1,8	2,3	—	3,0	4,3
Soin des enfants	44,4	34,6	6,1	—	8,7	—	11,0	—
Autres obligations personnelles ou familiales	16,3	21,9	3,8	1,3	5,0	—	6,2	3,7
Études	142,9	173,1	30,3	43,2	24,3	72,7	5,5	—
Choix personnel	119,3	131,4	23,0	16,8	25,9	4,8	28,9	61,0
Autres raisons volontaires	16,8	19,5	3,4	2,6	3,8	—	5,3	4,3
Veut un emploi à temps plein, n'a pas cherché	146,1	133,4	23,4	23,3	23,4	14,1	30,5	20,7
N'a pu trouver du travail à temps plein, a cherché	60,1	45,0	7,9	10,7	6,5	6,1	9,6	5,7
À temps partiel involontaire (définition stricte)[2]	60,1	45,0	7,9	10,7	6,5	6,1	9,6	5,7
À temps partiel involontaire (définition large)[2]	206,2	178,4	31,3	34,0	30,0	20,2	40,0	26,4

1. Des changements apportés à l'enquête ne permettent plus l'uniformité de la série avant 1997.
2. La mesure du temps partiel involontaire selon la définition stricte est basée sur les répondants ayant cherché du travail à temps plein sans en trouver. La définition large englobe tous les répondants désirant un travail à temps plein, qu'ils aient ou non fait une recherche.

Source : Statistique Canada, Enquête sur la population active.

Tableau 5.10

Répartition des personnes en emploi de 15 ans et plus selon le statut d'emploi, par région administrative et région métropolitaine de recensement, Québec, 2000

Région administrative et région métropolitaine de recensement	Total[1]	Salariés			Autonomes		
		Total	Public	Privé	Total	Avec personnel	Sans personnel
	'000	'000	%		'000	%	
Le Québec	**3 437,7**	**2 926,4**	**23,6**	**76,4**	**502,3**	**40,1**	**59,9**
Région administrative							
01 Bas-Saint-Laurent	81,8	68,1	29,5	70,5	13,8	44,9	55,1
02 Saguenay–Lac-Saint-Jean	124,0	109,5	25,6	74,4	14,0	45,0	55,0
03 Capitale-Nationale	292,5	253,4	33,4	66,6	38,4	36,7	63,3
04 Mauricie	110,1	93,3	24,4	75,6	15,8	38,0	62,0
05 Estrie	137,3	115,7	22,6	77,4	21,1	41,7	58,3
06 Montréal	824,1	710,7	21,6	78,4	112,2	34,2	65,8
07 Outaouais	156,5	136,3	42,0	58,0	19,6	28,6	71,4
08 Abitibi-Témiscamingue	68,5	57,0	25,3	74,7	—	—	—
09-10 Côte-Nord et Nord-du-Québec	53,3	48,0	29,2	70,8	—	—	—
11 Gaspésie–Îles-de-la-Madeleine	34,5	29,3	37,9	62,1	—	—	—
12 Chaudière-Appalaches	188,8	158,5	19,6	80,4	29,9	43,1	56,9
13 Laval	173,9	152,0	18,0	82,0	21,9	42,9	57,1
14 Lanaudière	187,8	155,0	20,5	79,5	32,7	48,0	52,0
15 Laurentides	233,4	193,9	20,2	79,8	38,6	40,9	59,1
16 Montérégie	670,4	565,6	20,4	79,6	102,6	40,1	59,9
17 Centre-du-Québec	100,8	79,9	16,8	83,2	20,3	53,2	46,8
Région métropolitaine de recensement							
408 Chicoutimi-Jonquière	67,4	60,1	25,3	74,9	—	—	—
421 Québec	326,6	285,3	34,0	66,0	40,9	38,6	61,4
433 Sherbrooke	73,1	63,4	28,2	71,8	—	—	—
442 Trois-Rivières	62,1	53,8	24,2	75,7	—	—	—
462 Montréal	1 689,9	1 447,1	21,1	78,9	239,8	39,4	60,6
505 Ottawa-Hull	133,8	119,6	45,2	54,8	14,1	31,9	68,1

1. Inclut les travailleurs familiaux non rémunérés qui ne paraissent pas dans ce tableau.

Source : Statistique Canada, Enquête sur la population active.

Tableau 5.11
Répartition des personnes en emploi[1] de 15-64 ans selon le caractère typique et atypique de l'emploi, le sexe et le groupe d'âge, Québec, 2000

Caractère de l'emploi	Total		Hommes	Femmes	15-24 ans	25-54 ans	55-64 ans
	'000	%			%		
Total	**3 401,2**	**100,0**	**100,0**	**100,0**	**100,0**	**100,0**	**100,0**
Typique – Salarié permanent à temps plein	2 169,4	63,8	67,3	59,6	41,9	69,0	55,5
Atypique – Autres	1 231,8	36,2	32,7	40,4	58,1	31,0	44,5
Salarié permanent à temps partiel	336,6	9,9	4,8	16,0	23,2	7,2	10,7
Salarié temporaire à temps plein	253,9	7,5	7,5	7,5	14,3	6,4	5,1
Salarié temporaire à temps partiel	155,3	4,6	3,3	6,1	17,1	2,3	3,1
Autonome à temps plein	410,4	12,1	15,5	7,9	1,7	13,1	20,8
Autonome à temps partiel	75,6	2,2	1,6	2,9	1,8	2,0	4,9

1. Excluant les travailleurs familiaux non rémunérés.
Source : Statistique Canada, Enquête sur la population active.

Figure 5.2
Semaine de travail habituelle des 15-64 ans à leur emploi principal selon le statut d'emploi[1], Québec, 2000

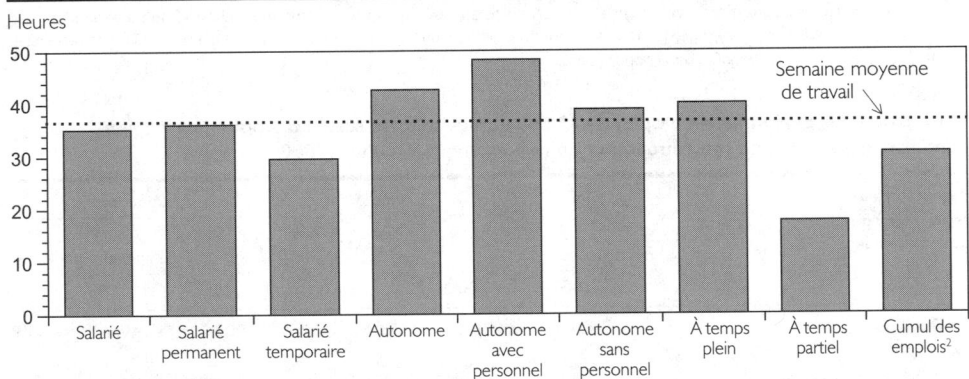

1. Ne sont pas des classes mutuellement exclusives.
2. La durée moyenne incluant tous les emplois est de 44,6 heures, comparativement à 30,6 heures pour l'emploi principal.
Source : Statistique Canada, Enquête sur la population active.

Tableau 5.12
Absentéisme[1] chez les salariés à temps plein de 15 ans et plus, selon le sexe et la présence d'enfants, Québec, 1999

Sexe	Taux d'absence selon le motif			Jours perdus par travailleur dans l'année		
	Total	Maladie ou incapacité	Obligations personnelles ou familiales	Total	Maladie ou incapacité	Obligations personnelles ou familiales
	%			j		
Les deux sexes	**6,0**	**4,7**	**1,3**	**8,7**	**7,7**	**1,0**
Hommes	5,1	3,9	1,2	7,5	6,6	0,9
Femmes	7,3	5,7	1,5	10,5	9,3	1,2
Avec enfants de moins de 5 ans	**6,8**	**4,2**	**2,7**	**9,2**	**6,5**	**2,7**
Hommes	5,7	3,5	2,3	7,3	5,3	2,0
Femmes	8,8	5,4	3,4	12,9	8,9	4,0

1. Excluant le congé de maternité. Consulter les définitions dans le catalogue 71-535 n° 10 de Statistique Canada.
Source : Statistique Canada, Enquête sur la population active.

Tableau 5.13

Nombre d'emplois et rémunération hebdomadaire moyenne[1] des salariés, selon l'industrie, Québec, 1998-2000

Industrie[2]	Emplois			Rémunération		
	1998	1999	2000	1998	1999	2000
	'000			$		
Ensemble des industries	**2 824,1**	**2 856,3**	**2 950,9**	**599,93**	**602,68**	**612,91**
Foresterie, exploitation forestière et soutien	26,5	25,0	24,4	677,94	663,63	711,68
Extraction minière, sauf l'extraction de pétrole et de gaz	11,9	11,6	11,9	987,11	932,87	958,21
Soutien à l'extraction minière, pétrolière et de gaz	1,7	1,7	1,5	708,90	819,85	695,56
Services publics d'électricité, de gaz et d'eau	26,4	26,3	26,9	909,93	943,92	956,72
Construction	103,7	108,1	117,8	754,80	733,04	756,07
Industries manufacturières	537,2	557,9	584,9	687,67	710,32	718,76
Commerce de gros	150,3	158,4	171,3	698,48	681,34	675,05
Commerce de détail	338,8	334,8	335,9	386,69	390,53	390,86
Transport et entreposage	133,1	135,8	140,6	656,45	670,18	679,69
Industrie de l'information et industrie culturelle	70,3	70,4	73,8	758,68	771,34	763,61
Finance et assurances	115,3	115,6	115,1	795,86	776,94	779,96
Services immobiliers et de location	45,7	44,1	44,7	485,28	491,23	510,54
Services professionnels, scientifiques et techniques	123,5	128,6	140,9	743,27	749,02	765,77
Gestion de sociétés et d'entreprises	18,5	18,5	17,3	892,90	869,96	837,15
Services administratifs, de soutien, de gestion des déchets et d'assainissement	95,8	100,3	111,1	491,00	482,70	494,93
Services d'enseignement	224,6	216,4	214,4	658,87	647,81	663,50
Soins de santé et assistance sociale	303,5	299,2	295,2	545,50	529,57	544,35
Arts, spectacles et loisirs	36,9	39,9	44,9	415,95	407,07	403,32
Hébergement et services de restauration	181,4	183,8	195,8	248,46	263,32	279,09
Autres services, sauf les administrations publiques	103,5	102,5	103,9	454,89	453,16	460,10
Administrations publiques	175,0	176,8	177,9	709,10	711,93	735,85

1. Incluant les heures supplémentaires.
2. Selon le Système de classification des industries de l'Amérique du Nord (SCIAN 1997).
Source : Statistique Canada, Enquête sur l'emploi, la rémunération et les heures de travail.

Tableau 5.14

Salariés rémunérés à l'heure selon l'industrie, Québec, 2000

Industrie[1]	Emplois	Heures hebdoma-daires moyennes[2]	Rémunération horaire moyenne[2]
	'000	n	$
Ensemble des industries	**1 561,7**	**31,5**	**15,61**
Foresterie, exploitation forestière et soutien	13,0	38,3	18,10
Extraction minière, de pétrole et de gaz	6,9	41,5	20,62
Services publics d'électricité, de gaz et d'eau	10,5	39,4	26,09
Construction	74,9	36,0	20,52
Industries manufacturières	390,1	38,4	16,41
Commerce de gros	77,9	34,9	14,42
Commerce de détail	244,3	26,1	12,06
Transport et entreposage	57,6	34,3	17,48
Industrie de l'information et industrie culturelle	31,3	32,6	18,78
Finance et assurances	23,5	29,4	15,38
Services immobiliers et de location	18,1	29,1	12,13
Services professionnels, scientifiques et techniques	37,2	30,9	17,51
Services administratifs, de soutien, de gestion des déchets et d'assainissement	64,8	28,9	13,20
Services d'enseignement	3,0	20,8	13,06
Soins de santé et assistance sociale	240,1	27,4	19,35
Arts, spectacles et loisirs	28,9	22,8	13,57
Hébergement et services de restauration	158,3	26,5	8,96
Autres services, sauf les administrations publiques	53,7	27,7	12,51
Administrations publiques	24,6	39,3	15,78

1. Selon le Système de classification des industries de l'Amérique du Nord (SCIAN 1997).
2. Incluant les heures supplémentaires.
Source : Statistique Canada, Enquête sur l'emploi, la rémunération et les heures de travail.

Figure 5.3
Rémunération moyenne des salariés par région administrative, Québec, 1999

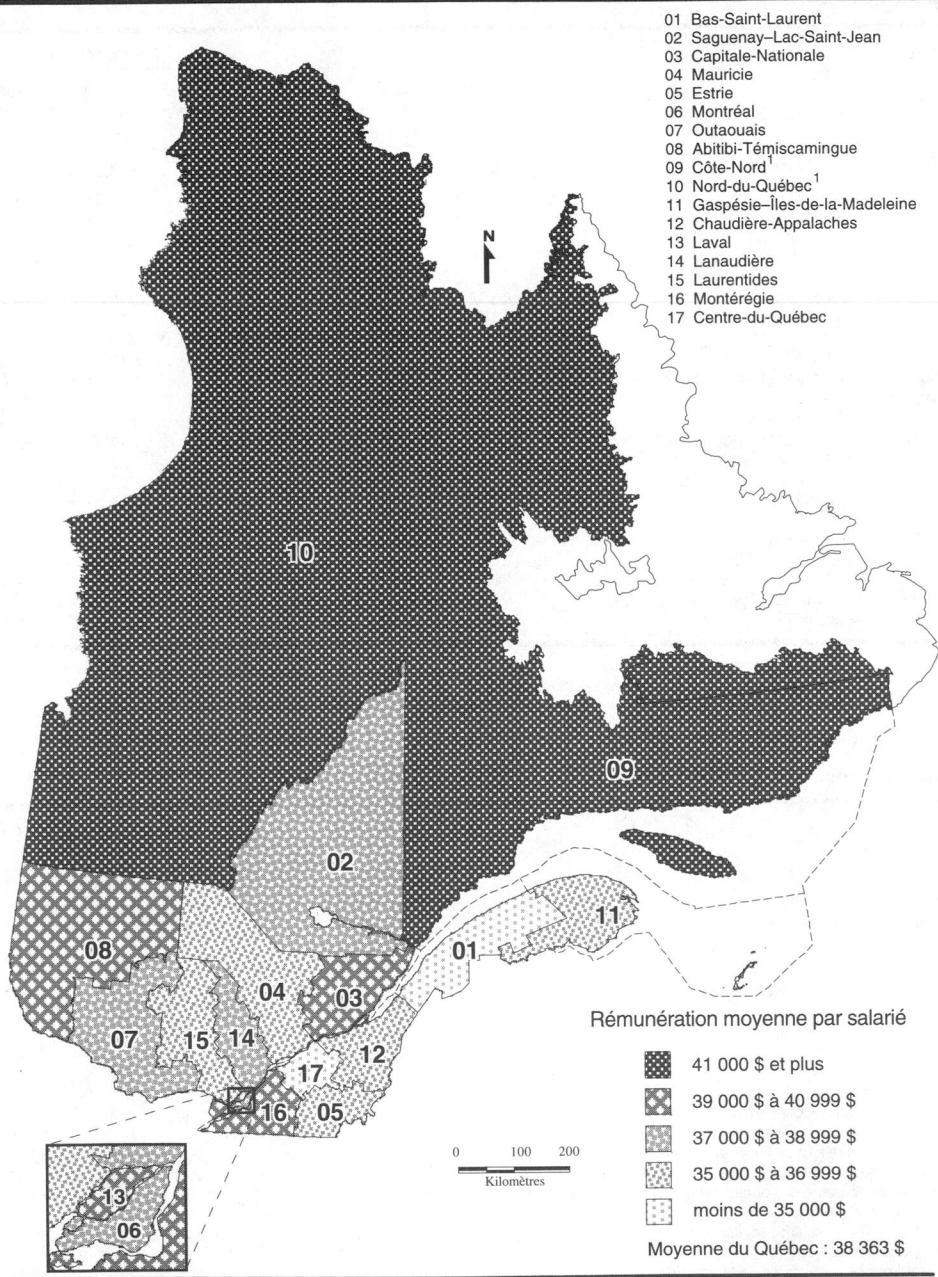

01 Bas-Saint-Laurent
02 Saguenay–Lac-Saint-Jean
03 Capitale-Nationale
04 Mauricie
05 Estrie
06 Montréal
07 Outaouais
08 Abitibi-Témiscamingue
09 Côte-Nord[1]
10 Nord-du-Québec[1]
11 Gaspésie–Îles-de-la-Madeleine
12 Chaudière-Appalaches
13 Laval
14 Lanaudière
15 Laurentides
16 Montérégie
17 Centre-du-Québec

Rémunération moyenne par salarié

41 000 $ et plus
39 000 $ à 40 999 $
37 000 $ à 38 999 $
35 000 $ à 36 999 $
moins de 35 000 $

Moyenne du Québec : 38 363 $

0   100   200
Kilomètres

1. La limite entre ces régions est supprimée puisque la rémunération moyenne est celle de l'ensemble des salariés des deux régions.

Sources : Institut de la statistique du Québec, Direction des comptes et des études économiques.
        Statistique Canada, compilation spéciale EPA 1999.

Réalisation : Institut de la statistique du Québec, Direction de l'édition et des communications, 2001.

Figure 5.4

Variation annuelle du taux de salaire versé aux salariés syndiqués, Québec, 1986-2000[1]

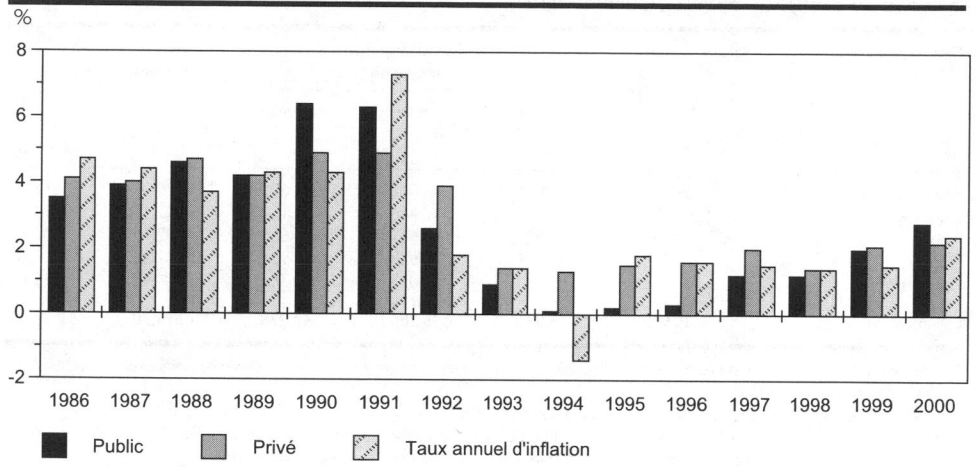

■ Public   ▨ Privé   ▨ Taux annuel d'inflation

1. Pour 1986, 1987 et 1988, le taux pour l'ensemble des salariés a été déduit des taux des secteurs public et privé.

Source : Ministère du Travail, *L'indice de croissance des taux de salaire négociés*, tableau 2.1, 2001-08-10.
Statistique Canada, Indice des prix à la consommation, Québec.

Tableau 5.15

Salaire horaire minimum selon la date d'entrée en vigueur, Québec, 1986-2001

Date d'entrée en vigueur	Salarié			Domestique résident	
	Régulier	À pourboire	Heures/semaine	Salaire hebdomadaire	Heures/semaine
	$		n	$	n
1er octobre 1986	4,35	3,63	44	150	53
1er octobre 1987	4,55	3,83	44	161	53
1er octobre 1988	4,75	4,03	44	172	53
1er octobre 1989	5,00	4,28	44	186	53
1er octobre 1990	5,30	4,58	44	202	53
1er octobre 1991	5,55	4,83	44	215	53
1er octobre 1992	5,70	5,00	44	221	53
1er octobre 1993	5,85	5,13	44	227	53
1er octobre 1994	6,00	5,28	44	233	53
1er octobre 1995	6,45	5,73	44	250	51
1er octobre 1996	6,70	5,95	44	260	51
1er octobre 1997	6,80	6,05	43	264	49
1er octobre 1998	6,90	6,15	42	271	49
1er octobre 1999	6,90	6,15	41	271	49
1er octobre 2000	6,90	6,15	40	271	49
1er février 2001	7,00	6,25	40	280	49

Source : Commission des normes du travail.

Tableau 5.16
Rémunération globale des employés et heures travaillées dans l'Administration québécoise[1], selon la catégorie d'emplois repères[2], Québec, 2001

Catégorie d'emplois	Salaire moyen	Rémunération moyenne			Heures travaillées	Rémunération globale[3]
		Directe	Indirecte	Annuelle		
	$				h/a	$/h
Professionnels	59 642	60 812	8 875	69 687	1 529,80	45,56
Techniciens	41 785	42 695	7 446	50 141	1 542,10	32,51
Employés de bureau	30 441	30 924	5 641	36 565	1 532,40	23,87
Employés de service	28 938	29 342	5 629	34 971	1 707,80	20,48
Ouvriers	36 538	37 338	7 025	44 363	1 700,40	26,10
Ensemble	**35 958**	**36 592**	**6 386**	**42 978**	**1 573,30**	**27,48**

1. L'Administration québécoise regroupe la fonction publique, ainsi que les secteurs de l'éducation (commissions scolaires et cégeps), de la santé et des services sociaux.
2. Les données sont pondérées par l'effectif de chacune des catégories.
3. La forme de l'estimateur statistique retenu peut entraîner de légères différences entre la rémunération globale par heure travaillée, d'une part, et le rapport de la rémunération annuelle et les heures de présence au travail, d'autre part.

Source : Institut de la statistique du Québec, Direction du travail et de la rémunération.

Tableau 5.17
Données sur les avantages sociaux et le temps chômé payé, selon le secteur et la catégorie d'emplois[1], en pourcentage du salaire, Québec, 2001

	Professionnels		Techniciens		Employés de bureau		Employés de service		Ouvriers	
	Public[1]	Privé	Public[1]	Privé	Public[1]	Privé	Public[1]	Privé	Public[1]	Privé
	%									
Avantages sociaux	**16,79***	**16,17***	**19,83***	**22,15***	**19,94***	**20,01***	**20,64**	**17,93**	**21,32***	**20,79***
Rémunération directe[2]	1,97	0,02	2,18	0,30	1,59	0,20	1,39	0,68	2,29	0,09
Rémunération indirecte[3]	14,81	16,15	17,64	21,84	18,35*	19,81*	19,25*	17,25*	19,02	20,70
Régime de retraite	4,35*	3,57*	4,04	6,62	3,97*	3,84*	3,69*	2,53*	3,97	5,63
Assurances	1,12	3,46	1,99	4,58	2,61	4,93	3,55	2,00	3,18	4,63
Compensation pour congés parentaux	0,29	0,09	0,39	0,08	0,22	0,09	0,06	–	0,04	–
Régimes étatiques[4]	9,03*	9,02*	11,21	10,55	11,54	10,93	11,94	12,70	11,81	10,41
Temps chômé payé[3]	**16,17**	**12,97**	**15,85**	**14,50**	**16,22**	**13,79**	**15,49**	**12,84**	**15,96***	**15,50***
Congés annuels	8,12	7,22	8,06*	8,48*	8,23	7,28	7,75*	7,11*	7,94	9,09
Congés fériés et mobiles	4,98	4,45	4,98	4,69	4,98	4,81	4,98	4,18	4,98	4,75
Congés de maladie utilisés	2,78	1,10	2,32	0,82	2,65	1,39	2,08	1,18	2,47	1,05
Congés parentaux	0,05	0,02	0,03*	0,03*	0,01	0,02	0,02	–	0,02	0,01
Congés sociaux	0,23	0,16	0,44*	0,46*	0,33*	0,27*	0,64	0,33	0,54*	0,58*
Total des avantages sociaux et du temps chômé payé	**32,97**	**29,15**	**35,68***	**36,65***	**36,16***	**33,81***	**36,14**	**30,77**	**37,29***	**36,30***

* Indique la parité des deux secteurs.
1. On entend ici par « public » l'Administration québécoise qui regroupe la fonction publique, ainsi que les secteurs de l'éducation (commissions scolaires et cégeps), de la santé et des services sociaux.
2. Il s'agit du remboursement pour les congés de maladie non utilisés.
3. Le total des éléments peut être différent de la somme à cause des arrondissements.
4. Prestations payées par l'employeur pour le régime de rentes du Québec, l'assurance-maladie du Québec, la CSST et l'assurance-emploi.

Source : Institut de la statistique du Québec, Direction du travail et de la rémunération.

Tableau 5.18
Taux de syndicalisation, Québec, Ontario, Canada, 1976-1995

Année	Québec	Ontario	Canada		Année	Québec	Ontario	Canada
	%					%		
1976	34,9	30,2	32,4		1986	39,5	31,6	35,0
1977	34,7	31,0	32,6		1987	39,6	31,0	34,2
1978	35,3	30,6	32,3		1988	39,9	31,3	34,5
1979	35,5	30,6	32,5		1989	41,6	31,2	34,8
1980	35,9	30,2	32,3		1990	41,1	32,2	35,5
1981	37,6	29,8	32,8		1991	42,6	32,5	36,1
1982	37,7	30,6	33,4		1992	42,8	32,3	36,0
1983	38,7	32,3	35,7		1993	42,5	32,1	35,5
1984	39,4	32,0	35,5		1994	40,2	31,4	34,5
1985	39,2	31,8	34,8		1995	40,8	32,1	35,0

Source : Statistique Canada, données de CALURA.

Tableau 5.19
Taux de présence syndicale, Québec, Ontario, Canada, 1997-2000

Année	Québec			Ontario			Canada		
	Privé	Public	Ensemble	Privé	Public	Ensemble	Privé	Public	Ensemble
					%				
1997	28,6	82,5	41,4	24,0	70,9	29,8	21,5	75,8	33,7
1998	27,6	81,2	39,8	19,3	70,1	29,2	21,1	75,3	32,8
1999	27,2	80,7	39,5	17,7	69,6	28,1	20,0	74,7	32,2
2000	27,5	80,1	39,9	18,2	68,6	28,2	20,2	73,9	32,2

Source : Statistique Canada, Enquête sur la population active.
Ministère du Travail, *Travail-Actualité*, Statistique-Travail, mai 2001.

Tableau 5.20
Requêtes en accréditation, Québec, 1980-2000

Année	Reçues	Accordées		Année	Reçues	Accordées
	n				n	
1980	1 561	1 255				
1981	1 719	1 330		1991	903	640
1982	1 658	1 318		1992	1 320	978
1983	1 524	1 115		1993	768	643
1984	1 489	1 019		1994	785	556
1985	1 415	1 062		1995	854	555
1986	1 960	1 489		1996	769	534
1987	1 233	1 022		1997	802	598
1988	1 149	844		1998	1 718	625
1989	1 754	1 102		1999	1 154	1 082
1990	1 263	903		2000	863	858

Source : Ministère du Travail, rapports annuels.

Tableau 5.21
Arrêts de travail, Québec, 1980-2000

Année	Conflits de travail	Employés touchés	Jours-personnes perdus	Employés[1]	Ratio[2]	Année	Conflits de travail	Employés touchés	Jours-personnes perdus	Employés[1]	Ratio[2]
	n			'000	j		n			'000	j
1980	363	174 047	4 314 999	2 458,8	1 755						
1981	359	60 510	1 790 420	2 477,5	723	1991	169	43 096	641 787	2 660,4	241
1982	259	220 259	1 278 469	2 301,8	555	1992	158	16 164	419 647	2 621,7	160
1983	257	157 059	2 382 533	2 343,5	1 017	1993	167	47 361	516 984	2 608,2	198
1984	330	41 427	1 111 590	2 417,3	460	1994	136	12 907	318 922	2 680,3	119
1985	283	44 491	1 143 768	2 465,9	464	1995	96	47 944	508 659	2 691,0	189
1986	280	268 143	2 250 949	2 554,2	881	1996	104	14 696	387 339	2 670,4	145
1987	291	95 574	1 465 490	2 625,9	558	1997	103	22 502	324 020	2 708,8	120
1988	228	46 539	1 431 484	2 670,2	536	1998	124	98 982	723 609	2 773,0	261
1989	244	297 672	1 609 763	2 713,7	593	1999	155	25 257	652 747	2 844,1	230
1990	190	128 442	1 117 054	2 726,2	410	2000[3]	125	24 554	345 640	2 926,0	118

1. Selon l'Enquête sur la population active de Statistique Canada.
2. Jours de travail perdus par 1 000 employés.
3. À compter de 2000, un nouveau mode de comptabilisation des arrêts de travail par accréditation entraîne une augmentation relative du nombre de conflits de travail.

Source : Ministère du Travail, *Les grèves et les lock-out au Québec*, août 2001 et *Le Marché du Travail*, mai 1990 et mai 1997.

Tableau 5.22
Employeurs, salariés et artisans visés par les décrets de convention collective, Québec, 1980-2000

Année	Employeurs	Salariés	Artisans	Décrets	Année	Employeurs	Salariés	Artisans	Décrets
	n					n			
1980	21 225	142 107	10 329	57					
1981	22 034	150 353	10 587	54	1991	16 246	138 247	6 678	33
1982	17 205	111 674	10 315	53	1992	16 137	131 432	6 522	32
1983	18 593	143 111	9 716	51	1993	16 140	128 178	6 658	31
1984	18 007	141 391	9 828	46	1994	15 441	126 178	4 422	29
1985	17 250	144 662	8 000	42	1995	15 521	125 548	4 616	29
1986	15 874	140 808	7 479	41	1996	13 428	120 420	4 313	29
1987	16 119	147 530	8 491	40	1997	11 479	109 663	3 881	27
1988	14 955	142 759	7 860	37	1998	11 518	112 678	3 714	27
1989	14 778	150 873	7 017	35	1999	11 527	113 766	3 451	27
1990	16 094	140 745	6 750	34	2000	10 184	93 717	3 028	20

Source : Ministère du Travail, Direction des décrets, Rapports annuels des Comités paritaires au 30 septembre.

6

Revenu et consommation

Liste des tableaux

Liste des figures

Ce chapitre a été réalisé grâce à l'effort conjugué de trois auteurs.

Les sections portant sur le revenu et la consommation ont été élaborées par Sylvie Jean, alors que celle sur la sécurité du revenu a été rédigée par Hervé Gauthier, tous deux de la Direction des statistiques sociodémographiques de l'Institut de la statistique du Québec. Enfin, la section sur le mode d'occupation du logement a été complétée par Manon Leclerc, de la Direction de l'édition et des communications de l'ISQ.

Le revenu permet de mesurer la quantité de biens et de services qu'un ménage peut se procurer et constitue de ce fait l'un des principaux indicateurs du niveau de vie d'une société. Ce chapitre, qui a pour objet d'apprécier le niveau de vie des Québécois, présente d'abord des données sur l'évolution et la répartition des revenus au Québec. Viennent ensuite une description du système de sécurité du revenu en vigueur et le détail de ses principales composantes. La troisième partie décrit le profil de consommation des ménages québécois et la dernière, le mode d'occupation du logement.

La première édition de l'*Annuaire statistique* en 1914 traite déjà du revenu et de la consommation, mais sous une forme bien différente d'aujourd'hui. Le chapitre sur les revenus donne le salaire et la durée du travail pour diverses professions dans différentes localités du Québec. Quant à la consommation, elle s'exprime par les prix de détail des denrées et des loyers dans les principales villes de la province, et par le montant total des dépenses pour une famille type, composée de cinq personnes et ayant un revenu annuel de 800 $.

Le revenu

Le revenu total

De 1988 à 1998, le revenu total moyen des unités familiales québécoises, en valeur nominale, s'accroît régulièrement en passant de 33 820 $ à 43 340 $ (tableau 6.1). En valeur réelle cependant, il enregistre des baisses et des hausses successives, la plus forte croissance étant constatée de 1988 à 1989 (+ 4,9 %) et la baisse la plus importante, de 1992 à 1993 (- 4,0 %). La crise économique du début des années 90 a eu de lourdes conséquences sur le pouvoir d'achat des unités familiales du Québec (tableau 6.2). En 1998, leur revenu moyen réel est légèrement supérieur à celui de 1988 (+ 1,3 %).

Ce revenu est nettement inférieur à celui des unités familiales ontariennes, et se situe même en deçà de la moyenne canadienne. En effet, le revenu moyen s'élève à 43 340 $ au Québec, à 56 794 $ en Ontario et à 49 797 $ au Canada. Le revenu réel de l'Ontario et celui du Canada ont moins souffert des crises économiques, si bien qu'en 1998, le revenu total des unités ontariennes est de 0,9 % supérieur au sommet atteint en 1989; celui du Canada est presque au même niveau (- 0,2 %) et celui du Québec a diminué de 3,4 %.

Le revenu selon la source et le revenu disponible

Les revenus de source privée, constitués des gains d'emploi, des intérêts sur les placements et des rentes privées, représentent 85,0 % du revenu total québécois en 1998, comparativement à 83,7 % en 1992. Cette hausse s'explique principalement par l'augmentation de 67,5 % en valeur réelle des revenus de retraite privés au cours de ces six années : 1 487 $ contre 2 491 $. Les revenus privés moyens, exprimés en dollars constants de 1998, passent de 35 381 $ en 1992 à 36 851 $ en 1998 (tableau 6.4), soit une hausse de 4,2 %.

Si les revenus privés augmentent, les revenus de transfert connaissent, pour leur part, une baisse de 5,6 % depuis 1992, et ils s'établissent à 6 489 $ en 1998. La part des transferts dans le revenu total chute donc, en passant de 16,3 % à 15,0 %.

Le revenu disponible est obtenu en soustrayant l'impôt sur le revenu du revenu total. En 1998, le revenu disponible des unités familiales québécoises est évalué à 33 900 $, par rapport à 34 167 $ (dollars constants de 1998) en 1992, ce qui correspond à une diminution d'un peu moins de 1 %. En effet, les unités familiales paient en moyenne plus d'impôt en 1998 qu'en 1992 : la part de l'impôt prélevé sur le revenu passe de 19,1 % à 21,8 % au cours de cette période.

Le revenu, selon la composition de l'unité familiale

Les couples avec ou sans enfants peuvent disposer d'un revenu plus élevé car, fréquemment, plus d'un membre de la famille travaille. Ainsi, le revenu total moyen des couples avec enfants s'élève à 63 895 $ en 1998 et celui des couples sans enfants, à 47 893 $ (tableau 6.3). À l'opposé, le revenu des familles monoparentales dont le chef est une femme et celui des personnes seules sont moins élevés, soit 28 094 $ et 23 083 $ respectivement.

Par rapport à 1992, le pouvoir d'achat des personnes seules est demeuré stable en 1998, alors que celui des familles a augmenté. Le revenu disponible réel de ce groupe est passé de 18 440 $ en 1992 à 18 366 $ en 1998 (tableau 6.5). Le revenu disponible des couples avec enfants augmente, quant à lui, de 2,5 % (47 726 $ contre 48 909 $), alors que celui des couples sans enfants et celui des familles monoparentales ont crû de 1,9 %, en passant de 36 737 $ à 37 430 $ dans le premier cas et de 23 453 $ à 23 896 $ dans le second.

L'incidence de l'âge, du sexe et de la scolarité du soutien principal de l'unité familiale sur le revenu

Le revenu total moyen des unités familiales dont le soutien économique principal est une femme est inférieur de plus de 30 % au revenu de celles dont le principal soutien est un homme (33 594 $ et 49 681 $), et il compte une part plus élevée de revenus de transfert (21,4 % pour les femmes, contre 12,7 % pour les hommes).

Les unités familiales dont le soutien unique ou principal est âgé de moins de 25 ans ou de 65 ans et plus ont les revenus totaux les plus faibles (tableau 6.6). À l'opposé, celles dont le soutien principal a entre 45 et 64 ans enregistrent les revenus les plus élevés : 58 574 $ s'il s'agit d'un homme et 39 816 $ dans le cas d'une femme. Le revenu privé suit également cette tendance, mais chute plus fortement lorsque le soutien principal est âgé de 65 ans et plus. En contrepartie, les revenus de transfert atteignent alors leur point culminant.

Le revenu total des unités familiales s'accroît avec la scolarité du soutien principal (tableau 6.7). Si ce dernier a une scolarité de niveau primaire, le revenu moyen s'élève à 32 909 $ dans le cas d'un homme et à 18 706 $ dans le cas d'une femme. Par contre, avec une scolarité de niveau postsecondaire ou universitaire, le revenu moyen se chiffre à 57 187 $ pour les hommes et à 42 423 $ pour les femmes. Le revenu privé s'accroît également avec la scolarité du soutien principal, tandis que les revenus de transfert varient inversement.

La répartition des unités familiales par tranche de revenu et par quintile

Au Québec en 1998, 28,6 % des unités familiales touchent un revenu inférieur à 20 000 $ et 42,3 %, un revenu égal ou supérieur à 40 000 $ (tableau 6.8). Les personnes seules se situent dans les strates inférieures de revenu et les familles, dans les plus élevées. En effet, 57,1 % des personnes seules, par opposition à seulement 12,2 % des familles, ont un revenu annuel de moins de 20 000 $ en 1998. Par ailleurs, 57,8 % des familles du Québec ont un revenu moyen évalué à 40 000 $ et plus, contre seulement 15,3 % des personnes seules.

En 1998, les unités familiales du quintile inférieur de revenu disponible, soit celles qui se situent au bas de l'échelle des revenus, ne reçoivent que 5,4 % du revenu total disponible. À l'opposé, celles du quintile supérieur en touchent 42,4 % (tableau 6.9). Les unités familiales du premier quintile de revenu disponible ne perçoivent que 1,6 % du revenu privé, mais bénéficient de 21,0 % des transferts.

Les unités familiales à faible revenu

En 1998, 13,7 % des unités familiales sont à faible revenu (tableau 6.10). La mesure de faible revenu est basée sur la demie du revenu familial médian après impôt ajusté, afin de tenir compte de la taille de la famille. Par exemple, cette année-là, le seuil de faible revenu est de 9 986 $ pour une personne seule, de 13 980 $ pour un couple sans enfants et de 19 971 $ pour un couple avec deux enfants de moins de 16 ans.

Certaines catégories sont plus touchées que d'autres. C'est le cas notamment des familles monoparentales et des personnes seules, avec des incidences de faible revenu de 27,1 % et de 23,2 % respectivement. C'est aussi le cas des unités familiales dont le soutien économique principal a moins de 25 ans (37,6 %), est peu scolarisé (19,3 %), travaille à temps partiel (29,3 %) ou ne travaille pas (27,8 %). Il y a aussi évidemment plus d'unités familiales à faible revenu parmi celles qui ne sont pas propriétaires de leur logement (22,8 %).

Le revenu des hommes et des femmes

Le revenu moyen d'emploi des femmes est évalué à 20 759 $ en 1998, soit 67,8 % du revenu des hommes (tableau 6.11). Les femmes qui travaillent à temps plein toute l'année gagnent 30 041 $ et leurs homologues masculins, 41 318 $, soit un ratio de 72,7 %. Par ailleurs, le salaire annuel moyen des travailleuses ayant un emploi une partie de l'année ou à temps partiel est estimé à 10 825 $, alors que celui des travailleurs masculins occupant le même type d'emploi atteint 14 742 $.

Au Québec, 37,4 % des femmes et 21,2 % des hommes ont un revenu total moyen inférieur à 10 000 $ en 1998 (tableau 6.12). Près des deux tiers des femmes (65,8 %) reçoivent moins de 20 000 $ annuellement, contre 43,1 % des hommes. Par ailleurs, à peine 19,1 % d'entre elles touchent un revenu supérieur à 30 000 $, comparativement à 40,1 % des hommes.

Le système de sécurité du revenu

Le système de sécurité du revenu comporte cinq grands volets :

- l'assistance sociale et les programmes complémentaires;
- l'aide à la participation au marché du travail;
- les compensations des charges familiales;
- les programmes pour personnes âgées;
- les programmes liés aux risques socioéconomiques.

Les programmes de la sécurité du revenu relèvent à la fois du gouvernement du Québec et du gouvernement fédéral. En général, l'administration et le financement d'un programme sont du ressort d'un seul gouvernement, mais il y a quelques exceptions. L'assistance-emploi (aide sociale) et le Fonds de développement du marché du travail, par exemple, sont administrés par le Québec tout en étant partiellement financés par les deux gouvernements. Nous avons utilisé comme sources de données les rapports des ministères et organismes, dans lesquels se retrouvent les budgets, les objectifs et les clientèles des programmes.

La plus grande partie de ces programmes prennent la forme de transferts monétaires, c'est-à-dire que les gouvernements versent de l'argent aux bénéficiaires. Dans quelques cas cependant, il s'agit de prestations de biens et services : l'assistance maladie ou encore les frais médicaux et les frais de réadaptation en matière d'accidents du travail et de maladies professionnelles, ainsi que l'assurance automobile (fournis en plus des indemnités de remplacement de revenu ou de décès). Par ailleurs, certains programmes se financent à même des cotisations (assurance-emploi, rentes du Régime de rentes, indemnisation des accidents du travail, assurance automobile), mais la plupart sont financés par les fonds généraux des gouvernements.

Durant les années 90, il y a eu de multiples changements dans les programmes reliés à la sécurité du revenu. Le crédit pour la taxe de vente provinciale et le crédit d'impôt du Québec pour les frais de garde ont été instaurés en 1991 et en 1994. Le gouvernement du Québec a mis en place l'assurance médicament en 1997, et a développé le réseau des centres de la petite enfance et les autres services de garde depuis 1997. Ces programmes ne sont pas considérés ici, car ils relèvent des services gouvernementaux plutôt que de la sécurité du revenu, mais ils ont pu contribuer à réduire les dépenses de certains programmes examinés ici (l'assistance maladie et l'aide pour enfant en service de garde).

Au cours de la dernière décennie, de nombreux programmes ont été abandonnés puis remplacés par des programmes plus ou moins équivalents.

Programmes abandonnés	Remplacés par
Crédit pour la taxe de vente fédérale	Crédit pour la taxe sur les produits et les services
Développement de l'employabilité	Fonds de développement du marché du travail
Logirente	Allocation au logement
Allocation familiale fédérale et crédit d'impôt fédéral pour enfant	Prestation fiscale pour enfant
Allocation familiale du Québec, allocation pour jeune enfant et allocation à la naissance	Allocation familiale liée au statut familial et au revenu

Plusieurs autres programmes ont été modifiés, parfois substantiellement : les programmes de soutien du revenu ont ainsi été transformés en 1998 pour favoriser l'emploi, ce qui justifie la nouvelle appellation d'assistance-emploi; l'aide juridique a introduit un volet contributoire en 1997; l'assurance-chômage a connu plusieurs changements de barèmes et de conditions tout en prenant un nouveau nom, l'assurance-emploi.

Montant total

Dans les années 90, l'évolution du montant total des transferts en matière de sécurité du revenu en dollars constants de 2000 se caractérise par un changement de tendance majeur (tableau 6.13). Il y a une hausse dans les premières années jusqu'à 1994 (de 23,3 à 26,6 milliards de dollars), suivie d'une légère baisse. Entre 1994 et 2000, les variations sont faibles et on observe une diminution presque chaque année, le total atteignant 24,4 milliards de dollars en 2000. Au terme de la période, le montant total demeure supérieur à celui du début, mais d'à peine 5,0 %. L'évolution de la décennie 1990 apparaît plutôt stable si on la compare à la croissance effrénée des décennies antérieures : 105 % dans les années 60, 126 % dans les années 70 et 55 % dans les années 80. Ces décennies ont connu la mise en place et le développement des grands programmes de sécurité du revenu : assistance sociale, assurance-chômage, sécurité de la vieillesse, régime de rentes, santé et sécurité au travail, assurance maladie.

En somme, la décennie 1990 aura connu un arrêt de la tendance à la hausse des programmes sociaux, le point d'inflexion se situant entre 1992 et 1996. Entre 1961 et 1994 (année du maximum), le montant des programmes de sécurité du revenu est passé de 3,5 à 26,6 milliards de dollars, soit une multiplication par 7,6. La baisse de 8,2 % depuis 1994 apparaît donc minime en regard de l'évolution à long terme.

Répartition entre les grands ensembles

En 2000, le secteur le plus important est celui des programmes destinés aux personnes âgées, avec 12,0 milliards de dollars (tableau 6.15 : en dollars constants de 2000). Les programmes des deux secteurs qui suivent totalisent moins de 5 milliards chacun : l'assistance sociale (4,5 milliards) et les programmes liés aux risques socioéconomiques (4,8 milliards). Les compensations des charges familiales viennent ensuite avec 2,7 milliards.

Dans les années 90, le secteur des programmes touchant les personnes âgées a connu la plus forte progression en valeur absolue, soit 3,1 milliards de dollars (34,7 %). Par contre, les programmes liés aux risques socioéconomiques ont décru de 7,7 à 4,8 milliards de dollars, ce qui représente une baisse de 2,9 milliards de dollars ou 38 %[1]. La répartition des programmes en fin de période est donc relativement différente de ce qu'elle était au début. Le premier secteur accapare maintenant 49,0 % du total, comparativement à 38,2 % il y a dix ans, pendant que le secteur de l'assistance sociale et celui de l'aide à la participation au marché du travail ont fait un gain de un point de pourcentage chacun. Les pertes ont été absorbées par les programmes liés aux risques socioéconomiques dont la part chute de 33,1 % à 19,7 %, en raison essentiellement de la baisse prononcée des dépenses d'assurance-emploi.

Nombre de bénéficiaires

Le nombre de bénéficiaires des divers programmes de sécurité du revenu évolue en fonction des caractéristiques des programmes, lesquelles sont déterminées par les lois et règlements en vigueur, mais aussi en raison des conditions économiques et des comportements des individus et des familles. Le nombre de prestataires de l'assistance-emploi est ainsi passé de 556 000 en mars 1990 à un sommet de 813 000 en 1996, à la suite de la récession du début de la décennie, pour ensuite descendre jusqu'à 619 000 (en 2000) (tableau 6.16). Très liée aux conditions économiques aussi, l'assurance-emploi a connu une

---

1. Certains volets du programme d'assurance-emploi ont cependant été transférés dans le Fonds de développement du marché du travail.

évolution différente, puisque le nombre maximum de prestataires est atteint tôt dans la foulée de la récession, en 1991 et 1992, avec 405 000 et 406 000 personnes (nombre mensuel moyen), pour diminuer régulièrement par la suite en raison des changements au programme et de l'amélioration des conditions économiques. En 2000, le nombre moyen de prestataires atteint le minimum de la période, soit 191 000.

Le Fonds de développement du marché du travail regroupe les programmes de la Société québécoise de développement de la main-d'œuvre et quelques programmes qui dépendaient antérieurement du ministère du Développement des ressources humaines du Canada. Son action touche beaucoup plus de personnes que les programmes antérieurs de développement de l'employabilité : 354 000 personnes ont bénéficié à un moment ou l'autre de transferts sous ce Fonds en 2000.

Les allocations familiales du Québec étant maintenant liées au revenu, le nombre d'enfants bénéficiaires a fortement chuté entre 1996 (1 650 000) et 1997 (1 199 000). Une baisse semblable s'était produite entre 1992 et 1993 lors de la transformation du programme fédéral d'allocation familiale (1 663 000) en prestation fiscale (1 401 000).

En 2000, le nombre de prestataires de la sécurité de la vieillesse et celui de la rente de retraite du Régime de rentes sont presque identiques, à près de 940 000 personnes. Les deux principaux programmes destinés aux personnes âgées connaissent une hausse tout au long des années 90, suivant en cela l'augmentation du nombre de personnes âgées. Cependant, le nombre de prestataires de rentes de retraite du Régime de rentes du Québec s'accroît de 376 000 (67 %), par rapport à 201 000 (27 %) pour celui de la sécurité de la vieillesse. Ce dernier programme est universel et couvre presque toute la population âgée, alors que les prestations de retraite du Régime de rentes sont accordées en fonction de la participation au marché du travail. Comme les femmes sont de plus en plus nombreuses à avoir participé au marché du travail, elles bénéficient de ce programme en proportion de plus en plus grande. La proportion de prestataires de la sécurité de la vieillesse qui reçoivent le supplément de revenu garanti est passée de 55,0 % en 1990 à 47,3 % en 2000, signe de l'amélioration des conditions de revenu des personnes de 65 ans et plus.

La consommation

Une analyse sommaire du profil de consommation des ménages québécois (tableau 6.19) montre qu'en 1999, ils allouent un peu plus des deux tiers (68,5 %) de leur budget aux dépenses de la vie quotidienne (44,1 % à l'alimentation et au logement, 18,2 % au transport, 6,2 % à l'habillement), et un peu moins du tiers à toutes les autres dépenses.

Entre 1992 et 1999, la structure de consommation des ménages québécois subit quelques modifications. Ainsi, la part du budget consacrée à l'alimentation chute légèrement : de 19,3 %, elle tombe à 18,9 %. L'habillement, l'ameublement, les soins personnels, le tabac et les boissons alcoolisées connaissent également un recul. En revanche, les autres postes gagnent en importance, notamment le logement, dont la part est portée de 23,3 % en 1992 à 25,5 % en 1999. Seule la part des imprimés (livres, journaux, etc.) demeure stable.

Par rapport aux Ontariens et même à l'ensemble des Canadiens, les Québécois consacrent en 1999 une plus large part de leur budget de consommation à l'alimentation, aux soins de santé, aux soins personnels, au poste « tabac et boissons alcoolisées », et aux imprimés. La dépense totale de ces postes compte pour 28,3 % de leur budget, contre 22,4 % pour les Ontariens et 24,5 % pour les Canadiens. Par contre, les Québécois dépensent relativement moins pour le logement, l'entretien ménager, l'ameublement, les loisirs et l'éducation, soit 43,5 % de leur budget. Ces mêmes dépenses comptent pour 49,6 % du budget des ménages ontariens et 47,3 % du budget des ménages canadiens.

Certains types de ménages ont un profil de consommation sensiblement différent de celui de l'ensemble des ménages québécois. Ainsi, les personnes seules affectent une plus large part de leur budget au logement et aux imprimés que tout autre type de ménage (tableau 6.17). En revanche, elles dépensent relativement moins en habillement, en transport et en loisirs.

Par ailleurs, les ménages dont le chef est âgé de 65 ans et plus dépensent davantage au titre de l'alimentation, du logement, des soins de santé et des imprimés que les ménages dont le chef est moins âgé. Toutefois, ils consacrent une moindre part de leur budget à l'habillement, aux loisirs, à l'éducation et au poste « tabac et boissons alcoolisées ».

Les ménages appartenant au premier quartile de revenu consacrent, de leur côté, une plus grande part de leur budget à l'alimentation, au logement, à l'entretien ménager et au poste « tabac et boissons alcoolisées » que ceux des quartiles supérieurs. Cependant, ils dépensent relativement moins pour l'ameublement, l'habillement, le transport et les loisirs.

L'indice des prix à la consommation

Au cours de la période 1992-1999, l'indice des prix à la consommation au Québec, calculé sur la base de 1992 (comme année de référence), a augmenté de 8,0 % (tableau 6.18). Le coût des imprimés a enregistré la plus forte hausse (+ 23,8 %), suivi des frais liés à l'éducation (+ 22,4 %), aux transports (+ 16,8 %), aux soins de santé (+ 14,8 %), à l'entretien ménager (+ 13,3 %) et à l'alimentation (+ 10,6 %). À l'opposé, le poste « tabac et boissons alcoolisées » a diminué (- 12,0 %). Les coûts associés à l'habillement, à l'ameublement et au logement ont connu les majorations les plus faibles.

Toujours entre 1992 et 1999, la hausse du coût de la vie a été moins importante au Québec qu'en Ontario et dans l'ensemble du pays. En effet, en 1999, l'indice des prix à la consommation calculé sur la base de 1992 (comme année de référence) est de 108,0 au Québec, de 111,0 en Ontario et de 110,5 au Canada.

Une analyse plus détaillée montre que depuis 1992, le coût de l'entretien ménager, des soins de santé et du logement a augmenté davantage au Québec qu'en Ontario ou que dans l'ensemble du Canada. En contrepartie, la progression du coût du transport, des loisirs et de l'habillement a été plus modérée.

Le mode d'occupation du logement

Dans l'ensemble du Québec, 2 951 485 logements occupés sont recensés en 1996 et de ce nombre, 129 455 sont des logements collectifs (4,4 %). On qualifie de logements collectifs les établissements commerciaux, institutionnels ou communautaires. La grande majorité des personnes vivant dans ce type de logement demeurent dans des centres de soins spéciaux pour personnes âgées et personnes souffrant de maladies chroniques (69 640), suivis des hôpitaux généraux, psychiatriques et établissements pour handicapés physiques (18 885). Les établissements religieux occupent également une place importante puisque 16 750 personnes, en majorité de sexe féminin (77,0 %), habitent ce type de logement collectif institutionnel. Par ailleurs, il s'avère que le nombre de femmes vivant dans des ménages collectifs est supérieur à celui des hommes (78 200 en regard de 51 260), du fait que la femme (81,32 ans) a une espérance de vie plus élevée de six ans que celle de l'homme (75,26 ans).

En 1996, 2 822 000 logements privés occupés sont recensés au Québec, en hausse de 7,1 % par rapport à 1991. Plus de la moitié (56,5 %) des ménages québécois qui y vivent sont propriétaires (tableau 6.20). Bien que le nombre de propriétaires-occupants ait connu une augmentation de 8,9 % au Québec entre 1991 et 1996, leur proportion demeure beaucoup moins élevée (56,5 %) qu'en Ontario (64,3 %) ou dans l'ensemble du Canada (63,6 %).

En 1996, la valeur de 48,0 % des logements du Québec se situe entre 80 000 $ et 149 999 $, alors que seulement 6,9 % des propriétés sont évaluées à 200 000 $ et plus. En Ontario, ces dernières atteignent une proportion quatre fois plus grande (29,7 %) (tableau 6.14). Dans l'ensemble du Canada, un peu plus de 25 % des propriétés sont estimées entre 100 000 $ et 149 999 $ et 20,9 %, à 200 000 $ et plus. Il existe également une différence considérable entre la valeur moyenne des logements du Québec et celle des logements de l'Ontario et du Canada : au Québec, elle se chiffre à 103 179 $, comparativement à 177 410 $ en Ontario et à 147 877 $ dans l'ensemble du pays.

Les ménages locataires

En 1996, 43,4 % des ménages québécois sont locataires de leur logement, soit 1 % de moins qu'en 1991 (44,4 %). La très forte majorité de ces ménages (82,0 %) habitent une maison jumelée, une maison en rangée, un duplex, un immeuble de moins de cinq étages ou une maison individuelle attenante. De 1991 à 1996, seule la catégorie regroupant tous les types d'habitation précédemment énumérés a connu une très légère augmentation (+ 0,2 point de pourcentage); la proportion des autres types d'habitation est restée relativement semblable.

Au Québec, c'est la région de Montréal qui affiche la plus forte proportion de logements loués (65,7 %); elle est suivie de loin par le Nord-du-Québec (51,1 %) et la Capitale-Nationale (45,0 %), les deux seules autres régions dont le taux de ménages locataires est supérieur à la moyenne québécoise (43,5 %) (tableau 6.21).

Les ménages propriétaires

La maison unifamiliale (ou individuelle non attenante) est le type d'habitation le plus recherché par les ménages propriétaires québécois, même si sa part a légèrement diminué de 1991 à 1996 (73,9 % et 73,7 % respectivement). Par ailleurs, seules les proportions de ménages propriétaires d'un appartement dans un immeuble de cinq étages et plus ou ayant un autre type de logement ont légèrement augmenté durant cette période.

Dans l'ensemble du Québec, les régions de Gaspésie–Îles-de-la-Madeleine (75,1 %), de Lanaudière (74,5 %) et de Chaudière-Appalaches (72,2 %) présentent les plus fortes proportions de ménages propriétaires.

Références

JEAN, Sylvie. « La consommation », dans *Portrait social du Québec : données et analyses*, Québec, Institut de la statistique du Québec, 2001, chapitre 16, p. 361-378.
JEAN, Sylvie. « Le revenu », dans *Portrait social du Québec : données et analyses*, Québec, Institut de la statistique du Québec, 2001, chapitre 13, p. 291-316.

Définitions

Famille

Constituée d'un groupe de deux personnes ou plus qui partagent un même logement et qui sont apparentées par le sang, par alliance ou par adoption, ou qui vivent en union libre.

Gains d'emploi

Somme des montants déclarés au titre des salaires et traitements, de la solde et des indemnités militaires, et du revenu net total d'un emploi autonome.

Logement privé

Ensemble distinct de pièces d'habitation ayant une entrée privée donnant sur l'extérieur ou sur un corridor, un hall, un vestibule ou un escalier commun à l'intérieur, occupé de façon permanente par une personne ou un groupe de personnes autres que des résidents étrangers.

Ménage

Personne ou groupe de personnes occupant un même logement.

Mesure de faible revenu

Mesure basée sur la demie du revenu familial médian après impôt ajusté pour tenir compte de la taille de la famille. Selon l'échelle d'équivalence utilisée, le premier adulte a un poids de 1, les autres adultes, un poids de 0,4 et les enfants de moins de 16 ans, un poids de 0,3, à l'exception du premier enfant d'une famille monoparentale, qui a un poids de 0,4.

Personne seule

Personne vivant seule ou avec d'autres personnes avec lesquelles elle n'a aucun lien de parenté.

Quintile et quartile de revenu

Partage des unités de la population, ordonnées par ordre croissant de revenu, en cinq ou quatre parties égales.

Revenu disponible

Correspond au revenu total duquel on soustrait l'impôt sur le revenu.

Revenu médian

Valeur qui sépare les unités de la population en deux groupes égaux et selon laquelle la moitié des unités de la population a des revenus supérieurs à la valeur médiane et l'autre moitié, des revenus inférieurs.

Revenu total

Inclut les gains d'emploi, les revenus totaux de placement, les pensions de retraite et rentes privées, le total des transferts gouvernementaux et les autres revenus.

Soutien économique principal

Représente la personne dont le revenu avant impôt est le plus élevé dans la famille.

Unité familiale

Famille ou personne seule.

Valeur du logement

Montant en dollars que s'attendrait à recevoir le propriétaire s'il vendait son logement.

Tableau 6.1
Évolution du revenu total moyen des unités familiales, Québec, Ontario et Canada, 1988-1998

	1988	1989	1990	1991	1992	1993	1994	1995	1996	1997	1998
						$					
Dollars courants											
Québec	33 820	36 982	37 756	39 435	39 714	38 675	39 813	40 053	40 784	41 604	43 340
Ontario	43 364	46 609	47 092	47 709	48 562	47 927	49 323	50 573	51 993	53 969	56 794
Canada	37 816	40 905	42 196	43 071	43 833	43 510	44 382	45 332	46 296	47 681	49 797
Dollars constants de 1998											
Québec	42 788	44 867	43 904	42 728	42 255	40 582	42 361	41 863	41 967	42 199	43 340
Ontario	55 361	56 271	54 210	52 480	52 884	51 269	52 763	52 803	53 466	54 470	56 794
Canada	48 429	49 913	49 116	47 487	47 603	46 416	47 254	47 246	47 476	48 124	49 797

Source : Statistique Canada, *Tendances du revenu au Canada 1980 à 1998*, cédérom.

Compilation : Institut de la statistique du Québec.

Tableau 6.2
Revenu total moyen des ménages, par région administrative, Québec, 1990 et 1995

Région administrative	1990	1995
	$[1]	
01 Bas-Saint-Laurent	38 658	36 692
02 Saguenay–Lac-Saint-Jean	44 168	40 229
03 Capitale-nationale	45 505	42 564
04 Mauricie	39 267	36 538
05 Estrie	39 560	37 742
06 Montréal	44 634	40 847
07 Outaouais	50 041	46 183
08 Abitibi-Témiscamingue	44 014	41 542
09 Côte-Nord	48 281	47 116
10 Nord-du-Québec	51 883	51 271
11 Gaspésie–Îles-de-la-Madeleine	38 797	37 172
12 Chaudière-Appalaches	42 190	40 058
13 Laval	52 786	47 869
14 Lanaudière	46 919	43 235
15 Laurentides	46 211	42 961
16 Montérégie	49 683	46 473
17 Centre-du-Québec	39 266	36 855
Le Québec	**45 422**	**42 229**

1. Dollars constants de 1995.

Source : Statistique Canada, Recensements du Canada.

Tableau 6.3
Revenu total moyen selon le type d'unité familiale, Québec, 1992-1998

Type d'unité familiale	1992	1993	1994	1995	1996	1997	1998
				$			
Dollars courants							
Couple sans enfants	43 040	41 838	43 634	44 093	45 558	46 977	47 893
Couple avec enfants	56 355	54 287	55 790	57 504	58 999	60 696	63 895
Famille monoparentale	25 727	24 325	24 009	27 578	27 567	26 338	28 094
Autre famille	50 762	52 017	55 829	55 302	54 931	57 147	62 339
Personne seule	21 176	20 695	21 067	21 112	22 772	22 643	23 083
Dollars constants de 1998							
Couple sans enfants	45 795	43 901	46 427	46 085	46 880	47 649	47 893
Couple avec enfants	59 961	56 964	59 361	60 102	60 711	61 564	63 895
Famille monoparentale	27 373	25 525	25 546	28 825	28 367	26 715	28 094
Autre famille	54 011	54 582	59 402	57 801	56 524	57 964	62 339
Personne seule	22 531	21 715	22 415	22 066	23 433	22 966	23 083

Source : Statistique Canada, *Tendances du revenu au Canada 1980 à 1998*, cédérom.

Compilation : Institut de la statistique du Québec.

Tableau 6.4
Revenu moyen des unités familiales selon la source de revenu, Québec, 1992-1998

Source de revenu	1992	1993	1994	1995	1996	1997	1998
				$			
Dollars courants							
Revenu total	**39 714**	**38 675**	**39 813**	**40 053**	**40 784**	**41 604**	**43 340**
Revenu privé	33 253	32 132	33 260	33 679	34 286	35 170	36 851
Gains d'emploi	29 728	28 680	29 771	30 105	29 579	30 389	31 730
Revenu de placement	1 620	1 404	1 346	1 401	1 838	1 521	1 679
Revenu de retraite	1 398	1 506	1 562	1 611	1 966	2 256	2 491
Autre revenu	507	543	581	562	903	1 005	950
Transferts	6 460	6 542	6 554	6 374	6 498	6 433	6 489
Revenu disponible	32 111	31 092	31 656	31 904	32 535	33 113	33 900
Dollars constants de 1998							
Revenu total	**42 255**	**40 582**	**42 361**	**41 863**	**41 967**	**42 199**	**43 340**
Revenu privé	35 381	33 716	35 389	35 201	35 281	35 673	36 851
Gains d'emploi	31 630	30 094	31 676	31 466	30 437	30 824	31 730
Revenu de placement	1 724	1 473	1 432	1 464	1 891	1 542	1 679
Revenu de retraite	1 487	1 580	1 662	1 683	2 023	2 288	2 491
Autre revenu	540	570	618	587	930	1 020	950
Transferts	6 874	6 865	6 973	6 662	6 687	6 525	6 489
Revenu disponible	34 167	32 625	33 682	33 345	33 478	33 587	33 900

Source : Statistique Canada, *Tendances du revenu au Canada 1980 à 1998*, cédérom.

Compilation : Institut de la statistique du Québec.

Tableau 6.5
Revenu disponible moyen selon le type d'unité familiale, Québec, 1992-1998

Type d'unité familiale	1992	1993	1994	1995	1996	1997	1998
				$			
Dollars courants							
Couple sans enfants	34 527	33 558	34 565	34 953	36 286	37 338	37 430
Couple avec enfants	44 855	42 820	43 796	44 969	46 062	46 720	48 909
Famille monoparentale	22 042	21 115	20 949	23 528	23 811	22 940	23 896
Autre famille	41 789	42 247	44 325	44 540	44 357	46 327	48 966
Personne seule	17 331	16 895	16 991	17 074	18 402	18 470	18 366
Dollars constants de 1998							
Couple sans enfants	36 737	35 212	36 777	36 533	37 338	37 872	37 430
Couple avec enfants	47 726	44 931	46 599	47 001	47 398	47 388	48 909
Famille monoparentale	23 453	22 156	22 290	24 591	24 502	23 268	23 896
Autre famille	44 464	44 330	47 162	46 552	45 644	46 989	48 966
Personne seule	18 440	17 729	18 078	17 846	18 936	18 734	18 366

Source :   Statistique Canada, *Tendances du revenu au Canada 1980 à 1998*, cédérom.

Compilation : Institut de la statistique du Québec.

Tableau 6.6
Revenu moyen des unités familiales selon le type de revenu, le sexe et l'âge du principal soutien, Québec, 1998

Sexe et type de revenu	Moins de 25 ans	25-44 ans	45-64 ans	65 ans et plus	Tous les âges réunis
			$		
Hommes	**23 839**	**50 805**	**58 574**	**34 336**	**49 681**
Revenu privé	20 637	46 378	53 923	17 908	43 357
Transferts	3 201	4 427	4 651	16 427	6 325
Femmes	**17 219**	**38 931**	**39 816**	**20 719**	**33 594**
Revenu privé	13 427	33 521	33 997	7 621	26 398
Transferts	3 792	5 410	5 819	13 097	7 196

Source :   Statistique Canada, Enquête sur la dynamique du travail et du revenu.

Compilation : Institut de la statistique du Québec.

Tableau 6.7
Revenu moyen des unités familiales selon le type de revenu, le sexe et le plus haut niveau de scolarité atteint par le principal soutien, Québec, 1998

Sexe et type de revenu	Primaire	Secondaire	Postsecondaire ou universitaire	Tous les niveaux de scolarité
			$	
Hommes	**32 909**	**45 168**	**57 187**	**49 681**
Revenu privé	20 773	38 915	52 692	43 357
Transferts	12 136	6 253	4 495	6 325
Femmes	**18 706**	**29 256**	**42 423**	**33 594**
Revenu privé	7 512	22 131	37 028	26 398
Transferts	11 194	7 124	5 395	7 196

Source :   Statistique Canada, Enquête sur la dynamique du travail et du revenu.

Compilation : Institut de la statistique du Québec.

Figure 6.1
Revenu total et revenu disponible des familles économiques et des personnnes seules, Québec, 1980-1998

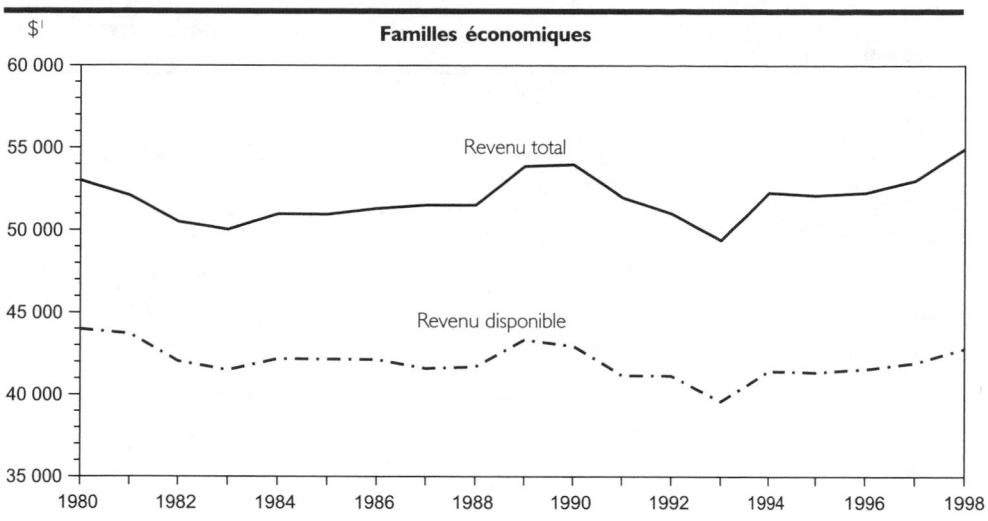

Familles économiques

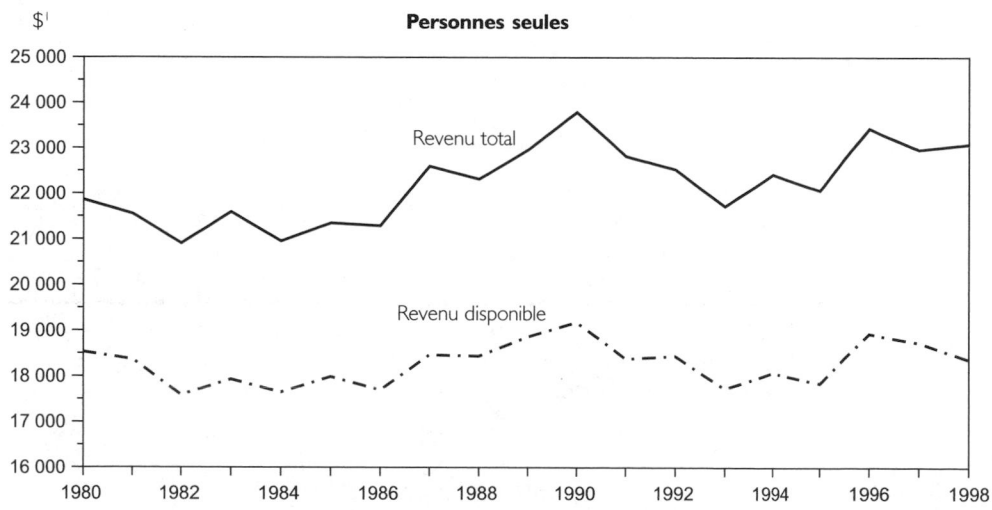

Personnes seules

1. En dollars constants de 1998.

Source :   Statistique Canada, *Tendances du revenu au Canada 1980 à 1998*, cédérom.

Compilation : Institut de la statistique du Québec.

Tableau 6.8
Répartition des familles et des personnes seules selon la tranche de revenu, le revenu moyen et le revenu médian, Québec, 1992-1998

Type d'unité familiale et tranche de revenu	Unité	1992	1993	1994	1995	1996	1997	1998
Famille								
Moins de 10 000 $	%	1,8	1,7	1,7	1,6	2,0	1,9	1,8
10 000-19 999 $	%	10,3	12,0	11,2	11,3	12,3	12,3	10,4
20 000-29 999 $	%	15,3	14,5	14,6	15,8	15,5	15,8	16,0
30 000-39 999 $	%	14,0	15,6	14,4	14,3	12,7	13,8	14,1
40 000-49 999 $	%	13,1	13,1	13,3	13,6	13,2	11,8	11,7
50 000-59 999 $	%	11,8	11,5	11,8	11,4	11,5	11,3	11,1
60 000 $ et plus	%	33,7	31,5	33,0	32,0	32,7	33,0	35,0
Revenu moyen	$[1]	51 017	49 395	52 274	52 104	52 262	53 000	54 930
Revenu médian	$[1]	45 566	43 767	45 899	44 978	45 231	45 759	46 687
Personne seule								
Moins de 10 000 $	%	21,8	21,8	23,5	22,9	23,4	23,0	22,6
10 000-19 999 $	%	36,4	36,5	36,3	34,1	33,4	34,0	34,5
20 000-29 999 $	%	16,1	15,4	14,6	18,5	14,6	16,2	16,1
30 000-39 999 $	%	10,7	12,8	10,4	11,8	11,7	11,9	11,4
40 000-49 999 $	%	7,3	7,6	7,6	6,4	8,3	6,5	7,4
50 000-59 999 $	%	4,1	2,5	4,9	2,9	4,6	4,4	3,9
60 000 $ et plus	%	3,6	3,3	2,8	3,4	4,0	4,0	4,0
Revenu moyen	$[1]	22 531	21 715	22 415	22 066	23 433	22 966	23 083
Revenu médian	$[1]	16 063	16 058	16 283	16 252	16 848	17 012	16 657
Ensemble des unités familiales								
Moins de 10 000 $	%	7,9	8,1	9,0	8,9	9,6	9,5	9,4
10 000-19 999 $	%	18,4	19,8	19,6	19,0	19,9	20,1	19,2
20 000-29 999 $	%	15,6	14,8	14,6	16,7	15,2	16,0	16,0
30 000-39 999 $	%	13,0	14,7	13,1	13,5	12,4	13,1	13,1
40 000-49 999 $	%	11,3	11,4	11,4	11,2	11,5	9,9	10,1
50 000-59 999 $	%	9,4	8,6	9,5	8,5	9,1	8,8	8,5
60 000 $ et plus	%	24,4	22,6	23,0	22,2	22,5	22,6	23,7
Revenu moyen	$[1]	42 255	40 582	42 361	41 863	41 967	42 199	43 340
Revenu médian	$[1]	35 445	33 683	35 137	34 029	34 053	33 305	34 048

1. En dollars constants de 1998.

Source : Statistique Canada, *Tendances du revenu au Canada 1980 à 1998*, cédérom.

Compilation : Institut de la statistique du Québec.

Tableau 6.9

Répartition du revenu des unités familiales par quintile[1] de revenu disponible, selon différents concepts de revenu, Québec, 1992-1998

Concept de revenu et quintile	1992	1993	1994	1995	1996	1997	1998
				%			
Revenu disponible							
Quintile inférieur	5,9	6,0	5,9	5,9	5,6	5,1	5,4
Deuxième quintile	11,8	11,8	11,5	11,4	11,3	11,2	11,1
Troisième quintile	17,8	17,7	17,7	17,3	17,3	16,8	16,8
Quatrième quintile	25,0	24,8	24,8	24,7	24,6	24,5	24,3
Quintile supérieur	39,5	39,7	40,2	40,7	41,1	42,3	42,4
Revenu total							
Quintile inférieur	4,9	5,0	4,8	4,8	4,7	4,7	4,5
Deuxième quintile	10,5	10,5	10,1	10,2	9,9	9,8	9,7
Troisième quintile	17,0	17,0	16,8	16,3	16,5	15,9	15,9
Quatrième quintile	25,2	24,9	24,7	24,6	24,7	24,6	24,4
Quintile supérieur	42,3	42,6	43,5	44,0	44,2	45,0	45,6
Revenu privé							
Quintile inférieur	1,8	2,0	1,9	1,9	1,7	1,8	1,6
Deuxième quintile	7,4	7,2	6,7	7,1	6,8	6,8	6,9
Troisième quintile	16,2	16,2	15,9	15,4	15,6	14,7	14,7
Quatrième quintile	26,8	26,3	26,1	25,7	26,1	25,9	25,4
Quintile supérieur	47,8	48,3	49,4	49,8	49,8	50,7	51,5
Transferts							
Quintile inférieur	21,1	20,1	19,6	19,9	20,0	20,1	21,0
Deuxième quintile	26,7	26,8	27,5	26,3	26,4	26,2	25,9
Troisième quintile	21,2	20,9	21,4	21,2	21,4	22,5	22,6
Quatrième quintile	17,1	18,0	17,7	18,8	17,7	17,6	18,7
Quintile supérieur	13,9	14,1	13,8	13,8	14,5	13,6	11,9

1. Partage des unités familiales, ordonnées en ordre croissant de revenu disponible, en cinq parties égales.

Source : Statistique Canada, *Tendances du revenu au Canada 1980 à 1998*, cédérom; *Le revenu au Canada 1998* (75-202).
Compilation : Institut de la statistique du Québec.

Figure 6.2

Taux de faible revenu des unités familiales[1], Québec, 1988-1998

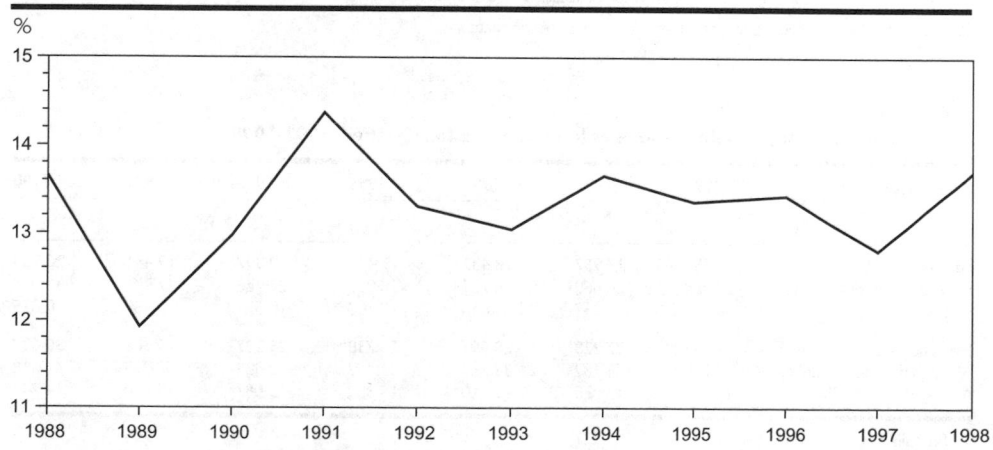

1. Basé sur la mesure de faible revenu après impôt (MFR).

Source : Statistique Canada, Enquête sur les finances des consommateurs (1988 à 1997); Enquête sur la dynamique du travail et du revenu (1998).

Compilation : Institut de la statistique du Québec.

Tableau 6.10
Proportion de familles[1] et de personnes seules à faible revenu[2] selon certaines caractéristiques, Québec, 1998

Caractéristiques	Total	À faible revenu	
	n	n	%
Structure de l'unité familiale			
Personne seule	1 170 218	271 972	23,2
Couple sans enfants	713 456	40 638	5,7
Couple avec enfants	844 682	51 716	6,1
Monoparentale	226 615	61 416	27,1
Autre	266 171	16 343	6,1
Âge			
Moins de 25 ans	173 594	65 235	37,6
25-44 ans	1 378 177	173 983	12,6
45-64 ans	1 076 098	185 870	17,3
65 ans et plus	593 273	16 997	2,9
Scolarité			
Primaire	649 770	125 211	19,3
Secondaire	819 078	125 798	15,4
Postsecondaire et universitaire	1 752 295	191 075	10,9
Participation au marché du travail			
Travail à temps plein	1 921 513	82 443	4,3
Travail à temps partiel	197 334	57 750	29,3
Ne sait pas[3]	25 643	x	x
N'a pas travaillé	1 076 653	299 734	27,8
Mode d'occupation du logement			
Propriétaire	1 772 866	106 355	6,0
Locataire	1 412 800	322 773	22,8
Autre[3]	35 477	x	x
Toutes les unités familiales	**3 221 143**	**442 085**	**13,7**

1. Dans le cas des familles, l'âge, la scolarité et la participation au marché du travail sont ceux du soutien économique principal.
2. Estimation fondée sur la mesure de faible revenu (MFR) après impôt.
3. Estimation dont la fiabilité est incertaine en raison de la taille insuffisante de l'échantillon.

Source : Statistique Canada, Enquête sur les finances des consommateurs.

Compilation : Institut de la statistique du Québec.

Tableau 6.11
Revenu d'emploi moyen selon le sexe et le type d'emploi, Québec, 1992-1998

Sexe et type d'emploi	1992	1993	1994	1995	1996	1997	1998
				$[1]			
Femmes	18 458	17 957	18 432	19 439	19 397	19 441	20 759
À temps plein toute l'année	27 565	26 669	26 729	28 037	27 726	27 771	30 041
Autres	8 817	8 597	9 630	10 300	10 525	10 462	10 825
Hommes	27 855	27 228	28 991	28 738	29 237	29 908	30 627
À temps plein toute l'année	37 295	36 132	38 167	37 477	38 434	40 373	41 318
Autres	12 025	12 228	11 910	13 309	13 081	13 058	14 742

1. En dollars constants de 1998.

Source : Statistique Canada, *Tendances du revenu au Canada 1980 à 1998*, cédérom.

Compilation : Institut de la statistique du Québec.

Tableau 6.12
Répartition des particuliers selon le sexe et la tranche de revenu total, Québec, 1998

Tranche de revenu	Femmes	Hommes
	%	
Moins de 10 000 $	37,4	21,2
10 000-19 999 $	28,3	21,9
20 000-29 999 $	15,1	16,8
30 000-39 999 $	10,3	13,6
40 000-49 999 $	4,7	10,4
50 000 $ et plus	4,1	16,1

Source : Statistique Canada, Enquête sur la dynamique du travail et du revenu.
Compilation : Institut de la statistique du Québec.

Tableau 6.13
Évolution des transferts en matière de sécurité du revenu, Québec, 1961-2000

Année	Dollars courants	Dollars constants de 2000
	'000 000 $	
1961	614	3 474
1966	764	3 936
1971	1 597	7 131
1976	4 410	13 361
1981	8 444	16 102
1986	14 363	20 445
1990	19 242	23 259
1991	22 150	24 946
1992	23 476	25 964
1993	24 260	26 461
1994	24 066	26 617
1995	24 303	26 404
1996	24 122	25 802
1997	23 947	25 248
1998	24 624	25 596
1999	24 477	25 067
2000	24 431	24 431

Source : Institut de la statistique du Québec, compilation spéciale à partir de rapports des ministères et organismes, et de données non publiées.

Tableau 6.14
Logements privés occupés par leur propriétaire, selon la valeur du logement, Québec, Ontario et Canada, 1996

Valeur du logement	Québec		Ontario		Canada	
	n	%	n	%	n	%
Moins de 20 000 $	32 455	2,1	42 540	1,7	177 520	2,7
20 000 à 34 999 $	53 110	3,4	19 585	0,8	198 020	3,0
35 000 à 49 999 $	92 685	5,9	19 855	0,8	257 330	3,9
50 000 à 64 999 $	168 600	10,7	44 195	1,8	415 035	6,2
65 000 à 79 999 $	222 235	14,2	80 390	3,2	527 555	7,9
80 000 à 99 999 $	344 255	21,9	211 140	8,5	899 330	13,5
100 000 à 149 999 $	410 245	26,1	702 220	28,4	1 705 030	25,5
150 000 à 199 999 $	142 550	9,1	619 405	25,0	1 098 955	16,5
200 000 $ et plus	103 590	6,6	735 425	29,7	1 397 335	20,9
Total	**1 569 725**	**100,0**	**2 474 755**	**100,0**	**6 676 125**	**100,0**
Valeur moyenne ($)	103 179	...	177 410	...	147 877	...

Source : Statistique Canada, Recensement de 1996.

Tableau 6.15
Évolution des transferts en matière de sécurité du revenu, en dollars constants de 2000, Québec, 1990-2000

Programmes	1990	1992	1994	1996	1998	2000
	'000 000 $					
Assistance sociale et programmes complémentaires	**4 080**	**5 530**	**6 064**	**5 594**	**4 861**	**4 511**
Assistance-emploi[2]	2 870	3 528	3 936	3 725	2 967	2 663
Régime de prêts et bourses aux étudiants[2]	348	416	432	374	289	214
Aide juridique[2]	109	128	133	122	126	103
Assistance maladie[2]	214	283	334	167	62	53
Allocations versées aux chasseurs et aux piégeurs cris[2]	12	16	16	15	17	16
Supplément au loyer (SHQ)[1]	28	29	36	35	34	34
Allocations au logement (familles)[2]	...	...	...	...	48	39
Remboursement d'impôts fonciers[1]	155	232	186	194	194	233
Crédit pour la taxe de vente du Québec[1]	1	155	205	214	381	441
Crédit pour la taxe de vente fédérale[1]	344	...	...	...	...	...
Crédit pour la taxe sur les produits et les services[1]	...	743	788	749	743	715
Aide à la participation au marché du travail	**172**	**218**	**301**	**478**	**679**	**453**
APPORT[1]	25	31	41	70	57	30
Aide pour enfant en service de garde[2]	71	68	96	109	54	6
Crédit d'impôt du Québec pour frais de garde[1]	...	...	17	211	208	189
Développement de l'employabilité[2]	76	119	148	89	...	...
Fonds de développement du marché du travail[2]	...	...	...	...	360	227
Compensation des charges familiales	**2 424**	**2 242**	**2 534**	**2 426**	**2 780**	**2 675**
Allocations familiales fédérales[2]	803	586	...	...	...	...
Crédit d'impôt fédéral pour enfant[1]	673	518	...	...	...	...
Prestations fiscales pour enfant[1]	...	...	1 412	1 363	1 435	1 553
Assurance-emploi : maternité et parentales	219	366	332	298	269	281
Allocations familiales du Québec[1]	273	281	286	276	809	632
Allocations pour enfant handicapé[1]	40	51	50	39	36	37
Allocations à la naissance[1]	165	196	206	203	124	53
Allocations pour jeune enfant[1]	135	140	150	145	...	...
Allocations de maternité[2]	22	16	9	8	8	7
Retrait préventif de la travailleuse enceinte[1]	95	88	89	94	99	111
Programmes pour personnes âgées	**8 891**	**9 432**	**10 432**	**11 007**	**11 543**	**11 979**
Sécurité de la vieillesse[2]	3 763	3 925	4 236	4 429	4 588	4 784
Supplément de revenu garanti[2]	1 509	1 468	1 584	1 562	1 582	1 593
Allocations au conjoint[2]	182	162	158	138	129	125
Rentes de retraite – RRQ[1]	2 452	2 816	3 258	3 615	3 919	4 121
Prestations de survivants – RRQ[1]	951	1 027	1 154	1 217	1 267	1 294
Logirente[2]	34	35	41	47	...	...
Allocations au logement (personnes âgées)[2]	...	...	...	...	59	62
Programmes liés aux risques socioéconomiques	**7 693**	**8 542**	**7 287**	**6 297**	**5 733**	**4 814**
Pensions d'invalidité aux anciens combattants[2]	139	141	143	140	138	135
Allocations de guerre aux anciens combattants[2]	57	39	31	8	5	4
Assurance-emploi : régulières et autres[3]	5 303	6 097	4 841	3 886	3 318	2 326
Indemnisation des accidents du travail et des maladies professionnelles[1,4]	1 391	1 421	1 309	1 262	1 203	1 261
Prestations d'invalidité – RRQ[1]	416	414	447	469	488	502
Indemnisation des victimes d'actes criminels[1]	29	34	36	35	33	37
Assurance automobile[4]	358	397	480	498	548	548
Total	**23 259**	**25 964**	**26 617**	**25 802**	**25 596**	**24 431**

1. Année civile.
2. Année financière.
3. Allocations régulières sauf celles liées à la famille et, à partir de 1996, sans prestations d'emploi et mesures de soutien.
4. Nombre de nouveaux cas dans l'année.

Source : Institut de la statistique du Québec, compilation spéciale à partir de rapports des ministères et organismes, et de données non publiées.

Tableau 6.16
Évolution du nombre de bénéficiaires en matière de sécurité du revenu, Québec, 1990-2000

Programmes	1990	1992	1994	1996	1998	2000
			'000			
Assistance sociale et programmes complémentaires						
Assistance-emploi[2]	556	675	787	813	726	619
Régime de prêts et bourses aux étudiants[2]	115	148	163	167	150	128
Aide juridique[2]	264	301	302	241	217	212
Assistance maladie[2]	..	..	..	..	..	..
Allocations versées aux chasseurs et aux piégeurs cris[2]	1	1	1	1	1	1
Supplément au loyer (SHQ)[1]	11	12	12	13	13	12
Allocations au logement (familles)[2]	...	...	...	...	87	66
Remboursement d'impôts fonciers[1]	777	1 029	694	732	1 028	1 019
Crédit pour la taxe de vente du Québec[1]	268	1 365	1 207	1 238	..	..
Crédit pour la taxe de vente fédérale[1]	1 708	...	...	...	..	...
Crédit pour la taxe sur les produits et les services[1]	...	2 202	2 225	2 224	2 229	2 192
Aide à la participation au marché du travail						
APPORT[1]	16	20	27	31	20	16
Aide pour enfant en service de garde[2]	32	34	39	..	..	..
Crédit d'impôt du Québec pour frais de garde[1]	...	...	213	258	319	358
Développement de l'employabilité[2]	78	122	109	83	...	...
Fonds de développement du marché du travail[2]	...	...	...	...	246	354
Compensation des charges familiales						
Allocations familiales fédérales[2]	1 626	1 663	...	...	...	...
Crédit d'impôt fédéral pour enfant[1]	1 153	1 223	...	...	...	...
Prestations fiscales pour enfant[1]	...	...	1 385	1 377	1 326	1 281
Assurance-emploi : maternité et parentales	15	24	22	20	18	19
Allocations familiales du Québec[1]	1 642	1 668	1 670	1 650	1 179	1 036
Allocations pour enfant handicapé[1]	27	33	29	25	24	25
Allocations à la naissance[1]	176	200	200	194	99	40
Allocations pour jeune enfant[1]	530	553	565	546	...	...
Allocations de maternité[2]	51	40	23	21	18	20
Retrait préventif de la travailleuse enceinte[1]	19	19	18	19	20	22
Programmes pour personnes âgées						
Sécurité de la vieillesse[2]	741	785	826	868	903	942
Supplément de revenu garanti[2]	407	408	426	432	..	446
Allocations au conjoint[2]	41	38	38	35	33	33
Rentes de retraite – RRQ[1]	562	634	705	804	871	938
Prestations de survivants – RRQ[1]	246	267	287	303	317	329
Logirente[2]	42	47	55	59	...	...
Allocations au logement (personnes âgées)[2]	...	...	...	...	68	83
Programmes liés aux risques socioéconomiques						
Pensions d'invalidité aux anciens combattants[2]	19	19	19	18	18	18
Allocations de guerre aux anciens combattants[2]	8	7	5	3	2	2
Assurance-emploi[2] : régulières et autres[3]	374	406	319	266	219	191
Indemnisation des accidents du travail et des maladies professionnelles[1,4]	209	151	137	123	138	144
Prestations d'invalidité - RRQ[1]	53	52	53	56	58	62
Indemnisation des victimes d'actes criminels[1]	2	2	2	2	2	3
Assurance automobile[4]	35	30	27	27	28	32

1. Année civile.
2. Année financière.
3. Allocations régulières sauf celles liées à la famille et, à partir de 1996, sans prestations d'emploi et mesures de soutien.
4. Nombre de nouveaux cas dans l'année.

Source : Institut de la statistique du Québec, compilation spéciale à partir de rapports des ministères et organismes, et de données non publiées.

Tableau 6.17
Profil de consommation des ménages selon certaines caractéristiques du ménage, par poste de dépenses, Québec, 1999

Caractéristiques	Alimentation	Logement	Entretien ménager	Articles et accessoires d'ameublement	Habillement	Transport	Soins de santé
				%			
Type de ménage							
Personne seule	18,1	32,8	5,9	3,4	5,2	13,5	3,7
Couple sans enfants	18,0	24,4	5,3	3,8	5,9	20,8	4,5
Couple avec enfants	18,9	23,5	6,3	3,0	6,7	18,9	3,7
Famille monoparentale	19,5	26,0	7,0	2,8	5,9	17,8	3,5
Autre	21,2	22,4	5,7	3,2	6,3	16,9	3,4
Âge de la personne de référence							
Moins de 30 ans	18,4	23,7	6,9	3,8	6,4	17,3	2,8
30-44 ans	18,7	25,9	7,0	3,5	6,6	16,9	3,3
45-64 ans	18,4	24,0	5,0	3,1	6,2	19,8	3,8
65 ans et plus	20,7	27,7	6,1	3,1	5,2	17,1	5,7
Quartile de revenu total							
1er	21,2	34,6	6,9	2,6	4,4	11,9	3,9
2e	21,1	26,2	6,2	3,1	5,8	16,8	4,4
3e	19,0	24,6	6,0	3,3	5,9	19,0	3,8
4e	17,1	22,5	5,7	3,5	7,0	20,1	3,5
Taille du ménage							
Une personne	18,1	32,8	5,9	3,4	5,2	13,5	3,7
Deux personnes	18,1	25,3	5,6	3,5	5,7	19,8	4,2
Trois personnes	18,8	23,7	6,3	3,0	6,4	19,3	3,9
Quatre personnes	18,3	22,6	6,4	3,0	6,9	19,1	3,6
Cinq personnes et plus	22,8	22,9	5,9	3,2	6,8	16,7	3,3
Mode d'occupation du logement							
Propriétaire sans hypothèque	21,0	17,0	5,8	3,5	6,9	20,8	5,1
Propriétaire avec hypothèque	16,2	28,9	5,8	3,0	5,8	19,8	3,2
Locataire	20,6	26,9	6,5	3,2	6,1	14,4	3,5
Occupation mixte[1]	15,5	36,5	6,0	4,8	4,9	13,7	3,0
Ensemble des ménages	**18,9**	**25,2**	**6,0**	**3,3**	**6,2**	**18,2**	**3,8**

1. Estimation dont la fiabilité est incertaine en raison de la taille insuffisante de l'échantillon.
Source : Statistique Canada, Enquête sur les dépenses des familles.
Compilation : Institut de la statistique du Québec.

Tableau 6.18
Indice des prix à la consommation, par poste de dépenses, Québec, Ontario et Canada, 1997-1999

	Alimentation	Logement	Entretien ménager	Articles et accessoires d'ameublement	Habillement	Transport	Soins de santé
				1992=100			
Québec							
1997	106,8	104,3	111,5	102,6	99,9	113,6	109,6
1998	109,5	105,1	114,3	102,7	102,0	112,8	112,3
1999	110,6	106,4	113,3	105,7	102,4	116,8	114,8
Ontario							
1997	107,0	102,3	108,8	101,7	102,5	126,8	106,5
1998	108,5	103,0	108,6	103,1	103,1	125,9	108,9
1999	110,4	104,5	106,9	106,1	104,8	130,0	112,0
Canada							
1997	107,6	103,3	109,6	102,4	102,7	121,5	107,4
1998	109,3	103,7	111,6	103,2	103,9	120,5	109,8
1999	110,7	105,1	111,4	105,7	105,3	124,5	112,3

Source : Statistique Canada, *Prix à la consommation et indices des prix* (62-010); Cansim II.

Soins personnels	Loisirs	Imprimés	Éducation	Tabac et boissons alcoolisées	Dépenses diverses	Consommation totale	Caractéristiques
			%				
							Type de ménage
2,0	6,0	1,0	0,7	4,3	3,4	100,0	Personne seule
2,1	7,3	0,9	0,6	3,6	2,9	100,0	Couple sans enfants
2,1	8,2	0,7	2,4	3,1	2,4	100,0	Couple avec enfants
2,0	7,4	0,7	1,5	4,7	4,5	100,0	Famille monoparentale
2,0	6,2	0,6	2,3	3,5	2,9	100,0	Autre
							Âge de la personne de référence
2,2	8,3	0,6	2,2	4,8	2,3	100,0	Moins de 30 ans
2,1	7,7	0,7	1,6	3,5	2,4	100,0	30-44 ans
1,9	7,9	0,8	2,0	3,7	3,3	100,0	45-64 ans
2,4	4,5	1,0	0,2	2,9	3,4	100,0	65 ans et plus
							Quartile de revenu total
2,0	4,3	0,7	1,1	4,3	2,0	100,0	1er
2,2	5,8	0,7	1,1	3,7	2,7	100,0	2e
2,1	7,1	0,8	1,4	3,9	3,0	100,0	3e
2,0	9,1	0,8	2,2	3,2	3,3	100,0	4e
							Taille du ménage
2,0	6,0	1,0	0,7	4,3	3,4	100,0	Une personne
2,1	7,0	0,8	0,9	3,7	3,0	100,0	Deux personnes
2,2	7,7	0,7	1,9	3,5	2,6	100,0	Trois personnes
2,1	8,2	0,7	2,1	3,6	3,3	100,0	Quatre personnes
1,9	8,1	0,6	3,4	2,6	2,0	100,0	Cinq personnes et plus
							Mode d'occupation du logement
2,3	8,1	1,0	2,0	3,3	3,1	100,0	Propriétaire sans hypothèque
1,8	7,4	0,6	1,6	3,0	2,8	100,0	Propriétaire avec hypothèque
2,2	6,8	0,8	1,4	4,7	3,0	100,0	Locataire
1,8	6,4	0,7	0,7	2,8	3,4	100,0	Occupation mixte[1]
2,1	**7,4**	**0,8**	**1,6**	**3,6**	**2,9**	**100,0**	**Ensemble des ménages**

Soins personnels	Loisirs	Imprimés	Éducation	Tabac et boissons alcoolisées	Dépenses diverses	Consommation totale	
			1992=100				
							Québec
103,3	106,2	121,5	118,1	81,0	..	104,9	1997
106,3	108,0	121,9	118,5	85,5	..	106,4	1998
108,6	109,2	123,8	122,4	88,0	..	108,0	1999
							Ontario
105,3	109,8	150,4	119,9	86,2	..	107,9	1997
106,7	112,1	163,6	120,1	89,9	..	108,9	1998
107,7	113,4	178,6	122,2	91,9	..	111,0	1999
							Canada
105,1	109,3	120,4	140,9	89,3	..	107,6	1997
107,1	111,1	120,9	149,4	92,6	..	108,6	1998
108,8	112,0	123,1	158,2	94,5	..	110,5	1999

Tableau 6.19

Profil de consommation des ménages, par poste de dépenses, Québec, Ontario et Canada, 1992, 1997-1999

	Alimentation	Logement	Entretien ménager	Articles et accessoires d'ameublement	Habillement	Transport	Soins de santé
	%						
Québec							
1992	19,3	23,3	5,6	4,1	7,4	17,6	2,9
1997	18,8	26,1	6,2	3,6	6,7	16,5	3,5
1998	19,1	26,0	6,3	3,6	6,4	16,4	3,6
1999	18,9	25,2	6,0	3,3	6,2	18,2	3,8
Ontario							
1992	16,7	26,8	6,2	4,3	6,7	16,9	2,1
1997	15,2	30,3	6,5	3,7	6,0	17,9	2,6
1998	15,1	30,0	6,4	4,2	5,9	17,6	2,6
1999	15,3	29,2	6,5	4,1	6,4	18,1	2,6
Canada							
1992	17,6	24,7	6,1	4,3	6,9	17,2	2,7
1997	16,2	27,8	6,5	3,8	6,2	17,7	3,3
1998	16,2	27,7	6,4	4,0	6,0	17,5	3,3
1999	16,2	27,2	6,4	3,9	6,2	18,2	3,3

	Soins personnels	Loisirs	Imprimés	Éducation	Tabac et boissons alcoolisées	Dépenses diverses	Consommation totale
	%						
Québec							
1992	2,7	6,6	0,8	1,1	4,6	3,9	100,0
1997	2,2	7,5	0,9	1,6	3,8	2,7	100,0
1998	2,2	7,6	0,8	1,6	3,8	2,7	100,0
1999	2,1	7,4	0,8	1,6	3,6	2,9	100,0
Ontario							
1992	2,6	7,1	0,8	1,4	4,3	4,1	100,0
1997	1,8	7,5	0,8	2,1	2,7	2,9	100,0
1998	1,8	7,9	0,8	2,0	2,9	2,8	100,0
1999	1,9	7,6	0,7	2,3	2,6	2,9	100,0
Canada							
1992	2,6	7,2	0,8	1,3	4,5	4,1	100,0
1997	1,9	7,9	0,8	1,9	3,3	3,0	100,0
1998	1,9	8,0	0,8	1,9	3,3	2,9	100,0
1999	1,9	7,9	0,7	2,0	3,1	3,0	100,0

Source : Statistique Canada, Enquête sur les dépenses des familles.

Compilation : Institut de la statistique du Québec.

Tableau 6.20
Répartition des ménages[1] selon le type d'habitation et le mode d'occupation du logement, Québec, 1991 et 1996

Type d'habitation	Propriétaire		Locataire		Logement de bande		Total	
	'000	%	'000	%	'000	%	'000	%
1991	**1 463,1**	**100,0**	**1 169,3**	**100,0**	**1,8**	**100,0**	**2 634,3**	**100,0**
Maison individuelle non attenante	1 081,6	73,9	91,8	7,9	1,7	94,4	1 175,1	44,6
Appartement, immeuble de cinq étages ou plus	19,1	1,3	118,0	10,1	–	...	137,1	5,2
Habitation mobile	22,0	1,5	2,7	0,2	—	...	24,7	0,9
Autre logement[2]	340,4	23,3	956,9	81,8	—	...	1 297,4	49,3
1996	**1 593,6**	**100,0**	**1 225,3**	**100,0**	**3,1**	**100,0**	**2 822,0**	**100,0**
Maison individuelle non attenante	1 174,6	73,7	95,2	7,8	2,7	87,1	1 272,6	45,1
Appartement, immeuble de cinq étages ou plus	22,5	1,4	122,2	10,0	–	...	144,7	5,1
Habitation mobile	16,8	1,1	2,4	0,2	—	...	19,3	0,7
Autre logement[2]	379,6	23,8	1 005,3	82,0	0,4	12,6	1 385,3	49,1

1. Excluant les ménages collectifs.
2. Comprend les catégories « maison jumelée », « maison en rangée », « appartement, duplex non attenant », « appartement, immeuble de moins de cinq étages », « autre maison individuelle attenante ».

Source : Statistique Canada, Recensements du Canada, 1991 et 1996.

Tableau 6.21
Répartition des ménages[1] selon le mode d'occupation du logement[2] et la variation depuis 1991, par région administrative, Québec, 1996

Région administrative	Propriétaire		Locataire		Variation 1996/1991	
					Propriétaire	Locataire
	n	%	n	%	%	%
01 Bas-Saint-Laurent	54 365	69,4	24 000	30,6	5,4	6,1
02 Saguenay–Lac-Saint-Jean	67 295	64,6	36 885	35,4	5,9	6,2
03 Capitale-Nationale	144 385	55,0	117 910	45,0	10,6	5,0
04 Mauricie	63 870	59,5	43 485	40,5	6,2	4,5
05 Estrie	65 935	59,1	45 560	40,9	8,4	8,4
06 Montréal	264 985	34,3	508 415	65,7	4,5	0,9
07 Outaouais	75 935	64,2	42 260	35,8	13,6	8,8
08 Abitibi-Témiscamingue	36 970	63,2	21 510	36,8	7,2	4,9
09 Côte-Nord	25 005	68,5	11 500	31,5	8,0	0,3
10 Nord-du-Québec	4 855	48,9	5 080	51,1	16,6	-8,1
11 Gaspésie–Îles-de-la-Madeleine	28 670	75,1	9 530	24,9	3,0	12,4
12 Chaudière-Appalaches	101 280	72,2	38 925	27,8	6,8	13,8
13 Laval	80 220	64,9	43 430	35,1	10,6	5,7
14 Lanaudière	101 555	74,5	34 815	25,5	15,0	17,0
15 Laurentides	111 105	67,6	53 290	32,4	16,5	18,6
16 Montérégie	312 400	66,0	161 280	34,0	9,6	6,4
17 Centre-du-Québec	54 780	66,7	27 400	33,3	9,0	8,7
Le Québec	**1 593 600**	**56,5**	**1 225 305**	**43,5**	**8,9**	**4,8**

1. Excluant les ménages collectifs.
2. Excluant les logements de bande.

Source : Statistique Canada, Recensements du Canada, 1991 et 1996.

7

Quelques groupes cibles

Chapitre 7

Liste des tableaux

Liste des figures

Ce chapitre a été réalisé grâce à l'effort conjugué de plusieurs auteurs.

Les jeunes

Section réalisée par Manon Leclerc, de la Direction de l'édition et des communications, et par Carole Daveluy, avec la collaboration de Jasline Flores et de Nathalie Audet, de la Direction Santé Québec de l'Institut de la statistique du Québec.

Les personnes âgées

Section réalisée par Hervé Gauthier, de la Direction des statistiques sociodémographiques et par Carole Daveluy, de la Direction Santé Québec, de l'Institut de la statistique du Québec.

Les personnes ayant une incapacité

Section réalisée par Ourdia Naidji, de l'Office des personnes handicapées du Québec.

Les Autochtones

Section réalisée par Hélène Lepage, de la Direction de l'édition et des communications de l'Institut de la statistique du Québec.

Les immigrants

Section réalisée par Pierre Serré, de la Direction de la planification stratégique, du ministère des Relations avec les citoyens et de l'Immigration.

Les groupes cibles sont au nombre de cinq : les jeunes, les personnes âgées, les personnes ayant une incapacité, les Autochtones et les immigrants. Ce chapitre présente une analyse descriptive des caractéristiques démographiques et socio-économiques de ces grandes catégories de personnes, dont chacune constitue une composante importante de la société québécoise.

Dès la première édition de l'*Annuaire statistique* en 1914, il est question de la répartition de la population par groupe d'âge. On précise alors la part importante des jeunes de moins de 10 ans, la plus forte proportion au Canada. Des informations de ce type se retrouvent dans toutes les éditions jusqu'aux années 70. Ce n'est qu'à partir des données du recensement de 1971 qu'on mentionne que le groupe des jeunes commence à diminuer et que l'on parle du vieillissement de la population. Les premiers annuaires, jusqu'à celui de 1922, fournissent des statistiques relatives aux « infirmes », comme on disait à l'époque; puis, ce sujet disparaît complètement.

De 1914 jusqu'au début des années 60, le sujet de la population autochtone n'était abordé que superficiellement dans les Annuaires statistiques du Québec. À compter de 1966-1967, une section de chapitre est réservée aux indigènes du Québec. En 1971 apparaît la première liste exhaustive des communautés indiennes et, en 1972, s'ajoute un tableau de données sur la population du Nouveau-Québec (communautés inuites). Jusqu'à 1979-1980, il est question de « populations indigènes », année à partir de laquelle on parle plutôt de « population autochtone ». Il en est de même pour la population immigrante. De 1914 jusqu'à la création du ministère de l'Immigration du Québec en 1968, le sujet de l'immigration est abordé dans chaque édition, mais succinctement et souvent en traitant de l'origine ethnique de la population. À compter de 1970, cependant, l'information est plus structurée et exhaustive.

Il faut attendre l'édition de 1989 pour retrouver dans le *Québec statistique* un chapitre traitant explicitement de groupes cibles. Certains groupes sont restés inchangés depuis le début, tels que les jeunes, les personnes âgées et les Autochtones, mais un groupe a été élargi (les personnes handicapées sont devenues les personnes ayant une incapacité) et un autre a été modifié (les immigrants remplacent les communautés culturelles).

Les jeunes

Dans nos sociétés modernes, il est extrêmement difficile de définir ce qu'est « un jeune ». Pour le Conseil permanent de la jeunesse ainsi que pour le Secrétariat à la jeunesse, les jeunes constituent le segment de la population des 15-29 ans. Cette tranche d'âge n'est cependant pas reconnue comme une norme; il existe une certaine mouvance dans la détermination du seuil supérieur, la limite pouvant être repoussée à 30 ans et même, quelquefois, jusqu'à 34 ans pour les besoins de certaines études. En fait, la tranche d'âge retenue est déterminée de façon discrétionnaire par chacun des organismes, selon la source des données utilisées et la problématique retenue.

L'importance démographique

En 1999, le groupe des 15-29 ans compte 1 445 200 jeunes, ce qui correspond à près de 20 % de la population totale du Québec (tableau 7.1). De 1989 à 1999, l'importance démographique de ce groupe n'a cessé de diminuer tant au Québec qu'en Ontario et dans l'ensemble du Canada. La part des jeunes Québécois dans la population totale de la province est passée de 23,4 % à 19,7 %, soit une baisse de 3,7 points de pourcentage. En Ontario, la diminution est encore plus marquée (- 4,3 points); celle du Canada (- 3,8 points) est apparentée à celle du Québec. Le groupe des 15-29 ans a diminué d'un peu plus de 173 000 jeunes au Québec, entre 1989 et 1999. Selon les plus récentes projections démographiques de l'Institut de la statistique du Québec (ISQ), le nombre de jeunes de 15 à 29 ans devrait continuer à baisser dans les prochaines décennies[1].

En 1999, la proportion des 15-19 ans dans la population totale du Québec est de 6,6 %, celle des 20-24 ans de 6,7 % et, finalement, celle des 25-29 ans de 6,4 %. Dans l'ensemble du pays, la répartition est presque la même qu'au Québec, à quelques décimales près, sauf qu'en Ontario, la proportion du groupe des 25-29 ans atteint les 7,0 %. En nombre absolu, c'est le groupe des 20-24 ans (492 900) qui est le plus nombreux sur le territoire québécois, suivi par les 15-19 ans (481 300) et les 25-29 ans (471 000). En Ontario et au Canada, le groupe majoritaire est celui des 25-29 ans (806 500 et 2 066 700 respectivement).

À l'échelle régionale, l'Abitibi-Témiscamingue et le Saguenay–Lac-Saint-Jean présentent les plus fortes proportions de 15-29 ans, soit 21,1 % et 21,0 % respectivement (tableau 7.2). À l'opposé, trois régions ont moins de 18 % de leur population totale constituée de jeunes; il s'agit de Gaspésie–Îles-de-la-Madeleine (16,9 %), de Lanaudière (17,5 %) et de la Mauricie (17,8 %).

Toujours en 1999, près d'un jeune Québécois sur deux vit dans les régions de Montréal (376 900), de la Montérégie (251 100) ou de la Capitale-Nationale (123 400). Dans l'ensemble du Québec, la région de Montréal concentre à elle seule un peu plus de 25 % des jeunes, soit 19,1 % des 15-19 ans, 29,0 % des 20-24 ans et 30,2 % des 25-29 ans.

Les études

En 1996, 42,6 % des jeunes de 20-24 ans et 40,6 % de ceux de 25-29 ans ont fait des études postsecondaires inférieures au baccalauréat (tableau 7.3). Bien que l'effectif des hommes de 20-29 ans soit plus important que celui des femmes, ces dernières affichent néanmoins les plus fortes proportions pour ce niveau de scolarité (47,5 % pour les 20-24 ans et 42,5 % pour les 25-29 ans). De plus, les femmes sont proportionnellement plus nombreuses que les hommes à détenir un diplôme universitaire, tant chez les 20-24 ans (7,5 % en regard de 3,7 %) que chez les 25-29 ans (19,2 % contre 14,5 %). Quant à la part des jeunes ayant moins d'une 9e année de scolarité, elle est plus importante pour le groupe des 20-24 ans (9,2 %) que pour celui des 25-29 ans (5,6 %). Par contre, en ce qui a trait au nombre de diplômés de niveau secondaire[2], les deux groupes affichent des résultats équivalents (20,8 % et 21,0 % respectivement).

En 1996, le taux global de fréquentation scolaire est plus élevé chez les femmes que chez les hommes, et ce, pour les trois tranches d'âge (tableau 7.6). Ce constat s'applique aussi à

---

1. Institut de la statistique du Québec, *Perspectives démographiques du Québec 1996-2041, régions administratives, régions métropolitaines et municipalités régionales de comté*, édition 2000, [Cédérom], Québec, Gouvernement du Québec, 2000.
2. Incluant les personnes ayant un certificat ou un diplôme d'une école de métiers.

la fréquentation scolaire à temps partiel et à temps plein, à deux exceptions près cependant : en effet, la proportion de jeunes hommes de 15 à 19 ans à l'école à temps partiel (4,1 %) et celle des hommes de 25 à 29 ans aux études à temps plein (11,8 %) surpassent quelque peu le taux de fréquentation scolaire des jeunes femmes des mêmes tranches d'âge (3,2 % et 10,9 % respectivement).

Le marché du travail

Le taux de chômage des jeunes diminue selon les tranches d'âge : en 2000, il est de 18,3 % chez les 15-19 ans, de 11,4 % chez les 20-24 ans et, finalement, de 8,8 % chez les 25-29 ans (tableau 7.4). De 1995 à 2000, il a baissé dans la majorité des groupes d'âge, tant pour les hommes que pour les femmes, à l'exception des jeunes femmes de 15 à 19 ans, dont le taux a augmenté de 17,9 % à 18,4 %. Les hommes de 25 à 29 ans sont ceux qui affichent la plus forte diminution de leur taux de chômage durant cette période, celui-ci passant de 13,4 % à 9,3 %. Quant aux femmes, le recul de leur taux est plus grand que celui des hommes uniquement pour le groupe des 20-24 ans (- 3,0 points de pourcentage contre - 2,2 points).

Parmi les 15 à 29 ans, le groupe des 25-29 affichent le taux d'activité le plus élevé (84,3 % en 2000). Il est par ailleurs normal que le taux d'activité des 15-19 ans soit le moins élevé, compte tenu du fait que la majorité des jeunes de ce groupe fréquentent toujours une institution d'enseignement. Il s'avère toutefois qu'à cet âge, les jeunes garçons (48,5 %) sont plus actifs sur le marché du travail que les jeunes filles (42,2 %). De 1995 à 2000, le taux d'activité des jeunes femmes a augmenté dans les groupes d'âge des 20-24 ans et des 25-29 ans, mais il a légèrement diminué pour le groupe des 15-19 ans (de 43,3 % à 42,2 %). Le taux d'activité des jeunes femmes de 25 à 29 ans est celui qui a le plus progressé durant cette période, soit de 73,2 % en 1995 à 79,8 % en 2000.

La situation financière

De 1987 à 1997, le revenu total moyen des jeunes de 15 à 29 ans est passé, en dollars constants de 1997, de 14 449 $ à 11 898 $, soit l'équivalent d'une baisse de 2 551 $ en 10 ans (tableau 7.5). Cette diminution du revenu total moyen a touché tous les groupes, sauf celui des femmes de 25 à 29 ans qui a connu une hausse de 1 806 $ (de 16 744 $ à 18 550 $). Les hommes absorbent les plus fortes diminutions durant cette période, particulièrement ceux de 20 à 24 ans qui ont subi une baisse de l'ordre de 3 124 $, leur revenu total moyen étant passé de 17 027 $ à 13 903 $.

Même si le revenu total moyen des jeunes femmes a baissé d'une façon moins importante que celui des jeunes hommes de 1987 à 1997, les femmes de 15 à 29 ans gagnent toujours moins que les hommes du même âge en 1997. Cet écart tend à s'amenuiser chez les 15-19 ans, la différence n'étant plus que de 247 $ en 1997. Cependant, il est encore de 4 084 $ pour les jeunes de 20 à 24 ans et de 5 906 $ pour ceux âgés de 25 à 29 ans. Dans l'ensemble des 15 à 29 ans, le revenu total moyen le plus élevé revient naturellement au sous-groupe le plus actif sur le marché du travail, soit les 25 à 29 ans (24 456 $ pour les hommes et 18 550 $ pour les femmes en 1997).

L'état de santé

Le bref portrait de l'état de santé et de bien-être des jeunes Québécois qui suit provient de données tirées de trois enquêtes générales, soit l'enquête *Santé Québec 1987*, l'*Enquête sociale et de santé 1992-1993* et l'*Enquête sociale et de santé 1998*.

En 1998, la majorité des jeunes de 15 à 24 ans considèrent leur état de santé comme excellent ou très bon (21,1 % et 41,7 % respectivement) (tableau 7.7). On observe toutefois au cours des années une plus grande proportion de jeunes qui qualifient leur état de santé de moyen ou mauvais (6,8 % en 1998 contre 4,4 % en 1987).

La proportion d'individus se classant au niveau élevé de l'indice de détresse psychologique est plus importante chez les jeunes de 15 à 24 ans que parmi leurs aînés (28,2 % contre 18,4 %). Bien qu'ayant amélioré leur position depuis 1992-1993, alors que 35,2 % d'entre eux se classaient au niveau élevé de l'indice, les 15-24 ans n'ont pas retrouvé le niveau enregistré à l'indice de détresse psychologique en 1987 (23,4 %).

Les jeunes sont, toutes proportions gardées, plus nombreux que les individus de 25 ans et plus à rapporter des idées suicidaires (7,4 % contre 3,2 %) et des tentatives de suicide (1,4 % contre 0,3 %). L'augmentation apparente entre 1987 et 1998 de la proportion de jeunes rapportant avoir eu des idées suicidaires au cours des douze mois précédents n'est toutefois pas statistiquement significative.

Les problèmes d'allergie (rhinite allergique, allergies ou affections cutanées et autres allergies), les maux de tête et les accidents avec blessures constituent les principaux problèmes de santé déclarés par les jeunes Québécois de 15 à 24 ans. Comparativement à 1987, la rhinite allergique (14,6 % en 1998 contre 9,8 % en 1987), les autres allergies (13,8 % contre 8,7 %) et l'asthme (5,6 % contre 2,5 %) sont en augmentation, tant chez les hommes que chez les femmes. La déclaration de maux de dos ou de la colonne s'accroît de façon significative chez les femmes.

En 1998, 16,0 % des jeunes de 15 à 19 ans se classent dans la catégorie excès de poids de l'indice de masse corporelle[3]. Une proportion équivalente de jeunes (16,0 %) se situent dans la catégorie poids insuffisant. Contrairement à la tendance nord-américaine, la proportion des 15-19 ans dans la catégorie excès de poids n'a pas connu d'augmentation entre 1992-1993 et 1998.

Les habitudes de vie

Plus du tiers (36,0 %) des Québécois de 15 à 24 ans fument la cigarette en 1998, soit 28,3 % tous les jours et 7,7 % à l'occasion; la proportion d'anciens fumeurs s'élève à 21,1 % (tableau 7.8). Bien qu'on n'observe pas de hausse du tabagisme parmi les 15-19 ans depuis 1987, il faut souligner qu'un jeune de ce groupe d'âge sur trois (32,6 %) en a l'habitude. Les 20-24 ans sont encore plus nombreux à fumer, cette proportion atteignant 44,0 % chez les hommes et 35,9 % chez les femmes.

En 1998, une forte majorité de jeunes de 15 à 24 ans (87,2 %) déclarent avoir consommé de l'alcool au cours des douze mois précédents, tandis que 11,1 % mentionnent n'en avoir jamais bu. Durant cette même période, 41,9 % des jeunes indiquent avoir pris, cinq fois ou plus, cinq consommations ou plus en une même occasion, et 28,7 % disent s'être enivrés cinq fois ou plus. La génération des 15-24 ans se démarque des autres groupes d'âge par ces deux types de comportement.

Au Québec, l'ensemble des consommateurs de drogues, toutes catégories d'âge confondues, représente 17,4 % de la population en 1998. Comparativement à leurs aînés qui en consomment dans une proportion de 12,8 %, les 15-24 ans sont de plus grands consommateurs : 39,7 % mentionnent avoir consommé au moins une drogue au cours des douze

---

3. Indice dérivé du rapport entre le poids (en kg) et le carré de la taille d'un individu (en mètres).

mois précédents – de la marijuana seulement, pour 25,9 % de ce groupe d'âge. La moitié des jeunes (50,3 %) n'auraient jamais consommé de drogues, et 10 % seraient d'anciens consommateurs.

Un peu plus du tiers (34,7 %) des 15-24 ans déclarent avoir pratiqué des activités physiques de loisir à une fréquence de trois fois et plus par semaine, au cours des trois mois précédents. Les jeunes hommes sont proportionnellement plus nombreux à en avoir pratiqué à cette fréquence, soit 43,3 % d'entre eux contre 25,8 % des jeunes femmes. Soulignons, par ailleurs, que 32,6 % des individus de ce groupe d'âge ont une fréquence de pratique inférieure à une fois par semaine.

Parmi les jeunes de 15 à 19 ans ayant eu un seul partenaire sexuel depuis douze mois, 32,8 % de ceux qui vivent avec ce partenaire disent avoir utilisé le condom lors de leur dernière relation sexuelle, comparativement à 50,2 % de ceux qui ne vivent pas avec leur partenaire et à 67,7 % de ceux pour lesquels il s'agissait d'un partenaire occasionnel. Parmi les jeunes ayant eu plus d'un partenaire depuis douze mois, 43,8 % ont utilisé le condom lors de leur dernière relation sexuelle avec le partenaire régulier avec lequel ils vivent, comparativement à 57,0 % qui l'ont utilisé avec le partenaire régulier avec lequel ils ne vivent pas et à 71,8 % qui s'en sont servis avec un partenaire occasionnel.

Les personnes âgées

Les caractéristiques démographiques

Au 1er juillet 2000, on estime à 944 474 le nombre de Québécoises et Québécois âgés de 65 ans ou plus (tableau 7.9). Entre 1971 et 2000, leur nombre a plus que doublé. Il s'agit d'un groupe qui s'accroît très rapidement en comparaison de l'ensemble de la population. Depuis 1971, il s'est en effet accru de 126 %, par rapport à 20 % seulement pour la population totale.

C'est la croissance inégale de la population des divers groupes d'âge qui explique le vieillissement de la population : le groupe des 65 ans et plus, qui représentait 6,8 % de l'ensemble de la population québécoise en 1971, en forme plus de 12,8 % en 2000.

Le rapport entre le nombre de personnes âgées et le nombre de jeunes de moins de 20 ans illustre bien ce phénomène (tableau 7.10). En 1971, il y avait 17,2 personnes de 65 ans et plus pour 100 jeunes, alors qu'on en dénombre 52,6 en 2000. Le portrait démographique du Québec est donc en forte mutation. Quant au rapport de dépendance démographique, il s'établit à 20,4, ce qui signifie qu'il y a une personne de 65 ans ou plus pour cinq personnes du groupe des 20-64 ans. Si l'on considère comme dépendants à la fois les jeunes et les personnes âgées, le rapport de dépendance est de 59,2. En raison de la diminution du nombre de jeunes, dans les années 70 notamment, le rapport de dépendance total a fortement diminué au cours des dernières décennies.

Non seulement y a-t-il un vieillissement de l'ensemble de la population, mais la population des 65 ans et plus subit de son côté un certain vieillissement (tableau 7.11). La proportion du groupe des 65-69 ans diminue beaucoup chez les deux sexes de même que la part des femmes de 70 à 74 ans; tous les autres groupes voient leur part augmenter parmi les personnes âgées. La plus forte croissance chez les personnes âgées est observée chez les femmes de 90 ans et plus, dont le nombre a plus que quintuplé entre 1971 et 2000.

La répartition des personnes âgées selon le sexe a beaucoup changé. En 1941, il y avait encore presque autant d'hommes que de femmes dans le groupe des 65 ans et plus; en 2000, il n'y a plus que 70 hommes pour 100 femmes (tableau 7.12). La sous-représentation masculine s'accroît avec l'âge. Dans le groupe des 65-69 ans, le rapport de masculinité est de 88, et il n'est que de 31 dans celui des 90 ans et plus. Parmi ces derniers, il y a trois fois plus de femmes que d'hommes. La surmortalité masculine fait en sorte que moins d'hommes parviennent à l'âge de 65 ans et qu'à partir de cet âge, leur taux de mortalité continue à être plus élevé que celui des femmes. Entre 1991 et 2000, il y a cependant une légère remontée du rapport de masculinité, ce qui constitue un revirement de tendance attribuable à un rétrécissement de l'écart de la mortalité selon le sexe.

La proportion de personnes âgées diffère également beaucoup d'une municipalité à l'autre au Québec. Le tableau 7.13 fournit les données du vieillissement de la population des municipalités de 30 000 habitants et plus. En 2000, parmi les municipalités dont la population est le plus jeune, on note Gatineau (5,8 % de personnes de 65 ans et plus), Saint-Hubert et Terrebonne (6,6 %). Par ailleurs, Saint-Hyacinthe a la plus forte proportion de personnes âgées (18,4 %), suivie de Trois-Rivières (17,8 %), Saint-Laurent (17,4 %) et Montréal-Nord (17,3 %). La ville de Montréal, avec 149 925 personnes âgées, regroupe 17,4 % de l'effectif québécois de ce groupe d'âge; avec un nombre de personnes âgées identique à celui de 1991, elle en accapare cependant une part inférieure de presque deux points de pourcentage.

Le rapport « personnes âgées/jeunes » varie considérablement selon les municipalités, notamment entre des municipalités de banlieue telles que Aylmer, Gatineau et Terrebonne, où la population est très jeune (une personne âgée pour cinq jeunes), et des municipalités plus anciennes telles que Québec, Saint-Hyacinthe et Trois-Rivières, où la population est vieille (quatre personnes âgées pour cinq jeunes).

Le rapport de masculinité varie aussi considérablement d'un endroit à l'autre. À Repentigny, il y a 84 hommes de 65 ans et plus pour 100 femmes du même groupe, mais à Québec on n'en trouve que 51 et à Saint-Hyacinthe que 52.

Les caractéristiques socio-économiques

La population de 65 ans et plus se distingue de l'ensemble de la population en ce qui a trait au niveau de scolarité atteint (tableau 7.14). Ainsi, 52,6 % des personnes âgées possèdent moins d'une 9e année, par rapport à seulement 18,1 % de la population de 15 ans et plus. L'écart le plus grand, selon le sexe, se trouve dans le groupe des personnes de 65 ans et plus qui ont obtenu un grade universitaire, à savoir 8,1 % des hommes comparativement à 2,9 % des femmes.

Le revenu moyen des personnes âgées est moindre que celui de l'ensemble de la population, même si elles ont bénéficié d'une hausse légèrement plus forte au cours de la période 1985-1995 (tableau 7.15). Comme dans l'ensemble de la population, la différence de revenu chez les personnes âgées est très prononcée selon le sexe : les hommes ont un revenu moyen qui dépasse de 76 % celui des femmes chez les 65-69 ans et de 45 % chez les 70 ans et plus. Entre 1990 et 1995, l'écart entre hommes et femmes a eu tendance à se rétrécir chez les 65-69 ans, comme dans la population totale, mais est demeuré stable chez les 70 ans et plus.

Il n'y a presque pas de différence dans le statut de résidence des ménages dont le soutien est une personne du groupe des 65 ans et plus et l'ensemble des ménages privés : environ 55 % sont propriétaires et 45 %, locataires (tableau 7.16).

En 1996, 86 955 personnes âgées habitent dans un logement collectif, parmi lesquelles une majorité de femmes (72,5 %) (tableau 7.17). Les personnes âgées en logement collectif représentent une proportion de 10,1 % des 860 710 personnes de 65 ans et plus dénombrées au recensement. Il s'agit d'une légère baisse par rapport à 1991 (10,5 %). Le taux varie considérablement selon le groupe d'âge : 3,6 % seulement chez les 65-74 ans et 19,9 % chez les 75 ans et plus. Les femmes connaissent un taux d'institutionnalisation de beaucoup supérieur à celui des hommes, notamment chez les 75 ans et plus (23,1 % par rapport à 14,0 %). Pour la plupart, les personnes âgées en logement collectif vivent dans des centres de soins spéciaux (72,0 %).

L'état de santé

Le bref portrait de l'état de santé des Québécois de 65 ans et plus est tiré des résultats de l'enquête *Santé Québec 1987* et des *Enquêtes sociales et de santé* tenues en 1992-1993 et 1998.

La majorité des personnes âgées qui vivent dans un ménage privé en 1998 (les résidents de ménages collectifs sont exclus du champ de l'enquête) jugent leur santé « très bonne » ou « bonne » (tableau 7.18). Il n'y a pas beaucoup d'écart entre les sexes à cet égard. Les personnes âgées subissent le poids des années : 22,9 % perçoivent leur état de santé comme moyen ou mauvais, comparativement à seulement 11,1 % des répondants de tous âges. Toutefois, la proportion de personnes de ce groupe d'âge se situant dans la catégorie élevée de l'indice de détresse psychologique est la plus faible parmi l'ensemble de la population de 15 ans et plus (10,7 % contre 20,1 %).

On observe évidemment plus de problèmes de santé chez les 65 ans et plus que dans l'ensemble de la population (tableau 7.19). La différence entre les sexes est assez grande. Près d'un homme âgé sur cinq affirme ne pas avoir de problèmes de santé, alors que 64,5 % en ont plus d'un. Chez les femmes âgées, les proportions respectives sont de 10,3 % et 77,0 %.

Parmi les problèmes de santé déclarés, un petit nombre touche une forte proportion de personnes âgées. Les maladies et symptômes les plus fréquents sont l'hypertension (37,1 % des personnes âgées), l'arthrite et le rhumatisme (34,8 %) et les maladies cardiaques (23,2 %). Pour tous les problèmes de santé indiqués au tableau 7.20, à l'exception des maladies cardiaques, une plus grande proportion de femmes sont affectées.

Depuis l'enquête de 1987, une augmentation significative de la prévalence de l'hypertension artérielle, des maux de dos ou de la colonne, des troubles de la thyroïde, du diabète et de l'hypercholestérolémie est observée chez les hommes comme chez les femmes. Soulignons qu'une part de cette hausse est attribuable à des changements dans la pratique médicale, tels que le dépistage accru des hyperlipidémies et des problèmes thyroïdiens. Comparativement aux individus âgés de 65 à 74 ans, le groupe des 75 ans et plus se distingue par une prévalence plus élevée d'arthrite ou de rhumatisme (42,3 % contre 30,7 %), de maladies cardiaques (29,3 % contre 19,9 %), de troubles digestifs fonctionnels (17,6 % contre 9,7 %) et de maladies de l'œil (33,4 % contre 14,3 %).

En 1998, on estime à 9,3 % la proportion de Québécois de tout âge ayant des limitations d'activité pour des raisons de santé. Cette proportion s'élève à 20,3 % chez les personnes de 65 à 74 ans, atteignant même 26,7 % chez celles de 75 ans et plus (tableau 7.21).

Dans l'ensemble de la population, les taux de morbidité par accident avec blessures montrent une tendance à la baisse entre 1992-1993 et 1998. Tous les groupes d'âge sont touchés par cette réduction, sauf celui des personnes âgées de 75 ans et plus (tableau 7.22).

Ce sont les chutes à l'intérieur du domicile qui constituent les types d'accidents les plus fréquents parmi ce groupe d'âge.

Le groupe des 65 ans et plus présente une proportion significativement plus élevée d'individus se situant dans la catégorie « poids insuffisant » de l'indice de masse corporelle, et ce, tant chez les hommes que chez les femmes (tableau 7.23). Ainsi, de 13,4 % parmi l'ensemble de la population des 15 ans et plus en 1998, cette proportion grimpe à 35,5 % chez les individus de 65 à 80 ans, pour atteindre 44,7 % dans le groupe des 81 ans et plus. Malgré la présence de ce phénomène chez une partie importante de la population de 65 à 80 ans, on observe une proportion presque équivalente d'individus de ce groupe d'âge se classant dans la catégorie excès de poids.

Les personnes ayant une incapacité

Les sources de données sur les caractéristiques des personnes ayant une incapacité au Canada sont peu nombreuses. Les principales sont l'*Enquête sur la santé et les limitations d'activités* (ESLA) réalisée par Statistique Canada en 1986 et 1991, ainsi que l'*Enquête québécoise sur les limitations d'activités* (EQLA) de 1998, sous la responsabilité de l'Institut de la statistique du Québec et commanditée par le ministère de la Santé et des Services sociaux du Québec et l'Office des personnes handicapées du Québec.

Dans ces enquêtes, l'incapacité est définie comme « toute réduction ou absence (résultant d'une déficience) de la capacité d'exécuter une activité de la manière ou dans la plénitude considérée comme normale pour un être humain ». Ainsi, pour un adulte, la notion d'incapacité est liée à sa capacité de réaliser certaines activités et non à la présence ou l'absence de déficience. Chez les enfants de 0-14 ans, l'incapacité fait davantage référence à la notion de déficience que d'incapacité proprement dite.

Une personne ayant une incapacité n'est pas systématiquement considérée comme une personne handicapée au sens de la Loi assurant l'exercice des droits des personnes handicapées (LRQ, chapitre E-20.1). Dans cette optique, une personne est handicapée si « elle est limitée dans l'accomplissement d'activités normales et si elle est, de façon significative et persistante, atteinte d'une déficience physique ou mentale ou si elle utilise régulièrement une orthèse, une prothèse ou tout autre moyen pour pallier son handicap ».

La prévalence de l'incapacité

En 1986, la population ayant une incapacité au sein des ménages privés est estimée à 663 200 personnes; en 1998, elle est de l'ordre de 1 086 800 personnes (tableau 7.24). Malgré cette croissance considérable, il n'y a pas de changements notables dans la structure par âge de la population entre ces deux années. Ainsi, depuis 1986, plus de la moitié des personnes ayant une incapacité ont entre 15 et 64 ans; près du tiers ont 65 ans et plus, et environ 10 % ont 14 ans ou moins. Entre 1991 et 1998, la proportion de personnes ayant une incapacité et âgées de 15 à 64 ans est à la hausse (54,3 % contre 58,0 %), alors que la proportion de celles âgées de 65 ans et plus (35,9 % à 31,3 %) fléchit. Soulignons qu'en 1998, les garçons de moins de 15 ans avec incapacité sont deux fois plus nombreux que les filles (14,7 % contre 7,4 %). Par contre, toutes proportions gardées, les femmes de 65 ans et plus ayant une incapacité sont plus nombreuses que les hommes (34,6 % contre 27,3 %).

Au Québec, le taux d'incapacité n'a cessé de croître depuis 1986. De 10,4 % en 1986, il passe à 11,5 % en 1991 et atteint un niveau record de 15,2 % en 1998 (tableau 7.25). Cette tendance à la hausse s'observe tant chez les femmes que chez les hommes pour tous les groupes d'âge. L'écart important entre 1991 et 1998 pourrait être expliqué par l'augmentation de l'incapacité légère, dont la mesure semble plus variable entre les enquêtes. Le taux d'incapacité chez les jeunes de moins de 15 ans est de 8,6 % en 1998, comparativement à 5,6 % en 1991. Cette hausse chez les jeunes s'explique principalement par une prévalence importante de l'incapacité liée aux troubles émotifs, aux troubles de comportement et à la déficience intellectuelle (3,1 %) ainsi qu'aux troubles d'apprentissage (2,6 %). Chez les personnes âgées de 65 ans et plus, le taux d'incapacité est de 41,6 % en 1998, par rapport à 34,8 % en 1986. Le taux d'incapacité a toujours été plus élevé chez les femmes que chez les hommes. Depuis 1991, cet écart s'accentue (environ un point de pourcentage en 1991 contre plus de deux points en 1998).

La gravité de l'incapacité

La prévalence de l'incapacité légère est environ deux fois plus élevée en 1998 qu'en 1986 (9,7 % contre 5,1 %), et cela est observable autant chez les enfants de moins de 15 ans (7,7 % contre 3,6 %) et les adultes de 15 à 64 ans (8,4 % contre 4,0 %) que chez les personnes âgées de 65 ans et plus (20,8 % contre 12,3 %). Par contre, le taux d'incapacité modérée ou grave est resté stable, gravitant autour de 0,9 % chez les enfants, de 4 % chez les adultes de 15 à 64 ans et de 21 % chez les personnes âgées de 65 ans et plus (tableau 7.26). Selon l'EQLA, en 1998, la prévalence de l'incapacité légère est toujours supérieure à celle de l'incapacité modérée ou grave, quelle que soit la région observée. Cette enquête permet d'obtenir une estimation plus précise du taux d'incapacité par région; le plus faible est enregistré dans la région du Saguenay–Lac-Saint-Jean (10,5 %) et le plus élevé dans la région de Lanaudière (18,9 %) (tableau 7.27).

La nature de l'incapacité

Entre 1991 et 1998, l'augmentation de la prévalence des troubles émotifs ou de comportement (0,6 % à 2,3 %) et des troubles d'apprentissage (1,5 % à 2,6 %) chez les enfants de 0-14 ans est significative. Ce constat vient renforcer les résultats rapportés par le Conseil supérieur de l'éducation, qui signale que la proportion d'élèves en difficulté de comportement dans les écoles primaires québécoises aurait triplé au cours des quinze dernières années, en passant de 1 % en 1984-1985 à 3 % en 1999-2000.

Une hausse de la prévalence de certaines natures d'incapacités chez les adultes de 15 ans et plus est observée au cours des douze dernières années; ce sont les incapacités liées à la mobilité, à l'agilité et à l'audition (tableau 7.28). Cette variation est plus forte chez les personnes âgées de 65 ans et plus au regard de la mobilité (25,0 % contre 29,0 %) et de l'agilité (21,5 % contre 25,0 %). Par contre, en dépit du vieillissement interne de cette population, une baisse des incapacités visuelles dans le groupe des 65 ans et plus est observée entre 1991 et 1998 (9,6 % comparativement à 5,9 %). L'hypothèse d'une plus grande accessibilité aux aides visuelles et aux techniques chirurgicales permettant le traitement et la correction des problèmes de vision pourrait être l'explication de ce résultat.

La scolarité

Les progrès réalisés au cours des douze dernières années se traduisent par une amélioration de la scolarisation des personnes de 15 à 64 ans ayant une incapacité. Plus de trois personnes sur quatre (78,6 %) ont neuf années d'études ou plus en 1998, comparativement à une sur deux en 1986 (55,1 %) (tableau 7.29). La proportion de personnes détenant un diplôme d'études secondaires ou d'études professionnelles est passée de 36,5 % à 51,9 %. Enfin, la proportion de personnes qui ont entrepris ou complété des études universitaires s'est également accrue (7,7 % contre 15,4 %). Ces améliorations paraissent plus importantes pour les personnes âgées de 35 à 54 ans et de 55 à 64 ans.

Si le niveau de scolarité s'est substantiellement amélioré, il demeure que celui-ci est significativement lié à la gravité de l'incapacité. En effet, en 1998, 83,1 % des personnes ayant une incapacité légère ont complété au moins une 9e année d'études, comparativement à 69,4 % des personnes ayant une incapacité modérée ou grave. Il en est de même de la proportion des personnes ayant obtenu un diplôme d'études secondaires ou d'études professionnelles (58,0 % contre 37,9 %) et de la proportion de celles ayant entrepris ou complété des études universitaires (17,8 % contre 10,6 %).

Selon l'EQLA de 1998, la grande majorité des enfants de 5 à 14 ans ayant une incapacité (80 %) fréquentent une école ordinaire, 12 % une école ordinaire offrant des classes spéciales ou des classes d'appoint et 8 % une école spéciale. Parmi ces enfants, 17 % sont de niveau préscolaire, 67 % de niveau primaire et 16 % de niveau secondaire.

Le travail

Selon l'EQLA, en 1998, les personnes de 15 à 64 ans ayant une incapacité et inactives sur le marché du travail sont estimées à environ 322 600 personnes (tableau 7.30). Le taux d'inactivité de cette population a légèrement baissé entre 1991 et 1998 (53,5 % contre 51,2 %). Il faut toutefois rappeler que c'est entre 1986 et 1991 qu'il a diminué de manière significative, puisqu'il était de 63 % en 1986. En 1998, le taux d'inactivité est plus élevé chez les personnes âgées entre 55 et 64 ans (73,9 %) que chez les groupes plus jeunes de 15 à 34 ans (42,6 %) et de 35 à 54 ans (44,7 %). Les femmes sont moins actives sur le marché du travail que les hommes : leur taux d'inactivité est de 55,9 %, alors qu'il est estimé à 45,5 % chez les hommes. Plus l'incapacité est grave et plus les personnes touchées sont inactives. En effet, 78,5 % des personnes ayant une incapacité grave sont inactives, comparativement à 63,7 % de celles ayant une incapacité modérée et 42,6 % de celles ayant une incapacité légère.

La même enquête révèle que le taux de chômage des personnes ayant une incapacité est passé de 17,2 % en 1991 à 13,0 % en 1998. Si le taux de chômage chez les personnes ayant une incapacité demeure élevé, il faut souligner qu'en 1998, l'écart entre le taux de chômage des personnes ayant une incapacité et celui de la population en général a tendance à rétrécir (5 points de pourcentage en 1991 à 3 points en 1998). Malgré une baisse significative chez les adultes âgés entre 35 et 64 ans ayant une incapacité (10,5 % en 1998 contre 15,8 % en 1991), il reste très élevé pour les personnes âgées entre 15 et 34 ans (18,9 % en 1998 contre 19,5 % en 1991).

Les données sur le statut d'activité présentées au tableau 7.31 permettent de constater que des disparités importantes persistent entre les personnes avec et sans incapacité. En effet, en 1998, plus d'une personne sur quatre parmi celles ayant une incapacité (27,7 %) était en emploi l'année précédant l'enquête, comparativement à plus d'une personne sur deux sans incapacité (58,3 %). Plus de trois personnes sur dix parmi celles ayant une incapacité sont à la retraite (32,3 %), par rapport à une personne sur dix parmi celles sans incapacité (10,2 %). Enfin, 5,7 % des personnes ayant une incapacité ont un statut d'étudiant, comparativement à 14,7 % chez celles sans incapacité. Les femmes ayant une incapacité se démarquent également des hommes avec incapacité. Les hommes sont proportionnellement plus nombreux (33,8 %) que les femmes (23,0 %) à occuper un emploi et ils sont moins nombreux (3,3 %) que les femmes (31,3 %) à tenir une maison.

Les revenus

Les personnes ayant une incapacité demeurent moins fortunées que celles sans incapacité. Les écarts sont encore trop importants pour que l'on puisse parler d'une parité du revenu. Selon l'EQLA, en 1998, 27,8 % des hommes et 12,4 % des femmes ayant une incapacité déclarent un revenu annuel personnel total de 30 000 $ et plus, comparativement à 42,0 % des hommes et 21,0 % des femmes sans incapacité (tableau 7.32). Les hommes et les femmes ayant une incapacité sont proportionnellement moins nombreux (12,8 % et 11,5 % respectivement) à se considérer à l'aise financièrement que leurs homologues sans incapacité (21,0 % et 18,9 % respectivement). Inversement, selon le revenu du ménage, les personnes ayant une incapacité sont presque deux fois plus nombreuses que celles sans incapacité à se considérer comme pauvres ou très pauvres (30,4 % contre 16,0 %).

Selon le recensement canadien de 1996, 77,0 % des revenus des personnes sans incapacité provenaient de leur emploi; pour les personnes ayant des incapacités, 51,7 % des revenus proviennent des transferts gouvernementaux (tableau 7.33). En 1996, les revenus d'emploi des personnes ayant une incapacité représentaient 29,3 % de leur revenu, comparativement à 35,6 % en 1991.

Selon le recensement canadien de 1996, les personnes ayant une incapacité sont deux fois plus nombreuses que celles sans incapacité à vivre sous le seuil de faible revenu (41,2 % contre 22,0 %). La situation est encore plus difficile pour les femmes ayant une incapacité, qui sont en plus grande proportion (44,5 %) que les hommes dans la même situation (37,6 %) (tableau 7.34).

Les Autochtones

Compte tenu du fait que le concept de population autochtone diffère sensiblement selon la source d'information, il s'avère difficile de tracer un portrait précis des Autochtones au Québec. Selon la Loi constitutionnelle de 1982, trois catégories de personnes sont reconnues comme étant Autochtones : les Indiens, les Métis et les Inuits.

Au ministère des Affaires indiennes et du Nord canadien, seuls les Indiens inscrits (avec statut) sont dénombrés, les Métis et les Indiens non inscrits ne faisant pas partie du registre. Ces deux derniers groupes forment d'ailleurs une catégorie de la population autochtone particulièrement difficile à définir. Les données de recensements constituent l'unique source de renseignements à leur sujet, pourvu que l'origine autochtone ait été déclarée. Au Québec, les données sur les nations conventionnées (Inuits, Cris et Naskapis) sont rendues disponibles par le registre des Autochtones bénéficiaires en vertu des conventions, tenu par le ministère de la Santé et des Services sociaux du Québec.

La population et le territoire

Au Québec, en l'an 2000, 77 837 personnes ont un statut juridique officiel d'Indien inscrit ou d'Inuit conventionné, ce qui représente environ 1 % de la population québécoise (tableau 7.35). À ce nombre s'ajoute une population composée d'Autochtones sans statut, dont la taille est difficile à estimer. La population autochtone du Québec compte 10 nations amérindiennes et une nation distincte, celle des Inuits. La taille de ces dernières varie passablement de l'une à l'autre; plus de la moitié des Autochtones sont des Mohawks, des Innus (Montagnais) ou des Cris, alors que les Malécites et les Naskapis rassemblent à peine 2 % de la population autochtone.

En 1996, près des deux tiers des Autochtones du Québec (64,9 %) avaient moins de 35 ans. Chez les Québécois, cette proportion n'était que de 47,4 % (tableau 7.36). À l'inverse, la population autochtone n'était composée que de 4,9 % de personnes de 65 ans et plus, alors qu'au sein de la population non autochtone, la proportion d'aînés était de 12,3 %. Entre 1986 et 1996, ces tendances se sont confirmées : tandis que la part des jeunes Autochtones de 0 à 14 ans est restée stable à 30,7 %, celle des Québécois du même groupe d'âge a diminué de 1,8 point de pourcentage (de 20,4 % à 18,6 %). Quant à la proportion de personnes de 65 ans et plus, elle a davantage augmenté chez les non-Autochtones (+ 2,3 points) que chez les Autochtones (+ 1,5 point).

Au Québec, la superficie des terres réservées aux Autochtones est de 14 787 km², dont 95,0 % relèvent des nations signataires de la Convention de la Baie-James et du Nord québécois (Cris et Inuits) et de la Convention du Nord-Est québécois (Naskapis) (tableau 7.38). Les réserves et les établissements indiens n'occupent pour leur part que 5,0 % de la superficie, bien qu'ils regroupent plus de 70 % de la population amérindienne. Par ailleurs, environ le quart des Autochtones du Québec, soit près de 20 000 personnes, vivent en dehors des communautés. Notons que ces dernières sont généralement de petite taille, plus de la moitié d'entre elles ayant une population inférieure à 1 000 habitants. À elles seules, les régions du Nord-du-Québec, de l'Abitibi-Témiscamingue et de la Côte-Nord regroupent 39 des 55 communautés existantes (figure 7.1).

Les réserves et les établissements indiens sont administrés par un conseil de bande composé d'un chef et de ses conseillers. Ce conseil dispense à la population les services essentiels, adopte certaines règles au niveau local et représente les intérêts de la communauté auprès des gouvernements. Il faut également mentionner que les Cris et les Naskapis, en tant que signataires de conventions, sont régis par une loi qui leur donne un cadre juridique particulier. Comme les Inuits, ils vivent à l'intérieur de communautés situées sur des terres classées par catégories. Les communautés inuites sont dirigées par un maire et un conseil de village nordique assumant des responsabilités similaires à celles des autres municipalités du Québec. En fait, pour ces trois nations, la signature des conventions a servi à redéfinir les bases de l'organisation sociale, économique et administrative.

L'éducation

Au 30 septembre 1997, le système scolaire québécois comprenait 62 écoles administrées par les différentes communautés autochtones, dont 37 écoles de bande, 9 écoles faisant partie de la Commission scolaire crie, 14 écoles regroupées au sein de la Commission scolaire Kativik (pour les élèves inuits), ainsi qu'une école naskapie administrée par les Autochtones, mais faisant partie de la Commission scolaire Central Québec (tableau 7.39). En 1977-1978, seules 29 écoles fédérales desservaient la population autochtone en âge de fréquenter un établissement scolaire. Vingt ans plus tard, il n'existait plus qu'une seule de ces écoles, située à Kanesatake.

Au 31 décembre 1996, 14 341 jeunes Autochtones allaient à l'école. Parmi eux, 42,9 % fréquentaient une école sous la responsabilité d'un conseil de bande et 41,7 % étaient rattachés aux commissions scolaires crie et Kativik ou à l'école naskapie. Seulement 15,4 %

des élèves fréquentaient une école relevant d'une autre commission scolaire, un établissement privé situé hors des réserves indiennes et des villages inuits, ou une école fédérale (tableau 7.40).

Au cours des dernières décennies, une amélioration de la scolarisation des jeunes Amérindiens et Inuits semble avoir été observée. Les recensements de 1991 et 1996 montrent que la proportion d'Autochtones de 15 ans et plus ayant complété moins de 9 années de scolarité a diminué de 5,6 points de pourcentage en 5 ans (de 45,6 % à 40,0 %), tandis que la proportion de ceux ayant atteint le niveau postsecondaire a augmenté de près de 2 points (de 18,6 % à 20,5 %).

La langue

Les 10 nations amérindiennes sont regroupées en 2 grandes familles linguistiques : la famille algonquienne, ou algique, et la famille iroquoïenne. La première rassemble les peuples traditionnellement nomades (Abénaquis, Algonquins, Attikameks, Cris, Malécites, Micmacs, Montagnais et Naskapis), alors que la seconde comprend les peuples autrefois semi-sédentaires et agriculteurs (Mohawks et Hurons-Wendats). Pour ce qui est de la nation inuite, elle appartient à la famille linguistique esquimaude-aléoute.

La situation linguistique des Autochtones présente une certaine diversité. Parmi les 11 nations du Québec, 8 ont conservé leur langue maternelle, les seules exceptions étant les Malécites, les Hurons-Wendats et les Abénaquis. Toutefois, la part des personnes qui peuvent s'exprimer dans leur langue varie d'une communauté à l'autre. L'un des éléments qui favorisent le maintien des langues vernaculaires est l'éloignement des communautés par rapport aux grands centres urbains. En effet, dans les communautés isolées, une forte proportion des gens utilisent leur langue maternelle; par contre, au voisinage des grands centres, elle n'est parlée que par les aînés[4].

En 1996, 45,8 % de la population autochtone recensée au Québec a déclaré avoir uniquement une langue autochtone comme langue maternelle. Il s'agit de la plus forte proportion parmi les provinces canadiennes. Le tiers (32,8 %) de ces personnes ont mentionné le cri en tant que langue maternelle, 23,5 % l'inuktitut et 23,0 % le montagnais-naskapi (tableau 7.41). Au total, 32 685 personnes avaient comme langue maternelle une langue autochtone, 28 480 étaient de langue maternelle française et 8 320 avaient d'abord appris l'anglais. Parmi les personnes de langue maternelle autochtone, 29 050 parlaient seulement cette langue à la maison, soit 40,7 % des Autochtones recensés. La plus forte proportion d'utilisateurs d'une langue autochtone au foyer, en l'occurrence l'inuktitut, était observée chez les Inuits (91,4 %). Par ailleurs, plus de 10 % des Autochtones avaient adopté, au cours de leur vie, le français, l'anglais ou une autre langue comme langue d'usage.

La santé

Au cours des dernières décennies, l'état de santé des Autochtones du Québec s'est sensiblement amélioré, même si des écarts importants persistent par rapport au reste de la population québécoise[5]. L'augmentation de l'espérance de vie et la baisse de la mortalité infantile sont sans aucun doute des indicateurs d'une meilleure santé physique. Toutefois, certains problèmes de santé demeurent inquiétants, notamment le diabète, les maladies infectieuses et les traumatismes. La population autochtone souffre également d'une grande

---

4. Secrétariat aux affaires autochtones, *Les Amérindiens et les Inuits du Québec, Onze nations contemporaines*, édition 1997, p. 15.
5. *Ibid.*, p. 11.

détresse psychologique. De graves problèmes sociaux sont effectivement rencontrés chez les Autochtones, ce qui n'est pas sans poser un défi de taille à de nombreuses communautés.

De façon générale, les femmes autochtones de 18 ans et plus consultent davantage les intervenants en matière de santé et de services sociaux que les hommes. Ces derniers font cependant appel dans une plus forte proportion aux agents du programme national de lutte contre l'abus d'alcool et de drogue chez les Autochtones (9,4 %) (tableau 7.42). Les personnes de 30 à 44 ans sont celles qui s'adressent le plus aux travailleurs sociaux (17,4 %), aux psychologues (10,2 %), aux agents spécialisés dans la lutte contre l'abus d'alcool et de drogue (10,9 %), de même qu'aux guérisseurs (7,3 %). En ce qui concerne les autres intervenants en matière de santé et de services sociaux, ce sont les personnes de 65 ans et plus qui les consultent le plus.

Les services de santé, tant en matière de soins curatifs que de services sociaux, sont également dispensés dans des proportions différentes selon le sexe et le groupe d'âge. Les femmes sont plus fidèles aux examens périodiques (49,3 %) ainsi qu'aux soins physiques (18,1 %) et psychologiques (7,7 %) que les hommes (tableau 7.43). Elles sont aussi hospitalisées dans une plus forte proportion (21,7 %) et ont davantage recours à une médication (40,8 %). De leur côté, les hommes reçoivent plus de soins à la suite d'accidents ou de blessures (17,7 %), et ont tendance à se diriger davantage que les femmes vers la médecine traditionnelle (20,9 %). Les personnes âgées sont celles qui reçoivent le plus de soins de santé, suivies par le groupe des 30 à 44 ans.

Le travail et le revenu

Plusieurs contraintes affectent le développement économique des communautés autochtones. Le fait qu'elles soient situées loin des marchés et qu'environ 40 % d'entres elles ne soient pas reliées au réseau routier ne favorise pas le développement. Le manque de main-d'œuvre spécialisée et la difficulté d'obtenir du financement sont deux autres facteurs qui limitent la création d'emplois stables et rémunérateurs à l'intérieur des communautés[6]. Les perspectives d'emploi pour les jeunes Autochtones sont donc relativement sombres, d'autant plus qu'une forte proportion de la population, actuellement âgée de moins de 20 ans, sera en âge de travailler d'ici quelques années.

Lors du recensement de 1996, plus de la moitié (56,6 %) des Autochtones du Québec ont révélé faire partie de la population active. Parmi ceux-ci, 24,6 % étaient au chômage, un taux nettement plus élevé que celui observé dans le reste de la population québécoise (11,7 %) (tableau 7.44). La même année, la population autochtone affichait un taux d'emploi de 42,6 %, en comparaison de 55,1 % chez les non-Autochtones. Le taux d'emploi des Autochtones semble bas, mais il faut signaler que celui des Québécois vivant également dans les régions périphériques est aussi généralement inférieur à la moyenne enregistrée au Québec.

Les données du recensement de 1996 indiquaient aussi que pour la population autochtone de 15 ans et plus, 66,8 % du revenu total provenait d'un emploi. Pour les non-Autochtones, cette proportion s'élevait à 74,2 %. Le revenu moyen d'emploi de l'ensemble de la population autochtone (18 017 $ par année) était d'environ 30 % inférieur à celui des autres Québécois (25 171 $), le plus faible étant celui des Inuits (15 835 $ annuellement). Par ailleurs, le revenu des Autochtones était composé à 29,1 % de paiements de

---

6. Secrétariat aux affaires autochtones, *Les Amérindiens et les Inuits du Québec, Onze nations contemporaines*, édition 1997, p. 17.

transferts gouvernementaux, tandis que pour l'ensemble des Québécois cette proportion était de 16,1 %. Enfin, plus des deux tiers (68,6 %) des personnes de 15 ans et plus faisant partie de la population autochtone avaient un revenu inférieur à 20 000 $, une proportion qui dépasse nettement celle observée chez les non-Autochtones (54,6 %). À l'inverse, 17,0 % de ces derniers avaient un revenu annuel supérieur à 40 000 $, une proportion n'atteignant que 8,6 % chez les Autochtones.

Les immigrants[7]

Le développement de la politique d'immigration du Québec

L'immigration est un domaine de compétence partagée entre le gouvernement canadien et les provinces depuis 1867. Le Québec n'a toutefois commencé à exercer ses compétences que dans la seconde moitié du 20e siècle. Les fortes vagues d'immigrants de l'après-guerre et la transformation progressive du rôle de l'État, au Canada comme au Québec, expliquent l'émergence d'une volonté gouvernementale d'utiliser l'immigration comme levier économique. Désormais, l'immigration est de plus en plus axée sur les besoins de l'économie, et la sélection valorise davantage l'instruction, la formation et les compétences professionnelles.

Depuis la signature de l'entente Cullen-Couture en 1978, le Québec est devenu maître d'œuvre de la sélection des immigrants indépendants et des réfugiés à l'étranger. La sélection des indépendants inclut des critères économiques et linguistiques favorisant la sélection de candidats mieux à même de s'intégrer et de demeurer au Québec. Une nouvelle entente, signée en 1991, reconnaît au Québec la responsabilité exclusive d'intégrer les nouveaux arrivants à la société québécoise et de sélectionner les candidats se destinant sur son territoire[8]. Toute décision positive en matière de sélection de la part du Québec amène[9] l'octroi du statut de résident permanent de la part du gouvernement fédéral, sous réserve des contrôles de santé, de criminalité et de sécurité nationale.

Les caractéristiques des ressortissants admis au Québec, exposées ci-après, illustrent les résultats des politiques de sélection qui ont été progressivement mises en place dans les dernières décennies[10]. Il s'agit donc du portrait de l'ensemble des immigrants admis au Québec au moment où ils ont obtenu leur statut de résident permanent. Cela inclut les ressortissants repartis vers d'autres provinces ou États ou décédés, et exclut les ressortissants ayant obtenu leur statut de résident permanent ailleurs au Canada mais installés au Québec depuis.

L'effectif total

Entre 1981 et 2000, le Québec a accueilli 583 336 des 3 547 293 immigrants admis au Canada, soit 16,4 % (tableau 7.45). La période la plus récente, de 1996 à 2000, a vu la part du Québec diminuer à 14,1 %. La *Planification triennale de l'immigration 2001-2003*, adoptée par le gouvernement québécois[11], prévoit une hausse graduelle des volumes pour

---

7. Ce texte traite exclusivement des immigrants admis au Québec entre 1981 et 2000.
8. À l'exception des membres de la catégorie de la famille et des personnes à qui le statut de réfugié est reconnu sur place à la suite d'une demande d'asile.
9. Et pourrait théoriquement empêcher.
10. D'autres caractéristiques démographiques et socio-économiques figurent dans la version CD-ROM de ce texte.
11. Voir le document du MRCI, *Plan stratégique 2001-2004*, mars 2001.

atteindre entre 40 000 et 45 000 admissions en 2003. Compte tenu de la hausse des admissions annuelles prévue par le gouvernement fédéral, la part québécoise devrait osciller entre 16 % et 20 % en 2002.

Au Québec, le portrait des pays sources d'immigration a connu quelques changements au cours de la période 1981-2000 (tableau 7.46). Entre 1981 et 1985, les 15 principaux pays sources représentaient 51,6 % de l'immigration; cette proportion a augmenté à 57,2 % entre 1996 et 2000. Les changements proviennent surtout de l'augmentation de la part des admissions en provenance de l'Algérie (+ 6,1 points de pourcentage), de l'ex-URSS (+ 5,1) et de la Chine (+ 4,7), alors que celle des ressortissants haïtiens (- 9,2), vietnamiens (- 7,8) et salvadoriens (- 2,8 %) a connu de fortes baisses.

La *Planification triennale*, qui met notamment l'accent sur le recrutement d'immigrants indépendants connaissant le français, devrait continuer à modifier le portrait des pays sources. La part représentée par les six pays dont une majorité des ressortissants connaissaient le français (Haïti, Liban, France, Maroc, Algérie et Roumanie) est déjà passée de 27,8 % des admissions pour la période 1981-1995 à 33,2 % pour la période 1996-2000, et elle devrait continuer à augmenter. La moitié des admissions proviennent désormais de régions à plus forte connaissance du français; les deux tiers des indépendants en sont issus (figure 7.2).

L'immigration selon les différentes catégories d'immigrants

On compte trois grandes catégories[12] d'immigration permanente : les immigrants indépendants, la famille et les réfugiés et autres personnes en situation de détresse (tableau 7.47). La catégorie des indépendants regroupe les ressortissants étrangers que le Québec choisit en fonction de ses besoins et de ses objectifs, notamment au chapitre du développement économique et de la pérennité du fait français. De 1981 à 2000, l'ensemble des indépendants a représenté 49,0 % des admissions, comparativement à 46,4 % entre 1996 et 2000 (50,7 % en 2000). La *Planification triennale* prévoit augmenter cette proportion à 62 % en 2003. Une augmentation substantielle est prévue chez les indépendants autres que les gens d'affaires (52 % en 2003), tandis que les gens d'affaires maintiennent leur poids relatif.

Un des objectifs de la politique d'immigration du Québec est de faciliter la réunification familiale. C'est ainsi qu'un résidant du Québec, âgé d'au moins 19 ans, peut faire venir les membres de sa famille. Ces derniers devront cependant faire l'objet d'un engagement de parrainage[13]. Les admissions relevant de cette catégorie représentaient 31,0 % de l'ensemble des admissions de 1981 à 2000. Cette part n'était cependant que de 24,4 % en 2000 et elle devrait baisser à 20 % en 2003. L'effectif de cette catégorie compte 69 % de membres de famille nucléaire, 26 % de parents et grands-parents et 5 % d'enfants accueillis dans le cadre de l'adoption internationale et d'autres parents.

La catégorie des réfugiés et autres personnes en situation de détresse, qui reflète la tradition humanitaire du Québec et rend compte des engagements de solidarité internationale, comprend trois grandes sous-catégories : les réfugiés reconnus au Canada après y avoir sollicité l'asile, les réfugiés sélectionnés à l'étranger et les personnes reconnues en situation particulière de détresse. De 1981 à 2000, l'ensemble des réfugiés comptait pour 20,0 % des admissions au Québec. Cette proportion a connu des variations substantielles, en passant de 14,4 % en 1981-1985 à 21,9 % en 1991-1995. Entre le 1er janvier 1989 et le 15 juin 1993[14], une importante opération de régularisation du statut des réfugiés a permis à

---

12. Le droit fédéral définit les catégories d'immigration; les catégories de sélection québécoises en diffèrent légèrement.
13. Trois ans pour les conjoints, dix ans ou l'âge de la majorité pour les enfants et dix ans pour les ascendants et autres parents.
14. Certains immigrants de ce programme ont été admis à titre d'indépendants ou de membres de la catégorie de la famille.

18 574 personnes de régulariser leur statut au Québec. La proportion représentée par les réfugiés est toutefois demeurée élevée dans les années subséquentes (26,2 % dans le lustre de 1996-2000; 24,8 % en 2000). En 2003, cette catégorie devrait représenter 18 % du total des admissions.

La répartition des ressortissants par pays de naissance varie considérablement selon la catégorie et la sous-catégorie d'immigration (tableau 7.48). La « communauté chinoise », par exemple, compte une proportion importante d'enfants issus de l'adoption internationale (13 %), tandis que 77 % des Français relèvent de la catégorie des travailleurs sélectionnés. Il va de soi que l'immigration induite par la sélection est appelée à influencer progressivement le profil (notamment linguistique) des ressortissants admis dans la catégorie de la famille.

Les caractéristiques linguistiques : langue maternelle et connaissance du français et de l'anglais

Pour l'ensemble des personnes admises au Québec entre 1981 et 2000, la connaissance du français et de l'anglais est équivalente. En fait, 36,6 % des immigrants ont affirmé connaître, à l'admission[15], le français et 36,2 %, l'anglais. La situation ne varie que selon les sous-catégories : la connaissance du français prédomine chez les travailleurs sélectionnés, les enfants et les dépendants des réfugiés; l'inverse est vrai pour les investisseurs et les entrepreneurs, les réfugiés parrainés et les aides familiales.

La ventilation par pays de naissance indique que la connaissance du français varie aussi selon le pays (tableau 7.49). Ainsi, 98,1 % des personnes nées en France, 86,1 % en Algérie, 82,4 % au Maroc, 63,3 % en Haïti, 60,9 % au Liban et 51,0 % en Roumanie connaissent le français. Par ailleurs, la connaissance de l'anglais est majoritaire chez les ressortissants nés aux Philippines (81,3 %), au Sri Lanka (58,1 %), en Iran (56,1 %), et est prédominante chez les ressortissants de la Chine, de l'Inde et de Hong Kong.

Le taux de présence

Le taux de présence au Québec des immigrants varie notamment selon le pays de naissance, la catégorie et la connaissance du français et de l'anglais. Défini comme étant « l'admissibilité de l'immigrant au régime de l'assurance maladie du Québec en janvier 2000 », ce taux a été calculé par jumelage des données du ministère des Relations avec les citoyens et de l'Immigration (MRCI) et de la Régie de l'assurance maladie du Québec (RAMQ)[16]. En janvier 2000, le taux de présence global est de 78 % pour les immigrants admis au Québec entre 1989 et 1998. Les ressortissants d'Haïti, du Maroc et d'El Salvador ont présenté les taux les plus élevés (93 % pour les deux premiers et 90 % pour le troisième), tandis que ceux de Hong Kong et de Taïwan en ont affiché de très faibles (respectivement 40 % et 43 %). Les réfugiés et les indépendants autres que les gens d'affaires ont connu des taux respectifs de 79 % et 81 %, alors que les gens d'affaires présentaient des taux nettement plus faibles, soit de 50 % (18 % chez les investisseurs). Ceux qui, parmi ces derniers, connaissaient au moins le français à l'arrivée affichaient un taux de 73 %. Le taux de la catégorie « famille » a été le plus élevé de tous (86 %). Les taux de présence sont également très élevés chez les immigrants connaissant le français seulement (88 %) ou au moins le français

---

15. Ce qui peut être plusieurs années après l'entrée au pays, en particulier dans le cas des immigrants temporaires.
16. Sont considérées « absentes » les personnes qui n'ont pas été retracées au Québec et qui ne sont pas ou plus inscrites à la RAMQ, de même que les personnes décédées et celles qui font l'objet de codifications erronées empêchant les recoupements entre les bases de données.

(82 %). Les ressortissants ne connaissant que l'anglais ont un taux de présence de 69 %, et ceux ne connaissant ni le français ni l'anglais, un taux de 75 %.

La répartition régionale

Le tableau 7.50 donne notamment la région d'établissement en janvier 2000 pour les immigrants admis au Québec de 1991 à 1998[17]. Au cours de cette période, près des trois quarts (76,5 %) des immigrants[18] se sont installés dans la région de Montréal, comparativement à 8,4 % en Montérégie, 4,5 % à Laval, 1,4 % dans les Laurentides et 0,6 % dans Lanaudière. Par ailleurs, 3,1 % de l'effectif total se retrouve dans la Capitale-Nationale, 1,9 % en Outaouais et 1,5 % en Estrie. À partir de 1994, les flux ont augmenté en importance relative dans les régions situées en dehors de Montréal. Dans la Capitale-Nationale, de 1,8 % du total en 1991, ils passent à 4,4 % en 1998. Dans l'Outaouais et en Estrie, les pourcentages augmentent respectivement de 1,7 % à 2,5 % et de 0,6 % à 2,1 %. De leur côté, les régions montréalaises ont vu leur part reculer, notamment Montréal (de 78,4 % en 1991 à 75,7 % en 1998), la Montérégie (de 7,8 % à 7,0 %) et Laval (de 6,4 % à 3,2 %).

Références

Les jeunes

DAVELUY, C., L. PICA, N. AUDET, R. COURTEMANCHE, F. LAPOINTE et autres. *Enquête sociale et de santé 1998*, 2e édition, Québec, Institut de la statistique du Québec, 2000, 642 p.

GOUVERNEMENT DU QUEBEC. Conseil permanent de la jeunesse, *Site du Conseil permanent de la jeunesse*, [En ligne], [http://www.cpj.gouv.qc.ca] (30 juillet 2001).

GOUVERNEMENT DU QUÉBEC. Institut de la statistique du Québec, *Site de l'Institut de la statistique du Québec,* [En ligne], [http://www.stat.gouv.qc.ca].

GOUVERNEMENT DU QUÉBEC. Secrétariat à la jeunesse, *Site du Secrétariat à la jeunesse*, [En ligne], [http://www.sommet.gouv.qc.ca/jeunes/] (30 juillet 2001).

INSTITUT DE LA STATISTIQUE DU QUÉBEC. *Perspectives démographiques du Québec 1996-2041, régions administratives, régions métropolitaines et municipalités régionales de comté*, édition 2000, [Cédérom], Québec, Gouvernement du Québec, 2000.

SANTÉ QUÉBEC, A. ÉMOND et autres. *Et la santé, ça va? Rapport de l'enquête Santé Québec 1987*, tome 1, Québec, Les Publications du Québec, Ministère de la Santé et des Services sociaux, 1988, 337 p.

SANTÉ QUÉBEC, C. BELLEROSE, L. CHÉNARD et M. LEVASSEUR (sous la direction de). *Et la santé, ça va en 1992-1993? Rapport de l'Enquête sociale et de santé 1992-1993*, vol. 1, Montréal, Ministère de la Santé et des Services sociaux, 1995, 412 p.

Les personnes âgées

DAVELUY, C., L. PICA, N. AUDET, R. COURTEMANCHE, F. LAPOINTE et autres. *Enquête sociale et de santé 1998*, 2e édition, Québec, Institut de la statistique du Québec, 2000, 642 p.

GOUVERNEMENT DU QUÉBEC. Institut de la statistique du Québec, *Site de l'Institut de la statistique du Québec,* [En ligne], [http://www.stat.gouv.qc.ca].

SANTÉ QUÉBEC, A. ÉMOND et autres. *Et la santé, ça va? Rapport de l'enquête Santé Québec 1987*, tome 1, Québec, Les Publications du Québec, Ministère de la Santé et des Services sociaux, 1988, 337 p.

SANTÉ QUÉBEC, C. BELLEROSE, L. CHÉNARD et M. LEVASSEUR (sous la direction de). *Et la santé, ça va en 1992-1993? Rapport de l'Enquête sociale et de santé 1992-1993*, vol. 1, Montréal, Ministère de la Santé et des Services sociaux, 1995, 412 p.

---

17. Les données relatives aux destinations projetées sont plus indicatives que réelles puisque aucun immigrant n'est obligé de concrétiser son intention d'établissement initiale.

18. Pourcentages calculés sur les seules régions d'établissement connues. Les renseignements non disponibles touchent 11 % des immigrants arrivés entre 1991 et 1998.

Les personnes ayant une incapacité

INSTITUT DE LA STATISTIQUE DU QUÉBEC. *Enquête québécoise sur les limitations d'activités, 1998*, Québec, Gouvernement du Québec, 516 p.

OFFICE DES PERSONNES HANDICAPÉES. *L'effectif scolaire des élèves handicapés des niveaux préscolaire, primaire et secondaire selon les régions sociosanitaires du ministère de la Santé et des Services sociaux pour l'année scolaire 1995-1996*, document de travail, DRSD-957; *1996-1997*, document de travail, DRSD-999; *1997-1998*, DEIP-1033, Gouvernement du Québec.

OFFICE DES PERSONNES HANDICAPÉES. *Portrait socio-économique des femmes ayant des incapacités*, édition 1995-1996, Gouvernement du Québec, n° 4 (Collection statistiques).

OFFICE DES PERSONNES HANDICAPÉES. *Portrait statistique national, Un regard sur la situation des personnes handicapées au Québec*, Gouvernement du Québec, juin 1997.

STATISTIQUE CANADA. *Enquête sur la santé et les limitations d'activités de 1991*, Ottawa, Gouvernement du Canada (82-555 hors série, 82-554, 82-607, 82-602).

Les Autochtones

COMMISSION DE LA SANTÉ ET DES SERVICES SOCIAUX DES PREMIÈRES NATIONS DU QUÉBEC ET DU LABRADOR. *Rapport sur l'analyse et l'interprétation de l'enquête médicale régionale*, région du Québec, 1999.

MINISTÈRE DE L'ÉDUCATION DU QUÉBEC. « Un portrait statistique de l'évolution de la situation scolaire de la population autochtone du Québec », *Bulletin statistique de l'éducation*, Direction des statistiques et des études quantitatives, Gouvernement du Québec, septembre 1998.

MINISTÈRE DES AFFAIRES INDIENNES ET DU NORD CANADIEN. *Données ministérielles de base*, Gouvernement du Canada, 2000.

MINISTÈRE DES RESSOURCES NATURELLES. *Localisation des nations autochtones du Québec – Historique foncier*, Gouvernement du Québec, 1998.

SANTÉ QUÉBEC. *Et la santé des Cris, ça va?*, Rapport de l'Enquête Santé Québec auprès des Cris de la Baie-James, Ministère de la Santé et des Services sociaux, 1991.

SANTÉ QUÉBEC. *Et la santé des Inuits, ça va?*, Rapport de l'Enquête Santé Québec auprès des Inuits du Nunavik, Ministère de la Santé et des Services sociaux, 1992.

SECRÉTARIAT AUX AFFAIRES AUTOCHTONES. *Les Amérindiens et les Inuits du Québec, Onze nations contemporaines*, Gouvernement du Québec, 1997 et 2001.

STATISTIQUE CANADA. Recensements du Canada, Gouvernement du Canada.

Les immigrants

MINISTÈRE DES COMMUNAUTÉS CULTURELLES ET DE L'IMMIGRATION. *Le mouvement d'immigration d'hier à aujourd'hui*, Montréal, Direction des communications, Gouvernement du Québec, 1990, 85 p.

MINISTÈRE DES RELATIONS AVEC LES CITOYENS ET DE L'IMMIGRATION. *La capacité d'intervention du Québec en matière d'immigration* et *L'évolution de l'immigration au Québec*, documents de la consultation en 2001-2003, Gouvernement du Québec, 2001.

MINISTÈRE DES RELATIONS AVEC LES CITOYENS ET DE L'IMMIGRATION. *Les responsabilités fédérales-provinciales en matière d'immigration et la typologie des personnes se trouvant sur le territoire*, [s.l.], Direction des politiques et programmes d'immigration, en collaboration avec la Direction des affaires juridiques et la Direction des communications, Gouvernement du Québec, 1999.

MINISTÈRE DES RELATIONS AVEC LES CITOYENS ET DE L'IMMIGRATION. *Plan stratégique 2001-2003*, [s.l.], Direction de la planification stratégique et Direction des affaires publiques et des communications, Gouvernement du Québec, 2001, 31 p.

SAINTE-MARIE, GISÈLE. *Présence au Québec et dans les régions en 2000 de l'immigration récente*, document de travail, Ministère des Relations avec les citoyens et de l'Immigration, Direction de la planification stratégique, 2001.

Tableau 7.1

Répartition des 15-29 ans par groupe d'âge et proportion dans la population totale[1], Québec, Ontario et Canada, 1989, 1994 et 1999

Groupe d'âge	Québec		Ontario		Canada	
	'000	%	'000	%	'000	%
1989						
15-29 ans	1 618,5	23,4	2 456,7	24,3	6 483,9	23,8
15-19 ans	452,6	6,5	706,6	7,0	1 889,0	6,9
20-24 ans	526,3	7,6	803,8	8,0	2 100,7	7,7
25-29 ans	639,7	9,2	946,2	9,4	2 494,2	9,1
1994						
15-29 ans	1 487,5	20,6	2 315,3	21,4	6 106,8	21,0
15-19 ans	483,2	6,7	696,6	6,4	1 917,4	6,6
20-24 ans	466,6	6,5	760,4	7,0	1 986,6	6,8
25-29 ans	537,7	7,5	858,2	7,9	2 202,9	7,6
1999						
15-29 ans	1 445,2	19,7	2 301,1	20,0	6 104,7	20,0
15-19 ans	481,3	6,6	748,3	6,5	2 019,6	6,6
20-24 ans	492,9	6,7	746,2	6,5	2 018,5	6,6
25-29 ans	471,0	6,4	806,5	7,0	2 066,7	6,8

1. Excluant les réserves indiennes; cependant, l'effet de ces données manquantes est très faible.

Source : Statistique Canada, Enquête sur la population active.

Compilation : Institut de la statistique du Québec.

Tableau 7.2

Répartition des 15-29 ans par groupe d'âge et proportion dans la population totale[1], par région administrative, Québec, 1999

Région administrative		Groupe d'âge			Ensemble des 15-29 ans	Population totale	Proportion des 15-29 ans
		15-19 ans	20-24 ans	25-29 ans			
		'000					%
01	Bas-Saint-Laurent	15,9	13,7	9,4	39,0	206,6	18,9
02	Saguenay–Lac-Saint-Jean	23,9	21,6	15,1	60,7	289,7	21,0
03	Capitale-Nationale	39,1	42,1	42,1	123,4	645,2	19,1
04	Mauricie	18,5	15,5	13,1	47,1	264,3	17,8
05	Estrie	19,7	21,4	17,0	58,1	288,6	20,1
06	Montréal	91,9	142,8	142,2	376,9	1 799,4	20,9
07	Outaouais	21,3	18,9	19,4	59,6	318,8	18,7
08	Abitibi-Témiscamingue	11,7	10,2	11,2	33,0	156,0	21,1
09-10	Côte-Nord et Nord-du-Québec	11,0	9,8	8,7	29,5	143,0	20,6
11	Gaspésie–Îles-de-la-Madeleine	6,4	4,8	6,2	17,5	103,8	16,9
12	Chaudière-Appalaches	26,8	22,9	22,2	71,9	390,1	18,4
13	Laval	25,5	25,2	20,6	71,3	346,5	20,6
14	Lanaudière	26,9	19,0	23,4	69,3	396,7	17,5
15	Laurentides	34,5	28,9	27,5	91,0	463,1	19,7
16	Montérégie	92,9	80,0	78,2	251,1	1 311,5	19,1
17	Centre-du-Québec	15,3	16,1	14,6	46,0	222,1	20,7
Le Québec		**481,3**	**492,9**	**471,0**	**1 445,2**	**7 345,4**	**19,7**

1. Excluant les réserves indiennes; cependant, l'effet de ces données manquantes est très faible.

Source : Statistique Canada, Enquête sur la population active.

Compilation : Institut de la statistique du Québec.

Tableau 7.3
Répartition de la population de 20 à 29 ans selon le niveau de scolarité et le sexe, Québec, 1996

Scolarité	20 à 24 ans			25 à 29 ans		
	Hommes	Femmes	Total	Hommes	Femmes	Total
			%			
9ᵉ année	10,7	7,5	9,2	6,5	4,8	5,6
9ᵉ - 13ᵉ année sans diplôme	24,3	19,2	21,9	18,1	13,7	15,9
9ᵉ - 13ᵉ année avec diplôme[1]	23,1	18,2	20,8	22,3	19,8	21,0
Études postsecondaires inférieures au baccalauréat[2]	38,1	47,5	42,6	38,7	42,5	40,6
Grade universitaire	3,7	7,5	5,5	14,5	19,2	16,8

1. Incluant les personnes ayant un certificat ou un diplôme d'une école de métiers.
2. Incluant les personnes ayant des études universitaires sans baccalauréat.
Source : Statistique Canada, Recensement du Canada, 1996.

Tableau 7.4
Taux d'activité et taux de chômage des jeunes selon le groupe d'âge et le sexe, Québec, 1995 et 2000

Groupe d'âge et sexe	Taux de chômage		Taux d'activité	
	1995	2000	1995	2000
		%		
15 ans et plus	**11,4**	**8,4**	**62,1**	**63,2**
Hommes	11,8	8,6	70,7	70,8
Femmes	11,0	8,1	53,9	55,9
15 à 19 ans	**18,9**	**18,3**	**44,8**	**45,4**
Hommes	19,8	18,3	46,2	48,5
Femmes	17,9	18,4	43,3	42,2
20 à 24 ans	**13,9**	**11,4**	**74,0**	**76,0**
Hommes	15,1	12,9	77,6	79,2
Femmes	12,7	9,7	70,3	72,6
25 à 29 ans	**12,2**	**8,8**	**80,2**	**84,3**
Hommes	13,4	9,3	87,1	88,6
Femmes	10,8	8,1	73,2	79,8

Source : Statistique Canada, Enquête sur la population active.

Tableau 7.5
Revenu total moyen des jeunes selon le groupe d'âge et le sexe, Québec, 1987, 1992 et 1997

Groupe d'âge et sexe	1987	1992	1997
		$[1]	
15-29 ans	**14 449**	**12 960**	**11 898**
Hommes	17 260	14 552	13 545
Femmes	11 544	11 311	10 194
15-19 ans	**3 891**	**2 172**	**2 372**
Hommes	4 352	2 487	2 493
Femmes	3 412	1 845	2 246
20-24 ans	**14 584**	**12 994**	**11 900**
Hommes	17 027	13 491	13 903
Femmes	12 059	12 479	9 819
25-29 ans	**21 714**	**21 602**	**21 539**
Hommes	26 553	25 156	24 456
Femmes	16 744	17 929	18 550

1. En dollars constants de 1997.
Source : Statistique Canada, Enquête sur les finances des consommateurs.
Compilation : Institut de la statistique du Québec.

Tableau 7.6
Taux de fréquentation scolaire des jeunes selon le groupe d'âge et le sexe, Québec, 1996

Groupe d'âge	Temps partiel			Temps plein			Total		
	Hommes	Femmes	Total	Hommes	Femmes	Total	Hommes	Femmes	Total
	%								
15-19 ans	4,1	3,2	3,6	80,7	84,7	82,6	84,8	87,9	86,3
20-24 ans	8,6	9,1	8,9	39,5	43,6	41,6	48,1	52,8	50,4
25-29 ans	8,5	11,3	9,9	11,8	10,9	11,3	20,3	22,2	21,2

Source : Statistique Canada, Recensement du Canada, 1996.

Tableau 7.7
Indicateurs de l'état de santé, population de 15 à 24 ans (1987, 1992-1993 et 1998) et population de 25 ans et plus (1998), Québec

Indicateurs	Unité	15-24 ans			25 ans et plus
		1987	1992-1993	1998	1998
État de santé perçu					
Excellent	%	24,1	22,9	21,1	17,5
Très bon	%	46,3	38,3	41,7	35,1
Bon	%	25,2	33,0	30,4	35,5
Moyen ou mauvais	%	4,4	5,9	6,8	11,9
Indice de détresse psychologique[1]					
Niveau élevé	%	23,4	35,2	28,2	18,4
Idées suicidaires[2]					
Idées suicidaires	%	5,4	7,3	7,4	3,2
Tentatives de suicide[3]					
Tentatives de suicide	%	1,9*	1,5*	1,4*	0,3*
Principaux problèmes de santé					
Rhinite allergique	%	9,8	..	14,6	9,7
Autres allergies	%	8,7	..	13,8	10,2
Allergies ou affections cutanées	%	8,7	..	10,5	8,9
Maux de tête	%	7,4	..	9,6	14,7
Accidents avec blessures	%	..	..	8,1	8,3
Maux de dos ou de la colonne	%	4,0	..	5,8	13,8
Asthme	%	2,5	..	5,6	4,4
Accidents avec blessures[4]					
Accidents avec blessures	‰	..	111,5	76,8	65,8
		15-19 ans[5]		20 ans et plus	
Indice de masse corporelle					
Excès de poids	%	10,9	17,6	16,0	29,3
Poids insuffisant	%	19,3	17,1	16,0	13,2
Poids acceptable	%	69,8	65,3	68,0	57,6

1. Au cours des 2 dernières semaines.
2. Au cours des 12 derniers mois; la population de référence exclut les personnes ayant déclaré une tentative de suicide.
3. Au cours des 12 derniers mois.
4. Taux pour mille de victimes d'accidents avec blessures ayant entraîné une limitation des activités et/ou une consultation médicale au cours des 12 derniers mois.
5. Seuil de l'IMC des 15-19 ans différent de celui des autres groupes d'âge.
* Coefficient de variation entre 15 % et 25 %; interpréter avec prudence.

Sources : Santé Québec, enquête *Santé Québec 1987* et *Enquête sociale et de santé 1992-1993*.
Institut de la statistique du Québec, *Enquête sociale et de santé 1998*.

Tableau 7.8

Indicateurs des habitudes de vie, population de 15 à 24 ans (1987, 1992-1993 et 1998) et population de 25 ans et plus (1998), Québec

Indicateurs	15-24 ans			25 ans et plus
	1987	1992-1993	1998	1998
		%		
Type d'usage de la cigarette				
Non-fumeurs	60,4	65,4	64,0	66,4
N'ont jamais fumé	43,1	44,6	42,9	30,2
Anciens fumeurs	17,3	20,8	21,1	36,2
Fumeurs actuels	39,6	34,6	36,0	33,6
Fumeurs occasionnels	7,2	7,2	7,7	2,6
Fumeurs réguliers	32,4	27,4	28,3	31,0
Type de buveurs				
N'ont jamais bu	13,2	14,4	11,1	13,2
Anciens buveurs[1]	2,7*	2,7	1,8*	6,7
Buveurs actuels[2]	84,0	83,0	87,2	80,1
Consommation élevée d'alcool en une même occasion[3]				
Cinq consommations ou plus	..	38,7	41,9	25,9
Enivrement	..	24,2	28,7	6,0
Type de consommateurs de drogues				
N'ont jamais consommé	..	..	50,3	72,5
Anciens consommateurs[4]	..	..	10,0	14,7
Consommateurs actuels[5]	..	..	39,7	12,8
Pratique d'activités physiques de loisir[6]				
Trois fois par semaine et plus	..	34,4	34,7	24,2
Deux fois par semaine	..	16,6	16,9	13,1
Une fois par semaine	..	15,3	15,9	11,6
Une à trois fois par mois	..	22,7	21,7	18,5
Aucune fois	..	10,9	10,9	32,6

	15-19 ans			20 ans et plus
	1987	1992-1993	1998	1998
		%		
Utilisation du condom lors de la dernière relation sexuelle[7]				
Personnes ayant eu un seul partenaire depuis 12 mois				
Partenaire régulier avec lequel la personne vit	..	..	32,8*	9,6
Partenaire régulier avec lequel la personne ne vit pas	..	..	50,2	25,0
Partenaire occasionnel	..	..	67,7*	53,1
Personnes ayant eu plus d'un partenaire depuis 12 mois				
Partenaire régulier avec lequel la personne vit	..	..	43,8*	19,8
Partenaire régulier avec lequel la personne ne vit pas	..	..	57,0	45,7
Partenaire occasionnel	..	..	71,8	62,2

1. Qui n'ont pas consommé d'alcool depuis 12 mois.
2. Qui ont consommé de l'alcool de façon occasionnelle ou régulière au cours des 12 derniers mois.
3. Cinq fois ou plus au cours des 12 derniers mois.
4. Qui n'ont consommé aucune drogue depuis 12 mois.
5. Qui ont consommé une ou plusieurs drogues au cours des 12 derniers mois.
6. D'une durée de 20 à 30 minutes par séance au cours des 3 derniers mois.
7. Population hétérosexuelle ayant déjà eu des relations sexuelles avec pénétration.
* Coefficient de variation entre 15 % et 25 %; interpréter avec prudence.

Sources : Santé Québec, enquête *Santé Québec 1987* et *Enquête sociale et de santé 1992-1993.*
Institut de la statistique du Québec, *Enquête sociale et de santé 1998.*

Tableau 7.9
Nombre de personnes âgées de 65 ans et plus, et leur part dans la population totale, Québec, 1971-2000

Année	Personnes de 65 ans et plus	Population totale	Part des personnes de 65 ans et plus
	n		%
1971	418 524	6 137 368	6,8
1976	488 802	6 396 735	7,6
1981	573 215	6 547 704	8,8
1986	657 809	6 708 352	9,8
1991	782 329	7 064 735	11,1
1996	870 204	7 274 019	12,0
2000	944 474	7 372 448	12,8

Source : Statistique Canada, Recensements du Canada; Estimations de la population.

Tableau 7.10
Quelques indicateurs relatifs aux personnes âgées de 65 ans et plus, Québec, 1971-2000

Année	Rapport	Rapport de dépendance démographique	
	Personnes âgées/ jeunes[1]	Personnes âgées[2]/ personnes de 20 à 64 ans	Jeunes et personnes âgées[3]/ personnes de 20 à 64 ans
		n	
1971	17,2	12,7	86,9
1981	28,1	14,6	66,4
1991	42,0	17,7	59,8
2000	52,6	20,4	59,2

1. Nombre de personnes âgées de 65 ans et plus pour 100 jeunes de 0 à 19 ans.
2. Nombre de personnes âgées de 65 ans et plus pour 100 personnes de 20 à 64 ans.
3. Nombre de personnes âgées et de jeunes pour 100 personnes de 20 à 64 ans.

Source : Statistique Canada, Recensements du Canada; Estimations de la population.

Tableau 7.11
Population de 65 ans et plus selon le sexe et le groupe d'âge, Québec, 1971-2000

Sexe et groupe d'âge	1971	1981	1991	2000	1971	2000
	n				%	
Hommes	183 162	237 334	316 357	388 970	100,0	100,0
65-69 ans	74 663	95 486	123 701	135 916	40,8	34,9
70-74 ans	50 020	67 508	85 850	109 989	27,3	28,3
75-79 ans	31 602	41 159	57 417	76 676	17,3	19,7
80-84 ans	17 184	20 855	31 330	40 369	9,4	10,4
85-89 ans	7 265	9 030	12 904	18 672	4,0	4,8
90 ans et plus	2 428	3 296	5 155	7 348	1,3	1,9
Femmes	235 362	335 881	465 972	555 504	100,0	100,0
65-69 ans	87 914	117 244	151 753	154 357	37,4	27,8
70-74 ans	64 183	91 823	118 456	140 881	27,3	25,4
75-79 ans	42 960	63 803	90 869	115 985	18,3	20,9
80-84 ans	25 034	37 749	59 585	75 277	10,6	13,6
85-89 ans	11 180	17 845	30 794	45 114	4,8	8,1
90 ans et plus	4 091	7 417	14 515	23 890	1,7	4,3

Source : Statistique Canada, Recensements du Canada; Estimations de la population.

Tableau 7.12

Rapport de masculinité[1] de la population de 65 ans et plus, par groupe d'âge, Québec, 1971-2000

Année	Groupe d'âge						Population de 65 ans et plus
	65-69 ans	70-74 ans	75-79 ans	80-84 ans	85-89 ans	90 ans et plus	
	n						
1971	85	78	74	69	65	59	78
1981	81	74	65	55	51	44	71
1991	82	72	63	53	42	36	68
2000	88	78	66	54	41	31	70

1. Nombre d'hommes pour 100 femmes.

Source : Statistique Canada, Recensements du Canada; Estimations de la population.

Tableau 7.13

Données sur le vieillissement de la population des municipalités de 30 000 habitants ou plus, Québec, 1996

Municipalités	Population					Rapport personnes âgées/ jeunes[1]	Rapport de masculinité[2]		
	Total	65 ans et plus	65 ans et plus	65-74 ans	75 ans et plus		65 ans et plus	65-74 ans	75 ans et plus
	n		%				n		
Anjou	37 308	5 315	14,2	9,7	4,6	68,4	65,3	75,2	47,6
Aylmer	34 901	2 365	6,8	4,5	2,3	21,1	70,1	79,3	54,8
Beauport	72 920	8 540	11,7	6,8	5,0	45,4	59,5	73,7	43,5
Boucherville	34 989	3 030	8,7	5,6	3,0	32,4	73,6	92,7	46,5
Brossard	65 927	5 085	7,7	5,1	2,7	27,8	72,1	87,6	48,7
Cap-de-la-Madeleine	33 438	4 795	14,3	9,0	5,4	59,3	59,3	66,7	48,3
Charlesbourg	70 942	7 760	10,9	7,4	3,5	47,2	70,4	82,0	50,0
Châteauguay	41 423	4 545	11,0	7,4	3,5	38,3	77,2	89,8	55,6
Chicoutimi	63 061	7 150	11,3	7,2	4,1	41,6	61,2	69,4	48,7
Dollard-des-Ormeaux	47 826	3 650	7,6	5,1	2,5	24,5	76,3	89,1	55,1
Drummondville	44 882	7 155	15,9	8,9	7,0	65,7	61,0	72,2	48,7
Gatineau	100 702	5 845	5,8	4,0	1,8	19,3	74,0	84,7	54,0
Granby	43 316	6 360	14,7	8,5	6,2	59,0	62,5	72,0	51,0
Hull	62 339	7 420	11,9	7,4	4,5	54,2	59,1	70,7	43,1
Jonquière	56 503	6 850	12,1	7,9	4,2	44,1	68,1	74,8	56,9
Lachine	35 171	6 035	17,2	9,4	7,8	76,4	52,8	66,7	38,8
LaSalle	72 029	10 150	14,1	9,0	5,1	63,6	65,6	77,6	48,0
Laval	330 393	37 190	11,3	7,4	3,9	43,0	72,3	85,1	52,3
Lévis	40 407	5 715	14,1	8,1	6,0	59,1	56,4	67,5	43,5
Longueuil	127 977	13 685	10,7	6,7	4,0	43,5	64,9	75,1	50,1
Montréal	1 016 376	149 925	14,8	8,5	6,3	71,9	59,2	70,5	46,2
Montréal-Nord	81 581	14 100	17,3	9,6	7,7	72,6	54,5	70,3	38,6
Pierrefonds	52 986	4 720	8,9	5,8	3,1	30,5	65,0	76,9	46,4
Québec	167 264	26 665	15,9	8,9	7,0	84,4	51,0	62,8	38,2
Repentigny	53 824	4 005	7,4	5,4	2,1	25,0	83,7	93,3	62,8
Rimouski	31 773	4 390	13,8	7,8	6,0	57,8	56,8	68,2	43,9
Sainte-Foy	72 330	10 355	14,3	9,0	5,3	70,6	66,1	72,0	56,9
Saint-Eustache	39 848	3 160	7,9	4,9	3,0	26,0	69,9	77,0	59,3
Saint-Hubert	77 042	5 115	6,6	4,4	2,2	22,2	69,4	81,7	48,9
Saint-Hyacinthe	38 981	7 165	18,4	9,5	8,9	80,0	52,0	65,9	39,4
Saint-Jean-sur-Richelieu	36 435	5 810	15,9	9,3	6,7	67,3	62,1	71,4	50,6
Saint-Laurent	74 240	12 895	17,4	10,1	7,3	75,3	64,0	73,3	52,5
Saint-Léonard	71 327	10 125	14,2	9,5	4,7	65,3	77,6	85,2	64,0
Sherbrooke	76 786	12 605	16,4	8,9	7,5	75,1	56,1	68,0	43,9
Terrebonne	42 214	2 770	6,6	4,5	2,1	20,9	75,3	83,9	59,5
Trois-Rivières	48 419	8 595	17,8	10,3	7,4	85,7	57,1	68,9	43,3
Verdun	59 714	9 155	15,3	9,1	6,2	75,6	58,3	71,3	42,3
Victoriaville	38 174	5 160	13,5	7,6	5,9	50,0	65,4	76,1	53,4
Le Québec	**7 138 795**	**860 705**	**12,1**	**7,3**	**4,8**	**46,1**	**68,4**	**80,0**	**53,5**

1. Nombre de personnes âgées de 65 ans et plus pour 100 jeunes de 0 à 19 ans.
2. Nombre d'hommes pour 100 femmes.

Source : Statistique Canada, Recensement du Canada, 1996.

Tableau 7.14
Répartition de la population de 15 ans et plus et de 65 ans et plus, selon le sexe et le plus haut niveau de scolarité atteint, Québec, 1996

Scolarité	Population de 65 ans et plus			Population de 15 ans et plus		
	Hommes	Femmes	Total	Hommes	Femmes	Total
			%			
Moins d'une 9e année	51,4	53,4	52,6	17,2	18,9	18,1
9e-13e année sans diplôme	13,0	15,4	14,4	18,0	16,8	17,4
Diplôme du secondaire	14,4	16,6	15,7	21,3	22,6	22,0
Postsecondaire (non universitaire)	9,2	8,3	8,7	22,4	22,2	22,3
Études universitaires						
Sans grade	3,8	3,5	3,6	7,6	8,3	8,0
Avec grade	8,1	2,9	5,1	13,4	11,1	12,2
Total	**100,0**	**100,0**	**100,0**	**100,0**	**100,0**	**100,0**

Source : Statistique Canada, Recensement du Canada, 1996.

Tableau 7.15
Revenu moyen et revenu médian[1], selon le sexe et le groupe d'âge, Québec, 1985, 1990 et 1995

	Unité	Hommes			Femmes		
		1985	1990	1995	1985	1990	1995
15 ans et plus							
Nombre de personnes	n	2 482 405	2 639 025	2 756 705	2 632 585	2 794 220	2 916 760
Revenu moyen	$	29 916	31 165	28 436	16 614	18 378	17 836
Revenu médian	$	25 310	26 715	23 324	12 332	14 103	13 369
65-69 ans							
Nombre de personnes	n	100 160	120 700	129 425	124 800	146 755	150 690
Revenu moyen	$	24 354	26 329	25 544	13 370	14 223	14 553
Revenu médian	$	16 885	18 728	18 011	10 551	10 929	11 225
70 ans et plus							
Nombre de personnes	n	148 210	171 870	200 330	225 520	266 935	306 910
Revenu moyen	$	18 882	21 731	22 164	13 498	15 135	15 286
Revenu médian	$	12 955	14 851	15 738	10 907	11 573	12 342

1. En dollars de 1995.

Source : Statistique Canada, Recensements du Canada.

Tableau 7.16
Ménages privés selon le statut de résidence et le groupe d'âge du soutien du ménage, Québec, 1996

Statut de résidence	Unité	15 ans et plus	65 ans et plus
Total[1]	n	2 822 030	522 530
Propriétaires	n	1 593 600	287 530
Locataires	n	1 225 305	234 670
Total[1]	%	100,0	100,0
Propriétaires	%	56,5	55,0
Locataires	%	43,4	44,9

1. Le total diffère de la somme des composantes parce qu'il inclut les logements des bandes indiennes.

Source : Statistique Canada, Recensement du Canada, 1996.

Tableau 7.17
Population de 65 ans et plus vivant dans les logements collectifs, Québec, 1991 et 1996

Genre de logement	65-74 ans			75 ans et plus			65 ans et plus		
	Hommes	Femmes	Total	Hommes	Femmes	Total	Hommes	Femmes	Total
					n				
1991	**7 345**	**12 395**	**19 745**	**15 450**	**45 850**	**61 300**	**22 795**	**58 245**	**81 045**
Hôpitaux	1 370	1 205	2 575	1 740	3 405	5 145	3 110	4 610	7 720
Centres de soins spéciaux	3 845	6 085	9 935	11 565	34 240	45 810	15 410	40 325	55 745
Institutions religieuses	1 150	4 500	5 655	1 335	6 795	8 130	2 485	11 295	13 785
Logements collectifs de service	945	590	1 535	775	1 360	2 130	1 720	1 950	3 665
Autres	40	10	50	35	55	85	75	65	135
1996	**7 275**	**11 660**	**18 935**	**16 680**	**51 350**	**68 020**	**23 955**	**63 010**	**86 955**
Hôpitaux	1 255	1 330	2 580	1 990	4 110	6 100	3 245	5 440	8 680
Centres de soins spéciaux	4 060	6 230	10 295	12 580	39 725	52 305	16 640	45 955	62 600
Institutions religieuses	1 045	3 555	4 605	1 395	6 200	7 595	2 440	9 755	12 200
Logements collectifs de service	865	535	1 405	695	1 290	1 985	1 560	1 825	3 390
Autres	50	10	50	20	25	45	70	35	95

Source :   Statistique Canada, Recensements du Canada.

Tableau 7.18
Répartition de la population de 15 ans et plus en ménage privé selon le sexe et le groupe d'âge, et selon la perception de leur état de santé, Québec, 1998

Sexe et groupe d'âge	État de santé perçu				
	Excellent	Très bon	Bon	Moyen	Mauvais
			%		
Hommes					
15 ans et plus	19,6	36,4	33,6	8,4	2,0
65 ans et plus	12,1	24,0	41,6	17,1	5,2
Femmes					
15 ans et plus	16,6	36,0	35,7	9,5	2,2
65 ans et plus	10,6	24,6	41,6	19,5	3,8
Sexes réunis					
15 ans et plus	18,1	36,2	34,7	9,0	2,1
65 ans et plus	11,2	24,3	41,6	18,5	4,4

Source :   Institut de la statistique du Québec, *Enquête sociale et de santé, 1998.*

Tableau 7.19
Prévalence des problèmes de santé chez la population totale et celle de 65 ans et plus en ménage privé, selon le sexe, Québec, 1998

Sexe et groupe d'âge	Aucun problème	Au moins un problème		
		Un problème	Plus d'un problème	Total
		%		
Hommes				
Tous les groupes d'âge	41,2	26,5	32,3	58,8
65 ans et plus	18,2	17,3	64,5	81,8
Femmes				
Tous les groupes d'âge	30,9	22,9	46,2	69,1
65 ans et plus	10,3	12,7	77,0	89,7
Sexes réunis				
Tous les groupes d'âge	36,0	24,7	39,3	64,0
65 ans et plus	13,7	14,6	71,7	86,3

Source :   Institut de la statistique du Québec, *Enquête sociale et de santé 1998.*

Tableau 7.20
Prévalence des principaux problèmes de santé selon le sexe, population de 65 ans et plus en ménage privé, Québec, 1987 et 1998

Problèmes de santé	Hommes		Femmes		Total	
	1987	1998	1987	1998	1987	1998
	%					
Hypertension artérielle	19,2	30,8	33,6	41,8	27,6	37,1
Arthrite ou rhumatisme	27,2	24,9	40,1	42,1	34,7	34,8
Maladies cardiaques	22,9	24,3	20,1	22,3	21,3	23,2
Maladies de l'œil[1]	...	15,2	...	25,4	...	21,1
Maux de dos ou de la colonne	8,2	13,3	11,7	17,6	10,2	15,8
Troubles digestifs fonctionnels	8,0	10,6	12,7	13,9	10,7	12,5
Troubles de la thyroïde	0,8**	4,5*	4,8	16,9	3,1	11,6
Diabète	5,6	10,6	7,4	11,3	6,6	11,0
Troubles du sommeil	8,4	8,8	12,9	12,1	11,0	10,7
Hypercholestérolémie	0,6**	9,6	0,8**	10,3	0,7*	10,0

1. Données de 1998 non comparables à celles de 1987.
* Coefficient de variation entre 15 % et 25 %; interpréter avec prudence.
** Coefficient de variation > 25 %; estimation imprécise fournie à titre indicatif seulement.
Sources : Santé Québec, enquête *Santé Québec 1987*.
    Institut de la statistique du Québec, *Enquête sociale et de santé 1998*.

Tableau 7.21
Taux de limitations d'activités selon le groupe d'âge, population en ménage privé, Québec, 1987, 1992-1993 et 1998

Groupe d'âge	1987	1992-1993	1998
	%		
Tous les groupes d'âge	7,4	7,2	9,3
65-74 ans[1]	16,8	17,2	20,3
75 ans et plus[1]	21,7	22,7	26,7

1. Les hausses des taux de limitations d'activités entre 1987 et 1998 ne sont pas statistiquement significatives.
Sources : Santé Québec, enquête *Santé Québec 1987* et *Enquête sociale et de santé 1992-1993*.
    Institut de la statistique du Québec, *Enquête sociale et de santé 1998*.

Tableau 7.22
Victimes d'accidents avec blessures ayant entraîné une limitation des activités et/ou une consultation médicale, selon le groupe d'âge, population en ménage privé, Québec, 1992-1993 et 1998

Groupe d'âge	1992-1993	1998
	‰	
Tous les groupes d'âge	80,7	64,5
65-74 ans	57,4	41,7
75 ans et plus	52,1*	58,2*

* Coefficient de variation entre 15 % et 25 %; interpréter avec prudence.
Sources : Santé Québec, *Enquête sociale et de santé 1992-1993*.
    Institut de la statistique du Québec, *Enquête sociale et de santé 1998*.

Tableau 7.23
Indice de masse corporelle selon le groupe d'âge, population de 15 ans et plus en ménage privé, Québec, 1992-1993 et 1998

Groupe d'âge	Poids insuffisant		Poids acceptable		Excès de poids	
	1992-1993	1998	1992-1993	1998	1992-1993	1998
	%					
15 ans et plus	14,9	13,4	60,4	58,5	24,7	28,1
65-80 ans[1]	38,7	35,5	29,7	30,4	31,6	34,1
81 ans et plus[2]	51,0	44,7	37,9	42,9	11,1*	12,4*

1. Le seuil de l'IMC des 65-80 ans diffère de celui des autres groupes d'âge.
2. Le seuil de l'IMC des 81 ans et plus diffère de celui des autres groupes d'âge.
* Coefficient de variation entre 15 % et 25 %; interpréter avec prudence.
Sources : Santé Québec, *Enquête sociale et de santé 1992-1993*.
    Institut de la statistique du Québec, *Enquête sociale et de santé 1998*.

Tableau 7.24

Répartition de la population vivant au sein des ménages privés par groupe d'âge, selon le sexe et la présence d'incapacité, Québec, 1986, 1991 et 1998

Groupe d'âge	Hommes		Femmes		Sexes réunis	
	Avec incapacité	Sans incapacité	Avec incapacité	Sans incapacité	Avec incapacité	Sans incapacité
	%					
0-14 ans						
1986	10,8	21,5	8,6	19,6	9,6	20,5
1991	12,0	21,0	7,8	19,3	9,8	20,2
1998	14,7	20,2	7,4	20,3	10,7	20,2
15-64 ans						
1986	62,1	70,2	56,5	68,9	59,1	69,5
1991	57,7	70,2	51,2	68,7	54,3	69,4
1998	58,0	72,9	58,0	70,9	58,0	71,9
65 ans et plus						
1986	27,1	8,3	34,9	11,5	31,3	10,0
1991	30,3	8,8	41,0	12,0	35,9	10,4
1998	27,3	6,9	34,6	8,8	31,3	7,8
	'000[1]					
Population totale						
1986	311,8	2 831,4	351,4	2 905,8	663,2	5 737,3
1991	367,6	2 954,5	412,6	3 033,5	780,3	5 988,0
1998	497,4	3 053,2	589,4	3 032,8	1 086,8	6 086,0

1. Population estimée.

Sources : Statistique Canada, Enquête sur la santé et les limitations d'activités, 1986 et 1991.
Institut de la statistique du Québec, *Enquête québécoise sur les limitations d'activités 1998*.

Tableau 7.25

Taux d'incapacité de la population vivant au sein des ménages privés, selon le groupe d'âge et le sexe, Québec, 1986, 1991 et 1998

Groupe d'âge	Hommes	Femmes	Sexes réunis
	%		
0-14 ans			
1986	4,9	4,7	4,8
1991	6,3	4,8	5,6
1998	10,6	6,6	8,6
15-64 ans			
1986	8,7	8,7	8,8
1991	9,1	8,9	9,0
1998	11,5	13,7	12,6
65 ans et plus			
1986	31,8	32,3	34,8
1991	38,2	41,1	39,9
1998	39,1	43,4	41,6
Population totale			
1986	9,2	10,7	10,4
1991	11,1	12,0	11,5
1998	14,0	16,3	15,2

Sources : Statistique Canada, Enquête sur la santé et les limitations d'activités, 1986 et 1991.
Institut de la statistique du Québec, *Enquête québécoise sur les limitations d'activités 1998*.

Tableau 7.26
Taux d'incapacité selon la gravité de l'incapacité et le groupe d'âge, Québec, 1986, 1991 et 1998

Gravité de l'incapacité et groupe d'âge	1986	1991	1998
		%	
Incapacité légère			
Population totale			
Taux brut	4,7	6,2	9,7
Taux standardisé	5,1	6,3	9,7
0-14 ans	3,6*	5,0	7,7
15-64 ans	4,0	4,8	8,4
65 ans et plus	12,3	18,1	20,8
Incapacité modérée et grave			
Population totale			
Taux brut	5,7	5,3	5,5
Taux standardisé	6,4	5,7	5,5
0-14 ans	1,2**	0,6**	0,9*
15-64 ans	4,7	4,2	4,2
65 ans et plus	22,5	21,8	20,8

* Coefficient de variation entre 15 et 25 %; interpréter avec prudence.
** Coefficient de variation > 25 %; estimation imprécise fournie à titre indicatif seulement.

Sources : Statistique Canada, Enquête sur la santé et les limitations d'activités, 1986 et 1991.
Institut de la statistique du Québec, *Enquête québécoise sur les limitations d'activités 1998.*

Tableau 7.27
Taux d'incapacité selon la gravité de l'incapacité et la région administrative, Québec, 1998

Région administrative	Incapacité légère	Incapacité modérée ou grave	Taux brut	Taux standardisé
		%		
01 Bas-Saint-Laurent	10,7	6,2	16,9	16,3
02 Saguenay–Lac-Saint-Jean	7,2	2,9*	10,0	10,5
03 Capitale-Nationale	8,5	4,2*	12,6	12,3
04 Mauricie[1]	10,2	5,5	15,7	15,5
05 Estrie	6,2	4,5	10,7	10,6
06 Montréal	10,7	6,6	17,2	16,0
07 Outaouais	10,8	6,9	17,7	18,6
08 Abitibi-Témiscamingue	8,8	5,1	13,9	15,1
09 Côte-Nord	9,2	5,1	14,3	16,3
10 Nord-du-Québec	8,7	4,0	12,7	15,4
11 Gaspésie–Îles-de-la-Madeleine	7,2	4,0*	11,2	10,8
12 Chaudière-Appalaches	8,4	4,6	13,0	13,3
13 Laval	6,4	5,7	12,1	12,2
14 Lanaudière	11,9	5,8	17,7	18,9
15 Laurentides	9,1	4,6	13,7	14,2
16 Montérégie	10,8	5,5	16,4	16,9
17 Centre-du-Québec[1]	..	..	..	..
Le Québec	**9,7**	**5,5**	**15,2**	**15,2**

1. Les données des régions de la Mauricie et du Centre-du-Québec sont fusionnées.
* Coefficient de variation entre 15 et 25 %; interpréter avec prudence.

Source : Institut de la statistique du Québec, *Enquête québécoise sur les limitations d'activités 1998.*

Tableau 7.28

Prévalence de l'incapacité selon la nature de l'incapacité[1], population de 15 ans et plus, Québec, 1986, 1991 et 1998

Nature de l'incapacité et groupe d'âge	1986	1991	1998
		%	
Mobilité	**7,9**	**7,7**	**8,8**
15-64 ans	5,6	4,7	5,5
65 ans et plus	25,0	28,1	29,0
Agilité	**6,8**	**7,0**	**8,0**
15-64 ans	4,8	4,7	5,2
65 ans et plus	21,5	22,8	25,0
Audition	**3,4**	**3,1**	**4,2**
15-64 ans	2,0	1,7	2,6
65 ans et plus	14,0	12,1*	14,2
Vision	**2,0**	**2,0**	**1,9**
15-64 ans	1,2*	0,9*	1,2
65 ans et plus	8,5	9,6*	5,9
Parole	**0,8***	**1,0***	**0,9**
15-64 ans	0,7*	0,9*	0,7
65 ans et plus	1,9**	1,5**	2,1*
Intellect – santé mentale	..	**3,8**	**4,1**
15-64 ans	..	3,2	3,4
65 ans et plus	..	8,1*	8,2
Autres	**0,6***	**0,8***	**1,7**
15-64 ans	0,5**	0,8*	1,7
65 ans et plus	1,1**	0,9**	1,6*

1. Une personne peut présenter plus d'un type d'incapacité.
* Coefficient de variation entre 15 et 25 %; interpréter avec prudence.
** Coefficient de variation > 25 %; estimation imprécise fournie à titre indicatif seulement.

Sources : Statistique Canada, Enquête sur la santé et les limitations d'activités, 1986 et 1991.
Institut de la statistique du Québec, *Enquête québécoise sur les limitations d'activités 1998*.

Tableau 7.29

Évolution de trois indicateurs de scolarisation selon le groupe d'âge, population de 15 à 64 ans avec incapacité, Québec, 1986, 1991 et 1998

Groupe d'âge et gravité de l'incapacité	9 ans d'études ou plus				Taux de diplomation[1]				Études universitaires[2]			
	1986	1991	1998	1998	1986	1991	1998	1998	1986	1991	1998	1998
	%			'000[3]	%			'000[3]	%			'000[3]
Population de 15 à 64 ans avec incapacité	55,1	71,9	78,6	487,6	36,5	50,8	51,9	319,1	7,7	9,1	15,4	96,3
Groupe d'âge												
15-34 ans	80,7	85,7	90,0	..	50,2	55,8	56,3	..	9,1	9,0	14,7	..
35-54 ans	58,4	74,9	83,6	..	40,9	57,6	56,3	..	11,1	12,1	16,9	..
55-64 ans	34,3	54,0	55,8	..	22,5	37,4	38,1	..	3,1	5,3*	13,2*	..
Gravité de l'incapacité												
Légère	61,8	81,9	83,1	..	42,5	61,0	58,0	..	10,6	11,2	17,8	..
Modérée ou grave	49,3	60,4	69,4	..	31,4	39,2	37,9	..	5,2	6,6	10,6	..

1. Diplôme d'études secondaires ou d'études professionnelles, ou niveau de scolarité supérieur.
2. Partielles ou complétées.
3. Population estimée.
* Coefficient de variation entre 15 et 25 %; interpréter avec prudence.

Sources : Statistique Canada, Enquête sur la santé et les limitations d'activités, 1986 et 1991.
Institut de la statistique du Québec, *Enquête québécoise sur les limitations d'activités 1998*.

Tableau 7.30
**Statut d'emploi selon le groupe d'âge, le sexe, la nature et la gravité de l'incapacité[1],
personnes de 15 à 64 ans avec incapacité, Québec, 1991 et 1998**

	Unité	Occupé		En chômage		Inactif	
		1991	1998	1991	1998	1991	1998
Population de 15 à 64 ans	%	38,5	42,5	8,0	6,3	53,5	51,2
avec incapacité	'000	163,0	267,8	33,9	40,1	226,7	322,6
Groupe d'âge							
15-34 ans	%	46,2	46,6	11,2	10,9*	42,7	42,6
35-54 ans	%	45,0	49,2	7,1	6,1*	47,9	44,7
55-64 ans	%	22,6	24,0	5,9 *	2,1**	71,5	73,9
Sexe							
Hommes	%	47,8	47,5	9,1	7,1*	43,0	45,5
Femmes	%	29,1	38,3	6,9	5,8*	64,0	55,9
Nature de l'incapacité							
Audition	%	39,1	52,9	7,8	6,1*	53,1	41,0
Vision	%	42,9	34,6	3,2	7,4**	53,9	58,0
Parole	%	18,1	24,2*	6,0	2,2**	75,8	73,6
Mobilité	%	24,3	31,3	9,1	5,0*	66,7	63,7
Agilité	%	28,6	36,1	8,3	4,9*	63,1	59,0
Intellect – santé mentale	%	28,6	33,2	8,0	8,2*	63,4	58,5
Autres	%	60,2	49,7	10,2	6,7**	29,6	43,6
Gravité de l'incapacité							
Légère	%	55,0	50,0	9,3	7,4	35,7	42,6
Modérée	%	24,6	31,8	7,1	4,5**	68,3	63,7
Grave	%	9,2*	17,6	5,1*	3,9**	85,7	78,5

1. Une personne peut présenter plus d'un type d'incapacité.
* Coefficient de variation entre 15 et 25 %; interpréter avec prudence.
** Coefficient de variation > 25 %; estimation imprécise fournie à titre indicatif seulement.

Sources : Statistique Canada, Enquête sur la santé et les limitations d'activités, 1991.
    Institut de la statistique du Québec, *Enquête québécoise sur les limitations d'activités 1998.*

Tableau 7.31
**Statut d'activité[1] de la population âgée de 15 et plus, avec ou sans incapacité, selon le sexe,
Québec, 1998**

Statut d'activité	Avec incapacité			Sans incapacité		
	Hommes	Femmes	Sexes réunis	Hommes	Femmes	Sexes réunis
	%					
Avec un emploi	33,8	23,0	27,7	67,2	49,3	58,3
Étudiant	5,8	5,7	5,7	14,7	14,7	14,7
Tenait maison	3,3*	31,3	19,1	1,7	24,8	13,2
Retraité	38,5	28,4	32,8	11,8	8,5	10,2
Sans emploi	18,6	11,6	14,7	4,7	2,7	3,7
Total	**100,0**	**100,0**	**100,0**	**100,0**	**100,0**	**100,0**

1. Statut d'activité habituel pour une période de 12 mois.
* Coefficient de variation entre 15 et 25 %; interpréter avec prudence.

Sources : Santé Québec, *Enquête sociale et de santé, 1992-1993.*
    Institut de la statistique du Québec, *Enquête québécoise sur les limitations d'activités 1998.*

Compilation : Office des personnes handicapées du Québec, 1997.

Tableau 7.32
Indicateurs de revenu selon le sexe et la présence d'incapacité, population de 15 ans et plus, Québec, 1998

Indicateurs	Hommes		Femmes		Sexes réunis	
	Avec incapacité	Sans incapacité	Avec incapacité	Sans incapacité	Avec incapacité	Sans incapacité
	%					
Revenu personnel total						
Moins de 6 000 $	12,3	16,0	25,4	30,0	19,6	22,9
6 000 $ - 11 999 $	22,2	9,7	24,4	16,8	23,4	13,2
12 000 $ - 19 999 $	20,8	14,0	25,3	16,1	23,3	15,0
20 000 $ - 29 999 $	16,9	18,4	12,3	16,1	14,5	17,2
30 000 $ et plus	27,8	42,0	12,4	21,0	19,2	31,6
Perception de la situation financière						
Très pauvre	7,5	2,8	7,0	3,1	7,2	3,0
Pauvre	31,4	20,0	30,5	19,5	31,0	19,8
Suffisant	48,2	56,2	51,0	58,5	49,8	57,3
À l'aise	12,8	21,0	11,5	18,9	12,1	20,0
Niveau de revenu du ménage						
Très pauvre	12,2	5,4	12,0	6,7	12,1	6,0
Pauvre	16,1	9,0	20,0	11,0	18,3	10,0
Moyen inférieur	35,4	31,1	34,3	32,4	34,8	31,7
Moyen supérieur	27,5	41,4	26,9	38,2	27,2	39,8
Supérieur	8,8	13,1	6,7	11,7	7,7	12,4

Source : Institut de la statistique du Québec, *Enquête sur les limitations d'activités 1998*.

Tableau 7.33
Proportion du revenu provenant des transferts gouvernementaux, selon la présence d'incapacité, Québec, 1991 et 1996

Sources de revenu	Avec incapacité		Sans incapacité	
	1991	1996	1991	1996
	%			
Revenu d'emploi	35,6	29,3	79,8	77,0
Transferts gouvernementaux	44,6	51,7	11,6	14,0
Autres	19,8	19,0	8,7	9,0
Revenu total	**100,0**	**100,0**	**100,0**	**100,0**

Source : Statistique Canada, Profils de groupes cibles tirés du recensement canadien, 1991 et 1996.
Compilation : Office des personnes handicapées du Québec.

Tableau 7.34
Proportion de personnes sous le seuil de faible revenu, selon le sexe et la présence d'incapacité, Québec, 1986, 1991 et 1996

Année	Hommes		Femmes		Sexes réunis	
	Avec incapacité	Sans incapacité	Avec incapacité	Sans incapacité	Avec incapacité	Sans incapacité
	%					
1986	24,4	12,1	33,6	15,6	29,3	13,9
1991	34,1	16,1	42,0	19,7	38,1	17,9
1996	37,6	20,4	44,5	23,5	41,2	22,0

Source : Statistique Canada, Profils de groupes cibles tirés du recensement canadien, 1986, 1991 et 1996.
Compilation : Office des personnes handicapées du Québec.

Tableau 7.35
Population autochtone selon la nation et le statut de résidence, Québec, 2000

Nation	Population totale	Résidents	Non-résidents
		n	
Population amérindienne	68 440	49 965	18 475
Abénaquis	1 985	372	1 613
Algonquins	8 471	4 929	3 542
Attikameks	5 328	4 492	836
Cris	13 530	12 388	1 142
Hurons-Wendats	2 881	1 220	1 661
Innus (Montagnais)	14 492	10 289	4 203
Malécites	683	2	681
Micmacs	4 606	2 419	2 187
Mohawks	15 558	13 119	2 439
Naskapis	787	734	53
Non associés à une nation	119	1	118
Population inuite	9 397	8 877	520
Population autochtone totale	**77 837**	**58 842**	**18 995**

Source : Secrétariat aux affaires autochtones, *Les Amérindiens et les Inuits du Québec, Onze nations contemporaines*, 2001.

Tableau 7.36
Répartition des populations autochtone et non autochtone selon le groupe d'âge, Québec, 1986 et 1996

Groupe d'âge	1986			1996		
	Autochtone	Non autochtone	Écart	Autochtone	Non autochtone	Écart
			%			
0-14 ans	30,7	20,4	10,3	30,7	18,6	12,1
15-34 ans	41,2	34,5	6,7	34,2	28,8	5,4
35-64 ans	24,7	35,1	-10,4	30,2	40,3	-10,1
65 ans et plus	3,4	10,0	-6,6	4,9	12,3	-7,4

Source : Statistique Canada, Recensements du Canada.

Tableau 7.37
Nombre d'Indiens inscrits dans les réserves et hors des réserves, par province et territoire, Canada, 1999

Province et territoire	Dans les réserves	Hors des réserves	Total
		n	
Atlantique	16 746	9 089	25 835
Québec	43 874	18 417	62 291
Ontario	76 296	73 940	150 236
Manitoba	68 736	35 363	104 099
Saskatchewan	52 879	50 535	103 414
Alberta	54 788	27 911	82 699
Colombie-Britannique	56 713	52 010	108 723
Yukon	3 838	3 693	7 531
Territoires du Nord-Ouest	10 908	4 154	15 062
Canada	**384 778**	**275 112**	**659 890**

Source : Ministère des Affaires indiennes et du Nord canadien, *Données ministérielles de base* 2000.

Figure 7.1
Les Autochtones au Québec

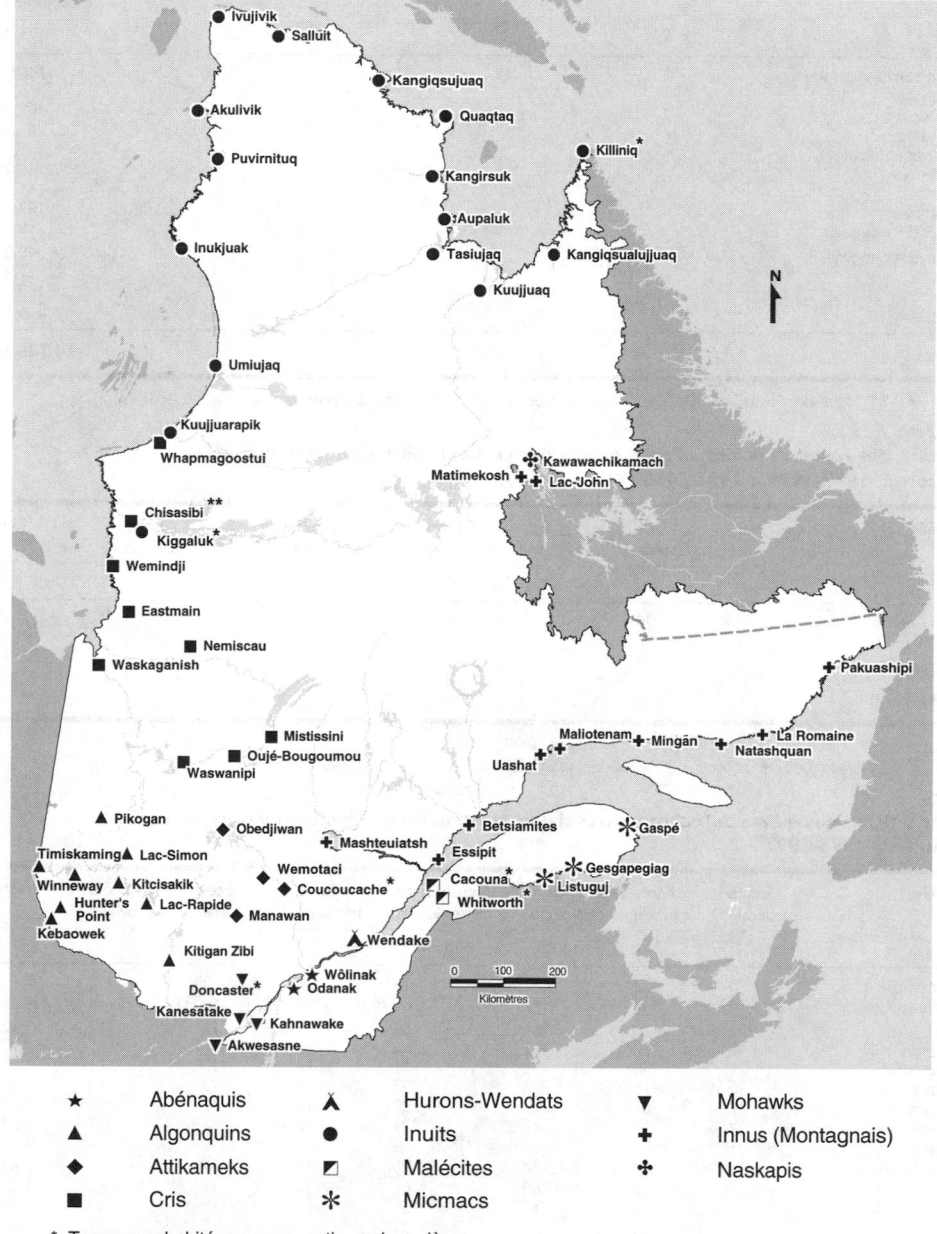

★	Abénaquis	⋏	Hurons-Wendats	▼	Mohawks
▲	Algonquins	●	Inuits	+	Innus (Montagnais)
◆	Attikameks	▰	Malécites	✤	Naskapis
■	Cris	✳	Micmacs		

* Terres non habitées ou occupation saisonnière.
** Une partie de la population de la municipalité de Chisasibi est d'origine inuite.

Source : Ministère des Ressources naturelles, Direction des affaires autochtones.

Réalisation cartographique : Institut de la statistique du Québec, Direction de l'édition et des communications, 2001.

Tableau 7.38
Superficie des terres réservées aux Autochtones selon les nations, Québec, 1998

Nations	Superficie
	km²
Non conventionnées	746,5
Abénaquis	6,8
Algonquins	208,0
Attikameks	49,8
Hurons-Wendats	1,1
Malécites	1,7
Micmacs	41,4
Mohawks	142,5
Innus (Montagnais)	295,1
Conventionnées	14 040,2
Cris	5 551,7
Inuits	8 162,1
Naskapis	326,3
Total	**14 786,7**

Source : Ministère des Ressources naturelles, *Localisation des nations autochtones au Québec – Historique foncier* 1998.

Tableau 7.39
Écoles des réserves et des villages autochtones selon la situation administrative, Québec, 1977-1978 à 1997-1998

Année	École fédérale	École de bande	Commission scolaire crie	Commission scolaire Kativik	École naskapie	Total
			n			
1977-1978	29	–	–	–	–	29
1982-1983	12	9	7	13	–	41
1987-1988	9	15	8	14	–	46
1992-1993	2	31	9	14	1	57
1997-1998	1	37	9	14	1	62

Sources : Ministère des Affaires indiennes et du Nord canadien.
Ministère de l'Éducation du Québec, *Bulletin statistique de l'éducation*, septembre 1998.

Tableau 7.40
Répartition des élèves autochtones par classe, selon le type d'école ou d'organisme, Québec, 1996-1997[1]

Classe	École fédérale	École de bande	Commission scolaire crie	Commission scolaire Kativik	École naskapie	École provinciale	École privée	Total
				n				
Maternelle 4 ans	18	632	252	14	21	33	5	975
Maternelle 5 ans	14	532	291	269	16	65	8	1 195
1re primaire	21	611	281	267	18	111	12	1 321
2e primaire	18	527	262	216	16	117	15	1 171
3e primaire	11	488	284	271	14	108	17	1 193
4e primaire	20	476	238	253	16	123	14	1 140
5e primaire	12	461	229	208	19	124	11	1 064
6e primaire	12	417	237	421	18	116	17	1 238
7e primaire	–	5	–	–	–	–	–	5
1re secondaire	–	654	374	239	13	270	94	1 644
2e secondaire	–	405	260	166	11	178	59	1 079
3e secondaire	–	259	210	154	11	184	47	865
4e secondaire	–	196	132	103	8	126	39	604
5e et 6e secondaire	–	107	96	58	5	132	24	422
Programmes spéciaux	–	384	–	10	–	25	6	425
Total	**126**	**6 154**	**3 146**	**2 649**	**186**	**1 712**	**368**	**14 341**

1. Élèves autochtones au 31 décembre 1996.

Sources : Ministère des Affaires indiennes et du Nord canadien.
Ministère de l'Éducation du Québec, *Bulletin statistique de l'éducation*, septembre 1998.

Tableau 7.41

Population autochtone[1] selon la langue maternelle et la langue parlée à la maison, Québec, 1996

	Langue maternelle	Langue parlée à la maison
	n	
Population autochtone	71 415	71 415
Ayant déclaré une seule langue	69 505	68 590
Français	28 480	30 055
Anglais	8 320	9 430
Langue autochtone	32 685	29 050
Cri	10 720	9 825
Inuktitut	7 665	7 280
Montagnais-Naskapi	7 525	6 960
Attikamek	3 895	3 770
Algonquin	1 830	765
Micmac	820	415
Ayant déclaré plus d'une langue	1 905	2 820
Langue autochtone et français		
et/ou anglais	1 045	1 920
Autres	860	900

1. Il est à noter que les réserves d'Akwesasne, de Kahnawake et de Wendake, de même que l'établissement amérindien de Kanesatake n'ont pas été dénombrés lors du dernier recensement. Les données qui composent ce tableau sont donc incomplètes.

Source : Statistique Canada, Recensement du Canada, 1996.

Tableau 7.42

Proportion de la population autochtone[1] adulte ayant consulté un intervenant en matière de santé et de services sociaux au cours des 12 derniers mois, selon le sexe et le groupe d'âge, Québec, 1997

Type d'intervenant	Hommes	Femmes	Sexes réunis			
	18 ans et plus		18-29 ans	30-44 ans	45-64 ans	65 ans et plus
	%					
Infirmière	55,7	63,5	59,8	57,4	59,8	80,2
Omnipraticien	47,4	59,3	45,7	52,9	64,3	76,6
Médecin spécialiste	28,9	35,2	26,3	31,2	39,1	51,4
Prêtre	19,0	21,0	16,8	19,1	21,1	43,2
Infirmière auxiliaire	12,1	15,9	13,6	13,8	11,9	29,7
Travailleur social	12,4	14,8	11,9	17,4	11,9	4,5
Représentant en santé						
communautaire	6,5	12,5	9,5	8,1	11,2	19,8
Psychologue	6,0	10,9	9,5	10,2	6,5	1,8
Aidant naturel (bénévole)	5,8	8,3	6,5	8,3	4,9	12,6
Agent PNLAADA[2]	9,4	7,6	8,2	10,9	5,2	4,5
Guérisseur (médecine alternative)	5,0	5,2	4,2	7,3	3,4	1,8
Sage femme[3]	...	3,5	1,6	9,1	–	–

1. Les Cris, les Mohawks et les Inuits ne font pas partie de cette étude.
2. Programme national de lutte contre l'abus d'alcool et de drogue chez les Autochtones.
3. Pourcentages calculés à partir du nombre de femmes ayant eu un enfant au cours de la dernière année.

Source : Commission de la santé et des services sociaux des Premières Nations du Québec et du Labrador, *Rapport sur l'analyse et l'interprétation de l'enquête médicale régionale*, région du Québec, 1999.

Tableau 7.43

Proportion de la population autochtone[1] adulte ayant reçu des soins de santé au cours des 12 derniers mois, selon le sexe et le groupe d'âge, Québec, 1997

Type de soins	Hommes	Femmes	Sexes réunis			
	18 ans et plus		18-29 ans	30-44 ans	45-64 ans	65 ans et plus
			%			
Examen périodique	33,7	49,3	30,0	43,2	53,9	68,5
Médication	35,9	40,8	31,9	36,0	47,0	65,8
Médecine traditionnelle	20,9	18,9	15,2	22,0	20,4	28,8
Hospitalisation	13,0	21,7	17,0	17,7	17,3	26,1
Pansements	21,0	14,5	19,1	19,1	13,0	10,8
Soins physiques	15,1	18,1	11,5	17,9	20,4	26,1
Accident ou blessure	17,7	8,5	13,6	14,9	8,8	6,3
Soins psychologiques	4,2	7,7	5,0	7,8	5,6	2,7

1. Les Cris, les Mohawks et les Inuits ne font pas partie de cette étude.

Source : Commission de la santé et des services sociaux des Premières Nations du Québec et du Labrador, *Rapport sur l'analyse et l'interprétation de l'enquête médicale régionale*, région du Québec, 1999.

Tableau 7.44

Données relatives au travail et au revenu, population autochtone[1] et non autochtone, Québec, 1996

	Unité	Population autochtone totale	Indiens	Métis[2]	Inuits	Population non autochtone
Population totale de 15 ans et plus[3]	n	49 470	33 350	11 855	4 710	5 624 000
Population active	n	28 000	18 375	7 065	2 825	3 508 205
Personnes occupées	n	21 095	13 680	5 260	2 330	3 098 035
Personnes en chômage	n	6 900	4 690	1 800	495	410 175
Population inactive	n	21 470	14 975	4 795	1 885	2 115 790
Taux d'activité	%	56,6	55,1	59,6	60,0	62,4
Taux d'emploi	%	42,6	41,0	44,4	49,5	55,1
Taux de chômage	%	24,6	25,5	25,5	17,5	11,7
Population totale de 15 ans et plus[3] selon la tranche de revenu	n	49 465	33 350	11 855	4 710	5 623 995
Sans revenu	n	5 230	3 390	1 450	450	510 210
Avec revenu	n	44 235	29 955	10 405	4 255	5 113 790
Moins de 10 000 $	%	42,4	42,3	42,7	43,4	29,5
10 000 à 19 999 $	%	26,2	27,1	23,9	24,4	25,1
20 000 à 29 999 $	%	14,1	14,0	14,2	13,7	16,4
30 000 à 39 999 $	%	8,7	8,4	9,4	9,5	11,9
40 000 $ et plus	%	8,6	8,2	9,8	8,8	17,0
Revenu moyen	$	16 610	16 327	17 408	16 566	23 255
Population totale de 15 ans et plus ayant un revenu d'emploi	n	27 230	17 760	6 470	3 230	3 506 725
Revenu moyen d'emploi	$	18 017	17 873	19 493	15 835	25 171
Composition du revenu total de la population de 15 ans et plus						
Revenu d'emploi	%	66,8	64,9	69,6	72,5	74,2
Transferts gouvernementaux	%	29,1	31,1	24,9	25,8	16,1
Autres	%	4,1	4,0	5,5	1,7	9,6

1. Il est à noter que les réserves d'Akwesasne, de Kahnawake et de Wendake, de même que l'établissement amérindien de Kanesatake n'ont pas été dénombrés lors du dernier recensement. Les données qui composent ce tableau sont donc incomplètes.

2. Statistique Canada dénombre la population autochtone selon trois catégories : Indiens, Métis, Inuits. Cependant, au Québec, le nom de Métis n'est pas utilisé pour désigner les Indiens non inscrits ou sans statut.

3. En raison de l'arrondissement des données, il peut arriver que la somme des parties n'égale pas le total, et que les totaux soient légèrement différents entre eux.

Source : Statistique Canada, Recensement du Canada, 1996.

Tableau 7.45
Immigrants admis au Québec et au Canada, 1981-2000

Période et année	Québec	Canada	Part du Québec
		n	%
1981-1985	88 520	512 437	17,3
1981	21 089	128 793	16,4
1982	21 375	121 330	17,6
1983	16 418	89 377	18,4
1984	14 695	88 597	16,6
1985	14 943	84 340	17,7
1986-1990	148 482	820 806	18,1
1986	19 601	99 339	19,7
1987	27 236	152 023	17,9
1988	25 931	161 529	16,1
1989	34 325	191 502	17,9
1990	41 389	216 413	19,1
1991-1995	200 715	1 181 580	17,0
1991	52 105	232 760	22,4
1992	48 377	254 846	19,0
1993	44 968	256 757	17,5
1994	28 043	224 372	12,5
1995	27 222	212 845	12,8
1996-2000	145 619	1 032 470	14,1
1996	29 772	226 050	13,2
1997	27 684	216 044	12,8
1998	26 509	174 162	15,2
1999	29 214	189 835	15,4
2000p	32 440	226 379	14,3
1981-2000	**583 336**	**3 547 293**	**16,4**

Source : Ministère des Relations avec les citoyens et de l'Immigration, Direction de la planification stratégique.

Tableau 7.46
Immigrants admis selon les 15 principaux pays de naissance, par période d'immigration, Québec[1], 1981-2000

Pays de naissance[2]	Période d'immigration										Total	
	1981-1985		1986-1990		1991-1995		1996-2000		2000p		1981-2000	
	n	rang	n	rang	n	rang	n	rang	n	rang	n	rang
1 Haïti	12 359	1	9 737	2	11 765	4	6 936	5	1 310	6	40 797	1
2 Liban	2 694	8	17 932	1	15 829	1	3 405	13	764	13	39 860	2
3 France	5 249	3	6 688	3	13 207	2	12 672	1	3 147	1	37 816	3
4 Chine[3]	2 321	12	4 449	12	10 662	5	10 659	2	3 042	2	28 091	4
5 Hong Kong	1 564	16	5 473	5	12 154	3	2 844	18	163	35	22 035	5
6 Vietnam	7 743	2	5 727	4	5 048	10	1 420	25	232	29	19 938	6
7 Maroc	2 377	11	4 202	7	4 758	12	6 273	7	2 228	4	17 610	7
8 Inde	2 569	10	3 570	14	5 542	8	5 694	8	1 153	9	17 375	8
9 Algérie	499	39	1 389	27	3 677	16	9 608	3	2 384	3	15 173	9
10 Roumanie	1 375	19	2 540	21	6 067	7	5 139	9	1 244	7	15 121	10
11 Sri Lanka	309	48	4 041	10	6 254	6	3 998	10	1 222	8	14 602	11
12 Ex-URSS	369	45	1 159	34	4 311	13	8 017	4	1 398	5	13 856	12
13 Philippines	1 496	17	3 065	17	5 370	9	3 135	15	524	16	13 066	13
14 El Salvador	2 860	7	3 573	13	5 044	11	642	46	94	51	12 119	14
15 Iran	1 844	14	3 775	11	3 842	14	2 588	20	489	17	12 049	15
Total 15 premiers pays	45 628		77 320		113 530		83 030		19 394		319 508	
Autres pays	42 882		71 161		87 185		62 185		13 037		263 413	
Total tous les pays	**88 510**		**148 481**		**200 715**		**145 215**		**32 431**		**582 921**	

1. Les données concernant les pays de naissance de 309 immigrants admis sont manquantes, surtout pour la période 1996-2000.
2. En ordre décroissant, selon le rang pour la période 1981-2000.
3. Inclut les ressortissants du Tibet.
Source : Ministère des Relations avec les citoyens et de l'Immigration, Direction de la planification stratégique.

Figure 7.2
Immigrants admis selon la région de naissance, par catégorie d'admission, Québec, 1981-2000

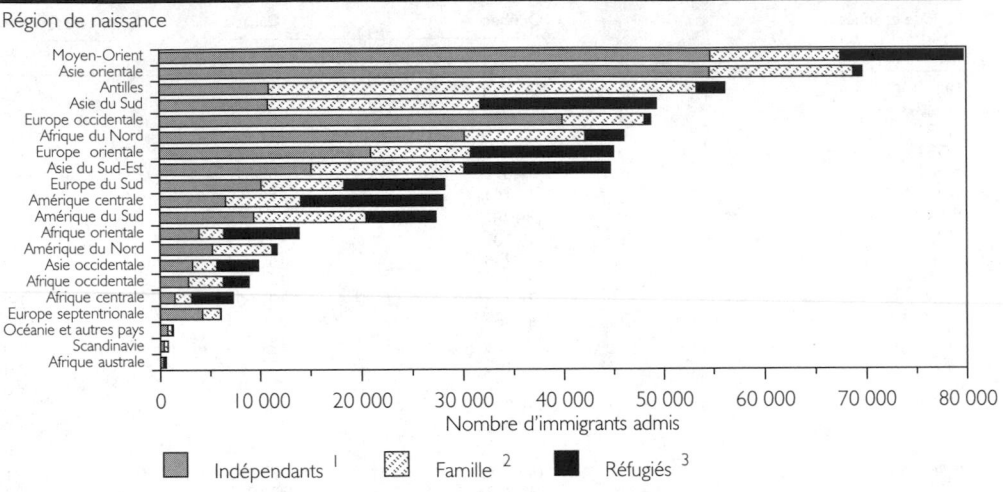

Région de naissance

Moyen-Orient	
Asie orientale	
Antilles	
Asie du Sud	
Europe occidentale	
Afrique du Nord	
Europe orientale	
Asie du Sud-Est	
Europe du Sud	
Amérique centrale	
Amérique du Sud	
Afrique orientale	
Amérique du Nord	
Asie occidentale	
Afrique occidentale	
Afrique centrale	
Europe septentrionale	
Océanie et autres pays	
Scandinavie	
Afrique australe	

Nombre d'immigrants admis

Indépendants [1]   Famille [2]   Réfugiés [3]

1. Comprend des travailleurs sélectionnés, des gens d'affaires, des travailleurs autonomes et autres indépendants.
2. Comprend la famille immédiate, l'adoption internationale et autres parents.
3. Comprend les réfugiés publics, le parrainage collectif ou privé et les autres réfugiés.

Source : Ministère des Relations avec les citoyens et de l'Immigration, Direction de la planification stratégique.

Tableau 7.47
Immigrants admis selon la catégorie et la sous-catégorie, par période d'immigration, Québec[1], 1981-2000

Catégorie et sous-catégorie	Période d'immigration											Total	
	1981-1985		1986-1990		1991-1995		1996-2000		2000p			1981-2000	
	n	%	n	%	n	%	n	%	n	%		n	%
Indépendants	40 305	45,6	85 662	57,7	92 193	45,9	67 625	46,4	16 458	50,7		285 785	49,0
Travailleurs sélectionnés	24 121	27,3	48 424	32,6	57 543	28,7	45 133	31,0	11 968	36,9		175 221	30,0
Aides familiales	–	...	–	...	472	0,2	2 036	1,4	281	0,9		2 508	0,4
Gens d'affaires	7 106	8,0	26 447	17,8	25 984	12,9	16 282	11,2	3 619	11,2		75 819	13,0
Entrepreneurs	2 558	2,9	20 200	13,6	18 008	9,0	5 435	3,7	869	2,7		46 201	7,9
Travailleurs autonomes	4 548	5,1	4 745	3,2	1 958	1,0	1 266	0,9	250	0,8		12 517	2,1
Investisseurs	–	...	1 502	1,0	6 018	3,0	9 581	6,6	2 500	7,7		17 101	2,9
Parents aidés	7 766	8,8	8 961	6,0	6 928	3,5	2 137	1,5	477	1,5		25 792	4,4
Retraités et autres indépendants	1 312	1,5	1 830	1,2	1 266	0,6	2 037	1,4	113	0,3		6 445	1,1
Famille	35 379	40,0	41 182	27,7	64 514	32,1	39 779	27,3	7 927	24,4		180 854	31,0
Conjoint(e), fiancé(e)	17 250	19,5	22 465	15,1	36 227	18,0	26 144	18,0	5 554	17,1		102 086	17,5
Fils ou fille	4 844	5,5	5 893	4,0	7 973	4,0	3 698	2,5	625	1,9		22 408	3,8
Adoption internationale	538	0,6	518	0,3	3 220	1,6	4 097	2,8	715	2,2		8 373	1,4
Parents ou grands-parents	12 574	14,2	12 159	8,2	16 902	8,4	5 687	3,9	1 009	3,1		47 322	8,1
Réfugiés	12 763	14,4	21 638	14,6	44 008	21,9	38 215	26,2	8 055	24,8		116 624	20,0
Réfugiés reconnus au Canada	–	...	2 073	1,4	33 592	16,7	20 316	14,0	4 237	13,1		55 981	9,6
Dépendants d'un réfugié[2]	8	0,0	143	0,1	1 192	0,6	6 771	4,6	1 462	4,5		8 114	1,4
Réfugiés publics	9 724	11,0	11 899	8,0	6 318	3,1	9 737	6,7	1 813	5,6		37 678	6,5
Parrainage collectif et privé	2 776	3,1	7 235	4,9	2 876	1,4	1 362	0,9	542	1,7		14 249	2,4
Autres réfugiés	255	0,3	288	0,2	30	0,0	29	0,0	1	0,0		602	0,1
Total	**88 447**	**100,0**	**148 482**	**100,0**	**200 715**	**100,0**	**145 619**	**100,0**	**32 440**	**100,0**		**583 263**	**100,0**

1. Les données concernant la catégorie et la sous-catégorie de 73 immigrants admis sont manquantes pour la période 1981-1985.
2. Dépendants d'un réfugié reconnu au Canada.

Source : Ministère des Relations avec les citoyens et de l'Immigration, Direction de la planification stratégique.

Tableau 7.48

Immigrants admis selon les principaux pays de naissance, par catégorie et sous-catégorie, Québec[1], 1981-2000

Pays de naissance	Catégorie et sous-catégorie									Total
	Indépendants				Famille		Réfugiés			
	Travailleurs sélectionnés	Gens d'affaires[2]	Travailleurs autonomes	Autres[3]	Proche famille[4]	Adoption internationale	Réfugiés publics	Parrainage collectif ou privé	Autres réfugiés[5]	
					n					
1 Haïti	6 778	6	28	679	30 383	811	225	18	1 872	40 800
2 Liban	16 415	4 088	1 420	6 379	7 294	21	476	14	3 753	39 860
3 France	28 481	1 292	1 339	651	5 243	1	44	10	116	37 177
4 Chine[6]	5 736	7 843	357	2 393	6 979	3 449	65	62	509	27 393
5 Hong Kong	3 472	15 131	703	888	1 615	10	168	48	1	22 036
6 Vietnam	732	131	98	4 859	6 966	354	3 939	2 799	61	19 939
7 Maroc	9 699	941	413	393	6 007	10	8	2	144	17 617
8 Inde	2 216	1 129	238	756	9 776	86	64	28	3 088	17 381
9 Algérie	8 909	335	119	168	2 430	3	47	27	3 142	15 180
10 Roumanie	8 074	40	28	629	3 072	336	1 423	205	1 323	15 130
11 Sri Lanka	2 105	97	23	444	4 107	7	863	90	6 866	14 602
12 Ex-URSS	6 498	168	27	732	1 862	533	150	330	3 561	13 861
13 Philippines	4 511	287	28	2 674	5 337	120	26	14	72	13 069
14 El Salvador	2 129	7	–	670	2 346	37	2 808	237	3 885	12 119
15 Iran	2 980	883	296	849	1 878	–	1 631	250	3 283	12 050
Autres pays	66 391	30 849	7 402	11 572	77 145	2 595	26 064	9 707	33 015	264 740
Total	**175 126**	**63 227**	**12 519**	**34 736**	**172 440**	**8 373**	**38 001**	**13 841**	**64 691**	**582 954**

1. Les données concernant 382 immigrants admis sont manquantes.
2. Inclut les entrepreneurs et les investisseurs.
3. Aides familiales, parents aidés, retraités et autres indépendants.
4. Conjoint(e)s, fiancé(e)s, enfants, parents, grands-parents et autres parents.
5. Réfugiés reconnus au Canada, leurs dépendants et les autres réfugiés.
6. Inclut les ressortissants du Tibet.

Source : Ministère des Relations avec les citoyens et de l'Immigration, Direction de la planification stratégique.

Tableau 7.49

Immigrants admis par pays de naissance, selon la langue maternelle et la connaissance du français et de l'anglais, Québec[1], 1981-2000

Pays de naissance	Langue maternelle								Total des immigrants admis	Part des immigrants avec connaissance	
	Français avec connaissance		Anglais avec connaissance		Autres langues avec connaissance						
	Français seul	Français et anglais	Anglais seul	Français et anglais	Français seul	Anglais seul	Français et anglais	Ni l'un ni l'autre[2]		Français	Anglais
	n									%	
1 Haïti	1 704	608	16	14	21 885	202	1 607	14 746	40 782	63,3	6,0
2 Liban	195	309	152	62	10 200	4 764	13 514	10 658	39 854	60,9	47,2
3 France	23 227	12 112	45	60	890	36	199	608	37 177	98,1	33,5
4 Chine[3]	370	3	56	4	595	5 626	784	19 955	27 393	6,4	23,6
5 Hong Kong	10	3	71	11	36	7 928	189	13 788	22 036	1,1	37,2
6 Vietnam	60	66	4	–	1 745	1 505	1 043	15 515	19 938	14,6	13,1
7 Maroc	2 057	859	9	14	8 268	171	3 316	2 923	17 617	82,4	24,8
8 Inde	20	9	693	39	48	6 742	296	9 531	17 378	2,4	44,8
9 Algérie	1 163	638	13	21	8 516	132	2 738	1 959	15 180	86,1	23,3
10 Roumanie	36	15	20	8	3 515	1 017	4 134	6 383	15 128	51,0	34,3
11 Sri Lanka	7	1	90	5	170	7 940	446	5 943	14 602	4,3	58,1
12 Ex-URSS	14	6	18	–	1 969	2 981	1 145	5 288	11 421	27,4	36,3
13 Philippines	4	6	181	20	29	10 185	223	2 413	13 061	2,2	81,3
14 El Salvador	2	–	3	2	2 537	1 090	895	7 585	12 114	28,4	16,4
15 Iran	13	21	41	12	1 230	5 033	1 656	4 041	12 047	24,3	56,1
Autres pays	9 213	5 636	26 380	3 033	34 262	48 127	23 804	116 667	267 122	27,2	38,4
Total	**38 095**	**20 292**	**27 792**	**3 305**	**95 895**	**103 479**	**55 989**	**238 003**	**582 850**	**36,6**	**36,2**

1. Les données concernant 486 immigrants admis sont manquantes.
2. Incluant 545 autres réponses (ne connaissant plus leur langue maternelle, ne parlant ni le français ni l'anglais, réponses indéterminées).
3. Inclut les ressortissants du Tibet.

Source : Ministère des Relations avec les citoyens et de l'Immigration, Direction de la planification stratégique.

343

Tableau 7.50

Taux de présence des immigrants admis de 1991 à 1998, par catégorie et selon la région projetée de destination et la région d'établissement, Québec, janvier 2000

Région administrative	Indépendants			Gens d'affaires		
	Destination projetée	Région d'établissement	Taux de présence	Destination projetée	Région d'établissement	Taux de présence
	n		%	n		%
01 Bas-Saint-Laurent	96	141	147	10	27	270
02 Saguenay–Lac-Saint-Jean	256	136	53	8	8	100
03 Capitale-Nationale	4 742	2 321	49	244	119	49
04 Mauricie	425	240	56	82	72	88
05 Estrie	808	655	81	56	89	159
06 Montréal	76 655	50 992	67	33 783	7 796	23
07 Outaouais	948	984	104	88	71	81
08 Abitibi-Témiscamingue	65	78	120	17	15	88
09 Côte-Nord	71	41	58	5	–	…
10 Nord-du-Québec	7	7	100	1	–	…
11 Gaspésie–Îles-de-la-Madeleine	14	27	193	7	1	14
12 Chaudière-Appalaches	117	275	235	10	56	560
13 Laval	1 131	3 377	299	111	389	350
14 Lanaudière	199	412	207	20	46	230
15 Laurentides	508	1 220	240	70	177	253
16 Montérégie	2 363	5 596	237	650	2 979	458
17 Centre-du-Québec	162	183	113	104	170	163
Non déterminé	5 356	8 872	166	1 216	2 815	231
Le Québec	**93 923**	**75 557**	**80**	**36 482**	**14 830**	**41**
Part des 5 régions montréalaises[1]	80 856	61 597	76	34 634	11 387	33
Part des 6 régions centrales[2]	7 202	4 658	65	584	577	99
Part des 6 régions-ressources[3]	509	430	84	48	51	106

Région administrative	Famille			Réfugiés		
	Destination projetée	Région d'établissement	Taux de présence	Destination projetée	Région d'établissement	Taux de présence
	n		%	n		%
01 Bas-Saint-Laurent	225	355	158	78	21	27
02 Saguenay–Lac-Saint-Jean	573	379	66	108	64	59
03 Capitale-Nationale	2 769	1 936	70	3 359	1 676	50
04 Mauricie	550	396	72	301	71	24
05 Estrie	872	720	83	2 970	1 446	49
06 Montréal	65 349	53 866	82	50 392	35 772	71
07 Outaouais	1 603	1 113	69	3 125	1 519	49
08 Abitibi-Témiscamingue	185	147	79	12	12	100
09 Côte-Nord	121	85	70	10	6	60
10 Nord-du-Québec	15	21	140	1	–	…
11 Gaspésie–Îles-de-la-Madeleine	60	71	118	2	4	200
12 Chaudière-Appalaches	412	426	103	16	51	319
13 Laval	2 633	3 273	124	714	1 686	236
14 Lanaudière	545	594	109	165	153	93
15 Laurentides	949	1 127	119	192	183	95
16 Montérégie	5 812	5 399	93	1 551	2 238	144
17 Centre-du-Québec	202	222	110	158	195	123
Non déterminé	4 650	5 448	117	2 461	6 496	264
Le Québec	**87 525**	**75 578**	**86**	**65 615**	**51 593**	**79**
Part des 5 régions montréalaises[1]	75 288	64 259	85	53 014	40 032	76
Part des 6 régions centrales[2]	6 408	4 813	75	9 929	4 958	50
Part des 6 régions-ressources[3]	1 179	1 058	90	211	107	51

1. Total de Montréal, Montérégie, Laval, Laurentides et Lanaudière.
2. Total de Capitale-Nationale, Mauricie, Estrie, Outaouais, Chaudière-Appalaches, Centre-du-Québec.
3. Total de Bas-Saint-Laurent, Saguenay–Lac-Saint-Jean, Abitibi-Témiscamingue, Côte-Nord, Nord-du-Québec, Gaspésie–Îles-de-la-Madeleine.

Source : Ministère des Relations avec les citoyens et de l'Immigration, *Présence au Québec et dans les régions en 2000 de l'immigration récente* 1999.

8

Éducation

Liste des tableaux

Liste des figures

Ce chapitre a été réalisé par Yves Nobert, de la Direction des statistiques sociodémo-graphiques et Hélène Lepage, de la Direction de l'édition et des communications de l'Institut de la statistique du Québec.

L'éducation occupe une place importante dans l'évolution de la société québécoise. Elle influence les conditions de vie comme la participation au marché du travail, le revenu et la consommation des biens et services. Malgré les progrès accomplis au chapitre de la scolarisation depuis la réforme des années 60, des lacunes peuvent être observées, notamment le fort taux d'abandon scolaire et le faible accès à la formation professionnelle au secondaire.

Ce chapitre brosse un portrait de l'éducation au Québec. Il traite de la répartition des organismes d'enseignement, du niveau préscolaire jusqu'à l'université. La population scolaire des divers ordres d'enseignement est décrite pour les réseaux public et privé de l'enseignement régulier et de la formation continue. Le nombre de diplômés, les probabilités d'atteindre certaines étapes du cheminement scolaire et le plus haut niveau de scolarité atteint contribuent à mesurer l'évolution récente de la scolarisation. Le chapitre traite ensuite des ressources humaines et financières impliquées dans le domaine de l'éducation, de même que des prêts et bourses versés aux étudiants.

Dès 1914, un chapitre de l'*Annuaire statistique* était consacré à l'instruction. Il présentait une description de la législation de l'époque (Conseil de l'Instruction publique, municipalités scolaires, inspecteurs d'écoles, instituteurs, etc.) et fournissait des données statistiques générales. Ces dernières étaient relatives au nombre d'écoles et d'élèves, aux brevets de capacités (diplômes émis), au revenu des instituteurs, aux dépenses liées à l'instruction publique, aux contributions gouvernementales, de même qu'à la population recensée selon le degré d'instruction. Le thème de l'aide aux étudiants (prêts et bourses) n'a été abordé qu'à partir de 1970. Enfin, le chapitre a été intitulé « Éducation » à partir de 1973.

Les organismes d'enseignement

Les organismes d'enseignement des niveaux primaire et secondaire rassemblent les commissions scolaires, les établissements privés et les établissements publics hors réseau; ceux de niveau collégial, les collèges d'enseignement général et professionnel (cégeps), les établissements privés et les établissements hors réseau; finalement ceux de niveau universitaire, les universités et leurs constituantes (tableaux 8.1 et 8.2).

Entre 1994-1995 et 1998-1999, le nombre de commissions scolaires a diminué de 54,1 %, puisqu'il est passé de 157 à 72. En 1998-1999, 60 commissions scolaires sont de langue française, 9 de langue anglaise et 3 offrent l'enseignement dans les deux langues. Depuis juillet 1998, le nombre de commissions scolaires a été réduit et celles-ci ont été réaménagées sur une base linguistique.

Bien que le nombre de commissions scolaires ait diminué de façon importante, le nombre d'écoles a augmenté de 2 671 à 2 985 pendant la même période, ce qui représente une hausse de 10,5 %. Cette situation s'explique en grande partie par l'ajout de 429 centres de formation professionnelle et centres d'éducation aux adultes.

À la fin des années 90, le nombre de cégeps atteint 48, soit 40 dont la langue d'enseignement est le français, 5 l'anglais et 3 le français et l'anglais. Le Québec compte aussi 25 établissements privés agréés aux fins de subventions, 50 établissements privés sous permis et 11 établissements hors réseau.

En 1998-1999, le réseau universitaire regroupe 9 universités (6 francophones et 3 anglophones), dont font partie l'École Polytechnique de Montréal et l'École des Hautes Études Commerciales de Montréal, de même que 11 constituantes.

La population scolaire

À l'enseignement précollégial

Entre 1990-1991 et 1996-1997, le nombre d'élèves du préscolaire est passé de 93 512 à 113 381, pour ensuite diminuer à 107 421 en 1998-1999 (- 5,3 %). Après une baisse de 36 498 élèves (- 6,3 %) entre 1990-1991 et 1994-1995 (de 583 893 à 547 395), le nombre d'élèves fréquentant le primaire remonte à 566 372 en 1998-1999 (figure 8.1). Durant la première moitié des années 90, la population étudiante du secondaire s'accroît jusqu'à 498 105, mais diminue par la suite jusqu'à 469 250 élèves en 1998-1999 (- 5,8 %). Entre 1994-1995 et 1998-1999, la population scolaire francophone diminue de 1,1 %, la plus forte décroissance étant observée dans la région de Laval (- 12,5 %). À l'inverse, le nombre d'élèves scolarisés de langue anglaise croît de 3,8 % au cours de la même période, avec une hausse notable dans la région des Laurentides (+ 58,7 %) (tableau 8.3).

En 1998-1999, le réseau d'enseignement public compte plus d'un million d'élèves et le réseau privé, quelque 100 000. Au préscolaire et au primaire, environ 95 % de la population scolaire fait partie du réseau public; au secondaire, la part du réseau public est légèrement inférieure à 85 %.

À l'enseignement collégial

La population étudiante du réseau collégial, qui s'élevait à 154 697 élèves en 1990-1991, s'est accrue de 17,0 % pour atteindre 180 976 élèves en 1994-1995. Par la suite, elle diminue jusqu'à 174 273 élèves en 1998-1999. Cette baisse est attribuable au secteur préuniversitaire, puisque entre 1994-1995 et 1998-1999, le nombre d'élèves y passe de 89 927 à 80 980. Le secteur technique, quant à lui, connaît une croissance de 3,9 % (de 82 869 à 86 137).

Entre 1994 et 1998, les sciences et les sciences humaines rassemblent respectivement un peu plus du quart et de la moitié des étudiants du secteur préuniversitaire (tableau 8.4). Les femmes sont majoritaires dans toutes les disciplines, sauf en sciences. En lettres, elles représentent environ les trois quarts de l'effectif. Pendant la même période, au secteur technique, les techniques administratives et les techniques physiques regroupent respectivement environ le tiers et le cinquième de la population scolaire. Les femmes sont plus nombreuses que les hommes dans toutes les disciplines, à l'exception des techniques physiques. Dans les techniques humaines, biologiques et des arts, la part des femmes dépasse 70 % en 1998.

En 1998-1999, 159 209 (91,4 %) étudiants fréquentent le réseau public et 15 064 (8,6 %) le réseau privé.

À l'enseignement universitaire

La population étudiante des universités québécoises dépasse les 250 000 pendant deux années consécutives, soit en 1992 et 1993. Par la suite, l'effectif diminue et ne remonte pas au-dessus de la barre des 230 000 après 1995 (tableau 8.6). Cette baisse est due principalement au fait que le nombre d'étudiants fréquentant l'université à temps partiel suit une tendance à la baisse, qui va de 122 602 en 1989 à moins de 100 000 après 1995. Quant à la fréquentation scolaire à temps plein, elle se maintient en moyenne à près de 132 000 étudiants à partir de 1992.

Durant la décennie 90, la proportion des femmes a augmenté continuellement dans la population universitaire qui étudie à plein temps, en passant de 51,9 % à 56,4 %. Par contre, leur part est demeurée stable à environ 61 % parmi les personnes qui fréquentent l'université à temps partiel.

En 1998, les femmes représentent 57,8 % de la population universitaire (tableau 8.5). Elles sont majoritaires aux 1er et 2e cycles, notamment au baccalauréat, où leur proportion atteint 57,7 %. Cependant, au 3e cycle, les hommes sont en supériorité numérique avec un effectif de 4 881 (55,1 %) contre 3 973 pour les femmes. La proportion des femmes est prédominante dans la plupart des disciplines, telles que les sciences de l'éducation (75,9 %), les sciences de la santé (71,3 %) et même les sciences de l'administration (56,3 %). Les hommes ne sont majoritaires que dans les sciences appliquées (73,3 %) et les sciences pures (50,9 %).

Les diplômés

Entre 1989-1990 et 1995-1996, le nombre de diplômés du secondaire a connu un gain de 38,6 % en passant de 78 689 à 109 069 (tableau 8.8). Lors des deux années subséquentes, ce nombre diminue à un niveau moyen de 105 400. Cette situation est notamment attribuable au secteur général, qui affiche, entre 1989-1990 et 1995-1996, une hausse de près de 34 % (de 64 691 à 86 451), pour ensuite connaître une baisse jusqu'à 77 315 en 1997-1998. Au secteur professionnel, le nombre de diplômés s'élève de 13 998 en 1989-1990 à 26 937 en 1997-1998, ce qui représente une hausse de 92,4 %. Au cours de cette période, la proportion de diplômes décernés à des femmes oscille autour de 54,5 % au secteur général. Au secteur professionnel, la part des hommes s'accroît de 52,6 % à 56,3 %.

Le nombre de diplômes délivrés par les collèges baisse de 44 729 à 41 498 entre 1994 et 1998 (tableau 8.7). Cette situation est attribuable principalement à la disparition progressive des diplômes d'études collégiales (DEC) sans mention, des certificats d'études collégiales (CEC) et des diplômes de perfectionnement de l'enseignement collégial (DPEC). Durant ce même intervalle, le nombre de DEC du secteur préuniversitaire est demeuré relativement stable à environ 25 300 par année, tandis que celui des DEC obtenus au secteur technique s'est accru de 15 009 en 1994 à plus de 16 500 en 1997 et 1998. Au secteur préuniversitaire comme au secteur technique, la proportion de diplômes remis à des femmes est supérieure à celle des diplômes obtenus par des hommes; elle se situe à environ 60 %.

En 1999, des 50 726 diplômes universitaires décernés, 41,0 % l'ont été à des hommes et 59,0 % à des femmes (tableau 8.10). Les grades de baccalauréat, de maîtrise et de doctorat représentent respectivement 55,8 %, 13,4 % et 2,3 % des diplômes obtenus. Les femmes sont majoritaires aux 1er et 2e cycles; dans le cas des certificats et des diplômes de 1er cycle, leur proportion atteint même 65,5 %. Par contre, au 3e cycle, la proportion des hommes (61,3 %) dépasse largement celle des femmes (38,7 %). Toutes catégories confondues, le réseau de l'Université du Québec décerne le plus grand nombre de diplômes universitaires, soit 15 535 (30,6 %). Cette même université remet 29,1 % (8 221) des diplômes de baccalauréat et 24,3 % (1 656) des diplômes de maîtrise. De leur côté, l'Université McGill et l'Université de Montréal accordent chacune plus de 300 diplômes de doctorat.

L'évolution de la scolarisation dans la population

Le recensement de 1996 montre que 18,1 % des Québécois de 15 ans et plus détiennent moins de 9 années de scolarité et que 12,2 % possèdent un grade universitaire (tableau 8.11). Dix ans plus tôt, 23,9 % de la population québécoise avait moins de 9 années de scolarité et 8,6 %, un grade universitaire.

La scolarisation des hommes et des femmes s'est faite à un rythme différent. Entre 1986 et 1996, la proportion des hommes ayant moins de 9 années de scolarité a diminué de 5,2 points de pourcentage (de 22,4 % à 17,2 %) et celle des femmes, de 6,4 points (de 25,3 % à 18,9 %). La proportion des titulaires d'un grade universitaire a progressé de 2,9 points chez les hommes, en passant de 10,5 % à 13,4 %, et de 4,3 points chez les femmes en s'élevant de 6,8 % à 11,1 %. Les femmes ont effectué des progrès remarquables, particulièrement parmi les jeunes générations.

En 1996, les régions fortement urbanisées, comme Montréal, Laval et Québec, présentent une proportion plus élevée de personnes de 15 ans et plus ayant fait des études postsecondaires ou complété des études universitaires (45,0 % et plus) que les régions-ressources (figure 8.2).

Entre 1989-1990 et 1999-2000, la probabilité d'accéder à la 4e secondaire est passée de 81,3 % à 86,2 %, tandis que celle d'aller en 5e secondaire s'est élevée de 70,1 % en 1989-1990 à plus de 75 % à partir de 1995-1996 (tableau 8.9). Quant à la probabilité chez les moins de 20 ans d'obtenir un 1er diplôme au secondaire, elle s'est accrue de 63,5 % en 1989-1990 à plus de 70 % à partir de 1995-1996; chez les 20 ans et plus, elle est passée de 9,8 % à 12,1 % en 1999-2000.

Toujours entre 1989-1990 et 1999-2000, la probabilité d'atteindre le collégial diminue de 40,5 % à 34,8 % au secteur préuniversitaire; par contre, elle augmente de 18,0 % à 19,3 % au secteur technique. Entre 1989-1990 et 1998-1999, la probabilité d'obtention du diplôme d'études collégiales au secteur préuniversitaire demeure stable à environ 25 %, tandis qu'au secteur technique elle progresse de 11,3 % à 14,8 %.

Entre 1990 et 1999, la probabilité de parvenir à des études de baccalauréat avoisine 36 % et celles de poursuivre des études de maîtrise et de doctorat augmentent respectivement de 6,8 % à 9,5 % et de 1,5 % à 1,9 %. La probabilité d'obtention du baccalauréat passe de 22,4 % en 1990 à 27,3 % en 1999, celle de la maîtrise de 4,3 % à 6,5 % et celle du doctorat de 0,6 % à 1,0 %.

De 1989-1990 à 1999-2000, la probabilité d'accéder au secondaire et d'y obtenir un diplôme est supérieure chez les femmes, sauf en 1999-2000 chez les hommes de 20 ans ou plus (12,7 % contre 11,5 %). Au collégial, les femmes sont diplômées dans une plus forte proportion que les hommes. En 1998-1999, la probabilité de recevoir un diplôme d'études collégiales au secteur préuniversitaire atteint 31,5 % chez les femmes et 17,9 % chez les hommes; au secteur technique, les probabilités de diplomation sont de 17,9 % et 11,8 % respectivement. En 1999, à l'université, les probabilités pour les femmes d'obtenir un bac-calauréat et une maîtrise s'élèvent respectivement à 33,0 % et à 6,9 %, alors que celles des hommes sont de 21,9 % et 6,1 %. Cependant, pour cette même année, la probabilité que les hommes terminent leurs études de doctorat est légèrement supérieure à celle des fem-mes (1,3 % en regard de 0,8 %).

Le personnel des organismes d'enseignement

Entre 1994-1995 et 1996-1997, le personnel des commissions scolaires diminue de 2,4 % (de 106 934 à 104 379), mais à partir de 1997-1998, il augmente de nouveau pour attein-dre 106 621 personnes en 1998-1999 (tableau 8.12). De 1994-1995 à 1997-1998, l'ef-fectif en personnel des cégeps baisse de 21 771 à 19 570 (- 10,1 %); toutefois, un léger gain de 0,6 % (+ 122) est observé en 1998-1999. Entre 1994-1995 et 1996-1997, le personnel universitaire passe de 33 054 à 31 615, ce qui représente une diminution de 4,4 %.

Les revenus et les dépenses des organismes d'enseignement

Dans leur ensemble, entre 1994-1995 et 1998-1999, les revenus des commissions scolai-res baissent de 72,1 millions de dollars en passant de 6 424,2 millions à 6 352,1 millions, alors que les dépenses augmentent de 8,5 millions, soit de 6 819,3 à 6 827,8 millions (ta-bleau 8.13). Cependant, pour certaines années de cet intervalle, des baisses sont survenues dans le cas des dépenses comme dans celui des revenus.

En 1998-1999, les revenus des établissements privés subventionnés de l'enseignement primaire et secondaire sont de 605,3 millions de dollars et les dépenses, de 612,4 millions. Par rapport à 1994-1995, il s'agit de hausses respectives de 1,8 % et de 4,5 %.

Les revenus des cégeps atteignent 1 253,3 millions de dollars en 1998-1999, par compa-raison à 1 316,6 millions en 1994-1995, ce qui représente une baisse de 4,8 %. Quant aux dépenses, elles sont passées de 1 403,5 millions à 1 364,1 millions, une diminution de 2,8 %. Dans le cas des revenus comme dans celui des dépenses, des planchers sont atteints en 1997-1998 (1 230,6 millions et 1 318,4 millions respectivement).

De 132,3 millions de dollars en 1995-1996, les revenus des établissements collégiaux pri-vés subventionnés diminuent à 121,9 millions de dollars en 1998-1999; il s'agit d'une baisse de 7,9 %. Pour leur part, les dépenses, qui atteignent 133,2 millions en 1995-1996, dimi-nuent jusqu'à 121,1 millions en 1998-1999, soit une baisse de 9,1 %.

Entre 1994-1995 et 1997-1998, les revenus des universités diminuent de 9,5 %, puisque de 2 695,3 millions de dollars qu'ils étaient, ils baissent à 2 438,7 millions. Toutefois, entre 1997-1998 et 1998-1999, ils augmentent de 9,2 % pour atteindre 2 662,2 millions. De 3 087,5 millions de dollars en 1994-1995, les dépenses sont quant à elles passées à 2 867,1 millions en 1998-1999, une baisse de 7,1 %.

La dépense par élève des commissions scolaires (enseignement primaire et secondaire) est un indicateur de l'effort financier en éducation et le PIB par habitant, un indicateur de richesse collective (tableau 8.14). En 1998-1999, la dépense par élève est estimée à 5 573 $ au Québec et à 6 303 $ en Ontario; en 1976-1977, le Québec consacrait 1 769 $ par élève et l'Ontario 1 613 $. En 1998-1999, la dépense globale d'éducation atteint 7,8 % du PIB au Québec et 6,1 % en Ontario; en 1976-1977, elle s'élevait à 9,6 % et 6,8 % respectivement.

Depuis environ 20 ans, même si la part du PIB que le Québec consacre à l'éducation est importante, elle tend à diminuer sous l'effet de mesures budgétaires plus restrictives. À cet égard, l'effort financier du Québec se rapproche de celui de l'Ontario et du reste de l'Amérique du Nord.

L'aide financière aux étudiants

Le système de prêts et bourses du gouvernement du Québec s'adresse aux élèves de l'enseignement professionnel du secondaire, aux étudiants des collèges, de même qu'à ceux des universités (tableau 8.15). Entre 1994-1995 et 1998-1999, le nombre de prêts accordés par le ministère de l'Éducation s'est accru de 1,2 %, en passant de 89 602 à 90 700. Le nombre de prêts distribués aux élèves du secondaire a augmenté de 74,0 % (de 4 915 à 8 554), tandis que celui des prêts octroyés aux étudiants des universités a diminué d'environ 10 % (de 41 357 à 37 253). Au cours de cette même période, le nombre total de prêts jumelés à une bourse a connu une diminution de 19,2 %, soit de 73 079 à 59 050. Au niveau secondaire, le nombre d'élèves ayant bénéficié d'un prêt et d'une bourse a augmenté de 151,0 %, alors qu'aux niveaux collégial et universitaire, des baisses de plus de 25 % ont été enregistrées.

Entre 1994-1995 et 1998-1999, la valeur totale des prêts uniques est en moyenne de 283 millions de dollars par année, et le montant moyen par étudiant est de 3 112 $. L'aide financière versée sous forme de prêts seulement a été particulièrement élevée en 1996-1997; elle a dépassé les 300 millions de dollars, c'est-à-dire un montant moyen de 3 205 $ dollars par bénéficiaire. De 1994-1995 à 1998-1999, la valeur totale des prêts et bourses versés a diminué de 22,8 % en passant de 508,7 millions de dollars à 392,7 millions; cependant, celle des prêts et bourses octroyés aux élèves de l'enseignement professionnel du secondaire a augmenté fortement (+ 178,6 %), soit de 22,0 millions de dollars à 61,3 millions. En 1998-1999, le montant moyen des prêts accordés est de 3 433 $ et celui des bourses, de 3 218 $.

Références

GOUVERNEMENT DU CANADA. Statistique Canada, *Site de Statistique Canada*, [En ligne], [http://www.stat.gouv.qc.ca].
GOUVERNEMENT DU QUÉBEC. Ministère de l'Éducation, *Site du Ministère de l'Éducation*, [En ligne], [http://www.meq.gouv.qc.ca].
MINISTÈRE DE L'ÉDUCATION. *Indicateurs de l'éducation*, Québec, Gouvernement du Québec, 2000, 134 p.
MINISTÈRE DE L'ÉDUCATION. *Statistiques de l'éducation*, Québec, Gouvernement du Québec, 2000, 264 p.

Définitions

AEC

Attestation d'études collégiales

CEC

Certificat d'études collégiales

DEC

Diplôme d'études collégiales

DEC sans mention

Ce diplôme n'est rattaché à aucune concentration de cours. Il correspond aux exigences de certaines universités pour certains programmes.

DPEC

Diplôme de perfectionnement de l'enseignement collégial

Enseignement précollégial

Il s'étend du préscolaire au secondaire.

Établissement d'enseignement collégial

Dans le réseau public de l'enseignement collégial, la notion d'établissement correspond à celle de cégep, à l'exception du Champlain Regional College, dont les trois campus sont comptés comme trois établissements. Dans le cas des établissements d'enseignement collégial privés et des écoles gouvernementales, les notions d'organisme et d'établissement d'enseignement se confondent.

Établissement d'enseignement universitaire

À l'enseignement universitaire, la notion d'établissement correspond à celle d'université, à l'exception de l'université du Québec, dont les constituantes, les instituts et les écoles sont comptés comme autant d'établissements.

Établissement privé non agréé (sous permis)

Il s'agit d'un établissement qui n'est pas subventionné.

Établissement scolaire primaire et secondaire

À l'enseignement primaire et secondaire, la notion d'établissement correspond généralement à celle d'école. Dans les commissions scolaires, l'école est une entité administrative sous l'autorité d'un directeur; ses élèves sont regroupés dans un ou plusieurs bâtiments. Dans le cas des établissements privés, un établissement peut donner des services éducatifs dans une ou plusieurs écoles (installations). Il est à noter que les notions d'organisme et d'établissement d'enseignement se confondent dans le cas des établissements hors réseau.

HEC

École des Hautes Études Commerciales de Montréal

Organisme d'enseignement

Les organismes d'enseignement sont des entités constituées légalement auxquelles se rattachent un ou plusieurs établissements d'enseignement (écoles, campus ou constituantes). Trois catégories d'organismes font partie de l'enseignement primaire et secondaire : les commissions scolaires, les établissements privés et les établissements hors réseau. L'enseignement collégial compte aussi trois catégories d'organismes : les cégeps (établissements d'enseignement collégial publics), les établissements d'enseignement collégial privés et les écoles gouvernementales. À l'enseignement universitaire, la notion d'organisme correspond à celle d'université.

Probabilités d'accès à un niveau scolaire et d'obtention d'un diplôme

Il s'agit des proportions d'une cohorte de jeunes accédant aux études et obtenant un diplôme à différents niveaux d'enseignement.

Tableau 8.1
Répartition des organismes d'enseignement selon l'ordre et la langue d'enseignement, Québec, 1994-1995 à 1998-1999

Ordre d'enseignement et organismes	1994-1995	1995-1996	1996-1997	1997-1998	1998-1999			
					Français	Anglais	Français-anglais[1]	Total
				n				
Enseignement primaire et secondaire								
Commissions scolaires	157	158	156	156	60	9	3	72
Établissements privés[2]	273	280	289	286	220	25	29	274
Agréés aux fins de subventions	182	184	179	175	142	16	14	172
Non agréés (sous permis)	91	96	110	111	78	9	15	102
Établissements hors réseau	39	40	38	38	13	1	16	30
Gouvernement du Québec[3]	9	10	7	7	6	–	–	6
Gouvernement du Canada	30	30	31	31	7	1	16	24
Enseignement collégial								
Cégeps	47	47	47	47	40	5	3	48
Établissements privés[2]	62	69	74	74	46	4	25	75
Agréés aux fins de subventions	25	26	25	25	19	3	3	25
Non agréés (sous permis)	37	43	49	49	27	1	22	50
Établissements hors réseau du gouvernement du Québec[3]	11	11	11	11	10	1	–	11
Enseignement universitaire								
Universités	10	9	9	9	6	3	–	9

1. La catégorie « français-anglais » comprend les langues amérindiennes et l'inuktitut en tant que langue d'enseignement.
2. Comprend neuf établissements offrant de l'enseignement à la fois au secondaire et au collégial.
3. Comprend un établissement offrant de l'enseignement à la fois au secondaire et au collégial.

Source : Ministère de l'Éducation, *Statistiques de l'éducation*.

Tableau 8.2
Répartition des établissements d'enseignement selon l'ordre d'enseignement, Québec, 1994-1995 à 1998-1999

Établissements et ordre d'enseignement	1994-1995	1995-1996	1996-1997	1997-1998	1998-1999
			n		
Écoles des commissions scolaires	**2 671**	**2 700**	**2 703**	**2 729**	**2 985**
Primaire	1 891	1 903	1 894	1 927	1 868
Secondaire	577	599	609	612	465
Primaire et secondaire	203	198	200	190	223
Centres de formation professionnelle et centres d'éducation des adultes	...	...	...	...	429
Écoles du réseau privé[1]	**392**	**396**	**411**	**422**	**404**
Primaire	148	150	158	166	149
Secondaire	127	128	122	124	125
Primaire et secondaire	55	49	57	58	55
Collégial	53	56	65	65	66
Secondaire et collégial	9	13	9	9	9
Établissements publics hors réseau	**49**	**50**	**48**	**48**	**40**
Primaire	14	16	13	13	8
Secondaire	11	12	12	12	12
Primaire et secondaire	13	11	12	12	9
Collégial	10	10	10	10	10
Secondaire et collégial	1	1	1	1	1
Cégeps et antennes[2]	**49**	**49**	**49**	**49**	**50**
Universités et constituantes[3]	**20**	**19**	**19**	**19**	**19**

1. Un établissement privé peut donner des services éducatifs dans une ou plusieurs écoles.
2. Dans le cas du Champlain Regional College, seules les trois antennes sont comptées.
3. Ne comprend pas le siège social de l'Université du Québec.

Source : Ministère de l'Éducation, *Statistiques de l'éducation*.

Figure 8.1

Population scolaire des réseaux public et privé selon l'ordre d'enseignement, Québec, 1990-1991, 1994-1995 et 1998-1999

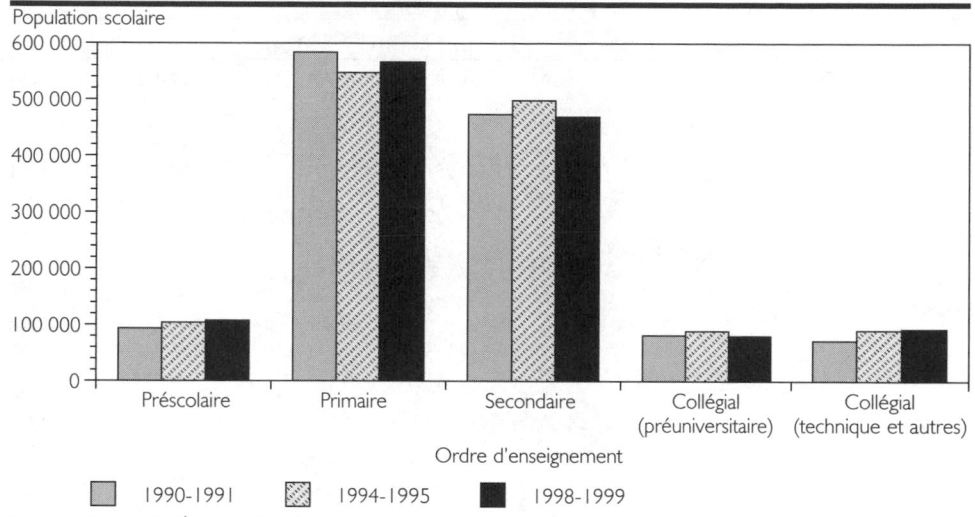

Source : Ministère de l'Éducation, *Statistiques de l'éducation*.

Tableau 8.3

Population scolaire[1] des réseaux public et privé selon l'ordre d'enseignement et la langue d'enseignement, par région administrative, Québec, 1994-1995 à 1998-1999

Région administrative	Préscolaire, primaire et secondaire				Collégial[2]			
	Français		Anglais		Français		Anglais	
	1994-1995	1998-1999	1994-1995	1998-1999	1994	1998	1994	1998
	n							
01 Bas-Saint-Laurent	38 021	34 081	31	36	8 145	7 796	–	–
02 Saguenay–Lac-Saint-Jean	56 079	50 862	489	503	10 878	10 473	–	–
03 Capitale-Nationale	92 201	88 713	1 934	2 172	22 271	20 733	767	930
04 Mauricie[3]	82 530	38 720	835	991	12 664	8 053	–	–
05 Estrie	42 869	42 547	3 804	3 988	6 360	6 020	1 195	1 203
06 Montréal	176 074	177 745	60 832	61 497	39 627	37 966	21 288	20 433
07 Outaouais	42 950	45 408	7 436	7 558	4 257	3 917	895	768
08 Abitibi–Témiscamingue	28 888	27 229	865	811	2 819	2 693	–	–
09 Côte-Nord	18 107	16 062	1 149	1 243	1 863	1 713	40	22
10 Nord-du-Québec	5 644	5 110	2 134	2 085	–	–	–	–
11 Gaspésie–Îles-de-la-Madeleine	16 746	15 337	1 454	1 215	1 565	1 419	146	149
12 Chaudière-Appalaches	69 898	65 900	181	211	6 672	6 488	–	–
13 Laval	48 457	42 420	6 109	5 696	5 084	4 606	–	–
14 Lanaudière	62 305	68 387	974	1 208	3 659	3 181	–	–
15 Laurentides	63 402	73 581	3 228	5 124	7 245	7 182	–	–
16 Montérégie	192 031	194 829	20 011	21 158	18 271	18 332	2 580	2 568
17 Centre-du-Québec	...	37 868	...	207	...	3 843	–	–
Le Québec[4]	**1 036 202**	**1 024 799**	**111 466**	**115 703**	**151 380**	**144 415**	**26 911**	**26 073**

1. Temps plein et temps partiel, excluant la formation continue.
2. Trimestre d'automne.
3. Incluant la population scolaire de la région du Centre-du-Québec en 1994-1995 et au trimestre d'automne de 1994.
4. Au total s'ajoutent, aux niveaux préscolaire, primaire et secondaire, 1 767 élèves en 1994-1995 et 2 541 élèves en 1998-1999, dont la langue d'enseignement est une langue autochtone; au niveau collégial, s'ajoutent 2 686 élèves au trimestre d'automne de 1994 et 3 785 à celui de 1998, dont la langue d'enseignement est le français et l'anglais.

Source : Ministère de l'Éducation, *Statistiques de l'éducation*.

Tableau 8.4
Population scolaire[1] du collégial selon le secteur, la discipline et le sexe, Québec, 1994-1998[2]

Secteur, discipline et sexe	1994	1995	1996	1997	1998
			n		
Secteur préuniversitaire (DEC)	**96 077**	**92 876**	**91 228**	**87 093**	**84 604**
Sciences	25 796	25 172	24 670	24 265	23 778
Hommes	13 615	13 190	12 744	12 416	12 182
Femmes	12 181	11 982	11 926	11 849	11 596
Sciences humaines	54 901	51 041	48 215	44 332	42 381
Hommes	23 504	21 735	20 183	18 533	17 624
Femmes	31 397	29 306	28 032	25 799	24 757
Arts	7 881	7 776	8 268	8 180	8 050
Hommes	3 390	3 197	3 253	3 178	3 066
Femmes	4 491	4 579	5 015	5 002	4 984
Lettres	6 728	7 199	7 758	6 229	4 676
Hommes	1 947	2 152	2 108	1 621	1 099
Femmes	4 781	5 047	5 650	4 608	3 577
Autres	771	1 688	2 317	4 087	5 719
Hommes	226	513	641	1 142	1 546
Femmes	545	1 175	1 676	2 945	4 173
Secteur technique (DEC)	**87 385**	**89 318**	**90 338**	**90 776**	**90 309**
Techniques biologiques	17 055	17 055	15 751	14 674	14 545
Hommes	4 328	4 251	4 015	3 850	3 705
Femmes	12 727	12 804	11 736	10 824	10 840
Techniques physiques	19 696	19 757	19 868	20 288	20 227
Hommes	17 041	17 106	17 050	17 118	16 854
Femmes	2 655	2 651	2 818	3 170	3 373
Techniques humaines	14 366	14 473	14 508	14 440	14 425
Hommes	4 060	3 782	3 506	3 102	2 988
Femmes	10 306	10 691	11 002	11 338	11 437
Techniques administratives	28 438	29 620	31 380	32 275	31 946
Hommes	12 407	13 398	14 544	15 576	15 833
Femmes	16 031	16 222	16 836	16 699	16 113
Techniques des arts	7 830	8 413	8 831	9 099	9 166
Hommes	2 412	2 724	2 763	2 830	2 637
Femmes	5 418	5 689	6 068	6 269	6 529
DEC (accueil, intégration et transition)	**5 165**	**5 294**	**6 210**	**4 750**	**4 748**
Hommes	2 703	2 635	3 262	2 649	2 640
Femmes	2 462	2 659	2 948	2 101	2 108
AEC, CEC, DPEC	**28 301**	**31 462**	**31 674**	**32 754**	**35 443**
Hommes	10 490	11 908	11 587	12 256	14 321
Femmes	17 811	19 554	20 087	20 498	21 122
Études hors programme	**30 062**	**22 476**	**17 528**	**15 091**	**13 016**
Hommes	12 678	9 337	7 127	5 971	5 276
Femmes	17 384	13 139	10 401	9 120	7 740
Baccalauréat français	**403**	**405**	**424**	**427**	**392**
Hommes	..	..	205	206	175
Femmes	..	..	219	221	217
Total	**247 393**	**241 831**	**237 402**	**230 891**	**228 512**

1. Population scolaire des réseaux public et privé, des secteurs régulier et de la formation continue, des régimes d'études à temps plein et à temps partiel.
2. Trimestres d'automne.

Source : Ministère de l'éducation, *Statistiques de l'éducation*.

Tableau 8.5
Population étudiante des universités[1] selon le cycle, la discipline et le sexe, Québec, automne 1998

Discipline et sexe	1er cycle		2e cycle		3e cycle	Étudiants libres	Total
	Baccalauréat	Certificat	Maîtrise	Diplôme[2]			
			n				
Sciences de la santé	9 506	3 032	1 789	2 729	1 020	19	18 095
Hommes	2 247	535	603	1 267	522	12	5 186
Femmes	7 259	2 497	1 186	1 462	498	7	12 909
Sciences pures	8 450	391	1 655	31	1 366	–	11 893
Hommes	4 007	179	918	13	939	–	6 056
Femmes	4 443	212	737	18	427	–	5 837
Sciences appliquées	21 836	4 448	3 574	447	1 433	–	31 738
Hommes	16 164	3 058	2 598	331	1 108	–	23 259
Femmes	5 672	1 390	976	116	325	–	8 479
Sciences humaines	24 746	6 432	5 765	224	2 865	–	40 032
Hommes	9 108	1 714	2 177	71	1 329	–	14 399
Femmes	15 638	4 718	3 588	153	1 536	–	25 633
Lettres	5 755	4 791	1 454	74	690	–	12 764
Hommes	1 526	1 441	455	17	255	–	3 694
Femmes	4 229	3 350	999	57	435	–	9 070
Droit	3 448	542	722	182	107	–	5 001
Hommes	1 390	245	326	89	54	–	2 104
Femmes	2 058	297	396	93	53	–	2 897
Sciences de l'éducation	17 005	3 882	1 733	814	594	–	24 028
Hommes	3 564	1 442	451	122	214	–	5 793
Femmes	13 441	2 440	1 282	692	380	–	18 235
Sciences de l'administration	17 096	21 883	5 866	2 897	482	–	48 224
Hommes	8 062	7 848	3 354	1 480	309	–	21 053
Femmes	9 034	14 035	2 512	1 417	173	–	27 171
Arts	5 947	1 156	739	26	175	–	8 043
Hommes	2 285	355	280	9	74	–	3 003
Femmes	3 662	801	459	17	101	–	5 040
Études plurisectorielles	1 895	1 733	458	182	105	–	4 373
Hommes	642	641	199	87	68	–	1 637
Femmes	1 253	1 092	259	95	37	–	2 736
Indéterminée	2 366	72	170	1	17	19 821	22 447
Hommes	987	17	91	1	9	8 342	9 447
Femmes	1 379	55	79	–	8	11 479	13 000
Total	**118 050**	**48 362**	**23 925**	**7 607**	**8 854**	**19 840**	**226 638**
Hommes	49 982	17 475	11 452	3 487	4 881	8 354	95 631
Femmes	68 068	30 887	12 473	4 120	3 973	11 486	131 007

1. Excluant les auditeurs, les stagiaires postdoctoraux et les étudiants en situation d'accueil.
2. Incluant les médecins résidents.

Source : Ministère de l'Éducation, *Statistiques de l'éducation*.

Tableau 8.6
Population étudiante des universités selon le régime d'études et le sexe, Québec, 1989-1999[1]

Année	Temps plein			Temps partiel			Total
	Hommes	Femmes	Total	Hommes	Femmes	Total	
			n				
1989	58 314	61 337	119 651	46 801	75 801	122 602	242 253
1990	58 792	63 293	122 065	45 952	75 125	121 077	243 142
1991	60 414	66 697	127 111	46 086	73 617	119 703	246 814
1992	62 443	69 530	131 973	47 352	74 903	122 255	254 228
1993	62 924	71 485	134 409	45 618	71 056	116 674	251 083
1994	61 026	71 663	132 689	43 172	66 378	109 550	242 239
1995	59 252	70 984	130 236	41 415	63 769	105 184	235 420
1996	58 656	70 580	129 236	39 241	60 057	99 298	228 534
1997	57 662	70 704	128 366	37 893	58 333	96 226	224 592
1998	58 005	73 377	131 382	36 457	56 413	92 870	224 252
1999	58 875	76 105	134 980	37 361	57 163	94 524	229 504

1. Trimestre d'automne.

Source : Ministère de l'Éducation, Direction des statistiques.

Tableau 8.7
Diplômes délivrés par les collèges[1] selon le secteur et le sexe des titulaires, Québec, 1994-1998

Secteur et sexe	1994	1995	1996	1997	1998
			n		
Ensemble des diplômes	**44 729**	**43 217**	**40 875**	**42 521**	**41 498**
Hommes	18 296	17 923	16 426	16 967	16 094
Femmes	26 433	25 294	24 449	25 554	25 404
Secteur préuniversitaire (DEC)	25 854	25 553	24 356	25 824	24 968
Hommes	10 333	10 340	9 658	10 192	9 459
Femmes	15 521	15 213	14 698	15 632	15 509
Secteur technique (DEC)	15 009	15 619	16 096	16 619	16 512
Hommes	6 164	6 588	6 578	6 746	6 628
Femmes	8 845	9 031	9 518	9 873	9 884
DEC sans mention[2]	747	329	148	7	–
Hommes	315	136	72	4	–
Femmes	432	193	76	3	–
CEC et DPEC[2]	3 119	1 716	275	71	18
Hommes	1 484	859	118	25	7
Femmes	1 635	857	157	46	11

1. Établissements publics et privés.
2. Ces diplômes sont en voie de disparition.

Source : Ministère de l'éducation, *Statistiques de l'éducation*.

Tableau 8.8
Diplômés du secondaire[1] selon le secteur et le sexe, Québec, 1989-1990 à 1997-1998

Secteur et sexe	1989-1990	1992-1993	1995-1996	1996-1997	1997-1998
			n		
Ensemble des diplômés	**78 689**	**103 983**	**109 069**	**106 558**	**104 252**
Hommes	35 900	49 677	52 545	52 106	50 336
Femmes	42 789	54 306	56 524	54 452	53 916
Secteur général	**64 691**	**79 418**	**86 451**	**80 289**	**77 315**
Hommes	28 541	36 065	39 930	37 361	35 166
Femmes	36 150	43 353	46 521	42 928	42 149
Secteur professionnel	**13 998**	**24 565**	**22 618**	**26 269**	**26 937**
Hommes	7 359	13 612	12 615	14 745	15 170
Femmes	6 639	10 953	10 003	11 524	11 767

1. Incluant la formation continue, réseaux public et privé.

Source : Ministère de l'Éducation, *Statistiques de l'éducation*.

Tableau 8.9
Étapes du cheminement scolaire selon le sexe, Québec, 1989-1990 à 1999-2000

Étapes	Hommes			Femmes			Ensemble		
	1989-1990	1995-1996	1999-2000	1989-1990	1995-1996	1999-2000	1989-1990	1995-1996	1999-2000
					%				
Probabilité d'accéder au niveau secondaire									
En 4e secondaire	77,8	80,4	83,0	85,0	87,1	89,5	81,3	83,7	86,2
En 5e secondaire	64,7	73,8	71,4	75,8	83,5	82,5	70,1	78,5	76,8
Probabilité d'obtenir le 1er diplôme du secondaire									
Moins de 20 ans[1]	56,5	67,1	64,1	70,8	80,3	78,9	63,5	73,5	71,3
20 ans ou plus	7,8	14,4	12,7	11,9	14,8	11,5	9,8	14,6	12,1
Probabilité d'accéder au collégial[2]									
Secteur préuniversitaire	36,1	31,3	27,3	45,0	44,6	42,7	40,5	37,8	34,8
Secteur technique	14,2	18,4	17,7	22,0	20,2	21,1	18,0	19,3	19,3
Probabilité d'obtenir le diplôme d'études collégiales (DEC)[3]									
Secteur préuniversitaire	21,2	19,2	17,9 [4]	29,2	29,6	31,5 [4]	25,1	24,3	24,5 [4]
Secteur technique	8,4	10,7	11,8 [4]	14,3	16,1	17,9 [4]	11,3	13,4	14,8 [4]
Probabilité d'accéder aux études universitaires									
Baccalauréat	31,9	30,7	29,6	39,9	40,7	42,3	35,8	35,6	35,8
Maîtrise	7,0	8,2	9,2	6,7	8,9	9,8	6,8	8,6	9,5
Doctorat	1,9	2,1	2,1	1,1	1,7	1,8	1,5	1,9	1,9
Probabilité d'obtenir un diplôme universitaire[5]									
Baccalauréat	19,2	22,7	21,9	25,5	35,5	33,0	22,4	29,0	27,3
Maîtrise	4,4	5,8	6,1	4,2	6,3	6,9	4,3	6,0	6,5
Doctorat	0,8	1,2	1,3	0,4	0,6	0,8	0,6	0,9	1,0

1. Comprend les diplômés de tout le secteur des jeunes et ceux du secteur des adultes qui ont moins de 20 ans.
2. À partir de 1993-1994, le collégial a un autre secteur, soit le secteur « accueil et intégration » dont le taux d'accès n'excède pas 7 %.
3. Il s'y ajoute une faible proportion de DEC sans mention.
4. Il s'agit de l'année 1998-1999.
5. À l'université, il s'agit de l'année civile où prend fin l'année scolaire, par exemple 1990. Mais dans le cas de la dernière année, les données se rapportent à 1999.

Source : Ministère de l'Éducation, *Indicateurs de l'éducation*.

Tableau 8.10
Grades, diplômes et certificats délivrés par les universités selon le cycle d'études et le sexe des titulaires, par établissement, Québec, 1999

Cycle d'études et sexe	Chicoutimi	Hull	Montréal	Rimouski	Abitibi-Témiscamingue	Trois-Rivières	Autres[1]	Total
					n			
Université du Québec	**1 206**	**987**	**8 171**[2]	**833**	**334**	**2 412**	**1 592**	**15 535**
Hommes	466	328	3 139	310	91	836	896	6 066
Femmes	740	659	5 028	523	243	1 576	696	9 465
1er cycle	**1 131**	**899**	**7 055**	**736**	**320**	**2 139**	**1 157**	**13 437**
Grades de baccalauréat	714	558	4 351[2]	465	195	1 462	476	8 221
Hommes	284	167	1 569	158	49	510	400	3 137
Femmes	430	391	2 780	307	146	952	76	5 082
Certificats et diplômes	417	341	2 704	271	125	677	681	5 216
Hommes	151	119	1 009	94	32	152	248	1 805
Femmes	266	222	1 695	177	93	525	433	3 411
2e cycle	**72**	**88**	**1 019**	**92**	**14**	**267**	**413**	**1 965**
Grades de maîtrise	63	66	923[2]	82	10	203	309	1 656
Hommes	26	38	477	49	9	127	181	907
Femmes	37	28	444	33	1	76	128	747
Certificats et diplômes	9	22	96	10	4	64	104	309
Hommes	2	4	41	5	1	41	52	146
Femmes	7	18	55	5	3	23	52	163
3e cycle	**3**	**–**	**97**	**5**	**–**	**6**	**22**	**133**
Grades de doctorat	3	–	97	5	–	6	22	133
Hommes	3	–	43	4	–	6	15	71
Femmes	–	–	54	1	–	–	7	62

	Bishop's	HEC	Concordia	Laval	McGill	Sherbrooke	Montréal[3]	Grand total
Autres universités québécoises	**540**	**2 658**	**4 207**	**7 471**	**6 565**	**4 025**[2]	**9 725**	**50 726**[2]
Hommes	261	1 376	1 914	3 057	2 898	1 805	3 397	20 774
Femmes	279	1 282	2 293	4 414	3 667	2 216	6 328	29 944
1er cycle	**527**	**2 061**	**3 318**	**5 943**	**4 853**	**3 045**	**7 956**	**41 140**
Grades de baccalauréat	501	964	3 233	4 321	4 013	2 403	4 628	28 284[2]
Hommes	243	514	1 467	1 769	1 715	1 044	1 693	11 582
Femmes	258	450	1 766	2 552	2 298	1 359	2 935	16 700
Certificats et diplômes	26	1 097	85	1 622	840	642[2]	3 328	12 856[2]
Hommes	12	513	16	587	288	278	932	4 431
Femmes	14	584	69	1 035	552	362	2 396	8 423
2e cycle	**13**	**592**	**830**	**1 274**	**1 382**	**919**	**1 441**	**8 416**
Grades de maîtrise	9	285	557	1 131	1 183	705[2]	1 288	6 814[2]
Hommes	5	165	282	464	596	353	522	3 294
Femmes	4	120	275	667	587	350	766	3 516
Certificats et diplômes	4	307	273	143	199	214	153	1 602
Hommes	1	181	120	67	94	85	56	750
Femmes	3	126	153	76	105	129	97	852
3e cycle	**–**	**5**	**59**	**254**	**330**	**61**	**328**	**1 170**
Grades de doctorat	–	5	59	254	330	61	328	1 170
Hommes	–	3	29	170	205	45	194	717
Femmes	–	2	30	84	125	16	134	453

1. École nationale d'administration publique, École de technologie supérieure, Institut Armand-Frappier, Institut national de recherche scientifique et Télé-Université.
2. La somme des parties n'égale pas le total, car pour certains individus le sexe n'a pu être déterminé.
3. Incluant l'École polytechnique.

Source : Ministère de l'Éducation, Direction des statistiques.

Tableau 8.11
Population de 15 ans et plus[1] selon le niveau de scolarité, Québec, Ontario, Canada, 1996

	Population de 15 ans et plus	Moins d'une 9e année[2]	9e-13e année		Études postsecondaires mais non universitaires[3]	Études universitaires	
			Sans certificat ou diplôme d'études secondaires	Avec certificat ou diplôme d'études secondaires		Avec certificat ou diplôme	Avec grade[4]
				n			
Québec	**5 673 470**	**1 025 545**	**988 270**	**993 640**	**1 610 880**	**362 740**	**692 385**
Hommes	2 756 705	474 025	497 035	438 535	817 250	160 995	368 870
Femmes	2 916 760	551 520	491 235	555 105	793 640	201 740	323 515
Ontario	**8 429 210**	**845 385**	**1 941 565**	**1 229 275**	**2 765 810**	**388 530**	**1 258 650**
Hommes	4 080 940	383 310	952 435	535 500	1 370 160	180 050	659 485
Femmes	4 348 270	462 075	989 125	693 775	1 395 645	208 480	599 165
Canada	**22 628 925**	**2 727 215**	**5 140 795**	**3 238 590**	**7 291 960**	**1 229 585**	**3 000 780**
Hommes	11 022 455	1 290 075	2 540 290	1 428 595	3 643 315	544 100	1 576 070
Femmes	11 606 470	1 437 130	2 600 505	1 809 995	3 648 640	685 480	1 424 705

1. En raison de l'arrondissement des nombres, la somme des données ne correspond pas toujours au total.
2. Comprend les personnes qui n'ont aucune scolarité.
3. Comprend les personnes qui ont fait des études collégiales, celles qui ont fait des études universitaires sans certificat ou diplôme et celles qui ont un certificat ou un diplôme d'une école de métier.
4. Comprend les personnes qui détiennent au moins un baccalauréat.

Source : Statistique Canada, Recensement du Canada de 1996.

Tableau 8.12
Personnel des commissions scolaires, des cégeps et des universités selon la catégorie d'emploi[1], Québec, 1994-1995 à 1998-1999

Catégorie d'emploi	1994-1995	1995-1996	1996-1997	1997-1998	1998-1999
			n		
Commissions scolaires	**106 934**	**105 919**	**104 379**	**104 462**	**106 621**
Personnel enseignant	70 518	70 331	69 680	70 366	71 147
Personnel cadre	1 452	1 388	1 274	1 159	1 118
Directeurs d'école	3 820	3 755	3 647	3 528	3 567
Personnel de gérance	848	803	750	671	663
Personnel professionnel	4 691	4 529	4 250	3 898	3 894
Personnel de soutien	25 605	25 113	24 778	24 840	26 232
Cégeps	**21 771**	**21 245**	**20 472**	**19 570**	**19 692**
Personnel enseignant	13 919	13 652	13 224	12 699	12 892
Personnel cadre	670	664	612	583	595
Personnel de gérance	327	307	287	245	230
Personnel professionnel	1 146	1 085	1 047	964	964
Personnel de soutien	5 709	5 537	5 302	5 079	5 011
Universités[2]	**33 054**	**32 224**	**31 615**	**..**	**..**
Personnel enseignant et personnel de recherche	11 038	10 826	10 553	..	..
Personnel auxiliaire d'enseignement et de recherche	4 304	4 299	4 652	..	..
Personnel de direction	1 305	1 291	1 218	..	..
Personnel de gérance	647	491	498	..	..
Personnel professionnel	3 496	3 487	3 352	..	..
Personnel de soutien	12 264	11 830	11 342	..	..

1. Toutes les activités du personnel au cours de l'année scolaire sont comptées dans le calcul de l'équivalence au temps plein.
2. Fonds avec ou sans restrictions. Excluant les cours donnés par les chargés de cours, ceux qui sont donnés en supplément par les enseignants réguliers et ceux qui sont donnés par des personnes rémunérées par honoraires et contrats.

Source : Ministère de l'Éducation, *Statistiques de l'éducation*.

Figure 8.2

Proportion des personnes ayant fait des études postsecondaires ou complété des études universitaires dans la population totale de 15 ans et plus, par région administrative, Québec, 1996

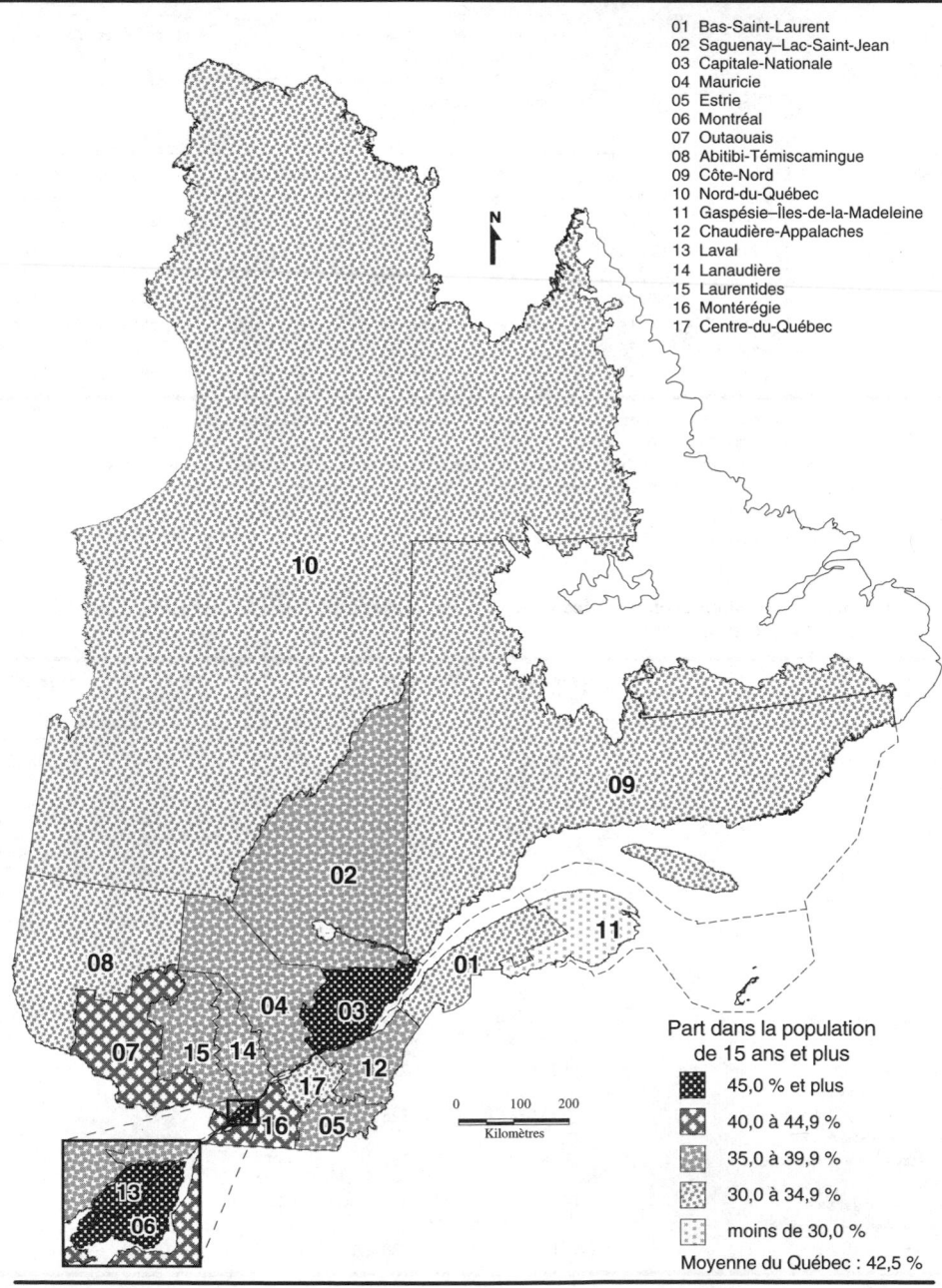

01 Bas-Saint-Laurent
02 Saguenay–Lac-Saint-Jean
03 Capitale-Nationale
04 Mauricie
05 Estrie
06 Montréal
07 Outaouais
08 Abitibi-Témiscamingue
09 Côte-Nord
10 Nord-du-Québec
11 Gaspésie–Îles-de-la-Madeleine
12 Chaudière-Appalaches
13 Laval
14 Lanaudière
15 Laurentides
16 Montérégie
17 Centre-du-Québec

Part dans la population
de 15 ans et plus

45,0 % et plus

40,0 à 44,9 %

35,0 à 39,9 %

30,0 à 34,9 %

moins de 30,0 %

Moyenne du Québec : 42,5 %

Source : Statistique Canada, Recensements du Canada, 1996.

Réalisation : Institut de la statistique du Québec, Direction de l'édition et des communications, 2001.

Tableau 8.13
Revenus et dépenses des organismes d'enseignement, Québec, 1994-1995 à 1998-1999

	1994-1995	1995-1996	1996-1997	1997-1998	1998-1999
	'000 000 $				
Revenus de fonctionnement[1]					
Commissions scolaires[2]	6 424,2	6 451,2	6 282,3	6 237,9	6 352,1
Établissements privés subventionnés					
de l'enseignement primaire et secondaire	594,4	600,3	601,1	588,1	605,3
Cégeps	1 316,6	1 307,3	1 278,2	1 230,6	1 253,3
Établissements collégiaux privés subventionnés	131,4	132,3	127,9	128,0	121,9
Universités	2 695,3	2 629,8	2 530,8	2 438,7	2 662,2
Dépenses de fonctionnement[1] et d'investissement					
Commissions scolaires	6 819,3	6 781,1	6 765,7	6 794,0	6 827,8
Établissements privés subventionnés					
de l'enseignement primaire et secondaire[3]	586,2	593,8	604,6	592,7	612,4
Cégeps	1 403,5	1 409,7	1 359,8	1 318,4	1 364,1
Établissements collégiaux privés subventionnés[3]	133,3	133,2	127,6	127,0	121,1
Universités	3 087,5	3 035,3	2 897,6	2 889,1	2 867,1

1. Excluant le service de la dette à long terme.
2. Les revenus de fonctionnement excluent les revenus de transfert.
3. Pour les établissements privés subventionnés, seule une partie des données relatives aux dépenses d'investissement sont disponibles.

Source : Ministère de l'Éducation, *Statistiques de l'éducation.*

Tableau 8.14
Dépense des commissions scolaires[1] par élève et dépense globale d'éducation[2] par rapport au PIB, Québec et Ontario, 1976-1977 à 1998-1999

Année	Dépense des commissions scolaires par élève			Dépense globale d'éducation par rapport au PIB[3]		
	Québec	Ontario	Écart	Québec	Ontario	Écart
	$			%		
1976-1977	1 769	1 613	156	9,6	6,8	2,8
1981-1982	3 563	2 813	750	9,3	6,5	2,8
1989-1990	4 925	5 486	-561	7,3	6,2	1,1
1993-1994	5 804	6 397	-593	8,7	7,5	1,2
1997-1998	5 419	6 187	-768	7,6 [e]	6,4 [e]	1,2 [e]
1998-1999[e]	5 573	6 303	-730	7,8	6,1	1,7

1. Les dépenses de fonctionnement excluent le service de la dette, l'éducation des adultes (sauf au Québec à compter de 1990-1991), les immobilisations financées à même les revenus courants, ainsi que les dépenses de transfert.
2. Inclut les dépenses de fonctionnement et les dépenses d'immobilisations des établissements d'enseignement, les dépenses de gestion du Ministère, la contribution gouvernementale aux régimes de retraite du personnel, le coût de l'aide financière aux études et d'autres dépenses liées à l'enseignement.
3. Produit intérieur brut : valeur totale de tous les biens et services produits.

Source : Ministère de l'Éducation, *Indicateurs de l'éducation.*

Tableau 8.15

Nombre de bénéficiaires et valeur des prêts et bourses aux étudiants selon l'ordre d'enseignement, Québec, 1994-1995 à 1998-1999

	Bénéficiaires				Aide financière totale				Montant moyen	
	Secondaire[1]	Collégial	Universitaire	Total	Secondaire[1]	Collégial	Universitaire	Total	Prêts	Bourses
	n				000 000 $				$	
Prêts seulement										
1994-1995	4 915	43 330	41 357	89 602	11,8	122,1	147,2	281,2	3 138	...
1995-1996	6 698	42 581	39 247	88 526	15,9	119,3	136,1	271,2	3 064	...
1996-1997	8 829	44 858	40 788	94 475	21,4	133,9	147,5	302,8	3 205	...
1997-1998	8 838	42 952	38 939	90 729	21,4	128,6	126,3	276,2	3 044	...
1998-1999	8 554	44 893	37 253	90 700	18,3	154,2	109,5	281,9	3 108	...
Prêts et bourses										
1994-1995	4 109	31 968	37 002	73 079	22,0	205,9	280,8	508,7	3 459	3 502
1995-1996	7 355	30 408	34 277	72 040	43,8	204,9	261,8	510,4	3 528	3 557
1996-1997	10 711	29 432	32 033	72 176	67,7	207,6	247,5	522,8	3 715	3 528
1997-1998	12 312	28 014	29 458	69 784	73,0	196,6	224,3	493,9	3 645	3 433
1998-1999	10 315	21 838	26 897	59 050	61,3	131,6	199,8	392,7	3 433	3 218

1. Enseignement secondaire professionnel.

Source : Ministère de l'Éducation, *Statistiques de l'éducation*.

9

Santé et services sociaux

Liste des tableaux

Liste des figures

Ce chapitre a été réalisé par Carole Daveluy, avec la collaboration d'Éric Fortin, de la Direction Santé Québec de l'Institut de la statistique du Québec, et par Marc-André St-Pierre, du Service du développement de l'information, avec la collaboration de Johanne Tardif, du Service des indicateurs et mesure de la performance, au ministère de la Santé et des Services sociaux.

Ce chapitre présente d'abord un bref historique du domaine sociosanitaire québécois, en mettant l'accent sur les grandes réformes entreprises au cours des trois dernières décennies. Par la suite, il brosse un portrait chiffré du système de services, en décrivant sa structure, les ressources humaines et institutionnelles dont il dispose, les services utilisés par les diverses clientèles auxquelles il s'adresse et les coûts qu'il entraîne. Enfin, il conclut sur quelques éléments d'une perspective d'avenir pour le système.

Dans la seconde partie du chapitre, un portrait de l'état de santé et de bien-être de la population québécoise est dressé. Provenant de trois enquêtes générales, soit l'enquête *Santé Québec 1987*, l'*Enquête sociale et de santé 1992-1993* et l'*Enquête sociale et de santé 1998*, les statistiques présentées permettent de suivre l'évolution de la santé physique et mentale, des habitudes de vie et du recours aux services sociaux et de santé des Québécois, de la fin des années 80 à la fin des années 90.

Lors de la parution du premier *Annuaire statistique* en 1914, les thèmes de la santé et des services sociaux étaient déjà traités, mais le vocabulaire utilisé y était très différent : on parlait alors d'hygiène et d'état sanitaire, d'assistance et de bienfaisance. On y recensait les causes de décès, les maladies contagieuses déclarées au Bureau d'hygiène de la province. Des statistiques étaient aussi données sur le nombre d'hôpitaux, de sanatoriums, d'orphelinats, d'asiles et hospices divers, ainsi que sur leur clientèle.

Le système sociosanitaire

Historique

La politique sociale actuelle du Québec marque l'aboutissement d'une longue évolution. C'est bien avant 1960 que se manifestent les premières ébauches d'une volonté d'organisation en matière de santé et de services sociaux. Toutefois, à partir du début de cette décennie, plusieurs remises en question se traduisent par des réorientations et des réorganisations, lesquelles se concrétiseront dans les années 70 par la mise en place d'un système adapté aux nouvelles réalités et aux nouveaux besoins.

Les années 60 et 70 : une réforme

Les années 60 constituent une période charnière dans les secteurs de la santé et du bien-être social. Les ressources humaines et physiques, les programmes et les services font alors l'objet d'une évolution qui traduit encore l'absence d'une vision générale de la santé et des services sociaux comme système organisé, mais certains éléments commencent à se préciser. À compter du 1er janvier 1961, à la suite de l'adoption de la Loi sur l'assurance hospitalisation, les soins hospitaliers deviennent gratuits au Québec, c'est-à-dire qu'ils sont à la charge de l'État. En 1965, la Loi sur le Régime des rentes du Québec est sanctionnée. Ainsi démarre un programme de sécurité sociale. Durant l'été 1969, un autre événement important survient : la mise sur pied de la Régie de l'assurance maladie, qui doit mettre en place les mécanismes administratifs requis pour l'instauration du régime d'assurance maladie.

Durant cette période, deux comités ont particulièrement influencé les orientations générales des pouvoirs publics dans les secteurs de la santé et du bien-être social : le Comité d'étude sur l'assistance publique (Comité Boucher) et la Commission d'enquête sur la santé et le bien-être social (Commission Castonguay-Nepveu). Dans son rapport de 1963, le Comité Boucher recommande que le secteur public prenne la relève des activités d'assistance sociale jusqu'alors confiées à l'Église, aux familles, aux individus, ainsi qu'à des organismes de bienfaisance et à des groupes bénévoles. Le Comité insiste sur la nécessité, pour le Québec, de réaliser une nouvelle intégration administrative des politiques relatives à la main-d'œuvre, à l'éducation, à la santé et au bien-être social.

Novembre 1966 marque l'institution de la Commission d'enquête sur la santé et le bien-être social. Cette commission est d'abord présidée par M. Claude Castonguay et ensuite par M. Gérard Nepveu. Elle a le mandat de faire enquête sur tous les domaines de la santé et du bien-être social. À partir de ce moment, une série de lois et de règlements précisent le cadre législatif dans lequel s'insère la mission sociale. La Loi sur l'assurance maladie, en 1970, puis la Loi sur les services de santé et les services sociaux, en 1971, définissent les grands paramètres.

Mais, vers la fin des années 70, l'idée d'un ensemble intégré et coordonné de services de santé et de services sociaux fait place, peu à peu, au concept de système sociosanitaire complexe où plusieurs acteurs, ayant leur rationalité propre, sont en interrelation. Cette vision plus réaliste de la dynamique du système sociosanitaire correspond par ailleurs à une période où l'on entend de plus en plus souvent les termes « ré-allocation », « compression » et « rationalisation ».

Les années 80 et 90 : une révision en profondeur

Les années 80 marquent un changement important dans le mandat du ministère des Affaires sociales. En 1981, celui-ci se départit de la gestion de l'aide sociale. Cette modification entraînera, en 1985, la nouvelle appellation de ministère de la Santé et des Services sociaux (MSSS).

Au milieu des années 80, le réseau de services de santé et de services sociaux laisse voir des signes d'essoufflement : les listes d'attente s'allongent dans quelques secteurs; les urgences des hôpitaux sont souvent engorgées; on déplore la vétusté de certains équipements et installations; des usagers manifestent leur mécontentement; enfin, la question du rythme de croissance des dépenses de certains programmes devient préoccupante. Aussi, en 1985, le gouvernement institue la Commission d'enquête sur les services de santé et les services sociaux (Commission Rochon), dont les recommandations conduiront à la réforme du début des années 90.

La nouvelle stratégie repose sur deux grandes convictions. La première veut que la santé et le bien-être résultent d'une interaction constante entre la personne et son milieu. Le maintien et l'amélioration de la santé et du bien-être doivent donc s'appuyer sur un partage équilibré des responsabilités entre les individus, les familles, les milieux de vie, les institutions, les entreprises et les pouvoirs publics. Une seconde conviction oriente toutes les interventions posées à l'intérieur du système : la santé et le bien-être représentent un investissement pour la société et un important facteur de dynamisme et de progrès.

Au milieu des années 90, on entreprend donc l'immense tâche de transformer le réseau de la santé et des services sociaux, afin de l'adapter aux besoins changeants de la population, à l'évolution des façons de faire et à la capacité de payer de la collectivité. C'est autour d'un objectif commun que cette transformation va s'articuler : améliorer l'accessibilité aux services tout en consolidant la régionalisation. Les services directs à la population deviennent la préoccupation majeure du réseau et la première obligation des organisations qui en font partie.

Toutes les actions entreprises s'accompagnent de décisions d'ordre législatif ou administratif, tels que les nombreux regroupements d'établissements et changements de mission, la création de l'Institut national de santé publique du Québec et la restructuration du MSSS. De plus, l'instauration d'un régime public d'assurance médicaments aura permis à tous les Québécois non couverts par un régime collectif d'assurance privée d'avoir accès aux services pharmaceutiques dont ils ont besoin.

Les années 2000 : un équilibre à trouver

Malgré tous les gestes posés, des problèmes subsistent. On assiste à l'accélération de la croissance des coûts, laquelle prend sa source, pour une bonne part, dans le vieillissement rapide de la population ainsi que dans l'ampleur des progrès technologiques. À leur tour, les progrès accomplis donnent lieu à une augmentation des besoins, des capacités d'intervention et de la disponibilité de nouveaux outils efficaces mais dispendieux. Cette situation préoccupante conduit le gouvernement du Québec à créer, en juin 2000, la Commission d'étude sur les services de santé et les services sociaux, présidée par M. Michel Clair, afin de revoir l'organisation et le financement des services.

En janvier 2001, la Commission dépose son rapport et soumet au gouvernement les paramètres de ce nouvel équilibre. Elle propose à la population québécoise une vision d'avenir, quant à l'organisation, la gouverne, la prestation et le financement des services sociosanitaires. Elle fonde le succès de toute l'entreprise sur une synergie étroite entre tous les acteurs impliqués et une responsabilisation collective, de l'usager jusqu'à l'autorité ministérielle, dans le but de réduire – sinon d'éliminer – les rigidités qui paralysent le système et l'empêche d'évoluer vers l'équilibre recherché. C'est à cette condition que le système sociosanitaire québécois pourra s'engager résolument dans le troisième millénaire, doté des moyens nécessaires pour faire face avec optimisme aux défis présents et futurs.

Le système de services

Au Québec, on considère ensemble les questions relatives à la santé et au bien-être. Il s'agit là d'une orientation majeure de la politique sociale québécoise. Elle s'est en particulier traduite par la mise en place, en 1970, d'un système public de services qui place sous une même autorité, au sein d'un réseau intégré, les services de santé et les services sociaux. Cette particularité confère au système québécois une originalité qui lui est propre à l'échelle canadienne.

La structure

Le système de santé et de services sociaux du Québec a une structure à trois paliers : les établissements, les régies régionales, le Ministère (figure 9.1). Les organismes communautaires jouent également un rôle de premier plan dans plusieurs domaines d'activité.

Le Ministère fixe les orientations et les objectifs en matière de santé et de bien-être, élabore les politiques, sanctionne les priorités et les plans d'organisation de services des régions, répartit les ressources entre ces dernières et évalue les résultats. De plus, il coordonne le programme de santé publique. Enfin, il négocie les conditions de rémunération des professionnels et du personnel du réseau de la santé et des services sociaux.

Les régies régionales de la santé et des services sociaux sont les maîtres d'œuvre de la planification des services sur leur territoire. Elles disposent de pouvoirs étendus et de leviers nécessaires pour organiser et adapter les ressources selon les besoins du milieu. Elles doivent rendre compte de leur gestion à la population qu'elles desservent et à l'autorité ministérielle.

Cinq grandes missions ministérielles sont assumées par le réseau d'établissements sociosanitaires; on distingue ainsi cinq catégories d'établissements :

- les centres de protection de l'enfance et de la jeunesse (CPEJ);
- les centres locaux de services communautaires (CLSC);
- les centres hospitaliers (CH);
- les centres d'hébergement et de soins de longue durée (CHSLD);
- les centres de réadaptation (CR).

À ce réseau d'établissements s'ajoutent quelque 5 000 organismes communautaires, dont plus de 3 400 sont subventionnés par le Ministère et par les régies régionales. Le réseau compte quatre catégories d'organismes s'adressant à des clientèles spécifiques : des organismes de promotion et de services à la communauté, des organismes de services aux femmes, des organismes consacrés aux services à la jeunesse et des organismes qui dispensent des services de soutien à domicile. Il existe également des organismes spéciaux appelés à jouer un rôle de soutien auprès d'une clientèle affligée de problèmes de santé mentale et de leur famille : les « ressources alternatives en santé mentale ».

En parallèle, on retrouve les cabinets privés de professionnels ainsi que certaines catégories de services externes, tels que les centres de jour, les services d'apprentissage aux habitudes de travail, les foyers de groupe et les appartements supervisés.

Enfin, il y a la Régie de l'assurance maladie du Québec (RAMQ). Entre autres mandats, cet organisme doit assumer, conformément à la loi, aux règlements, aux ententes et aux accords, le paiement ou le remboursement des services et des biens prévus aux divers programmes sous sa responsabilité, de même que le contrôle de l'admissibilité aux régimes.

Les ressources humaines

Le système sociosanitaire public québécois emploie quelque 250 000 personnes, soit un peu moins de 7 % de l'ensemble de la population active du Québec. De ce nombre, on compte environ 20 250 professionnels rémunérés par la RAMQ, dont près de 14 300 médecins, quelque 228 000 employés cadres et syndiqués au sein du réseau d'établissements, ce qui inclut un peu moins de 100 000 infirmières, infirmières auxiliaires et préposées aux bénéficiaires, et près de 2 000 employés cadres, syndiqués, occasionnels et contractuels, au Ministère et à la RAMQ.

En 1999, il y a au Québec 1,94 médecin pour 1 000 personnes, c'est-à-dire un médecin pour chaque tranche de 515 personnes. En grande majorité, ceux-ci sont rémunérés « à l'acte et à l'unité ». Alors que le mode de rémunération « à salaire » prend du recul, celui « à la vacation » connaît une forte hausse depuis le début de la décennie. Chez les autres professionnels rémunérés par la RAMQ, qu'il s'agisse des dentistes, des optométristes ou des pharmaciens-propriétaires, on note une amélioration du ratio « population par professionnel » (tableau 9.2).

Au sein du réseau d'établissements sociosanitaires québécois, on observe en 1999-2000 un ratio de 18,2 employés syndiqués par cadre (tableau 9.3). Il s'agit d'une augmentation sensible par rapport au ratio qui prévalait au début de cette décennie (12,3), le nombre de cadres ayant diminué beaucoup plus fortement (- 33 %) que celui des employés syndiqués (- 1,5 %). Malgré une remontée du nombre d'employés à temps complet régulier en 1998-1999 et en 1999-2000, ce nombre n'a cessé de diminuer depuis 1992-1993. En fait, la diminution est plus forte chez les catégories d'employés nécessitant une formation moindre que chez celles où des études plus poussées sont nécessaires. Parmi le personnel infirmier, les infirmières diplômées (université et cégep) voient leur poids relatif s'accentuer, alors que les infirmières auxiliaires connaissent la situation inverse. Chez les préposées aux bénéficiaires, on observe une augmentation en 1999-2000 (figure 9.2).

Les ressources institutionnelles

En mars 2001, le réseau sociosanitaire du Québec compte 349 établissements dits « publics ». De plus, il existe 129 établissements dits « privés » gérés par des propriétaires uniques. Ces 478 établissements chapeautent 2 023 installations (1 863 publiques et 160 privées), c'est-à-dire des lieux physiques où sont dispensés des soins de santé et des services sociaux (tableau 9.4).

Depuis 1990, le nombre d'établissements à mission unique a chuté de 60 %. En mars 2001, plus du tiers des établissements assument plus d'une mission. Au sein du réseau, on compte 27 % d'établissements privés; la plupart ont une mission de CHSLD. Plus du tiers des établissements privés sont non conventionnés. Le nombre d'installations, quant à lui, est demeuré relativement stable au cours de la décennie. Environ 8 % d'entre elles ont un statut privé. Toujours depuis 1990, on note une hausse de 2 % du nombre d'installations publiques, mais une baisse considérable du nombre de celles à statut privé; la baisse atteint même 44 % pour les installations privées non conventionnées.

Depuis 1996, le nombre de lits autorisés pour des soins généraux et spécialisés a été réduit du quart, et depuis 1990, le nombre de ceux autorisés en centre hospitalier de soins psychiatriques (CHSP) pour des soins de courte durée a été divisé par deux. Pendant ce temps, les lits autorisés pour l'hébergement et les soins de longue durée nécessitant moins de deux heures et demie de soins quotidiens subissaient une baisse de 7 %. En mars 2001, pour 1 000 personnes, le ratio est de 2,8 lits autorisés en soins généraux spécialisés et de 6,6 lits autorisés pour l'hébergement et les soins de longue durée (tableau 9.6). Il est à noter que 20 % de l'ensemble des lits autorisés pour l'hébergement et les soins de longue durée sont de statut privé, ce qui constitue la grande majorité des lits autorisés de statut privé.

Entre les 31 mars 1991 et 2000, le nombre de lits dressés pour des soins généraux et spécialisés, de statuts public et privé conventionné, a été réduit de plus de 30 % au Québec et de 28 % en Ontario. Par contre, le ratio « nombre de lits pour 1 000 personnes » ontarien demeure nettement inférieur à celui du Québec, bien que l'écart se soit rétréci jusqu'à 1997. Depuis, l'écart est en légère hausse (figure 9.3).

Les services

Depuis 1970, les mêmes valeurs et les mêmes principes ont gouverné l'organisation des services de santé et des services sociaux. Ces principes, auxquels tous ont souscrit, constituent les véritables piliers du système public de santé et de services sociaux. Traduits selon la réalité d'aujourd'hui, ce sont :

- l'**universalité** des services, c'est-à-dire rendre les services accessibles à tous sans discrimination;
- l'**équité** des services, c'est-à-dire partager équitablement les coûts en corrigeant les inégalités, compte tenu des besoins et des disparités de richesse;
- le **caractère public** des services, c'est-à-dire des services gérés et financés par l'État;
- l'**adaptation continue** des services, c'est-à-dire faire en sorte de conserver la souplesse du système.

Avec le « virage ambulatoire » du milieu des années 90, le Ministère a manifesté véritablement sa volonté de rapprocher les services des milieux de vie et de favoriser une médecine moins invasive et moins lourde. La mise au point de nouveaux services à domicile et l'injection de fonds supplémentaires dans ceux déjà en place ont concrétisé cette volonté.

La tendance observée sur le plan des hospitalisations en soins de courte durée actifs est largement tributaire de deux phénomènes : d'une part le développement des technologies médicales, qui peu à peu fait reculer les méthodes dites invasives, ce qui se traduit par une diminution des séjours hospitaliers; d'autre part, l'utilisation accrue de la chirurgie d'un jour, qui, elle, réduit le nombre d'hospitalisations.

En 1999-2000, quelque 736 500 hospitalisations en soins de courte durée totalisent un peu moins de 5,3 millions de journées d'hospitalisation. Il s'agit d'une baisse importante de l'un et l'autre par rapport aux données du milieu des années 90 (tableau 9.7). Le séjour moyen a également diminué, bien qu'il semble vouloir se stabiliser à un peu plus de 7 jours par hospitalisation, au cours des récentes années.

Les services médicaux sont assurés pour l'ensemble de la population résidante du Québec, alors que les autres services (dentaires, optométriques, pharmaceutiques et d'aide technique) s'adressent uniquement à des clientèles spécifiques. Ils sont tous dispensés par des professionnels rémunérés par la RAMQ.

Le nombre de services médicaux rémunérés à l'acte est en baisse depuis 1993; en 1999, on en compte 81,1 millions, et chaque service coûte, en moyenne, 27,38 $ (tableau 9.8). Bon an mal an, chaque médecin établit en moyenne entre 3 500 et 3 700 contacts « médecin-patient », dont plus du quart, en 1999, uniquement pour les personnes âgées de 65 ans et plus (figure 9.4). Depuis leur instauration, les programmes « Services dentaires » et « Services optométriques » ont connu plusieurs resserrements sensibles de couverture, selon l'une ou l'autre des clientèles visées. En 1999, les dentistes et les spécialistes en chirurgie buccale ont effectué quelque 2,6 millions de services dentaires, chacun d'entre eux coûtant, en moyenne, 31,75 $. Par ailleurs, les 1,7 million de services rendus par les optométristes, la même année, constituent une baisse de plus de la moitié par rapport à 1990. Chaque service optométrique coûte en moyenne 16,11 $. Une hausse du nombre de services pharmaceutiques de près de 25 % a été observée entre 1996 et 1997, à la suite de la mise en vigueur de la Loi sur l'assurance médicaments. En 1999, 54,8 millions d'ordonnances de médicaments ont été soumises à la RAMQ au coût moyen de 27,33 $. Moins de 20 % de ces ordonnances ont été présentées par des prestataires de l'assistance-emploi, près de 58 % par des personnes âgées de 65 ans et plus, et un peu plus de 23 % par des adhérents au régime d'assurance médicaments. Toujours en 1999, quelque 280 000 personnes ont bénéficié de l'un ou l'autre des six programmes liés aux aides techniques, pour un coût moyen par bénéficiaire de 241,61 $.

Compte tenu du vieillissement de la population québécoise, une forte pression s'exerce sur les services d'hébergement en soins de longue durée consacrés aux personnes âgées en perte d'autonomie. Cependant, dans le contexte des années 90 – contraintes budgétaires, rationalisation, nécessité d'un virage dans les services – le soutien à domicile et le développement de capacités d'accueil dans le secteur privé sont venus répondre à une part de plus en plus importante des besoins de la clientèle bénéficiant encore d'une autonomie suffisante. Ainsi, depuis le milieu des années 90, le nombre de lits d'hébergement et soins de longue durée nécessitant moins de deux heures et demie de soins quotidiens a été réduit au sein du réseau d'établissements sociosanitaires; une partie de ces lits ont été remplacés par des lits nécessitant plus de deux heures et demie de soins par jour. Par contre, le flot de personnes hébergées a continué à s'accroître alors même que le nombre de jours-présences diminuait, ce qui a eu pour effet d'entraîner une baisse importante du séjour moyen (tableau 9.9).

Même si la répartition selon le groupe d'âge des personnes hébergées n'a pas vraiment changé, la clientèle souffre de problèmes de plus en plus graves, les services alternatifs ayant drainé une part importante de la clientèle plus autonome. Ainsi, les personnes admises en hébergement au sein du réseau nécessitent de plus en plus de soins, surtout les gens âgés de 75 à 84 ans. Par contre, grosso modo, les délais diminuent pour les personnes en attente d'hébergement, de sorte que le ratio « nombre de personnes en attente d'hébergement/ nombre de nouvelles personnes admises » a régressé depuis le milieu des années 90.

Les coûts

Les services de santé et les services sociaux sont financés essentiellement par l'État, à même ses revenus généraux. En 2000, la part du financement public approche les trois quarts des coûts globaux, ce qui représente une proportion supérieure à la moyenne canadienne. En fait, les dépenses publiques de santé et de services sociaux sont financées pour plus de 90 % par le Fonds consolidé du revenu du gouvernement du Québec. Le financement provient majoritairement de trois sources : les transferts fédéraux, les contributions des employeurs et des particuliers au Fonds des services de santé et d'autres sources, telles que les taxes à la consommation et les impôts sur le revenu des entreprises et des particuliers.

La structure budgétaire présentée dans les Comptes publics et au Livre des crédits du gouvernement du Québec comporte trois paliers principaux : les missions, les portefeuilles et les programmes. L'une des six missions est *Santé et services sociaux*. Le second palier de la structure, les portefeuilles, correspond aux différents ministères. Dans le cas de la mission *Santé et services sociaux*, le portefeuille et la mission se confondent, car on n'y retrouve qu'un seul ministère, le MSSS.

Toujours pour la mission *Santé et services sociaux*, le troisième palier est, en 2001-2002, constitué des quatre programmes suivants : Fonctions nationales, Fonctions régionales, OPHQ et RAMQ (tableau 9.10).

En 2001-2002, plus du tiers du budget de dépenses du gouvernement est consacré à la mission *Santé et services sociaux*, ce qui représente 7,5 % du produit intérieur brut (PIB) (figure 9.5). Le programme « Fonctions régionales », couvrant notamment le fonctionnement du réseau d'établissements et de régies, ainsi que les subventions accordées aux organismes communautaires, compte pour près des trois quarts des dépenses de la mission. Le programme « RAMQ », c'est-à-dire l'ensemble des programmes et l'administration de la Régie, accapare un peu plus de 24 % du total.

Depuis le début des années 90, la part des dépenses nettes relatives aux activités principales des établissements qui est consacrée aux services cliniques n'a cessé de croître; elle atteint 68 % du total en 1999-2000 (figure 9.6). Entre 1993-1994 et 1998-1999, les dépenses relatives au soutien (administration, fonctionnement) ont régressé de près de 10 %. Cependant, en 1999-2000, on note une croissance de 4,6 % par rapport à l'année précédente.

Quand on considère l'ensemble des dépenses publiques (fédérales, provinciales et municipales) et privées de santé (excluant celles pour les services sociaux), au Canada, on observe que le Québec consacre une part plus élevée de sa richesse collective (9,6 %) à ce secteur d'activité que l'Ontario (8,7 %) et l'Alberta (7,8 %), mais inférieure à celle du Nouveau-Brunswick (11,5 %) (figure 9.7).

L'état de santé et de bien-être de la population

La santé physique et mentale

La perception de l'état de santé

En 1998, près de 9 Québécois sur 10 âgés de 15 ans et plus (soit 5 186 000 personnes) qualifient leur état de santé de bon, très bon ou excellent (tableau 9.11). Bien que les femmes soient, en proportion, moins nombreuses que les hommes à se déclarer en excellente santé, aucune différence statistiquement significative ne s'observe par groupe d'âge. Dans l'ensemble, la proportion de personnes qui se considèrent en excellente ou en très bonne santé diminue avec l'âge. La perception de l'état de santé, reconnue comme un indicateur fiable et valide de l'état de santé, est demeurée sensiblement la même depuis 1987, et ce, tant chez les femmes que chez les hommes. Toutefois, en 1998, une plus grande proportion de jeunes de 15 à 24 ans perçoivent leur état de santé comme moyen ou mauvais, lorsque comparée à 1987.

Les problèmes de santé

Les problèmes de santé les plus fréquents sont demeurés les mêmes entre 1987 et 1998. Les troubles ostéo-articulaires, dont l'arthrite ou le rhumatisme et les maux de dos ou de la colonne, comptent, avec les maux de tête, l'allergie sous toutes ses formes et l'hypertension artérielle, parmi les problèmes déclarés par une plus forte proportion de la population, celle-ci variant entre 8,5 % et 11,8 % selon le problème (tableau 9.12).

Les accidents avec blessures constituent la seule catégorie de problèmes dont la prévalence est statistiquement plus élevée chez les hommes que chez les femmes en 1998. Par contre, ces dernières présentent des prévalences supérieures à celles des hommes pour les maux de tête (16,2 % par rapport à 7,2 %), l'arthrite ou le rhumatisme (14,7 % contre 8,8 %), les autres allergies (12,8 % contre 7,7 %), les allergies ou affections cutanées (11,2 % contre 7,0 %) et l'hypertension artérielle (10,0 % contre 7,0 %).

Entre 1987 et 1998, la prévalence des problèmes s'est accrue pour plusieurs catégories. Les différences les plus importantes touchent les maux de tête (8,4 % en 1987 et 11,8 % en 1998), les autres allergies (6,5 % et 10,3 %), la rhinite allergique (6,0 % et 9,4 %), l'hypertension artérielle (6,3 % et 8,5 %), les troubles mentaux (3,0 % et 4,3 %) et les troubles de la thyroïde (1,3 % et 3,7 %). Bien que le diabète ne fasse pas partie du peloton de tête, l'augmentation de sa prévalence est à signaler (2,8 % en 1998 par rapport à 1,6 % en 1987).

Les accidents avec blessures

En 1998, environ 65 Québécois sur 1 000 (463 000 personnes) déclarent avoir été victime, au cours des douze derniers mois, d'un accident ayant causé des blessures suffisamment importantes pour entraîner une limitation des activités ou une consultation médicale (tableau 9.13). Il s'agit d'une diminution d'environ 20 % du taux de morbidité par accident avec blessures, lorsque comparé à celui de 1992-1993 (81 pour 1 000). Les hommes présentent un taux de morbidité 52 % plus élevé que celui des femmes, particulièrement les 15-24 ans et les 25-44 ans. La baisse du taux de morbidité, qui touche tous les groupes d'âge — sauf celui des personnes de 75 ans et plus — est significative chez les 15-44 ans, qui présentaient, en 1992-1993, les taux les plus élevés.

Les limitations d'activité

En 1998, 9,3 % de la population, soit 665 000 Québécois vivant en ménage privé, présente des limitations d'activité à long terme pour des raisons de santé. Le taux est par ailleurs plus élevé chez les femmes que chez les hommes (10,4 % contre 8,2 %). Chez les personnes de 75 ans et plus, cette proportion atteint 26,7 %. Relativement stable entre 1987 et 1992-1993 (aux environs de 7 %), les proportions de la population avec limitations d'activité ont augmenté depuis chez les hommes et chez les femmes. Les hausses sont manifestes chez les individus de 45 ans et plus (tableau 9.14).

L'excès de poids

L'excès de poids, défini à l'aide de l'indice de masse corporelle, est un phénomène qui semble s'intensifier de façon constante chez les Québécois de 15 ans et plus. En 1998, ce problème touchait 1 617 000 personnes, soit 28,1 % de la population (par rapport à 19,4 % en 1987 et à 24,7 % en 1992-1993) (figure 9.8). Il atteint particulièrement les hommes et paraît s'accentuer dans tous les groupes d'âge, sauf chez les jeunes de 15 à 19 ans.

La détresse psychologique

En 1998, 1 159 000 Québécois se classent au niveau élevé de l'indice de détresse psychologique (tableau 9.15). La proportion de ces individus est plus importante chez les femmes et chez les jeunes de 15 à 24 ans. La diminution de la proportion de Québécois se classant dans la catégorie élevée de l'indice entre 1992-1993 et 1998 (de 26,3 % à 20,1 %) constitue un fait marquant, puisqu'on avait observé l'inverse entre 1987 et 1992-1993 (de 19,4 % à 26,3 %). Soulignons toutefois que les jeunes de 15 à 24 ans sont proportionnellement plus nombreux qu'en 1987 à se classer au niveau élevé de l'indice, bien qu'ils aient amélioré leur position par rapport à 1992-1993 (28,2 % en 1998 par rapport à 23,4 % en 1987 et à 35,2 % en 1992-1993).

Les idées suicidaires et les tentatives de suicide

En 1998, près de 4 % de la population de 15 ans et plus, soit 222 000 Québécois, a pensé sérieusement au suicide au cours des douze derniers mois. De 3,1 % en 1987, la prévalence des idées suicidaires est passée à 3,7 % en 1992-1993, pour atteindre finalement 3,9 % en 1998 (tableau 9.16). L'augmentation n'est pas statistiquement significative, mais elle laisse croire que le phénomène ne va pas en s'atténuant. Comme par les années passées, les jeunes de 15 à 24 ans sont, en 1998, proportionnellement plus nombreux à rapporter des pensées suicidaires.

On n'observe toutefois pas de changement dans les gestes suicidaires par rapport à 1987 : en 1998, 5 personnes sur 1 000 (29 000 Québécois) ont déclaré avoir posé un geste suicidaire au cours des douze derniers mois. C'est chez les jeunes de 15 à 24 ans que l'on observe la prévalence la plus élevée.

Les habitudes de vie

L'usage de la cigarette

En 1998, 1 967 000 Québécois de 15 ans et plus fument la cigarette, soit 34,0 % de la population (tableau 9.17). Cette prévalence est demeurée la même qu'en 1992-1993, alors qu'en 1987, elle était de 39,9 %. Dans l'ensemble, les femmes fument dans une proportion légèrement plus faible que les hommes (32,6 % contre 35,4 %). La différence n'est toutefois statistiquement significative que chez les 20-24 ans, groupe dans lequel 44,0 % des hommes fument, comparativement à 35,9 % des femmes; la même tendance, bien que statistiquement non significative, s'observe chez les personnes de 45 à 64 ans. On observe, au sein du groupe des personnes de 15 à 24 ans, une hausse de la prévalence de l'usage de la cigarette avec l'âge : de 32,6 % chez les 15-19 ans, la proportion monte à 40,1 % chez les 20-24 ans. Cette proportion se maintient chez les 25-44 ans, puis redescend graduellement à 18,9 % chez les personnes de 65 ans et plus. Par ailleurs, la plus forte proportion de fumeurs réguliers s'observe chez les Québécois âgés de 25 à 44 ans (35,8 % par rapport à 30,5 % pour l'ensemble de la population de 15 ans et plus).

La consommation d'alcool

En 1998, environ 4 717 000 Québécois de 15 ans et plus ont consommé de l'alcool au cours des douze mois précédents, soit 81,3 % de la population. Cette proportion est la même qu'en 1992-1993, mais la consommation moyenne hebdomadaire a légèrement augmenté. Ce phénomène s'accompagne d'une augmentation de la consommation élevée d'alcool : une plus grande proportion de gens déclarent en effet avoir pris cinq consommations ou plus en une même occasion, et ce, cinq fois ou plus en 12 mois (29,0 % en 1998 contre 26,8 % en 1992-1993). Par ailleurs, une plus grande proportion de jeunes de 15 à 24 ans disent s'être enivrés cinq fois ou plus au cours d'une période comparable (28,7 % contre 24,2 %) (tableau 9.18).

La consommation de drogues et d'autres substances psychoactives

Plus des deux tiers des Québécois de 15 ans et plus affirment, en 1998, n'avoir jamais consommé de drogues; 996 000 personnes (17,4 %) déclarent en avoir consommé au cours des 12 derniers mois, soit de la marijuana seulement (10,3 %) ou de la marijuana et d'autres drogues, ou encore d'autres drogues seulement (7,1 %). Toutes proportions gardées, les consommateurs sont majoritairement des jeunes et des hommes (tableau 9.19). Les comparaisons entre les résultats de 1992-1993 et ceux de 1998 ne peuvent être établies, les indicateurs n'étant pas tout à fait les mêmes.

La perception de la qualité des habitudes alimentaires

La grande majorité (84,3 %) des Québécois de 18 ans et plus ont une perception positive de leurs habitudes alimentaires, qu'ils qualifient de bonnes, très bonnes ou excellentes. Cette proportion surpasse nettement celle obtenue en 1990 (71,9 %), lors de l'*Enquête québécoise sur la nutrition.* On observe que la hausse s'est manifestée particulièrement chez les personnes qui perçoivent leurs habitudes alimentaires comme excellentes ou très bonnes (38,8 % en 1998 par rapport à 24,4 % en 1990) (tableau 9.20). Plus de femmes (40,9 %) que d'hommes (36,6 %) qualifient leurs habitudes alimentaires d'excellentes ou de très bonnes. C'est aussi le cas à mesure que l'on avance en âge (44,4 % chez les 65-74 ans contre 32,6% chez les 18-24 ans).

La fréquence d'utilisation du condom

En 1998, près des trois quarts de la population hétérosexuelle mentionne n'avoir eu qu'un seul partenaire sexuel depuis 12 mois; une personne sur dix, soit quelque 475 000 Québécois, déclare avoir eu plus d'un partenaire. Fait à souligner, la moitié (50,1 %) des personnes qui vivent avec un partenaire régulier mais qui ont aussi d'autres partenaires déclarent n'avoir jamais utilisé le condom avec leur partenaire régulier (tableau 9.21).

Le recours aux services sociaux et de santé

La consultation des professionnels de la santé et des services sociaux

En 1998, 1 806 000 personnes ont consulté au moins un professionnel de la santé ou des services sociaux au cours des deux semaines précédentes, soit 25,2 % de la population (contre 22,0 % en 1987) (tableau 9.22). Cette augmentation n'est pas significative, pas plus que celle du taux de consultation des médecins (généralistes ou spécialistes), lequel, passé de 14,0 % à 14,7 % entre 1987 et 1992-1993, est demeuré stable depuis (14,6 % en 1998). La situation diffère cependant pour les professionnels autres que des médecins, le taux ayant progressé de 11,4 % à 14,1 % entre 1987 et 1992-1993, pour atteindre 15,3 % en 1998. Ce phénomène à la hausse serait attribuable à l'augmentation du taux de consultation des pharmaciens, qui est passé de 2,4 % à 4,5 % au cours de la dernière période.

Le recours à la chirurgie d'un jour et à l'hospitalisation

Environ 300 000 Québécois (4,2 % de la population) ont, en 1998, été traités en chirurgie d'un jour au cours des douze mois précédents (tableau 9.24). Les jeunes de 0 à 14 ans ont utilisé ce service dans une proportion de 2,4 %, comparativement à 5,8 % des personnes de 65 ans et plus. Les hommes et les femmes s'en prévalent dans des proportions comparables (4, 0 % contre 4,4 %).

Toujours pour la même période, 455 000 Québécois (6,4 % de la population) ont été hospitalisés. Encore là, les personnes de 65 ans et plus sont en proportion plus nombreuses à avoir été hospitalisées que celles des autres groupes d'âge (13,9 % par rapport à un taux allant de 3,5 % à 6,4 %). Si la proportion de femmes hospitalisées est plus élevée que celle des hommes (7,5 % contre 5,2 %), c'est que les accouchements sont inclus dans l'ensemble des hospitalisations.

L'utilisation des services posthospitaliers à domicile

Parmi les personnes qui, antérieurement à une chirurgie d'un jour, ne recevaient ni traitement ni aide à domicile, 4,5 % ont reçu des traitements à domicile et 16,3 % ont obtenu de l'aide pour les soins personnels ou pour d'autres activités du quotidien à la suite de l'intervention; ces proportions sont respectivement de 12,1 % et de 23,4 % chez les personnes hospitalisées.

Après une chirurgie d'un jour, la famille et les proches représentent la principale ressource, que ce soit pour les traitements (57,9 %) ou pour l'aide à domicile (96,3 %) (tableau 9.25). Les organismes extérieurs, principalement les CLSC, interviennent auprès de 36,4 % des personnes recevant des traitements.

Après une hospitalisation, les traitements à domicile sont dispensés surtout par les organismes extérieurs (68,5 %), plus particulièrement les CLSC. Les proches sont les soignants dans 15 % des cas; dans 16,5 % des cas, l'assistance aux traitements est mixte, c'est-à-dire qu'elle provient à la fois de la famille et des proches ainsi que des organismes extérieurs (CLSC, organismes privés ou organismes communautaires). L'aide à domicile provient surtout de la famille et des proches (81,2 %).

Le recours à la mammographie

En 1998, 29,1 % de la population féminine de 15 ans et plus, soit 870 000 Québécoises, déclare avoir passé une mammographie au cours des deux dernières années (tableau 9.26).

Bien que les femmes de 40 à 49 ans soient plus du tiers à avoir subi cet examen, il est intéressant d'observer que les femmes de 50 à 69 ans, groupe d'âge particulièrement visé par le programme de dépistage du cancer du sein, se démarquent de façon significative par rapport à celles des autres groupes d'âge : 64,3 % d'entre elles auraient eu recours à cet examen depuis deux ans ou moins, ce qui indique une hausse marquée au cours de la décennie (contre 23,6 % en 1987 et 49,4 % en 1992-1993).

La consommation de médicaments

Rappelons que depuis janvier 1997, toute la population québécoise bénéficie d'une assurance médicaments. En 1998, 3 809 000 Québécois ont consommé au moins un médicament, prescrit ou non prescrit, sur une période de deux jours (53,1 % de la population) (tableau 9.27). Ainsi, après être passée de 44,7 % à 51,5 % entre 1987 et 1992-1993, la proportion de consommateurs d'au moins un médicament n'aurait subi qu'une légère hausse, statistiquement non significative dans tous les groupes d'âge sauf celui des 45 à 64 ans. Par contre, la proportion de consommateurs de trois médicaments ou plus est passée de 8,3 % en 1987 à 13,7 % en 1992-1993, pour atteindre 17 % en 1998, ce qui indique une augmentation marquée, surtout encore chez les personnes de 65 ans et plus (29,3 % en 1987 par rapport à 51,6 % en 1998).

La couverture des frais de santé par un régime d'assurance privé

En 1998, la moitié de la population, soit 3 851 000 Québécois, dispose d'un régime d'assurance privé pour les frais de santé, et les hommes sont proportionnellement plus nombreux que les femmes à être couverts par un tel régime (55,1 % contre 52,4 %). Le taux de couverture pour l'ensemble de la population ou selon le sexe est demeuré inchangé depuis 1992-1993. La moitié de la population est couverte pour les frais de séjour hospitalier et pour les médicaments prescrits; c'est le cas pour chacun des groupes d'âge, sauf les personnes de 65 ans et plus (24,2% et 17,5 % respectivement) (tableau 9.28). Seulement le tiers de la population est couverte pour les soins dentaires et un peu plus du quart pour les examens de la vue. Quatre Québécois sur dix peuvent se prévaloir des services fournis par des physiothérapeutes, psychologues, chiropraticiens, acupuncteurs, ostéopathes, etc., grâce à un régime d'assurance privé.

Conclusion

Gains et pertes en matière de santé et de bien-être au cours des années 90

Depuis 1987, la perception de l'état de santé a peu varié : la très grande majorité de la population québécoise considère son état de santé comme bon, très bon ou excellent. Sur le plan des comportements préventifs, la hausse marquée du recours à la mammographie par les femmes de 50 à 69 ans constitue un gain notable de cette période. Au nombre des autres acquis des dernières années, on compte la baisse importante du taux de morbidité par accident avec blessures, ainsi que celle de la proportion de la population se classant dans la catégorie élevée de l'indice de détresse psychologique.

Par contre, des pertes ont également été enregistrées entre 1987 et 1998. Ainsi, la prévalence de la majorité des problèmes de santé a augmenté, particulièrement celle des problèmes de santé déclarés par une plus grande proportion de Québécois. On a aussi vu augmenter la proportion de la population avec limitation d'activité à long terme et la proportion de consommateurs de trois médicaments ou plus, surtout chez les personnes âgées de 65 ans et plus. Par ailleurs, bien que la proportion de Québécois se classant au niveau élevé de l'indice de détresse psychologique ait diminué depuis 1992-1993, la proportion de personnes ayant déclaré des idées ou des gestes suicidaires demeure préoccupante.

Ajoutons que peu de changements sont observés malgré les efforts déployés pour amener les Québécois à adopter de saines habitudes de vie et des comportements favorables à la santé. Cette constatation s'applique aussi bien à la consommation excessive d'alcool qu'à la consommation de tabac. Un recul est même enregistré en ce qui a trait au poids corporel, la proportion de personnes ayant un excès de poids ayant augmenté sensiblement, sauf chez les 15-19 ans. De plus, une proportion importante de personnes sexuellement actives ont des comportements augmentant le risque de transmission du virus d'immunodéficience humaine (VIH), responsable du sida, ou d'une autre maladie transmise sexuellement (MTS) en ayant plus d'un partenaire et en ne faisant pas usage du condom de façon systématique.

Enfin, seulement le tiers de la population est couverte par un régime d'assurance privé pour les soins dentaires et un peu plus du quart pour les examens de la vue. Quatre Québécois sur dix peuvent se prévaloir des services fournis par des physiothérapeutes, psychologues, chiropraticiens, acupuncteurs, ostéopathes, etc. par le biais d'une assurance privée.

Perspective de développement du système de santé

Le système sociosanitaire québécois se caractérise par son originalité. Il constitue l'un des acquis sociaux les plus importants de notre société. La réforme entreprise au début des années 90 aura marqué une étape importante dans l'évolution de l'intervention en matière de santé et de bien-être.

Il faudra néanmoins tenir compte de la croissance des coûts engendrés par les changements démographiques et la révolution technologique. Ainsi, dans le contexte prévisible des besoins et des ressources, il est clair que l'avenir du système de santé et de services sociaux du Québec, à l'instar de ceux de la plupart des pays développés, passe par la recherche d'un nouvel équilibre entre l'évolution des besoins, notre aptitude à gérer les services et notre capacité collective de payer.

Forte de son mandat, la Commission Clair a déjà posé un diagnostic très réaliste sur les difficultés qui assaillent de plus en plus le système sociosanitaire. Elle a également dégagé une vision d'avenir susceptible de recueillir l'adhésion de l'ensemble des Québécois, afin de faire face à la double obligation de choisir et de performer. Puis, en s'appuyant sur une série de principes directeurs, la Commission a fait émerger plusieurs pistes de solutions devant, à terme, concrétiser cette vision.

Les efforts actuels ainsi que les réflexions qui se poursuivent, que ce soit au sein du Ministère et avec ses partenaires ou dans le cadre de débats invitant la participation du plus grand nombre de citoyens, visent à rendre le système de santé et de services sociaux du Québec encore plus performant. Cela se fera par une prise de conscience accrue des possibilités d'amélioration et une adaptation continue, dans l'optique de cet équilibre à trouver.

Références

COMMISSION D'ÉTUDE SUR LES SERVICES DE SANTÉ ET LES SERVICES SOCIAUX. *Les solutions émergentes*, Rapport et recommandations, janvier 2001.

DAVELUY, C., L. PICA, N. AUDET, R. COURTEMANCHE, F. LAPOINTE et autres. *Enquête sociale et de santé 1998*, 2e édition, Québec, Institut de la statistique du Québec, 2000, 642 p.

GOUVERNEMENT DU QUÉBEC. Institut de la statistique du Québec, *Site de l'Institut de la statistique du Québec*, [En ligne], [http://www.stat.gouv.qc.ca].

GOUVERNEMENT DU QUÉBEC. Ministère de la Santé et des Services sociaux, *Site du Ministère de la Santé et des Services sociaux*, [En ligne], [http://www.msss.gouv.qc.ca].

SANTÉ QUÉBEC, A. ÉMOND et autres. *Et la santé, ça va? Rapport de l'enquête Santé Québec 1987*, tome 1, Québec, Les Publications du Québec, Ministère de la Santé et des Services sociaux, 1988, 337 p.

SANTÉ QUÉBEC, C. BELLEROSE, L. CHÉNARD et M. LEVASSEUR (sous la direction de). *Et la santé, ça va en 1992-1993? Rapport de l'Enquête sociale et de santé 1992-1993*, vol. 1, Montréal, Ministère de la Santé et des Services sociaux, 1995, 412 p.

SANTÉ QUÉBEC, L. BERTRAND (sous la direction de). *Les Québécoises et les Québécois mangent-ils mieux? Rapport de l'Enquête québécoise sur la nutrition 1990*, Montréal, Ministère de la Santé et des Services sociaux, 1995, 317 p.

ST-PIERRE, Marc-André. *Le système de santé et de services sociaux du Québec : Une image chiffrée*, Québec, Ministère de la Santé et des Services sociaux du Québec, 2001.

Définitions

Aide ou traitement à domicile

Aide (pour manger, faire le ménage, etc.) ou traitement (pansement, injection, etc.) fournis par la famille et les proches, par des organismes extérieurs (CLSC, organismes communautaires, agences privées) ou par une combinaison de ces aidants.

Centres de protection de l'enfance et de la jeunesse (CPEJ)

Centres qui ont la mission d'offrir des services de nature psychosociale, y compris des services d'urgence sociale, requis par la situation d'un jeune en vertu de la Loi sur la protection de la jeunesse et de la Loi sur les jeunes contrevenants, ainsi que des services en matière de placement d'enfants, de médiation familiale, d'expertise à la Cour supérieure sur la garde d'enfants, d'adoption et de recherche des antécédents biologiques.

Centres locaux de services communautaires (CLSC)

Centres qui ont la mission d'offrir, en première ligne, à la population du territoire qu'ils desservent des services de santé et des services sociaux courants, de nature préventive ou curative, de réadaptation ou de réinsertion.

Centres hospitaliers (CH)

Centres qui ont la mission d'offrir des services diagnostiques et des soins médicaux généraux et spécialisés, dans les secteurs de la santé physique et de la santé mentale.

Centres d'hébergement et de soins de longue durée (CHSLD)

Centres qui ont la mission d'offrir, de façon temporaire ou permanente, un milieu de vie substitut, des services d'hébergement, d'assistance, de soutien et de surveillance, ainsi que des services de réadaptation, psychosociaux, infirmiers, pharmaceutiques et médicaux aux adultes qui, en raison de leur perte d'autonomie fonctionnelle ou psychosociale, ne peuvent plus demeurer dans leur milieu de vie naturel.

Centres de réadaptation (CR)

Centres qui ont la mission d'offrir des services d'adaptation, ainsi que de réadaptation et d'intégration sociale, à des personnes qui, en raison de leurs déficiences physiques ou intellectuelles, de leurs difficultés d'ordre comportemental, psychosocial ou familial, ou à cause de leur alcoolisme ou autres toxicomanies, requièrent de tels services, de même que des services d'accompagnement et de support à leur entourage.

Comité régional d'orientation – admission (COA)

Comité chargé de trouver des places d'hébergement pour les personnes âgées en perte d'autonomie.

Indice de masse corporelle

Indice dérivé du rapport entre le poids (en kg) et le carré de la taille d'un individu (en mètres).

Lits dressés

Lits dotés en personnel et prêts à recevoir un usager.

Prévalence

Proportion de personnes ayant déclaré un problème de santé ou un comportement par rapport à la population totale, à la population du même sexe ou à celle du même groupe d'âge. Elle s'exprime ici en pourcentage.

Région sociosanitaire

Les frontières des 18 régions sociosanitaires s'harmonisent avec celles des 17 régions administratives. La région administrative Nord-du-Québec est constituée de trois régions sociosanitaires, soit Terres-Cries-de-la-Baie-James (18), Nunavik (17) et Nord-du-Québec (10), alors que la région sociosanitaire de la Mauricie et du Centre-du-Québec (04) est la somme des deux régions administratives du même nom.

Rémunération « à la vacation »

Rémunération pour une période de travail prédéterminée, par exemple 3 heures.

Services à domicile

Ensemble des services, de base et spécialisés, offerts au domicile des Québécois par le réseau public de la santé et des services sociaux.

Statut privé conventionné

Établissement de statut privé, à but partiellement lucratif, c'est-à-dire ayant signé une convention de financement avec le MSSS pour une partie de ses activités (activités de soutien).

Statut privé non conventionné

Établissement de statut privé, à but totalement lucratif, c'est-à-dire complètement autofinancé pour l'ensemble de ses activités.

Taux de morbidité par blessures

Proportion de personnes ayant déclaré avoir été victime d'accident avec blessures par rapport à la population totale, à la population du même sexe ou à la population du même groupe d'âge. Il s'agit ici d'un taux pour 1 000 personnes.

Figure 9.1
Le système de santé et de services sociaux du Québec, 2000

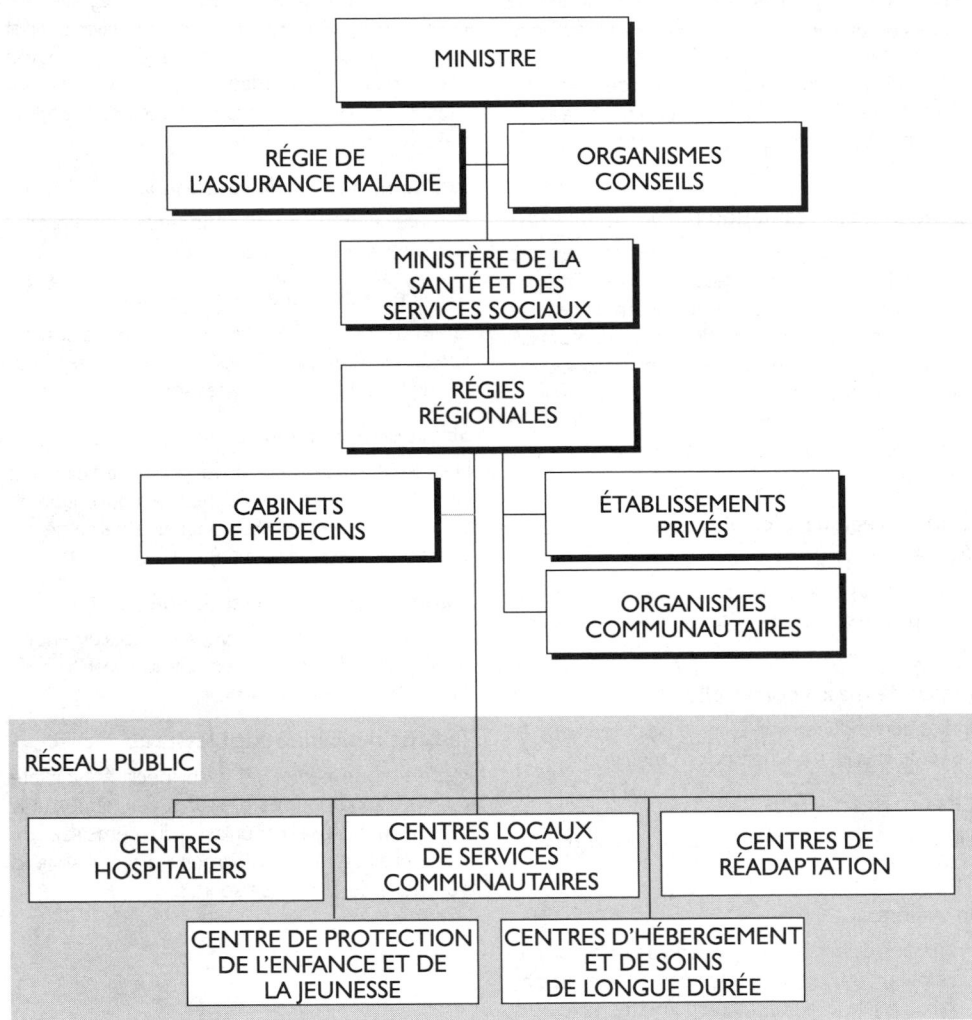

Source : Ministère de la Santé et des Services sociaux, Service du développement de l'information, février 2001.

Tableau 9.1

Médecins omnipraticiens et spécialistes, selon la principale région sociosanitaire d'exercice du médecin, Québec, 1999

Région sociosanitaire	Omnipraticiens		Spécialistes		Total des médecins	
	n	‰ hab.	n	‰ hab.	n	‰ hab.
01 Bas-Saint-Laurent	215	1,04	171	0,83	386	1,87
02 Saguenay–Lac-Saint-Jean	272	0,94	197	0,68	469	1,62
03 Québec	746	1,16	938	1,45	1 684	2,61
04 Mauricie et Centre-du-Québec	390	0,80	303	0,62	693	1,43
05 Estrie	332	1,15	307	1,06	639	2,21
06 Montréal-Centre	1 893	1,05	3 325	1,85	5 218	2,90
07 Outaouais	302	0,95	193	0,61	495	1,55
08 Abitibi-Témiscamingue	172	1,10	121	0,78	293	1,88
09 Côte-Nord	135	1,30	61	0,59	196	1,89
11 Gaspésie–Îles-de-la-Madeleine	162	1,56	65	0,63	227	2,19
12 Chaudière-Appalaches	358	0,92	202	0,52	560	1,44
13 Laval	269	0,78	186	0,54	455	1,31
14 Lanaudière	302	0,76	167	0,42	469	1,18
15 Laurentides	395	0,85	201	0,43	596	1,29
16 Montérégie	1 085	0,83	710	0,54	1 795	1,37
10 Nord-du-Québec, 17 Nunavik et 18 Terres-Cries-de-la-Baie-James	86	2,19	7	0,18	93	2,37
Le Québec	**7 114**	**0,97**	**7 154**	**0,97**	**14 268**	**1,94**

Source : Ministère de la Santé et des Services sociaux, Service du développement de l'information, février 2001.

Tableau 9.2

Professionnels[1] rémunérés par la Régie de l'assurance maladie du Québec, selon la catégorie, Québec, 1990-1999

Catégorie	Unité	1990	1991	1992	1993	1994	1995	1996	1997	1998	1999
Omnipraticiens	n	7 093	7 085	7 131	7 099	7 153	7 243	7 346	7 063	6 953	7 114
et résidents	ratio[2]	989,8	997,4	997,7	1 009,5	1 007,7	999,8	990,2	1 034,6	1 054,7	1 032,5
Spécialistes	n	6 772	6 883	6 941	7 131	7 256	7 301	7 354	7 228	7 159	7 154
	ratio[2]	1 036,7	1 026,7	1 025,0	1 005,0	993,4	991,9	989,1	1 011,0	1 024,3	1 026,8
Dentistes et	n	2 763	2 874	2 902	2 979	3 054	3 140	3 196	3 213	3 262	3 323
chirurgiens buccaux	ratio[2]	2 541,0	2 458,9	2 451,6	2 405,6	2 360,2	2 306,3	2 276,0	2 274,4	2 248,1	2 210,5
Optométristes	n	1 004	1 021	1 050	1 069	1 088	1 102	1 114	1 113	1 130	1 143
	ratio[2]	6 992,7	6 921,5	6 775,7	6 703,8	6 625,1	6 571,6	6 529,7	6 565,7	6 489,6	6 426,4
Pharmaciens-propriétaires	n	1 225	1 299	1 314	1 377	1 394	1 453	1 472	1 491	1 495	1 510
	ratio[2]	5 731,2	5 440,3	5 414,4	5 204,4	5 170,8	4 984,1	4 941,6	4 901,2	4 905,2	4 864,5
Ensemble des	**n**	**18 857**	**19 162**	**19 338**	**19 655**	**19 945**	**20 239**	**20 482**	**20 108**	**19 999**	**20 244**
professionnels	**ratio[2]**	**372,3**	**368,8**	**367,9**	**364,6**	**361,4**	**357,8**	**355,1**	**363,4**	**366,7**	**362,8**

1. Il s'agit des professionnels « actifs » au Québec, c'est-à-dire soumis à une entente avec la RAMQ, exerçant au Québec, et ayant présenté au moins une demande de paiement durant l'année.
2. Il s'agit du ratio suivant : la population totale par professionnel actif.

Source : Ministère de la Santé et des Services sociaux, Service du développement de l'information, février 2001.

Tableau 9.3
Effectif cadre et syndiqué du réseau d'établissements sociosanitaires, calculé en équivalent temps plein, selon la catégorie et le statut d'emploi, Québec, 1990-1991 à 1999-2000

Catégorie et statut d'emploi	Année financière									
	1990-1991	1991-1992	1992-1993	1993-1994	1994-1995	1995-1996	1996-1997	1997-1998	1998-1999	1999-2000
	n									
Effectif cadre	12 774	12 672	12 570	12 385	11 820	10 969	10 407	9 317	8 537	8 519
Temps plein régulier	11 469	11 382	11 274	11 129	10 686	10 057	9 575	8 565	7 811	7 752
Autres	1 305	1 290	1 296	1 256	1 134	912	832	752	726	767
Effectif syndiqué	157 204	159 792	159 716	159 660	159 772	158 399	154 028	148 181	149 278	154 853
Temps plein régulier	94 445	96 157	96 765	96 712	96 904	96 620	93 454	83 562	84 743	88 009
Autres	62 759	63 635	62 951	62 948	62 868	61 779	60 574	64 619	64 535	66 844
Professionnels	11 161	11 672	12 285	12 612	13 223	13 561	13 908	14 113	14 941	15 983
Temps plein régulier	8 210	8 533	8 927	9 089	9 481	9 636	9 892	9 737	10 307	10 919
Autres	2 951	3 139	3 358	3 523	3 742	3 925	4 016	4 376	4 634	5 065
Techniciens	21 457	22 042	22 327	22 630	23 137	23 257	22 921	22 472	22 944	23 785
Temps plein régulier	14 119	14 598	14 892	15 124	15 625	15 843	15 753	14 761	15 036	15 467
Autres	7 338	7 444	7 435	7 506	7 512	7 414	7 168	7 711	7 908	8 318
Infirmières	34 811	35 557	35 902	36 392	36 665	36 838	35 923	35 501	36 578	38 052
Temps plein régulier	18 811	19 443	19 701	19 890	19 971	20 353	19 560	18 126	19 259	20 470
Autres	16 000	16 114	16 201	16 502	16 694	16 485	16 363	17 375	17 319	17 582
Assistants-techniciens	41 694	42 039	41 391	41 265	40 922	40 334	39 065	37 220	37 057	38 492
Temps plein régulier	21 592	21 685	21 559	21 352	21 184	20 946	19 887	17 243	17 152	17 602
Autres	20 102	20 354	19 832	19 913	19 738	19 388	19 178	19 977	19 905	20 890
Stagiaires et étudiants	625	735	706	402	550	454	406	322	384	480
Temps plein régulier	64	75	72	59	68	55	40	39	42	50
Autres	561	660	634	343	482	399	366	283	342	430
Employés de bureau	21 066	21 346	21 270	21 083	20 804	20 391	19 673	18 696	18 525	19 000
Temps plein régulier	14 384	14 531	14 642	14 619	14 509	14 289	13 812	11 938	11 821	12 107
Autres	6 682	6 815	6 628	6 464	6 295	6 102	5 861	6 758	6 704	6 893
Ouvriers	26 390	26 401	25 835	25 276	24 471	23 564	22 132	19 857	18 849	19 060
Temps plein régulier	17 265	17 292	16 972	16 579	16 066	15 498	14 510	11 718	11 126	11 394
Autres	9 125	9 109	8 863	8 697	8 405	8 066	7 622	8 139	7 723	7 666
Effectif total	169 978	172 464	172 286	172 045	171 592	169 368	164 435	157 498	157 815	163 372
Temps plein régulier	105 914	107 539	108 039	107 841	107 590	106 677	103 029	92 127	92 554	95 761
Autres	64 064	64 925	64 247	64 204	64 002	62 691	61 406	65 371	65 261	67 611
Syndiqués par cadre	12,3	12,6	12,7	12,9	13,5	14,4	14,8	15,9	17,5	18,2

Source : Ministère de la Santé et des Services sociaux, Service du développement de l'information, avril 2001.

Tableau 9.4

Nombre d'établissements publics et privés dans le réseau sociosanitaire québécois, selon la ou les mission(s) assumée(s), situation observée au 31 mars, Québec, 1991-2001

Établissements/missions	1991	1992	1993	1994	1995	1996	1997	1998	1999	2000	2001
						n					
Établissements ayant une seule mission											
Centre local de services communautaires (CLSC)	128	128	128	127	128	128	100	82	72	67	67
Centre hospitalier (CH)	27	27	26	28	28	26	22	18	18	19	19
Centre de protection de l'enfance et de la jeunesse (CPEJ)	13	13	16	14	12	5	1	1	1	1	1
Centre d'hébergement et de soins de longue durée (CHSLD)	441	428	410	378	307	294	214	193	178	163	160
Centre de réadaptation (CR)	124	122	119	122	102	82	65	62	57	57	56
Établissements ayant deux missions											
CLSC – mission CH	6	6	5	7	7	7	4	1	1	1	1
CLSC – mission CPEJ	–	–	–	1	–	–	–	–	–	–	–
CLSC – mission CHSLD	15	15	15	14	14	14	29	40	45	46	47
CLSC – mission CR	2	2	2	3	3	3	4	3	3	2	2
CH – mission CHSLD	107	110	111	110	108	104	83	79	72	68	69
CH – mission CR	–	–	–	1	1	1	–	–	–	–	–
CPEJ – mission CHSLD	1	–	–	–	–	–	–	–	–	–	–
CPEJ – mission CR[1]	–	1	1	2	4	11	15	15	15	15	15
CHSLD – mission CR	7	8	8	7	6	5	5	4	3	3	4
Établissements ayant plus de deux missions											
CLSC – missions CH et CHSLD	5	5	6	5	5	5	14	18	22	22	22
CLSC – missions CHSLD et CR	–	–	–	–	–	–	–	1	1	1	1
CH – missions CPEJ et CHSLD	1	–	–	–	–	–	–	–	–	–	–
CH – missions CHSLD et CR	15	14	14	13	12	12	11	9	9	8	7
CLSC – missions CH, CPEJ et CHSLD	–	1	1	1	1	–	–	–	–	–	–
CLSC – missions CH, CHSLD et CR	–	–	–	–	–	–	1	1	1	2	3
CLSC – missions CH, CPEJ, CHSLD et CR	2	2	2	2	2	3	3	3	3	4	4
Ensemble des groupes	**894**	**882**	**864**	**835**	**740**	**700**	**570**	**529**	**501**	**479**	**478**

1. Les « CPEJ-CR », centre de protection de l'enfance et de la jeunesse – centre de réadaptation, constituent les nouveaux centres jeunesse.

Source : Ministère de la Santé et des Services sociaux, Service du développement de l'information, avril 2001.

Figure 9.2
Personnel infirmier en poste dans le réseau d'établissements sociosanitaires selon la catégorie de personnel, Québec, 1990-1991 à 1999-2000

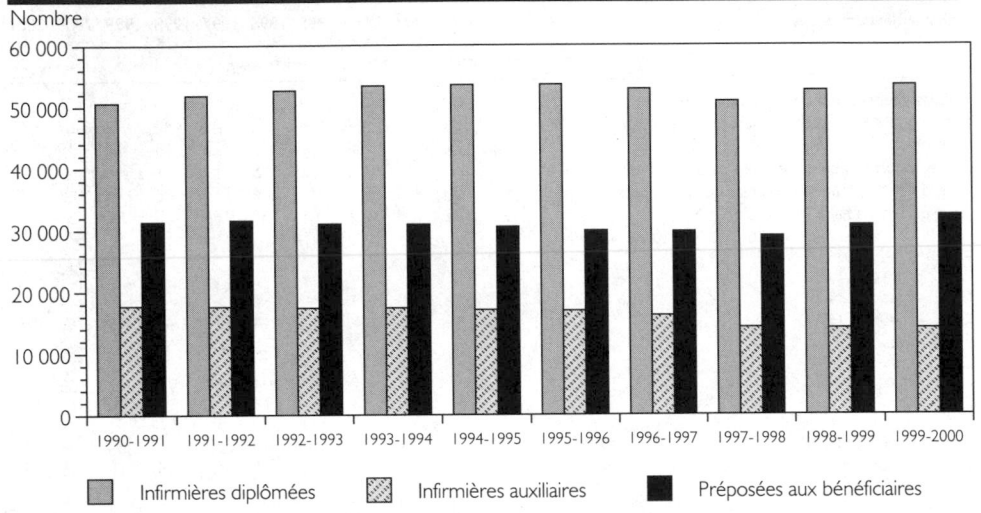

Source : Ministère de la Santé et des Services sociaux, Service du développement de l'information, avril 2001.

Tableau 9.5
Répartition des installations publiques et privées du réseau sociosanitaire, selon la région sociosanitaire et les missions assumées, Québec, 31 mars 2001

Région sociosanitaire	CLSC[1]	Centre hospitalier	Centre jeunesse	CHSLD[1]	Pavillon d'hébergement	Centre de réadaptation	Total[2] des installations sociosanitaires
				n			
01 Bas-Saint-Laurent	25	9	23	26	16	32	115
02 Saguenay–Lac-Saint-Jean	15	7	20	25	14	30	102
03 Québec	24	19	18	58	12	68	177
04 Mauricie et Centre-du-Québec	22	13	15	44	25	49	156
05 Estrie	24	9	8	27	8	42	95
06 Montréal-Centre	47	74	43	130	34	105	383
07 Outaouais	22	10	13	18	2	31	90
08 Abitibi-Témiscamingue	23	8	36	12	9	21	101
09 Côte-Nord	31	7	16	11	1	19	62
10 Nord-du-Québec	5	3	10	3	–	9	12
11 Gaspésie–Îles-de-la-Madeleine	22	9	10	13	4	16	64
12 Chaudière-Appalaches	23	8	13	44	26	31	137
13 Laval	7	3	4	16	3	14	45
14 Lanaudière	15	5	17	25	10	26	96
15 Laurentides	18	6	19	24	17	32	110
16 Montérégie	47	13	44	75	14	71	248
17 Nunavik	14	3	15	2	–	2	18
18 Terres-Cries-de-la-Baie-James	9	1	10	1	–	2	12
Le Québec	**393**	**207**	**334**	**554**	**195**	**600**	**2 023**

1. CLSC : centre local de services communautaires; CHSLD : centre d'hébergement et de soins de longue durée.
2. Le total pour une région ou pour le Québec ne correspond pas à la somme des missions car plusieurs installations (environ 10 %) assument plusieurs missions.

Source : Ministère de la Santé et des Services sociaux, Service du développement de l'information, février 2001.

Tableau 9.6

Lits et places autorisés au permis d'exploitation des établissements privés et publics du réseau sociosanitaire, selon l'unité de services, situation au 31 mars, Québec, 1990-2001

Unité de services	Unité[1]	1990	1991	1992	1993	1994	1995	1996	1997	1998	1999	2000	2001
Soins généraux	n	28 835	29 286	28 832	28 896	27 738	27 675	27 706	24 970	20 680	20 575	20 677	20 524
et spécialisés[2]	‰	4,11	4,14	4,05	4,03	3,85	3,82	3,81	3,42	2,82	2,80	2,80	2,78
Soins	n	2 730	2 451	2 229	1 913	1 538	1 538	1 813	1 716	1 328	1 299	1 280	1 280
psychiatriques[3,4]	‰	0,39	0,35	0,31	0,27	0,21	0,21	0,25	0,23	0,18	0,18	0,17	0,17
Hébergement et soins	n	52 521	52 308	52 094	51 881	51 942	50 976	51 374	51 098	49 041	48 709	48 911	48 569
de longue durée[4,5]	‰	7,48	7,40	7,32	7,24	7,21	7,04	7,06	7,00	6,69	6,62	6,62	6,59
Pavillon	n	4 314	4 387	4 329	4 227	4 297	4 280	4 259	4 102	3 905	3 892	3 878	3 707
d'hébergement	‰	0,61	0,62	0,61	0,59	0,60	0,59	0,59	0,56	0,53	0,53	0,53	0,50
Centre jeunesse	n	3 757	3 683	3 912	3 920	3 933	3 716	3 974	3 767	3 173	3 225	3 016	3 317
	‰	0,54	0,52	0,55	0,55	0,55	0,51	0,55	0,52	0,43	0,44	0,41	0,45
Installations de	n	1 460	1 396	1 150	1 089	1 149	1 089	1 051	1 121	939	1 004	892	896
réadaptation[6]	‰	0,21	0,20	0,16	0,15	0,16	0,15	0,14	0,15	0,13	0,14	0,12	0,12
Réadaptation pour	n	9 349	9 390	9 125	8 882	8 533	7 709	8 134	7 739	8 021	7 855	7 925	7 481
déficients intellectuels[7]	‰	1,33	1,33	1,28	1,24	1,18	1,06	1,12	1,06	1,09	1,07	1,07	1,01
Réadaptation pour	n	434	434	469	584	596	585	602	560	506	511	511	558
déficients physiques[8]	‰	0,06	0,06	0,07	0,08	0,08	0,08	0,08	0,08	0,07	0,07	0,07	0,08
Réadaptation pour	n	442	442	482	468	421	451	460	309	399	439	447	444
alcooliques ou autres[9]	‰	0,06	0,06	0,07	0,07	0,06	0,06	0,06	0,04	0,05	0,06	0,06	0,06

1. Nombre et taux pour 1 000 personnes.
2. Incluant les lits de psychiatrie (sauf ceux des CHSP), d'hôtellerie et de néonatalogie.
3. Lits de soins psychiatriques de courte durée en centre hospitalier de soins psychiatriques (CHSP).
4. Données estimées entre 1990 et 1994.
5. Lits d'hébergement et de soins de longue durée physiques et psychiatriques, permanents et temporaires.
6. Places offertes en installations de réadaptation de 9 places ou moins.
7. Places offertes en installations de réadaptation pour personnes déficientes intellectuelles.
8. Places offertes en installations de réadaptation pour personnes déficientes physiques.
9. Places offertes en installations de réadaptation pour personnes alcooliques ou autres toxicomanes.

Source : Ministère de la Santé et des Services sociaux, Service du développement de l'information, avril 2001.

Figure 9.3

Nombre de lits dressés pour 1 000 personnes consacrés aux soins généraux et spécialisés, situation au 31 mars, Québec et Ontario, 1994-2000

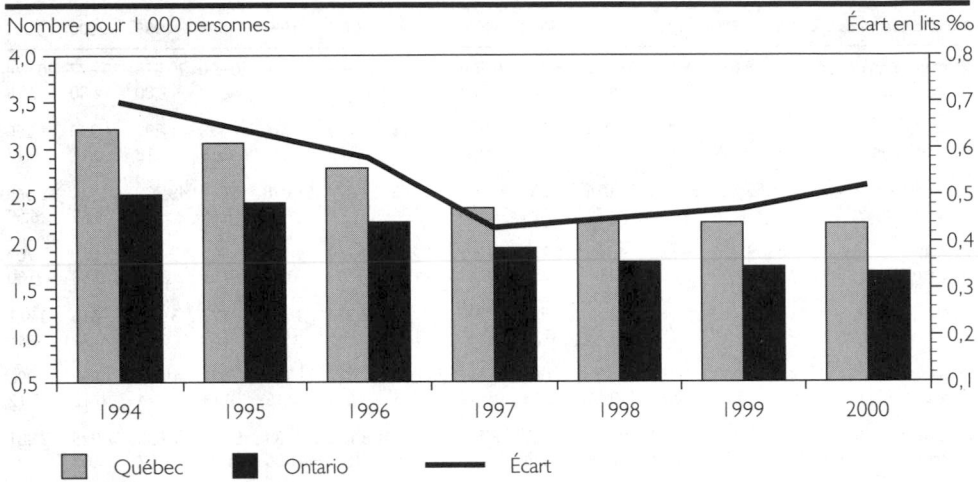

Source : Ministère de la Santé et des Services sociaux, Service du développement de l'information, février 2001.

Tableau 9.7

Hospitalisations pour des soins de courte durée[1] dans les installations de soins généraux et spécialisés[2], Québec, 1982-1983 à 1999-2000

Année financière	Hospitalisations		Jours-présence		Séjour moyen	
	Nombre	Variation annuelle	Nombre	Variation annuelle	Nombre de jours	Variation annuelle
	n	%	n	%	n	%
1982-1983	782 178	..	6 652 990	..	8,51	..
1983-1984	796 316	1,8	6 942 457	4,4	8,72	2,5
1984-1985	785 820	-1,3	6 940 520	-0,03	8,83	1,3
1985-1986	791 961	0,8	6 997 018	0,8	8,84	0,03
1986-1987	791 222	-0,1	6 944 796	-0,7	8,78	-0,7
1987-1988	805 806	1,8	6 997 547	0,8	8,68	-1,1
1988-1989	802 635	-0,4	6 924 841	-1,0	8,63	-0,6
1989-1990	799 803	-0,4	6 763 189	-2,3	8,46	-2,0
1990-1991	830 545	3,8	6 923 812	2,4	8,34	-1,4
1991-1992	849 858	2,3	6 932 010	0,1	8,16	-2,2
1992-1993	848 921	-0,1	6 897 984	-0,5	8,13	-0,4
1993-1994	863 502	1,7	6 934 058	0,5	8,03	-1,2
1994-1995	865 525	0,2	6 731 339	-2,9	7,78	-3,2
1995-1996	818 997	-5,4	6 107 942	-9,3	7,46	-4,1
1996-1997	774 255	-5,5	5 623 266	-7,9	7,26	-2,6
1997-1998	760 717	-1,7	5 362 742	-4,6	7,05	-2,9
1998-1999	749 858	-1,4	5 341 743	-0,4	7,12	1,1
1999-2000	736 481	-1,8	5 277 738	-1,2	7,17	0,6
Variation annuelle moyenne	...	-0,3	...	-1,3	...	-0,9

1. Regroupement des soins physiques, des soins psychiatriques et des soins aux nouveau-nés.
2. Installations de soins généraux et spécialisés « actifs », c'est-à-dire excluant celles qui dispensent principalement des soins de longue durée, de réadaptation, de convalescence, ou des soins psychiatriques. De plus, les soins de longue durée donnés dans les installations retenues ont également été éliminés.

Source : Ministère de la Santé et des Services sociaux, Service du développement de l'information, avril 2001.

Tableau 9.8
Nombre et coût des services rémunérés par la Régie de l'assurance maladie du Québec, selon le programme, Québec, 1990-1999

Programme	Unité	1990	1991	1992	1993	1994	1995	1996	1997	1998	1999
Services médicaux											
Nombre	'000	80 625	82 382	84 841	86 681	82 654	83 019	81 965	81 109	81 276	81 135
Coût total	'000 000 $	1 718	1 841	1 934	2 028	2 073	2 111	2 103	2 097	2 101	2 222
Coût moyen	$	21,30	22,35	22,80	23,39	25,08	25,43	25,65	25,85	25,85	27,38
Services dentaires											
Nombre	'000	4 580	4 775	4 073	3 587	3 741	3 863	3 880	2 727	2 730	2 613
Coût total	'000 000 $	110	115	114	117	120	124	125	85	86	83
Coût moyen	$	24,10	24,14	28,02	32,68	32,09	32,07	32,30	31,08	31,56	31,75
Services optométriques											
Nombre	'000	3 629	3 770	3 267	2 009	1 577	1 597	1 638	1 586	1 611	1 666
Coût total	'000 000 $	53	57	49	31	25	25	26	26	26	27
Coût moyen	$	14,74	15,22	14,93	15,43	15,68	15,69	15,74	16,12	16,19	16,11
Services pharmaceutiques											
Nombre	'000	28 665	31 175	31 288	31 255	33 032	35 164	36 483	45 319	49 731	54 817
Coût total	'000 000 $	500	580	640	690	768	841	865	1 119	1 292	1 498
Coût moyen	$	17,46	18,59	20,44	22,06	23,26	23,92	23,71	24,70	25,98	27,33
Aides techniques											
Nombre	'000	249	271	305	443	569	586	434	298	254	281
Coût total	'000 000 $	42	45	55	73	79	76	77	63	66	68
Coût moyen	$	167,27	164,37	179,72	164,79	138,22	131,43	176,75	213,24	261,45	241,61

Source : Ministère de la Santé et des Services sociaux, Service du développement de l'information, février 2001.

Figure 9.4
Nombre de contacts « médecin-patient » par médecin rémunéré à l'acte en médecine et en chirurgie, pour l'ensemble de la population et pour la population âgée de 65 ans et plus, Québec, 1990-1999

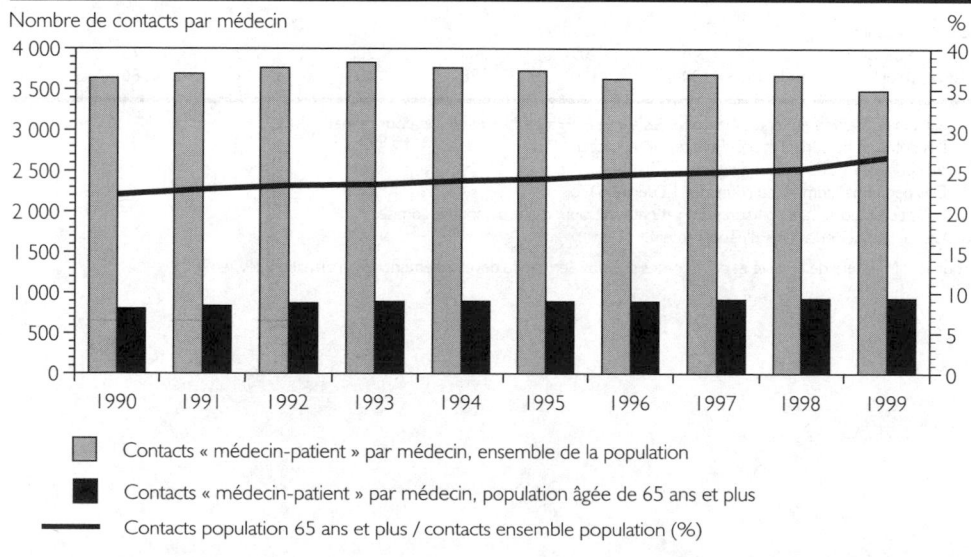

Source : Ministère de la Santé et des Services sociaux, Service du développement de l'information, février 2001.

Tableau 9.9
Indicateurs liés à l'hébergement et aux soins de longue durée, Québec, 1995- 2000[1]

Indicateurs	Unité	1995	1996	1997	1998	1999	2000
Lits dressés[2]							
Nombre	n	50 378	49 917	48 480	46 232	45 621	45 742
Indice évolutif	1995 = 100	100	99	96	92	91	91
Lits gérés par le Comité d'orientation-admission (COA)							
Nombre	n	44 006	44 690	43 814	43 651	42 698	43 301
Indice évolutif	1995 = 100	100	102	100	99	97	98
Part des lits dressés	%	87,4	89,5	90,4	94,4	93,6	94,7
Personnes admises[3]							
Nombre	n	10 403	11 548	12 061	12 101	13 852	12 701
Indice évolutif	1995 = 100	100	111	116	116	133	122
Délais d'attente[4]							
Nombre de jours	n	80,7	68,8	48,5	47,0	53,9	57,9
Indice évolutif	1995 = 100	100	85	60	58	67	72
Durée moyenne de séjour							
Nombre de jours	n	259,8	251,6	235,6	227,3	217,3	217,6
Indice évolutif	1995 = 100	100	97	91	87	84	84
Personnes en hébergement							
Nombre	n	67 031	68 354	70 642	70 818	72 846	73 472
Indice évolutif	1995 = 100	100	102	105	106	109	110
Répartition selon l'âge							
64 ans ou moins	%	14,3	13,9	13,8	13,8	13,8	14,0
65 à 74 ans	%	17,1	17,6	18,0	18,1	17,5	17,7
75 à 84 ans	%	35,4	35,0	35,1	35,0	35,2	34,9
85 ans ou plus	%	33,2	33,5	33,2	33,0	33,5	33,3
Personnes en attente							
Nombre	n	4 924	4 200	3 608	3 696	3 728	3 976
Indice évolutif	1995 = 100	100	85	73	75	76	81
Ratio[5]		0,47	0,36	0,30	0,31	0,27	0,31
Délais d'attente[6]							
Nombre de jours	n	205	200	206	213	176	174
Indice évolutif	1995 = 100	100	98	100	104	86	85

1. Situation observée en septembre, pour les années 1995 à 1999, et en juin pour l'année 2000.
2. Lits dotés en personnel et prêts à recevoir un usager.
3. Au cours des 12 derniers mois.
4. Des personnes admises au cours des 12 derniers mois.
5. Il s'agit du ratio suivant : personnes en attente par rapport aux personnes admises.
6. Des personnes en attente d'hébergement.

Source : Ministère de la Santé et des Services sociaux, Service du développement de l'information, février 2001.

Tableau 9.10

Montants consacrés à la santé et aux services sociaux, selon les éléments de la structure budgétaire 2001-2002, Québec, 1997-1998 à 2001-2002

Programme budgétaire 2001-2002	1997-1998	1998-1999	1999-2000	2000-2001[1]	2001-2002[2]
			'000 $		
Fonctions nationales	**160 429**	**160 350**	**162 366**	**205 795**	**231 294**
Direction et gestion ministérielle	58 317	61 712	63 480	74 226	76 785
Organismes-conseils	2 775	2 653	3 137	3 888	3 989
Activités nationales	99 337	95 985	95 749	127 681	150 520
Fonctions régionales	**9 651 060**	**11 027 712**	**11 125 085**	**11 848 996**	**12 351 140**
Fonctionnement des régies régionales	90 790	88 153	87 121	89 474	93 994
Fonctionnement des établissements	8 026 571	8 132 077	8 894 005	9 828 408	10 105 266
Soutien aux organismes communautaires	177 968	197 151	198 219	216 358	236 077
Activités connexes	953 266	1 001 842	1 096 691	1 235 127	1 399 306
Service de la dette	402 465	401 289	433 367	479 629	516 497
Consolidation et développement des services sociosanitaires[3]	–	1 207 200	415 682	–	–
Office des personnes handicapées du Québec (OPHQ)	**43 716**	**42 795**	**34 115**	**44 891**	**47 256**
Services aux personnes handicapées	34 644	33 834	25 092	35 443	37 519
Direction et administration	9 072	8 961	9 023	9 448	9 737
Régie de l'assurance maladie du Québec (RAMQ)	**3 134 511**	**3 365 483**	**3 507 924**	**3 889 805**	**4 085 722**
Services médicaux	2 158 743	2 293 162	2 281 230	2 560 096	2 586 700
Services optométriques	24 243	23 870	24 285	24 206	24 706
Services dentaires	107 213	93 062	101 505	100 648	99 829
Services pharmaceutiques et médicaments[4]	695 313	801 524	951 472	1 058 098	1 212 140
Autres services	78 473	82 112	87 125	86 147	97 563
Administration	70 526	71 753	62 307	60 610	64 784
Ensemble des programmes	**12 989 716**	**14 596 340**	**14 829 490**	**15 989 487**	**16 715 412**

1. Il s'agit de dépenses probables.
2. Il s'agit du budget de dépenses présenté au Livre des crédits 2001-2002.
3. Déficits non répartis par année.
4. Il s'agit uniquement des montants relatifs aux médicaments et aux services pharmaceutiques dispensés aux personnes âgées et aux bénéficiaires de l'aide de dernier recours.

Source : Ministère de la Santé et des Services sociaux, Service du développement de l'information, avril 2001.

Figure 9.5
Proportion du produit intérieur brut et de l'ensemble des dépenses gouvernementales consacrée à la mission Santé et services sociaux, Québec, 1990-1991 à 2001-2002

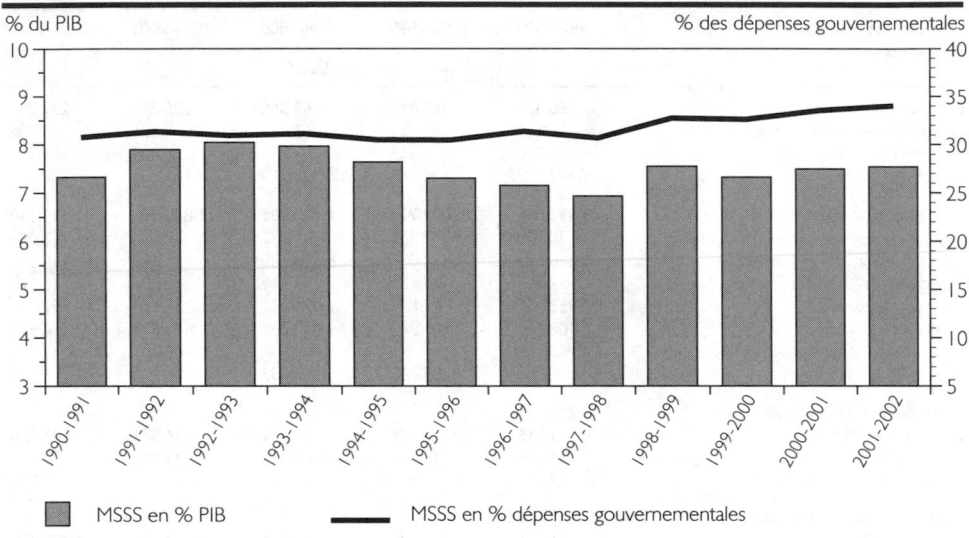

Source : Ministère de la Santé et des Services sociaux, Service du développement de l'information, février 2001.

Figure 9.6
Dépenses réelles nettes[1] du réseau d'établissements sociosanitaires, selon le champ d'application[2] des dépenses, et proportion des dépenses consacrée aux services directs aux usagers, Québec, 1981-1982 à 1999-2000

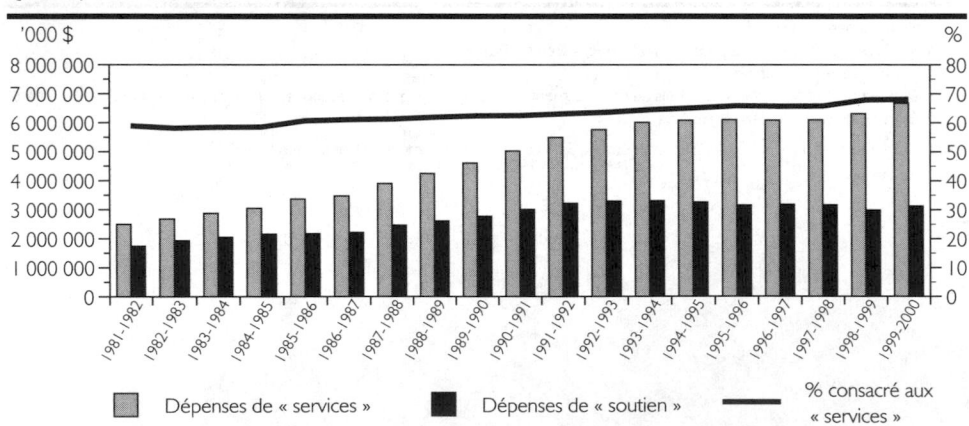

1. Dépenses liées aux activités principales des établissements, après soustraction des déductions identifiées pour chaque centre d'activités (poste de dépenses); les activités accessoires, les immobilisations et les charges non réparties par centre d'activités sont exclues.
2. Les deux champs d'application sont, d'une part, les services directs aux usagers (services cliniques), et, d'autre part, le soutien à ces services (administration, fonctionnement, etc.).

Source : Ministère de la Santé et des Services sociaux, Service du développement de l'information, février 2001.

Figure 9.7
Dépenses totales[1] de santé[2] en proportion du produit intérieur brut, Nouveau-Brunswick, Québec, Ontario et Alberta, 1990-2000

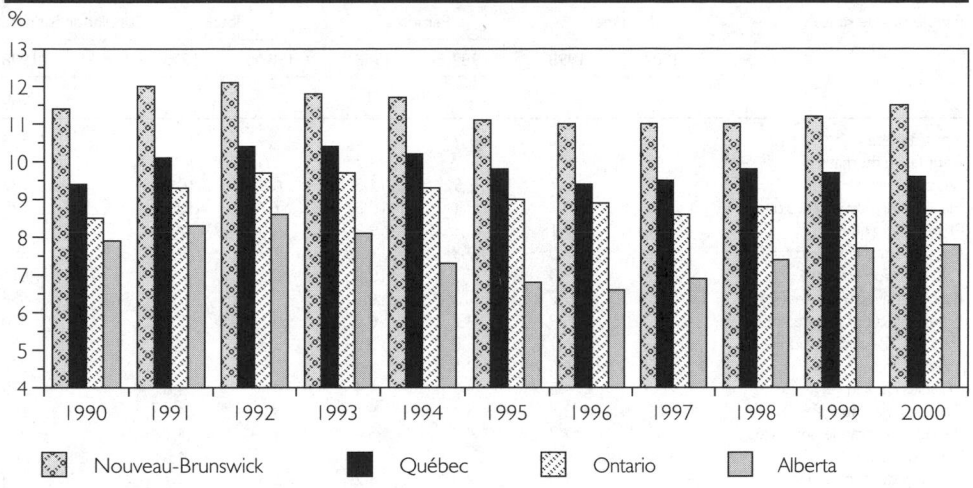

1. Il s'agit de la somme des dépenses publiques (fédérales, provinciales et municipales) et privées de santé.
2. Il s'agit uniquement des dépenses liées aux services de santé; celles reliées aux services sociaux sont exclues.

Source : Ministère de la Santé et des Services sociaux, Service du développement de l'information, février 2001.

Tableau 9.11
Perception de l'état de santé selon le sexe et le groupe d'âge, population de 15 ans et plus en ménage privé[1], Québec, 1987, 1992-1993 et 1998

Sexe et groupe d'âge	Excellent			Très bon			Bon			Moyen ou mauvais		
	1987	1992-1993	1998	1987	1992-1993	1998	1987	1992-1993	1998	1987	1992-1993	1998
						%						
Hommes	21,4	20,1	19,6	40,9	34,3	36,4	27,3	35,7	33,6	10,4	9,8	10,4
15-24 ans	30,3	27,7	24,2	44,8	38,9	42,5	21,5	28,5	27,2	3,4	4,9	6,1
25-44 ans	22,5	21,1	21,4	45,0	37,2	38,6	26,0	35,1	33,2	6,5	6,6	6,9
45-64 ans	16,5	17,5	17,8	35,2	30,8	35,2	31,9	38,0	34,5	16,4	13,6	12,6
65 ans et plus	10,3	11,0	12,1	29,6	23,9	24,0	33,0	44,0	41,6	27,1	21,1	22,3
Femmes	16,1	15,5	16,6	40,9	34,4	36,0	30,8	38,6	35,7	12,2	11,5	11,7
15-24 ans	17,7	18,0	17,8	47,9	37,6	41,0	28,9	37,6	33,6	5,4	6,8	7,6
25-44 ans	19,1	17,9	19,1	47,7	38,3	39,5	26,6	36,7	34,2	6,6	7,1	7,2
45-64 ans	12,8	14,0	16,0	33,9	32,6	35,0	34,3	39,1	35,6	19,0	14,4	13,3
65 ans et plus	10,8	8,5	10,6	22,2	22,6	24,6	40,2	44,5	41,6	26,8	24,4	23,3
Sexes réunis	**18,7**	**17,8**	**18,1**	**40,9**	**34,4**	**36,2**	**29,1**	**37,2**	**34,7**	**11,4**	**10,7**	**11,1**
15-24 ans	24,1	22,9	21,1	46,3	38,3	41,7	25,2	33,0	30,4	4,4	5,9	6,8
25-44 ans	20,8	19,5	20,2	46,4	37,8	39,0	26,3	35,9	33,7	6,6	6,8	7,1
45-64 ans	14,6	15,7	16,9	34,5	31,8	35,1	33,1	38,5	35,0	17,8	14,0	13,0
65 ans et plus	10,6	9,5	11,2	25,3	23,2	24,3	37,2	44,3	41,6	26,9	23,0	22,9

1. Les personnes vivant dans des ménages collectifs (centres d'accueil et hôpitaux) sont exclues de la population visée.

Sources : Santé Québec, enquête *Santé Québec 1987* et *Enquête sociale et de santé 1992-1993*.
Institut de la statistique du Québec, *Enquête sociale et de santé 1998*.

Tableau 9.12
Prévalence des principaux problèmes de santé selon le sexe, population en ménage privé, Québec, 1987 et 1998

Problèmes de santé	Hommes		Femmes		Total		Population estimée
	1987	1998	1987	1998	1987	1998	1998
			%				'000
Maux de tête	5,1	7,2	11,7	16,2	8,4	11,8	844
Arthrite ou rhumatisme	7,2	8,8	12,7	14,7	10,0	11,8	844
Autres allergies	4,9	7,7	7,9	12,8	6,5	10,3	737
Maux de dos ou de la colonne	7,3	9,7	8,1	10,8	7,7	10,2	733
Rhinite allergique	6,0	9,1	6,1	9,8	6,0	9,4	677
Allergies ou affections cutanées	6,5	7,0	9,3	11,2	7,9	9,1	654
Hypertension artérielle	4,7	7,0	7,3	10,0	6,3	8,5	611
Accidents avec blessures[1]	…	9,2	…	6,3	…	7,8	556
Autres affections respiratoires	4,0	4,9	4,2	6,0	4,1	5,4	390
Troubles digestifs fonctionnels	2,8	4,1	5,0	5,8	3,9	5,0	356
Asthme	2,2	4,5	2,5	5,4	2,3	5,0	356
Maladies cardiaques	4,0	4,8	4,2	4,4	4,1	4,6	329
Troubles mentaux	2,4	3,4	3,6	5,1	3,0	4,3	306
Périodes de grande nervosité	2,3	2,7	4,9	5,4	3,6	4,1	292
Maladies de l'oeil[1]	…	2,9	…	5,1	…	4,0	287
Troubles de la thyroïde	0,3 *	1,3	2,3	6,2	1,3	3,7	268
Grippe	3,4	3,2	4,0	4,1	3,7	3,7	265
Autres affections ostéo-articulaires	1,7	2,2	2,9	4,0	2,3	3,1	221
Hypercholestérolémie	0,3 *	3,0	0,3 *	2,8	0,3	2,8	206
Diabète	1,4	2,7	1,9	2,9	1,6	2,8	202

1. Données de 1998 non comparables à celles de 1987.
* Coefficient de variation entre 15 % et 25 %; interpréter avec prudence.

Sources : Santé Québec, enquête *Santé Québec 1987*.
Institut de la statistique du Québec, *Enquête sociale et de santé 1998*.

Figure 9.8
Excès de poids selon le sexe et le groupe d'âge, population de 15 ans et plus en ménage privé, Québec, 1987, 1992-1993 et 1998

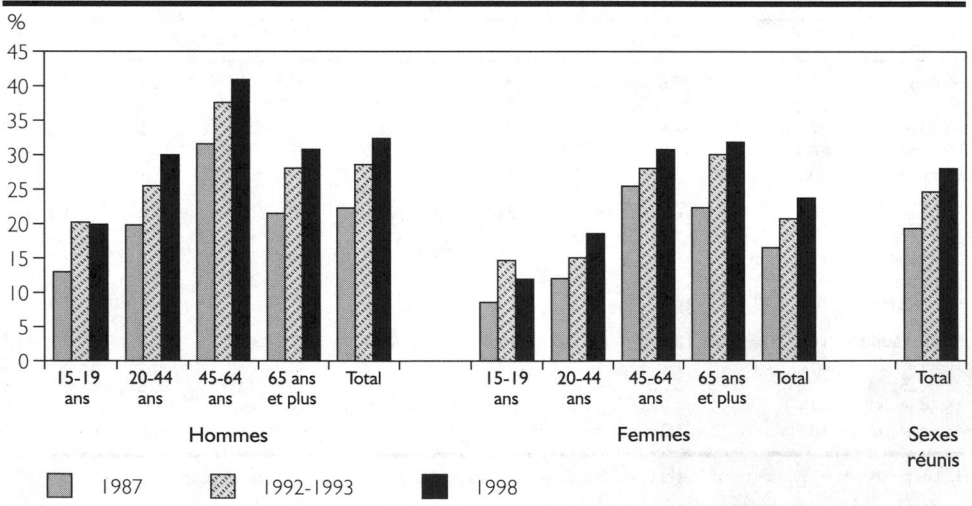

Sources : Santé Québec, enquête *Santé Québec 1987* et *Enquête sociale et de santé 1992-1993*.
Institut de la statistique du Québec, *Enquête sociale et de santé 1998*.

Tableau 9.13
Victimes d'accidents avec blessures ayant entraîné une limitation des activités et/ou une consultation médicale, selon le sexe et le groupe d'âge, population en ménage privé, Québec, 1992-1993 et 1998

Sexe et groupe d'âge	1992-1993	1998	1998
	‰		'000[1]
Hommes	**96,1**	**77,9**	**277**
0-4 ans	51,1 *	40,0 *	9
5-14 ans	94,6	69,8	32
15-24 ans	132,4	105,1	52
25-44 ans	122,4	93,6	110
45-64 ans	69,0	67,7	57
65-74 ans	37,1 *	50,4 *	12
75 ans et plus	35,3 **	38,0 **	4
Femmes	**65,6**	**51,4**	**186**
0-4 ans	41,1 *	19,5 **	4
5-14 ans	57,7	52,4	24
15-24 ans	89,8	47,1	22
25-44 ans	62,2	56,1	64
45-64 ans	66,6	56,3	49
65-74 ans	72,7	34,1 *	10
75 ans et plus	63,3 *	69,0 *	13
Sexes réunis	**80,7**	**64,5**	**463**
0-4 ans	46,2	30,3 *	13
5-14 ans	76,7	61,1	56
15-24 ans	111,5	76,8	75
25-44 ans	92,4	75,1	174
45-64 ans	67,8	62,0	106
65-74 ans	57,4	41,7	22
75 ans et plus	52,1 *	58,2 *	17

1. Population estimée.
* Coefficient de variation entre 15 % et 25 %; interpréter avec prudence.
** Coefficient de variation > 25 %; estimation imprécise fournie à titre indicatif seulement.

Sources : Santé Québec, *Enquête sociale et de santé 1992-1993*.
Institut de la statistique du Québec, *Enquête sociale et de santé 1998*.

Tableau 9.14
Évolution des taux de limitation des activités selon le sexe et le groupe d'âge, population en ménage privé, Québec, 1987, 1992-1993 et 1998

Sexe et groupe d'âge	1987	1992-1993	1998	1998
		%		'000[1]
Sexes et âges réunis	**7,4**	**7,2**	**9,3**	**665**
Hommes	7,1	6,4	8,2	290
Femmes	7,6	8,0	10,4	376
0-14 ans	3,1	2,2	2,3	31
15-24 ans	3,1	3,6	4,0	39
25-44 ans	5,3	6,1	7,4	172
45-64 ans	13,4	10,2	14,0	239
65-74 ans	16,8	17,2	20,3	107
75 ans et plus	21,7	22,7	26,7	77

1. Population estimée.

Sources : Santé Québec, enquête *Santé Québec 1987* et *Enquête sociale et de santé 1992-1993*.
Institut de la statistique du Québec, *Enquête sociale et de santé 1998*.

Tableau 9.15

Population de 15 ans et plus en ménage privé se situant au niveau élevé de l'indice de détresse psychologique, selon le sexe et le groupe d'âge, Québec, 1987, 1992-1993 et 1998

Sexe et groupe d'âge	1987	1992-1993	1998	1998
		%		'000[1]
Hommes	**14,8**	**22,1**	**17,3**	**491**
15-24 ans	17,4	29,7	23,1	115
25-44 ans	14,9	22,8	17,7	207
45-64 ans	13,7	20,8	16,7	141
65 ans et plus	11,6	9,3	8,0	28
Femmes	**23,8**	**30,4**	**22,8**	**668**
15-24 ans	29,6	40,8	33,5	159
25-44 ans	22,9	32,2	22,8	262
45-64 ans	22,1	26,4	21,5	187
65 ans et plus	21,1	20,0	12,8	60
Sexes réunis	**19,4**	**26,3**	**20,1**	**1 159**
15-24 ans	23,4	35,2	28,2	274
25-44 ans	19,0	27,5	20,2	469 *
45-64 ans	18,0	23,7	19,2	328
65 ans et plus	17,0	15,4	10,7	88

1. Population estimée.

Sources : Santé Québec, enquête *Santé Québec 1987* et *Enquête sociale et de santé 1992-1993*.
Institut de la statistique du Québec, *Enquête sociale et de santé 1998*.

Tableau 9.16

Présence d'idées suicidaires ou de tentatives de suicide au cours d'une période de 12 mois, selon le sexe et le groupe d'âge, population de 15 ans et plus en ménage privé, Québec, 1987, 1992-1993 et 1998

Sexe et groupe d'âge	Idées suicidaires[1]			Tentatives de suicide		
	1987	1992-1993	1998	1987	1992-1993	1998
			%			
Sexes et âges réunis	**3,1**	**3,7**	**3,9**	**0,9**	**0,5**	**0,5**
Hommes	3,0	3,7	3,9	0,8 *	0,5 *	0,5 *
Femmes	3,2	3,6	3,9	0,9 *	0,5 *	0,5 *
15-24 ans	5,4	7,3	7,4	1,9 *	1,5 *	1,4 *
25-44 ans	3,5	4,2	4,3	0,7 *	0,5 *	0,5 *
45-64 ans	1,5	2,0	2,8	0,5 **	0,2 **	0,3 **
65 ans et plus	0,7 **	0,6 **	0,5 **	0,6 **	0,1 **	-

1. La population de référence exclut les personnes ayant déclaré une tentative de suicide.
* Coefficient de variation entre 15 % et 25 %; interpréter avec prudence.
** Coefficient de variation > 25 %; estimation imprécise fournie à titre indicatif seulement.

Sources : Santé Québec, enquête *Santé Québec 1987* et *Enquête sociale et de santé 1992-1993*.
Institut de la statistique du Québec, *Enquête sociale et de santé 1998*.

Tableau 9.17
Type d'usage de la cigarette selon le sexe et le groupe d'âge, population de 15 ans et plus en ménage privé, Québec, 1998

Sexe et groupe d'âge	Unité	Non-fumeur			Fumeur		
		N'a jamais fumé	Ancien fumeur	Total	Fumeur occasionnel	Fumeur régulier	Total
Sexes et âges réunis	**%**	**32,4**	**33,7**	**66,0**	**3,5**	**30,5**	**34,0**
Population estimée	**'000**	**1 887**	**1 971**	**3 858**	**201**	**1 767**	**1 967**
Hommes	%	28,4	36,2	64,6	3,6	31,8	35,4
Femmes	%	36,2	31,2	67,4	3,4	29,2	32,6
15-24 ans	**%**	**42,9**	**21,1**	**64,0**	**7,7**	**28,3**	**36,0**
Hommes	%	43,7	18,7	62,4	7,6 *	30,0	37,6
Femmes	%	42,0	23,7	65,7	7,8 *	26,5	34,3
15-19 ans	%	45,5	22,0	67,5	7,3 *	25,2	32,6
Hommes	%	48,5	19,3	67,8	6,3 *	25,9	32,2
Femmes	%	42,4	24,7	67,1	8,4 *	24,6	32,9
20-24 ans	%	39,8	20,2	59,9	8,1 *	31,9	40,1
Hommes	%	38,1	17,9	56,0	9,2 *	34,9	44,0
Femmes	%	41,6	22,6	64,1	7,1 *	28,8	35,9
25-44 ans	**%**	**31,4**	**29,3**	**60,7**	**3,5**	**35,8**	**39,3**
Hommes	%	31,7	28,8	60,5	3,5 *	36,1	39,6
Femmes	%	31,1	29,9	61,0	3,5 *	35,5	39,0
45-64 ans	**%**	**25,1**	**42,8**	**67,9**	**2,0 ***	**30,1**	**32,1**
Hommes	%	16,9	49,1	66,0	2,2 *	31,8	34,0
Femmes	%	33,0	36,6	69,6	1,8 *	28,6	30,4
65 ans et plus	**%**	**37,7**	**43,4**	**81,1**	**1,2 ****	**17,7**	**18,9**
Hommes	%	21,6	57,8	79,4	1,2 **	19,4	20,6
Femmes	%	50,0	32,3	82,3	1,3 **	16,4	17,7

* Coefficient de variation entre 15 % et 25 %; interpréter avec prudence.
** Coefficient de variation > 25 %; estimation imprécise fournie à titre indicatif seulement.

Source : Institut de la statistique du Québec, *Enquête sociale et de santé 1998.*

Tableau 9.18
Consommation élevée d'alcool en une même occasion[1], selon le groupe d'âge, buveurs actuels de 15 ans et plus en ménage privé, Québec, 1992-1993 et 1998

Groupe d'âge	Cinq consommations ou plus en une même occasion[1]		Enivrement[1]	
	1992-1993	1998	1992-1993	1998
	%			
Buveurs de 15 ans et plus	**26,8**	**29,0**	**9,5**	**10,3**
15-24 ans	38,7	41,9	24,2	28,7
25-44 ans	28,2	29,1	8,3	8,2
45-64 ans	21,1	25,0	3,6	3,5
65 ans et plus	9,2	10,0	1,3 **	1,6 **

1. Cinq fois ou plus en 12 mois.
** Coefficient de variation > 25 %; estimation imprécise fournie à titre indicatif seulement.

Sources : Santé Québec, *Enquête sociale et de santé 1992-1993.*
Institut de la statistique du Québec, *Enquête sociale et de santé 1998.*

Tableau 9.19

Consommateurs actuels[1] de drogues selon le type de drogues, le sexe et le groupe d'âge, population de 15 ans et plus en ménage privé, Québec, 1998

Sexe et groupe d'âge	Marijuana seulement	Marijuana et autres drogues ou autres drogues seulement	Tous types de drogues
		%	
Hommes	**12,6**	**7,7**	**20,3**
15-24 ans	28,6	15,7	44,4
25-44 ans	15,2	7,3	22,4
45-64 ans	4,1	4,6	8,8
65 ans et plus	-	4,6 *	4,6 *
Femmes	**8,0**	**6,5**	**14,5**
15-24 ans	23,1	11,8	34,9
25-44 ans	8,9	5,4	14,2
45-64 ans	2,1 *	5,2	7,3
65 ans et plus	0,0 **	6,3	6,3
Sexes réunis	**10,3**	**7,1**	**17,4**
15-24 ans	25,9	13,8	39,7
25-44 ans	12,0	6,3	18,4
45-64 ans	3,1	4,9	8,0
65 ans et plus	0,0 **	5,5	5,5

1. Qui ont consommé une ou plusieurs drogues au cours des 12 derniers mois.
* Coefficient de variation entre 15 % et 25 %; interpréter avec prudence.
** Coefficient de variation > 25 %; estimation imprécise fournie à titre indicatif seulement.

Source : Institut de la statistique du Québec, *Enquête sociale et de santé 1998*.

Tableau 9.20

Perception de la qualité des habitudes alimentaires selon le sexe et le groupe d'âge, population de 18 à 74 ans en ménage privé, Québec, 1990 et 1998

Sexe et groupe d'âge	Excellente ou très bonne		Bonne		Moyenne ou mauvaise	
	1990	1998	1990	1998	1990	1998
			%			
Sexes et âges réunis	**24,4**	**38,8**	**47,5**	**45,5**	**28,2**	**15,7**
Hommes	21,5	36,6	48,0	45,9	30,4	17,5
Femmes	27,2	40,9	46,9	45,2	25,9	13,9
18-24 ans	16,7	32,6	48,7	45,9	34,6	21,5
25-44 ans	22,2	36,1	48,0	46,7	29,9	17,2
45-64 ans	29,0	43,0	46,2	44,0	24,8	13,0
65-74 ans	34,1	44,4	46,6	44,9	19,3	10,8

Sources : Santé Québec, *Enquête québécoise sur la nutrition 1990*.
Institut de la statistique du Québec, *Enquête sociale et de santé 1998*.

Tableau 9.21
Fréquence[1] d'utilisation du condom avec le dernier partenaire selon le type de relation entretenue avec le partenaire, population hétérosexuelle[2] de 15 ans et plus en ménage privé, Québec, 1998

Type de relation	Jamais	À l'occasion ou fréquemment	Toujours ou presque toujours
		%	
Personne ayant eu un seul partenaire[1]			
Partenaire régulier avec lequel la personne vit	80,6	12,6	6,7
Partenaire régulier avec lequel la personne ne vit pas	48,9	26,7	22,5
Partenaire occasionnel	36,4	14,5 *	32,4
Personne ayant eu plus d'un partenaire[1]			
Partenaire régulier avec lequel la personne vit	50,1	36,1	13,7*
Partenaire régulier avec lequel la personne ne vit pas	29,4	33,6	34,6
Partenaire occasionnel	23,6	21,1	44,9

1. Au cours d'une période de 12 mois.
2. Personnes ayant déjà eu des relations sexuelles avec pénétration.
* Coefficient de variation entre 15 % et 25 %; interpréter avec prudence.

Source : Institut de la statistique du Québec, *Enquête sociale et de santé 1998.*

Tableau 9.22
Population en ménage privé ayant consulté au moins un professionnel de la santé au cours d'une période de deux semaines, selon le type de professionnel[1], Québec, 1987, 1992-1993 et 1998

Type de professionnel	1987	1992-1993	1998
		%	
Médecin	14,0	14,7	14,6
Médecin généraliste	10,3	10,7	10,9
Médecin spécialiste	4,8	5,5	5,1
Professionnel autre qu'un médecin	11,4	14,1	15,3
Pharmacien	2,6	2,4	4,5
Dentiste	4,2	4,3	4,3
Optométriste ou opticien	1,6	2,0	1,8
Infirmière	1,2	1,6	1,7
Chiropraticien	0,9	..	1,3
Acupuncteur	0,2	..	0,3
Autre praticien de médecine non traditionnelle	..	..	0,9
Physiothérapeute	..	..	0,9
Ergothérapeute	..	..	0,1
Psychologue	0,3	0,7	0,9
Travailleur social	0,3	0,6	0,7
Diététiste	..	0,3	0,3
Autre professionnel	..	0,7	0,6
Au moins un professionnel	22,0	24,8	25,2

1. Pour certains professionnels, les données disponibles pour 1987 et 1992-1993 ne sont pas inscrites parce qu'elles ne sont pas comparables aux données de 1998.

Sources : Santé Québec, enquête *Santé Québec 1987* et *Enquête sociale et de santé 1992-1993.*
Institut de la statistique du Québec, *Enquête sociale et de santé 1998.*

Tableau 9.23
Problème de santé à l'origine de la dernière consultation chez la population ayant consulté au moins un professionnel au cours d'une période de deux semaines, Québec, 1987, 1992-1993 et 1998

Problème de santé	1987	1992-1993	1998
		%	
Problèmes du système ostéo-articulaire	9,1	9,7	10,4
Troubles de l'appareil respiratoire	9,5	8,7	9,2
Lésions et accidents	7,0	6,0	6,3
Troubles du système nerveux et des organes des sens	6,4	6,6	5,7
Symptômes et signes mal définis	6,3	5,3	5,4
Troubles digestifs	7,9	5,4	4,7
Troubles du système circulatoire	6,1	3,7	3,8
Troubles mentaux	2,6	3,1	3,4
Troubles endocriniens et métaboliques	2,0	2,7	2,6
Affections cutanées	2,9	2,5	2,4
Problèmes génito-urinaires	3,0	2,0	2,2
Prévention et examen de routine	23,6	25,5	23,1
Autres	13,6	19,1	20,9
Total	**100,0**	**100,0**	**100,0**

Sources : Santé Québec, enquête *Santé Québec 1987* et *Enquête sociale et de santé 1992-1993*.
　　　　Institut de la statistique du Québec, *Enquête sociale et de santé 1998*.

Tableau 9.24
Recours à la chirurgie d'un jour et à l'hospitalisation[1] selon le sexe et le groupe d'âge, population en ménage privé, Québec, 1998

Sexe et groupe d'âge	Personnes traitées en chirurgie d'un jour		Personnes hospitalisées	
	%	'000[2]	%	'000[2]
Sexes et âges réunis	**4,2**	**300**	**6,4**	**455**
Hommes	4,0	140	5,2	183
Femmes	4,4	160	7,5	272
0-14 ans	2,4	33	3,5	48
15-24 ans	3,5	34	4,4	43
25-44 ans	4,6	107	6,1	142
45-64 ans	4,7	80	6,4	109
65 ans et plus	5,8	47	13,9	113

1. Au moins une fois en 12 mois.
2. Population estimée.

Source :　Institut de la statistique du Québec, *Enquête sociale et de santé 1998*.

Tableau 9.25

Utilisation des services posthospitaliers à domicile selon la source du traitement et de l'aide, personnes[1] traitées en chirurgie d'un jour et personnes[1] hospitalisées, population en ménage privé, Québec, 1998

Source du traitement et de l'aide	Personnes traitées en chirurgie d'un jour		Personnes hospitalisées	
	%	'000[2]	%	'000[2]
Traitement à domicile				
Famille et proches	57,9 *	8	15,0 *	8
CLSC, organisme privé ou organisme communautaire	36,4 **	5	68,5	38
Mixte[3]	5,7 **	1	16,5 *	9
Aide à domicile				
Famille et proches	96,3	47	81,2	86
CLSC, organisme privé ou organisme communautaire	2,0 **	1	10,5 *	11
Mixte[3]	1,7 **	1	8,3 *	9

1. Ayant reçu des services posthospitaliers à domicile.
2. Population estimée.
3. L'aide est mixte, c'est-à-dire qu'elle provient à la fois de la famille et des proches et du CLSC, d'un organisme privé ou d'un organisme communautaire.
* Coefficient de variation entre 15 % et 25 %; interpréter avec prudence.
** Coefficient de variation > 25 %; estimation imprécise fournie à titre indicatif seulement.

Source : Institut de la statistique du Québec, *Enquête sociale et de santé 1998*.

Tableau 9.26

Temps écoulé depuis la dernière mammographie selon l'âge, population féminine de 15 ans et plus en ménage privé, Québec, 1987, 1992-1993 et 1998

Groupe d'âge	Unité	Deux ans et moins			Plus de deux ans			Jamais			Ne sait pas		
		1987	1992-1993	1998	1987	1992-1993	1998	1987	1992-1993	1998	1987	1992-1993	1998
Femmes de 15 ans et plus	%	13,7	25,5	29,1	11,9	13,6	14,4	73,5	60,3	55,5	1,0	0,6	1,0
Population estimée	'000	...	...	870	...	...	431	...	...	1 633	...	...	29
15-29 ans	%	3,6*	2,7*	1,6*	2,1*	2,3*	1,7*	94,1	95,0	95,6	0,3**	0,0**	0,1**
30-39 ans	%	10,8	13,0	8,8	14,3	12,7	12,9	74,4	74,0	77,8	0,6**	0,3**	0,4**
40-49 ans	%	24,0	42,9	36,2	21,1	19,6	22,2	53,6	36,9	40,2	1,4**	0,7**	1,4**
50-69 ans	%	23,6	49,4	64,3	16,3	20,3	16,8	58,4	29,4	17,2	1,7**	0,9**	1,7 *
70 ans et plus	%	10,7	26,3*	35,7	10,9	19,0*	27,1	76,2	52,9	35,5	2,2**	1,8**	1,7**

* Coefficient de variation entre 15 % et 25 %; interpréter avec prudence.
** Coefficient de variation > 25 %; estimation imprécise fournie à titre indicatif seulement.

Sources : Santé Québec, enquête *Santé Québec 1987* et *Enquête sociale et de santé 1992-1993*.
          Institut de la statistique du Québec, *Enquête sociale et de santé 1998*.

Tableau 9.27

Personnes ayant pris des médicaments[1] prescrits ou non prescrits selon le sexe et le groupe d'âge, population en ménage privé, Québec, 1987, 1992-1993 et 1998

Sexe et groupe d'âge	Au moins un médicament				Trois médicaments ou plus			
	1987	1992-1993	1998	1998	1987	1992-1993	1998	1998
	%			'000[2]	%			'000[2]
Hommes	**34,5**	**41,4**	**42,8**	**1 519**	**5,1**	**9,2**	**12,2**	**433**
0-14 ans	34,9	40,0	35,7	246	2,2 *	3,3	3,6	25
15-24 ans	23,6	28,7	24,9	124	1,7 **	2,7 *	3,1 *	16
25-44 ans	26,9	34,6	35,3	415	2,4	5,2	7,0	83
45-64 ans	42,9	49,2	55,1	464	8,2	14,1	17,9	151
65 ans et plus	66,8	72,2	77,4	269	23,3	38,1	45,6	158
Femmes	**54,7**	**61,4**	**63,2**	**2 291**	**11,5**	**18,0**	**21,7**	**787**
0-14 ans	37,1	42,6	36,4	240	2,0 *	4,6	3,2 *	21
15-24 ans	56,1	60,2	61,7	293	5,3	8,7	8,2	39
25-44 ans	52,5	58,2	60,3	692	8,1	11,7	13,2	152
45-64 ans	63,1	70,0	75,9	660	19,0	28,5	35,9	312
65 ans et plus	76,4	86,8	86,4	405	33,6	49,4	56,1	263
Sexes réunis	**44,7**	**51,5**	**53,1**	**3 809**	**8,3**	**13,7**	**17,0**	**1 219**
0-14 ans	36,0	41,3	36,0	486	2,1	3,9	3,4	46
15-24 ans	39,6	44,1	42,9	418	3,5	5,6	5,6	55
25-44 ans	39,8	46,4	47,7	1 108	5,3	8,4	10,1	234
45-64 ans	53,3	59,8	65,7	1 124	13,7	21,4	27,1	463
65 ans et plus	72,4	80,6	82,5	674	29,3	44,6	51,6	422

1. Au cours d'une période de deux jours.
2. Population estimée.
* Coefficient de variation entre 15 % et 25 %; interpréter avec prudence.
** Coefficient de variation > 25 %; estimation imprécise fournie à titre indicatif seulement.

Sources : Santé Québec, enquête *Santé Québec 1987* et *Enquête sociale et de santé 1992-1993*.
Institut de la statistique du Québec, *Enquête sociale et de santé 1998*.

Tableau 9.28

Couverture des frais de santé par un régime d'assurance privé selon le type de services assurés, le sexe et le groupe d'âge, population en ménage privé, Québec, 1998

Sexe et groupe d'âge	Frais de séjour hospitaliers	Médicaments prescrits	Soins dentaires	Examens de la vue	Autres[1]	Régime d'assurance privé pour frais de santé
	%					
Sexes et âges réunis	**49,3**	**50,7**	**33,5**	**26,9**	**43,6**	**53,7**
Hommes	50,5	52,2	34,8	28,2	44,6	55,1
Femmes	48,1	49,3	32,2	25,6	42,7	52,4
0-14 ans	50,4	52,7	36,5	27,1	44,6	54,0
15-24 ans	46,1	49,9	32,8	26,8	40,5	52,3
25-44 ans	54,3	57,2	40,6	31,4	49,5	59,4
45-64 ans	55,5	56,8	34,3	28,2	49,1	59,7
65 ans et plus	24,2	17,5	7,7	11,4	17,5	26,1

1. Comprend les services fournis par certains professionnels, par exemple des psychologues, des physiothérapeutes, des chiropraticiens, des acupuncteurs, des ostéopathes, etc.

Source : Institut de la statistique du Québec, *Enquête sociale et de santé 1998*.

10

Sécurité des personnes

Liste des tableaux

Liste des figures

Ce chapitre a été réalisé par Denis Laroche, de la Direction des statistiques sociodémographiques de l'Institut de la statistique du Québec.

Ce chapitre fait un bref tour d'horizon du domaine de la sécurité des personnes en présentant un portrait statistique succinct des services de police, de la criminalité et des infractions commises, ainsi que de divers aspects du système correctionnel. On y traite également de certains services voués à la protection publique.

Les données mentionnées dans ce chapitre proviennent d'une grande variété d'organismes et de services publics; il s'avère donc difficile de les intégrer dans un cadre statistique cohérent. En dépit des efforts consentis pour couvrir le plus possible le domaine de la sécurité des personnes, ce survol ne peut prétendre à l'exhaustivité.

Le thème de la justice est traité dans l'*Annuaire statistique* depuis sa toute première parution en 1914. Dès le début, il est question de l'organisation judiciaire de la province, de la justice criminelle et civile, des actions des shérifs en ce qui a trait à l'exécution et à la vente de propriétés, ainsi que des établissements pénitentiaires : prisons, écoles de réforme et d'industrie. En 1918, de l'information est ajoutée sur l'activité des coroners à propos des causes de décès et sur la nationalité des personnes décédées. Deux nouvelles sections sont insérées au chapitre en 1950 : la première traite de la sûreté provinciale, alors que la seconde porte sur la police des « liqueurs ». La façon de présenter le sujet va demeurer relativement similaire jusqu'à 1970, année où le contenu fait l'objet d'un remaniement afin de l'adapter aux nouvelles préoccupations, soit le gouvernement et la justice, les institutions pénales, le service de probation, la réadaptation, le Code de la route, la Loi de la Régie des alcools, les jeunes délinquants et les corps policiers québécois.

Les services de police

En 1999, le taux de policiers par 1 000 habitants au Québec (1,86 en incluant les effectifs de la GRC) est sensiblement égal à la moyenne canadienne (1,81) et à la moyenne ontarienne (1,82); il dépasse par contre la proportion observée dans la plupart des autres provinces canadiennes (tableau 10.1). Seules les provinces du Manitoba et de la Saskatchewan, de même que le Yukon, le Nunavut et les Territoires du Nord-Ouest présentent des taux plus élevés.

Sur les 13 732 policiers recensés au Québec au 31 juin 1999 dans les corps de police municipaux, la Sûreté du Québec et la GRC, on comptait 1 601 femmes, soit 11,7 % du total. Dans l'ensemble du Canada, cette proportion atteint 12,9 %; elle s'élève à 13,6 % en Ontario.

L'effectif total des corps policiers du Québec a diminué depuis 1992 (- 5,0 % entre 1992 et 1999), en raison essentiellement de la réduction de 15,48 % des effectifs de la Sûreté du Québec au cours de cette période. Le nombre de policiers municipaux est demeuré relativement stable, avec une hausse de 0,27 % entre 1992 et 1999. Par ailleurs, le nombre de corps policiers municipaux est en régression au cours de cette période, passant de 164 à 134. Au 31 décembre 1999, l'effectif global des corps policiers du Québec atteint 12 864 policiers permanents répartis dans 135 corps de police (incluant la Sûreté du Québec) (tableau 10.2). Les deux corps principaux – la Sûreté du Québec et le Service de police de la Communauté-Urbaine-de-Montréal – comptent respectivement 3 805 et 4 157 policiers permanents, soit 61,9 % de l'effectif total. Pour sa part, l'effectif de la Gendarmerie royale du Canada atteint 931 policiers au Québec (tableau 10.1)

À la fin de 1999, plus des trois quarts (79,5 %) de la population québécoise bénéficie des services d'un corps de police municipal. Ce pourcentage enregistre une progression légère depuis 1992, alors qu'il se situait à 74,8 %. En 1999, 277 des 1 329 municipalités du Québec, soit 21 % de toutes les municipalités, étaient desservies par un corps de police municipal. Le nombre de policiers par 1 000 habitants varie d'une région administrative à l'autre. En 1999, le ratio, ou taux d'encadrement, le plus élevé revient à la région de Montréal (2,68), alors que le plus faible appartient à la région de Lanaudière (1,09). Dans l'ensemble du Québec, ce rapport atteint 1,75.

Les coûts totaux du maintien des services de police (corps de police municipaux et Sûreté du Québec) au Québec approchent 1,4 milliard de dollars en 1999, soit plus de 184 $ par citoyen (tableau 10.3). Ces données peuvent toutefois varier quelque peu selon la source utilisée : ainsi, Statistique Canada obtient un coût par habitant de 187 $. Dans le cas des municipalités, la majeure partie des coûts de maintien sont consacrés à la rémunération du personnel (environ 71,3 %) et aux cotisations de l'employeur (14,6 %). Dans les municipalités qui maintiennent un service de police, la part du budget municipal consacrée à ce poste en 1999 est de 11,99 % dans les municipalités de la Communauté-Urbaine-de-Montréal, de 11,70 % dans celles comptant 5 000 habitants ou plus, et de 11,95 % dans celles de moins de 5 000 habitants.

Le Commissaire à la déontologie policière a pour fonction principale de recevoir et d'examiner toute plainte relative à la conduite d'un policier ou d'un constable spécial dans l'exercice de ses fonctions, et pouvant constituer un acte dérogatoire au Code de déontologie des policiers du Québec.

En 1999-2000, le Commissaire a reçu 1 189 plaintes relatives à 1 967 policiers ou constables. Il a refusé d'enquêter sur 677 plaintes, opté pour la conciliation dans 283 cas, décidé d'enquêter sur 206 dossiers et accueilli 21 désistements. Les plaintes les plus fréquentes portent sur des manquements présumés ou des omissions en rapport avec les articles 5, 6 et 7 du Code de déontologie des policiers du Québec : déconsidération de la fonction policière (583), abus d'autorité (484) et irrespect à l'égard de l'autorité de la loi et des tribunaux (399).

La criminalité et les infractions

En 1999, 110 189 contrevenants sont impliqués dans l'ensemble des infractions, incluant les délits liés à la circulation prévus au Code criminel, comparativement à 135 601 en 1995, soit une baisse de 18,7 % (tableau 10.4). La majorité d'entre eux (71,4 %) ont perpétré des infractions au Code criminel, alors que 28,6 % ont commis des délits liés à la circulation ou aux lois et règlements. Parmi les adultes, les contrevenants masculins commettent la majorité des infractions (86,5 %); la proportion est similaire chez les jeunes (87,0 %).

Le nombre de jeunes contrevenants est passé de 16 822 en 1995 à 13 146 en 1999. La part des jeunes dans l'ensemble des contrevenants est légèrement en baisse au cours des cinq dernières années, passant de 12,4 % en 1995, à 11,9 % en 1999. En 1999, elle est inférieure à celle des adultes dans tous les types d'infractions. En tête des délits où la proportion des jeunes est la plus grande, on trouve les vols qualifiés, soit 26,7 % des contrevenants pour cette infraction, l'introduction avec effraction (25,0 %) et le vol de véhicules à moteur (24,1 %). Les jeunes contrevenants commettent 17,2 % des crimes contre les biens, mais seulement 13,3 % des crimes avec violence. En 1995, ces deux proportions se situaient à 20,5 % et à 12,5 % respectivement.

Les services de police du Québec ont fait état en 1999 de 485 139 infractions relatives au Code criminel (y compris les délits liés à la circulation) et aux lois et règlements, soit 92 225 de moins qu'en 1995 (tableau 10.5). Les crimes contre la propriété représentent 56,4 % du total de ces infractions, les crimes avec violence, 10,1 %, les autres infractions au Code criminel, 23,4 %, les infractions liées à la circulation, 5,9 %, et les infractions aux lois et règlements, 4,2 %.

De 1995 à 1999, le nombre d'infractions au Québec a régressé de 16,0 %. Cette diminution varie toutefois d'une année à l'autre : les baisses les plus fortes ont été enregistrées en 1998 (- 5,7 %) et en 1999 (- 7,3 %). L'ampleur de la diminution des infractions entre 1995 et 1999 a été moins grande pour les crimes avec violence (- 1,5 %) que pour les crimes contre les biens (- 13,8 %) et les autres crimes (- 21,6 %). La baisse a été de 22,3 % dans le cas des infractions aux lois et règlements et de 41,4 % dans celui des infractions liées à la circulation.

Le taux de criminalité par 1 000 habitants varie d'une région à l'autre (figure 10.1). En 1999, la région de Montréal enregistre le plus fort taux avec 90,6 infractions au Code criminel pour 1 000 habitants, suivie par les régions de la Côte-Nord avec 63,3 et de l'Outaouais avec 61,6. C'est la région de Chaudière-Appalaches qui présente la criminalité la plus faible, avec un taux de 29,4 pour 1 000 habitants.

Comparé aux autres provinces canadiennes, le Québec présente en 1999 un taux de criminalité inférieur à la moyenne canadienne (figure 10.2). En ce qui a trait aux infractions au Code criminel, il vient au 8e rang des provinces avec un taux de 59,3 pour 1 000, comparativement à un taux de 77,3 pour 1 000 pour l'ensemble du Canada. Ce taux est environ la moitié de celui observé en Colombie-Britannique qui, pour sa part, arrive en tête des provinces. Quant aux crimes avec violence, le Québec occupe le 10e rang; il se situe par contre au 6e rang en ce qui a trait aux crimes contre les biens ou contre la propriété.

Entre 1995 et 1999, le taux de classement des infractions au Code criminel (excluant les infractions liées à la circulation) passe de 31,0 % à 31,1 % au Québec. Ce taux varie cependant selon la nature du délit. En 1999, ce pourcentage s'élève à 74,6 % pour les crimes avec violence, à 20,0 % pour les crimes contre les biens et à 38,9 % pour les autres crimes.

Les services correctionnels et de probation

Les données présentées portent principalement sur les activités des services correctionnels et de probation relevant du gouvernement québécois, à savoir ceux qui s'adressent, de façon générale, aux condamnés qui se sont vus imposer une peine inférieure à deux ans.

Quelques données sont aussi présentées relativement aux activités des services fédéraux au Québec.

Le nombre d'admissions en milieu fermé dans les établissements de détention du Québec atteint 49 791 en 1998-1999, en baisse de 12,6 % par rapport à l'exercice précédent et de 23,8 % par rapport à celui de 1994-1995 (tableau 10.6). Les admissions de prévenus (28 039) sont en baisse de 28,9 % depuis 1994-1995 et de 8,8 % par rapport à 1997-1998. Quant à celles de condamnés (21 728), leur nombre est en diminution chaque année depuis 1995-1996; sur cette période de cinq ans, la baisse atteint 15,8 %.

Le nombre de femmes admises dans les établissements de détention québécois atteint 4 173 en 1998-1999, soit 8,4 % des admissions totales. Leur proportion est plus forte chez les personnes condamnées (8,9 %) que chez les prévenues (8,0 %). Chez les personnes admises en milieu fermé, la proportion des moins de 30 ans a diminué entre 1994-1995 et 1998-1999, pour passer de 45,4 % à 39,3 %. Elles se répartissent ainsi : 0,04 % ont 17 ans ou moins, 5,38 % ont 18 ou 19 ans, 16,8 % ont entre 20 et 24 ans et 17,08 % ont entre 25 et 29 ans. L'âge médian des détenus est passé de 31 ans en 1994-1995 à 32 ans en 1998-1999, alors que l'âge moyen a augmenté, passant de 32,1 ans à 33,8 ans.

En 1998-1999, la population quotidienne moyenne de détenus dans les établissements de détention (3 321,4) est en baisse de 6,7 % par rapport à 1994-1995 (tableau 10.7). La moyenne quotidienne du nombre de prévenus est demeurée plus ou moins stable au cours de cette période, présentant la même valeur au début et à la fin, soit 1 219. La moyenne quotidienne du nombre condamnés passe de 2 340,8 à 2 102,3, soit une baisse de 10,2 %.

En 1998-1999, les personnes condamnées sont au nombre de 21 515. Les 20-34 ans comptent pour 53 % du total. Le délit le plus fréquent à l'origine de ces condamnations est celui « d'infraction aux lois québécoises » avec 5 613 cas, soit 26,1 % du total, suivi des « infractions aux règlements municipaux » avec 4 306, soit 20,0 % du total.

Le taux d'incarcération par 1 000 habitants enregistre une baisse au cours de cette période au Québec, alors qu'il passe de 0,64 à 0,58 (tableau 10.7). La durée moyenne de séjour passe de 19,9 jours, en 1994-1995, à 24,4 jours en 1998-1999, soit une augmentation de 22,3 %. L'augmentation de la durée de séjour s'avère plus grande pour les prévenus (31,1 %) que pour les condamnés (17,8 %). En 1998-1999, la durée moyenne de séjour atteint 8,9 jours pour les prévenus et 15,4 jours pour les condamnés.

En 1998-1999, le nombre d'admissions en vertu d'un mandat d'incarcération dans les services correctionnels fédéraux au Québec s'élève à 1 158, soit 25,8 % du total canadien (tableau 10.8). Le nombre moyen quotidien de détenus dans les établissements fédéraux s'élève à 3 479 au Québec en 1998-1999. Le taux d'admission en vertu d'un mandat d'incarcération est de 2,0 pour 10 000 adultes dans les établissements fédéraux au Québec, proportion légèrement supérieure à la moyenne canadienne de 1,9. Dans les établissements provinciaux, le taux d'admission pour 10 000 adultes est de 38 au Québec en 1998-1999, comparativement à 37 en Ontario et à 40 dans l'ensemble du Canada.

Le coût quotidien moyen par détenu dans les services correctionnels fédéraux au Canada se chiffre à 171,04 $ (en dollars courants) en 1998-1999. Le coût quotidien moyen par détenu dans les établissements provinciaux/territoriaux est de 105,00 $ au Québec, contre 119,00 $ pour l'ensemble du Canada.

Le nombre de cas de personnes en probation avec surveillance dans les services correction-nels du Québec est demeuré à peu près stable entre 1994-1995 et 1998-1999. Le plus grand nombre de cas est survenu en 1996-1997, avec 7 162 (tableau 10.9). Par contre, le nombre de libérations conditionnelles a eu tendance à diminuer au cours de la période, enregistrant une baisse de 21,5 %. Cette période se caractérise par un recours de plus en plus fréquent aux sentences de travaux communautaires, qui enregistrent une croissance de 41,1 %.

Le taux d'utilisation, par les détenus, des ressources d'hébergement communautaires se maintient au-dessus de 95 % entre 1994-1995 et 1998-1999. Le taux le plus bas a été enregistré en 1994-1995, avec 90,8 % (tableau 10.10). Depuis 1983, advenant le défaut de paiement d'une amende, le programme de travaux compensatoires constitue une solution de remplacement à l'incarcération. Le nombre de dossiers traités dans le cadre de ce programme est passé de 25 099 en 1994-1995 à 19 588 en 1998-1999, en baisse de 22,0 %.

Les services de protection

La Direction générale de la sécurité civile, au ministère de la Sécurité publique, est chargée d'élaborer et de proposer des mesures de prévention des sinistres et des mesures d'urgence à prendre en cas de sinistre. Elle veille, en outre, à favoriser la prévention des incendies par différents moyens.

Les municipalités assurent les services de sécurité incendie au Québec. En août 2000, au Québec, on trouve 943 services d'incendie en activité, soit près d'une vingtaine de moins qu'en 1998. Ces services d'incendie comptaient 23 132 pompiers, dont 18 558 étaient employés à temps partiel, soit plus de 80 % des effectifs de l'ensemble du Québec, et 938 étaient policiers-pompiers. On comptait 3 636 pompiers professionnels à temps plein. Les dépenses municipales nettes en sécurité incendie s'élèvent en 1999 à 452,2 millions de dollars, soit 63,65 $ par habitant. Ces dépenses comptent pour 5,17 % des dépenses mu-nicipales totales.

On recense 9 997 incendies au Québec en 1999, soit 1,41 incendie par 1 000 habitants. Le nombre d'incendies était en baisse jusqu'en 1997; depuis, on note une hausse d'environ 10 %, imputable au fait que, depuis le début de 1998, tous les incendies, même ceux qui n'ont occasionné aucune perte matérielle apparente, doivent être déclarés au ministère de la Sécurité publique. Les incendies ont entraîné 89 décès en 1999, incluant les homicides et les suicides par le feu, dans 81 incendies mortels, soit 1,25 décès par 100 000 habitants. Au cours de la même année, ils ont également causé des pertes matérielles évaluées à plus de 391 millions de dollars, soit 55,03 $ par habitant. Neuf pompiers ont perdu la vie lors d'une intervention sur les lieux d'un incendie entre 1992 et 2000. Par rapport à l'année précé-dente, le nombre de sinistres a diminué de 2,8 % en 1999; les décès et les pertes matériel-les dus aux incendies ont baissé de 5,3 % et de 2,5 % respectivement.

La Direction générale de la sécurité civile a été appelée à exercer la coordination d'interven-tions à grand déploiement à plusieurs reprises au cours des cinq dernières années, notam-ment lors du déluge du Saguenay en 1996 et de la tempête de verglas de 1998. En

1998-1999, on compte 15 événements ayant nécessité une intervention du ministère de la Sécurité publique auprès de 329 municipalités et qui ont entraîné l'évacuation de 4 582 personnes. Les inondations sont la cause d'interventions auprès de 290 municipalités et de l'évacuation de 4 143 personnes. Enfin, pendant l'exercice de 1998-1999, la Direction générale de la sécurité civile a versé plus de 198 millions de dollars dans le cadre des programmes d'assistance financière à des sinistrés, incluant 172 millions de dollars pour de l'aide à des sinistrés du verglas de 1998.

Depuis le mois de janvier 1979, la Loi sur la protection de la jeunesse est en vigueur au Québec. En vertu de cette loi, un Directeur de la protection de la jeunesse, oeuvrant dans chaque centre de services sociaux, est responsable de recevoir les signalements et de se saisir de cas d'enfants dont la sécurité ou le développement est compromis. Le Directeur de la protection de la jeunesse peut s'adresser à la Chambre de la jeunesse de la Cour du Québec, pour faire adopter des mesures destinées à soustraire les enfants aux abus et aux mauvais traitements dont ils sont victimes.

En 1998-1999, les Directeurs de la protection de la jeunesse ont traité 49 191 signalements, dont 50,7 % ont été retenus, soit un taux de 15,2 signalements retenus par 1 000 jeunes de 0-17 ans (tableau 10.11). La majorité des cas retenus ont trait à une problématique de négligence (50,9 %) ou de trouble de comportement (23,5 %); les situations d'abus physique ou d'abus sexuel comptent pour 14,1 % et 9,9 % respectivement des cas retenus (tableau 10.12). Parmi les cas retenus, la proportion des situations où la sécurité et le développement de l'enfant sont considérés comme compromis varie entre 40 % et 50 % d'une année à l'autre (46,1 % en 1998-1999).

La Commission des droits de la personne et des droits de la jeunesse du Québec a pour mandat de promouvoir les droits et libertés énoncés dans la Charte des droits et libertés de la personne, et de faire enquête sur les atteintes alléguées aux libertés et droits proclamés par la Charte.

En 1999, elle a ouvert 883 dossiers d'enquête (tableau 10.13). Ces plaintes concernent, pour une large part, le domaine du travail (67,0 %) et, dans une moindre mesure, les actes juridiques relatifs aux biens et services (15,9 %), et le domaine du logement (12,6 %). Dans l'ensemble des dossiers ouverts, les deux motifs les plus fréquemment invoqués sont la discrimination fondée sur le handicap (36,9 %) et celle basée sur le sexe (18,8 %).

Le programme d'indemnisation des victimes d'actes criminels (IVAC) est géré par la Commission de la santé et de la sécurité du travail. Les demandes d'indemnisation reçues ont augmenté de 4,7 % par rapport à 1998, pour atteindre 3 397 en 1999 (tableau 10.14). Parmi les 2 326 demandes d'indemnisation acceptées en 1999, 28,3 % concernent des personnes victimes d'agression armée et de lésions corporelles; 24,0 %, de voies de fait; 19,6 %, d'agression sexuelle; et 11,6 %, de vol qualifié. En 1999, les sommes versées sous forme d'indemnités diverses aux victimes d'actes criminels ou, en cas de décès, aux personnes qui sont à leur charge, s'élèvent à 31,5 millions de dollars, comparativement à 32,7 millions de dollars en 1998. En 1999, le salaire maximal annuel assurable est établi à 50 500 $.

Références

LESSARD, Carole. *Indicateurs repères sur l'application de la Loi sur la protection de la jeunesse 1993-1994 à 1999-2000*, Ministère de la Santé et des Services sociaux, janvier 2001.

MINISTÈRE DE LA SÉCURITÉ PUBLIQUE DU QUÉBEC. *La sécurité incendie au Québec : quelques chiffres*, édition 2001, Québec, Gouvernement du Québec, 2001, 23 p.

MINISTÈRE DE LA SÉCURITÉ PUBLIQUE DU QUÉBEC. *Statistiques correctionnelles du Québec 1998-1999*, Gouvernement du Québec, 1999, 115 p.

STATISTIQUE CANADA. *Les ressources policières au Canada, 1999*, publication annuelle, Centre canadien de la statistique juridique, 1999, 65 p. (85-225-XIF).

STATISTIQUE CANADA. *Statistique de la criminalité au Canada 1999*, publication annuelle, Centre canadien de la statistique juridique, 2000, 79 p. (85-205-XPF)

Définitions

Admission dans un établissement de détention

Procédure administrative visant à enregistrer une personne dans un établissement de détention en vertu d'un mandat d'incarcération, d'un renvoi sous garde ou d'autres procédés judiciaires qui permettent à un officier de la justice ou à un agent de la paix d'incarcérer une personne. Une personne dont le statut change ou qui est transférée dans un autre établissement de détention ne fait pas l'objet d'une nouvelle admission. Pour une peine de détention, il n'y a qu'une admission.

Autres infractions prévues au Code criminel

Actes qui ne sont pas considérés comme des crimes avec violence ou des crimes contre les biens (à l'exception des infractions aux règlements de la circulation). Ce sont, par exemple, les méfaits, la violation des conditions de la liberté sous caution, les crimes contre l'ordre public, les crimes d'incendie, la prostitution et les infractions relatives aux armes offensives.

Crimes avec violence

Infractions définies au Code criminel canadien où il y a usage de la force à l'endroit d'une personne ou menace de le faire. Elles comprennent l'homicide, la tentative de meurtre, l'agression sexuelle, les voies de fait, le vol qualifié et l'enlèvement. Les affaires d'infraction aux règlements de la circulation qui ont causé la mort ou des lésions corporelles sont comprises dans les affaires liées à des infractions aux règlements de la circulation prévus au Code criminel.

Crimes contre les biens

Actes illégaux prévus au Code criminel qui sont commis avec l'intention de s'approprier un bien, mais sans violence ou menace de violence à l'endroit d'une personne. Le vol, l'introduction par effraction, la fraude et la possession de biens volés sont des exemples de crimes contre les biens.

Personne condamnée

Personne qui a été incarcérée à la suite d'une ou plusieurs condamnations de la Cour impliquant des peines à être purgées de façon consécutive ou concurrente. Ces peines sont administrées comme une sentence globale par les établissements de détention. Or, une personne peut être condamnée pour d'autres causes au cours de la même année à la suite de sa libération. Elle sera donc comptée, comme personne condamnée, autant de fois qu'il y aura eu des sentences globales la concernant et gérées par les établissements de détention. D'autre part, le contrevenant doit avoir le statut de « condamné » à la date du début de la sentence pour compter comme personne condamnée. Or, il y a un certain nombre de cas où le contrevenant conserve son statut de « prévenu » même s'il a été sujet à une condamnation.

Personne prévenue

Personne incarcérée dans un établissement de détention du Québec soit pour attendre l'issue de la poursuite judiciaire intentée contre elle, soit à la suite d'une demande d'assistance à l'administrateur, soit en attente d'un transfert vers un pénitencier ou pour toute autre raison qui fait qu'une personne ne peut être considérée comme une personne condamnée. C'est l'un des deux statuts possibles d'une personne incarcérée.

Travaux communautaires

Condition facultative imposée par le tribunal dans le cadre d'une ordonnance de sursis. Elle oblige le contrevenant à effectuer des travaux non rémunérés pour le compte d'un organisme communautaire sans but lucratif. Ces travaux sont exécutés sous la supervision d'un agent de probation.

Travaux compensatoires

Le programme de travaux compensatoires est une mesure alternative à l'incarcération, qui s'adresse aux personnes démunies financièrement et incapables d'acquitter leur amende pour une infraction à une loi ou à un règlement provincial ou municipal. Ce sont des heures de travail non rémunérées qu'un citoyen accepte volontairement d'exécuter au profit d'un organisme sans but lucratif. Ce programme existe depuis le 1er avril 1983.

Tableau 10.1

Effectif[1] des corps policiers et taux d'encadrement de la population, par province, Canada, 1999

Province	Corps policiers		Gendarmerie royale du Canada en mission				Total[2]	Taux d'encadrement
	Municipaux	Provinciaux	Municipale	Provinciale	Fédérale	Autres		
	n							‰
Terre-Neuve	–	311	–	359	78	19	767	1,42
Île-du-Prince-Edward	78	–	7	88	19	5	197	1,43
Nouvelle-Écosse	736	–	55	627	144	20	1 582	1,68
Nouveau-Brunswick	478	–	189	479	108	36	1 290	1,71
Québec	9 001	3 775	–	–	931	25	13 732	1,86
Ontario	14 907	4 525	–	–	1 496	96	21 024	1,82
Manitoba	1 308	–	170	547	150	14	2 189	1,91
Saskatchewan	798	–	201	663	190	78	1 930	1,88
Alberta	2 653	–	669	935	294	29	4 580	1,54
Colombie-Britannique	2 070	–	2 522	1 400	619	114	6 725	1,67
Yukon	–	–	–	87	23	9	119	3,88
Territoires du Nord-Ouest	–	–	–	133	15	8	239	3,74
Nunavut	–	–	–	64	15	4	83	3,06
Canada	**32 029**	**8 611**	**3 813**	**5 382**	**4 465**	**1 000**	**55 300**	**1,81**

1. Représente l'effectif policier au 15 juin 1999.
2. Les policiers du quartier général de la GRC et du Collège canadien de la police sont exclus de l'effectif policier total des provinces, mais sont compris dans le total canadien. Un nombre de 383 policiers de la GRC fait partie de la rubrique « secteur fédéral » et un nombre de 543 fait partie de la rubrique « autres ».

Source : Statistique Canada, *Les ressources policières au Canada, 1999* (85-225-XIF).

Tableau 10.2

Répartition de l'effectif des corps policiers et taux d'encadrement de la population, par région administrative, Québec, au 31 décembre 1998

Région administrative	Population[1]	Effectif				Effectif régional total	
		Municipal		Sûreté du Québec		Policiers permanents	Taux d'encadrement[2]
		Corps policiers	Policiers	Postes	Policiers		
		n				n	‰
01 Bas-Saint-Laurent	207 473	5	97	8	214	311	1,50
02 Saguenay–Lac-Saint-Jean	288 926	9	262	4	155	417	1,44
03 Capitale-Nationale	645 410	9	767	9	454	1 221	1,89
04 Mauricie	265 457	7	262	6	164	426	1,60
05 Estrie	290 195	9	245	6	176	421	1,45
06 Montréal	1 806 082	1	4157	3	677	4 834	2,68
07 Outaouais	319 780	4	343	5	197	540	1,69
08 Abitibi-Témiscamingue	156 680	3	87	7	190	277	1,77
09 Côte-Nord	105 124	4	104	6	131	235	2,24
10 Nord-du-Québec	30 517	1	6	5	49	55	1,80
11 Gaspésie–Îles-de-la-Madeleine	104 646	1	6	8	144	150	1,43
12 Chaudière-Appalaches	391 087	6	208	10	228	436	1,11
13 Laval	345 527	1	434	–	–	434	1,26
14 Lanaudière	397 485	10	298	9	137	435	1,09
15 Laurentides	464 095	18	384	8	193	577	1,24
16 Montérégie	1 311 320	41	1270	18	555	1 825	1,39
17 Centre-du-Québec	221 879	5	129	6	158	287	1,29
Ensemble du Québec	**7 351 683**	**134**	**9 059**	**118**	**3 805**	**12 864**	**1,75**

1. Population en 1999 selon la Gazette officielle du Québec.
2. Le taux d'encadrement est le nombre de policiers par 1 000 habitants d'un territoire donné.

Sources : Ministère de la Sécurité publique du Québec, compilation spéciale des corps policiers municipaux par région au 31 décembre 1999.
Sûreté du Québec, effectif et postes par région, compilation spéciale au 31 décembre 1999.

Tableau 10.3
Coût du maintien des services de police municipaux et de la Sûreté du Québec, Québec, 1995-1999

Corps policiers	1995	1996	1997	1998	1999	Part du budget des municipalités en 1999
			'000 $			%
Sûreté du Québec[1]	408 700,0	446 735,0	418 068,0	442 811,0	444 718,6	–
Service de police de la CUM	393 755,9	381 500,6	365 109,0	376 369,0	378 663,9	11,99
Corps de police des municipalités	474 045,3	468 011,3	490 194,4	493 746,0	531 296,2	11,70
5 000 habitants et plus	463 440,1	457 589,6	477 002,3	481 411,7	519 386,8	11,70
Moins de 5 000 habitants	10 605,2	10 421,7	13 192,2	12 334,3	11 909,4	11,95
Total	**1 276 501,2**	**1 296 246,9**	**1 273 371,4**	**1 312 926,0**	**1 354 678,7**	–

1. Dans le cas de la Sûreté du Québec, les données de 1995 à 1998 portent sur l'année civile, alors que les données pour 1999 portent sur l'année financière qui s'échelonne du 1er avril 1999 au 31 mars 2000.

Sources : Ministère de la Sécurité publique du Québec, *Données sur l'administration des corps de police municipaux.*
Sûreté du Québec, rapports annuels.

Tableau 10.4
Contrevenants (jeunes et adultes) au Code criminel, aux infractions liées à la circulation, aux lois et aux règlements, selon le type d'infraction et le sexe, Québec, 1999

Type d'infraction	Adultes		Jeunes		Total	Jeunes/total
	Hommes	Femmes	Garçons	Filles		
			n			%
Code criminel	57 624	9 998	9 571	1 505	78 698	14,1
Crimes avec violence	17 374	2 278	2 521	501	22 674	13,3
Homicides	67	4	7	2	80	11,3
Tentatives de meurtre	141	24	16	3	184	10,3
Agressions sexuelles (voies de fait)	983	25	181	8	1 197	15,8
Voies de fait	14 338	2 104	1 712	440	18 594	11,6
Autres infractions d'ordre sexuel	234	5	35	–	239	12,8
Enlèvements	16	13	–	–	29	
Vols qualifiés	1 595	103	570	48	2 316	26,7
Crimes contre les biens	21 944	4 608	4 750	759	32 061	17,2
Introduction avec effraction	5 123	291	1 726	75	7 215	25,0
Vols de véhicule à moteur	2 293	93	730	28	3 144	24,1
Vols de plus de 5 000 $	496	69	52	3	620	8,9
Vols de 5 000 $ ou moins	8 405	2 985	1 849	567	13 806	17,5
Possession de biens volés	1 478	162	206	41	1 887	13,1
Fraudes	4 149	1 008	187	45	5 389	4,3
Autres crimes	18 306	3 112	2 300	245	23 963	10,6
Prostitution	505	455	2	1	960	0,3
Jeux et paris	24	4	–	–	28	–
Port ou possession d'armes offensives	608	283	64	2	957	6,9
Autres infractions au Code criminel	17 169	2 370	2 234	242	22 015	11,2
Infractions liées à la circulation	17 921	2 034	–	–	19 955	–
Lois et règlements	8 356	1 110	1 871	199	11 536	17,9
Lois fédérales sur les drogues	7 759	1 052	1 735	192	10 738	17,9
Autres lois fédérales	597	58	136	7	798	17,9
Total	**83 901**	**13 142**	**11 442**	**1 704**	**110 189**	**11,9**

Source : Statistique Canada, *Statistique de la criminalité au Canada 1999* (85-205-XPF).

Tableau 10.5
Infractions au Code criminel (incluant la circulation), aux lois et aux règlements, selon le type d'infraction, Québec, 1995-1999

Type d'infraction	1995	1996	1997	1998	1999
			n		
Code criminel	**511 583**	**510 375**	**492 152**	**471 062**	**435 872**
Crimes avec violence	49 703	48 391	45 954	47 146	48 934
Homicides	135	153	132	137	136
Tentatives de meurtre	339	311	3 302	267	281
Infractions d'ordre sexuel	3 333	3 258	3 302	3 236	3 434
Voies de fait	35 471	33 779	32 908	34 366	35 637
Autres infractions d'ordre sexuel	947	976	1 021	1 037	1 069
Enlèvements	133	115	104	93	90
Vols qualifiés	9 345	9 799	8 224	8 010	8 287
Crimes contre la propriété	317 001	331 742	317 681	298 821	273 403
Introduction avec effraction	102 862	106 286	104 092	97 774	84 972
Vols de véhicule à moteur	42 977	48 071	49 426	47 244	43 068
Vols de plus de 5 000 $	8 437	5 863	5 625	6 111	5 974
Vols de moins de 5 000 $	142 558	150 042	137 935	127 798	118 355
Avoir en sa possession	2 780	3 026	2 759	2 435	2 604
Fraudes	17 387	18 454	17 844	17 459	18 430
Autres crimes	144 879	130 242	128 507	125 095	113 535
Prostitution	1 626	1 239	887	801	847
Jeux et paris	65	137	74	37	38
Port ou possession d'armes offensives	1 473	1 279	1 039	997	1 136
Méfaits (biens publics ou privés) et crimes divers	108 000	95 531	94 901	92 851	80 792
Autres infractions au Code criminel	33 715	32 056	31 606	30 409	30 722
Infractions de la circulation (Code criminel)	**48 938**	**44 878**	**44 978**	**33 813**	**28 674**
Lois et règlements	**16 843**	**17 435**	**18 011**	**18 394**	**20 593**
Lois fédérales sur les drogues	12 389	14 149	13 902	14 545	17 327
Autres lois fédérales	4 454	3 286	4 109	3 849	3 266
Total	**577 364**	**572 688**	**555 141**	**523 269**	**485 139**

Source : Statistique Canada, *Statistique de la criminalité au Canada 1999 (85-205-XPF)*.

Tableau 10.6
Admissions dans les établissements de détention selon le statut des personnes admises, Québec, 1994-1995 à 1998-1999

	Unité	1994-1995	1995-1996	1996-1997	1997-1998	1998-1999
Admissions totales[1]	**n**	**65 357**	**65 461**	**62 985**	**56 954**	**49 791**
Prévenus	n	39 456	37 361	34 194	30 735	28 039
Condamnés	n	25 812	28 052	28 760	26 186	21 728
Autre	n	89	48	31	33	24
Taux d'admission pour 1 000 adultes[2]	**‰**	**11,8**	**11,7**	**11,2**	**10,0**	**8,7**
Prévenus	‰	7,1	6,7	6,1	5,4	4,9
Condamnés	‰	4,7	5,0	5,1	4,6	3,8
Autre	‰	—	—	—	—	—

1. « Le nombre d'admissions a toujours été la statistique par excellence pour décrire le nombre de personnes recevant des services de détention pendant une période donnée. Ces chiffres très utilisés ont fait l'objet d'une révision en raison de l'incohérence qui se retrouvait dans les rapports précédents. En effet, pour les rapports statistiques de 1989-1990, 1990-1991 et 1991-1992, le tableau du nombre d'admissions selon le statut des personnes admises et le tableau du nombre d'admissions selon le motif à l'admission ne concordaient pas. », *Statistiques correctionnelles du Québec 1993-1994*, p. 32.
2. Le taux d'admission a été calculé avec les données de la population présentées par Louis Duchesne sur le site de l'ISQ, à l'adresse suivante : **http://sq/donstat/demograp/general/index.htm**.

Source : Ministère de la Sécurité publique du Québec, *Statistiques correctionnelles du Québec*, 1998-1999, tableau 3.2.3, p. 39.

Figure 10.1
Taux d'infraction au Code criminel, aux lois et aux règlements (sauf circulation), par région administrative, Québec, 1999

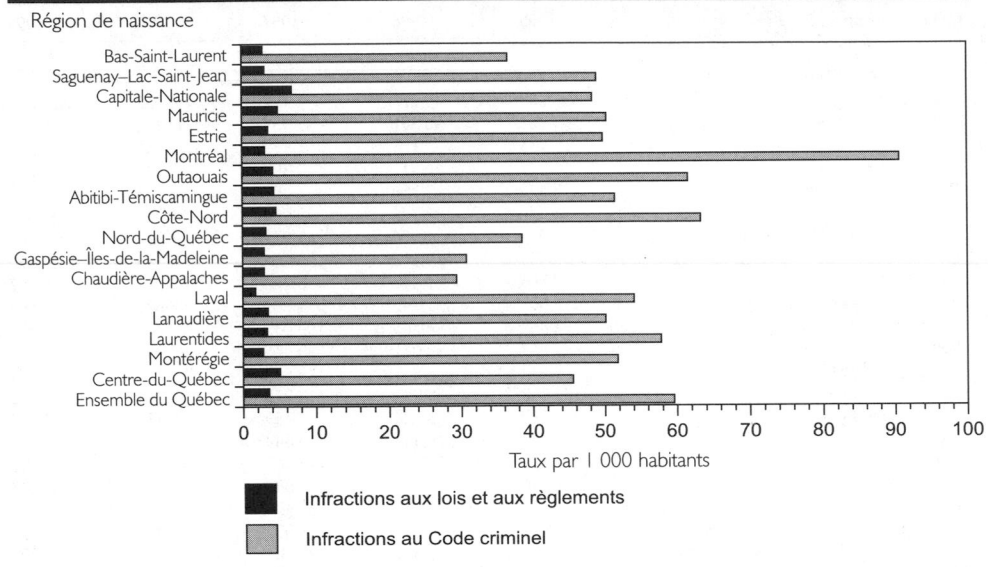

Source : Ministère de la Sécurité publique du Québec.

Figure 10.2
Taux d'infraction au Code criminel par 1 000 habitants, par province, Canada, 1995 et 1999

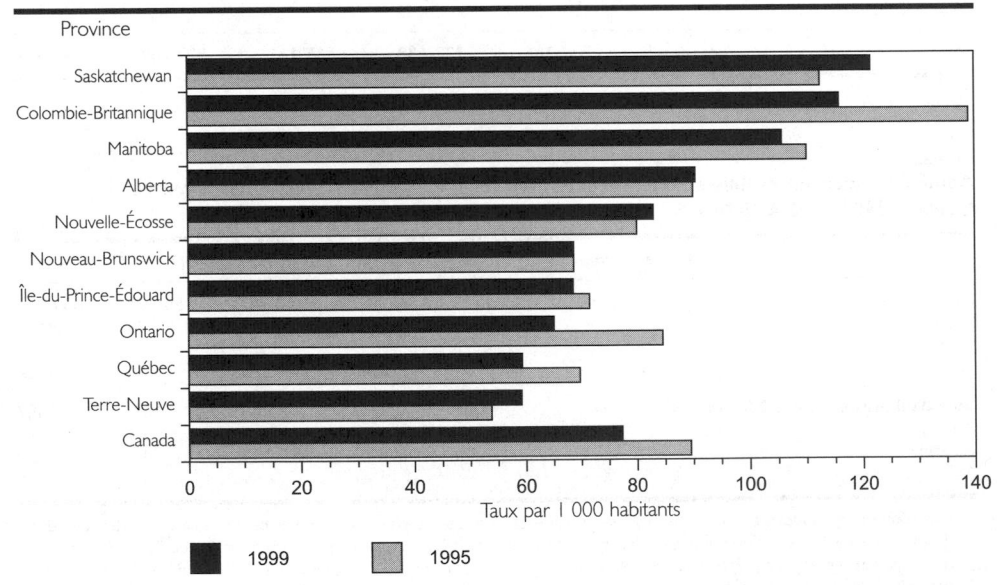

Source : Ministère de la Sécurité publique du Québec.

Tableau 10.7
Population quotidienne moyenne, taux d'incarcération et durée moyenne des séjours dans les établissements de détention, Québec, 1994-1995 à 1998-1999

	Unité	1994-1995	1995-1996	1996-1997	1997-1998	1998-1999
Nombre de jours total de détention	n	1 299 487	1 269 957	1 250 339	1 205 173	1 212 301
Prévenus	n	445 084	427 093	461 479	432 427	444 977
Condamnés	n	854 403	842 864	788 860	772 746	767 324
Population quotidienne moyenne[1]	n	**3 560,2**	**3 469,6**	**3 425,6**	**3 301,8**	**3 321,4**
Prévenus	n	1 219,4	1 166,9	1 264,3	1 184,7	1 219,1
Condamnés	n	2 340,8	2 302,9	2 161,3	2 117,1	2 102,3
Taux d'incarcération[2]	‰	**0,64**	**0,62**	**0,61**	**0,58**	**0,58**
Prévenus	‰	0,22	0,21	0,22	0,21	0,21
Condamnés	‰	0,42	0,41	0,38	0,37	0,37
Durée moyenne de séjour[3]	n	**19,9**	**19,4**	**19,9**	**21,2**	**24,4**
Prévenus	n	6,8	6,5	7,3	7,6	8,9
Condamnés	n	13,1	12,9	12,5	13,6	15,4

1. Nombre total de jours de détention des prévenus et des condamnés, divisé par 365 jours.
2. Population quotidienne moyenne divisée par la population de 18 ans et plus, multipliée par 1 000.
3. Nombre total de séjours enregistrés, divisé par le nombre d'admissions dans un même établissement.

Source : Ministère de la Sécurité publique du Québec, *Statistiques correctionnelles du Québec, 1998-1999*, tableau 3.6.1(a), p. 64.

Tableau 10.8
Nombre d'admissions dans les établissements fédéraux en vertu d'un mandat d'incarcération des personnes condamnées dans les établissements provinciaux/territoriaux, selon la province où la peine a été infligée, par province, Canada, 1994-1995 à 1998-1999

Province	Établissements provinciaux					Établissement fédéraux				
	1994-1995	1995-1996	1996-1997	1997-1998	1998-1999	1994-1995	1995-1996	1996-1997	1997-1998	1998-1999
			n							
Terre-Neuve	2 769	2 386	1 568	1 166	1 199	97	125	–	2	–
Île-du-Prince-Edward	802	993	867	869	803	26	14	17	17	12
Nouvelle-Écosse	2 748	2 622	2 113	1 914	1 964	379	259	211	237	260
Nouveau-Brunswick	3 669	3 383	2 919	2 278	2 273	116	131	139	146	111
Québec	25 852	28 075	28 753	26 188	21 735	1 302	1 193	1 134	998	1158
Ontario	38 823	37 110	36 530	33 971	32 815	1 223	1 100	1 192	1190	1156
Manitoba	3 036	2 433	2 069	1 439	1 393	224	197	242	228	229
Saskatchewan	6 728	6 397	4 802	3 894	3 850	192	203	212	233	225
Alberta	19 764	18 345	16 535	14 467	15 491	712	731	695	692	825
Colombie-Britannique	12 437	12 425	11 537	10 565	9 628	412	376	402	425	428
Yukon	368	393	310	304	300	5	11	11	6	6
Territoires du Nord-Ouest	942	–	–	1 573	1 594	58	58	51	58	56
Autre[1]	...	...	...	...	...	12	8	39	18	23
Canada	**117 938**	**114 562**	**107 997**	**98 628**	**93 045**	**4 758**	**4 402**	**4 335**	**4250**	**4489**

1. La catégorie « autre » comprend les admissions de l'extérieur du Canada, et les admissions dont la province ou le terrritoire est non déclaré.

Source : Statistique Canada, *Services correctionnels pour adultes au Canada 1998-1999*, publication annuelle (85-211-XIF).

Tableau 10.9
Évolution des activités de surveillance selon le type d'activité, Québec, 1994-1995 à 1998-1999

Activités de surveillance	Unité	1994-1995	1995-1996	1996-1997	1997-1998	1998-1999
Nouveaux cas	**n**	**13 118**	**12 685**	**16 765**	**17 622**	**17 964**
Ordonnance de probation avec surveillance	n	6 753	6 223	7 162	6 845	6 877
Travaux communautaires	n	2 891	3 286	4 031	4 047	4 078
Libération conditionnelle	n	3 418	3 139	2 900	2 666	2 682
Sursis	n	–	–	2 555	3 866	4 202
Autres activités[1]	n	56	37	117	198	125
Nombre mensuel moyen de dossiers actifs	**n**	**12 886**	**11 257**	**13 120**	**13 889**	**13 486**
Ordonnance de probation avec surveillance	n	9 375	7 575	7 997	7 809	7 296
Travaux communautaires	n	1 569	1 979	2 388	2 471	2 384
Libération conditionnelle	n	1 922	1 694	1 660	1 487	1 334
Sursis	n	–	–	1 053	2 079	2 444
Autres activités[1]	n	20	9	22	43	28
Taux de surveillance pour 1 000 adultes[2]	**‰**	**2,3**	**2,0**	**2,3**	**2,4**	**2,4**
Personnes en probation avec surveillance	‰	1,7	1,4	1,4	1,4	1,3
Personnes en libération conditionnelle	‰	0,3	0,3	0,3	0,3	0,2
Taux d'utilisation des ressources communautaires	**%**	**90,8**	**95,2**	**97,4**	**92,6**	**96,9**

1. Les autres activités incluent les absences temporaires, les cautionnements, les libérations de jour.
2. Le taux est calculé à partir de la moyenne mensuelle des dossiers actifs.

Source : Ministère de la Sécurité publique du Québec, *Statistiques correctionnelles du Québec 1998-1999*, tableau 4.2.1, p. 86.

Tableau 10.10
Utilisation des ressources communautaires selon la catégorie de ressources, Québec, 1994-1995 à 1998-1999

Catégorie de ressources	Utilisateurs[1]					Journées de séjour				
	1994-1995	1995-1996	1996-1997	1997-1998	1998-1999	1994-1995	1995-1996	1996-1997	1997-1998	1998-1999
					n					
Ressources spécialisées[2]	872	943	–	–	–	39 892	46 429	50 534	44 316	35 092
Ressources d'hébergement[3]	2 944	2 781	–	–	–	149 343	140 955	137 939	135 010	128 191
Ateliers de réinsertion par le travail	222	83	–	–	–	7 892	4 178	–	–	–

1. Depuis 1995-1996, ces données ne sont plus colligées de façon systématique dans toutes les régions du Québec.
2. L'Institut Pinel, le Centre hospitalier de Sherbrooke et des ressources d'hébergement en santé mentale ou en toxicomanie.
3. Les ressources d'hébergement communautaires, les centres d'hébergement communautaires et les centres d'accueil.

Source : *Statistiques correctionnelles du Québec, 1998-1999*, tableau 4.3.3, p. 97 et tableau 4.3.4, p. 98.

Tableau 10.11
Répartition des signalements traités selon la décision, Québec, 1994-1995 à 1998-1999

	Unité	1994-1995	1995-1996	1996-1997	1997-1998	1998-1999
Signalement traités						
Total	n	**51 045**	**49 388**	**47 620**	**49 500**	**49 191**
Retenus	n	24 901	24 553	23 786	24 249	24 948
Non retenus	n	26 144	24 835	23 834	25 251	24 243
Taux par 1 000 jeunes de 0-17 ans						
Total	‰	**30,2**	**29,3**	**28,4**	**29,8**	**30,0**
Retenus	‰	14,7	14,6	14,2	14,6	15,2
Non retenus	‰	15,5	14,7	14,2	15,2	14,8
Répartition en pourcentage						
Total	%	**100,0**	**100,0**	**100,0**	**100,0**	**100,0**
Retenus	%	48,8	49,7	49,9	49,0	50,7
Non retenus	%	51,2	50,3	50,1	51,0	49,3

Source :   Carole Lessard, *Indicateurs repères sur l'application de la Loi sur la protection de la jeunesse 1993-1994 à 1999-2000*,
          Ministère de la Santé et des Services sociaux, janvier 2001.

Tableau 10.12
Répartition des signalements retenus[1] par problématique, Québec, 1994-1995 à 1998-1999

	Unité	1994-1995	1995-1996	1996-1997	1997-1998	1998-1999
Nombre de signalements						
Total	n	**19 061**	**16 456**	**22 354**	**24 249**	**24 948**
Négligence	n	8 729	7 657	10 458	11 737	12 687
Trouble de comportement	n	5 422	4 547	6 023	6 135	5 858
Abus physique	n	2 396	2 220	2 918	3 457	3 520
Abus sexuel	n	1 958	1 664	2 521	2 528	2 478
Abandon	n	556	368	434	392	405
Répartition des signalements	%	**100,0**	**100,0**	**100,0**	**100,0**	**100,0**
Négligence	%	45,8	46,5	46,8	48,4	50,9
Trouble de comportement	%	28,4	27,6	26,9	25,3	23,5
Abus physique	%	12,6	13,5	13,1	14,3	14,1
Abus sexuel	%	10,3	10,1	11,3	10,4	9,9
Abandon	%	2,9	2,2	1,9	1,6	1,6

1. Le total des cas retenus ne correspond pas toujours au nombre de cas du tableau précédent, car la ventilation par problématique n'est
    pas disponible dans toutes les régions pour certaines années.

Source :   Carole Lessard, *Indicateurs repères sur l'application de la Loi sur la protection de la jeunesse 1993-1994 à 1999-2000*,
          Ministère de la Santé et des Services sociaux, janvier 2001.

Tableau 10.13

Répartition des dossiers ouverts à la Commission des droits de la personne et de la protection de la jeunesse, selon les motifs et les secteurs d'atteinte aux droits, Québec, 1999

Motifs	Travail	Logement	Actes juridiques biens et services	Accès transports et lieux publics	Exploitation	Total
			n			
Handicap	163	15	40	8	–	326
Sexe	147	3	15	1	–	166
Race/couleur/origine ethnique et nationale	55	34	31	7	–	127
Âge	74	22	10	2	–	108
Condition sociale	13	32	9	3	–	57
État civil	29	3	12	–	–	44
Orientation sexuelle	13	1	11	3	–	28
Grossesse	42	–	–	–	–	42
Antécédents judiciaires	29	–	1	–	–	30
Exploitation personnes âgées	–	–	–	–	14	14
Exploitation personnes handicapées	–	–	–	–	2	2
Langue	12	–	5	–	–	17
Religion	10	1	3	–	–	14
Convictions politiques	5	–	3	–	–	8
Total	**592**	**111**	**140**	**24**	**16**	**883**

Source : Commission des droits de la personne et des droits de la jeunesse, *Rapport annuel 1999*, p. 36.

Tableau 10.14

Demandes d'indemnisation reçues de victimes d'actes criminels, selon le territoire de résidence de la personne, Québec, 1995-1999

Territoire	1995		1996		1997		1998		1999	
	n	%	n	%	n	%	n	%	n	%
Gaspésie–Îles-de-la-Madeleine	13	0,4	22	0,7	23	0,7	25	0,8	30	0,9
Bas-Saint-Laurent	86	2,7	75	2,4	89	2,9	81	2,5	63	1,9
Saguenay–Lac-Saint-Jean	130	4,1	106	3,4	79	2,5	108	3,3	101	3,0
Québec	362	11,4	326	10,5	385	12,4	407	12,5	361	10,6
Chaudière-Appalaches	106	3,3	103	3,3	101	3,3	118	3,6	144	4,2
Mauricie–Centre-du-Québec	170	5,3	189	6,1	177	5,7	196	6,0	263	7,7
Estrie	132	4,2	131	4,2	131	4,2	149	4,6	151	4,4
Longueuil	205	6,5	209	6,7	222	7,2	178	5,5	197	5,8
Richelieu–Salaberry	151	4,8	182	5,8	158	5,1	159	4,9	205	6,0
Yamaska	115	3,6	92	3,0	96	3,1	103	3,2	112	3,3
Île-de-Montréal	946	29,8	1 017	32,7	989	31,9	966	29,8	1 038	30,6
Laval	126	4,0	104	3,3	117	3,8	136	4,2	138	4,1
Lanaudière	173	5,4	155	5,0	134	4,3	177	5,5	192	5,7
Laurentides	221	7,0	207	6,6	174	5,6	211	6,5	212	6,2
Outaouais	87	2,7	87	2,8	90	2,9	81	2,5	87	2,6
Abitibi–Témiscamingue[1]	68	2,1	43	1,4	61	2,0	70	2,2	44	1,3
Côte-Nord	32	1,0	33	1,1	45	1,5	38	1,2	36	1,1
Extérieur du Québec	55	1,7	32	1,0	31	1,0	42	1,3	23	0,7
Total	**3 178**	**100,0**	**3 113**	**100,0**	**3 102**	**100,0**	**3 245**	**100,0**	**3 397**	**100,0**

1. Les demandes reçues de la région du Nord-du-Québec sont ajoutées aux demandes de la région de l'Abitibi-Témiscamingue.

Source : Commission de la santé et de la sécurité au travail, Direction de l'indemnisation des victimes d'actes criminels, rapports annuels.

Loisir

Liste des tableaux

Liste des figures

Ce chapitre a été réalisé grâce à l'effort conjugué de plusieurs auteurs.

Organisation du loisir au Québec

Section réalisée par Marc-André Lavigne, du Secrétariat au loisir et au sport.

Les activités physiques, sportives et de plein air

Section réalisée par Marc-André Lavigne, du Secrétariat au loisir et au sport, avec la collaboration de Bertrand Nolin, de l'Institut national de santé publique du Québec.

Les pratiques culturelles

Section réalisée par Hélène Lepage, de la Direction de l'édition et des communications de l'Institut de la statistique du Québec.

L'emploi du temps

Section réalisée par Denis Laroche, de la Direction des statistiques sociodémographiques de l'Institut de la statistique du Québec.

Le loisir est le temps libre dont on dispose, une fois les activités professionnelles et domestiques accomplies. Il peut notamment être utilisé pour prendre part à des activités sportives, culturelles, scientifiques ou de plein air. En plus de jouer un rôle préventif en matière de santé, les activités de loisir contribuent positivement à l'épanouissement des personnes et à leur qualité de vie. Dans ce chapitre, il sera d'abord question de l'organisation du loisir au Québec, puis de la pratique d'activités physiques et culturelles, et enfin, de l'emploi du temps des Québécois.

Les données sur le loisir et les sports sont apparues dans l'édition 1973 de l'*Annuaire du Québec*. Le cadre institutionnel des loisirs y était présenté, de même que le taux de participation à différentes activités sportives. La fréquentation des parcs et la question des permis de chasse et de pêche y étaient aussi abordées. Les données sur les pratiques culturelles étaient, quant à elles, partagées entre les chapitres « Culture » et « Loisirs et sports »; elles étaient relatives à la fréquentation des musées et autres établissements connexes, ainsi qu'au temps consacré aux activités de loisir. En ce qui a trait à l'emploi du temps, ce n'est que depuis 1995 qu'il en est question dans *Le Québec statistique*; on y décrit notamment une journée dans la vie des Québécois. Enfin, pour la première fois dans cette édition, l'ensemble des données relatives au loisir sont regroupées à l'intérieur d'un même chapitre.

L'organisation du loisir au Québec

Au palier local

La municipalité est le premier corps public de référence dans l'organisation du loisir au Québec. Au cœur de la vie de ses citoyens, elle permet d'offrir des activités et autres services adaptés aux besoins de sa population. De plus, elle met à leur disposition de nombreux équipements, notamment en leur rendant accessibles des infrastructures collectives par le biais d'ententes conclues avec les milieux scolaire, privé et associatif.

Les différents organismes sans but lucratif œuvrant dans les municipalités jouent aussi un rôle important dans l'offre d'activités de loisir et de sport à la population. En effet, ces organismes permettent aux citoyens de s'engager au sein de leur milieu, et ce, souvent bénévolement. Une récente étude estime à 600 000 le nombre de bénévoles québécois dans le milieu du loisir et du sport. De concert avec les municipalités, plus de 7 000 clubs locaux, regroupés en plus d'une centaine d'organismes régionaux et nationaux, dynamisent le milieu en offrant, eux aussi, des services à la population. Les propriétaires privés d'équipement et les institutions scolaires occupent également une place grandissante dans l'offre de services de loisir et de sport. En effet, ils s'ajoutent aux autres acteurs dans un monde concurrentiel où l'utilisateur assume les coûts des services reçus.

431

Au palier régional

Les 19 unités régionales de loisir et de sport (URLS) sont responsables du développement du loisir et du sport dans leur région. Elles ont comme principaux mandats la répartition de l'enveloppe budgétaire aux organismes du milieu, l'élaboration d'un plan d'action pluriannuel en matière de loisir et de sport devant tenir compte des particularités de la région, la coordination régionale de programmes tels que les Jeux du Québec et la formation de ressources humaines se consacrant au sport et au loisir. Les URLS participent à la révision et à l'émergence des mécanismes de concertation et de partenariat au sein des milieux associatif, municipal, scolaire ou privé. Ces organismes régionaux de loisir et de sport offrent aussi directement à la population des services grâce notamment à certains réseaux nationaux qui, avec l'aide de l'État, ont pu structurer davantage leur offre de services au niveau régional.

Au palier national

Le Secrétariat au loisir et au sport est l'instance gouvernementale responsable de favoriser le développement du loisir, du sport et du plein air, dans un cadre sain et sécuritaire, et de soutenir la promotion d'un mode de vie physiquement actif auprès de toute la population québécoise. Le Secrétariat travaille en collaboration avec ses partenaires, tant au niveau associatif que municipal, de la santé ou issus du domaine privé, en leur offrant un soutien financier et professionnel. De plus, il positionne le loisir, le sport et le plein air dans les différents projets et politiques du gouvernement. Il a aussi comme mandats d'éduquer à une pratique sécuritaire d'activités de loisir et de sport, d'augmenter la participation populaire aux activités récréatives, de faciliter la progression vers l'excellence, tant dans le domaine du loisir que dans celui du sport, ainsi que de combattre la sédentarité, notamment par le programme Kino-Québec. Le Secrétariat travaille en étroite collaboration avec ses partenaires, notamment le Conseil québécois du loisir qui joue un rôle de concertation et de représentation à l'égard des organismes nationaux de loisir, comptant environ 700 000 membres, la Corporation Sports-Québec qui représente les fédérations sportives qui comptent au total plus de 700 000 membres, la Fédération québécoise du sport étudiant, qui développe le réseau sportif présent tant au niveau primaire qu'universitaire, ainsi que l'Association québécoise du loisir municipal.

Les activités physiques, sportives et de plein air

Selon l'Organisation des Nations Unies pour l'éducation, la science et la culture (UNESCO), l'activité physique, le sport et l'éducation physique sont indispensables au mieux-être individuel et collectif. De plus, la littérature scientifique regorge de preuves selon lesquelles ces activités contribuent à réduire plusieurs maladies et problèmes sociaux.

L'ensemble de la population

L'*Enquête sociale et de santé 1998* dresse, entre autres choses, un portrait sommaire des activités physiques pratiquées par les Québécois à la fin du 20ᵉ siècle. Parmi les activités pratiquées au moins à une reprise au cours de l'année 1998, la marche pour fins d'exercice est la plus populaire dans l'ensemble de la population québécoise âgée de 15 ans et plus (tableau 11.1). Les Québécois s'y adonnent en effet dans une proportion de 73,2 %. Les autres activités les plus populaires sont la baignade (57,6 %), la danse (48,4 %), la randonnée à vélo (47,0 %) et le jardinage (45,0 %). Cependant, le pourcentage de participation varie selon le sexe des participants. Bien que le palmarès des activités les plus populaires reste sensiblement le même, certaines activités présentent une forte différence entre la participation des hommes et celle des femmes. Par exemple, le hockey, le golf et le baseball ont beaucoup plus d'adeptes de sexe masculin, alors que la marche pour fins d'exercice, la danse (disco, sociale ou autres), ainsi que le conditionnement physique de groupe (aérobie, *workout, step*, aqua-aérobie, etc.) sont beaucoup plus populaires chez les femmes.

Bien que le taux de participation soit élevé pour les activités pratiquées à au moins une reprise au cours de l'année, les adeptes ayant pratiqué la même activité à plus de 10 reprises sont beaucoup moins nombreux (tableau 11.2). En effet, les taux de pratique de toutes les activités, à l'exception de la marche et du conditionnement physique de groupe, diminuent de plus de la moitié. Cette diminution est particulièrement marquée pour certaines activités pratiquées de façon saisonnière, tel que le baseball, le soccer, le ski alpin et le ski de randonnée. Les activités où il y a une différence marquée entre la pratique des hommes et celle des femmes demeurent semblables à celles du tableau précédent.

Le niveau de scolarité a une influence sur la fréquence de la pratique d'activités physiques de loisir et de sport (plus de 20 minutes par séance, au moins une fois au cours d'une période de trois mois). En effet, les personnes ayant une scolarité plus faible pratiquent moins souvent de telles activités. Seulement 20,7 % des personnes ayant une scolarité jugée plus faible pratiquent des activités physiques de loisir trois fois et plus par semaine, contrairement à 31,7 % pour ceux dont la scolarité est considérée comme plus élevée (tableau 11.3). À l'inverse, pour ceux et celles qui ne pratiquent aucune activité physique de loisir, le pourcentage des personnes possédant une scolarité plus faible est de 42,0 %, contre 17,2 % chez les personnes dont la scolarité est plus élevée.

Le niveau de revenu semble aussi avoir un effet sur la fréquence de la pratique d'activités physiques de loisir, bien que cette association ne soit pas aussi constante et graduelle que pour le niveau de scolarité. Parmi ceux qui n'ont pratiqué aucune activité physique de loisir (plus de 20 minutes par séance, au moins une fois au cours d'une période de trois mois), il y a deux fois plus de personnes dont le revenu est jugé très pauvre (37,1 %) que de personnes dont le niveau de revenu est plus élevé (18,5 %).

Les personnes de 65 ans et plus

Le pourcentage de personnes ne pratiquant aucune activité augmente graduellement avec l'âge; les personnes de 65 ans et plus forment d'ailleurs une catégorie de la population présentant une forte proportion de gens sédentaires durant leurs loisirs. En effet, en 1998, 41,8 % des hommes et 49,1 % des femmes de ce groupe d'âge déclarent n'avoir pratiqué, dans leur temps libre, aucune activité physique de loisir d'une durée de 20 à 30 minutes par séance, au cours d'une période de trois mois (tableau 11.4). Cependant, 32,8 % des hommes de cette catégorie d'âge pratiquent des activités trois fois et plus par semaine, ce qui est supérieur à la catégorie des 25-44 ans (21,4 %). Les personnes de 65 ans et plus voient dans les diverses activités de loisir, tant physiques que d'autre nature, un moyen d'améliorer ou de maintenir leur niveau de santé, de faire des choses à leur propre rythme, d'être fières et satisfaites d'elles-mêmes et d'être en compagnie de gens plaisants.

Les femmes de 65 ans et plus pratiquent, globalement, moins d'activités physiques de loisir que les hommes. De plus, la différence semble s'accentuer depuis 1992-1993, puisque le taux de sédentarité des femmes est passé de 42,6 % à 49,1 %, par rapport à une hausse un peu moindre chez les hommes, soit de 36,7 % à 41,8 %. Ainsi, en 1998, une femme de 65 ans et plus sur deux ne fait aucune activité physique de loisir.

Les jeunes

Les jeunes Québécois de 15 à 24 ans constituent le groupe le plus actif physiquement. Ils ont accès à une large gamme d'activités présentées par les municipalités ou les différentes organisations scolaires. Cependant, certaines données semblent indiquer une diminution du niveau de pratique depuis les années 60 et une augmentation de 50 % de l'obésité juvénile depuis les années 80.

Cette hausse de la proportion de jeunes aux prises avec un problème d'excès de poids, ainsi que le taux élevé d'abandon de la pratique d'activités physiques parmi les 15-24 ans, confirment le fait que les efforts de promotion et d'éducation, dans ce secteur, doivent demeurer constants et que rien ne peut être considéré comme acquis. En effet, l'enquête de 1998 révèle que, entre le groupe d'âge des 15-16 ans et celui des 20-24 ans, le pourcentage de jeunes pratiquant une activité physique trois fois par semaine ou plus, à raison de plus de 20 minutes par séance, diminue presque de moitié, cette proportion passant de 66 % à 35 % pour les hommes et de 37 % à 22 % pour les femmes (figure 11.1).

Les pratiques culturelles[1]

Au fil du temps, les pratiques culturelles des Québécois ont évolué. Les activités de loisir ont suivi les transformations de la société en offrant de plus en plus de possibilités de réalisation de soi. On observe, par ailleurs, que les pratiques culturelles ont tendance à différer selon le groupe d'âge et le sexe. C'est donc en tenant compte de ces variables que le sujet est présenté, de façon à ce que les caractéristiques propres à chaque groupe soient mises en évidence.

Dans cette section, les thèmes abordés sont l'écoute télévisuelle et musicale, les habitudes de lecture, la fréquentation des établissements culturels, les sorties, la pratique d'activités en amateur et le bénévolat. Ces pratiques culturelles ne constituent pas une liste exhaustive à l'égard de toutes celles qui peuvent être rencontrées : elles sont suggérées par l'Enquête sur les pratiques culturelles des Québécoises et des Québécois, menée tous les cinq ans depuis 1979, par le ministère de la Culture et des Communications.

L'écoute télévisuelle

En 1999, le temps consacré à la télévision est en moyenne de 2,7 heures par jour, les personnes de plus de 35 ans accordant davantage de temps que les plus jeunes aux émissions télévisées (2,8 heures contre 2,5 heures). Près de la moitié des Québécois passent moins de 3 heures par jour devant leur téléviseur (48,9 %), auxquels s'ajoutent ceux qui ne l'écoutent pas du tout (6,8 %). À l'opposé de ces derniers, 8,0 % des Québécois consacrent plus de 5 heures quotidiennement aux émissions télévisées (tableau 11.5).

Les émissions écoutées avec le plus de régularité sont les bulletins de nouvelles et les émissions d'affaires publiques, avec des proportions un peu plus fortes chez les hommes que

---

1. Ce texte s'inspire d'une analyse effectuée par Rosalie Séguin-Noël, sous la supervision de Rosaire Garon du ministère de la Culture et des Communications, à partir des données de l'Enquête sur les pratiques culturelles des Québécoises et des Québécois.

chez les femmes. Les films sont aussi regardés par une majorité de personnes des différents groupes d'âge. Pour les émissions d'information, la proportion d'auditeurs augmente avec l'âge, alors que pour les films, la part des téléspectateurs a tendance à décroître. Les émissions à caractère humoristique sont particulièrement écoutées par les jeunes et, parmi eux, les garçons de 15 à 24 ans sont les plus assidus. Peu importe le groupe d'âge, les émissions d'humour sont à prédominance masculine, tout comme les émissions sportives. Ces dernières trouvent une grande proportion d'adeptes parmi les plus jeunes; cet intérêt semble toutefois s'atténuer en vieillissant. Par ailleurs, les téléromans et les miniséries ont un auditoire majoritairement formé de femmes, et ce, peu importe le groupe d'âge. La population féminine de 15 ans et plus est aussi davantage intéressée par les émissions de variété, les magazines, ainsi que par les spectacles et les concerts télévisés, que ne l'est la population masculine. Pour ces genres d'émissions, les femmes de 35 ans et plus sont les auditrices les plus assidues (tableau 11.6).

L'écoute musicale

Quel que soit le groupe d'âge, les personnes de 15 ans et plus écoutent beaucoup la radio (77,9 %), et optent majoritairement pour les stations FM. Outre la radio, la source d'écoute musicale la plus populaire est le disque (64,5 %), tant chez les personnes de 35 ans et moins que chez celles de plus de 35 ans. Les cassettes comptent également parmi les sources d'écoute les plus appréciées (44,1 %). Par ailleurs, les jeunes de 15 à 24 ans passent plus de temps que leurs aînés devant les chaînes musicales de la télévision et font un plus grand usage du baladeur et du réseau Internet comme moyen d'écoute musicale. En fait, ces derniers explorent toutes les sources d'écoute de la musique, tandis que les personnes de 25 ans et plus ont plutôt tendance à n'en privilégier qu'une ou deux (tableau 11.7).

Les goûts musicaux des jeunes de 15 à 24 ans sont très variés; on note toutefois une préférence marquée pour la musique rock (30,4 %). Un engouement pour la musique new wave, heavy metal, alternative et grunge est également observé chez ces jeunes (19,1 %), alors que le groupe des 25-35 ans préfère, après le rock (36,9 %), la musique classique (11,7 %). À l'instar de leurs cadets, les adultes de plus de 35 ans apprécient la musique rock (20,3 %); celle-ci s'avère cependant leur deuxième choix, puisqu'ils favorisent d'abord l'écoute de la musique classique (33,4 %) (tableau 11.8).

Les habitudes de lecture

De 1989 à 1999, on remarque généralement que les femmes forment un lectorat plus assidu que les hommes, sauf pour ce qui est des journaux quotidiens. En effet, les hommes de tous âges sont des lecteurs plus réguliers des journaux quotidiens. Une baisse de l'intérêt pour ce genre de lecture a toutefois été observée en 1999, une tendance qui se dégage également chez les femmes. Néanmoins, cette source de lecture demeure la plus répandue, quel que soit le sexe (tableau 11.9). Les Québécois de plus de 35 ans montrent davantage d'intérêt que les plus jeunes pour la presse quotidienne et régionale et sont, en proportion, un peu plus nombreux que ces derniers à lire des livres. En revanche, les jeunes de 15 à 24 ans sont plus intéressés par les revues et les magazines que ne le sont leurs aînés.

Certaines lectures sont plus typiques du lectorat féminin et d'autres, du lectorat masculin. Les femmes affectionnent particulièrement la littérature romanesque et les ouvrages qui abordent des sujets qui les touchent personnellement, comme le foyer, la santé, la psychologie et l'ésotérisme. De leur côté, les hommes s'intéressent davantage à la connaissance scientifique, à l'actualité, à l'histoire, à l'informatique et aux bandes dessinées. Le roman est le genre de livre le plus populaire auprès des différents groupes d'âge, sauf pour les hommes de plus de 35 ans. Ces derniers manifestent une légère préférence pour les livres traitant d'histoire, de généalogie et de patrimoine, ou encore pour les biographies (tableau 11.10).

La fréquentation des établissements culturels

Les établissements culturels les plus fréquentés par les Québécois de 15 ans et plus sont les librairies (61,5 %). À l'inverse, les établissements qui semblent les attirer le moins sont les centres d'archives (9,3 %). Les librairies, les bibliothèques municipales, les attractions scientifiques (tels le biodôme ou le planétarium), de même que les aquariums sont davantage fréquentés par les personnes de 35 ans et moins que par leurs aînés. Par contre, une plus forte proportion de ces derniers fréquente les jardins botaniques, les salons de métiers d'art, les galeries d'art commerciales et les salons du livre. Quant aux musées d'art, ils affichent des proportions égales chez les trois groupes d'âge (tableau 11.11). En 1998, la région de Montréal accueille le plus grand nombre de visiteurs dans l'ensemble de ses musées, soit 3 097 566, mais c'est dans l'Outaouais que le nombre moyen de visiteurs dans les institutions muséales régionales est le plus important (76 895) (tableau 11.12).

Les sorties

Les sorties regroupent un vaste éventail d'activités, dont la plus populaire auprès de tous les groupes d'âge est sans conteste le cinéma. Il faut cependant souligner que les personnes de 35 ans et moins affichent un taux de fréquentation plus élevé que celui des adultes de plus de 35 ans (88,0 % en regard de 62,9 %). Une importante proportion de la population prend également part aux différents festivals, le groupe des 15-35 ans manifestant un intérêt particulier pour ce genre d'événement. La fréquentation des salles de danse et des discothèques, l'assistance à des spectacles présentés dans les bars et les boîtes de nuit, ainsi que l'assistance à des concerts, à des matchs sportifs et à des spectacles d'humour, semblent aussi intéresser spécialement les 15-35 ans. Par ailleurs, d'autres sorties sont plus typiques des adultes de plus de 35 ans, comme c'est le cas pour le théâtre d'été et les grands spectacles musicaux. Pareillement, les concerts de chant choral et de musique classique sont plus appréciés de ces derniers que des plus jeunes. Enfin, on observe que certaines activités, pour lesquelles l'offre est plus restreinte, présentent un faible taux d'assistance; c'est le cas notamment pour les spectacles de danse et le cirque (tableau 11.13).

La pratique d'activités en amateur

Une majorité de Québécois s'adonnent à l'activité sportive, bien que l'on observe une baisse de l'assiduité avec l'âge. La pratique d'activités artistiques devient également moins populaire en vieillissant, la principale exception étant la danse sociale qui obéit à la tendance inverse (5,0 % chez les 15-24 ans comparativement à 8,5 % chez les adultes de plus de 35 ans). Les activités artistiques qui semblent le plus intéresser les Québécois de 15 ans et plus sont la photographie (24,2 %), les arts plastiques et l'artisanat (21,4 %), l'écriture (16,3 %) et la musique (16,1 %). Par ailleurs, environ une personne sur quatre s'adonne aux loisirs scientifiques, une proportion qui se maintient quel que soit le groupe d'âge (tableau 11.14).

Le bénévolat

Entre 1989 et 1999, une baisse de la proportion de bénévoles parmi la population de 15 ans et plus a été enregistrée (34,0 % en 1989 contre 30,0 % en 1999). En 1999, le groupe des 15-24 ans et celui des plus de 35 ans font du bénévolat dans près de 30 % des cas. Toutefois, la part de bénévoles parmi les 25-35 ans est à peine supérieure à 25 %. Les organismes de bienfaisance attirent la plus forte proportion de bénévoles, peu importe le groupe d'âge. On observe cependant un pourcentage un peu plus élevé chez les adultes de plus de 35 ans. Ces derniers se montrent également plus intéressés par les causes sociales et religieuses que ne le sont leurs cadets. Les jeunes de 15 à 24 ans, quant à eux, semblent s'impliquer davantage que leurs aînés au sein des organismes sportifs, culturels et de loisir (tableau 11.15).

La culture, dans ses diverses formes d'expression, rejoint la plupart des Québécois dans la vie quotidienne, comme dans les moments plus exceptionnels. Les différences qui ressortent en fonction du sexe et de l'âge des répondants mettent en lumière des univers culturels propres à chaque groupe. Les clivages traditionnels, issus d'une répartition des rôles sociaux basée sur le sexe, sont encore perceptibles dans les activités culturelles que choisissent les hommes et les femmes aujourd'hui. Par ailleurs, les jeunes de 15 à 24 ans ont des pratiques qui s'inscrivent dans un processus de recherche et d'édification d'une identité culturelle, alors que le groupe des 25-35 ans a des centres d'intérêt qui se rapprochent davantage de ceux de la population de plus de 35 ans.

L'emploi du temps

Les activités sportives et culturelles s'inscrivent à l'intérieur du temps libre dont disposent les gens. Le fait de situer ce dernier dans un cadre journalier permet d'en relativiser l'importance par rapport au temps consacré aux soins personnels et aux activités productives.

Une journée dans la vie des Québécois

L'Enquête sociale générale, réalisée par Statistique Canada, a permis de recueillir en 1998, des informations détaillées sur l'emploi du temps des Québécois et des Canadiens de 15 ans et plus. À partir de ces données, il devient possible d'établir le profil de l'emploi du temps au Québec au cours d'une journée moyenne, représentative des sept jours de la semaine.

Le temps requis par les soins personnels (sommeil, alimentation et hygiène) représente une exigence largement incompressible (tableau 11.16). Les femmes y consacrent 11,0 heures par jour contre 10,6 dans le cas des hommes, soit un écart de 21 minutes par jour.

Le temps productif s'applique aux activités requises pour assurer les conditions matérielles de l'existence; il comprend d'une part le temps consacré aux activités professionnelles (travail rémunéré, études et activités de formation) et, d'autre part, le temps exigé par les activités domestiques (travail ménager, soins aux membres du ménage, courses et emplettes). Au Québec, les hommes et les femmes consacrent une durée égale aux activités productives, soit 7,2 heures par jour. Une telle parité s'accompagne cependant de la persistance de la division sexuelle des tâches : 65 % du temps productif des hommes est accaparé par les activités professionnelles, alors que 57 % de celui des femmes demeure orienté vers les activités domestiques.

Une fois que la durée des activités productives et celle des soins personnels sont comptabilisées, le temps qui reste devient disponible pour les activités de temps libre. Les hommes allouent 6,2 heures par jour aux activités de temps libre contre 5,8 heures pour les femmes, soit un écart de 22 minutes par jour.

Les Québécois consacrent moins de temps aux activités productives que l'ensemble des Canadiens. Avec l'Ontario notamment, l'écart atteint environ 36 minutes en moins par jour dans le cas des femmes et 51 minutes dans celui des hommes. En revanche, les Québécois consacrent davantage de temps aux soins personnels que leurs voisins ontariens, soit 29 minutes de plus dans le cas des femmes et 34 minutes dans celui des hommes.

L'emploi du temps obéit au rythme de différents cycles; chacun se conforme plus ou moins à un horaire quotidien d'activités, auquel réfère l'expression consacrée de « métro, boulot, dodo ». L'activité productive est également caractérisée par un cycle hebdomadaire de l'emploi du temps, marqué par l'alternance des jours de semaine et des jours de fin de semaine (tableau 11.17). Entre le lundi et le vendredi, les hommes allouent 8,3 heures par jour en moyenne aux activités productives, contre 4,6 heures en fin de semaine, alors que ces valeurs atteignent 7,9 et 5,3 heures respectivement chez les femmes. Le cycle des saisons module également l'emploi du temps. Les hommes et les femmes consacrent le plus de temps aux activités productives en automne et au printemps. La saison hivernale est celle qui laisse le plus de temps libre aux hommes ainsi qu'aux femmes, soit 6,3 heures par jour.

En plus de la durée, les relations avec l'entourage et la présence en des lieux précis constituent des dimensions essentielles de toute activité humaine. Au Québec, en 1998, les femmes passent 17,2 heures par jour à leur domicile contre 15,5 pour les hommes (tableau 11.18). Ces derniers passent 2,9 heures par jour sur les lieux de leur travail, comparativement à 1,8 dans le cas des femmes. Par ailleurs, les femmes passent en moyenne 5,4 heures par jour seules, contre 5,3 heures pour les hommes; elles passent plus de temps avec les enfants du ménage que les hommes (1,7 heure contre 1,2 heure) et plus de temps avec d'autres membres de la famille (2,9 heures contre 2,0 heures). Par contre, elles passent moins de temps avec des amis ou d'autres personnes extérieures à la famille (tableau 11.19).

L'enquête de 1986 ne couvre que l'automne, alors que celles de 1992 et de 1998 portent sur l'année entière. Comme le changement des saisons se traduit par des modifications notables de l'emploi du temps, les résultats présentés pour 1986 et ceux des années 1992 et 1998 ne peuvent être tout à fait comparables, à moins de limiter la comparaison aux résultats de l'automne 1992 et de l'automne 1998. Malgré leur présence de plus en plus affirmée sur le marché du travail, les femmes n'affichent qu'une faible augmentation de 0,4 heure du temps professionnel entre l'automne 1986 et celui de 1998; le temps consacré aux activités domestiques en 1998 est de 4,0 heures par jour, comme en 1986. Par contre, entre 1986 et 1998, les hommes ont réduit leur temps professionnel et accru leur temps domestique.

Le temps libre

En 1998, les hommes allouent 6,2 heures par jour aux activités de temps libre, contre 5,8 heures par jour dans le cas des femmes. Si l'on regroupe les activités de temps libre en quatre catégories différentes (tableau 11.20), on observe qu'elles sont d'importance inégale. Ce sont les activités relatives au bénévolat et aux associations sociales ou religieuses qui exigent le moins de temps de la part des hommes et des femmes, soit respectivement 20 et 24 minutes par jour. Les hommes et les femmes accordent sensiblement la même importance aux activités de divertissement avec respectivement 100 et 104 minutes par jour; les hommes allouent 71 minutes par jour aux activités sportives, contre 57 minutes pour les femmes. Les activités relatives aux médias accaparent près de 50 % du temps libre; les hommes y consacrent 3,0 heures par jour, contre 2,7 heures dans le cas des femmes.

Les Québécois, à l'instar de l'ensemble des Canadiens, disposent de plus de temps libre en 1998 qu'en 1986. Les gains en temps libre se caractérisent par une augmentation du temps consacré au bénévolat et aux organisations sociales ou religieuses, aux sorties et aux divertissements, ainsi qu'à la pratique des sports et des passe-temps. Seul le temps consacré aux médias enregistre un recul entre 1986 et 1998.

Il faut souligner que la moyenne de temps n'est pas toujours la statistique la plus appropriée pour décrire l'emploi du temps d'une population; le taux de participation à une activité, c'est-à-dire la proportion de la population qui déclare avoir consacré du temps à une activité donnée au cours d'une journée moyenne, permet de déterminer à quel point la pratique de cette activité est généralisée. Lorsque ce taux de participation est faible, la durée par les seuls participants constitue souvent un meilleur indicateur du temps consacré à la réalisation de l'activité que la moyenne établie pour l'ensemble de la population.

Les taux de participation à diverses catégories d'activités de temps libre se situent à des niveaux relativement bas, si bien qu'il faut prendre en considération le temps que les participants accordent à ces activités si l'on veut mesurer leur importance réelle dans l'horaire quotidien de ceux et celles qui en sont les adeptes (tableau 11.21). À titre d'exemple, dans l'ensemble de la population de 15 ans et plus, les hommes et les femmes accordent en moyenne 20 et 24 minutes par jour aux activités relatives au bénévolat et aux organisations civiques et religieuses. Par contre, chez les personnes qui s'adonnent à ces activités, la durée de participation est respectivement de 2,0 et de 2,9 heures par jour pour les hommes et de 2,0 et de 2,6 heures pour les femmes, selon que leur lieu de résidence soit dans une région métropolitaine de recensement ou non.

Le temps libre s'avère, pour l'essentiel, consacré à un nombre restreint d'activités; à elles seules, les cinq activités les plus importantes, comprenant l'écoute de la télévision, les rencontres entre parents ou amis, la conversation, la lecture de revues ou de magazines, et enfin la lecture des journaux, comptent pour plus de 60 % du temps libre des hommes et des femmes.

L'écoute de la télévision demeure sans conteste la principale activité de temps libre avec 135 minutes par jour pour les hommes et 114 minutes pour les femmes (tableau 11.22). Le temps d'écoute enregistre cependant une diminution entre 1986 et 1998, atteignant 26 minutes pour les hommes et 18 minutes pour les femmes. L'emprise de la télévision continue à s'exercer par l'écoute en direct d'émissions (121 minutes pour les hommes et 102 minutes pour les femmes). L'introduction du magnétoscope n'a exercé qu'un effet limité sur les temps d'écoute : le visionnage de cassettes commerciales demeure une activité mineure qui n'occupe en moyenne que près de 9 minutes par jour dans le cas des hommes et 7 minutes dans celui des femmes; l'écoute d'émissions enregistrées au magnétoscope reste limitée à moins de 5 minutes par jour.

La seconde place parmi les activités de temps libre est occupée par les rencontres de parents ou d'amis; les femmes y consacrent 67 minutes par jour contre 57 minutes environ pour les hommes. Chez les femmes, une forte proportion de ce temps de rencontre s'effectue à l'occasion d'un repas (36 minutes par jour) alors que, dans le cas des hommes, les activités de rencontre se produisent le plus souvent sans repas (29 minutes par jour). Les rencontres de parents ou d'amis surviennent surtout en fin de semaine; on y accorde alors environ deux fois plus de temps qu'en semaine (tableau 11.23). Chez les femmes et les hommes, le printemps et l'été semblent les saisons les plus propices aux visites de parents ou d'amis; l'automne est celle où l'on y consacre le moins de temps.

Le temps consacré à la lecture approche la demi-heure par jour; les hommes continuent à accorder leur préférence aux journaux avec près de 14 minutes par jour, alors que le choix des femmes se porte davantage vers les revues ou les magazines auxquels elles accordent en moyenne près de 20 minutes par jour. La lecture est un passe-temps auquel on se livre davantage en été ou en hiver. C'est en hiver que l'on consacre le plus de temps à la lecture des magazines, alors que les journaux sont lus davantage par les hommes en automne et par les femmes en hiver.

La conversation occupe moins de temps que la lecture des magazines chez les femmes et moins que celle des journaux chez les hommes. L'enquête sur l'emploi du temps précise qu'il peut s'agir de conversation en personne ou au téléphone.

Références

Les activités physiques, sportives et de plein air

NOLIN, B., G. GODIN et D. PRUD'HOMME. « Activité physique », dans *Enquête sociale et de santé 1998*, Québec, Institut de la statistique du Québec, 2000, chapitre 7, p. 171-183.
NOLIN, B., G. GODIN, D. PRUD'HOMME et D. HAMEL. *Enquête sociale et de santé 1998*, Québec, Institut de la statistique du Québec, 2001 (données non publiées).

Les pratiques culturelles

GOUVERNEMENT DU QUÉBEC. *Les pratiques culturelles des jeunes de 15 à 35 ans en 1999*, [En ligne], Ministère de la Culture et des Communications, [http://www.mcc.gouv.qc.ca] (novembre 2000).
GOUVERNEMENT DU QUÉBEC. *Portrait statistique des institutions muséales du Québec 1998*, [En ligne], Ministère de la Culture et des Communications, [http://www.mcc.gouv.qc.ca] (décembre 2000).
INSTITUT DE LA STATISTIQUE DU QUÉBEC. *Indicateurs d'activités culturelles au Québec*, Québec, Gouvernement du Québec.
MINISTÈRE DE LA CULTURE ET DES COMMUNICATIONS. *La culture en pantoufles et souliers vernis : rapport d'enquête sur les pratiques culturelles au Québec*, Sainte-Foy, Direction de la recherche, de l'évaluation et des statistiques et Bibliothèque du ministère de la Culture et des Communications, Les Publications du Québec, 1997, 220 p.

L'emploi du temps

BUREAU DE LA STATISTIQUE DU QUÉBEC. « Culture et Loisirs », dans *Le Québec statistique*, Québec, Les Publications du Québec, 1995, chapitre 19, p. 547-585.
LAROCHE, Denis. « L'emploi du temps », dans *Les conditions de vie au Québec : un portrait statistique*, Québec, Bureau de la statistique du Québec, 1996, chapitre 7, p. 221-247.

Tableau 11.1
Activités physiques de loisir pratiquées au moins une fois[1] selon le sexe, population de 15 ans et plus, Québec, 1998

Activités	Hommes	Femmes	Sexes réunis
		%	
Marche pour des fins d'exercice	67,6	78,8	73,2
Baignade	57,3	57,8	57,6
Danse (disco, sociale ou autre)	43,3	53,3	48,4
Randonnée à vélo	51,9	42,2	47,0
Jardinage	41,6	48,3	45,0
Patinage libre sur glace	30,1	27,5	28,8
Quilles	28,8	24,1	26,4
Bicyclette stationnaire	24,0	27,4	25,7
Natation (cours, entraînement ou faire « des longueurs »)	24,4	25,2	24,8
Conditionnement physique individuel (en salle d'entraînement)	24,1	18,4	21,2
Jogging ou course à pied	24,6	15,4	19,9
Patin à roulettes alignées (ou autres) durant les temps libres	19,9	17,8	18,9
Golf	25,7	10,5	18,0
Vélo de montagne (en sentier)	23,1	13,1	18,0
Badminton	18,6	16,1	17,3
Canot ou chaloupe à rames	22,0	12,5	17,2
Conditionnement physique en groupe (aérobie, *workout*, *step*, aqua-aérobie, etc.)	11,5	20,2	15,9
Hockey	25,9	4,8	15,3
Volleyball	17,3	12,8	15,0
Ski alpin ou télémark (excluant surf des neiges)	17,1	11,7	14,3
Motoneige	17,7	10,3	14,0
Ski de randonnée (ski de fond)	14,5	13,0	13,7
Basketball (ballon-panier)	16,7	10,6	13,6
Baseball	19,1	7,1	13,1
Tennis	16,1	10,0	13,0
Soccer	14,7	6,8	10,7
Tennis sur table (ping-pong)	14,3	7,0	10,6
Raquette sur neige	9,4	5,8	7,6
Softball	11,5	3,5	7,4
Surf des neiges (« planche à neige »)	5,5	2,4	3,9
Ski nautique	5,6	2,2	3,9
Escalade (glace et rocher)	5,0	2,9	3,9
Kayak	4,2	2,9	3,5
Karaté, taekwondo ou autres activités semblables	4,4	2,1	3,2
Voile	3,7	1,9	2,8
Racquetball ou squash	3,6	1,1	2,4
Escalade (murs)	2,9	1,6	2,2
Curling	2,3	1,4	1,8
Planche à voile	2,7	1,0	1,8
Judo	1,3	0,5*	0,9

1. Activités pratiquées au moins une fois au cours des 12 derniers mois précédant l'enquête.
* Coefficient de variation entre 15 % et 25 %; interpréter avec prudence.

Source : Institut de la statistique du Québec, *Enquête sociale et de santé 1998*, données non publiées.

Tableau 11.2
Activités physiques de loisir pratiquées au moins 10 fois¹ selon le sexe, population de 15 ans et plus, Québec, 1998

Activités	Hommes	Femmes	Sexes réunis
		%	
Marche pour des fins d'exercice	42,7	51,7	47,2
Baignade	25,2	27,2	26,2
Jardinage	20,5	24,5	22,5
Randonnée à vélo	24,3	16,8	20,5
Danse (disco, sociale ou autre)	12,6	16,7	14,7
Conditionnement physique individuel (en salle d'entraînement)	15,1	10,6	12,8
Bicyclette stationnaire	11,1	12,0	11,6
Natation (cours, entraînement ou faire « des longueurs »)	9,3	10,1	9,7
Conditionnement physique en groupe (aérobie, *workout*, *step*, aqua-aérobie, etc.)	6,6	12,0	9,3
Jogging ou course à pied	11,2	5,3	8,2
Patin à roulettes alignées (ou autres) durant les temps libres	8,1	5,9	7,0
Vélo de montagne (en sentier)	9,3	3,9	6,5
Hockey	11,8	0,7*	6,2
Golf	8,8	2,5	5,6
Badminton	6,1	4,1	5,1
Quilles	5,8	4,4	5,1
Patinage libre sur glace	6,3	3,5	4,9
Motoneige	6,7	2,5	4,6
Basketball (ballon-panier)	5,8	3,0	4,4
Volleyball	4,7	3,8	4,2
Baseball	5,8	1,1	3,4
Ski alpin ou télémark (excluant surf des neiges)	4,4	2,5	3,4
Ski de randonnée (ski de fond)	3,7	2,9	3,3
Tennis	4,5	2,1	3,3
Soccer	4,1	1,2	2,6
Canot ou chaloupe à rames	3,6	1,3	2,4
Softball	4,1	0,8*	2,4
Tennis sur table (ping-pong)	3,5	0,8*	2,1
Karaté, taekwondo ou autres activités semblables	2,7	1,0	1,8
Surf des neiges (« planche à neige »)	2,3	0,5*	1,4
Raquette sur neige	1,8	0,6*	1,2
Ski nautique	1,1	—	0,7
Racquetball ou squash	1,0	—	0,6
Curling	0,7*	—	0,5
Escalade (glace et rocher)	0,7*	—	0,5*
Voile	0,7*	—	0,5*
Escalade (murs)	0,6*	—	0,4*
Judo	0,6*	—	0,4*
Kayak	0,5*	—	0,4*
Planche à voile	0,5*	—	0,3*

1. Activités pratiquées au moins 10 fois au cours des 12 derniers mois précédant l'enquête.
* Coefficient de variation entre 15 % et 25 %; interpréter avec prudence.

Source : Institut de la statistique du Québec, *Enquête sociale et de santé 1998*, données non publiées.

Tableau 11.3

Fréquence de la pratique d'activités physiques de loisir[1] selon la scolarité relative et le niveau de revenu, population de 15 ans et plus, Québec, 1998

	Trois fois et plus/ semaine	Deux fois/ semaine	Une fois/ semaine	Une à trois fois/ mois	Aucune fois
			%		
Scolarité relative					
Plus faible	20,7	11,0	8,9	17,3	42,0
Faible	24,3	12,3	11,5	18,8	33,2
Moyenne	26,8	14,6	12,2	18,7	27,9
Élevée	26,0	14,3	14,2	20,5	25,1
Plus élevée	31,7	16,8	15,0	19,4	17,2
Niveau de revenu					
Très pauvre	28,9	9,9	8,8	15,3	37,1
Pauvre	24,2	11,1	10,8	18,5	35,3
Moyen inférieur	24,5	12,9	12,4	19,0	31,2
Moyen supérieur	25,7	14,9	13,1	19,3	27,0
Supérieur	30,8	17,2	13,0	20,5	18,5

1. Activités physiques de loisir pratiquées à une intensité d'effort se rapprochant des niveaux moyen ou plus élevé, à raison de plus de 20 minutes par séance, au cours des trois derniers mois précédant l'enquête. Cette catégorie exclut les activités physiques de transport.

Source : Institut de la statistique du Québec, *Enquête sociale et de santé 1998.*

Tableau 11.4

Fréquence de la pratique d'activités physiques de loisir[1] selon le sexe et le groupe d'âge, population de 15 ans et plus, Québec, 1992-1993 et 1998

Sexe et groupe d'âge	Unité	Trois fois et plus/ semaine		Deux fois/ semaine		Une fois/ semaine		Une à trois fois/ mois		Aucune fois	
		1992-1993	1998	1992-1993	1998	1992-1993	1998	1992-1993	1998	1992-1993	1998
Hommes	%	28,1	27,9	13,6	13,8	13,9	11,8	19,9	17,8	24,6	28,8
15-24 ans	%	43,2	43,3	16,8	15,3	12,8	13,0	18,7	18,4	8,5	9,9
25-44 ans	%	21,6	21,4	14,2	14,8	15,8	14,2	24,3	22,7	24,2	27,0
45-64 ans	%	25,7	25,9	12,2	13,2	13,2	9,2	18,1	14,6	30,8	37,2
65 ans et plus	%	37,6	32,8	9,1	9,2	8,9	8,3	7,7	7,9	36,7	41,8
Femmes	%	22,6	24,1	12,6	13,7	15,6	12,8	21,0	20,1	28,2	29,2
15-24 ans	%	25,4	25,8	16,4	18,5	18,0	18,8	26,8	25,1	13,4	11,8
25-44 ans	%	17,8	20,3	12,8	14,5	16,3	13,9	26,2	26,1	27,0	25,2
45-64 ans	%	26,7	28,1	11,6	13,0	14,7	9,9	15,5	15,1	31,5	33,9
65 ans et plus	%	26,5	24,5	9,4	7,9	12,5	9,4	9,0	9,1	42,6	49,1
Sexes réunis	%	25,3	26,0	13,1	13,8	14,8	12,3	20,5	19,0	26,4	29,0
Population estimée	'000	...	1 514	...	798	...	717	...	1 102	...	1 695

1. Activités physiques de loisir pratiquées à une intensité d'effort se rapprochant des niveaux moyen ou plus élevé, à raison de plus de 20 minutes par séance, au cours des trois derniers mois précédant l'enquête. Cette catégorie exclut les activités physiques de transport.

Sources : Santé Québec, *Enquête sociale et de santé 1992-1993.*
    Institut de la statistique du Québec, *Enquête sociale et de santé 1998.*

Figure 11.1
Proportion des jeunes de 15 à 24 ans qui pratiquent des activités physiques[1], selon le sexe et le groupe d'âge, Québec, 1998

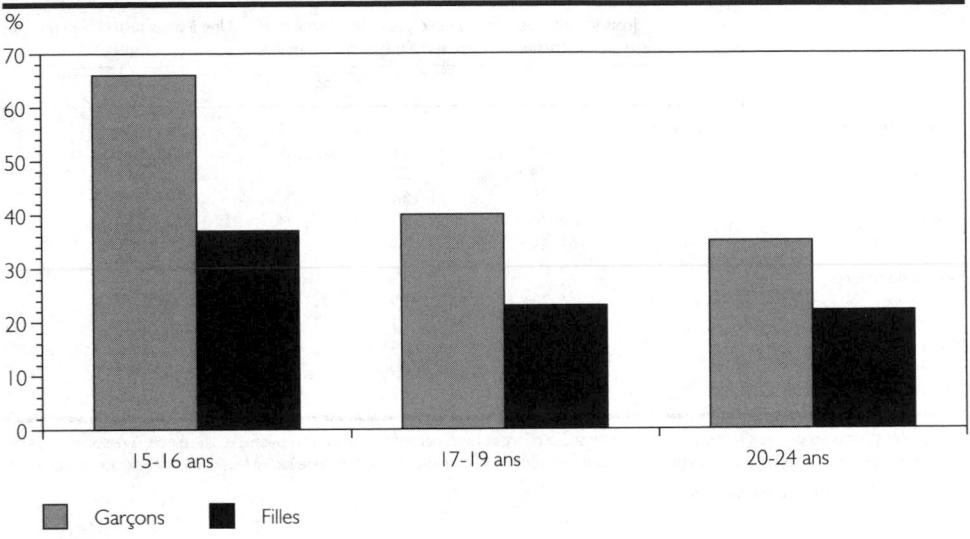

1. Activités pratiquées à une intensité d'effort se rapprochant des niveaux moyen ou plus élevé, trois fois et plus par semaine, 20 à 30 minutes par séance, au cours d'une période de trois mois.

Source : Comité scientifique Kino-Québec, 2000.

Tableau 11.5
Proportion de la population de 15 ans et plus selon le nombre d'heures d'écoute quotidienne de la télévision et le groupe d'âge, Québec, 1989-1999

Nombre d'heures	Personnes de 15 ans et plus			15-24 ans	25-35 ans	Plus de 35 ans
	1989	1994	1999	1999		
			%			
Aucune	1,1	2,0	6,8	4,9	7,6	7,0
Moins de trois heures	63,4	53,3	48,9	53,4	53,9	46,1
De trois à cinq heures	25,8	36,8	36,4	34,4	33,1	38,0
Plus de cinq heures	9,7	8,1	8,0	7,3	5,4	8,9

Source : Ministère de la Culture et des Communications, Direction de l'action stratégique, de la recherche et de la statistique.

Tableau 11.6
Genre d'émissions écoutées[1] par la population de 15 ans et plus, selon le groupe d'âge et le sexe, Québec, 1999

Genre d'émissions	15-24 ans		25-35 ans		Plus de 35 ans	
	Hommes	Femmes	Hommes	Femmes	Hommes	Femmes
	%					
Nouvelles, affaires publiques	69,7	64,6	86,2	79,7	91,0	90,3
Films	78,9	82,7	67,6	71,7	68,3	58,3
Humour, sketches	68,2	59,6	54,4	50,8	50,1	42,7
Téléromans	29,6	64,9	28,5	55,4	31,4	61,0
Dessins animés, films d'animation	44,1	44,9	35,6	34,8	16,0	14,5
Miniséries	33,7	51,7	30,6	43,9	29,9	50,0
Émissions sportives	62,6	19,4	48,3	17,2	46,6	19,0
Variétés, magazines	24,6	33,7	24,6	26,6	30,7	41,2
Jeux, jeux-questionnaires	23,2	22,5	19,2	18,9	19,9	30,1
Spectacles de théâtre et de danse, concerts	16,2	23,2	15,2	21,8	24,8	38,3

1. Émissions écoutées régulièrement ou assez souvent.

Source : Ministère de la Culture et des Communications, *Les pratiques culturelles des jeunes de 15 à 35 ans en 1999.*

Tableau 11.7
Proportion de la population de 15 ans et plus selon la source d'écoute musicale[1] et le groupe d'âge, Québec, 1989-1999

Source d'écoute	Personnes de 15 ans et plus			15-24 ans	25-35 ans	Plus de 35 ans
	1989	1994	1999	1999		
	%					
Radio FM	77,3	75,5	75,1	83,2	88,2	83,1
Radio AM	28,6	21,2	11,8	6,0	7,6	16,9
Disques (vinyles et compacts)	31,3	47,6	64,5	86,4	83,9	68,0
Cassettes	58,0	59,1	44,1	58,3	43,3	49,5
Télévision (chaînes musicales)	18,5	18,5	18,4	39,4	19,0	16,3
Baladeur	12,3	15,7	15,1	41,8	16,7	10,7
Internet (échantillons musicaux, format MP3, concerts en direct...)	..	..	5,2	14,7	5,3	9,2

1. Écoute fréquente.

Source : Ministère de la Culture et des Communications, Direction de l'action stratégique, de la recherche et de la statistique.

Tableau 11.8
Genre de musique écoutée régulièrement par la population de 15 ans et plus, selon le groupe d'âge, Québec, 1999

Genre de musique	15-24 ans	25-35 ans	Plus de 35 ans
	%		
Ambiance, semi-classique	0,7	3,8	8,3
Chansonniers	2,7	4,7	3,2
Classique	5,6	11,7	33,4
Danse, disco	4,3	3,8	1,3
Jazz, blues	3,4	5,5	4,4
New wave, heavy metal, alternatif, grunge	19,1	5,9	0,4
Populaire	2,7	5,1	4,9
Rap, hip-hop	16,1	2,2	0,3
Rock	30,4	36,9	20,3
Western, country	1,4	4,6	7,1
Musique de la radio	5,1	5,7	5,7
Autres	4,5	5,2	7,2
Aucun en particulier	4,0	4,9	3,5

Source : Ministère de la Culture et des Communications, *Les pratiques culturelles des jeunes de 15 à 35 ans en 1999.*

Tableau 11.9
Proportion de la population de 15 ans et plus selon la source de lecture[1] et le sexe, Québec, 1989-1999

Source de lecture	1989		1994		1999	
	Hommes	Femmes	Hommes	Femmes	Hommes	Femmes
	%					
Journaux quotidiens	80,0	74,8	80,3	72,9	74,1	67,8
Hebdos régionaux	..	..	..	..	56,4	63,6
Revues et magazines	57,4	63,5	58,8	67,4	51,8	59,3
Livres	42,0	63,8	45,6	67,5	41,7	61,9

1. La définition du lecteur varie selon la source de lecture. Pour les quotidiens, le lecteur est celui qui en lit un exemplaire au moins une fois par semaine et pour les hebdos, c'est celui qui en lit un exemplaire au moins tous les mois. Pour les revues et les magazines, tout comme pour les livres, le lecteur est celui qui déclare en lire très souvent ou assez souvent.

Source : Ministère de la Culture et des Communications, Direction de l'action stratégique, de la recherche et de la statistique.

Tableau 11.10
Genre de livres lus par la population de 15 ans et plus, selon le groupe d'âge et le sexe, Québec, 1999

Genre de livres	35 ans et moins		Plus de 35 ans	
	Hommes	Femmes	Hommes	Femmes
	%			
Roman	66,4	87,8	59,5	76,2
Biographie, autobiographie	38,7	52,0	60,1	74,0
Album, bande dessinée	50,8	30,7	25,0	15,5
Santé, médecines douces, bonne forme	32,0	52,2	44,4	62,7
Développement personnel, psychologie	30,7	51,0	36,3	49,9
Bricolage, cuisine, horticulture	33,2	48,1	48,9	56,0
Scientifique (éducation, médecine, économie)	47,7	32,0	52,6	32,3
Ouvrage documentaire, actualité	42,9	33,2	54,9	48,4
Histoire, généalogie, patrimoine	44,4	27,9	60,8	46,6
Poésie	27,3	31,6	23,5	29,0
Ordinateur, micro-informatique	39,2	18,5	35,3	18,6
Livre d'art ou sur l'art	26,0	26,1	34,3	35,0
Essai	30,4	21,3	30,2	28,9
Ésotérisme, parapsychologie	19,8	25,7	18,5	24,1
Livre religieux, annales	18,0	12,5	24,9	30,1

Source : Ministère de la Culture et des Communications, *Les pratiques culturelles des jeunes de 15 à 35 ans en 1999*.

Tableau 11.11
Proportion de la population de 15 ans et plus selon les établissements culturels fréquentés et le groupe d'âge, Québec, 1989-1999

Établissements culturels	Population de 15 ans et plus			15-24 ans	25-35 ans	Plus de 35 ans
	1989	1994	1999	1999		
	%					
Librairie	59,5	62,3	61,5	65,9	65,8	59,1
Bibliothèque municipale	34,3	31,5	37,3	45,7	38,2	35,0
Attraction (biodôme, planétarium…)	..	..	26,5	31,3	31,6	23,7
Jardin zoologique	..	..	23,5	21,7	32,1	21,3
Jardin botanique	..	..	30,7	27,6	26,9	32,4
Aquarium	..	..	14,0	14,4	15,3	13,3
Site et monument historique	37,6	32,4	38,9	38,4	42,0	38,2
Musée d'art	28,1	27,0	30,6	30,8	30,2	30,6
Autres musées	24,4	20,9	22,7	25,7	22,8	22,0
Salon des métiers d'art	24,8	20,5	20,8	14,2	16,2	23,9
Galerie d'art commerciale	23,0	18,9	21,0	16,1	19,9	22,3
Salon du livre	14,2	14,1	14,8	12,9	12,5	15,8
Centre d'archives	8,5	6,7	9,3	11,6	7,9	9,0

Source : Ministère de la Culture et des Communications, Direction de l'action stratégique, de la recherche et de la statistique.

Tableau 11.12
Nombre de visiteurs dans les institutions muséales, par région administrative, Québec, 1998

Région administrative	Institutions muséales	Visiteurs	
		Total	Nombre moyen
		n	
01 Bas-Saint-Laurent	31	178 292	5 751
02 Saguenay–Lac-Saint-Jean	19	590 353	31 071
03 Capitale-Nationale	75	3 097 566	41 301
04 Mauricie	19	205 235	10 802
05 Estrie	24	217 784	9 074
06 Montréal	73	3 723 524	51 007
07 Outaouais	16	1 230 323	76 895
08 Abitibi-Témiscamingue	19	105 003	5 526
09 Côte-Nord	21	87 553	4 169
10 Nord-du-Québec	2	4 797	2 399
11 Gaspésie–Îles-de-la-Madeleine	31	220 338	7 108
12 Chaudière-Appalaches	40	208 372	5 209
13 Laval	6	98 536	32 845 [1]
14 Lanaudière	12	88 035	7 336
15 Laurentides	17	133 043	7 826
16 Montérégie	53	2 197 905	41 470
17 Centre-du-Québec	18	265 986	15 646 [2]
Le Québec	**476**	**12 652 645**	**26 806** [3]

1. Pour la région de Laval, le nombre moyen de visiteurs a été établi sur la base de 3 institutions muséales.
2. Pour la région du Centre-du-Québec, le nombre moyen de visiteurs a été établi sur la base de 17 institutions muséales.
3. Pour l'ensemble du Québec, le nombre moyen de visiteurs a été établi sur la base de 472 institutions muséales.

Source : Ministère de la Culture et des Communications, *Portrait statistique des institutions muséales du Québec 1998*.

Tableau 11.13
Sorties les plus populaires chez la population de 15 ans et plus, selon le groupe d'âge et le sexe, Québec, 1999

Sorties	35 ans et moins		Plus de 35 ans	
	Hommes	Femmes	Hommes	Femmes
	%			
Cinéma	89,3	86,5	66,0	60,4
Festival	60,2	58,0	53,4	45,0
Salle de danse, discothèque	52,4	52,2	21,8	17,9
Concert	49,3	49,5	40,8	46,3
Bar-spectacle	51,7	40,2	26,0	15,4
Match sportif	47,9	34,5	35,7	18,0
Théâtre	31,0	39,4	36,4	40,4
En saison régulière	25,9	33,8	27,7	29,9
D'été	8,4	12,5	17,4	20,0
Humour	30,1	31,0	22,5	21,6
Spectacle musical (opéra, opérette, comédie musicale, music-hall)	17,9	23,4	21,9	25,1
Danse	11,5	17,0	11,7	15,2
Cirque	9,0	11,9	9,7	10,1

Source : Ministère de la Culture et des Communications, *Les pratiques culturelles des jeunes de 15 à 35 ans en 1999*.

Tableau 11.14
Proportion de la population de 15 ans et plus selon le genre d'activités pratiquées en amateur et le groupe d'âge, Québec, 1989-1999

Genre d'activités	Population de 15 ans et plus			15-24 ans	25-35 ans	Plus de 35 ans
	1989	1994	1999		1999	
			%			
Activité sportive (individuelle et en équipe)	33,0[1]	58,3	57,9	81,3	68,0	49,3
Arts plastiques, artisanat	33,5	22,7	21,4	21,5	17,2	15,1
Chant	4,9	5,5	5,7	3,9	3,8	2,4
Musique	19,0	16,6	16,1	24,0	13,5	10,2
Écriture, dont le journal personnel	20,9	17,5	16,3	24,7	13,2	10,5
Récit ou conte devant auditoire	..	12,1	7,7	5,1	5,0	4,7
Troupe amateur (théâtre ou autre)	4,4	3,7	3,3	8,1	1,6	0,9
Danse sociale	..	22,5	14,2	5,0	5,2	8,5
Danse traditionnelle	..	9,7	5,0	2,9	2,4	2,6
Photographie	41,4	28,8	24,2	13,3	18,0	14,0
Cinéma ou vidéo	12,1	12,2	11,4	7,1	7,9	5,4
Loisirs scientifiques et collections	19,0	16,6	23,3[2]	26,7	27,5	27,5

1. Activité sportive en équipe seulement.
2. La question relative aux loisirs scientifiques a été posée différemment en 1999. La donnée présentée ici concerne la pratique d'activités reliées aux sciences naturelles, aux sciences de la physique et de la chimie.

Source : Ministère de la Culture et des Communications, Direction de l'action stratégique, de la recherche et de la statistique.

Tableau 11.15
Proportion de bénévoles dans l'ensemble de la population de 15 ans et plus, selon le genre d'organisme et le groupe d'âge, Québec, 1989-1999

Genre d'organisme	Population de 15 ans et plus			15-24 ans	25-35 ans	Plus de 35 ans
	1989	1994	1999		1999	
			%			
Bienfaisance	12,5	10,8	10,3	9,0	8,5	11,3
Sportif	3,7	3,5	4,4	5,4	3,9	4,3
Loisir	5,2	3,4	4,5	5,2	4,2	4,6
Culturel	2,3	2,7	4,2	5,7	4,1	3,9
Religieux	3,1	2,3	1,1	–	1,0	1,5
Social	2,0	2,2	1,8	1,1	0,8	2,2
Éducatif	2,8	1,8	2,0	2,8	1,7	2,1
Autres organismes	2,4	3,9	1,7	1,6	1,6	1,9
Aucun	66,0	69,4	70,0	69,2	74,2	68,1

Source : Ministère de la Culture et des Communications, Direction de l'action stratégique, de la recherche et de la statistique.

Tableau 11.16
Moyenne quotidienne de temps[1] consacré à certains groupes d'activités, selon le sexe, Québec, Ontario et Canada, 1986, 1992 et 1998

Sexe et groupe d'activités	Québec			Ontario			Canada		
	1986[2]	1992	1998	1986[2]	1992	1998	1986[2]	1992	1998
					h/j				
Hommes	**24,0**	**24,0**	**24,0**	**24,0**	**24,0**	**24,0**	**24,0**	**24,0**	**24,0**
Professionnel	5,4	4,9	4,7	5,9	5,5	5,6	5,6	5,3	5,2
Domestique	1,8	2,1	2,5	2,0	2,4	2,4	1,9	2,3	2,5
Personnel	11,0	10,8	10,6	10,5	10,2	10,1	10,8	10,3	10,3
Libre	5,6	6,2	6,2	5,6	6,0	5,9	5,7	6,1	6,0
Résiduel	0,1	–	–	–	–	–	0,1	–	–
Femmes	**24,0**	**24,0**	**24,0**	**24,0**	**24,0**	**24,0**	**24,0**	**24,0**	**24,0**
Professionnel	3,3	3,0	3,1	3,5	3,7	3,7	3,3	3,4	3,5
Domestique	4,0	4,0	4,1	4,2	4,2	4,1	4,1	4,2	4,1
Personnel	11,4	11,5	11,0	11,1	10,4	10,5	11,2	10,8	10,6
Libre	5,3	5,5	5,8	5,2	5,7	5,7	5,3	5,6	5,7
Résiduel	0,1	–	–	–	–	–	0,1	–	–

1. Journée moyenne représentative des 7 jours de la semaine.
2. Les résultats pour l'année 1986 ne couvrent que la période d'octobre à décembre.

Source : Statistique Canada, Enquête sociale générale 1986, 1992 et 1998, fichiers de microdonnées.

Tableau 11.17
Moyenne quotidienne de temps[1] consacré à certains groupes d'activités, selon le sexe, le moment de la semaine et la saison, Québec, 1998

Sexe et groupe d'activités	Moment de la semaine		Saison				Total
	En semaine	En fin de semaine	Printemps	Été	Automne	Hiver	
				h/j			
Hommes	**24,0**	**24,0**	**24,0**	**24,0**	**24,0**	**24,0**	**24,0**
Professionnel	6,0	1,5	4,8	4,4	4,9	4,7	4,7
Domestique	2,3	3,1	2,8	2,5	2,4	2,4	2,5
Personnel	10,3	11,3	10,4	10,7	10,6	10,7	10,6
Libre	5,4	8,1	6,0	6,3	6,1	6,3	6,2
Résiduel	–	–	–	–	–	–	–
Femmes	**24,0**	**24,0**	**24,0**	**24,0**	**24,0**	**24,0**	**24,0**
Professionnel	3,7	1,4	3,3	2,4	3,7	2,9	3,1
Domestique	4,2	3,9	4,1	4,4	4,0	3,9	4,1
Personnel	10,8	11,5	11,0	11,1	10,9	10,9	11,0
Libre	5,3	7,1	5,6	6,0	5,4	6,3	5,8
Résiduel	–	–	–	–	–	0,1	–

1. Journée moyenne représentative des 7 jours de la semaine.

Source : Statistique Canada, Enquête sociale générale 1998, fichier de microdonnées.

Tableau 11.18

Moyenne quotidienne de temps¹ passé à divers endroits, selon le sexe, Québec, Ontario et Canada, 1986, 1992 et 1998

Sexe et endroit	Québec			Ontario			Canada		
	1986	1992	1998	1986	1992	1998	1986	1992	1998
					h/j				
Hommes	**24,0**	**24,0**	**24,0**	**24,0**	**24,0**	**24,0**	**24,0**	**24,0**	**24,0**
Domicile	14,6	15,6	15,5	14,5	15,5	15,1	14,5	15,5	15,3
Lieu de travail	3,1	3,5	2,9	3,3	3,8	4,1	3,3	3,7	3,7
Autre endroit	3,5	3,5	4,2	3,8	3,2	3,4	3,8	3,4	3,6
En déplacement	1,8	1,4	1,4	1,6	1,5	1,4	1,6	1,4	1,4
Non précisé	1,0	–	–	0,8	–	–	0,8	–	–
Femmes	**24,0**	**24,0**	**24,0**	**24,0**	**24,0**	**24,0**	**24,0**	**24,0**	**24,0**
Domicile	16,7	17,9	17,2	16,7	16,9	16,9	16,7	17,4	17,1
Lieu de travail	1,8	1,8	1,8	1,9	2,5	2,5	1,9	2,2	2,3
Autre endroit	3,3	3,2	3,8	3,4	3,2	3,2	3,4	3,2	3,4
En déplacement	1,1	1,0	1,1	1,3	1,3	1,3	1,2	1,2	1,2
Non précisé	1,1	–	–	0,8	–	–	0,8	–	–

1. Journée moyenne représentative des 7 jours de la semaine.

Source : Statistique Canada, Enquête sociale générale 1986, 1992 et 1998, fichiers de microdonnées.

Tableau 11.19

Moyenne quotidienne de temps¹ passé seul ou avec d'autres personnes, selon le sexe, Québec, Ontario et Canada, 1986, 1992 et 1998

Sexe et type de relation	Québec			Ontario			Canada		
	1986	1992	1998²	1986	1992	1998²	1986	1992	1998²
					h/j				
Hommes	**26,5**	**25,8**	**26,7**	**27,3**	**26,2**	**25,8**	**26,9**	**26,2**	**26,2**
Seul	4,2	5,9	5,3	4,2	5,4	6,3	4,1	5,4	6,0
Soins personnels³	9,0	8,9	9,0	8,7	8,7	8,6	8,9	8,7	8,8
Avec conjointe/partenaire	3,8	3,5	3,9	3,6	3,5	3,0	3,7	3,4	3,3
Avec enfants du ménage	1,7	1,3	1,2	1,5	1,6	1,0	1,6	1,5	1,1
Avec autres membres de la famille	1,4	1,2	2,0	1,3	1,2	1,3	1,4	1,2	1,6
Avec amis	1,7	1,6	1,8	3,1	2,2	1,7	2,6	2,2	1,8
Avec autres personnes	4,2	3,6	3,5	4,4	3,8	3,6	4,3	3,7	3,5
Non précisé	0,4	–	–	0,5	–	–	0,4	–	–
Femmes	**25,6**	**26,2**	**27,0**	**27,0**	**26,6**	**26,3**	**27,0**	**26,5**	**26,5**
Seule	4,8	6,0	5,4	4,8	5,0	6,2	4,6	5,3	5,8
Soins personnels³	9,4	9,5	9,4	9,3	9,0	9,1	9,3	9,2	9,2
Avec conjoint/partenaire	3,3	3,2	3,2	3,2	3,5	2,8	3,4	3,3	2,9
Avec enfants du ménage	2,6	2,1	1,7	2,2	2,6	1,8	2,5	2,5	1,9
Avec autres membres de la famille	1,6	1,8	2,9	1,6	1,4	2,0	1,7	1,6	2,3
Avec amis	1,8	1,3	1,6	2,4	2,2	1,6	2,3	1,9	1,7
Avec autres personnes	2,8	2,3	2,7	3,2	2,9	2,8	2,9	2,7	2,8
Non précisé	0,5	–	–	0,4	–	–	0,4	–	–

1. Journée moyenne représentative des 7 jours de la semaine. La somme est supérieure à 24 heures parce que les réponses des composantes multiples ont été acceptées et que ces catégories ne sont pas mutuellement exclusives.
2. Dans le cas de l'Enquête sociale générale 1998, la rubrique « Avec enfants du ménage » ne comprend que les enfants de moins de 15 ans demeurant dans le ménage. Les enfants de moins de 15 ans ne demeurant pas dans le ménage et ceux de plus de 15 ans sont inclus dans la rubrique « Avec autres membres de la famille ».
3. La source ne précise pas si les répondants étaient seuls ou non.

Source : Statistique Canada, Enquête sociale générale 1986, 1992 et 1998, fichiers de microdonnées.

Tableau 11.20

Moyenne quotidienne de temps[1] consacré à certains groupes d'activités de temps libre, selon le sexe, Québec, Ontario et Canada, 1986[2], 1992 et 1998

Sexe et groupe d'activités	Québec			Ontario			Canada		
	1986	1992	1998	1986	1992	1998	1986	1992	1998
					h/j				
Hommes	**5,6**	**6,2**	**6,2**	**5,6**	**6,0**	**5,9**	**5,7**	**6,1**	**6,0**
Bénévolat et organisations	0,2	0,5	0,3	0,2	0,3	0,3	0,2	0,4	0,3
Divertissements	1,1	1,4	1,7	1,3	1,3	1,4	1,3	1,4	1,5
Sports	0,8	1,2	1,2	0,6	1,0	1,1	0,8	1,1	1,1
Médias	3,5	3,1	3,0	3,5	3,4	3,1	3,4	3,2	3,1
Femmes	**5,3**	**5,5**	**5,8**	**5,2**	**5,7**	**5,7**	**5,3**	**5,6**	**5,7**
Bénévolat et organisations	0,3	0,5	0,4	0,3	0,4	0,4	0,3	0,5	0,4
Divertissements	1,2	1,4	1,7	1,3	1,5	1,6	1,3	1,4	1,6
Sports	0,8	1,0	0,9	0,6	0,9	0,7	0,8	0,9	0,9
Médias	3,0	2,8	2,7	3,0	2,9	3,0	3,0	2,8	2,9

1. Journée moyenne représentative des 7 jours de la semaine.
2. Les résultats pour l'année 1986 ne couvrent que la période d'octobre à décembre et ne sont pas strictement comparables avec ceux des années 1992 et 1998 qui couvrent une année complète.

Source : Statistique Canada, Enquête sociale générale 1986, 1992 et 1998, fichiers de microdonnées.

Tableau 11.21

Moyenne quotidienne de temps[1] consacré à certains groupes d'activités de temps libre, ainsi que taux et durée moyenne de participation dans les régions urbaines et non urbaines, selon le sexe, Québec, 1998

Sexe et groupe d'activités	Temps moyen		Taux de participation		Durée par participant	
	Région urbaine	Région non urbaine	Région urbaine	Région non urbaine	Région urbaine	Région non urbaine
	h/j		%		h/j	
Hommes	**6,2**	**6,2**	**98,7[2]**	**98,4[2]**	**6,2[2]**	**6,3[2]**
Bénévolat et organisations	0,3	0,5	13,9	16,0	2,0	2,9
Divertissements	1,7	1,6	48,5	47,5	3,5	3,4
Sports	1,2	1,1	43,4	45,7	2,8	2,5
Médias	3,0	3,0	90,8	91,7	3,3	3,2
Femmes	**5,7**	**6,0**	**97,8[2]**	**98,2[2]**	**5,8[2]**	**6,1[2]**
Bénévolat et organisations	0,3	0,5	17,2	19,6	2,0	2,6
Divertissements	1,7	1,8	52,7	58,3	3,2	3,2
Sports	0,9	1,0	40,8	45,9	2,2	2,2
Médias	2,8	2,7	90,3	88,6	3,0	3,0

1. Journée moyenne représentative des 7 jours de la semaine.
2. Le total n'égale pas la somme des composantes parce que le nombre de participants change d'une variable à l'autre.

Source : Statistique Canada, Enquête sociale générale 1998, fichier de microdonnées.

Tableau 11.22
Moyenne quotidienne de temps[1] consacré à certaines activités de temps libre, selon le sexe, Québec, Ontario et Canada, 1986[2], 1992 et 1998

Sexe et activité	Québec			Ontario			Canada		
	1986	1992	1998	1986	1992	1998	1986	1992	1998
					h/j [3]				
Hommes	**4,0**	**3,8**	**3,8**	**4,0**	**3,9**	**3,8**	**3,9**	**3,9**	**3,8**
Visite de parents ou d'amis	0,7	0,8	1,0	0,7	0,7	0,8	0,7	0,8	0,8
Conversation	0,3	0,3	0,2	0,2	0,2	0,2	0,2	0,2	0,2
Écoute de la télévision	2,7	2,3	2,2	2,6	2,6	2,4	2,6	2,4	2,4
Lecture de livres et de magazines	0,2	0,2	0,2	0,3	0,2	0,2	0,2	0,2	0,2
Lecture de journaux	0,2	0,3	0,2	0,3	0,3	0,2	0,2	0,3	0,2
Femmes	**3,8**	**3,6**	**3,7**	**3,7**	**3,8**	**3,9**	**3,8**	**3,7**	**3,8**
Visite de parents ou d'amis	0,9	0,9	1,1	0,8	0,9	0,9	0,9	1,0	1,0
Conversation	0,3	0,3	0,3	0,3	0,3	0,3	0,4	0,3	0,3
Écoute de la télévision	2,1	1,9	1,9	2,1	2,1	2,2	2,1	2,0	2,0
Lecture de livres et de magazines	0,2	0,3	0,3	0,3	0,3	0,3	0,3	0,3	0,3
Lecture de journaux	0,2	0,2	0,1	0,1	0,2	0,1	0,1	0,2	0,1

1. Journée moyenne représentative des 7 jours de la semaine.
2. Les résultats pour l'année 1986 ne couvrent que la période d'octobre à décembre et ne sont pas strictement comparables avec ceux des années 1992 et 1998 qui couvrent une année complète.
3. En raison de l'arrondissement des nombres, la somme des données ne correspond pas toujours au total.

Source : Statistique Canada, Enquête sociale générale 1986, 1992 et 1998, fichiers de microdonnées.

Tableau 11.23
Moyenne quotidienne de temps consacré à certaines activités de temps libre, selon le moment de la semaine, la saison et le sexe, Québec, 1998

Sexe et activité	Moment de la semaine		Saison[1]			
	En semaine	En fin de semaine	Printemps	Été	Automne	Hiver
		min/j [2]				
Hommes	**201**	**295**	**224**	**226**	**222**	**246**
Visite de parents ou d'amis	41	97	68	64	47	51
Conversation	12	17	11	20	12	12
Écoute de la télévision	126	156	126	117	141	156
Lecture de livres et de magazines	10	8	8	10	6	14
Lecture de journaux	13	17	12	15	16	13
Femmes	**208**	**266**	**217**	**214**	**211**	**259**
Visite de parents ou d'amis	54	99	79	78	50	59
Conversation	15	17	14	14	17	18
Écoute de la télévision	111	121	101	91	121	147
Lecture de livres et de magazines	20	18	16	21	18	23
Lecture de journaux	7	11	6	9	6	12

1. Journée moyenne représentative des 7 jours de la semaine.
2. En raison de l'arrondissement des nombres, la somme des données ne correspond pas toujours au total.

Source : Statistique Canada, Enquête sociale générale 1998, fichier de microdonnées.

12

Comptes économiques

Chapitre 12

Liste des tableaux

Liste des figures

Ce chapite a été réalisé par Richard Barbeau et Bertrand Gagnon, de la Direction des comptes et des études économiques de l'Institut de la statistique du Québec.

À partir des Comptes économiques provinciaux, le présent chapitre analyse l'évolution de la situation économique du Québec de 1981 à 1999 selon le cadre de la comptabilité nationale. Il comporte trois parties. La première partie présente l'évolution des composantes de la demande, des revenus et des dépenses des administrations publiques, du revenu personnel et du produit intérieur brut (PIB) par secteur d'activité, de 1981 à 1999. La deuxième partie effectue une comparaison des périodes 1981-1990 et 1990-1999 sous l'angle des composantes de la demande, en faisant ressortir les similitudes et aussi les différences entre les deux décennies. La troisième partie présente une analyse comparée des économies du Québec, de l'Ontario et du Canada pour la période de 1981 à 1999.

Le traitement du chapitre diffère quelque peu de celui adopté généralement dans les éditions précédentes. En effet, le traitement habituel depuis l'édition 1979-1980 consistait à analyser l'évolution de l'économie sur une période de 10 ans, sauf dans l'édition 1989 où le chapitre sur les Comptes économiques présentait en plus une estimation du PIB en dollars courants pour la période de 1926 à 1986. Dans la présente édition, l'analyse porte sur une période plus longue car nous avons voulu profiter du fait qu'en octobre 2000, les Comptes provinciaux annuels ont été révisés jusqu'à 1981 sur la base du nouveau Système de comptabilité nationale entré en vigueur au Canada en 1997.

L'économie du Québec de 1981 à 1999

Les composantes de la demande intérieure en dollars constants

De 1981 à 1999, les dépenses personnelles de consommation et les investissements des entreprises connaissent une croissance plus rapide que le PIB, contrairement aux dépenses publiques courantes en biens et services (figure 12.1).

Principale composante du PIB, les dépenses de consommation (+ 2,5 %) s'accroissent à un rythme un peu plus rapide que celui du PIB (+ 2,1 %) : leur part s'élève de 56,7 % en 1981 à 60,5 % en 1999 (tableau 12.1). De 1981 à 1993, les dépenses en services progressent plus rapidement que les dépenses en biens, leur part des dépenses de consommation passant de 44,2 % à 49,9 %. Par la suite, elles se maintiennent près de ce niveau. Les dépenses en biens, dont la part relative régresse de 55,8 % à 50,1 % en 1993, voient leur glissade s'arrêter en raison surtout de la poussée des dépenses en biens durables (véhicules automobiles, meubles, ordinateurs) alimentées par la croissance de l'emploi, l'augmentation de la confiance des consommateurs et les niveaux relativement bas des taux d'intérêt.

Les dépenses publiques courantes passent de 25,5 % du PIB à 21,3 % en 1999. Elles montent à 26,5 % du PIB lors de la récession de 1982, descendent à 24,3 % en 1987 et 1988 pour atteindre ensuite un sommet historique de 26,7 % en 1992, dans la foulée de la récession de 1991.

De 1981 à 1999, on assiste à une progression des investissements des entreprises en machines et en matériel, au détriment de ceux en bâtiments résidentiels et non résidentiels. Les investissements en bâtiments résidentiels atteignent un sommet de 11,5 milliards de dollars en 1987, pour tomber ensuite à 6,8 milliards en 1995. Ils remontent toutefois depuis 1995 en raison des baisses des taux d'intérêt et d'une création d'emplois plus soutenue. En 1999, ils excèdent de 28,9 % ceux de 1995, mais demeurent 23,9 % sous le niveau enregistré en 1987.

À la suite de la récession de 1982, les investissements en bâtiments non résidentiels chutent à 4,4 milliards de dollars en 1984. Ils remontent graduellement jusqu'à 7,3 milliards en 1990, pour redescendre à 4,7 milliards en 1997. Ils effectuent une remontée importante (+ 12,1 %) en 1998 en raison de travaux importants dans le secteur privé, et des travaux de reconstruction du réseau électrique fortement endommagé par la tempête de verglas du début de l'année. Le niveau atteint en 1998 se maintient en 1999 mais, à 5,4 milliards, il est à peine supérieur à celui enregistré en 1981 (5,3 milliards).

De 1981 à 1999, les investissements en machines et en matériel sont ceux qui progressent le plus parmi les investissements des entreprises, avec un taux annuel de 7,4 %; leur part s'élève de 27,3 % en 1981 à 52,1 % en 1999. Leur croissance s'est accélérée depuis 1994, leur valeur passant de 8,0 milliards en 1993 à 15,4 milliards en 1999. Ces investissements sont liés à une restructuration importante des entreprises en vue de faire face aux défis de la mondialisation, et ils sont alimentés par la bonne tenue de la demande intérieure et extérieure, les faibles taux d'intérêt et l'amélioration des profits pendant cette période.

Le commerce extérieur

De 1981 à 1999, le commerce extérieur prend de plus en plus d'ampleur et on assiste à une intensification des échanges Nord-Sud. Ainsi, la part des exportations de biens et services dans le PIB passe de 39,9 % à 53,4 % pendant cette période. Cette forte croissance des exportations est alimentée surtout par les exportations vers les autres pays, au détriment de celles vers les autres provinces. En effet, les exportations vers les autres pays voient leur part des exportations totales croître de 44,0 % à 65,4 %.

Les importations suivent un cheminement semblable à celui des exportations. La part des importations dans le PIB passe de 37,6 % en 1981 à 54,0 % en 1999. Les importations en provenance d'autres pays progressent plus vite que celles venant des autres provinces. Ainsi, la part des importations provenant d'autres pays augmente de 46,0 % à 65,6 % des importations totales.

Les recettes et les dépenses courantes des administrations publiques

Les opérations des administrations publiques au Québec incluent celles des niveaux fédéral, provincial (incluant les réseaux publics d'éducation, et de santé et de services sociaux) et local (incluant les commissions scolaires), ainsi que celles du Régime de rentes du Québec et du Régime de pensions du Canada.

De 1981 à 1999, les recettes courantes des administrations publiques (excluant les transferts entre administrations) augmentent plus vite que les dépenses courantes. Par rapport au PIB, les recettes des administrations publiques passent de 38,5 % à 44,0 %. Au cours de cette période, il n'y a que 4 années sur 18 où les recettes croissent moins vite que le PIB.

Si les recettes des administrations publiques progressent de façon constante par rapport au PIB, il en va autrement de leurs dépenses dont la part fluctue de façon cyclique de 1981 à 1999. Pendant cette période, on peut distinguer trois phases : la phase d'expansion de l'économie, la phase de ralentissement économique et de récession, puis la phase d'expansion accompagnée de restrictions budgétaires.

Dans la phase d'expansion qui suit la récession de 1982, les dépenses des administrations publiques augmentent moins vite que le PIB : ainsi, leur part régresse de 51,7 % en 1982 à 45,8 % en 1988. Les années 1989 à 1993 sont marquées par un ralentissement, une récession et une lente reprise. Au cours de cette phase, les dépenses des administrations publiques croissent plus vite que le PIB et passent de 45,8 % en 1988 à 55,1 % de celui-ci en 1993. En 1999, les dépenses des administrations publiques tombent à 46,4 % car, depuis 1993, elles augmentent moins vite que le PIB sous l'effet conjugué de la croissance économique et des politiques d'assainissement des finances publiques.

Les dépenses des administrations publiques se composent des dépenses en biens et services, des transferts aux particuliers et aux entreprises, et du service de la dette publique. De 1981 à 1999, la principale modification dans la structure des dépenses consiste en un déplacement des dépenses en biens et services vers les transferts aux particuliers. Ainsi, les dépenses en biens et services passent de 52,9 % des dépenses totales en 1981 à 46,0 % en 1999, tandis que les transferts aux particuliers s'élèvent de 21,4 % à 28,3 % (tableau 12.2).

D'une part, cette transformation provient du fait que la rémunération, qui constitue la principale composante des dépenses en biens et services, a peu progressé à cause du gel ou des augmentations limitées de l'embauche et des salaires. D'autre part, les dépenses de transferts ont progressé fortement en raison, entre autres, des pressions exercées par le vieillissement de la population. Parmi les programmes concernés, on peut mentionner ceux de la sécurité de la vieillesse et du régime de rentes, dont la part relative combinée des transferts est passée de 32,2 % en 1982 à 44,6 % en 1999 (tableau 12.3). Au cours des six dernières années, la part relative des transferts aux particuliers s'est stabilisée à cause, d'une part, de sa composante cyclique favorisée par la croissance économique et, d'autre part, des restrictions budgétaires.

Le déficit de l'ensemble des administrations publiques au Québec passe de 12,0 % du PIB en 1981 à 1,9 % en 1999 (figure 12.2). Pendant cette période, on peut distinguer quatre phases au cours desquelles le déficit fluctue en partie selon la conjoncture économique. De 1981 à 1985, phase de récession et de reprise, le déficit augmente de 12,0 % à 15,6 % du PIB, ce qui constitue un sommet pour la période. Il diminue ensuite à 7,3 % en 1988, puis remonte à 13,5 % en 1993, période au cours de laquelle l'économie connaît un ralentissement, une récession et une lente reprise. Depuis 1993, la part du déficit dans le PIB diminue continuellement sous l'effet combiné de la croissance économique et des restrictions budgétaires, et chute à 1,9 % en 1999. Cette même année, on enregistre d'ailleurs un surplus dans le secteur de l'Administration provinciale.

Revenu personnel

Le revenu personnel inclut la rémunération des salariés, le revenu net des entreprises individuelles, les revenus de placement et les transferts d'autres secteurs. La part du revenu personnel provenant de la rémunération des salariés passe de 68,3 % en 1981 à 63,0 % en 1999 (tableau 12.4). La contrepartie de cette baisse se trouve dans la hausse de la part des transferts en provenance des administrations publiques qui passe de 12,1 % à 15,5 %. Ce changement s'est fait surtout entre 1981 et 1993. La situation s'est stabilisée depuis 1993 : la part de la rémunération des salariés oscille entre 61,5 % et 63,0 % avec une légère tendance à la hausse, et celle des transferts varie entre 17,0 % et 15,5 %. La croissance des transferts a ralenti au cours des dernières années parce que les pressions structurelles ont été neutralisées par la conjoncture économique favorable et les restrictions budgétaires.

De 1981 à 1999, la croissance du revenu personnel disponible est ralentie par les impôts directs et les autres transferts qui augmentent plus vite que le revenu personnel. Le taux annuel de croissance du revenu personnel est de 5,2 %, tandis que celui des impôts directs et des autres transferts est de 6,7 %; il s'ensuit que le revenu personnel disponible croît au taux de 4,7 %. Le ratio des impôts directs et des autres transferts sur le revenu personnel présente une nette tendance à la hausse depuis 1981 : il passe de 18,9 % en 1981 à 24,6 % en 1999 (figure 12.3). Pendant cette période, il n'y a que 3 années sur 18 où ce ratio a diminué.

Exprimé en termes réels au moyen de l'indice implicite des prix des dépenses de consommation, le revenu personnel disponible réel augmente au taux annuel de 1,4 % de 1981 à 1999. Le taux de croissance est de 2,0 % de 1981 à 1990, et de 0,8 % de 1990 à 1999.

Par habitant, le revenu disponible réel passe de 14 353 dollars en 1981 à 16 525 dollars en 1999, soit une hausse globale de 15,1 %. De 1981 à 1990, l'augmentation est de 12,0 % et de 1990 à 1999, elle se limite à 2,8 %. Les principaux facteurs expliquant le ralentissement dans les années 90 sont la plus faible croissance de l'emploi, le ralentissement des transferts des administrations publiques et la quasi-stagnation des revenus de placement en raison du niveau plus bas des taux d'intérêt.

Produit intérieur brut par activité économique

Le produit intérieur brut au coût des facteurs, évalué selon 15 branches d'activité économique, permet d'étudier l'évolution des grands secteurs de l'économie et de mettre en relief les changements survenus dans les parts relatives de ces différents secteurs. Les données sont disponibles à partir de 1984 seulement. Le produit intérieur brut au coût des facteurs peut être évalué selon l'approche des revenus des facteurs de production (tableau 12.5) ou de la valeur ajoutée par secteur (tableau 12.6).

Le produit intérieur brut au coût des facteurs progresse au taux annuel moyen de 6,6 %, passant de 87 milliards de dollars courants en 1984 à 174 milliards en 1999. Cette croissance est assurée en parts presque égales par les secteurs secondaire (taux moyen de + 7,1 %) et tertiaire (+ 6,6 %), tandis que le secteur primaire croît plus lentement (+ 3,7 %).

La part du secteur primaire passe de 3,6 % en 1984 à 2,8 % en 1999. Celle du secteur secondaire (industries manufacturières et construction), qui s'établit à 27,9 % en 1984, atteint un creux de 24,7 % en 1992 et effectue depuis une remontée pour se situer à 28,8 % en 1999. Celle du secteur tertiaire, qui se situe à 68,5 % en 1984, atteint un sommet de 72,4 % en 1992 et revient à 68,4 % en 1999.

La remontée du secteur secondaire est due au secteur manufacturier. En effet, la part de ce dernier, qui atteint un creux de 18,5 % en 1992, effectue une remontée spectaculaire pour atteindre 23,9 % en 1999. Cette performance est principalement attribuable aux secteurs du matériel de transport et des produits électriques et électroniques, tant à cause de l'importance du niveau de leur production que de la croissance de leur valeur ajoutée; elle est aussi redevable, dans une moindre mesure, aux secteurs des produits en matière plastique, du bois, des meubles et de la machinerie. Quant à la part du secteur de la construction, elle décroît légèrement de 1992 à 1995 pour se maintenir aux environs de 4,8 % au cours des cinq dernières années.

L'économie du Québec : comparaison des périodes de 1981 à 1990 et de 1990 à 1999

Le comportement de l'économie québécoise présente des similitudes, mais aussi des différences importantes pendant ces deux périodes. Il y a d'abord une récession presque au début de chaque décennie. Toutefois, même si le taux de croissance annuel moyen est assez semblable entre les deux périodes (+ 2,2 % de 1981 à 1990 et + 2,0 % de 1990 à 1999), les cycles de reprise et de croissance sont différents.

La récession de 1982 est suivie d'une reprise rapide et de six années de croissance soutenue; il y a un ralentissement en 1989 et en 1990, alors que la croissance du PIB se limite à 0,8 % et à 0,4 % respectivement. Quant à la récession de 1990-1991, elle est suivie d'une reprise plus lente et de huit années de croissance, dont les plus importantes se situent à la fin de la décennie. Par exemple, six ans après la récession de 1982, soit en 1988, le PIB s'était accru de 23,9 %, alors que six ans après celle de 1990-1991, soit en 1997, la croissance était de 13,4 %. Huit ans après la récession, l'écart entre les deux décennies s'était rétréci, la hausse du PIB étant de 25,5 % dans les années 80, contre 22,4 % dans les années 90.

Comparativement à la décennie 80, la croissance de chacune des composantes de la demande intérieure connaît un ralentissement dans les années 90. Les dépenses de consommation, qui représentent environ 60 % du PIB, connaissent une croissance annuelle de 2,0 % de 1981 à 1999. Le taux de croissance passe de 2,7 % de 1981 à 1990 à 2,2 % de 1990 à 1999. Ce ralentissement s'explique en partie par l'emploi qui affiche un ralentissement semblable. Pour leur part, les dépenses publiques connaissent un recul encore plus prononcé. En effet, leur taux de croissance annuel se situe à 2,0 % de 1981 à 1990 et chute à 0,1 % de 1990 à 1999. Cela s'explique en grande partie par les compressions budgétaires destinées à assainir les finances publiques. La composante qui ralentit le plus est celle des investissements des entreprises, dont le taux de croissance annuel s'établit à 5,5 % de 1981 à 1990, contre 1,8 % de 1990 à 1999. Le début des années 90 est difficile pour les investissements en raison des taux d'intérêt réels qui avoisinent les 10 %; de 1990 à 1995, ils diminuent de 17,8 %. Par contre, la fin des années 90 est plus dynamique avec une croissance de 42,2 % de 1995 à 1999, due en très grande partie aux investissements en machines et en matériel.

Si les composantes de la demande intérieure ralentissent dans les années 90, il en va autrement pour le commerce extérieur. De 1981 à 1999, le taux de croissance des exportations est de 3,8 %; il est de 2,7 % de 1981 à 1990 et de 4,8 % de 1990 à 1999. La part des exportations dans le PIB passe de 39,9 % en 1981 à 41,8 % en 1990, et à 53,4 % en 1999. Par ailleurs, l'expansion des exportations est due exclusivement aux exportations vers les autres pays, dont la part dans le PIB s'établit à 17,6 %, à 20,6 % et à 35,0 % respectivement pour les mêmes années. Pendant ce temps, la part des exportations vers les autres provinces passe de 22,7 %, à 21,3 % et à 18,5 %. Plusieurs facteurs expliquent l'accélération des exportations dans les années 90, dont les accords de libre-échange (ALE en 1989 et ALENA en 1994), un taux de change favorable et la vigueur de l'économie américaine.

Du côté des importations, le portrait est légèrement différent, car leur progression est semblable dans les deux décennies (+ 4,1 % dans la décennie 80, contre + 4,2 % dans la décennie 90). La différence entre les importations et les exportations tient du fait que la croissance au début des années 90 est très lente en raison d'une demande intérieure faible. Il y a cependant une accélération à la fin des années 90 avec la reprise de la demande intérieure. Ainsi, les importations s'accroissent de 9,9 % de 1990 à 1995 et de 31,6 % de 1995 à 1999. Par ailleurs, le glissement de l'importance relative des exportations aux autres provinces vers celles aux autres pays se produit dans les mêmes proportions dans le cas des importations, quoique à un rythme différent.

Analyse comparée des économies du Québec, de l'Ontario et du reste du Canada

La façon habituelle de comparer des économies de tailles différentes est d'utiliser les chiffres par habitant. L'évolution de la population est un des déterminants majeurs de la croissance économique. Toutes choses étant égales par ailleurs (stock de capital, ressources naturelles, niveau d'éducation, etc.), une économie dont la population augmente relativement moins rapidement que celle de ses voisins aura nécessairement une croissance économique inférieure à ceux-ci. Cela se vérifie parfaitement dans le cas étudié ici. Pour la période de 1981 à 1999, le taux de croissance annuel moyen de la population du Québec est inférieur de 0,9 % à celui de l'Ontario, et de 0,6 % à ceux du Canada et des autres provinces (Canada moins le Québec et l'Ontario). Pendant ce temps, on constate que la croissance annuelle moyenne du PIB réel du Québec est inférieure de 0,9 % à celle de l'Ontario, et de 0,5 % à celles du Canada et des autres provinces (tableau 12.7).

Ainsi, la part relative du PIB réel du Québec dans le Canada suit une tendance semblable à celle de la part de sa population : sa part du PIB canadien passe de 24,0 % en 1981 à 21,9 % en 1999, tandis que celle de l'Ontario monte de 39,5 % à 42,1 %, et que celle des autres provinces diminue légèrement de 36,5 % à 36,0 %. En moyenne, de 1981 à 1999, le PIB réel par habitant du Québec représente 90,4 % de celui du Canada, 95,2 % de celui des autres provinces et 80,9 % de celui de l'Ontario (figure 12.4). Pendant cette période, le taux de croissance annuel moyen du PIB par habitant s'établit à 1,47 % pour le Canada, 1,48 % pour l'Ontario, 1,44 % pour le Québec et 1,39 % pour les autres provinces. Ces taux très voisins signifient que pour la période considérée, ni l'une ni l'autre des régions étudiées n'a significativement amélioré sa position relative.

Cela ne veut pas dire pour autant que les parts relatives n'ont pas connu de variations sensibles tout au long de la période. En effet, l'Ontario a souffert davantage que le Québec et les autres provinces de la récession du début des années 90 en entrant en récession avant ceux-ci. Alors que ces derniers affichaient encore une croissance positive en 1990, l'Ontario voyait son PIB réel diminuer de 1,4 %. De 1990 à 1993, l'Ontario enregistre des taux de croissance passablement inférieurs à ceux du Québec et des autres provinces. Le Québec en profite pour refermer l'écart en ce qui concerne son PIB réel par habitant qui était tombé à 78,5 % de celui de l'Ontario en 1989, pour remonter à 83,3 % en 1993. On observe le même rattrapage pour les autres provinces en regard de l'Ontario, et ce, de façon encore plus marquée (90,8 % en 1993, contre 80,7 % en 1988). Cependant, à partir de 1994, l'Ontario reprend son avance en termes de croissance relative, de sorte que le PIB réel par habitant du Québec revient à 81,4 % de celui de l'Ontario, soit un ratio équivalent à celui de 1981.

Une autre mesure importante de la richesse de la population est l'évolution et le niveau relatif du revenu personnel disponible réel. Sur ce plan, le Québec fait meilleure figure mais accuse encore un retard par rapport à l'Ontario et au Canada. En moyenne, de 1981 à 1999, le revenu disponible réel par habitant du Québec représente 84,2 % de celui de l'Ontario et 92,0 % de celui du Canada. Cependant, le Québec effectue un rattrapage significatif pendant la décennie 90, le ratio par rapport au Canada passant de 90,4 % en 1989 à 94,4 % en 1999, et celui en regard de l'Ontario grimpant de 81,3 % à 87,8 %. Pendant cette même décennie, le taux de croissance annuel moyen du revenu personnel disponible réel par habitant au Québec se situe à 0,3 %, tandis que ceux du Canada et de l'Ontario s'établissent à - 0,1 % et à - 0,3 % respectivement. L'écart Québec-Ontario s'explique en partie par la croissance plus modérée des prix à la consommation au Québec pendant cette période (+ 1,5 % versus + 1,9 %). Cela s'explique aussi en partie par la croissance relativement plus élevée du revenu personnel par habitant (+ 2,2 % versus + 1,8 %), tandis que la croissance relative des impôts directs par rapport au revenu personnel est légèrement supérieure au Québec. L'écart de croissance du revenu personnel provient essentiellement de la composante « intérêts et revenus de placement par habitant » qui décroît au taux annuel moyen de 1,7 % de 1990 à 1999 en Ontario, alors qu'elle demeure stable au Québec.

Références

BARBEAU, Richard. « Les Comptes économiques du Québec et la révision historique du Système de comptabilité nationale du Canada », L'Écostat, Québec, Institut de la statistique du Québec, décembre 1998, p. 8-16.

GOUVERNEMENT DU CANADA. Statistique Canada, Site de Statistique Canada, [En ligne], [http://www.statcan.ca/francais/concepts/index_f.htm].

GROUPE DE TRAVAIL INTERSECRÉTARIATS SUR LA COMPTABILITÉ NATIONALE. Système de comptabilité nationale, Bruxelles/Luxembourg, New York, Paris, Washington, D.C., 1993, 773 p.

INSTITUT DE LA STATISTIQUE DU QUÉBEC. Comptes économiques des revenus et des dépenses du Québec, édition 2000, Québec, Gouvernement du Québec, 2000, 127 p.

INSTITUT DE LA STATISTIQUE DU QUÉBEC. Comptes économiques du Québec, publication trimestrielle, Québec, Gouvernement du Québec, 51 p.

STATISTIQUE CANADA. Comptes économiques provinciaux, Ottawa, Gouvernement du Canada, octobre 2000, 399 p.

Définitions

Coût des facteurs

Évaluation traduisant le coût des facteurs de production (travail et capital). Elle correspond à la valeur restante, une fois enlevés des prix du marché tous les impôts et les subventions applicables.

Demande intérieure finale

Somme des dépenses personnelles en biens et services de consommation, des dépenses courantes nettes des administrations en biens et services, de la formation brute de capital fixe des administrations, ainsi que celle des entreprises.

Prix constants ou dollars constants

Évaluation exprimée aux prix ayant cours dans une période de référence fixe. À l'heure actuelle, la période de référence des estimations des comptes économiques en prix constants est 1992, ce qui signifie que celles-ci sont exprimées en prix de 1992. On emploie aussi l'expression « termes réels ».

Prix courants

Évaluation en prix courants exprimée aux prix ayant cours dans la période de référence. Voir prix constants.

Prix du marché

Évaluation exprimée en termes de prix effectivement payés par l'acheteur, c'est-à-dire après prise en compte de tous les impôts et les subventions applicables. Voir coût des facteurs.

Produit intérieur brut

Valeur sans double compte des biens et services produits dans le territoire économique d'un pays ou d'une région au cours d'une période donnée. Le PIB peut être calculé de trois façons, soit comme la somme des revenus gagnés dans la production courante, la somme des ventes finales de la production courante ou la somme des valeurs ajoutées nettes dans la production courante. Il peut être évalué au coût des facteurs ou aux prix du marché.

Revenu personnel

Somme de tous les revenus reçus par les particuliers résidant au Canada, qu'il s'agisse de gains de facteurs au titre de la production courante ou de transferts courants d'autres secteurs, plus les revenus de placement que les associations de particuliers accumulent pour leur propre compte ou celui des particuliers.

Revenu personnel disponible

Revenu personnel moins les transferts courants aux administrations.

Revenus de placement des particuliers

Intérêts (sur dépôts, obligations, hypothèques, etc.) et redevances versés par les sociétés, les administrations et les non-résidents aux particuliers, plus les revenus de placement s'accumulant à leur profit dans les régimes de pensions en fiducie et les caisses d'assurance-vie, ou au profit d'autres associations de particuliers.

Transferts courants des administrations aux particuliers

Paiements tels que les prestations fiscales et les crédits d'impôt pour enfants, les prestations d'assurance-emploi, les pensions de vieillesse, les prestations de bien-être social, les bourses et les subventions de recherche, les prestations d'indemnisation des accidents de travail, les subventions aux Autochtones et à leurs organisations et les pensions versées en vertu du Régime de pensions du Canada et du Régime de rentes du Québec.

Tableau 12.1
Produit intérieur brut aux prix de 1992, Québec, 1981-1999

Dépenses[1]	1981	1982	1983	1984	1985	1986	1987	1988	1989	1990
					'000 000 $					
Dépenses personnelles en biens et services de consommation[2]	75 224	72 553	75 018	79 209	83 295	86 370	89 603	92 790	95 055	95 636
Biens durables	7 526	6 614	7 838	9 381	10 634	11 176	12 087	12 716	12 438	12 017
Biens semi-durables	8 460	8 013	8 369	9 048	9 489	9 958	10 227	10 337	10 301	10 161
Biens non durables	26 345	25 299	25 022	25 441	26 110	26 223	26 206	26 704	27 349	27 085
Services	33 567	33 514	34 384	35 595	37 087	38 997	40 999	42 911	44 917	46 391
Dépenses courantes nettes des administrations publiques en biens et services	33 866	33 947	34 380	34 579	35 581	37 273	37 006	38 567	39 360	40 447
Formation brute de capital fixe des administrations publiques	2 317	2 113	2 364	2 630	3 367	3 085	2 948	3 240	3 700	3 839
Structures	2 535	2 263	2 281	2 595	3 392	2 848	2 643	2 816	3 134	3 265
Machines et matériel	158	165	295	302	357	441	466	563	688	707
Investissement des administrations publiques en stocks	37	36	-19	7	-27	-15	-15	33	-1	26
Formation brute de capital fixe des entreprises	15 583	13 726	14 850	16 332	17 719	19 710	23 185	24 397	25 767	25 250
Bâtiments résidentiels	6 577	5 501	7 532	8 017	8 484	9 924	11 525	11 197	10 302	9 979
Ouvrages non résidentiels	5 307	5 303	4 578	4 448	4 631	5 070	5 869	6 161	6 861	7 293
Machines et matériel	4 247	3 461	3 719	4 633	5 271	5 666	6 832	7 808	8 981	8 459
Investissement des entreprises en stocks	268	-2 348	-776	1 726	431	122	1 349	898	511	-1 052
Non agricoles	283	-2 530	-777	1 803	536	221	1 392	935	552	-1 083
Agricoles	-1	44	-27	7	-58	-85	-18	-19	-29	12
Exportations de biens et services	52 918	48 904	50 518	54 462	55 794	57 499	57 967	64 015	65 402	67 247
Aux autres pays	23 290	22 028	22 920	26 516	26 623	28 082	26 349	30 016	30 931	33 160
Biens	20 147	19 054	19 881	23 026	22 876	24 536	22 629	26 193	26 848	28 972
Services	3 165	2 996	3 045	3 488	3 821	3 497	3 724	3 776	4 051	4 131
Aux autres provinces	30 158	27 294	28 007	28 129	29 436	29 598	31 952	34 297	34 756	34 275
Biens	22 021	19 439	19 941	19 992	21 228	20 785	22 339	24 232	24 295	23 667
Services	8 065	7 815	8 026	8 099	8 151	8 786	9 585	10 029	10 432	10 587
Moins :										
Importations de biens et services	49 844	42 735	46 500	52 755	56 036	58 532	61 597	67 396	71 378	71 812
Aux autres pays	22 932	18 738	20 862	24 618	27 608	28 789	30 289	34 386	37 302	39 530
Biens	19 262	15 442	17 320	20 489	23 391	24 398	25 628	29 298	31 960	33 597
Services	3 747	3 522	3 724	4 316	4 197	4 368	4 642	5 039	5 266	5 888
Aux autres provinces	27 961	25 125	26 749	29 162	29 155	30 514	32 121	33 734	34 726	32 670
Biens	18 772	16 640	17 659	19 276	18 805	19 239	19 906	20 603	21 387	19 345
Services	8 736	8 136	8 732	9 489	10 072	11 095	12 057	12 994	13 182	13 249
Divergence statistique	845	502	-442	-501	95	-572	363	1 052	749	392
Produit intérieur brut aux prix du marché	**132 580**	**128 180**	**130 811**	**137 153**	**141 169**	**145 901**	**152 119**	**158 862**	**160 184**	**160 838**
Demande intérieure finale	126 050	120 898	125 445	131 871	139 506	146 202	153 013	159 371	164 497	165 652

1. De 1981 à 1991, les totaux ne correspondent pas à la somme de leurs parties en raison de l'ajustement dû au changement d'année de base.
2. Les dépenses personnelles en biens et services de consommation sont estimées sur une base nationale.

Source : Statistique Canada, Division des comptes, des revenus et des dépenses.

1991	1992	1993	1994	1995	1996	1997	1998	1999	Dépenses[1]
				'000 000 $					
94 135	95 652	97 245	100 292	102 323	105 578	109 765	113 013	116 557	Dépenses personnelles en biens et services de consommation[2]
11 729	11 794	11 800	12 089	12 214	13 239	14 910	15 842	17 046	Biens durables
9 084	8 971	9 351	9 891	10 165	10 343	10 506	10 929	11 100	Biens semi-durables
26 864	27 252	27 534	28 535	29 210	29 812	30 354	30 606	31 129	Biens non durables
46 450	47 635	48 560	49 777	50 734	52 184	53 995	55 636	57 282	Services
41 375	42 239	42 157	41 735	41 029	40 491	40 064	40 656	40 974	Dépenses courantes nettes des administrations publiques en biens et services
4 162	4 063	4 325	4 589	4 463	4 498	4 330	4 517	4 713	Formation brute de capital fixe des administrations publiques
3 255	3 132	3 159	3 397	3 278	3 128	2 931	2 971	2 810	Structures
928	931	1 166	1 192	1 185	1 370	1 399	1 546	1 903	Machines et matériel
-13	-15	-2	-	10	-1	1	-8	-2	Investissement des administrations publiques en stocks
23 843	22 786	22 312	22 639	20 764	22 692	25 139	26 572	29 532	Formation brute de capital fixe des entreprises
8 287	8 307	7 903	8 884	6 805	7 932	8 262	8 170	8 774	Bâtiments résidentiels
6 695	5 858	6 362	5 443	5 074	4 859	4 705	5 272	5 372	Ouvrages non résidentiels
8 870	8 621	8 047	8 312	8 885	9 901	12 172	13 130	15 386	Machines et matériel
-1 261	-553	422	385	1 423	646	1 800	1 378	1 053	Investissement des entreprises en stocks
-1 342	-462	406	284	1 474	570	1 782	1 377	1 118	Non agricoles
52	-91	16	101	-51	76	18	1	-65	Agricoles
64 327	65 224	70 045	76 479	80 251	82 040	88 208	94 802	102 889	Exportations de biens et services
32 514	34 540	39 402	46 615	49 182	51 805	56 483	61 600	67 313	Aux autres pays
28 027	29 700	34 155	40 537	42 851	44 676	48 601	53 154	58 515	Biens
4 479	4 840	5 247	6 078	6 331	7 129	7 882	8 446	8 798	Services
31 931	30 684	30 643	29 864	31 069	30 235	31 725	33 202	35 576	Aux autres provinces
21 621	20 426	20 045	19 883	20 306	20 159	20 881	20 877	22 346	Biens
10 301	10 258	10 598	9 981	10 763	10 076	10 844	12 325	13 230	Services
									Moins :
70 010	69 898	74 878	76 912	78 941	83 341	91 074	97 531	103 922	Importations de biens et services
40 653	41 324	44 943	45 589	47 455	51 032	58 401	63 482	68 200	Aux autres pays
34 257	34 777	38 076	38 653	40 378	43 397	50 307	54 485	59 185	Biens
6 390	6 547	6 867	6 936	7 077	7 635	8 094	8 997	9 015	Services
29 455	28 574	29 935	31 323	31 486	32 309	32 673	34 049	35 722	Aux autres provinces
16 967	16 199	16 386	18 721	18 910	18 971	18 714	18 710	19 040	Biens
12 462	12 375	13 549	12 602	12 576	13 338	13 959	15 339	16 682	Services
231	-1 141	-729	-1 966	-956	104	227	436	741	Divergence statistique
157 310	**158 357**	**160 897**	**167 241**	**170 366**	**172 707**	**178 460**	**183 835**	**192 535**	**Produit intérieur brut aux prix du marché**
163 810	164 740	166 039	169 255	168 579	173 259	179 298	184 758	191 776	Demande intérieure finale

Figure 12.1
Composantes de la demande intérieure finale et PIB aux prix de 1992[1], Québec, 1981-1999

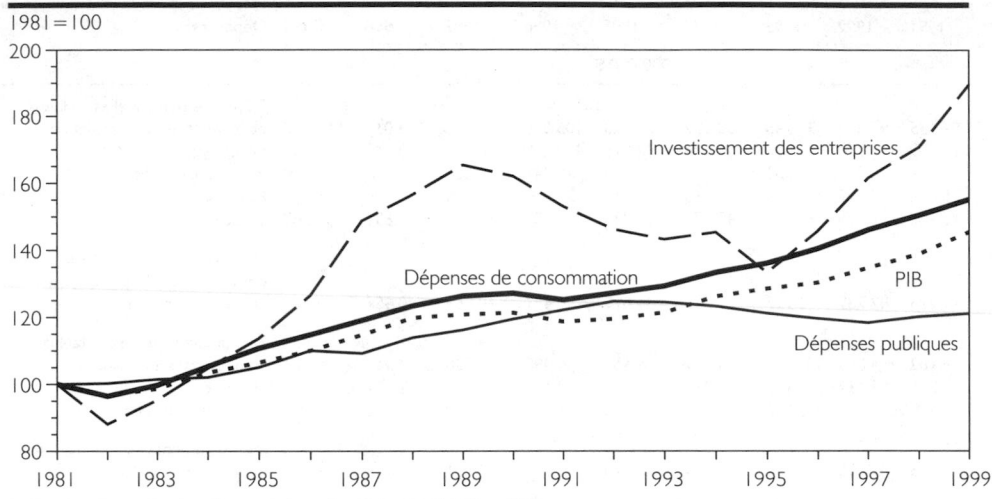

1. Les données sont présentées sur la base d'un indice égal à 100 en 1981.

Sources : Institut de la statistique du Québec, Direction des comptes et des études économiques.
    Statistique Canada, Division des comptes, des revenus et des dépenses.

Tableau 12.2
Recettes et dépenses du secteur des administrations publiques, Québec, 1981-1999

Recettes et dépenses	1981	1982	1988	1993	1997	1998	1999ᴾ
				'000 000 $			
Recettes	**31 056**	**33 324**	**56 397**	**68 537**	**81 534**	**84 884**	**89 765**
Impôts directs							
Des particuliers	10 247	11 336	19 087	23 496	27 673	29 495	30 556
Des sociétés et des entreprises publiques	2 140	1 540	3 332	4 017	7 001	6 561	7 863
Des non-résidents (retenues fiscales)	271	290	408	401	723	658	771
Cotisations aux régimes d'assurance sociale	2 801	2 925	6 199	8 678	10 169	10 371	10 851
Impôts indirects	12 678	13 927	22 778	27 383	30 585	32 448	33 772
Autres transferts courants							
en provenance des particuliers	187	270	382	894	872	1 144	1 178
Revenus de placement	2 732	3 036	4 211	3 668	4 511	4 207	4 774
Dépenses courantes	**39 507**	**44 216**	**64 727**	**89 262**	**91 382**	**93 986**	**94 752**
Dépenses courantes nettes en biens et services	20 892	23 102	32 630	42 742	41 975	42 682	43 607
Transferts courants							
Aux particuliers	8 464	10 691	16 143	25 544	25 870	26 268	26 784
Aux entreprises	3 501	2 512	2 194	3 134	3 128	4 376	4 092
Intérêts sur la dette publique	6 650	7 911	13 760	17 842	20 409	20 660	20 269
Épargne (recettes moins dépenses courantes)	**-8 451**	**-10 892**	**-8 330**	**-20 725**	**-9 848**	**-9 102**	**-4 987**
Plus :							
Provisions pour consommation de capital	1 759	1 927	2 645	3 266	3 909	3 960	4 031
Transferts nets de capitaux	-751	-820	-1 082	-122	688	770	843
Moins :							
Acquisition de capital non financier	2 218	2 168	3 503	4 367	4 407	4 465	3 741
Investissements en capital fixe et en stocks	2 167	2 117	3 439	4 325	4 357	4 428	4 389
Actifs existants	51	51	64	42	50	37	-648
Égale :							
Prêt net	**-9 661**	**-11 953**	**-10 270**	**-21 948**	**-9 658**	**-8 837**	**-3 854**

Sources : Institut de la statistique du Québec, Direction des comptes et des études économiques.
    Statistique Canada, Division des comptes, des revenus et des dépenses.

Tableau 12.3
Transferts des administrations publiques aux particuliers, Québec, 1981-1999

Transferts	1981	1986	1991	1996	1997	1998	1999ᵖ
	'000 000 $						
Administration fédérale	**4 809**	**8 073**	**12 142**	**12 695**	**12 631**	**12 855**	**13 011**
Allocations familiales et aux jeunes	493	622	685	9	10	14	20
Prestation fiscale et crédit d'impôt pour enfant	-	108	153	1 307	1 318	1 378	1 459
Pensions, première et seconde guerres mondiales	58	82	94	110	111	111	110
Allocations aux anciens combattants	47	68	96	49	50	50	54
Subventions aux Autochtones et à leurs organismes	74	161	216	412	348	419	435
Taxes sur les produits et services – crédit	-	-	512	776	788	777	806
Prestations d'assurance-emploi	1 791	3 150	5 332	3 772	3 389	3 318	3 075
Paiements de la caisse de sécurité de la vieillesse	2 142	3 430	4 750	5 660	5 821	5 976	6 209
Bourses d'études et subventions à la recherche	59	107	151	168	171	127	132
Transferts divers et autres	145	345	153	432	625	685	711
Administration provinciale	**2 825**	**4 615**	**5 965**	**7 892**	**7 898**	**7 832**	**7 986**
Indemnisations des accidentés du travail	354	755	1 138	1 087	1 058	1 018	1 071
Subventions aux associations de bienfaisance	608	353	504	928	1 078	1 227	1 319
Aide sociale – maintien du revenu	1 088	1 859	2 222	2 933	2 687	2 472	2 416
Aide sociale – autres	177	272	357	548	477	334	327
Transferts divers	598	1 376	1 744	2 396	2 598	2 781	2 853
Administrations locales	**2**	**2**	**2**	**2**	**2**	**2**	**2**
Régime de pensions du Canada	**10**	**21**	**46**	**54**	**54**	**54**	**54**
Régime de rentes du Québec	**818**	**2 066**	**3 510**	**5 028**	**5 285**	**5 525**	**5 731**
Total	**8 464**	**14 777**	**21 665**	**25 671**	**25 870**	**26 268**	**26 784**

Sources : Institut de la statistique du Québec, Direction des comptes et des études économiques.
Statistique Canada, Division des comptes, des revenus et des dépenses.

Figure 12.2
Surplus (déficit) des administrations publiques en pourcentage du PIB, Québec, 1981-1999

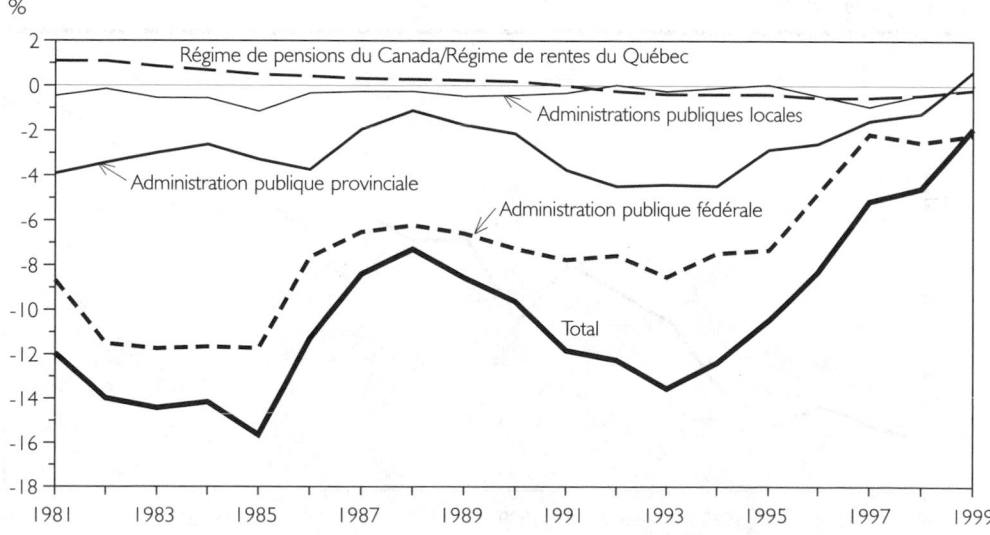

Sources : Institut de la statistique du Québec, Direction des comptes et des études économiques.
Statistique Canada, Division des comptes, des revenus et des dépenses.

Tableau 12.4
Provenance et utilisation du revenu personnel, Québec, 1981-1999

Composantes	1981	1986	1991	1996	1997	1998	1999
	'000 000 $						
Rémunération des salariés (base nationale)	47 873	63 780	87 440	96 909	100 217	104 367	109 107
Revenu comptable net des exploitants agricoles au titre de la production agricole	461	651	604	666	592	563	710
Revenu net des entreprises individuelles non agricoles, loyers compris	3 380	6 408	8 399	10 467	11 019	11 570	12 096
Intérêts, dividendes et revenus divers de placements	9 683	14 496	22 090	23 060	22 999	23 447	23 758
Transferts courants en provenance des administrations publiques	8 464	14 777	21 665	25 671	25 870	26 268	26 784
Transferts courants en provenance des sociétés	88	83	85	190	195	242	250
Transferts courants en provenance des non-résidents	144	235	351	503	512	547	550
Revenu personnel	**70 093**	**100 430**	**140 634**	**157 466**	**161 404**	**167 004**	**173 255**
Moins:							
Impôts directs des particuliers	10 247	15 862	23 413	26 324	27 673	29 495	30 556
Cotisations aux régimes d'assurance sociale	2 801	4 816	7 257	9 459	10 169	10 371	10 851
Autres transferts courants aux administrations publiques	187	305	634	923	872	1 144	1 178
Égale:							
Revenu personnel disponible	**56 858**	**79 447**	**109 330**	**120 760**	**122 690**	**125 994**	**130 670**
Moins:							
Dépenses personnelles en biens et services de consommation	45 474	69 618	93 072	108 682	115 108	119 957	125 379
Transferts courants aux sociétés	1 123	1 118	2 173	2 074	1 601	1 753	1 879
Transferts courants aux non-résidents	106	158	211	290	303	322	339
Égale:							
Épargne personnelle	**10 155**	**8 553**	**13 874**	**9 714**	**5 678**	**3 962**	**3 073**

Source : Statistique Canada, Division des comptes, des revenus et des dépenses.

Figure 12.3
Impôts directs et transferts aux administrations publiques en pourcentage du revenu personnel, Québec, 1981-1999

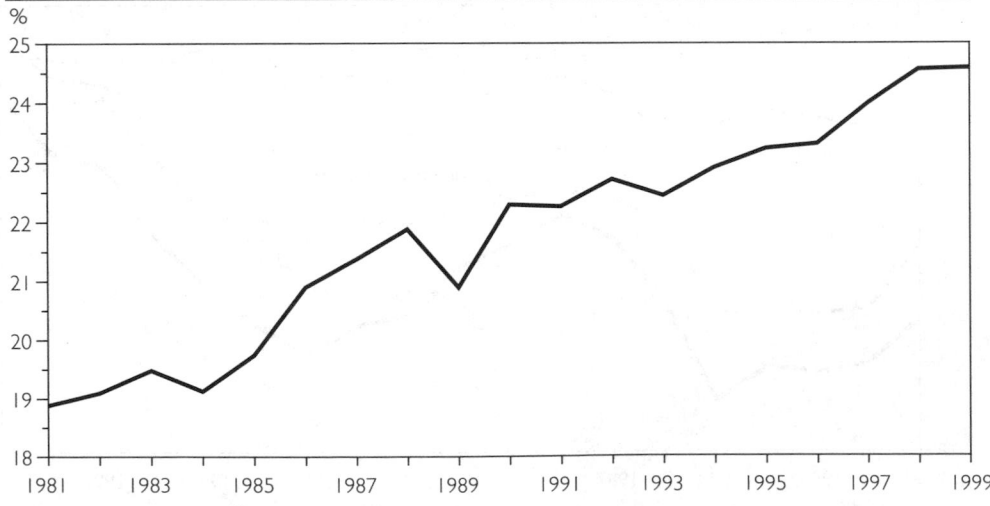

Sources : Institut de la statistique du Québec, Direction des comptes et des études économiques.
          Statistique Canada, Division des comptes, des revenus et des dépenses.

Tableau 12.5
Produit intérieur brut en termes de revenus, Québec, 1981-1999

Revenus	1981	1986	1991	1996	1997	1998	1999ᵖ
				'000 000 $			
Rémunération des salariés[1]	48 154	63 591	86 287	95 262	98 421	102 439	107 102
Bénéfices des sociétés avant impôt	5 822	8 408	6 626	14 993	16 384	16 514	19 485
Intérêts et revenus divers de placement	7 505	9 494	13 192	11 803	12 528	12 165	12 662
Revenu comptable net des exploitants agricoles au titre de la production agricole	461	651	604	666	592	563	710
Revenu net des entreprises individuelles non agricoles, loyers compris	3 380	6 408	8 399	10 467	11 019	11 570	12 096
Ajustement de la valeur des stocks	-1 731	-375	353	-277	-226	-226	-592
Revenu intérieur net au coût des facteurs	**63 591**	**88 177**	**115 461**	**132 914**	**138 718**	**143 025**	**151 463**
Impôts indirects moins subventions	9 177	16 802	23 132	26 134	27 457	28 072	29 680
Impôts indirects	12 678	18 973	26 573	29 247	30 585	32 448	33 772
Subventions	3 501	2 171	3 441	3 113	3 128	4 376	4 092
Provisions pour consommation de capital	8 520	11 890	16 770	21 259	21 924	23 055	23 704
Divergence statistique	-523	452	-229	-108	-237	-457	-785
Produit intérieur brut aux prix du marché	**80 765**	**117 321**	**155 134**	**180 199**	**187 862**	**193 695**	**204 062**
Produit intérieur brut au coût des facteurs	71 588	100 519	132 002	154 065	160 405	165 623	174 382

1. La rémunération des salariés est estimée sur une base intérieure.

Sources : Institut de la statistique du Québec, Direction des comptes et des études économiques.
Statistique Canada, Division des comptes, des revenus et des dépenses.

Tableau 12.6
Produit intérieur brut au coût des facteurs, par activité économique, Québec, 1984-1999

Activité économique	1984	1992	1995	1996	1997	1998ᵉ	1999ᵉ
				'000 000 $			
Secteur primaire	**3 116**	**3 926**	**4 791**	**4 726**	**4 591**	**4 706**	**4 868**
Agriculture	1 567	1 880	2 057	2 244	2 180	2 195	2 407
Forêts	586	825	1 138	978	946	1 004	915
Pêche et piégeage	54	70	124	78	74	66	87
Mines (y compris le broyage), carrières et puits de pétrole	909	1 152	1 473	1 427	1 392	1 440	1 459
Secteur secondaire	**24 406**	**32 992**	**41 215**	**42 616**	**44 657**	**46 424**	**50 226**
Industries manufacturières	19 069	24 748	33 944	35 217	37 120	38 502	41 710
Construction	5 338	8 244	7 272	7 399	7 537	7 922	8 516
Secteur tertiaire	**59 894**	**96 795**	**105 448**	**106 723**	**111 157**	**114 494**	**119 288**
Transports et entreposage	4 220	5 358	6 341	6 690	7 063	7 423	7 942
Communications	2 943	4 403	4 648	4 714	4 959	5 250	5 513
Électricité, gaz et eau	4 018	6 312	6 762	7 267	7 400	7 292	7 776
Commerce de gros	4 678	7 042	8 246	8 132	8 751	9 512	10 386
Commerce de détail	5 832	8 256	8 820	8 867	9 783	10 275	10 804
Finances, assurances et affaires immobilières	10 935	19 390	21 373	21 267	22 526	23 179	23 944
Administration publique et défense	6 309	9 976	10 383	10 589	10 346	10 527	10 984
Services	20 960	36 058	38 876	39 198	40 329	41 036	41 939
Produit intérieur brut au coût des facteurs[1]	**87 417**	**133 713**	**151 454**	**154 065**	**160 405**	**165 623**	**174 382**

1. Le produit intérieur brut au coût des facteurs estimé ici sous l'angle de la valeur ajoutée n'est pas égal à celui établi selon les revenus à la dernière ligne du tableau 12.1, pour les années 1984-1995, bien que selon le concept ils devraient être égaux.

Sources : Institut de la statistique du Québec, Direction des comptes et des études économiques.
Statistique Canada, Division des mesures et de l'analyse des industries.

Tableau 12.7
Population, PIB, revenu personnel disponible[1], Québec, Ontario, Canada, 1981-1999

	Unité	1981	1986	1991	1996	1997	1998	1999
Québec								
Population	'000	6 548	6 709	7 064	7 274	7 303	7 324	7 349
Produit intérieur brut	'000 000 $	132 580	145 901	157 310	172 707	178 460	183 835	192 535
Produit intérieur brut par habitant	$	20 248	21 748	22 270	23 743	24 437	25 100	26 199
Revenu personnel disponible	'000 000 $	93 980	98 569	110 546	117 357	116 959	118 750	121 441
Revenu personnel disponible par habitant	$	14 352	14 692	15 649	16 134	16 015	16 214	16 525
Ontario								
Population	'000	8 810	9 439	10 427	11 101	11 248	11 385	11 517
Produit intérieur brut	'000 000 $	217 674	261 505	282 865	319 982	335 508	349 364	370 722
Produit intérieur brut par habitant	$	24 707	27 705	27 128	28 825	29 828	30 686	32 189
Revenu personnel disponible	'000 000 $	150 758	170 916	196 316	197 514	202 650	209 727	216 777
Revenu personnel disponible par habitant	$	17 112	18 107	18 828	17 792	18 017	18 421	18 822
Reste du Canada								
Population	'000	9 462	9 953	10 540	11 297	11 436	11 539	11 627
Produit intérieur brut	'000 000 $	201 051	221 169	252 072	288 227	301 045	308 803	316 997
Produit intérieur brut par habitant	$	21 250	22 218	23 919,1	25 513,6	26 326,2	26 763,3	27 263,9
Revenu personnel disponible	'000 000 $	..	..	..	..	..	..	..
Revenu personnel disponible par habitant	$	..	..	..	..	..	..	..
Canada								
Population	'000	24 820	26 101	28 031	29 672	29 987	30 248	30 493
Produit intérieur brut	'000 000 $	551 305	628 575	692 247	780 916	815 013	842 002	880 254
Produit intérieur brut par habitant	$	22 212	24 082	24 696	26 318	27 179	27 837	28 867
Revenu personnel disponible	'000 000 $	394 217	425 149	480 647	498 389	505 817	520 110	533 521
Revenu personnel disponible par habitant	$	15 883	16 289	17 147	16 797	16 868	17 195	17 497

1. Le PIB et le revenu personnel disponible sont exprimés en dollars de 1992.

Sources : Institut de la statistique du Québec, Direction des comptes et des études économiques.
Statistique Canada, Division des comptes, des revenus et des dépenses.

Figure 12.4
PIB et revenu personnel disponible (RPD) réels par habitant, rapports Québec/Ontario et Québec/Canada, 1981-1999

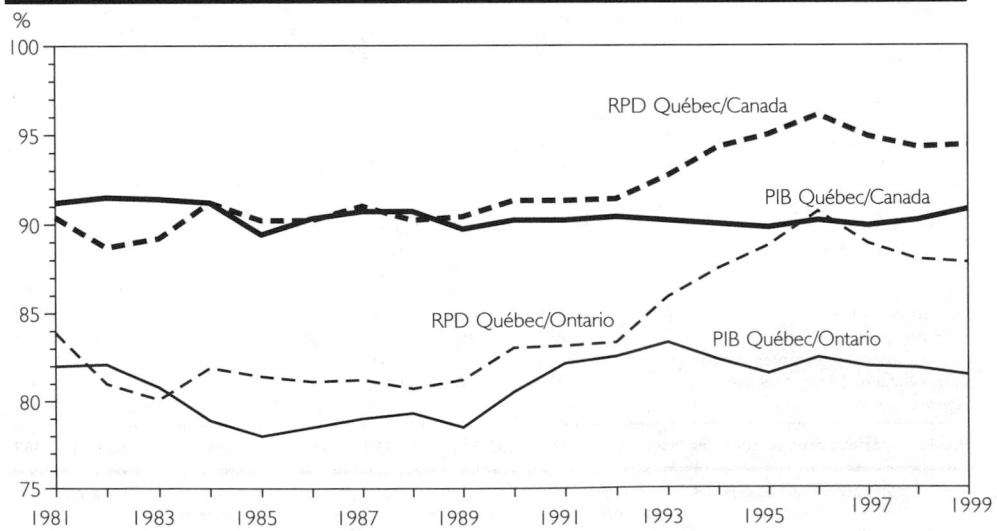

Sources : Institut de la statistique du Québec, Direction des comptes et des études économiques.
Statistique Canada, Division des comptes, des revenus et des dépenses.

13

Investissements privés et publics

Chapitre 13

Liste des tableaux

Liste des figures

Ce chapitre a été réalisé par Michel Nadeau, de la Direction des comptes et des études économiques de l'Institut de la statistique du Québec.

Le présent chapitre sur les investissements fournit des indications utiles quant à l'état du marché dans les divers secteurs d'activité de l'économie du Québec et du Canada. Il est consacré principalement à la répartition sectorielle et régionale des investissements privés et publics au Québec.

Compte tenu que les investissements représentent une part importante et variable des dépenses brutes nationales, le niveau des programmes d'investissements donne une idée de la demande que les producteurs de biens et les fournisseurs de services ont à satisfaire par rapport à leur capacité de production.

Des données sur les investissements font l'objet d'une publication annuelle depuis 1976, mais le sujet fut traité explicitement pour la première fois en 1989 dans *Le Québec statistique*, 59ᵉ édition.

Évolution des investissements dans les provinces canadiennes

Au Québec, les investissements dans la construction, les machines et l'équipement atteignent 34,2 milliards de dollars en 2000, soit environ le cinquième du total canadien (18,6 %) et la moitié de celui de l'Ontario (49,4 %) (tableau 13.1).

De 1991 à 2000, les investissements au Québec, en Ontario et au Canada s'accroissent de 27,4 %, de 43,6 % et de 46,8 % respectivement. La progression est continue depuis 1996 au Québec et au Canada, et depuis 1994 en Ontario.

Au Québec (+ 45,8 %) et en Ontario (+ 72,4 %), l'industrie secondaire est celle qui, depuis 1991, enregistre le meilleur résultat au chapitre de la croissance des investissements, suivie des industries primaire (+ 26,9 % au Québec et + 59,5 % en Ontario), et tertiaire et du logement (+ 23,4 % au Québec et + 38,6 % en Ontario). Pour l'ensemble des provinces et des territoires, l'industrie primaire (+ 132,4 %) est celle qui s'est la plus démarquée, suivie des industries secondaire (+ 46,9 %), et tertiaire et du logement (+ 36,5 %).

Au Québec, en 2000, les investissements se répartissent à peu près également entre la construction (53,8 %) et les machines et l'équipement (46,2 %) (tableau 13.2). Toutefois, depuis 1991, les investissements dans les machines et l'équipement (+ 59,2 %) ont progressé plus rapidement que ceux dans la construction (+ 8,7 %).

En 2000, la part des investissements dans le produit intérieur brut est moins élevée au Québec (15,8 %) qu'en Ontario (16,2 %), et encore moins qu'au Canada (17,9 %) (tableau 13.3). L'Alberta (26,8 %) bénéficie de la plus grande part, suivie de Terre-Neuve (25,4 %), de la Saskatchewan (21,2 %) et du Nouveau-Brunswick (18,8 %). Au Québec et au Canada, cette part décroît depuis 1998, passant de 16,2 % à 15,8 % et de 18,6 % à 17,9 % respectivement, alors qu'elle demeure au même niveau en Ontario.

Évolution sectorielle des investissements au Québec

Au Québec, en 2000, les secteurs de l'agriculture, de la foresterie, de la pêche et de la chasse représentent un peu plus de la moitié des investissements de l'industrie primaire (tableau 13.5). Ils affichent une progression de leurs investissements de 7,5 % par rapport à 1996. Par contre, les secteurs des mines et d'extraction de pétrole et de gaz, soit l'autre partie de l'industrie primaire, subissent une diminution de leurs investissements de 31,5 %.

Depuis 1991, la progression des investissements en machines et en équipement (+ 52,4 %) est davantage marquée dans l'industrie primaire que dans celle de la construction (+ 15,2 %). En 2000, les investissements dans les machines et l'équipement de l'industrie primaire représentent 37,7 % du total de ceux-ci, comparativement à 31,4 % en 1991.

Pour sa part, l'industrie de la construction voit ses investissements croître de 27,6 % entre 1996 et 2000, dont 13,6 % dans la seule année 1999.

L'industrie de la fabrication enregistre un accroissement continu de ses investissements depuis 1996, si bien que le gain accumulé depuis s'élève à 47,8 % (tableau 13.6). En 2000, les secteurs de la première transformation des métaux (26,9 %), de la fabrication du papier (16,1 %) et de la fabrication des produits en bois (7,3 %) totalisent la moitié des investissements reçus par l'industrie de la fabrication. Depuis 1996, le secteur de la première transformation des métaux voit le niveau de ses investissements passer de 539,3 millions de dollars à 1,6 milliard, soit un accroissement de 196,6 %.

Depuis 1991, les investissements dans les machines et l'équipement de l'industrie secondaire ont augmenté de 48,9 %, comparativement à 31,7 % dans la construction; en 2000, ils représentent 83,8 % du total, soit sensiblement la même proportion qu'en 1991.

L'industrie tertiaire et le logement voient leurs investissements augmenter sans interruption depuis 1996, pour atteindre 26,4 milliards de dollars en 2000, soit 77,0 % de l'ensemble des secteurs (figure 13.2). À cette date, les secteurs du logement (25,5 %), des administrations publiques (8,5 %), de la finance et des assurances (8,2 %), de l'information et de la culture (6,5 %), des services publics (5,5 %) et du transport et de l'entreposage (4,8 %) représentent 59,0 % des investissements dans l'industrie tertiaire et le logement. Depuis 1996, plusieurs secteurs ont progressé de façon appréciable; c'est le cas notamment des secteurs des services immobiliers et de location (+ 122,4 %), de la finance et des assurances (+ 115,2 %), des arts, des spectacles et des loisirs (+ 109,2 %), et de la nouvelle économie (+ 53,5 %).

De 1991 à 2000, la part des investissements en construction dans l'industrie tertiaire et le logement diminue de près de 10 % jusqu'à atteindre 62,9 % en 2000. En contrepartie, les investissements dans les machines et l'équipement progressent de 66,1 % durant cette même période et représentent maintenant 37,1 % du total.

Ces dernières années, le secteur privé a progressé plus rapidement que le secteur public, sa part relative ayant passé de 78,8 % en 1998, à 80,1 % en 2000. Les investissements du secteur public se chiffrent à 6,8 milliards de dollars en 2000, soit 19,9 % des investissements totaux, ce qui représente une progression de 10 % depuis 1997 (tableau 13.4). L'Administration publique accapare 64,1 % de ce secteur. La part de l'Administration et des entreprises publiques provinciales atteint 4,5 milliards ou 65,5 % du secteur public.

Évolution des investissements dans les régions administratives du Québec

La progression des investissements de l'industrie secondaire, observée à l'échelle du Québec, se confirme dans la majorité des régions administratives (tableau 13.7). De 1998 à 2000, la part relative des investissements de l'industrie secondaire s'est accrue plus particulièrement dans les régions du Saguenay–Lac-Saint-Jean (de 48,6 % à 61,5 %), de l'Abitibi-Témiscamingue (de 11,5 % à 17,9 %), de la Mauricie (de 17,4 % à 24,4 %) et du Bas-Saint-Laurent (de 13,7 % à 18,7 %). En 2000, l'industrie tertiaire et du logement détient la plus importante part relative des investissements dans les régions, à l'exception du Saguenay–Lac-Saint-Jean où domine l'industrie secondaire (figure 13.1). La part relative des investissements dans l'industrie primaire ne dépasse pas 5,0 % en 2000, sauf dans quelques régions dont l'Abitibi-Témiscamingue (38,0 %).

De 1998 à 2000, les investissements du secteur public progressent dans la très grande majorité des régions administratives (tableau 13.8). Seules les régions de Laval (- 23,4 %), de l'Estrie (- 21,2 %), de Montréal (- 14,1 %) et de la Montérégie (- 7,7 %) voient ceux-ci évoluer en sens contraire. En 2000, la part relative des investissements du secteur public est prépondérante dans les régions de la Côte-Nord (62,3 %), du Nord-du-Québec (53,2 %) et de la Gaspésie–Îles-de-la-Madeleine (50,7 %), par opposition à la région du Saguenay–Lac-Saint-Jean (10,0 %) qui enregistre la plus faible part. Les régions de Montréal (30,3 %), de la Montérégie (14,8 %) et de la Capitale-Nationale (9,6 %) bénéficient de 54,7 % des investissements du secteur public, les quatorze autres régions se partageant le reste, soit moins de la moitié du total provincial (figure 13.3).

En 2000, la région de Montréal accapare 1,4 milliard de dollars (31,7 %) d'investissements de l'Administration publique, ce qui la place loin devant les autres régions dont celle de la Capitale-Nationale (12,8 %) (tableau 13.9). La région de Montréal bénéficie également de la plus grande partie des investissements des entreprises publiques (27,8 %).

Références

INSTITUT DE LA STATISTIQUE DU QUÉBEC. *Investissements privés et publics, Québec et ses régions, perspectives révisées*, publication annuelle, Québec, Gouvernement du Québec.

STATISTIQUE CANADA. *Dépenses d'exploration, de développement et d'immobilisations pour les mines et les puits de pétrole et de gaz naturel*, publication annuelle, Ottawa, Gouvernement du Canada (61-216-XPB).

STATISTIQUE CANADA. *Dépenses en immobilisations par type d'actif*, publication annuelle, Ottawa, Gouvernement du Canada (61-223-XPB).

STATISTIQUE CANADA. *Flux et stocks de capital fixe*, hors série, Ottawa, Gouvernement du Canada (13-568-XPB).

STATISTIQUE CANADA. *Investissements privés et publics au Canada, perspective*, publication annuelle, Ottawa, Gouvernement du Canada (61-205-XPB).

STATISTIQUE CANADA. *Investissements privés et publics au Canada, perspective révisée*, publication annuelle, Ottawa, Gouvernement du Canada (61-206-XPB).

STATISTIQUE CANADA. *Taux d'utilisation de la capacité industrielle au Canada*, publication trimestrielle, Ottawa, Gouvernement du Canada (31-003-XPB).

STATISTIQUE CANADA. *Statistiques des investissements - Sous-industries manufacturières, Canada*, hors série, Ottawa, Gouvernement du Canada (61-518-XPB).

Définitions

Investissements

Dépenses relatives aux constructions nouvelles, aux améliorations importantes apportées à des constructions déjà existantes, à l'achat de machines et d'équipement neufs ainsi qu'aux réparations majeures de machines et d'équipement. Ces dépenses comprennent également celles des particuliers au titre de la construction résidentielle, mais excluent l'achat de terrains, de constructions déjà existantes, de machines ou d'équipement d'occasion (à moins qu'ils n'aient été importés).

Investissements en construction

Dépenses reliées à la construction résidentielle et non résidentielle, et à tous les travaux de génie, tels que routes, ponts, barrages, lignes de transmission d'énergie, oléoducs, forage de puits de pétrole, etc. Elles comprennent aussi tous les frais portés au compte capital, comme les honoraires d'architectes, d'avocats et d'ingénieurs, et la valeur des travaux effectués par des employés de l'entreprise.

Investissements en machines et en équipement

Dépenses reliées aux machines et à l'équipement, comprenant non seulement les biens en capital directement reliés à la production de biens et de services, mais aussi tout équipement d'utilisation générale dont la durée de vie utile est supérieure à un an. Les réparations majeures effectuées sur des machines et de l'équipement sont incluses dans les investissements si elles accroissent la durée de vie ou la productivité du bien. Les machines et l'équipement utilisés à des fins personnelles ne sont pas inclus dans ces dépenses.

Indice des investissements

Indice qui exprime le rapport de la valeur des investissements pour une année donnée sur la valeur des investissements d'une année de référence, multiplié par 100. Par exemple, pour comparer les investissements du Québec en 2000 (34,25 milliards de dollars) à ceux de 1991 (26,89 milliards de dollars), on effectue l'opération suivante : (34,25 / 26,89) $\times$ 100 = 127,4 et on obtient ainsi l'indice des investissements en 2000. Dans ce chapitre, l'année 1991 est l'année de référence à laquelle les autres années sont comparées.

Secteur public

Comprend l'ensemble des administrations et des entreprises publiques fédérales, provinciales et locales. L'Administration publique fédérale comprend les ministères et les fonds spéciaux du gouvernement du Canada, tandis que l'Administration publique provinciale comprend les ministères et les fonds spéciaux du gouvernement du Québec, les hôpitaux et les autres établissements de santé et de services sociaux, les commissions scolaires, les établissements d'enseignement collégial et les universités du Québec. Les administrations publiques locales comprennent les municipalités et les communautés urbaines et régionales.

Coefficient de variation

Écart type exprimé en pourcentage de la valeur de l'estimation. Il donne une mesure de précision relative et comparable entre différentes industries. Notons qu'un plus petit coefficient de variation indique une plus grande fiabilité de l'estimation.

Figure 13.1

Part des investissements de l'industrie tertiaire et du logement dans les investissements totaux, par région administrative, Québec, 2000

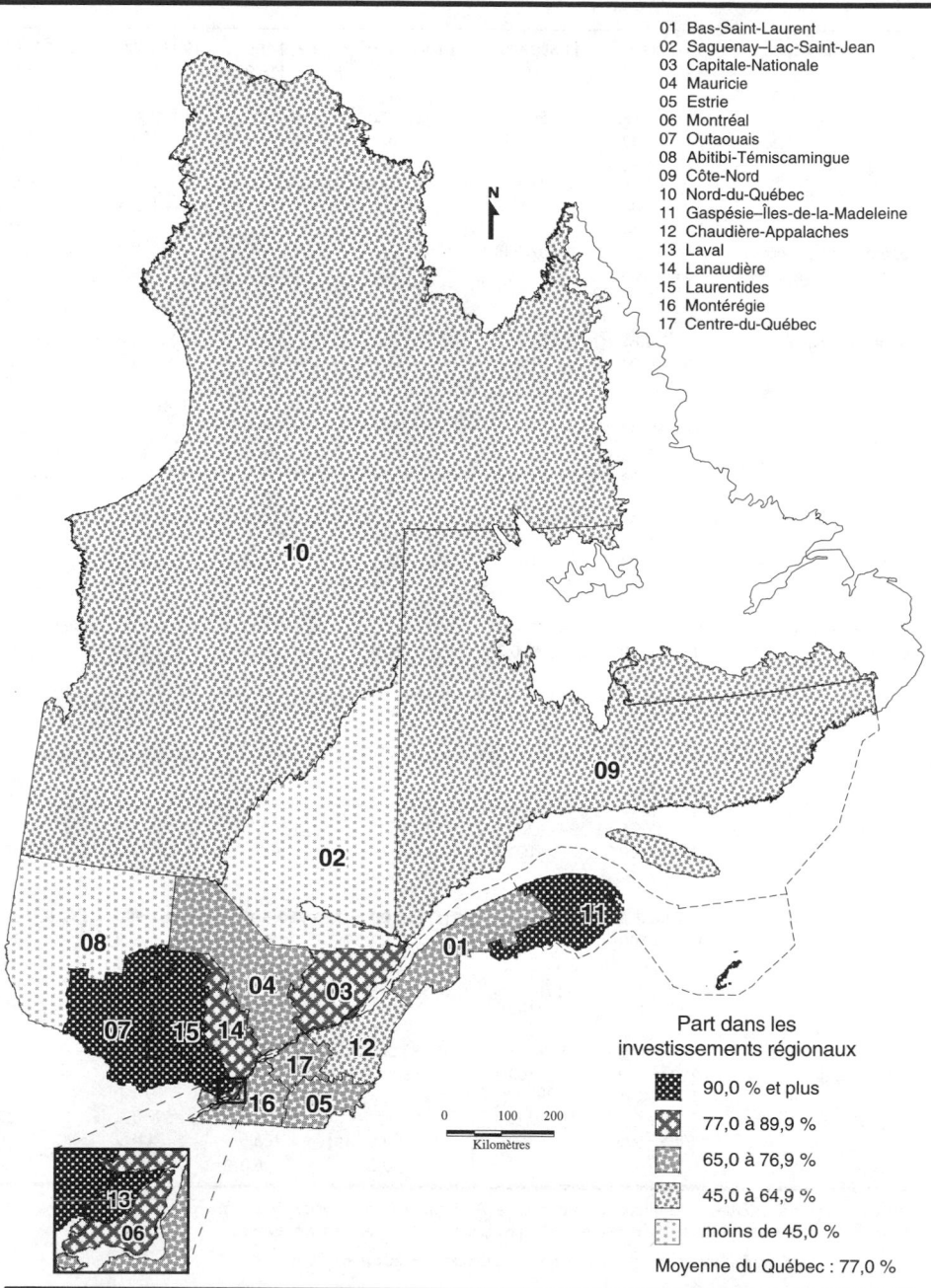

01 Bas-Saint-Laurent
02 Saguenay–Lac-Saint-Jean
03 Capitale-Nationale
04 Mauricie
05 Estrie
06 Montréal
07 Outaouais
08 Abitibi-Témiscamingue
09 Côte-Nord
10 Nord-du-Québec
11 Gaspésie–Îles-de-la-Madeleine
12 Chaudière-Appalaches
13 Laval
14 Lanaudière
15 Laurentides
16 Montérégie
17 Centre-du-Québec

Part dans les
investissements régionaux

90,0 % et plus
77,0 à 89,9 %
65,0 à 76,9 %
45,0 à 64,9 %
moins de 45,0 %

Moyenne du Québec : 77,0 %

Source : Statistique Canada, *Investissements privés et publics au Canada* (61-205 et 61-206).

Réalisation : Institut de la statistique du Québec, Direction de l'édition et des communications, 2001.

Tableau 13.1
Investissements par industrie et par province et territoire, selon le SCIAN[1], Canada, 1991-2000[2]

Industrie	Unité	1991	1992	1993	1994	1995
Industrie primaire	'000 $	11 698 400	10 046 900	13 912 100	19 168 000	20 201 000
	1991 = 100	100,0	85,9	118,9	163,9	172,7
	Δ %	...	-14,1	38,5	37,8	5,4
Québec	'000 $	958 800	928 300	1 070 900	1 299 900	1 417 200
	1991 = 100	100,0	96,8	111,7	135,6	147,8
	Δ %	...	-3,2	15,4	21,4	9,0
Ontario	'000 $	1 137 400	1 163 900	1 253 100	1 279 400	1 560 000
	1991 = 100	100,0	102,3	110,2	112,5	137,2
	Δ %	...	2,3	7,7	2,1	21,9
Autres provinces et territoires	'000 $	9 602 200	7 954 700	11 588 100	16 588 700	17 223 800
	1991 = 100	100,0	82,8	120,7	172,8	179,4
	Δ %	...	-17,2	45,7	43,2	3,8
Industrie secondaire	'000 $	16 689 200	13 926 200	14 125 700	16 638 100	18 879 500
	1991 = 100	100,0	83,4	84,6	99,7	113,1
	Δ %	...	-16,6	1,4	17,8	13,5
Québec	'000 $	4 571 600	3 545 800	2 970 800	3 906 900	4 236 600
	1991 = 100	100,0	77,6	65,0	85,5	92,7
	Δ %	...	-22,4	-16,2	31,5	8,4
Ontario	'000 $	6 376 600	5 308 700	6 341 400	8 272 300	9 306 100
	1991 = 100	100,0	83,3	99,4	129,7	145,9
	Δ %	...	-16,7	19,5	30,4	12,5
Autres provinces et territoires	'000 $	5 741 000	5 071 700	4 813 500	4 458 900	5 336 800
	1991 = 100	100,0	88,3	83,8	77,7	93,0
	Δ %	...	-11,7	-5,1	-7,4	19,7
Industrie tertiaire et logement	'000 $	96 817 500	97 749 000	92 942 700	97 161 800	93 596 800
	1991 = 100	100,0	101,0	96,0	100,4	96,7
	Δ %	...	1,0	-4,9	4,5	-3,7
Québec	'000 $	21 356 700	21 358 600	21 540 000	22 253 800	20 130 200
	1991 = 100	100,0	100,0	100,9	104,2	94,3
	Δ %	...	0,0	0,8	3,3	-9,5
Ontario	'000 $	40 798 200	39 510 400	34 913 800	36 361 800	36 401 900
	1991 = 100	100,0	96,8	85,6	89,1	89,2
	Δ %	...	-3,2	-11,6	4,1	0,1
Autres provinces et territoires	'000 $	34 662 600	36 880 000	36 488 900	38 546 200	37 064 700
	1991 = 100	100,0	106,4	105,3	111,2	106,9
	Δ %	...	6,4	-1,1	5,6	-3,8
Ensemble des industries	'000 $	125 205 100	121 722 100	120 980 500	132 967 900	132 677 300
	1991 = 100	100,0	97,2	96,6	106,2	106,0
	Δ %	...	-2,8	-0,6	9,9	-0,2
Québec	'000 $	26 887 100	25 832 700	25 581 700	27 460 600	25 784 000
	1991 = 100	100,0	96,1	95,1	102,1	95,9
	Δ %	...	-3,9	-1,0	7,3	-6,1
Ontario	'000 $	48 312 200	45 983 000	42 508 300	45 913 500	47 268 000
	1991 = 100	100,0	95,2	88,0	95,0	97,8
	Δ %	...	-4,8	-7,6	8,0	3,0
Autres provinces et territoires	'000 $	50 005 800	49 906 400	52 890 500	59 593 800	59 625 300
	1991 = 100	100,0	99,8	105,8	119,2	119,2
	Δ %	...	-0,2	6,0	12,7	0,1

1. Statistique Canada, *Système de classification des industries de l'Amérique du Nord, Canada 1997*.
2. 1991-1998 : dépenses réelles; 1999 : dépenses réelles provisoires; 2000 : perspectives révisées.

Source : Statistique Canada, *Investissements privés et publics au Canada* (61-205 et 61-206).

1996	1997	1998	1999	2000	Unité	Industrie
21 030 300	27 013 600	24 855 700	22 861 100	27 187 600	'000 $	**Industrie primaire**
179,8	230,9	212,5	195,4	232,4	1991=100	
4,1	28,5	-8,0	-8,0	18,9	Δ %	
1 441 164	1 393 952	1 237 116	1 165 270	1 216 294	'000 $	Québec
150,3	145,4	129,0	121,5	126,9	1991=100	
1,7	-3,3	-11,3	-5,8	4,4	Δ %	
1 732 400	1 730 200	1 700 800	1 523 600	1 814 600	'000 $	Ontario
152,3	152,1	149,5	134,0	159,5	1991=100	
11,1	-0,1	-1,7	-10,4	19,1	Δ %	
17 856 736	23 889 448	21 917 784	20 172 230	24 156 706	'000 $	Autres provinces et territoires
186,0	248,8	228,3	210,1	251,6	1991=100	
3,7	33,8	-8,3	-8,0	19,8	Δ %	
19 985 600	22 567 600	23 490 900	23 520 300	24 516 200	'000 $	Industrie secondaire
119,8	135,2	140,8	140,9	146,9	1991=100	
5,9	12,9	4,1	0,1	4,2	Δ %	
4 586 889	4 918 451	5 289 081	6 054 714	6 666 416	'000 $	Québec
100,3	107,6	115,7	132,4	145,8	1991=100	
8,3	7,2	7,5	14,5	10,1	Δ %	
10 020 600	11 040 300	11 641 500	10 631 200	10 993 400	'000 $	Ontario
157,1	173,1	182,6	166,7	172,4	1991=100	
7,7	10,2	5,4	-8,7	3,4	Δ %	
5 378 111	6 608 849	6 560 319	6 834 386	6 856 384	'000 $	Autres provinces et territoires
93,7	115,1	114,3	119,0	119,4	1991=100	
0,8	22,9	-0,7	4,2	0,3	Δ %	
94 521 200	112 144 300	119 030 300	128 162 700	132 144 300	'000 $	Industrie tertiaire et
97,6	115,8	122,9	132,4	136,5	1991=100	logement
1,0	18,6	6,1	7,7	3,1	Δ %	
20 800 994	23 256 534	24 759 051	25 286 053	26 363 604	'000 $	Québec
97,4	108,9	115,9	118,4	123,4	1991=100	
3,3	11,8	6,5	2,1	4,3	Δ %	
37 672 500	45 551 200	47 044 500	52 341 400	56 553 500	'000 $	Ontario
92,3	111,7	115,3	128,3	138,6	1991=100	
3,5	20,9	3,3	11,3	8,0	Δ %	
36 047 706	43 336 566	47 226 749	50 535 247	49 227 196	'000 $	Autres provinces et territoires
104,0	125,0	136,2	145,8	142,0	1991=100	
-2,7	20,2	9,0	7,0	-2,6	Δ %	
135 537 100	**161 725 500**	**167 376 900**	**174 544 100**	**183 848 100**	'000 $	**Ensemble des industries**
108,3	**129,2**	**133,7**	**139,4**	**146,8**	1991=100	
2,2	**19,3**	**3,5**	**4,3**	**5,3**	Δ %	
26 829 047	29 568 937	31 285 248	32 506 037	34 246 314	'000 $	Québec
99,8	110,0	116,4	120,9	127,4	1991=100	
4,1	10,2	5,8	3,9	5,4	Δ %	
49 425 500	58 321 700	60 386 800	64 496 200	69 361 500	'000 $	Ontario
102,3	120,7	125,0	133,5	143,6	1991=100	
4,6	18,0	3,5	6,8	7,5	Δ %	
59 282 553	73 834 863	75 704 852	77 541 863	80 240 286	'000 $	Autres provinces et territoires
118,6	147,7	151,4	155,1	160,5	1991=100	
-0,6	24,5	2,5	2,4	3,5	Δ %	

Tableau 13.2
Investissements par industrie et par type de dépenses, selon le SCIAN[1], Québec, 1991-2000[2]

Industrie	Année	Construction		Machines et équipement		Total	
		'000 $	%	'000 $	%	'000 $	%
Industrie primaire	1991	658 100	68,6	300 600	31,4	958 800	100,0
	1992	598 900	64,5	329 400	35,5	928 300	100,0
	1993	639 100	59,7	431 800	40,3	1 070 900	100,0
	1994	821 800	63,2	478 100	36,8	1 299 900	100,0
	1995	942 800	66,5	474 400	33,5	1 417 200	100,0
	1996	959 998	66,6	481 166	33,4	1 441 164	100,0
	1997	898 316	64,4	495 636	35,6	1 393 952	100,0
	1998	805 968	65,1	431 148	34,9	1 237 116	100,0
	1999	751 882	64,5	413 388	35,5	1 165 270	100,0
	2000	758 122	62,3	458 172	37,7	1 216 294	100,0
Industrie secondaire	1991	819 500	17,9	3 752 100	82,1	4 571 600	100,0
	1992	461 200	13,0	3 084 600	87,0	3 545 800	100,0
	1993	529 800	17,8	2 441 000	82,2	2 970 800	100,0
	1994	706 400	18,1	3 200 500	81,9	3 906 900	100,0
	1995	728 200	17,2	3 508 400	82,8	4 236 600	100,0
	1996	868 234	18,9	3 718 655	81,1	4 586 889	100,0
	1997	831 500	16,9	4 086 951	83,1	4 918 451	100,0
	1998	810 418	15,3	4 478 663	84,7	5 289 081	100,0
	1999	903 885	14,9	5 150 829	85,1	6 054 714	100,0
	2000	1 079 507	16,2	5 586 909	83,8	6 666 416	100,0
Industrie tertiaire et du logement	1991	15 469 900	72,4	5 886 900	27,6	21 356 700	100,0
	1992	14 868 800	69,6	6 489 800	30,4	21 358 600	100,0
	1993	15 240 200	70,8	6 299 800	29,2	21 540 000	100,0
	1994	15 684 200	70,5	6 569 600	29,5	22 253 800	100,0
	1995	13 256 100	65,9	6 874 100	34,1	20 130 200	100,0
	1996	14 050 757	67,5	6 750 237	32,5	20 800 994	100,0
	1997	14 230 922	61,2	9 025 612	38,8	23 256 534	100,0
	1998	15 370 521	62,1	9 388 530	37,9	24 759 051	100,0
	1999	15 670 121	62,0	9 615 932	38,0	25 286 053	100,0
	2000	16 584 497	62,9	9 779 107	37,1	26 363 604	100,0
Total	**1991**	**16 947 500**	**63,0**	**9 939 600**	**37,0**	**26 887 100**	**100,0**
	1992	**15 928 900**	**61,7**	**9 903 800**	**38,3**	**25 832 700**	**100,0**
	1993	**16 409 100**	**64,1**	**9 172 600**	**35,9**	**25 581 700**	**100,0**
	1994	**17 212 400**	**62,7**	**10 248 200**	**37,3**	**27 460 600**	**100,0**
	1995	**14 927 100**	**57,9**	**10 856 900**	**42,1**	**25 784 000**	**100,0**
	1996	**15 878 989**	**59,2**	**10 950 058**	**40,8**	**26 829 047**	**100,0**
	1997	**15 960 738**	**54,0**	**13 608 199**	**46,0**	**29 568 937**	**100,0**
	1998	**16 986 907**	**54,3**	**14 298 341**	**45,7**	**31 285 248**	**100,0**
	1999	**17 325 888**	**53,3**	**15 180 149**	**46,7**	**32 506 037**	**100,0**
	2000	**18 422 126**	**53,8**	**15 824 188**	**46,2**	**34 246 314**	**100,0**

1. Statistique Canada, *Système de classification des industries de l'Amérique du Nord, Canada 1997*.
2. 1991-1998 : dépenses réelles; 1999 : dépenses réelles provisoires; 2000 : perspectives révisées.

Source : Statistique Canada, *Investissements privés et publics au Canada* (61-205 et 61-206).

Tableau 13.3
Part des investissements dans le PIB, Canada, 1997-2000[1]

Province et territoire	1997	1998	1999	2000
		%		
Terre-Neuve	26,2	24,7	27,6	25,4
Île-du-Prince-Édouard	16,1	16,2	15,2	15,2
Nouvelle-Écosse	19,6	20,4	22,7	17,3
Nouveau-Brunswick	15,9	17,4	20,0	18,8
Québec	15,7	16,2	15,9	15,8
Ontario	16,3	16,2	16,3	16,2
Manitoba	16,6	16,7	16,6	15,6
Saskatchewan	25,6	22,9	22,5	21,2
Alberta	27,1	30,4	26,8	26,8
Colombie-Britannique	19,2	17,6	17,4	17,3
T. N.-O. et Nunavut	27,2	37,7	26,1	..
Yukon	29,6	20,1	23,3	..
Canada	**18,4**	**18,6**	**18,2**	**17,9**

1. Investissements : 1997-1998 : dépenses réelles; 1999 : dépenses réelles provisoires; 2000 : perspectives révisées.

Sources : Statistique Canada, *Investissements privés et publics au Canada* (61-205 et 61-206);
    Comptes économiques provinciaux, estimations annuelles 1999.
    Conference Board du Canada, prévision de croissance du PIB du 19 juillet 2000.
    Institut de la statistique du Québec, Direction des comptes et des études économiques.

Tableau 13.4
Investissements du secteur public, Québec, 1997-2000[1]

Organisme	1997	1998	1999	2000
		'000 $		
Administration publique	**4 037 156**	**4 131 409**	**4 095 020**	**4 363 372**
Gouvernement fédéral	478 707	374 886	447 546	387 762
Gouvernement provincial	774 998	881 293	922 010	1 020 861
Gouvernements locaux	1 435 300	1 491 069	1 312 066	1 514 360
Enseignement public	948 328	797 739	731 708	701 484
Enseignement public élémentaire et secondaire	544 295	473 641	393 477	394 780
Enseignement public postsecondaire	404 033	324 098	338 231	306 704
Soins publics de santé et des services sociaux	399 823	586 422	681 690	738 905
Entreprises publiques	**2 154 154**	**2 510 772**	**2 334 773**	**2 445 580**
Entreprises publiques fédérales	90 789	107 561	157 849	137 942
Entreprises publiques provinciales	1 704 213	2 137 363	1 891 773	1 997 041
Entreprises publiques locales	359 152	265 848	285 151	310 597
Ensemble du secteur public	**6 191 310**	**6 642 181**	**6 429 793**	**6 808 952**

1. 1997-1998 : dépenses réelles; 1999 : dépenses réelles provisoires; 2000 : perspectives révisées.

Sources : Statistique Canada, *Investissements privés et publics au Canada* (61-205 et 61-206).
    Institut de la statistique du Québec, *Investissements privés et publics, Québec et ses régions – Perspectives révisées 2000.*

Tableau 13.5
Investissements par secteur d'activité économique[1], Québec, 1996-2000[2]

Secteur d'activité	1996	1997	1998	1999	2000
			'000 $		
Industrie primaire	**1 441 164**	**1 393 952**	**1 237 116**	**1 165 270**	**1 216 294**
Agriculture, foresterie, pêche et chasse	588 773	607 824	572 517 **	574 107 *	632 768
Extraction minière et extraction de pétrole et de gaz	852 391	786 128	664 599	591 163	583 526
Industrie secondaire	**4 586 889**	**4 918 451**	**5 289 081**	**6 054 714**	**6 666 416**
Construction	563 724	614 092	621 201	705 938	719 045
Fabrication	4 023 165	4 304 359	4 667 880	5 348 776	5 947 371
Industrie tertiaire et du logement	**20 800 994**	**23 256 534**	**24 759 051**	**25 286 052**	**26 363 604**
Services publics	2 424 233	1 937 166	2 427 303	2 051 880	1 893 943
Commerce de gros	381 055	640 945	544 705	599 663	592 098
Commerce de détail	752 690	1 016 226	810 660	587 031	605 937
Transport et entreposage	1 003 779	1 151 911	1 941 122	1 648 189	1 650 288
Information et industrie culturelle	1 407 526	1 944 965	1 898 789	2 125 384	2 237 987
Finance et assurances	1 296 946	2 637 591	2 632 552	3 195 970	2 791 172
Services immobiliers et services de location et de location à bail	618 089	803 789	936 627	1 016 963	1 374 597
Services professionnels scientifiques et techniques	501 559	650 837	722 113	839 598	984 815
Gestion de sociétés et d'entreprises	42 720	29 596	38 832 **	46 105	61 574*
Services administratifs, de soutien, de gestion des déchets et d'assainissement	201 230	251 854	127 682	107 589	153 895
Services d'enseignement	856 877	973 238	837 202	779 690	781 521
Soins de santé et assistance sociale	453 718	428 172	636 853	724 779	779 208
Arts, spectacles et loisirs	171 241	85 527	98 607 *	202 764	358 196
Hébergement et services de restauration	219 428	243 062	345 926	310 398	214 999
Autres services, sauf les administrations publiques	188 805	205 192	386 030 *	223 741	219 638
Administrations publiques	3 071 463	2 689 005	2 747 248	2 681 622	2 922 983
Logement	7 209 635	7 567 458	7 626 800	8 144 686	8 740 753
Ensemble des secteurs	**26 829 047**	**29 568 937**	**31 285 248**	**32 506 036**	**34 246 314**

1. Statistique Canada, *Système de classification des industries de l'Amérique du Nord, Canada 1997*.
2. 1996-1998 : dépenses réelles; 1999 : dépenses réelles provisoires; 2000 : perspectives révisées.
* : coefficient de variation se situant entre 25 et 49,9 %; ** : coefficient de variation égal ou supérieur à 50 %.

Source :   Statistique Canada, *Investissements privés et publics au Canada* (61-205 et 61-206).

Figure 13.2
Part relative des investissements des industries primaire, secondaire et tertiaire et du logement, Québec, 1991-2000

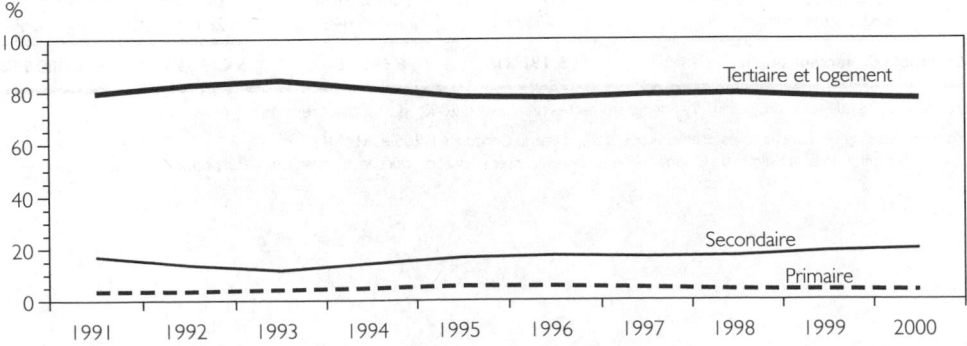

Source :   Statistique Canada, *Investissements privés et publics au Canada* (61-205 et 61-206).

Tableau 13.6
Investissements du secteur de la fabrication[1], Québec, 1996-2000[2]

Secteur d'activité	1996	1997	1998	1999	2000
			'000 $		
Fabrication d'aliments	279 859	191 174	327 824	304 113	316 151
Fabrication de boissons, de tabac et de produits en cuir et analogues	123 936	109 446	180 592	175 766	120 250
Usines de textiles	89 791	71 951	95 068 *	84 142	76 771
Usines de produits textiles	x	25 828	38 215	81 273	81 051
Fabrication de vêtements	56 774	75 867	80 503	76 571	46 452
Fabrication de produits en bois	356 462	495 936	327 361	427 697	433 470
Fabrication du papier	953 951	828 275	856 108	713 595	959 845
Impression et activités connexes de soutien	80 822	53 065	84 701	80 898	147 133
Fabrication de produits du pétrole et du charbon	x	123 032	77 244	154 760	119 529
Fabrication de produits chimiques	300 700	340 094	325 934	238 802	354 652
Fabrication de produits en caoutchouc et en plastique	131 439	222 265	234 827	238 925	237 812
Fabrication de produits minéraux non métalliques	67 182	80 230	146 413	119 970	222 431
Première transformation des métaux	539 347	723 348	854 572	1 574 286	1 599 807
Fabrication de produits métalliques	127 949	123 438	162 273	145 675	239 124
Fabrication de machines	119 009	145 604	160 077	135 158	237 369
Fabrication de produits informatiques et électroniques	182 613	186 163	159 585	237 271	253 668
Fabrication de matériel, d'appareils et de composants électriques	51 153	46 460	97 790	86 877	72 232
Fabrication de matériel de transport	300 521	347 194	330 861	331 905	296 729
Fabrication de meubles et de produits connexes	50 604	61 753	85 243	85 420	84 818*
Activités diverses de fabrication	x	53 238	42 690	55 668	48 075
Ensemble du secteur de la fabrication	**4 023 165**	**4 304 359**	**4 667 880**	**5 348 776**	**5 947 371**

1. Statistique Canada, *Système de classification des industries de l'Amérique du Nord, Canada 1997*.
2. 1996-1998 : dépenses réelles; 1999 : dépenses réelles provisoires; 2000 : perspectives révisées.
* : coefficient de variation se situant entre 25 et 49,9 %; ** : coefficient de variation égal ou supérieur à 50 %.

Source : Statistique Canada, *Investissements privés et publics au Canada* (61-205 et 61-206).

Figure 13.3
Répartition régionale des investissements du secteur public, par région administrative, Québec, 2000

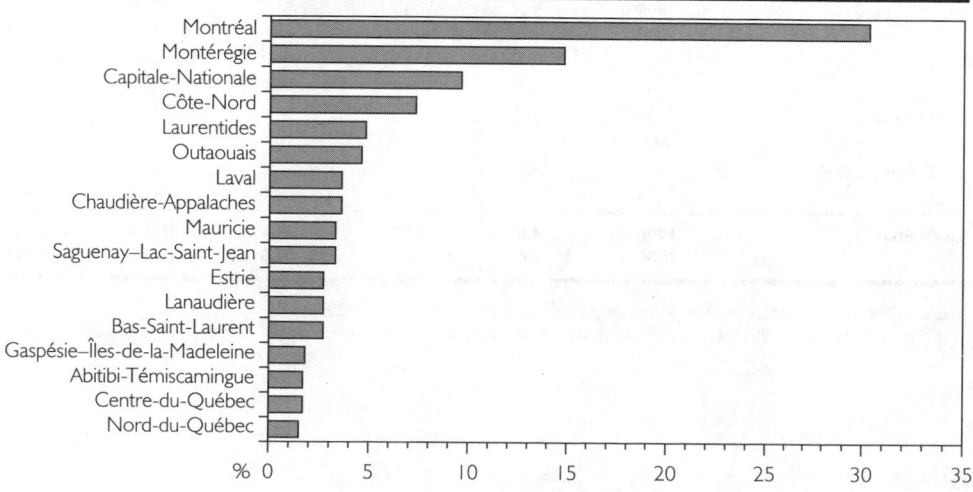

Sources : Statistique Canada, *Investissements privés et publics au Canada* (61-205 et 61-206).
        Institut de la statistique du Québec, *Investissements privés et publics, Québec et ses régions – Perspectives révisées 2000*.

Tableau 13.7
**Investissements par industrie et par région administrative, Québec, dépenses réelles 1998 et
perspectives révisées 2000**

Région administrative	Année	Industrie			Ensemble des industries	
		Primaire	Secondaire	Tertiaire et logement		
		%			%	'000 $
01 Bas-Saint-Laurent	1998	4,7	13,7	81,6	100,0	617 586
	2000	4,5	18,7	76,8	100,0	757 136
02 Saguenay–Lac-Saint-Jean	1998	3,9	48,6	47,5	100,0	1 249 893
	2000	1,7	61,5	36,8	100,0	2 239 847
03 Capitale-Nationale	1998	1,0	11,5	87,5	100,0	1 972 635
	2000	0,3	13,0	86,7	100,0	2 621 361
04 Mauricie	1998	2,2	17,4	80,4	100,0	895 987
	2000	1,5	24,4	74,1	100,0	1 125 108
05 Estrie	1998	5,1	20,8	74,1	100,0	1 231 049
	2000	4,8	24,9	70,4	100,0	1 293 208
06 Montréal	1998	0,1	15,4	84,5	100,0	11 571 455
	2000	0,1	17,0	82,9	100,0	10 666 430
07 Outaouais	1998	0,1	10,4	89,5	100,0	989 824
	2000	0,3	9,3	90,4	100,0	1 076 579
08 Abitibi-Témiscamingue	1998	44,9	11,5	43,6	100,0	755 897
	2000	38,0	17,9	44,2	100,0	737 114
09 Côte-Nord	1998	17,6	13,0	69,4	100,0	923 890
	2000	24,6	12,5	62,9	100,0	795 900
10 Nord-du-Québec	1998	25,5	14,9	59,6	100,0	223 216
	2000	25,7	18,7	55,6	100,0	196 720
11 Gaspésie–Îles-de-la-Madeleine	1998	14,7	21,1	64,2	100,0	233 607
	2000	1,4	5,1	93,5	100,0	239 955
12 Chaudière-Appalaches	1998	14,4	18,4	67,2	100,0	1 058 748
	2000	13,6	21,7	64,7	100,0	1 339 096
13 Laval	1998	0,5	11,1	88,3	100,0	1 274 666
	2000	0,0	9,7	90,2	100,0	1 291 218
14 Lanaudière	1998	5,2	13,7	81,2	100,0	1 053 955
	2000	3,5	10,9	85,6	100,0	1 121 564
15 Laurentides	1998	0,1	9,5	90,3	100,0	1 851 236
	2000	0,3	6,7	93,0	100,0	2 278 300
16 Montérégie	1998	3,5	19,3	77,2	100,0	4 611 614
	2000	3,5	20,4	76,0	100,0	5 614 917
17 Centre-du-Québec	1998	8,9	30,6	60,5	100,0	769 990
	2000	10,9	20,5	68,5	100,0	851 861
Le Québec	**1998**	**4,0**	**16,9**	**79,1**	**100,0**	**31 285 248**
	2000	**3,6**	**19,5**	**77,0**	**100,0**	**34 246 314**

Sources : Statistique Canada, *Investissements privés et publics au Canada* (61-205 et 61-206).
       Institut de la statistique du Québec, *Investissements privés et publics, Québec et ses régions – Perspectives révisées 2000.*

Tableau 13.8
**Investissements privés et publics par région administrative,
Québec, dépenses réelles 1998 et perspectives révisées 2000**

Région administrative	Année	Investissements					
		Privés		Publics		Total	
		'000 $	%	'000 $	%	'000 $	%
01 Bas-Saint-Laurent	1998	500 370	81,0	117 216	19,0	617 586	100,0
	2000	574 189	75,8	182 947	24,2	757 136	100,0
02 Saguenay–Lac-Saint-Jean	1998	1 129 594	90,4	120 299	9,6	1 249 893	100,0
	2000	2 016 599	90,0	223 249	10,0	2 239 847	100,0
03 Capitale-Nationale	1998	1 383 550	70,1	589 085	29,9	1 972 635	100,0
	2000	1 967 558	75,1	653 803	24,9	2 621 361	100,0
04 Mauricie	1998	672 458	75,1	223 529	24,9	895 987	100,0
	2000	901 158	80,1	223 950	19,9	1 125 108	100,0
05 Estrie	1998	994 016	80,7	237 033	19,3	1 231 049	100,0
	2000	1 106 519	85,6	186 689	14,4	1 293 208	100,0
06 Montréal	1998	9 170 292	79,2	2 401 163	20,8	11 571 455	100,0
	2000	8 604 562	80,7	2 061 869	19,3	10 666 430	100,0
07 Outaouais	1998	699 725	70,7	290 099	29,3	989 824	100,0
	2000	763 582	70,9	312 997	29,1	1 076 579	100,0
08 Abitibi-Témiscamingue	1998	662 614	87,7	93 282	12,3	755 897	100,0
	2000	619 566	84,1	117 548	15,9	737 114	100,0
09 Côte-Nord	1998	510 911	55,3	412 979	44,7	923 890	100,0
	2000	299 924	37,7	495 976	62,3	795 900	100,0
10 Nord-du-Québec	1998	141 257	63,3	81 959	36,7	223 216	100,0
	2000	92 003	46,8	104 717	53,2	196 720	100,0
11 Gaspésie–Îles-de-la-Madeleine	1998	179 603	76,9	54 004	23,1	233 607	100,0
	2000	118 210	49,3	121 745	50,7	239 955	100,0
12 Chaudière-Appalaches	1998	909 248	85,9	149 500	14,1	1 058 748	100,0
	2000	1 096 864	81,9	242 232	18,1	1 339 096	100,0
13 Laval	1998	950 640	74,6	324 026	25,4	1 274 666	100,0
	2000	1 043 031	80,8	248 187	19,2	1 291 218	100,0
14 Lanaudière	1998	920 416	87,3	133 539	12,7	1 053 955	100,0
	2000	938 230	83,7	183 334	16,3	1 121 564	100,0
15 Laurentides	1998	1 620 876	87,6	230 360	12,4	1 851 236	100,0
	2000	1 951 996	85,7	326 304	14,3	2 278 300	100,0
16 Montérégie	1998	3 517 386	76,3	1 094 227	23,7	4 611 614	100,0
	2000	4 605 416	82,0	1 009 501	18,0	5 614 917	100,0
17 Centre-du-Québec	1998	680 110	88,3	89 880	11,7	769 990	100,0
	2000	737 957	86,6	113 904	13,4	851 861	100,0
Le Québec	**1998**	**24 643 067**	**78,8**	**6 642 181**	**21,2**	**31 285 248**	**100,0**
	2000	**27 437 362**	**80,1**	**6 808 952**	**19,9**	**34 246 314**	**100,0**

Sources : Statistique Canada, *Investissements privés et publics au Canada* (61-205 et 61-206).
Institut de la statistique du Québec, *Investissements privés et publics, Québec et ses régions – Perspectives révisées 2000*.

Tableau 13.9
Investissements de l'Administration et des entreprises publiques par région administrative, Québec, dépenses réelles 1998 et perspectives révisées 2000

Région administrative	Année	Investissements					
		Administration publique		Entreprises publiques		Total	
		'000 $	%	'000 $	%	'000 $	%
01 Bas-Saint-Laurent	1998	109 919	93,8	7 297	6,2	117 216	100,0
	2000	110 636	60,5	72 312	39,5	182 947	100,0
02 Saguenay–Lac-Saint-Jean	1998	96 889	80,5	23 410	19,5	120 299	100,0
	2000	155 200	69,5	68 049	30,5	223 249	100,0
03 Capitale-Nationale	1998	504 657	85,7	84 429	14,3	589 085	100,0
	2000	560 175	85,7	93 628	14,3	653 803	100,0
04 Mauricie	1998	103 063	46,1	120 466	53,9	223 529	100,0
	2000	99 694	44,5	124 256	55,5	223 950	100,0
05 Estrie	1998	118 200	49,9	118 833	50,1	237 033	100,0
	2000	123 787	66,3	62 902	33,7	186 689	100,0
06 Montréal	1998	1 255 068	52,3	1 146 096	47,7	2 401 163	100,0
	2000	1 381 185	67,0	680 684	33,0	2 061 869	100,0
07 Outaouais	1998	226 205	78,0	63 894	22,0	290 099	100,0
	2000	186 423	59,6	126 574	40,4	312 997	100,0
08 Abitibi-Témiscamingue	1998	80 702	86,5	12 580	13,5	93 282	100,0
	2000	64 533	54,9	53 014	45,1	117 548	100,0
09 Côte-Nord	1998	90 489	21,9	322 490	78,1	412 979	100,0
	2000	89 964	18,1	406 013	81,9	495 976	100,0
10 Nord-du-Québec	1998	54 625	66,6	27 334	33,4	81 959	100,0
	2000	46 460	44,4	58 257	55,6	104 717	100,0
11 Gaspésie–Îles-de-la-Madeleine	1998	47 516	88,0	6 488	12,0	54 004	100,0
	2000	83 727	68,8	38 018	31,2	121 745	100,0
12 Chaudière-Appalaches	1998	132 303	88,5	17 197	11,5	149 500	100,0
	2000	155 279	64,1	86 953	35,9	242 232	100,0
13 Laval	1998	282 037	87,0	41 989	13,0	324 026	100,0
	2000	189 214	76,2	58 974	23,8	248 187	100,0
14 Lanaudière	1998	116 516	87,3	17 024	12,7	133 539	100,0
	2000	118 334	64,5	65 000	35,5	183 334	100,0
15 Laurentides	1998	183 157	79,5	47 203	20,5	230 360	100,0
	2000	222 717	68,3	103 586	31,7	326 304	100,0
16 Montérégie	1998	684 300	62,5	409 927	37,5	1 094 227	100,0
	2000	699 771	69,3	309 729	30,7	1 009 501	100,0
17 Centre-du-Québec	1998	45 763	50,9	44 116	49,1	89 880	100,0
	2000	76 273	67,0	37 631	33,0	113 904	100,0
Le Québec	**1998**	**4 131 409**	**62,2**	**2 510 772**	**37,8**	**6 642 181**	**100,0**
	2000	**4 363 372**	**64,1**	**2 445 580**	**35,9**	**6 808 952**	**100,0**

Sources : Statistique Canada, *Investissements privés et publics au Canada* (61-205 et 61-206).
Institut de la statistique du Québec, *Investissements privés et publics, Québec et ses régions – Perspectives révisées 2000*.

14

Commerce extérieur

Liste des tableaux

Liste des figures

Ce chapitre a été réalisé par Marcel Caron et Pierre Lachance, de la Direction des comptes et des études économiques de l'Institut de la statistique du Québec.

Ce chapitre traite des échanges du Québec avec le reste du monde. Il se divise en deux sections. La première, consacrée au commerce international de marchandises, présente des données principalement tirées de formulaires douaniers. Ces statistiques, améliorées par l'Institut de la statistique du Québec en modifiant certaines données douanières d'importation selon la consommation québécoise, ne couvrent ni les échanges de services avec les autres pays ni le commerce entre le Québec et le Canada. La deuxième section porte sur le commerce extérieur dans son ensemble, incluant les marchandises et les services. Ces données proviennent des comptes de revenus et de dépenses et englobent les échanges avec les autres provinces canadiennes. Elles permettent de mesurer les soldes extérieurs du Québec, tandis que les données douanières permettent de mesurer les échanges internationaux de biens selon les pays et selon des catégories très détaillées de produits.

Les statistiques des exportations et des importations paraissent depuis la première édition de l'*Annuaire statistique* en 1914. Celle-ci présente le total des importations et des exportations de la province pour les années 1869 à 1913. S'ajoutent à ce tableau les valeurs des marchandises qui transitent par différents ports d'entrée et de sortie. Il faut attendre en 1924 pour voir les premières compilations complètes des produits importés et exportés. En 1970 commencent à paraître les informations sur la destination des marchandises chargées au Québec. Quelques années plus tard, les données de base, tirées des documents douaniers, sont corrigées dans le but de mieux décrire les exportations, en s'attachant aux produits vraiment fabriqués au Québec.

Depuis, la présentation des statistiques du commerce extérieur du Québec ne cesse de s'améliorer : le système de correction des données de base s'est raffiné, le commerce interprovincial s'est ajouté, notamment dans la dernière édition du *Québec statistique*, et le développement technologique permet de diffuser les informations à un niveau de détail impossible à réaliser auparavant.

Le commerce international

Dans cette section du texte, les termes « importation » et « exportation » ne font référence qu'au commerce international de marchandises et ne s'appliquent pas aux transactions entre le Québec et le reste du Canada. Les exportations désignent les exportations totales, c'est-à-dire qu'elles comprennent les exportations de produits fabriqués ou transformés au Québec, ainsi que les réexportations de produits importés et n'ayant pas subi de modifications significatives.

Les exportations du Québec

De 1988, date de l'entrée en vigueur du Système harmonisé de désignation et de classification des marchandises, à 2000, les exportations québécoises augmentent à un taux annuel moyen de 10,2 % et atteignent une valeur de 74,1 milliards de dollars (tableau 14.1). Pendant ce temps, les exportations de tout le Canada s'élèvent en moyenne de 9,6 % par année. Pour leur part, les transactions de marchandises à l'échelle mondiale progressent de 9,1 % annuellement entre 1988 et 1999.

Au cours de cette période, la croissance des exportations se déroule en trois étapes. De 1988 à 1991, celles-ci, affectées par une récession mondiale, progressent de 4,5 % en moyenne annuellement. Puis, jusqu'à 1995, suit une période de croissance accélérée pendant laquelle l'augmentation annuelle atteint 16,5 %. Et enfin, jusqu'à 2000, les exportations poursuivent leur croissance, mais à un rythme moins élevé de 10,7 % par année. Ces trois étapes de l'évolution des exportations québécoises sont conformes à la situation qui prévaut au Canada et dans l'ensemble du monde (figure 14.1).

Les principaux produits

Entre 1988 et 2000, les exportations québécoises évoluent vers des produits comportant une plus grande valeur ajoutée. En début de période, les minéraux et les produits minéraux de base ainsi que le bois et les papiers dominent, alors qu'en 2000, le matériel électrique, l'équipement et le matériel de télécommunication occupent le premier rang devant le matériel de transport (tableau 14.2).

Le matériel électrique, l'équipement et le matériel de télécommunication est le groupe qui connaît la plus importante augmentation entre 1988 et 2000 : de 2,2 milliards de dollars, sa valeur passe à 16,0 milliards, de sorte que sa part dans les exportations totales passe de 9,7 % en 1988 à 21,6 % en 2000 (figure 14.2). Cette croissance est attribuable principalement à la progression des ventes d'équipement et de matériel de télécommunication. Ces produits, qui représentent environ la moitié de la valeur des exportations du groupe en 1988, en forment tout près des trois quarts en 2000.

D'une valeur de 13,9 milliards de dollars en 2000, les exportations de matériel de transport présentent une croissance annuelle de 10,6 % depuis 1988. Cette augmentation est due en bonne partie aux ventes d'avions. De 345,6 millions de dollars en 1988, celles-ci passent à 5,5 milliards en 2000, soit une hausse annuelle moyenne de 26,0 %.

Le groupe du bois et des papiers, dont la valeur atteint 10,9 milliards de dollars en 2000, enregistre une croissance de 6,7 % annuellement. Cette augmentation provient principalement des produits du bois, le secteur du papier connaissant une période plus difficile. Le papier journal, en particulier, qui forme environ 60 % de ce secteur en 1988, ne progresse que de 1,5 % par année. La dépression des prix internationaux, qui a affecté les produits tels que l'aluminium, le fer et le cuivre, a également limité la croissance du secteur des minéraux et des produits minéraux de base.

Les principales destinations

La majeure partie des exportations québécoises est acheminée aux États-Unis. Oscillant autour de 75,0 % de 1988 à 1992, la part des exportations qui est destinée à ce pays s'accroît graduellement et atteint 85,0 % au cours des trois dernières années. Par ailleurs, l'importance des ventes en Europe occidentale se rétrécit, en passant d'un sommet de 16,3 % en 1989 à 8,8 % en 2000. La proportion des exportations destinées aux pays d'Asie régresse également pendant cette période. Au-dessus de 5,0 % jusqu'à 1992, puis légèrement au-dessous jusqu'à 1997, elle chute brusquement par la suite pour terminer à 2,5 % en 2000.

De 17,2 milliards de dollars en 1988, la valeur des exportations aux États-Unis s'élève à 63,5 milliards en 2000, soit une augmentation annuelle moyenne de 11,5 %. Les exportations d'équipement et de matériel de télécommunication (autres que les radios et les téléviseurs), qui totalisaient 1,0 milliard de dollars en 1988, enregistrent une valeur de 10,6 milliards en 2000. Elles deviennent ainsi la principale exportation aux États-Unis, représentant plus de 17,0 % des ventes à ce pays.

Les exportations d'avions connaissent également un essor remarquable au cours de cette période. Elles passent de 258,5 millions de dollars à 4,0 milliards, pour une croissance moyenne de 25,7 % par année, rythme qui s'accélère au cours des dernières années. Les demi-produits en bois, le matériel et l'outillage ainsi que les vêtements laissent également voir une progression rapide, plus particulièrement au cours des dernières années. Par contre, le papier journal, l'aluminium et les automobiles, les trois premiers produits exportés aux États-Unis en 1988, présentent une croissance mitigée, avec des augmentations annuelles respectives de 1,6 %, 5,5 % et 1,7 %.

Pendant toutes ces années, la région de l'Atlantique demeure au 1er rang des destinations aux États-Unis (tableau 14.3). En 2000, avec une valeur de 17,1 milliards de dollars, les exportations vers cette région surpassent de plus de 60 % les ventes québécoises vers le reste du monde. Les exportations vers la région du Centre Nord-Est atteignent 10,1 milliards de dollars. La croissance des exportations vers cette région est toutefois limitée par la faible hausse des exportations d'automobiles. En hausse de 9,9 % en moyenne annuellement, les ventes en Nouvelle-Angleterre totalisent 8,7 milliards de dollars en 2000. Les exportations d'électricité, qui augmentent rapidement au cours des trois dernières années, s'élèvent à 777,3 millions de dollars, au 2e rang des exportations vers cette région. Entre 1988 et 2000, la valeur des exportations destinées aux autres régions des États-Unis s'accroît de 14,3 % annuellement. La proportion des ventes québécoises qui leur revient passe ainsi de 28,6 % à 38,2 %.

Les exportations vers l'Europe progressent de façon hésitante tout au long de la période. D'une valeur de 3,4 milliards de dollars en 1988, elles atteignent 6,5 milliards en 2000, soit une hausse moyenne de 5,6 % par année. Le minerai de fer, les machines et le matériel de bureau, l'aluminium, les moteurs d'avion ainsi que le papier journal, qui représentaient 40,5 % des ventes en Europe en 1988, en forment moins du quart en fin de période. Le secteur aéronautique, l'équipement et le matériel de télécommunication ainsi que les instruments de mesure prennent une importance grandissante et comptent pour le quart des expéditions à destination de l'Europe.

De 1988 à 1997, les exportations vers l'Asie (à l'exception des pays du Moyen-Orient) augmentent lentement, pour atteindre 2,4 milliards de dollars. Mais la crise qui frappe les pays asiatiques fait chuter ces exportations de près de 40 % en deux ans. Une reprise s'amorce toutefois au cours de la dernière année. Alors que le Japon demeure le premier client du Québec en Asie, c'est toutefois la Chine qui connaît la plus forte hausse parmi les pays de ce continent.

Les importations du Québec

En 2000, la valeur des importations québécoises s'élève à 68,1 milliards de dollars, comparativement à 27,3 milliards en 1988, pour une croissance annuelle moyenne de 7,9 % (tableau 14.4). La progression des importations est continue tout au long de cette période, à l'exception de l'année 1991, alors qu'elles accusent un recul de 5,0 % (figure 14.3).

Les principaux produits

Le matériel électrique, l'équipement et le matériel de télécommunication, le matériel de transport ainsi que les minéraux et les produits minéraux de base forment, en 2000, près des deux tiers des achats à l'étranger, comparativement à 55,0 % en 1988.

À la suite d'une augmentation de 13,3 % au cours de la dernière année, le groupe du matériel électrique, de l'équipement et du matériel de télécommunication passe au 1er rang des importations québécoises. Avec une valeur de 16,1 milliards de dollars en 2000, il représente près du quart des importations, par rapport à 15,5 % en 1988 (tableau 14.5). Les tubes électroniques et les semi-conducteurs forment près du tiers de ce groupe. Les achats d'ordinateurs, de leur côté, totalisent 3,6 milliards de dollars.

D'une valeur de 15,0 milliards de dollars, les importations de matériel de transport affichent une croissance annuelle moyenne de 5,9 % depuis 1988. La part de ce groupe dans l'ensemble des importations se rétrécit, en passant de 27,8 % à 23,2 % (figure 14.4). Le matériel de transport routier, qui compte pour environ les deux tiers des importations de matériel de transport en 2000, en formait près de 80 % en 1988. Pour sa part, le matériel de transport aérien, soit les avions, les moteurs et les pièces, atteint 4,7 milliards de dollars en 2000, soit 29,4 % des importations de matériel de transport comparativement à 15,5 % en 1988.

Les importations de minéraux et de produits minéraux de base, d'une valeur de 12,7 milliards de dollars en 2000, présentent une croissance annuelle de 12,2 %. Jusqu'à 1997, le pétrole brut forme environ la moitié de ce groupe. En 1998, une réduction des quantités importées combinée à une baisse des prix sur le marché international fait chuter la valeur des importations de pétrole de 26,4 %. Mais, en 1999, une flambée des prix provoque une augmentation de plus de 50 %, hausse qui se poursuit en 2000.

Les principaux partenaires

Tout au long de la période, les États-Unis demeurent la principale source des importations québécoises. De 1988 à 1998, leur part oscille autour de 50 %. Elle diminue graduellement au cours des deux années suivantes jusqu'à 44,1 %. La part de l'Europe occidentale se maintient aux alentours de 23 %, tandis que les achats en Asie déclinent légèrement de 16,1 % à 15,2 %.

De 13,7 milliards de dollars en 1988, les achats aux États-Unis passent à 30,0 milliards en 2000, pour une croissance annuelle moyenne de 6,7 %. Ces importations sont dominées par le groupe du matériel de transport et celui des produits électriques, de l'équipement et du matériel de télécommunication. En effet, les huit premiers produits importés des États-Unis appartiennent à l'un ou l'autre de ces groupes.

Pendant toute la période, les automobiles demeurent au 1er rang des importations américaines. D'une valeur de 3,6 milliards de dollars en 2000, elles représentent 11,5 % des achats dans ce pays, comparativement à 15,9 % en 1988. Par ailleurs, les achats de moteurs ainsi que de pièces d'avion, stimulés par les besoins de la production québécoise, affichent des augmentations de plus de 10 % par année, pour un total de 2,2 milliards de dollars.

Du côté du matériel électrique et électronique, les tubes électroniques et les semi-conducteurs, au 2e rang des importations des États-Unis en 2000, montrent une valeur de 2,3 milliards de dollars. Cette même année, les achats d'ordinateurs s'élèvent à 1,9 milliard de dollars alors que l'équipement et le matériel de télécommunication totalisent 1,4 milliard.

En 2000, la région du Centre Nord-Est est le principal fournisseur du Québec aux États-Unis. D'une valeur de 6,0 milliards de dollars, les importations représentent 19,8 % des achats aux États-Unis, comparativement à 29,9 % en 1988 (tableau 14.6). La baisse de l'importance de cette région vient du fait que les importations d'automobiles et de camions ainsi que de moteurs et de pièces pour ces véhicules, qui forment les deux tiers des importations, ne connaissent qu'une augmentation annuelle de 3,3 %. La région de la Nouvelle-Angleterre, avec une croissance annuelle de 8,1 %, présente une valeur de 5,1 milliards de dollars et occupe le 2e rang en 2000. La progression rapide des achats de tubes électroniques et de semi-conducteurs ainsi que de moteurs d'avion explique l'augmentation des importations venant de cette région. De 1988 à 2000, les achats dans la région de l'Atlantique présentent une hausse annuelle de 6,0 %, hausse attribuable en bonne partie aux importations de produits chimiques, de matières plastiques ainsi que de médicaments et de produits pharmaceutiques.

Les importations d'Europe, avec une croissance moyenne de 8,6 % par année, totalisent 17,3 milliards de dollars en 2000. Le pétrole demeure, tout au long de la période, le principal produit acheté en Europe. D'une valeur de 888,2 millions de dollars en 1988, il représente alors 13,7 % des achats du Québec, part qui augmente à près du tiers en fin de période. Au cours de la dernière année, outre le pétrole, le matériel de transport aérien, les produits chimiques et les automobiles constituent les principaux produits que le Québec se procure en Europe.

Doublant de valeur depuis 1988, les importations provenant d'Asie s'élèvent à 10,4 milliards de dollars en 2000. Les automobiles et les ordinateurs forment le quart des achats québécois sur ce continent. Les tubes électroniques et les semi-conducteurs, avec une croissance annuelle de 22,3 %, se taillent une place de plus en plus importante, se classant tout juste après les ordinateurs.

Le commerce extérieur global

La présente section couvre les échanges de biens et de services du Québec, à la fois interprovinciaux et internationaux. Ces derniers ne sont toutefois pas ventilés par pays de destination. La période étudiée va de 1984 à 1998 (jusqu'à 2000 pour les soldes extérieurs), et les données sont sur la base des comptes économiques des revenus et des dépenses. Leur mode d'évaluation est celui des prix du marché — qui sert à calculer le produit intérieur brut (PIB) selon la méthode des dépenses — soit des prix payés par les utilisateurs finaux.

La valeur des échanges internationaux de biens diffère donc de celle obtenue à partir des données douanières évaluées aux prix à la frontière (voir section précédente). Mais les données selon les comptes économiques sont les seules à tenir compte des huit grandes composantes permettant de mesurer les soldes extérieurs du Québec. Ces composantes sont les exportations et les importations internationales et interprovinciales en biens et en services. Leurs valeurs sont publiées annuellement avec l'ensemble des données provinciales des comptes de revenus et dépenses. Dans ce chapitre, elles sont ventilées selon les catégories de biens et de services du niveau d'agrégation le plus élevé dans la nomenclature des entrées-sorties.

Les exportations

Les exportations totales

Les exportations totales du Québec, destinées tant aux autres provinces canadiennes qu'au reste du monde, s'élèvent à 111,1 milliards de dollars en 1998, en hausse de 133,0 % par rapport aux 47,7 milliards de 1984 (tableaux 14.7 et 14.9). Ces exportations correspondent à 56,2 % du PIB et reflètent l'ouverture en nette progression de l'économie québécoise comparativement à 1984 (47,2 %) et surtout 1992 (40,9 %). Ces quinze années ont vu passer la reprise qui a suivi la récession de 1982, la signature de l'accord de libre-échange Canada – États-Unis (ALE), la récession de 1991, la signature de l'accord de libre-échange Canada – États-Unis – Mexique (ALENA), ainsi que la forte croissance économique aux États-Unis durant la décennie 1990.

Les exportations de services passent de 6,7 milliards de dollars en 1984 à 17,7 milliards en 1998 (+ 162,0 %) et leur part relative, de 14,2 % à 15,9 %, avec un sommet de 16,8 % atteint en 1992. Par ailleurs, les exportations de biens passent de 40,9 milliards à 93,4 milliards (+ 128,2 %) et leur part relative, de 85,8 % à 84,1 %, avec un reflux à 83,2 % en 1992.

Les exportations interprovinciales

Les exportations interprovinciales du Québec, c'est-à-dire la valeur des biens et des services livrés dans les autres provinces canadiennes, passent de 24,0 milliards de dollars en 1984 à près de 37,9 milliards en 1998, soit une augmentation de 57,8 % en quinze ans (tableau 14.10). Cette augmentation s'est surtout effectuée durant les années 80, l'environnement économique des années 90 favorisant plutôt l'exportation vers les autres pays, notamment les États-Unis.

Les biens voient croître leurs exportations de 49,9 %, de 20,0 à 29,9 milliards de dollars, et leur part relative passer de 83,2 % à 79,0 % du total, entre 1984 et 1998. Quatre des trente groupes de biens affichent des taux de croissance supérieurs à 100 % durant cette période : les produits agricoles autres que les céréales (+ 212,0 %), le bois d'œuvre et les autres produits du bois (+ 193,7 %), les produits forestiers (+ 154,8 %) ainsi que les machines et le matériel (+ 127,7 %).

En 1998, les cinq principaux groupes génèrent chacun des exportations d'une valeur variant entre 2,0 et 3,0 milliards de dollars, et ils assurent ensemble 41,2 % des exportations interprovinciales de biens. Ce sont les produits chimiques et pharmaceutiques (9,9 % du total), la pâte de bois, le papier et les produits du papier (8,5 %), les produits de la viande, du poisson et laitiers (8,1 %), les bas, les vêtements et les accessoires (7,6 %) et les produits métalliques de première transformation (7,1 %).

Près des trois cinquièmes (58,7 %) des exportations de biens sont à destination de l'Ontario en 1998, soit une valeur de 17,6 milliards de dollars (tableau 14.8). L'Alberta prend une lointaine seconde place avec près de 3,0 milliards (9,9 %), suivie de la Colombie-Britannique avec 2,8 milliards (9,4 %) et du Nouveau-Brunswick avec 1,6 milliard (5,3 %).

Les exportations de services croissent, pour leur part, de 96,7 %, soit de 4,0 milliards de dollars en 1984 à 7,9 milliards en 1998, tandis que leur part relative passe de 16,8 % à 21,0 % du total. Les deux groupes qui affichent la plus forte croissance sont les services financiers, immobiliers et d'assurance (+ 152,6 %), de même que les services relatifs aux entreprises et informatiques (+ 127,7 %). Ces exportations sont dirigées largement vers l'Ontario qui en reçoit pour 4,5 milliards (56,7 % du total) en 1998, comparativement à l'Alberta (11,0 %) et à la Colombie-Britannique (10,9 %) avec un peu moins de 900 millions chacune, et au Nouveau-Brunswick (7,2 %) avec 573 millions.

Les exportations internationales

De 23,7 milliards en 1984, les exportations du Québec vers le reste du monde, c'est-à-dire à l'extérieur du Canada, augmentent de 209,3 % pour s'établir à 73,2 milliards de dollars en 1998 (tableau 14.11). Cette augmentation se réalise surtout après 1992 (+ 111,9 %).

Les exportations de biens croissent de 202,8 % en quinze ans et passent de 21,0 milliards de dollars à 63,5 milliards. Leur proportion du total tend cependant à s'amenuiser; elle est de 88,5 % en 1984 et de 86,7 % en 1998, avec un repli à 86,0 % en 1992. Quatre groupes de biens ont plus que quintuplé leurs exportations durant cette période; ce sont les produits en cuir, en plastique et en caoutchouc (+ 820,2 %), les meubles et les articles d'ameublement (+ 615,9 %), les produits textiles (+ 570,7 %) ainsi que les bas, les vêtements et les accessoires (+ 552,0 %).

En 1998, les quatre principaux groupes ont des exportations d'une valeur respective variant entre 7,4 et un peu plus de 11,1 milliards de dollars, et ils comptent ensemble pour plus de la moitié (54,9 %) du total. Ce sont les véhicules automobiles et autre matériel de transport (17,5 %), les produits métalliques de première transformation (13,2 %), les produits électriques, électroniques et de communication (12,6 %) ainsi que la pâte de bois, le papier et les produits du papier (11,6 %).

Les exportations de services augmentent de 259,2 % et se chiffrent à 9,7 milliards de dollars en 1998, par rapport à 2,7 milliards en 1984. Leur part relative passe de 11,5 % à 13,3 % du total, avec une pointe à 14,0 % en 1992. Les services financiers, immobiliers et d'assurance montrent, de loin, la plus forte croissance en quatorze ans (+ 1 100,9 %), mais les deux principaux groupes en 1998 demeurent les services aux entreprises et informatiques (27,9 % du total), et le transport et l'entreposage (22,1 %).

Les importations

Les importations totales

Les importations québécoises de toutes provenances s'élèvent à 110,3 milliards de dollars en 1998. Elles ont ainsi progressé de 118,6 % en comparaison des 50,5 milliards de 1984 (tableau 14.12). Ces importations correspondent à 56,0 % de la demande intérieure totale (DIT) en 1998, ce qui reflète – comme le fait la proportion des exportations dans le PIB – le degré croissant d'ouverture de l'économie du Québec depuis 1984 (48,5 %), mais surtout depuis 1992 (42,3 %). Le contexte économique qui a favorisé l'accroissement des exportations, entre 1984 et 1998, a donc également profité aux importations.

Pendant la même période, les importations de services passent de 7,8 milliards à 21,3 milliards de dollars (+ 174,7 %) et leur part relative, de 15,4 % à 19,3 % du total. Par ailleurs, les importations de biens augmentent de 42,7 milliards à 89,0 milliards (+ 108,5 %), mais leur part relative diminue de 84,6 % à 80,7 %.

Les importations interprovinciales

Les importations du Québec en provenance des autres provinces canadiennes croissent de 45,4 %, de 26,0 milliards de dollars en 1984 à 37,8 milliards en 1998 (tableau 14.13). Cette progression couvre une poussée importante durant les années 80, suivie d'un reflux qui coïncide avec la récession de 1991 et qui n'est compensé que graduellement durant la première moitié de la décennie 90.

Les importations de biens progressent de 25,0 % en quinze ans, en passant de 21,6 milliards de dollars à près de 27,0 milliards, et suivent une évolution analogue à celle du total. Leur part relative diminue sensiblement, soit de 83,0 % en 1984 à 71,3 % en 1998. Trois groupes se distinguent par leur taux de croissance : ce sont les minéraux non métalliques (+ 232,2 %), les véhicules automobiles et autre matériel de transport (+ 170,1 %), ainsi que le bois d'œuvre et les autres produits du bois (+ 148,1 %).

En 1998, les cinq principaux groupes de biens donnent lieu à des importations d'une valeur respective variant entre 2,0 et 3,0 milliards de dollars. Ils comptent ensemble pour non loin de la moitié (45,9 %) des importations interprovinciales de biens. Ce sont les fruits, les légumes et les autres produits alimentaires (10,9 % du total), les véhicules automobiles et autre matériel de transport (10,3 %), les produits chimiques et pharmaceutiques (9,5 %), les produits de la viande, du poisson et laitiers (7,7 %) et les produits métalliques de première transformation (7,4 %).

La provenance des importations interprovinciales de biens du Québec est nettement plus concentrée que la destination de ses exportations : en 1998, près des trois quarts (71,7 %) viennent de l'Ontario, pour une valeur de 19,3 milliards de dollars (tableau 14.8). La deuxième province d'origine en importance est l'Alberta, d'où viennent 7,8 % des importations de biens, suivie du Nouveau-Brunswick avec 6,8 %.

Les importations de services croissent de 144,8 %, en passant de 4,4 milliards de dollars en 1984 à 10,8 milliards en 1998. Leur part relative augmente à 28,7 %, comparativement à 17,0 % en 1984. Le groupe de services le plus important en 1998 est celui des services financiers, immobiliers et d'assurance, qui affiche 2,9 milliards d'importations et 96,5 % d'augmentation en quinze ans. Au second rang vient celui des services relatifs aux entreprises et informatiques, avec seulement 1,9 milliard, mais en hausse de 359,5 %. En 1998, les importations de services proviennent à 76,8 % de l'Ontario, pour un montant de 8,3 milliards, loin devant les 703 millions (6,5 %) de la Colombie-Britannique et les 563 millions (5,2 %) de l'Alberta.

Les importations internationales

Les importations québécoises en provenance du reste du monde croissent de 196,4 %; elles se chiffrent à 72,5 milliards de dollars en 1998, comparativement à 24,5 milliards en 1984 (tableau 14.14). Leur progression s'accélère à partir de 1992, mais dans une moindre mesure que celle des exportations.

Les importations de biens s'élèvent à 62,1 milliards de dollars en 1998 et montrent une augmentation de 193,6 % par rapport aux 21,1 milliards de 1984. Leur part relative dans le total des importations internationales s'érode toutefois graduellement; elle est de 85,6 % en 1998, contre 86,4 % en 1984. La valeur des importations de cinq groupes de biens a au moins quadruplé, sinon davantage. Ce sont les produits électriques, électroniques et de communication (+ 545,9 %), le tabac et les produits du tabac (+ 397,7 %), les produits chimiques et pharmaceutiques (+ 299,2 %), les bas, les vêtements et les accessoires (+ 294,0 %), ainsi que les produits en cuir, en plastique et en caoutchouc (+ 288,3 %).

En 1998, les quatre principaux groupes de biens engendrent des importations d'une valeur respective variant entre 5,0 et 12,0 milliards de dollars, et ils comptent ensemble pour plus de la moitié (55,7 %) des importations internationales de biens. Il s'agit des véhicules automobiles et autre matériel de transport (19,3 % du total), des produits électriques, électroniques et de communication (15,4 %), des machines et du matériel (12,9 %), ainsi que des produits chimiques et pharmaceutiques (8,2 %).

Les importations de services, pour leur part, augmentent de 214,5 % et atteignent 10,4 milliards de dollars en 1998, comparativement à 3,3 milliards en 1984. Leur proportion du total passe progressivement de 13,6 % à 14,4 % en quinze ans. Au cours de cette période, le groupe des services financiers, immobiliers et d'assurance connaît la plus forte croissance (+ 436,3 %) et devient le plus important, avec 28,6 % des importations de services. Les deux autres groupes en importance sont le transport et l'entreposage (18,1 % du total) ainsi que les services relatifs aux entreprises et informatiques (17,8 %). Ils se classent presque à égalité à un peu moins de 1,9 milliard.

Les soldes extérieurs

Le solde extérieur global du Québec n'est positif que pour cinq années sur dix-sept entre 1984 et 2000, mais il l'est durant les années les plus récentes, soit en 1995 et en 1996, puis de 1998 à 2000 (tableau 14.7). Jusqu'à 1993, le solde global aggrave son déficit, mais le réduit par la suite. Depuis trois ans, il montre un surplus en croissance, en passant de - 303 millions de dollars en 1997 à 3,9 milliards en 2000.

Après onze années consécutives de déficit, le solde international est positif de 1994 à 1996 et de 1998 à 2000. Toutefois, sa composante « biens » devient positive en 1994 et le demeure par la suite, tandis que sa composante « services » est négative sur toute la période.

Le solde interprovincial affiche, entre 1984 et 2000, sept années de déficit et dix années de surplus, dont celles allant de 1997 à 2000. Cette évolution nette résulte de la situation plutôt favorable de sa composante « biens » – qui est en surplus de 1987 à 1993 et de 1997 à 2000 – alors que sa composante « services » est toujours en déficit depuis 1984, et plus profondément encore depuis 1996.

En 1998, le solde interprovincial du Québec n'est que légèrement positif (+ 79 millions de dollars), mais son déficit avec l'Ontario est majeur, que ce soit globalement (- 5,6 milliards), au titre des biens (- 1,7 milliard) ou au titre des services (- 3,8 milliards). Les soldes avec les neuf autres provinces et les deux territoires montrent tous des surplus.

Références

INSTITUT DE LA STATISTIQUE DU QUÉBEC. *Commerce international du Québec, Échanges de marchandises, 1981-2000*, [Cédérom], Québec, Gouvernement du Québec, 2000.
INSTITUT DE LA STATISTIQUE DU QUÉBEC. *Comptes économiques des revenus et des dépenses du Québec*, édition 2000, Québec, Gouvernement du Québec, 2000, 127 p.
INSTITUT DE LA STATISTIQUE DU QUÉBEC. *Comptes économiques du Québec, 3e trimestre 2001*, Québec, Gouvernement du Québec, 51 p.
STATISTIQUE CANADA. *Comptes économiques provinciaux*, Ottawa, Gouvernement du Canada (13-213-PIB).
STATISTIQUE CANADA. *Le commerce interprovincial et international au Canada 1992-1998*, Ottawa, Gouvernement du Canada (15-546-XPF).
STATISTIQUE CANADA. *Les retombées économiques du commerce interprovincial au Canada*, Ottawa, Gouvernement du Canada (15-514-XPF).

Tableau 14.1
Valeur des exportations totales[1] vers les principales régions du monde, Québec, 1988-2000

Régions	1988	1990	1992	1994	1996	1998	1999	2000	Variation annuelle moyenne
					'000 000 $				%
États-Unis	17 155	20 133	20 959	33 580	39 716	47 939	52 557	63 459	11,5
Europe occidentale	3 387	3 827	4 064	4 261	5 266	5 447	5 573	6 489	5,6
Autres pays d'Europe	117	144	133	97	304	328	249	246	6,4
Moyen-Orient	251	322	337	508	507	629	600	466	5,3
Autres pays d'Afrique	180	174	229	193	237	229	239	166	-1,1
Autres pays d'Asie	1 222	1 190	1 390	1 559	2 299	1 701	1 498	1 825	3,4
Océanie	123	148	98	116	150	205	247	374	9,7
Amérique du Sud	319	341	265	464	560	633	603	526	4,6
Amérique centrale et Antilles	285	300	265	318	360	453	486	559	5,8
Monde	**23 044**	**26 588**	**27 747**	**41 103**	**49 408**	**57 572**	**62 063**	**74 120**	**10,2**

1. Exportations de produits fabriqués ou transformés au Québec, de même que les réexportations de produits fabriqués au Canada.

Source : Institut de la statistique du Québec, *Commerce international du Québec, Échanges de marchandises, 1981-2000*, cédérom.

Figure 14.1
Variation annuelle des exportations, Québec, Canada et le monde, 1989-2000

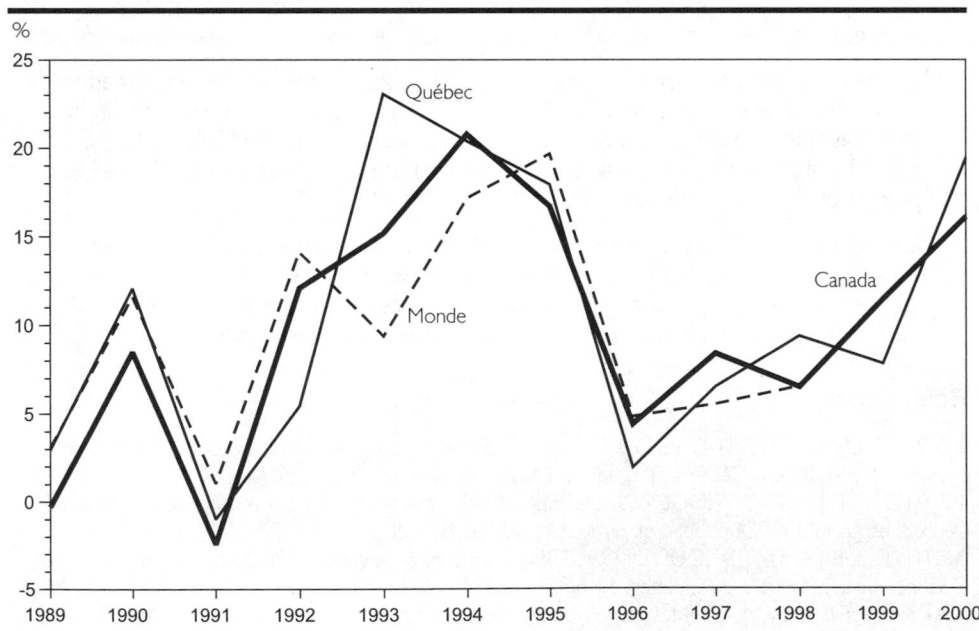

Source : Institut de la statistique du Québec, *Commerce international du Québec, Échanges de marchandises, 1981-2000*, cédérom.

Tableau 14.2

Valeur des exportations totales¹ selon les principaux groupes de produits, Québec et Canada, 1999-2000

Groupes de produits	Québec		Canada		Québec/Canada	
	1999	2000	1999	2000	1999	2000
	'000 000 $				%	
Matériel électrique, équipement et matériel de télécommunication	10 163	16 031	30 960	43 369	32,8	37,0
Matériel de transport	11 740	13 868	110 435	112 473	10,6	12,3
Bois, produits du bois et papiers	10 376	10 931	41 105	43 523	25,2	25,1
Minéraux et produits minéraux de base	9 381	10 045	52 965	74 626	17,7	13,5
Machines et outillage	4 063	4 467	22 916	25 463	17,7	17,5
Produits chimiques et pétrochimiques	2 962	3 690	23 997	30 656	12,3	12,0
Produits textiles et habillement	2 820	3 132	5 739	6 165	49,1	50,8
Produits alimentaires	2 473	2 727	22 171	23 805	11,2	11,5
Électricité	716	1 063	1 923	4 059	37,2	26,2
Produits divers	7 369	8 166	42 806	48 042	17,2	17,0
Total des exportations	**62 063**	**74 120**	**355 017**	**412 181**	**17,5**	**18,0**

1. Exportations de produits fabriqués ou transformés au Québec, de même que les réexportations de produits fabriqués au Canada.

Source : Institut de la statistique du Québec, *Commerce international du Québec, Échanges de marchandises, 1981-2000*, cédérom.

Figure 14.2

Part des principaux groupes de produits dans les exportations totales, Québec, 1988-2000

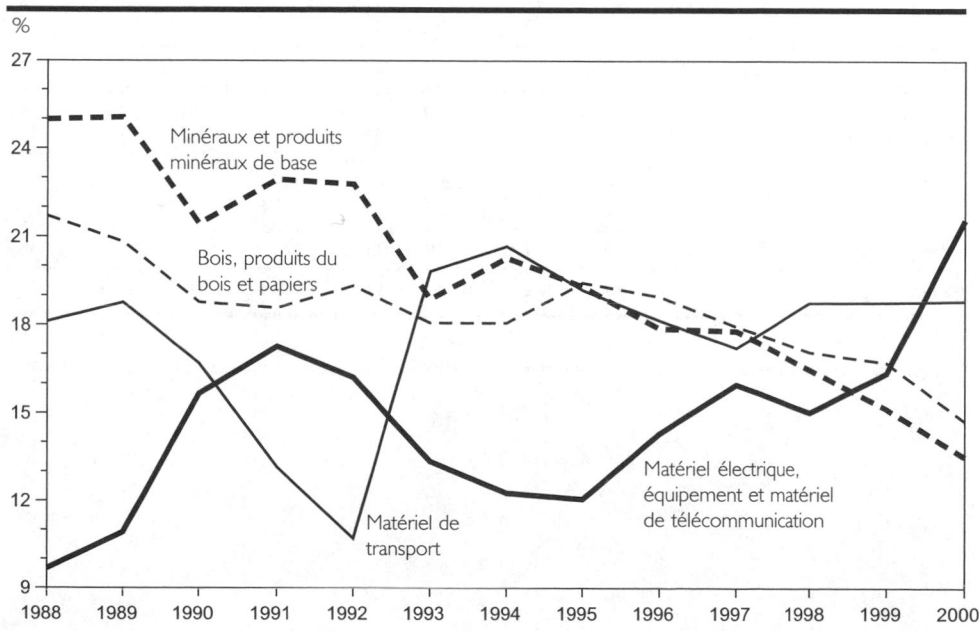

Source : Institut de la statistique du Québec, *Commerce international du Québec, Échanges de marchandises, 1981-2000*, cédérom.

Tableau 14.3
Part des exportations totales[1] à destination des États-Unis selon la division géographique, Québec, 1988-2000

Division géographique	1988	1990	1992	1994	1996	1998	1999	2000
					%			
Région de l'Atlantique	30,9	26,5	28,5	24,2	24,6	26,0	26,9	27,0
Centre Nord-Est	23,6	22,2	16,7	26,4	21,3	20,3	19,2	17,5
Nouvelle-Angleterre	16,4	14,6	23,3	18,4	19,9	17,6	16,6	15,7
Côte Sud-Est	11,3	8,2	11,3	10,1	11,8	13,6	14,5	14,4
Centre Sud-Ouest	4,4	2,6	5,0	5,6	5,6	6,1	5,8	7,6
Centre Sud-Est	4,6	2,8	5,1	4,4	5,7	5,3	5,2	5,1
Région du Pacifique	4,8	5,2	4,3	4,1	4,8	4,5	4,1	4,7
Centre Nord-Ouest	2,5	2,2	3,1	3,3	3,3	3,1	3,0	3,4
Région des Montagnes	1,0	12,3	1,4	1,8	2,0	2,1	2,9	2,9
États-Unis[2]	**99,5**	**96,5**	**98,6**	**98,4**	**99,0**	**98,7**	**98,4**	**98,4**

1. Exportations de produits fabriqués ou transformés au Québec, de même que les réexportations de produits fabriqués au Canada.
2. Le total diffère de 100 à cause des exportations qui ne sont attribuées à aucun État en particulier.

Source : Institut de la statistique du Québec, *Commerce international du Québec, Échanges de marchandises, 1981-2000*, cédérom.

Tableau 14.4
Valeur des importations[1] selon les principales régions du monde, Québec, 1988-2000

Régions	1988	1990	1992	1994	1996	1998	1999	2000	Variation annuelle moyenne
				'000 000 $					%
États-Unis	13 723	14 896	13 623	20 021	22 306	27 200	28 224	30 048	6,7
Europe occidentale	6 464	7 875	6 715	8 009	9 791	10 912	13 956	17 330	8,6
Autre pays d'Europe	286	294	251	297	312	422	392	516	5,0
Moyen-Orient	112	124	233	197	191	296	268	535	13,9
Autres pays d'Afrique	292	235	408	671	1 091	1 187	1 130	1 727	16,0
Autres pays d'Asie	4 408	4 609	5 329	5 866	6 221	8 389	9 088	10 338	7,4
Océanie	224	239	351	549	637	598	577	734	10,4
Amérique du Sud	870	803	541	887	1 068	1 335	1 473	1 885	6,7
Amérique centrale et Antilles	678	559	861	1 191	1 528	1 657	2 013	5 030	18,2
Monde	**27 313**	**30 397**	**29 831**	**39 383**	**44 629**	**53 724**	**59 291**	**68 142**	**7,9**

1. Commerce international des marchandises.

Source : Institut de la statistique du Québec, *Commerce international du Québec, Échanges de marchandises, 1981-2000*, cédérom.

Figure 14.3
Variation annuelle des importations, Québec, Canada et le monde, 1988-2000

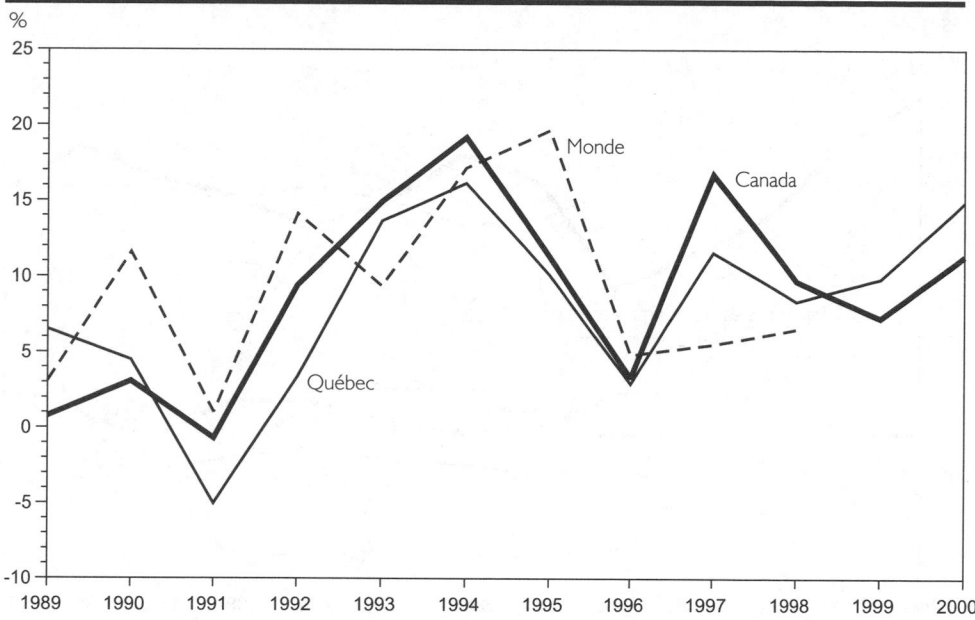

Source : Institut de la statistique du Québec, *Commerce international du Québec, Échanges de marchandises, 1981-2000*, cédérom.

Tableau 14.5
Valeur des importations[1] selon les principaux groupes de produits, Québec et Canada, 1999-2000

Groupes de produits	Québec		Canada		Québec/Canada	
	1999	2000	1999	2000	1999	2000
	'000 000 $				%	
Matériel électrique, équipement et matériel de télécommunication	14 196	16 087	61 586	72 234	23,1	22,3
Matériel de transport	14 318	15 022	89 054	91 838	16,1	16,4
Minéraux et produits minéraux	7 642	12 713	34 073	45 780	22,4	27,8
Produits chimiques et pétrochimiques	5 865	6 427	30 139	33 455	19,5	19,2
Machines et outillage	4 252	4 075	33 268	35 503	12,8	11,5
Produits textiles et habillement	3 750	4 000	11 671	12 566	32,1	31,8
Produits alimentaires	2 351	2 377	16 472	17 206	14,3	13,8
Bois, produits et papiers	1 196	1 326	5 621	6 223	21,3	21,3
Électricité	98	121	385	621	25,6	19,5
Produits divers	5 621	5 994	37 993	41 233	14,8	14,5
Total des importations	**59 291**	**68 142**	**320 261**	**356 660**	**18,5**	**19,1**

1. Commerce international des marchandises.

Source : Institut de la statistique du Québec, *Commerce international du Québec, Échanges de marchandises, 1981-2000*, cédérom.

Figure 14.4
Part des principaux groupes de produits dans les importations, Québec, 1988-2000

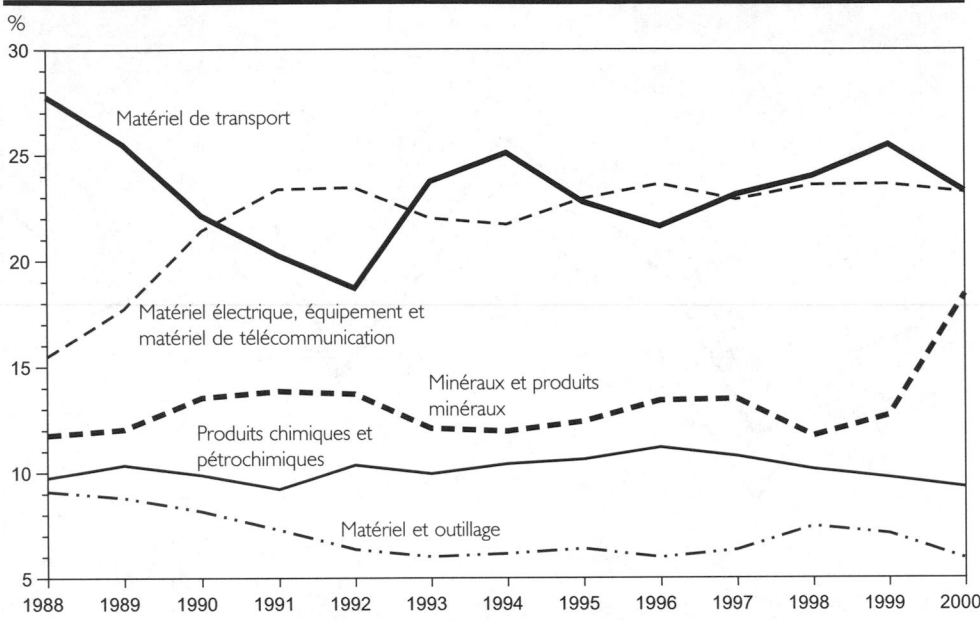

Source : Institut de la statistique du Québec, *Commerce international du Québec, Échanges de marchandises, 1981-2000*, cédérom.

Tableau 14.6
Part des importations en provenance des États-Unis selon la division géograhique, Québec, 1988-2000

Division géographique	1988	1990	1992	1994	1996	1998	1999	2000
				%				
Centre Nord-Est	29,9	23,6	14,1	27,9	22,3	21,9	22,4	19,8
Région de l'Atlantique	17,3	22,2	18,7	16,5	17,6	16,6	16,4	17,0
Nouvelle-Angleterre	13,7	19,1	20,0	16,0	19,2	18,7	17,8	17,0
Côte Sud-Est	12,8	12,0	13,4	13,3	12,2	13,7	13,6	14,2
Région du Pacifique	9,5	7,5	9,1	7,3	8,8	9,1	9,7	10,8
Centre Sud-Ouest	5,3	5,9	5,8	6,4	7,5	7,8	7,3	8,1
Centre Nord-Ouest	5,0	4,0	4,5	4,4	5,3	4,7	4,6	4,9
Centre Sud-Est	3,1	2,7	3,5	4,7	4,5	4,8	5,1	4,8
Région des Montagnes	1,7	1,8	2,3	2,7	2,0	2,3	2,6	2,9
États-Unis[1]	**98,3**	**98,8**	**91,3**	**99,1**	**99,3**	**99,5**	**99,6**	**99,4**

1. Le total diffère de 100 à cause des importations qui ne sont attribuées à aucun État en particulier.

Source : Institut de la statistique du Québec, *Commerce international du Québec, Échanges de marchandises, 1981-2000*, cédérom.

Tableau 14.7
Commerce extérieur selon les comptes de revenus et de dépenses, Québec, 1984-2000

	1984	1988	1992	1996	1998	1999	2000
	'000 000 $						
Exportations de biens et services	**47 673**	**62 758**	**65 224**	**94 954**	**111 077**	**120 850**	**136 096**
Internationales	23 669	30 242	34 540	60 756	73 205	79 318	91 922
Biens	20 957	26 883	29 700	52 837	63 464	69 210	80 867
Services	2 712	3 359	4 840	7 919	9 741	10 108	11 055
Interprovinciales	24 004	32 516	30 684	34 198	37 872	41 532	44 174
Biens	19 967	26 979	24 559	27 670	29 933	32 821	34 698
Services	4 037	5 537	6 125	6 528	7 939	8 711	9 476
Importations de biens et services	**50 456**	**65 735**	**69 898**	**94 820**	**110 317**	**118 723**	**132 174**
Internationales	24 469	33 530	41 324	58 430	72 524	78 309	88 496
Biens	21 148	28 913	34 777	48 990	62 080	67 185	76 756
Services	3 321	4 617	6 547	9 440	10 444	11 124	11 740
Interprovinciales	25 987	32 205	28 574	36 390	37 793	40 414	43 678
Biens	21 558	25 336	21 261	28 032	26 951	28 568	30 568
Services	4 429	6 869	7 313	8 358	10 842	11 846	13 110
Solde extérieur global	**-2 783**	**-2 977**	**-4 674**	**134**	**760**	**2 127**	**3 922**
International	**-800**	**-3 288**	**-6 784**	**2 326**	**681**	**1 009**	**3 426**
Biens	**-191**	**-2 030**	**-5 077**	**3 847**	**1 384**	**2 025**	**4 111**
Services	**-609**	**-1 258**	**-1 707**	**-1 521**	**-703**	**-1 016**	**-685**
Interprovincial	**-1 983**	**311**	**2 110**	**-2 192**	**79**	**1 118**	**496**
Biens	**-1 591**	**1 643**	**3 298**	**-362**	**2 982**	**4 253**	**4 130**
Services	**-392**	**-1 332**	**-1 188**	**-1 830**	**-2 903**	**-3 135**	**-3 634**

Sources : Statistique Canada, Division des comptes de revenus et dépenses.
    Institut de la statistique du Québec, Direction des comptes et des études économiques.

Tableau 14.8
Exportations et importations interprovinciales selon la province d'origine ou de destination, Québec, 1998

Province	Exportations			Importations		
	Biens	Services	Total	Biens	Services	Total
	'000 000 $					
Terre-Neuve	945	235	1 180	361	72	433
Île-du-Prince-Édouard	233	60	293	91	37	128
Nouvelle-Écosse	1 477	361	1 838	815	210	1 026
Nouveau-Brunswick	1 589	573	2 162	1 829	284	2 113
Ontario	17 581	4 498	22 079	19 320	8 326	27 646
Manitoba	1 074	233	1 307	841	442	1 283
Saskatchewan	1 009	187	1 196	562	152	714
Alberta	2 959	875	3 834	2 108	563	2 671
Colombie-Britannique	2 821	865	3 686	1 019	703	1 722
Yukon	44	5	49	--	3	3
Territoires du Nord-Ouest	200	46	246	4	43	47
Services gouvernementaux à l'étranger	--	1	1	--	8	8
Commerce interprovincial du Québec	**29 933**	**7 939**	**37 872**	**26 951**	**10 842**	**37 793**

-- : peut correspondre ici non seulement à une valeur nulle, mais aussi à une valeur très faible ou confidentielle.

Sources : Statistique Canada, Division des comptes de revenus et dépenses et Division des entrées-sorties.
    Institut de la statistique du Québec, Direction des comptes et des études économiques.

Tableau 14.9
Exportations totales, Québec, 1984-1998

Biens ou services	1984	1988	1992	1996	1997	1998
			'000 000 $			
Biens échangés	**40 924**	**53 862**	**54 259**	**80 507**	**86 753**	**93 397**
Céréales	115	81	65	131	150	141
Autres produits agricoles	175	208	362	514	584	565
Produits forestiers	85	100	134	174	182	210
Poissons et fruits de mer, produits de la chasse	--	--	15	24	22	18
Minerais et concentrés de métal	--	--	2 319	2 378	2 416	2 415
Combustibles minéraux	--	--	--	--	--	--
Minéraux non métalliques	426	420	519	483	446	434
Services relatifs à l'extraction minière	--	--	8	13	13	12
Produits de la viande, de poisson et laitiers	2 132	2 446	2 897	3 304	3 678	3 678
Fruits, légumes et autres produits alimentaires	1 678	1 660	1 883	2 462	2 681	2 840
Boissons gazeuses et alcooliques	--	--	618	735	784	791
Tabac et produits du tabac	--	--	--	--	--	--
Produits en cuir, en plastique et en caoutchouc	1 042	1 442	1 545	2 295	2 589	2 839
Produits textiles	1 401	1 827	1 714	2 267	2 629	2 750
Bas, vêtements et accessoires	2 206	2 798	2 871	3 571	3 868	4 033
Bois d'œuvre et autres produits du bois	1 428	1 605	1 938	4 167	4 623	5 217
Meubles et articles d'ameublement	562	838	719	940	1 175	1 516
Pâte de bois, papier et produits du papier	5 211	7 100	5 643	9 276	9 250	9 899
Impression et édition	908	1 151	1 095	1 369	1 629	1 713
Produits métalliques de première transformation	4 313	6 974	5 950	9 473	10 208	10 506
Autres produits métalliques	1 386	2 233	1 705	2 444	2 681	2 962
Machines et matériel	1 034	1 976	1 504	2 660	3 235	3 693
Véhicules auto., autre matériel de transport et pièces	4 486	7 012	5 255	10 950	10 866	12 365
Produits électriques, électroniques et de communication	2 409	3 645	5 799	7 612	8 570	9 885
Produits de minéraux non métalliques	433	561	484	708	770	825
Produits du pétrole et du charbon	1 929	1 017	1 022	1 863	1 845	1 649
Produits chimiques et pharmaceutiques	2 631	3 674	4 306	5 324	5 941	5 831
Autres produits manufacturés	1 502	1 345	1 953	2 959	3 219	3 633
Autres services d'utilité publique	--	--	481	842	937	877
Importations non concurrentielles	--	--	--	--	--	--
Services échangés	**6 749**	**8 896**	**10 965**	**14 447**	**16 377**	**17 680**
Transport et entreposage	1 855	2 082	2 689	3 320	3 635	3 729
Services de communication	1 175	1 322	--	--	--	--
Autres services financiers, immobiliers et d'assurance	989	1 501	2 170	2 889	3 360	3 550
Services relatifs aux entreprises et informatiques	1 140	1 830	1 875	3 231	3 626	3 992
Services personnels et autres[1]	1 036	1 547	--	--	--	--
Services d'enseignement privé[2]	--	--	144	172	172	169
Soins de santé et services sociaux[2]	--	--	12	23	32	33
Services d'hébergement et repas[2]	--	--	948	1 195	1 300	1 484
Autres services[2]	--	--	981	1 692	1 909	2 110
Exportations non réparties	554	615	405	591	691	728
Ventes d'autres services gouvernementaux[2]	--	--	50	--	--	--
Total	**47 673**	**62 758**	**65 224**	**94 954**	**103 130**	**111 077**

-- : peut correspondre ici non seulement à une valeur nulle, mais aussi à une valeur très faible ou confidentielle.
1. Cette catégorie a été éclatée à partir de 1992.
2. Chacune de ces catégories résulte de l'éclatement de l'ancienne catégorie « services personnels et autres ».

Sources : Statistique Canada, Division des comptes de revenus et dépenses, et Division des entrées-sorties.
Institut de la statistique du Québec, Direction des comptes et des études économiques.

Tableau 14.10
Exportations interprovinciales, Québec, 1984-1998

Biens ou services	1984	1988	1992	1996	1997	1998
			'000 000 $			
Biens échangés	**19 967**	**26 979**	**24 559**	**27 670**	**29 924**	**29 933**
Céréales	82	76	39	93	120	114
Autres produits agricoles	105	138	237	289	352	327
Produits forestiers	65	54	97	143	150	167
Poissons et fruits de mer, produits de la chasse	--	--	6	7	6	6
Minerais et concentrés de métal	--	--	312	391	442	450
Combustibles minéraux	--	--	--	--	--	--
Minéraux non métalliques	78	144	133	78	81	87
Services relatifs à l'extraction minière	--	--	5	8	8	10
Produits de la viande, de poisson et laitiers	1 287	1 626	1 993	2 141	2 405	2 410
Fruits, légumes et autres produits alimentaires	1 411	1 395	1 512	1 681	1 838	1 890
Boissons gazeuses et alcooliques	--	--	250	367	436	432
Tabac et produits du tabac	--	--	--	--	--	--
Produits en cuir, en plastique et en caoutchouc	852	1 028	891	1 032	1 122	1 096
Produits textiles	1 206	1 458	1 262	1 241	1 451	1 443
Bas, vêtements et accessoires	1 937	2 345	2 334	2 227	2 349	2 276
Bois d'œuvre et autres produits du bois	417	783	633	1 000	1 095	1 224
Meubles et articles d'ameublement	416	595	445	363	429	471
Pâte de bois, papier et produits du papier	1 710	2 405	1 580	2 350	2 533	2 547
Impression et édition	702	843	786	879	1 079	1 109
Produits métalliques de première transformation	1 303	1 932	1 487	1 941	2 123	2 120
Autres produits métalliques	936	1 513	1 190	1 329	1 464	1 507
Machines et matériel	303	761	366	673	676	690
Véhicules auto., autre matériel de transport et pièces	898	2 133	1 536	1 690	1 231	1 281
Produits électriques, électroniques et de communication	1 045	1 748	2 121	1 541	1 787	1 899
Produits de minéraux non métalliques	229	339	254	313	322	320
Produits du pétrole et du charbon	1 363	756	676	1 241	1 171	1 081
Produits chimiques et pharmaceutiques	1 914	2 815	2 890	2 830	3 130	2 970
Autres produits manufacturés	405	529	661	835	939	910
Autres services d'utilité publique	--	--	146	142	197	133
Importations non concurrentielles	--	--	--	--	--	--
Services échangés	**4 037**	**5 537**	**6 125**	**6 528**	**7 512**	**7 939**
Transport et entreposage	1 261	1 504	1 421	1 451	1 533	1 575
Services de communication	1 046	1 169	--	--	--	--
Autres services financiers, immobiliers et d'assurance	879	1 319	1 450	1 712	2 119	2 220
Services relatifs aux entreprises et informatiques	562	1 072	836	1 058	1 242	1 279
Services personnels et autres[1]	290	473	--	--	--	--
Services d'enseignement privé[2]	--	--	17	34	23	23
Soins de santé et services sociaux[2]	--	--	4	8	16	16
Services d'hébergement et repas[2]	--	--	309	339	339	357
Autres services[2]	--	--	376	487	531	530
Exportations non réparties	--	--	--	--	--	--
Ventes d'autres services gouvernementaux[2]	--	--	50	--	--	--
Total	**24 004**	**32 516**	**30 684**	**34 198**	**37 436**	**37 872**

-- : peut correspondre ici non seulement à une valeur nulle, mais aussi à une valeur très faible ou confidentielle.
1. Cette catégorie a été éclatée à partir de 1992.
2. Chacune de ces catégories résulte de l'éclatement de l'ancienne catégorie « services personnels et autres ».

Sources : Statistique Canada, Division des comptes de revenus et dépenses, et Division des entrées-sorties.
    Institut de la statistique du Québec, Direction des comptes et des études économiques.

Tableau 14.11
Exportations internationales, Québec, 1984-1998

Biens ou services	1984	1988	1992	1996	1997	1998
	'000 000 $					
Biens échangés	**20 957**	**26 883**	**29 700**	**52 837**	**56 829**	**63 464**
Céréales	33	6	26	38	30	27
Autres produits agricoles	70	70	125	225	232	238
Produits forestiers	20	46	37	31	32	44
Poissons et fruits de mer, produits de la chasse	28	41	9	17	16	12
Minerais et concentrés de métal	1 412	1 676	2 008	1 986	1 973	1 966
Combustibles minéraux	--	--	--	--	--	--
Minéraux non métalliques	348	276	385	405	366	347
Services relatifs à l'extraction minière	--	--	3	5	5	1
Produits de la viande, de poisson et laitiers	845	820	904	1 163	1 273	1 268
Fruits, légumes et autres produits alimentaires	267	264	371	781	843	950
Boissons gazeuses et alcooliques	200	114	369	368	348	359
Tabac et produits du tabac	20	52	--	--	--	--
Produits en cuir, en plastique et en caoutchouc	190	413	654	1 263	1 467	1 744
Produits textiles	195	369	452	1 026	1 177	1 308
Bas, vêtements et accessoires	269	453	537	1 345	1 519	1 757
Bois d'œuvre et autres produits du bois	1 011	822	1 304	3 166	3 529	3 994
Meubles et articles d'ameublement	146	244	274	578	745	1 045
Pâte de bois, papier et produits du papier	3 500	4 695	4 063	6 926	6 717	7 352
Impression et édition	206	308	310	490	550	604
Produits métalliques de première transformation	3 010	5 041	4 463	7 532	8 085	8 386
Autres produits métalliques	450	720	515	1 116	1 217	1 454
Machines et matériel	731	1 215	1 138	1 987	2 559	3 003
Véhicules auto., autre matériel de transport et pièces	3 588	4 878	3 719	9 261	9 635	11 084
Produits électriques, électroniques et de communication	1 364	1 898	3 679	6 071	6 783	7 986
Produits de minéraux non métalliques	204	222	230	395	447	505
Produits du pétrole et du charbon	567	261	345	622	674	568
Produits chimiques et pharmaceutiques	717	859	1 416	2 494	2 812	2 861
Autres produits manufacturés	1 097	816	1 292	2 124	2 279	2 723
Autres services d'utilité publique	467	303	335	701	740	744
Importations non concurrentielles	--	--	--	--	--	--
Services échangés	**2 712**	**3 359**	**4 840**	**7 919**	**8 865**	**9 741**
Transport et entreposage	594	578	1 268	1 870	2 102	2 153
Services de communication	129	152	--	--	--	--
Autres services financiers, immobiliers et d'assurance	111	183	720	1 177	1 240	1 330
Services relatifs aux entreprises et informatiques	578	758	1 040	2 173	2 384	2 713
Services personnels et autres[1]	746	1 073	--	--	--	--
Services d'enseignement privé[2]	--	--	127	138	149	147
Soins de santé et services sociaux[2]	--	--	7	15	16	17
Services d'hébergement et repas[2]	--	--	639	855	962	1 127
Autres services[2]	--	--	605	1 205	1 378	1 580
Exportations non réparties	554	615	405	591	691	728
Ventes d'autres services gouvernementaux[2]	--	--	--	--	--	--
Total	**23 669**	**30 242**	**34 540**	**60 756**	**65 694**	**73 205**

-- : peut correspondre ici non seulement à une valeur nulle, mais aussi à une valeur très faible ou confidentielle.
1. Cette catégorie a été éclatée à partir de 1992.
2. Chacune de ces catégories résulte de l'éclatement de l'ancienne catégorie « services personnels et autres ».

Sources : Statistique Canada, Division des comptes de revenus et dépenses, et Division des entrées-sorties.
Institut de la statistique du Québec, Direction des comptes et des études économiques.

Tableau 14.12
Importations totales, Québec, 1984-1998

Biens ou services	1984	1988	1992	1996	1997	1998
	'000 000 $					
Biens échangés	**42 706**	**54 249**	**56 038**	**77 022**	**83 427**	**89 031**
Céréales	364	392	143	548	430	427
Autres produits agricoles	--	--	978	1 022	1 061	1 138
Produits forestiers	181	177	132	194	239	209
Poissons et fruits de mer, produits de la chasse	--	--	115	161	162	173
Minerais et concentrés de métal	--	--	1 684	1 897	2 068	2 186
Combustibles minéraux	5 400	2 741	2 894	3 834	4 272	3 696
Minéraux non métalliques	156	218	290	385	499	523
Services relatifs à l'extraction minière	--	--	--	--	--	--
Produits de la viande, de poisson et laitiers	1 666	2 010	1 945	2 470	2 483	2 628
Fruits, légumes et autres produits alimentaires	2 436	2 813	3 155	4 149	4 127	4 199
Boissons gazeuses et alcooliques	310	381	647	759	807	870
Tabac et produits du tabac	383	481	708	557	510	581
Produits en cuir, en plastique et en caoutchouc	1 169	1 754	1 796	2 439	2 493	2 762
Produits textiles	1 650	2 200	1 978	2 704	2 994	3 144
Bas, vêtements et accessoires	728	884	1 001	1 318	1 445	1 663
Bois d'œuvre et autres produits du bois	452	699	555	901	989	1 051
Meubles et articles d'ameublement	345	488	468	557	557	604
Pâte de bois, papier et produits du papier	1 450	2 067	1 612	2 894	2 893	3 086
Impression et édition	750	1 081	1 012	1 301	1 234	1 288
Produits métalliques de première transformation	1 788	2 954	2 803	3 681	3 988	4 245
Autres produits métalliques	1 430	2 029	1 774	2 936	3 206	3 428
Machines et matériel	3 036	4 942	4 424	7 102	7 936	8 809
Véhicules auto., autre matériel de transport et pièces	6 084	9 421	7 843	11 291	13 487	14 733
Produits électriques, électroniques et de communication	2 466	4 176	6 867	8 654	9 557	10 939
Produits de minéraux non métalliques	662	806	652	787	798	866
Produits du pétrole et du charbon	1 465	1 361	--	--	--	--
Produits chimiques et pharmaceutiques	3 026	4 220	4 879	7 003	7 401	7 651
Autres produits manufacturés	1 573	2 024	2 547	3 478	3 783	4 151
Autres services d'utilité publique	--	--	267	194	192	196
Importations non concurrentielles	431	436	379	672	652	689
Services échangés	**7 750**	**11 486**	**13 860**	**17 798**	**20 006**	**21 286**
Transport et entreposage	1 755	1 993	2 331	2 768	3 377	3 488
Services de communication	616	906	--	--	--	--
Autres services financiers, immobiliers et d'assurance	2 033	3 921	3 645	5 393	5 631	5 888
Services relatifs aux entreprises et informatiques	833	1 379	2 066	3 260	3 406	3 736
Services personnels et autres[1]	1 896	2 506	--	--	--	--
Services d'enseignement privé[2]	--	--	118	183	188	186
Soins de santé et services sociaux[2]	--	--	--	--	--	--
Services d'hébergement et repas[2]	--	--	1 914	2 075	2 231	2 307
Autres services[2]	--	--	1 691	1 902	2 014	2 184
Importations non réparties	616	781	673	1 062	1 322	1 200
Ventes d'autres services gouvernementaux[2]	--	--	250	--	143	148
Total	**50 456**	**65 735**	**69 898**	**94 820**	**103 433**	**110 317**

-- : peut correspondre ici non seulement à une valeur nulle, mais aussi à une valeur très faible ou confidentielle.
1. Cette catégorie a été éclatée à partir de 1992.
2. Chacune de ces catégories résulte de l'éclatement de l'ancienne catégorie « services personnels et autres ».

Sources : Statistique Canada, Division des comptes de revenus et dépenses, et Division des entrées-sorties.
Institut de la statistique du Québec, Direction des comptes et des études économiques.

Tableau 14.13
Importations interprovinciales, Québec, 1984-1998

Biens ou services	1984	1988	1992	1996	1997	1998
			'000 000 $			
Biens échangés	21 558	25 336	21 261	28 032	27 074	26 951
Céréales	329	376	131	508	393	385
Autres produits agricoles	--	--	599	465	451	448
Produits forestiers	72	72	115	175	204	167
Poissons et fruits de mer, produits de la chasse	--	--	80	63	58	62
Minerais et concentrés de métal	--	--	829	754	723	776
Combustibles minéraux	3 459	1 324	444	593	513	481
Minéraux non métalliques	89	102	188	217	284	296
Services relatifs à l'extraction minière	--	--	--	--	--	--
Produits de la viande, de poisson et laitiers	1 408	1 690	1 522	2 055	2 015	2 076
Fruits, légumes et autres produits alimentaires	1 871	2 140	2 315	3 031	2 983	2 951
Boissons gazeuses et alcooliques	132	173	316	350	278	291
Tabac et produits du tabac	349	444	297	424	405	409
Produits en cuir, en plastique et en caoutchouc	655	804	658	962	782	767
Produits textiles	805	982	619	615	605	547
Bas, vêtements et accessoires	369	453	166	270	235	246
Bois d'œuvre et autres produits du bois	316	529	407	712	756	785
Meubles et articles d'ameublement	244	286	244	408	393	387
Pâte de bois, papier et produits du papier	1 084	1 445	897	1 878	1 720	1 772
Impression et édition	438	721	540	881	870	881
Produits métalliques de première transformation	1 071	1 897	1 570	1 922	1 907	1 986
Autres produits métalliques	882	1 094	774	1 445	1 447	1 442
Machines et matériel	444	808	490	934	887	816
Véhicules auto., autre matériel de transport et pièces	1 030	2 296	1 973	3 105	2 916	2 782
Produits électriques, électroniques et de communication	984	1 688	1 402	1 323	1 348	1 363
Produits de minéraux non métalliques	457	457	325	414	396	406
Produits du pétrole et du charbon	810	680	--	--	--	--
Produits chimiques et pharmaceutiques	1 751	2 420	2 422	2 551	2 580	2 565
Autres produits manufacturés	336	444	461	525	537	536
Autres services d'utilité publique	--	--	213	125	119	120
Importations non concurrentielles	--	--				
Services échangés	4 429	6 869	7 313	8 358	10 001	10 842
Transport et entreposage	1 194	1 366	1 145	1 188	1 555	1 596
Services de communication	545	776	--	--	--	--
Autres services financiers, immobiliers et d'assurance	1 476	2 867	1 846	2 627	2 779	2 900
Services relatifs aux entreprises et informatiques	408	785	1 101	1 508	1 697	1 875
Services personnels et autres[1]	806	1 075	--	--	--	--
Services d'enseignement privé[2]	--	--	26	46	34	36
Soins de santé et services sociaux[2]	--	--	--	--	--	--
Services d'hébergement et repas[2]	--	--	427	447	518	552
Autres services[2]	--	--	1 027	966	1 046	1 224
Importations non réparties	--	--	--	--	--	--
Ventes d'autres services gouvernementaux[2]	--	--	250	--	143	148
Total	**25 987**	**32 205**	**28 574**	**36 390**	**37 075**	**37 793**

-- : peut correspondre ici non seulement à une valeur nulle, mais aussi à une valeur très faible ou confidentielle.
1. Cette catégorie a été éclatée à partir de 1992.
2. Chacune de ces catégories résulte de l'éclatement de l'ancienne catégorie « services personnels et autres ».

Sources : Statistique Canada, Division des comptes de revenus et dépenses, et Division des entrées-sorties.
Institut de la statistique du Québec, Direction des comptes et des études économiques.

Tableau 14.14
Importations internationales, Québec, 1984-1998

Biens ou services	1984	1988	1992	1996	1997	1998
			'000 000 $			
Biens échangés	**21 148**	**28 913**	**34 777**	**48 990**	**56 353**	**62 080**
Céréales	35	16	13	40	37	42
Autres produits agricoles	283	364	380	557	610	691
Produits forestiers	109	105	17	19	35	42
Poissons et fruits de mer, produits de la chasse	94	72	35	98	104	111
Minerais et concentrés de métal	754	1 037	855	1 142	1 345	1 411
Combustibles minéraux	1 941	1 417	2 451	3 240	3 759	3 215
Minéraux non métalliques	66	116	102	168	215	227
Services relatifs à l'extraction minière	--	--	--	--	--	--
Produits de la viande, de poisson et laitiers	258	321	422	415	468	552
Fruits, légumes et autres produits alimentaires	564	673	841	1 119	1 144	1 248
Boissons gazeuses et alcooliques	178	208	331	409	530	579
Tabac et produits du tabac	35	37	411	132	105	172
Produits en cuir, en plastique et en caoutchouc	514	950	1 137	1 477	1 711	1 995
Produits textiles	844	1 218	1 358	2 089	2 388	2 598
Bas, vêtements et accessoires	359	431	834	1 048	1 209	1 416
Bois d'œuvre et autres produits du bois	136	170	149	188	233	266
Meubles et articles d'ameublement	101	202	224	149	164	217
Pâte de bois, papier et produits du papier	366	622	715	1 016	1 173	1 314
Impression et édition	312	361	472	420	364	407
Produits métalliques de première transformation	717	1 057	1 233	1 758	2 080	2 259
Autres produits métalliques	548	935	1 000	1 491	1 759	1 986
Machines et matériel	2 592	4 134	3 934	6 167	7 049	7 993
Véhicules auto., autre matériel de transport et pièces	5 054	7 125	5 870	8 186	10 572	11 951
Produits électriques, électroniques et de communication	1 483	2 487	5 464	7 330	8 209	9 577
Produits de minéraux non métalliques	206	349	327	373	403	459
Produits du pétrole et du charbon	655	681	--	--	--	--
Produits chimiques et pharmaceutiques	1 274	1 800	2 456	4 453	4 821	5 087
Autres produits manufacturés	1 238	1 580	2 086	2 953	3 246	3 615
Autres services d'utilité publique	--	8	54	69	73	76
Importations non concurrentielles	431	436	379	672	652	689
Services échangés	**3 321**	**4 617**	**6 547**	**9 440**	**10 005**	**10 444**
Transport et entreposage	561	627	1 186	1 580	1 822	1 892
Services de communication	71	130	--	--	--	--
Autres services financiers, immobiliers et d'assurance	557	1 054	1 798	2 766	2 851	2 988
Services relatifs aux entreprises et informatiques	425	594	965	1 751	1 710	1 861
Services personnels et autres[1]	1 090	1 431	--	--	--	--
Services d'enseignement privé[2]	--	--	92	137	153	150
Soins de santé et services sociaux[2]	--	--	--	--	--	--
Services d'hébergement et repas[2]	--	--	1 487	1 628	1 712	1 756
Autres services[2]	--	--	664	935	968	960
Importations non réparties	616	781	673	1 062	1 322	1 200
Ventes d'autres services gouvernementaux[2]	--	--	--	--	--	--
Total	**24 469**	**33 530**	**41 324**	**58 430**	**66 358**	**72 524**

-- : peut correspondre ici non seulement à une valeur nulle, mais aussi à une valeur très faible ou confidentielle.
1. Cette catégorie a été éclatée à partir de 1992.
2. Chacune de ces catégories résulte de l'éclatement de l'ancienne catégorie « services personnels et autres ».

Sources : Statistique Canada, Division des comptes de revenus et dépenses, et Division des entrées-sorties.
       Institut de la statistique du Québec, Direction des comptes et des études économiques.

15

Secteurs industriels et relations intersectorielles

Liste des tableaux

Ce chapitre a été réalisé par Réjean Aubé, de la Direction des comptes et des études économiques de l'Institut de la statistique du Québec.

Ce chapitre présente les secteurs industriels et les relations intersectorielles de l'économie québécoise à l'aide du tableau économique du Québec pour l'année 1996. Il contient trois parties : la première donne une vue d'ensemble de l'économie québécoise; la seconde décrit les caractéristiques des secteurs industriels en montrant les rapports d'échanges qu'ils ont entre eux et avec les utilisateurs finals; la dernière expose brièvement le modèle intersectoriel.

Le traitement du sujet des relations intersectorielles est relativement nouveau puisque ce n'est que depuis 1989 que de l'information est disponible dans *Le Québec statistique*. Depuis la première édition de l'*Annuaire statistique*, en 1914, et jusqu'à la fin des années 80, l'analyse de l'activité sectorielle se faisait uniquement par secteur; il n'était jamais question de la structure relationnelle entre industries. La présente édition innove en fournissant les tableaux d'entrées-sorties constituant la référence du modèle intersectoriel du Québec utilisé par l'ISQ dans la réalisation des études d'impact économique.

L'économie du Québec : vue d'ensemble

Le secteur productif

La production brute, les intrants intermédiaires et la valeur ajoutée

L'économie québécoise a généré des revenus de 154,1 milliards de dollars en 1996, ce qui correspond au produit intérieur brut au coût des facteurs (tableau 15.1, section A). Pour générer ce niveau de revenu, les industries québécoises ont acheté des biens, des services, de la main-d'œuvre et du capital pour une valeur de 329,9 milliards de dollars. Les achats d'intrants intermédiaires entre les industries et avec les non-résidents ont représenté 163,5 milliards, soit 49,6 % de la production brute totale. Les gouvernements ont perçu un montant de 15,4 milliards en impôts indirects auprès des entreprises et ils ont versé 3,1 milliards en subventions. En bout de ligne, les travailleurs et les détenteurs de capitaux se sont partagé une valeur ajoutée de 154,1 milliards de dollars, soit 46,7 % de la valeur totale des transactions. Ce ratio se compare à celui du Canada, qui est de 46,6 %.

Le revenu

La répartition du revenu de l'économie québécoise en 1996 montre que les salariés ont accaparé la plus grande part, soit 95,3 milliards de dollars, ce qui représente 61,8 % du PIB total (tableau 15.1, section B). Au Canada et aux États-Unis, cette part est respectivement de 59,3 % et de 61,2 %. Les exploitants agricoles et les entrepreneurs individuels se sont partagé un revenu mixte de 11,1 milliards de dollars, soit 7,2 % du total (7,3 % au Canada). Les autres excédents d'exploitation, qui comprennent les bénéfices des sociétés avant impôts, les intérêts et revenus de placements, l'ajustement de la valeur des stocks et l'amortissement, s'élèvent à 47,7 milliards de dollars, ce qui correspond à 30,9 % du PIB. Au Canada, ce pourcentage est de 33,3 %.

Le secteur de la demande finale

Du côté de la demande intérieure, les dépenses des consommateurs absorbent la plus grande part avec 60,3 % du PIB aux prix du marché (tableau 15, section C). Cette part est légèrement supérieure à celle du Canada (57,9 %) et plus faible que celle des États-Unis (67,0 %). L'achat de services compte pour 30,6 % du PIB (31,4 % au Canada). Les investissements des entreprises contribuent à près de 13 % du PIB, alors que les dépenses courantes et les investissements bruts des administrations publiques détiennent une part de 26,0 % du PIB (22,9 % au Canada et 18,2 % aux États-Unis).

L'importance des transactions avec les non-résidents témoigne de l'ouverture de l'économie québécoise sur les marchés hors Québec, avec une prédominance pour le commerce international. En effet, les exportations interprovinciales comptent pour 19 % du PIB, alors que la part des exportations à destination des autres pays est de 33,7 % (38,7 % au Canada et 11,2 % aux États-Unis). Les importations interprovinciales équivalent à 20,2 % du PIB et celles en provenance des autres pays, à 32,4 % (34,5 % au Canada et 12,3 % aux États-Unis). En 1996, les échanges avec les non-résidents se sont soldés par un léger surplus de 134 millions de dollars courants.

Les consommateurs québécois ont importé pour 26,6 milliards de dollars en 1996, ce qui correspond à 24,4 % de leurs dépenses et à un peu plus de 28 % des importations totales (tableau 15.2). Les besoins des investisseurs en machines et matériels ont été satisfaits à 59,6 % par les non-résidents, tandis que 96,1 % des investissements en construction ont été réalisés par les industries nationales. Enfin, 8,4 % des dépenses en biens et services des gouvernements ont été faites hors Québec. Les achats des agents institutionnels en provenance de l'étranger équivalent à 13,6 % du total du secteur de la demande finale et à près de 40 % des importations totales de l'économie.

Le secteur productif et les non-résidents

Les importations

Pour satisfaire leurs besoins de production, les industries québécoises ont importé des biens et services pour une valeur de 56,6 milliards de dollars. Ces importations représentent 17,2 % des achats totaux de l'économie et elles équivalent à près de 35 % des besoins des industries intérieures, lesquels atteignent environ 163 milliards de dollars en 1996.

Les importations du secteur manufacturier comptent, à elles seules, pour 9,0 % des achats totaux de l'économie, pour 31,5 % des importations totales et pour 52,3 % de celles du secteur productif.

Les exportations

Près de 29 % des ventes totales de l'économie québécoise sont dirigées vers le marché extérieur, soit 94,4 milliards de dollars sur un total de 329,9 milliards de dollars. Cette part est supérieure aux achats en biens et services de fabrication locale des consommateurs et des investisseurs réunis (27,5 % ou 90,7 milliards). Les échanges intersectoriels comptent pour la plus grande part, avec 32,2 % des ventes totales ou 106,1 milliards. La part des gouvernements, quant à elle, représente environ 11 % ou 38,7 milliards.

Comme pour les importations, le secteur manufacturier a la part du lion, avec plus de 73 % des exportations totales. Cette part correspond à 21,0 % du total des ventes de l'économie.

Répartition sectorielle de la production et de l'emploi en 1996

Comme la plupart des économies développées, celle du Québec se caractérise par un secteur tertiaire important, qui représente 69,3 % du produit intérieur brut et 74,2 % de l'emploi total (tableau 15.3). Le secteur manufacturier compte pour 22,9 % du PIB et 18,0 % de l'emploi, et la construction, pour 4,8 % et 4,2 % respectivement. Le secteur primaire contribue pour seulement 3,1 % du PIB et 3,6 % de l'emploi. La part de la production de services domine largement celle des biens, avec 64,6 % du PIB et 73,1 % de l'emploi total. Les nombreux emplois à temps partiel dans le secteur des services expliquent, en partie, l'écart entre l'importance relative de l'emploi et celle de la production. Environ 90 % des emplois à temps partiel se trouvent dans le secteur des services. Les industries du commerce de détail sont celles qui en comptent le plus, avec près de 20 %.

En 1996, les principales industries du secteur manufacturier sont, par ordre d'importance : papier et produits connexes (2,7 % du PIB), matériel de transport (2,5 % du PIB, dont 1,5 % pour les aéronefs et pièces d'aéronefs), produits chimiques (1,8 %), première transformation des métaux (1,8 %), produits électriques et électroniques (1,7 %), aliments (1,6 %), bois (1,4 %), imprimerie, édition et industries connexes (1,4 %). Ces industries représentent 65,0 % de la valeur ajoutée du secteur manufacturier et près de 15 % du PIB total de l'économie.

Les caractéristiques des industries

Le secteur des entreprises et le secteur non commercial

Le secteur des entreprises comprend les établissements du secteur privé et certains établissements du secteur public qui réalisent et distribuent des bénéfices. Le secteur non commercial englobe les établissements publics et les sociétés sans but lucratif. La présence de l'État dans les secteurs primaire et secondaire est négligeable. Par contre, le secteur tertiaire inclut une bonne part d'établissements publics, particulièrement dans les domaines de l'éducation de même que des soins de santé et des services sociaux. L'État est aussi présent, dans une moindre mesure, dans les industries de transport, des communications et des autres services publics, de même que dans le secteur des finances, des assurances et des services immobiliers.

Le tableau économique présente les industries selon qu'elles appartiennent au secteur des entreprises ou au secteur non commercial. Par exemple, les industries des soins de santé et des services sociaux incluent seulement les établissements privés; les établissements publics de ce secteur sont compris dans les services gouvernementaux (tableaux 15.2, 15.4, 15.5, 15.6 et 15.7). Cette façon de classifier met en évidence l'importance des gouvernements en tant que producteur de biens et services. Généralement, la présentation des industries inclut à la fois le secteur des entreprises et le secteur non commercial (tableau 15.3).

Les industries du secteur primaire

Le secteur primaire comprend les industries agricoles, de la pêche et du piégeage, l'industrie de l'exploitation forestière et les industries des mines, carrières et puits de pétrole. Les industries agricoles sont les plus importantes de ce secteur, avec près de 47 % de sa valeur ajoutée.

Les relations intersectorielles du secteur primaire

En 1996, la matrice des transactions montre que le secteur primaire a négocié des biens et services pour une valeur de 11,2 milliards de dollars (tableau 15.2). Pour réaliser un dollar de vente, le secteur primaire a acheté auprès des autres secteurs productifs pour une valeur de 41 cents, dont 13 cents à son propre secteur et 6 cents au secteur manufacturier. Il a importé pour une valeur de 19 cents et il a acheté de la main-d'œuvre et du capital pour une valeur de 41 cents. La valeur ajoutée de ce secteur est la plus faible après celle du secteur manufacturier. À l'exception du secteur des pêches et du piégeage, toutes les industries du secteur primaire ont une valeur ajoutée par dollar de production brute inférieure à la moyenne de l'économie (tableau 15.4).

La répartition du revenu selon ses composantes révèle que la rémunération des employés du secteur primaire est la plus basse des grand secteurs, avec 43,8 % de sa valeur ajoutée (tableau 15.4). Le revenu mixte, qui comprend le revenu des exploitants agricoles et des entrepreneurs individuels, est le plus élevé avec 17,6 %, comparativement à 0,3 % pour le secteur manufacturier et à 12,5 % pour le secteur tertiaire. Ses autres excédents d'exploitation représentent 38,6 % de sa valeur ajoutée. L'importance du revenu mixte dans la valeur ajoutée du secteur primaire est due principalement à la présence de nombreux travailleurs indépendants. En effet, près de 48 % de l'emploi total de ce secteur est constitué de travailleurs indépendants. Le secteur agricole est celui qui en compte le plus, soit environ 64 % de sa main-d'œuvre.

Les ventes du secteur primaire sont majoritairement dirigées vers le secteur manufacturier (44,9 %). Les autres industries comptent pour 17,1 % et les exportations, pour 25,5 %; 11,1 % des ventes sont acheminées directement aux consommateurs. Toutes les industries de ce secteur, à l'exception des mines, ont le secteur manufacturier pour principal client. Les industries minières exportent 67,6 % de leur production brute.

La productivité des industries du secteur primaire

Le secteur primaire montre une faible valeur ajoutée par employé (41 000 $), qui se compare à celle du secteur tertiaire (41 100 $) (tableau 15.3). Les industries agricoles affichent la plus faible productivité de ce secteur (28 700 $). Celle des industries minières, par contre, est l'une des plus élevées de l'économie (105 700 $). La productivité de l'industrie de la pêche et du piégeage de même que celle du secteur de l'exploitation forestière se comparent à la productivité de l'ensemble des industries (48 500 $ et 44 400 $ respectivement).

Le secteur manufacturier

Les relations intersectorielles du secteur manufacturier

Le secteur manufacturier importe 29,1 % du total de ses achats (tableau 15.2). Les achats de biens et services auprès des autres industries comptent pour 22,5 % de sa production brute totale, et 12,0 % sont faits auprès des industries de son propre secteur. La main-d'œuvre et le capital accaparent environ 35 % du total de ses achats. Comme pour les industries du secteur primaire, la rémunération du travail constitue une faible part de ses achats (20,0 %).

La rémunération du travail du secteur manufacturier représente 57,8 % de sa valeur ajoutée, comparativement à près de 62 % pour l'ensemble de l'économie et à 55,1 % pour le secteur des entreprises (tableau 15.4). Les autres excédents d'exploitation comptent pour 41,9 %, ce qui classe le secteur manufacturier au cinquième rang parmi les 18 secteurs. Le revenu mixte, qui constitue moins de 1 % de sa valeur ajoutée, indique qu'il y a un nombre restreint de travailleurs indépendants dans ce secteur (moins de 6 %).

Le secteur manufacturier est fortement tributaire des non-résidents puisque ceux-ci représentent 68,3 % de son marché. Les ventes auprès des industries de son propre secteur comptent pour 12,0 % et celles aux autres industries, pour environ 8 %. Les consommateurs achètent 8,3 % de ses produits et les investisseurs en machines et équipement, près de 3 %.

La productivité du secteur manufacturier

En 1996, le PIB du secteur manufacturier est de 35,2 milliards de dollars et le nombre d'emplois totalise 577 000, soit respectivement 22,9 % et 18,0 % du total de l'économie (tableau 15.3). La faible part de l'emploi relativement au PIB révèle une forte productivité du travail dans ce secteur. La valeur ajoutée par employé du secteur manufacturier est de 61 000 $, par rapport à 41 000 $ pour le secteur primaire, 54 300 $ pour la construction, 41 100 $ pour le secteur tertiaire et 45 300 $ pour l'ensemble de l'économie. Les écarts importants de productivité peuvent s'expliquer, en partie, par la proportion plus ou moins grande des emplois à temps partiel selon les secteurs. Les emplois à temps partiel du secteur manufacturier comptent pour 5,0 % du total de ses emplois, ceux du secteur primaire représentent 12,3 % et ceux de la construction comptent pour 9,8 %; le secteur tertiaire est celui qui en dénombre le plus, soit 21,5 %. La productivité du secteur manufacturier est plus élevée que celle des autres secteurs, et ce, malgré la part plus importante des emplois à temps partiel. En effet, même en retranchant les emplois à temps partiel des autres secteurs, la valeur ajoutée par emploi (à plein temps et à temps partiel) du secteur manufacturier demeure plus élevée.

La productivité des industries manufacturières

Les industries manufacturières qui affichent une productivité supérieure sont celles qui occupent une part importante du secteur manufacturier; elles sont aussi de grandes exportatrices. Ces industries sont : papier et produit connexes (113 400 $ de valeur ajoutée par employé), produits chimiques (88 900 $), matériel de transport (86 300 $), première transformation des métaux (78 500 $), machinerie (67 200 $), fabrication de produits en métal (63 100 $), produits électriques et électroniques (59 800 $).

Les principaux biens fabriqués par le secteur manufacturier

Les principaux groupes de biens fabriqués par le secteur manufacturier en 1996 sont la pâte de bois, le papier et les produits de papier, pour environ 11 % de sa production brute totale, les véhicules automobiles, les autres matériels de transport et les pièces (10,4 %), les produits métalliques de première transformation (10,0 %), ainsi que les produits électriques, électroniques et de communication (8,0 %) (tableau 15.5). Ces groupes représentent plus de 39 % de la production brute totale du secteur manufacturier en 1996. Parmi eux, plusieurs sont classés dans les produits de moyenne et haute technologie.

L'industrie de la construction

Les relations intersectorielles du secteur de la construction

L'industrie de la construction s'approvisionne autant auprès des industries domestiques que des non-résidents, et 27,9 % du total de ses achats proviennent d'autres industries (y compris la sienne). Ses importations comptent pour la même part (tableau 15.2). Le secteur manufacturier lui vend 11,3 % du total des produits qu'il achète. Le capital et la main-d'œuvre représentent 41,1 %, et la rémunération des travailleurs détient 30,7 %.

Comme la plupart des industries productrices de biens, l'industrie de la construction affiche une faible valeur ajoutée par dollar de production brute. Elle se situe au quinzième rang devant l'agriculture, les forêts et le secteur manufacturier. La rémunération du travail constitue près de 75 % de sa valeur ajoutée (tableau 15.4).

Du coté des ventes, la production de l'industrie de la construction est destinée principalement aux investisseurs (82,3 %). Quant aux non-résidents, ils comptent pour moins de 1 % de son marché.

Les industries du secteur tertiaire

Les relations intersectorielles du secteur tertiaire

En 1996, le volume des transactions du secteur tertiaire (incluant le secteur non commercial) atteint 178,4 milliards de dollars (tableau 15.2). Les industries du secteur tertiaire montrent une grande similitude entre elles : la main-d'œuvre et le capital représentent une forte proportion du total des achats (plus de 50 %) et une faible part des importations (moins de 10 %, sauf pour les industries du transport et de l'entreposage, et de l'hébergement et de la restauration). La rémunération des travailleurs accapare une portion importante des achats dans la plupart des industries.

Le secteur tertiaire commercial affiche une forte valeur ajoutée par dollar de production brute (plus de 59 cents) (tableau 15.4). L'industrie des services de soins de santé et des services sociaux occupe le premier rang (85,6 cents). Elle est suivie par les industries des communications et des autres services publics et, au troisième rang, par l'industrie des services aux entreprises. Toutes les industries du secteur tertiaire privé montrent une valeur ajoutée par dollar de production brute supérieure à celle du secteur des entreprises (47 cents) et à celle de l'ensemble de l'économie (50 cents), mais la plupart affichent un ratio inférieur à celui du secteur non commercial (62 cents).

La rémunération des travailleurs dans le secteur tertiaire privé représente 52,7 % de sa valeur ajoutée. Ce pourcentage est l'un des plus faibles après celui du secteur primaire (43,8 %). Le revenu mixte, par contre, est parmi les plus élevés avec un ratio de 12,5 %. Les autres excédents d'exploitation comptent pour 34,8 %, soit un ratio supérieur à la moyenne de l'économie (30,9 %).

Les industries des communications et des autres services publics de même que le secteur des finances, des assurances et des services immobiliers affichent une forte intensité en capital en raison de l'importance de leurs autres excédents d'exploitation dans la valeur ajoutée, soit 65,8 % et 51,1 % respectivement. À l'opposé, les industries du transport et de l'entreposage, du commerce de gros et de détail, des services aux entreprises, de l'hébergement et de la restauration, et celles du secteur non commercial présentent une forte intensité en travail.

Par ailleurs, l'industrie des services de soins de santé et des services sociaux du secteur des entreprises compte une proportion élevée de revenu mixte (61,8 %) au détriment des autres excédents d'exploitation et de la rémunération du travail. La forte proportion du revenu mixte s'explique par le revenu élevé des travailleurs indépendants hautement spécialisés dans ce secteur, plutôt que par leur nombre.

Le secteur tertiaire commercial compte deux groupes d'industries subventionnées : les industries du transport et celle des services de soins de santé et des services sociaux (tableau 15.6). À l'opposé, les impôts indirects nets des subventions absorbent près de 15 % de la production brute du secteur des finances, des assurances et des services immobiliers.

Les ventes du secteur tertiaire privé sont axées sur le marché intérieur, puisque près de 44 % de celles-ci sont dirigées vers les consommateurs et environ 40 % vont au secteur productif. Les étrangers achètent moins de 15 % des produits et les investisseurs, une faible part de 2,0 % (tableau 15.2).

La productivité des industries du secteur tertiaire

Les autres industries des services publics, qui comprennent l'industrie de l'énergie électrique, de la distribution de gaz et celle du service des eaux, affichent la plus forte productivité du travail de l'ensemble de l'économie, avec 198 000 $ de valeur ajoutée par employé (tableau 15.3). Les industries des communications et des autres services publics ainsi que des services immobiliers et des agences d'assurances montrent aussi une forte productivité, soit respectivement 110 100 $ et 82 100 $. Les industries à faible productivité sont l'hébergement et la restauration (17 800 $), le commerce de détail (22 300 $), les autres industries de services (27 900 $), lesquelles comprennent les services personnels.

Le modèle intersectoriel

La présente section se limite à décrire le modèle intersectoriel sans aller plus à fond dans l'analyse systémique des relations intersectorielles. Ce sujet relève davantage du domaine des études d'impact, qui constitue en soi un vaste champ d'analyse.

La matrice des transactions, ou modèle intersectoriel, est l'outil de base pour réaliser les études d'impact économique. Le modèle vient systématiser, en quelque sorte, la description des relations intersectorielles présentée dans ce chapitre.

Le modèle intersectoriel permet de quantifier, par simulation, les effets d'un changement sur l'économie. Ce changement peut être un projet d'investissement, la tenue d'un événement touristique d'envergure ou toute autre dépense autonome. Une variation de dépense autonome (aussi appelée « choc ») va donc se traduire par une hausse de la demande en biens et services dans l'économie. Une série de transactions entre les industries du secteur productif s'enclenche alors pour répondre à la demande accrue. Cette série de transactions s'appelle le « processus de la propagation de la demande ». Par exemple, supposons un accroissement des dépenses pour les produits du secteur manufacturier. Celui-ci verra ses ventes augmentées d'autant. Pour répondre à la nouvelle demande, il devra se procurer des intrants intermédiaires auprès du secteur primaire, des industries de son propre secteur et du secteur tertiaire. Ces transactions ne s'arrêtent pas là. Le secteur primaire devra, à son tour, acheter auprès des autres secteurs, y compris le sien, des intrants intermédiaires pour répondre à la nouvelle demande du secteur secondaire; le secteur tertiaire fera de même et ainsi de suite. Ce processus génère des effets multiplicateurs et il prend fin lorsque l'équilibre est rétabli entre les achats et les ventes par secteur.

Le modèle intersectoriel est fondé sur la structure des relations entre les industries que le tableau économique permet d'identifier et de quantifier. À partir de cette structure et de certaines hypothèses, il permet d'évaluer l'impact d'un projet sur la main-d'œuvre, la valeur ajoutée, les importations, la fiscalité et la parafiscalité. Ce modèle s'avère un puissant outil d'analyse et un guide à la prise de décision.

Références

FRÉCHETTE, P. et autres. *L'économie du Québec*, 2ᵉ édition, Les Éditions HRW, chap. 12.

GAGNON, Bertrand. « Évolution du PIB par industrie au Québec, de 1984 à 1998 », *L'Écostat*, Québec, Institut de la statistique du Québec, mars 1999.

INSTITUT DE LA STATISTIQUE DU QUÉBEC. *Les tableaux d'impact du modèle intersectoriel du Québec : un instrument d'analyse économique efficace et fiable*, édition 1999, [Cédérom], Québec, Gouvernement du Québec.

LES PUBLICATIONS DU QUÉBEC. *Le Québec statistique*, édition 1995, Québec, Gouvernement du Québec, chapitre 27.

LUM, Sherlene K.S. et Brian C. MOYER. *Gross Domestic Product by Industry for 1997-99*, SURVEY OF CURRENT BUSINESS, décembre 2000.

STATISTIQUE CANADA. *Guide pour exprimer les comptes d'entrées-sorties en prix constants, Sources et méthodes, 2001*, Ottawa, Gouvernement du Canada, p. 11-18 (67-001-X1B).

STATISTIQUE CANADA. *La structure entrées-sorties de l'économie canadienne, 1971-80*, publication annuelle, Ottawa, Gouvernement du Canada (15-201F).

STATISTIQUE CANADA. *La structure par entrées-sorties de l'économie canadienne, 1996 et 1997*, Ottawa, Gouvernement du Canada (15-201-XPB).

Notes explicatives

Le tableau économique

Le tableau économique est construit à partir du principe selon lequel un bien (*commodity*) produit dans une économie est destiné à d'autres industries pour la production d'autres biens, ou à d'un utilisateur final pour une consommation immédiate. De ce principe découlent les **trois composantes de base** du tableau : la matrice de production (sorties), la matrice des entrées intermédiaires (entrées) et la matrice de la demande finale. Les deux premières forment le compte des industries et présentent la valeur de la production, ainsi que les coûts de production du secteur productif. La matrice de la demande finale montre, comme son nom l'indique, les dépenses en biens finales des agents institutionnels. Les trois matrices prises simultanément font ressortir le compte des biens et services et permet l'analyse des relations intersectorielles de l'économie.

La matrice de la production

La matrice de la production (tableau 15.5) répond à la question « **Qui produit quoi?** » dans l'économie. Elle montre les biens et services qui sont produits par chaque industrie (lecture en colonne). La somme des biens ou services produits par une industrie correspond à la **production brute** de cette industrie (ligne 58), et elle fait référence à ses entrées d'argent ou à ses **recettes**. Par exemple, la production brute du secteur manufacturier en 1996 s'élève à 101,6 milliards de dollars (col. 5, ligne 58). De ce montant, 10,5 milliards sont alloués à la production de véhicules automobiles, autres matériels de transport et pièces (col. 5, ligne 23, bien 23). Ce groupe de biens représente donc plus de 10 % de la valeur de la production brute du secteur manufacturier pour cette année.

La matrice de la production montre aussi, pour chaque bien ou service, les industries qui le produisent (lecture en ligne). La valeur de la production de toutes les industries pour un bien ou un service correspond à la **production intérieure totale** de ce bien ou de ce service (colonne 22). Par exemple, la production intérieure totale de véhicules automobiles, autres matériels de transport et pièces s'élève

à 10,8 milliards de dollars en 1996 (col.22, ligne 23). Dans ce montant, le secteur manufacturier contribue pour 10,5 milliards de dollars (col. 5, ligne 23), soit près de 98 % de la production intérieure totale pour ce groupe de biens.

La matrice des utilisations

La matrice des utilisations (tableau 15.6) montre tous les intrants achetés par une industrie. Elle mesure tous les déboursés ou les **dépenses** des industries, et elle est la contrepartie de la matrice de production. Le total des intrants achetés (ligne 58) est égal au total des biens et services produits par chacune des industries (ligne 58, tableau 15.5). La lecture en ligne montre l'achat de biens ou de services de chaque industrie. La colonne 22 donne le total des achats pour chaque bien et service de l'ensemble des industries. Cette colonne représente la **consommation intermédiaire** totale par bien et service. Si l'on reprend notre exemple, la demande des industries pour les véhicules automobiles, autres matériels de transport et pièces est de 4,8 milliards de dollars (col. 22, ligne 23) sur une production intérieure totale de 10,8 milliards de dollars (tableau 15.5, col. 22, ligne 23). Plus de 44 % de la valeur de la production intérieure pour ce groupe de biens correspond à une demande provenant d'autres industries.

La matrice des utilisations fournit aussi les éléments servant au calcul du PIB par industrie. Elle présente deux types d'intrants : secondaires et primaires. Les intrants secondaires sont les biens et services qui entrent dans la fabrication d'autres biens et ils sont identifiés par les lignes 1 à 51 de la matrice. Les intrants primaires apparaissent aux lignes 52 à 57. Les impôts indirects (ligne 52) sont des éléments de coût qui s'ajoutent au coût de production, alors que les subventions (ligne 53) sont des éléments de revenu qui abaissent le coût de production des producteurs. Les autres intrants primaires sont les facteurs productifs de l'économie, soit le capital et la main-d'œuvre. Ces intrants sont : les traitements et salaires (ligne 54), le revenu supplémentaire du travail (ligne 55), le revenu mixte des entreprises individuelles agricoles et non agricoles (ligne 56) et l'excédent d'exploitation (ligne 57), qui inclut l'amortissement. La somme de ces facteurs constitue le **produit intérieur brut au coût des facteurs** par industrie selon l'**approche des revenus**.

En plus de présenter l'approche des revenus dans le calcul du PIB, la matrice des utilisations permet le calcul du **PIB selon l'approche de la valeur ajoutée**. En effet, en soustrayant du total de la production brute par industrie les intrants qui proviennent d'autres industries (total des lignes 1 à 51) et les impôts indirects nets des subventions (lignes 52 + 53), on obtient la valeur ajoutée par industrie. Le calcul du PIB par la valeur ajoutée consiste à éliminer le double comptage en retranchant de la production brute les achats faits par une industrie auprès d'autres industries. On obtient ainsi l'apport net de cette industrie au PIB total de l'économie.

La matrice de la demande finale

La matrice de la demande finale (tableau 15.7) contient le montant des transactions entre le secteur productif et les agents institutionnels de l'économie. Ces agents sont les consommateurs, les investisseurs, les gouvernements et les non-résidents. En tout, au niveau d'agrégation « S », 15 catégories de la demande finale sont présentées. La lecture en colonne montre par catégorie de la demande finale les dépenses en biens et services, et la lecture en ligne indique pour un bien ou un service les dépenses enregistrées par catégorie de la demande finale. Le total des dépenses par bien ou service apparaît à la colonne 16 de la matrice.

La matrice de production, la matrice des utilisations et la matrice de la demande finale prises simultanément permettent de répondre à la question « **Qui achète quoi?** » dans l'économie. Par exemple, la production intérieure totale de meubles et d'articles d'ameublement (tableau 15.5, col. 22, bien 17), qui est de 1 541 millions de dollars en

1996, se répartit de la façon suivante : demande des industries, 106 millions (tableau 15.6, bien 17); demande des agents institutionnels, 1 435 millions (tableau 15.7, col. 16, bien 17).

Les identités comptables des tableaux entrées-sorties

Production brute = entrées intermédiaires + entrées primaires (tableau 15.6, ligne 58) = (tableau 15.6, lignes 1 à 51) + (tableau 15.6, lignes 52 à 57)

Production intérieure totale = consommation intermédiaire + demande finale (tableau 15.5, col. 22) = (tableau 15.6, col. 22) + (tableau 15.7, col. 16)

La valeur ajoutée incluant les impôts nets des subventions (somme des lignes 52 à 57 de la matrice des utilisations) égale le grand total des dépenses de la demande finale moins les impôts indirects de la demande finale (col. 16, ligne 58 moins col. 16, ligne 52).

La matrice des transactions

La matrice des transactions (tableau 15.2) est dérivée des tableaux entrées-sorties. Cette matrice diffère quelque peu des matrices d'origine et présente certaines particularités. D'abord, les achats (lecture en colonne) par secteur sont égaux aux ventes (lecture en ligne) par secteur. Aussi, les importations de biens et services ont été extraites du secteur productif et du secteur de la demande finale. Cela permet de préciser, pour chaque secteur productif, l'importance de leurs échanges avec les non-résidents. Les fuites totales incluent principalement les importations totales et les impôts indirects nets des subventions. Une telle présentation permet de mieux faire ressortir les fournisseurs de biens et services (achats) ainsi que les clients (ventes), pour chaque secteur.

Tableau 15.1
Calcul du PIB au coût des facteurs selon les différentes approches, Québec, 1996

Section A – Calcul du PIB au coût des facteurs selon la valeur ajoutée (Matrice des utilisations, tableau 15.6)	'000 000 $	% de la production brute
Production brute (col. 22, ligne 58)	329 854	100,0
Moins :		
Entrées intermédiaires (col. 22, ligne 58 moins lignes 52 à 57)	163 459	49,6
Impôts indirects (col. 22, ligne 52)	15 443	4,7
Plus :		
Subventions (col. 22, ligne 53)	3 113	0,9
Égale :		
PIB au coût des facteurs	154 065	46,7

Section B – Calcul du PIB au coût des facteurs selon les revenus (Matrice des utilisations, tableau 15.6)	'000 000 $	% du PIB
Traitements et salaires (col. 22, ligne 54)	82 983	53,9
Plus :		
Revenu supplémentaire du travail (col. 22, ligne 55)	12 279	8,0
Revenu mixte (col. 22, ligne 56)	11 134	7,2
Autres excédents d'exploitation (col. 22, ligne 57)	47 669	30,9
Égale :		
PIB au coût des facteurs	154 065	100,0

Section C – Calcul du PIB au coût des facteurs selon les dépenses (Matrice de la demande finale, tableau 15.7)	'000 000 $	% du PIB
Dépenses personnelles en biens et services	108 683	60,3
Biens durables (col. 1P, ligne 58)	14 054	7,8
Biens semi-durables (col. 2P, ligne 58)	10 209	5,7
Biens non durables (col. 3P, ligne 58)	29 317	16,3
Services (col. 4P, ligne 58)	55 103	30,6
Investissements en machines et équipement	10 935	6,1
Du secteur des entreprises (col. 5M&E, ligne 58)	9 787	5,4
Du secteur des administrations publiques (col. 6M&E, ligne 58)	1 148	0,6
Investissements en construction	17 240	9,6
Du secteur des entreprises (col. 7CON, ligne 58, non résidentielle)	5 347	3,0
Du secteur des entreprises (col. 8CON, ligne 58, résidentielle)	8 485	4,7
Du secteur des administrations publiques (col. 9CON, ligne 58, non résidentielle)	3 408	1,9
Variation des stocks (col. 10, ligne 58)	959	0,5
Dépenses courantes des administrations publiques (col. 11G, ligne 58)	42 248	23,4
Exportations totales	94 954	52,7
Exportations internationales (col. 12X, ligne 58)	60 757	33,7
Exportations interprovinciales (col. 14M, ligne 58)	34 198	19,0
Importations totales	-94 820	-52,6
Importations internationales (col. 13M, ligne 58)	-58 430	-32,4
Importations interprovinciales (col. 15M, ligne 58)	-36 390	-20,2
PIB aux prix du marché	180 199	100,0
Moins :		
Impôts indirects (col. 22, ligne 52, tableau 15.6)	15 443	...
Impôts indirects (col. 22, ligne 52, tableau 15.7)	13 804	...
Plus :		
Subventions (col. 22, ligne 53, tableau 15.6)	3 113	...
Égale :		
PIB au coût des facteurs	154 065	...

Source : Statistique Canada.

Tableau 15.2
Matrice des transactions[1], Québec, 1996

N°	Ventes	Achats									
		Secteur primaire	Secteur manufacturier	Construction	Transport et entreposage	Communications et autres utilités publiques	Commerce de gros	Commerce de détail	Finances, assurances et services immobiliers	Services aux entreprises	Serv. d'enseignement privés
		'000 000 $									
1	Secteur primaire	1 455	5 045	197	4	3	12	3	5	2	--
2	Secteur manufacturier	693	12 199	2 038	470	178	200	203	129	51	--
3	Construction	130	303	20	214	293	43	38	1 042	13	--
4	Transport et entreposage	163	315	42	929	98	149	55	28	--	--
5	Communications et autres services d'utilité publique	233	2 346	68	202	278	512	728	1 237	397	--
6	Commerce de gros	196	1 808	676	204	46	128	76	128	42	--
7	Commerce de détail	95	270	113	101	61	39	46	92	71	--
8	Finances, assurances et services immobiliers	313	1 669	338	352	318	912	1 587	3 701	636	34
9	Services aux entreprises	161	1 490	819	110	212	456	557	1 403	913	--
10	Services d'enseignement	1	--	--	--	--	--	--	--	--	--
11	Santé et services sociaux	--	--	--	--	--	--	--	--	--	--
12	Hébergement et restauration	4	60	--	97	--	--	--	25	--	--
13	Autres services	169	728	186	326	152	83	109	277	217	--
14	Institutions sans but lucratif au service des ménages	13	53	13	22	12	--	14	23	18	--
15	Services du secteur gouvernemental	77	3 496	92	144	314	90	146	265	99	--
16	Secteurs fictifs	858	5 262	405	328	555	841	969	2 991	1 152	38
17	**Total des achats intermédiaires**	**4 561**	**35 052**	**5 015**	**3 504**	**2 523**	**3 485**	**4 550**	**11 359**	**3 632**	**106**
18	Fuites totales[2] et facteurs primaires[3]	6 664	66 573	12 971	7 050	12 909	9 645	10 693	27 992	8 191	212
19	Dont : importations totales	2 181	29 616	5 023	1 580	622	873	977	1 494	583	13
20	Traitements et salaires	1 751	17 256	4 908	3 320	3 178	5 390	6 105	5 639	4 757	86
21	Revenu supplémentaire du travail	261	3 102	613	623	655	641	700	592	485	--
22	Revenu mixte	810	--	780	353	--	--	719	3 854	1 061	85
23	Autres excédents d'exploitation	1 775	14 762	1 097	1 515	7 441	1 953	1 340	10 545	1 210	--
24	**Total des achats**	**11 225**	**101 626**	**17 986**	**10 554**	**15 432**	**13 130**	**15 242**	**39 350**	**11 822**	**318**

Note : le symbole « -- » signifie données confidentielles, infimes ou égales à zéro.
1. La matrice des transactions est tirée des tableaux entrées-sorties du niveau d'agrégation « S »; des transformations ont été faites aux matrices d'origine afin de rendre symétriques les achats et les ventes par secteur d'activité.
2. Les fuites totales comprennent les importations non concurrentielles, les exportations et les importations non réparties, les impôts indirects nets des subventions et les importations totales.
3. Les facteurs primaires comprennent la rémunération du travail, le revenu mixte et les autres excédents d'exploitation.

Sources : Statistique Canada.
Institut de la statistique du Québec, Direction des comptes et des études économiques.

						Achats								N°
Santé et services sociaux	Hébergement et restauration	Autres services	Institutions sans but lucratif	Secteur gouvernemental	Secteurs fictifs	Total secteur de la production	Dép. personnelles en biens et services	Invest. en machines et équipement	Inv. en constr. et var. des stocks	Dép. cour. des gouvernements	Exportations totales	Total secteur de la demande finale	**Total des ventes**	
						'000 000 $								
1	86	4	--	98	51	6 968	1 250	28	120	--	2 858	4 257	**11 225**	1
44	514	174	38	621	3 022	20 576	8 428	2 976	276	--	69 370	81 050	**101 626**	2
--	36	53	35	883	--	3 115	43	--	14 800	--	29	14 871	**17 986**	3
--	18	38	13	454	3 768	6 083	1 507	30	--	--	2 929	4 471	**10 554**	4
132	155	264	204	1 075	659	8 500	4 468	--	--	--	2 462	6 933	**15 432**	5
23	115	93	26	252	923	4 738	2 737	994	--	--	4 654	8 392	**13 130**	6
22	129	372	29	279	393	2 115	12 302	127	--	--	694	13 128	**15 242**	7
176	393	575	163	1 147	...	12 322	23 502	--	960	--	2 566	27 028	**39 350**	8
46	66	283	57	1 526	743	8 847	407	--	105	--	2 458	2 975	**11 822**	9
--	--	--	--	119	...	166	118	--	--	--	34	152	**318**	10
--	--	--	--	2 542	...	2 550	2 237	--	--	--	18	2 255	**4 804**	11
--	110	15	--	35	906	1 289	4 614	--	15	--	1 309	5 938	**7 227**	12
49	70	453	60	484	652	4 021	3 972	48	16	--	1 583	5 620	**9 641**	13
--	--	38	--	231	29	491	2 475	--	--	--	104	2 580	**3 071**	14
15	38	62	29	1 420	238	6 526	1 767	--	25	38 711	720	41 234	**47 759**	15
173	233	1 015	326	2 539	68	17 753	297	32	--	--	2 583	2 912	**20 665**	16
692	1 972	3 440	990	13 705	11 472	106 059	70 123	4 253	16 335	38 711	94 373	223 795	**329 854**	17
4 113	5 255	6 201	2 082	34 054	9 193	223 795	38 559	6 683	1 863	3 537	582	51 224	**275 019**	18
177	1 283	737	183	2 685	8 551	56 577	26 555	6 515	703	3 537	--	37 309	**93 887**	19
1 157	2 609	3 131	1 602	22 091	--	82 982	--	--	--	--	--	--	**82 982**	20
--	253	--	132	3 855	--	12 279	--	--	--	--	--	--	**12 279**	21
2 541	229	431	--	--	--	11 134	--	--	--	--	--	--	**11 134**	22
310	534	1 352	83	3 751	--	47 669	--	--	--	--	--	--	**47 669**	23
4 804	7 227	9 641	3 071	47 759	20 665	329 854	108 683	10 935	18 199	42 248	94 954	275 019	**604 873**	24

Tableau 15.3
PIB au coût des facteurs par industrie[1] de la CTI80 et emploi, Québec, 1996

Code	Industries	PIB		Emploi		PIB/Emploi[2]
		'000 000 $	%	'000	%	'000 $
T001	**Ensemble des industries**	**154 064,6**	**100,0**	**3 212,6**	**100,0**	**45,3**
T002	Secteur des entreprises	122 551,3	79,5	..	..	..
T005	Secteur non commercial	31 513,4	20,5	..	..	..
T008	Industries productrices de biens	54 609,1	35,4	865,3	26,9	63,1
T009	Industries productrices de services	99 455,5	64,6	2 347,3	73,1	38,7
T010	Production industrielle	43 911,0	28,5	627,2	19,5	70,0
	Secteur primaire	**4 726,1**	**3,1**	**115,4**	**3,6**	**41,0**
A	Industries agricoles et des services connexes	2 243,5	1,5	78,3	2,4	28,7
B	Industries de la pêche et du piégeage	77,6	0,1	1,6	0,0	48,5
C	Exploitation forestière et services forestiers	977,9	0,6	22,0	0,7	44,4
D	Mines (incluant broyage), carrières et puits de pétrole	1 427,1	0,9	13,5	0,4	105,7
E	**Industries manufacturières**	**35 216,6**	**22,9**	**577,0**	**18,0**	**61,0**
	Industries des aliments et boissons	3 461,7	2,2	62,3	1,9	55,6
E10	Industries des aliments	2 500,7	1,6	..	..	..
E11	Industries des boissons	961,0	0,6	..	..	..
E12	Industries du tabac	x	..	x	..	..
	Industries des produits en caoutchouc et en plastique	1 427,0	0,9	29,4	0,9	48,5
E15	Industries des produits en caoutchouc	545,6	0,4	..	..	..
E16	Industries des produits en matière plastique	881,4	0,6	..	..	..
E17	Industries du cuir et des produits connexes	x	..	x	..	..
	Industries du textile et des produits textiles	1 205,4	0,8	28,5	0,9	42,3
E18	Industries textiles de première transformation	592,1	0,4	..	..	..
E19	Industries des produits textiles	613,2	0,4	..	..	..
E24	Industries de l'habillement	1 741,0	1,1	55,6	1,7	31,3
E25	Industries du bois	2 226,1	1,4	44,4	1,4	50,1
E26	Industries du meuble et des articles d'ameublement	717,7	0,5	21,5	0,7	33,4
E27	Industries du papier et des produits connexes	4 129,1	2,7	36,4	1,1	113,4
E28	Imprimerie, édition et industries connexes	2 100,8	1,4	44,4	1,4	47,3
E29	Industries de première transformation des métaux	2 787,1	1,8	35,5	1,1	78,5
E30	Fabrication de produits en métal	2 033,0	1,3	32,2	1,0	63,1
E31	Industries de la machinerie (sauf électrique)	1 316,3	0,9	19,6	0,6	67,2
E32	Industries du matériel de transport	3 917,4	2,5	45,4	1,4	86,3
E321	Dont : ind. des aéronefs et des pièces d'aéronefs	2 284,1	1,5	..	..	..
E33	Industries des produits électriques et électroniques	2 547,2	1,7	42,6	1,3	59,8
E335	Dont : équip. de commun. et autre mat. élect.	1 707,5	1,1	..	..	..
E35	Industries des produits minéraux non métalliques	735,4	0,5	14,2	0,4	51,8
E36	Ind. des produits raffinés du pétrole et du charbon	130,6	0,1	2,5	0,1	52,2
E37	Industries chimiques	2 765,9	1,8	31,1	1,0	88,9
E39	Autres industries manufacturières	1 152,7	0,7	23,7	0,7	48,6
F	**Industries de la construction**	**7 399,1**	**4,8**	**136,2**	**4,2**	**54,3**
	Secteur tertiaire	**106 722,8**	**69,3**	**2 384,0**	**74,2**	**41,1**
G	Industries du transport et de l'entreposage	6 689,6	4,3	115,5	3,6	57,9
H	Ind. des communications et autres services publics	11 981,1	7,8	108,8	3,4	110,1
H48	Industries des communications	4 713,8	3,1	72,1	2,2	65,4
H49	Autres industries de services publics	7 267,3	4,7	36,7	1,1	198,0
H491	Dont : industrie de l'énergie électrique	6 218,7	4,0	..	..	..
I	Industries du commerce de gros	8 131,8	5,3	154,5	4,8	52,6
J	Industries du commerce de détail	8 867,2	5,8	397,0	12,4	22,3
K	Ind. des intermédiaires financiers et des assurances	7 183,4	4,7	125,7	3,9	57,1
L	Services immobiliers et agences d'assurances	14 083,2	9,1	66,2	2,1	82,1[3]
M	Industries des services aux entreprises	7 562,4	4,9	199,4	6,2	37,9
N	Industries des services gouvernementaux	10 588,9	6,9	208,1	6,5	50,9
O	Industries des services d'enseignement	9 890,7	6,4	229,4	7,1	43,1
P	Services de soins de santé et de services sociaux	11 686,8	7,6	345,6	10,8	33,8
Q	Industries de l'hébergement et de la restauration	3 634,6	2,4	204,0	6,3	17,8
R	Autres industries de services	6 423,1	4,2	229,9	7,2	27,9

1. Le PIB par industrie comprend les établissements du secteur des entreprises et du secteur non commercial.
2. Le PIB total exclut les logements occupés par leur propriétaire.
3. Exclut les logements occupés par leur propriétaire.

Sources : Statistique Canada.
        Institut de la statistique du Québec, Direction des comptes et des études économiques.

Tableau 15.4
Composantes du revenu par industrie du secteur des entreprises et du secteur non commercial, Québec, 1996

N° Industries	Valeur ajoutée en % de la production brute		Part relative des composantes				Part relative des industries			
			Valeur ajoutée	Rémunération totale	Revenu mixte	Autres excédents	Valeur ajoutée	Rémunération totale	Revenu mixte	Autres excédents
	%	Rang	%							
Total¹	**49,6**		**100,0**	**61,8**	**7,2**	**30,9**	**100,0**	**100,0**	**100,0**	**100,0**
Secteur des entreprises	**47,4**		**100,0**	**55,1**	**9,1**	**35,8**	**79,5**	**70,9**	**100,0**	**92,0**
Secteur primaire	41,0		100,0	43,8	17,6	38,6	3,0	2,1	7,3	3,7
1 Industries agricoles et de services connexes	39,2	16	100,0	25,9	31,4	42,7	1,5	0,6	6,3	2,0
2 Industries de la pêche et du piégeage	51,9	12	100,0	31,0	21,3	47,8	0,1	--	0,1	0,1
3 Ind. de l'exploitation forestière et des services forestiers	35,0	17	100,0	61,8	9,3	28,9	0,6	0,6	0,7	0,5
4 Industries des mines, carrières et puits de pétrole	48,9	14	100,0	61,8	0,8	37,4	0,9	0,9	0,1	1,1
5 Industries manufacturières	34,6	18	100,0	57,8	0,3	41,9	22,9	21,4	0,8	31,0
6 Industries de la construction	41,1	15	100,0	74,6	10,5	14,8	4,8	5,8	7,0	2,3
Secteur tertaire	59,1		100,0	52,7	12,5	34,8	48,9	41,7	84,9	55,0
7 Industries du transport et de l'entreposage	55,1	9	100,0	67,9	6,1	26,1	3,8	4,1	3,2	3,2
8 Industries des communications et autres services publics	73,3	2	100,0	33,9	0,3	65,8	7,3	4,0	0,3	15,6
9 Ind. du commerce de gros	61,9	5	100,0	74,2	1,8	24,0	5,3	6,3	1,3	4,1
10 Ind. du commerce de détail	58,2	7	100,0	76,8	8,1	15,1	5,8	7,1	6,5	2,8
11 Ind. des intermédiaires financiers, des assurances et des services immobiliers	52,4	11	100,0	30,2	18,7	51,1	13,4	6,5	34,6	22,1
12 Industries des services aux entreprises	63,6	3	100,0	69,8	14,1	16,1	4,9	5,5	9,5	2,5
13 Industries des services d'enseignement	57,5	8	100,0	52,9	46,7	0,5	0,1	0,1	0,8	--
14 Services de soins de santé et services sociaux	85,6	1	100,0	30,7	61,8	7,5	2,7	1,3	22,8	0,7
15 Industries de l'hébergement et de la restauration	50,2	13	100,0	78,9	6,3	14,7	2,4	3,0	2,1	1,1
16 Autres industries des services	53,6	10	100,0	65,5	8,3	26,2	3,4	3,6	3,9	2,8
Secteur non commercial	**62,0**		**100,0**	**87,8**	**--**	**12,2**	**20,5**	**29,1**	**--**	**8,0**
17 Institutions sans but lucratif au service des ménages	59,1	6	100,0	95,5	--	4,5	1,2	1,8	--	0,2
18 Secteur gouvernemental	62,2	4	100,0	87,4	--	12,6	19,3	27,2	--	7,9

Note : le symbole « -- » signifie données confidentielles, infimes ou égales à zéro.
1. La part de la valeur ajoutée dans la production brute exclut les secteurs fictifs pour le total de l'économie.

Sources : Statistique Canada.
Institut de la statistique du Québec, Direction des comptes et des études économiques.

Tableau 15.5
Matrice de production, en dollars courants, Québec, 1996

N° Biens et services	1 Agri-culture	2 Pêche et pié-geage	3 Forêt	4 Mines	5 Manu-fac-turier	6 Cons-truc-tion	7 Transport	8 Commun. et autres services	9 Com-merce de gros
					'000 000 $				
1 Céréales	611	--	--	--	--	--	--	--	--
2 Autres produits agricoles	4 743	--	313	--	--	--	--	--	--
3 Produits forestiers	141	--	2 044	--	--	--	--	--	--
4 Poisson et fruits de mer, prod. de la chasse	--	149	--	--	--	--	--	--	--
5 Minerais et concentrés de métal	--	--	--	1 975	835	--	--	--	--
6 Combustibles minéraux	--	--	--	--	--	--	--	--	--
7 Minéraux non métalliques	--	--	--	593	34	--	--	--	--
8 Services relatifs à l'extraction minière	--	--	--	214	--	--	--	--	--
9 Prod. de la viande, poisson et laitiers	--	--	--	--	6 005	--	--	--	--
10 Fruits, lég., aut. prod. alim. et alim. pour anim.	--	--	--	--	4 836	--	--	--	--
11 Boissons gazeuses et alcooliques	--	--	--	--	1 731	--	19	--	--
12 Tabac et produits du tabac	--	--	--	--	1 148	--	--	--	--
13 Prod. en cuir, plastiques, et de caoutchouc	--	--	--	--	3 032	--	--	2	--
14 Produits textiles	--	--	--	--	3 164	--	--	--	--
15 Bas, vêtements et accessoires	--	--	--	--	4 081	--	--	--	--
16 Bois d'oeuvre et autres produits de bois	--	--	--	--	5 706	--	--	--	--
17 Meubles et articles d'ameublement	--	--	--	--	1 540	--	--	--	--
18 Pâte de bois, papier, et produits de papier	--	--	--	--	10 786	--	--	--	--
19 Impression et édition	--	--	--	--	3 989	--	--	--	--
20 Produits métalliques de prem. transform.	--	--	--	--	9 838	--	--	2	--
21 Autres produits métalliques	--	--	--	--	4 444	--	--	--	--
22 Machines et matériel	--	--	--	--	3 190	--	--	--	--
23 Véh. auto., aut. mat. de transport et pièces	--	--	--	--	10 530	--	--	--	--
24 Produits électriques, électro., et de com.	--	--	--	--	8 029	--	--	--	--
25 Produits de minéraux non métalliques	--	--	--	--	1 706	--	--	--	--
26 Produits de pétrole et de charbon	--	--	--	--	4 199	--	--	--	--
27 Produits pharmaceutiques et chimiques	--	--	--	--	6 760	--	--	--	--
28 Autres produits manufacturés	--	--	--	--	2 923	--	--	--	--
29 Construction de bâtiments résidentiels	--	--	--	--	--	6 520	--	--	--
30 Construction de bâtiments non résidentiels	--	--	--	--	--	8 303	--	--	--
31 Construction (réparation)	--	--	--	--	--	3 026	--	--	--
32 Transport et entreposage	--	--	--	--	--	--	10 194	1	--
33 Services de communications	--	--	--	--	--	--	--	5 975	--
34 Autres services d'utilité publique	--	--	--	--	--	--	--	8 647	--
35 Marge, sur le commerce de gros	--	--	--	--	1 771	--	--	--	11 683
36 Marge, sur le commerce de détail	--	--	--	--	--	--	--	--	--
37 Loyers bruts imputés	--	--	--	--	--	--	--	--	--
38 Aut. serv. fin., des assur. et immob.	--	--	--	--	--	--	--	--	--
39 Serv. rel. aux entreprises et informatiques	--	--	--	34	750	--	--	722	--
40 Services d'enseignement privé	--	--	--	--	--	--	--	--	--
41 Soins de santé et de services sociaux	--	--	--	--	--	--	--	--	--
42 Services d'hébergement et repas	--	--	--	--	--	--	--	--	--
43 Autres services	--	--	--	--	482	--	--	--	791
Biens fictifs (biens 44,45,46)	--	--	--	--	--	--	--	--	--
47 Inst. sans but lucratif au serv. des ménages	--	--	--	--	--	--	--	--	--
48 Services du secteur gouvernemental	--	--	--	--	--	--	--	--	--
49 Importations non concurrentielles	--	--	--	--	--	--	--	--	--
50 Importations et exportations non réparties	--	--	--	--	--	--	--	--	--
51 Ventes d'autres services gouvernementaux	--	--	--	--	--	--	--	--	--
52 Impôts indirects	--	--	--	--	--	--	--	--	--
53 Subventions	--	--	--	--	--	--	--	--	--
54 Traitements et salaires	--	--	--	--	--	--	--	--	--
55 Revenu supplémentaire du travail	--	--	--	--	--	--	--	--	--
56 Revenu mixte	--	--	--	--	--	--	--	--	--
57 Autres excédents d'exploitation	--	--	--	--	--	--	--	--	--
58 **Total**[1]	5 730	150	2 424	2 921	101 626	17 986	10 554	15 432	13 130

Note : le symbole « -- » signifie données confidentielles, infimes ou égales à zéro.
1. La somme des lignes ou des colonnes diffère du total.

Source : Statistique Canada.

10 Commerce de détail	11 Fin., ass., et serv. immob.	12 Services aux entre- prises	13 Services de l'ensei- gnement	14 Santé et serv. sociaux	15 Héberge- ment et restaur.	16 Autres services	17,18,19 Secteurs fictifs	20 Inst. sans but lucratif	21 Secteurs gouverne- mentaux	22 Total¹	N°
					'000 000 $						
--	--	--	--	--	--	--	--	--	--	613	1
--	--	--	--	--	--	--	--	--	--	5 074	2
--	--	--	--	--	--	--	--	--	--	2 223	3
--	--	--	--	--	--	--	--	--	--	149	4
--	--	--	--	--	--	--	--	--	--	2 810	5
--	--	--	--	--	--	--	--	--	--	--	6
--	--	--	--	--	--	--	--	--	--	644	7
--	--	--	--	--	--	--	--	--	--	214	8
--	--	--	--	--	--	--	--	--	--	6 074	9
147	--	--	--	--	--	--	--	--	--	5 131	10
--	--	--	--	--	1 543	--	--	--	--	3 384	11
--	--	--	--	--	--	--	--	--	--	1 148	12
--	--	--	--	--	--	--	--	--	--	3 118	13
--	--	--	--	--	--	--	--	--	--	3 167	14
--	--	--	--	--	--	--	--	--	--	4 170	15
--	--	--	--	--	--	--	--	--	--	5 818	16
--	--	--	--	--	--	--	--	--	--	1 541	17
--	--	--	--	--	--	--	--	--	--	10 800	18
--	--	--	--	--	--	--	--	--	--	4 026	19
--	--	--	--	--	--	--	--	--	--	9 847	20
--	--	--	--	--	--	--	--	--	--	4 456	21
1	--	--	--	--	--	--	--	--	--	3 285	22
--	--	--	--	--	--	--	--	--	--	10 753	23
--	--	--	--	--	--	--	--	--	--	8 055	24
--	--	--	--	--	--	--	--	--	--	1 709	25
--	--	--	--	--	--	--	--	--	--	4 205	26
--	--	--	--	--	--	--	--	--	--	6 860	27
--	--	--	--	--	--	330	--	--	--	3 294	28
--	--	--	--	--	--	--	--	--	--	6 520	29
--	--	--	--	--	--	--	--	--	--	8 303	30
--	--	--	--	--	--	--	--	--	--	3 026	31
--	--	--	--	--	--	815	--	--	288	11 312	32
--	--	--	--	--	--	--	--	--	--	6 138	33
--	--	--	--	--	--	--	--	--	807	9 465	34
--	--	--	--	--	--	--	--	--	--	13 617	35
12 474	--	--	--	--	--	--	--	--	17	12 695	36
--	12 774	--	--	--	--	--	--	--	--	12 774	37
--	26 322	--	--	--	--	--	--	18	--	27 395	38
--	--	11 586	46	--	--	265	--	--	548	14 328	39
--	--	--	273	--	--	--	--	239	1 195	1 707	40
--	--	--	--	4 802	--	--	--	173	760	5 735	41
--	--	--	--	--	5 359	--	--	--	--	5 808	42
2 328	--	--	--	--	--	7 606	--	566	--	12 638	43
--	--	--	--	--	--	--	20 665	--	--	20 665	
--	--	--	--	--	--	--	--	2 011	--	2 011	47
--	--	--	--	--	--	--	--	--	42 248	42 248	48
--	--	--	--	--	--	--	--	--	--	--	49
--	--	--	--	--	--	--	--	--	--	--	50
--	--	--	--	--	--	--	--	--	903	903	51
--	--	--	--	--	--	--	--	--	--	--	52
--	--	--	--	--	--	--	--	--	--	--	53
--	--	--	--	--	--	--	--	--	--	--	54
--	--	--	--	--	--	--	--	--	--	--	55
--	--	--	--	--	--	--	--	--	--	--	56
--	--	--	--	--	--	--	--	--	--	--	57
15 243	39 350	11 822	318	4 804	7 227	9 641	20 665	3 071	47 759	329 854	58

Tableau 15.6
Matrice des utilisations, en dollars courants, Québec, 1996

N° Biens et services	1 Agri- culture	2 Pêche et pié- geage	3 Forêt	4 Mines	5 Manu- fac- turier	6 Cons- truc- tion	7 Transport	8 Commun. et autres services	9 Com- merce de gros
					'000 000 $				
1 Céréales	244	--	--	--	555	--	--	--	--
2 Autres produits agricoles	1 006	--	244	--	2 843	--	--	--	--
3 Produits forestiers	--	--	241	--	1 730	--	--	--	--
4 Poisson et fruits de mer, prod. de la chasse	--	5	--	--	139	--	--	--	--
5 Minerais et concentrés de métal	--	--	--	--	2 460	--	--	--	--
6 Combustibles minéraux	--	--	--	--	3 417	--	--	--	--
7 Minéraux non métalliques	--	--	--	--	289	160	--	--	--
8 Services relatifs à l'extraction minière	--	--	--	65	--	151	--	--	--
9 Prod. de la viande, poisson et laitiers	--	--	--	--	1 066	--	--	--	--
10 Fruits, lég., aut. prod. alim. et alim. pour anim.	929	--	--	--	1 161	--	--	--	--
11 Boissons gazeuses et alcooliques	--	--	--	--	122	--	--	18	--
12 Tabac et produits du tabac	--	--	--	--	--	--	--	--	--
13 Prod. en cuir, plastiques, et de caoutchouc	--	--	--	--	1 321	430	--	--	--
14 Produits textiles	--	7	--	--	3 002	165	--	--	--
15 Bas, vêtements et accessoires	--	--	--	--	354	--	--	--	--
16 Bois d'oeuvre et autres produits de bois	--	--	--	--	1 678	1 054	--	--	--
17 Meubles et articles d'ameublement	--	--	--	--	91	10	--	--	--
18 Pâte de bois, papier, et produits de papier	--	--	--	--	3 606	152	--	--	--
19 Impression et édition	--	--	--	--	460	--	--	102	--
20 Produits métalliques de prem. transform.	--	--	--	--	4 821	213	--	--	--
21 Autres produits métalliques	--	--	--	--	1 855	1 610	--	--	--
22 Machines et matériel	--	--	--	161	737	192	--	--	--
23 Véh. auto., aut. mat. de transport et pièces	--	--	--	--	3 883	--	420	--	--
24 Produits électriques, électro., et de com.	--	--	--	--	4 146	576	--	310	--
25 Produits de minéraux non métalliques	--	--	--	--	620	893	--	--	--
26 Produits de pétrole et de charbon	87	13	--	95	--	254	744	--	179
27 Produits pharmaceutiques et chimiques	281	--	--	93	4 792	226	--	--	--
28 Autres produits manufacturés	--	--	--	--	790	137	--	--	--
29 Construction de bâtiments résidentiels	--	--	--	--	--	--	--	--	--
30 Construction de bâtiments non résidentiels	--	--	--	--	--	--	--	--	--
31 Construction (réparation)	82	--	--	--	283	--	212	291	--
32 Transport et entreposage	--	--	167	--	365	--	1 350	--	--
33 Services de communications	--	--	--	--	--	--	147	240	391
34 Autres services d'utilité publique	--	--	--	141	2 486	--	--	--	157
35 Marge, sur le commerce de gros	--	8	--	119	2 870	1 108	323	--	197
36 Marge, sur le commerce de détail	--	--	--	--	--	55	--	--	--
37 Loyers bruts imputés	--	--	--	--	--	--	--	--	--
38 Aut. serv. fin., des assur. et immob.	227	--	--	88	1 930	388	404	--	1 065
39 Serv. rel. aux entreprises et informatiques	--	--	--	125	2 223	1 216	--	354	741
40 Services d'enseignement privé	--	--	--	--	8	6	2	3	20
41 Soins de santé et de services sociaux	--	--	--	--	--	--	--	--	--
42 Services d'hébergement et repas	--	--	--	--	--	--	123	--	--
43 Autres services	--	--	134	83	1 161	288	472	273	--
Biens fictifs (biens 44,45,46)	145	9	508	93	5 928	194	--	406	826
47 Inst. sans but lucratif au serv. des ménages	--	--	--	--	--	--	--	--	--
48 Services du secteur gouvernemental	--	--	--	--	--	--	--	--	--
49 Importations non concurrentielles	--	--	--	--	441	--	--	--	--
50 Importations et exportations non réparties	--	--	--	--	--	--	--	--	--
51 Ventes d'autres services gouvernementaux	--	--	--	--	--	29	79	285	--
52 Impôts indirects	312	10	--	91	1 755	589	511	1 057	702
53 Subventions	-511	-8	-38	-26	-448	-40	-852	-77	-62
54 Traitements et salaires	555	21	444	731	17 256	4 908	3 320	3 178	5 390
55 Revenu supplémentaire du travail	--	--	81	151	3 102	613	623	655	641
56 Revenu mixte	704	17	79	--	--	780	354	--	--
57 Autres excédents d'exploitation	959	37	245	534	14 762	1 097	1 515	7 441	1 953
58 Total[1]	**5 730**	**150**	**2 424**	**2 921**	**101 626**	**17 986**	**10 554**	**15 432**	**13 130**

Note : le symbole « -- » signifie données confidentielles, infimes ou égales à zéro.
1. La somme des lignes ou des colonnes diffère du total.

Source : Statistique Canada.

'000 000 $

10 Commerce de détail	11 Fin., ass., et serv. immob.	12 Services aux entre-prises	13 Services de l'ensei-gnement	14 Santé et serv. sociaux	15 Héberge-ment et restaur.	16 Autres services	17,18,19 Secteurs fictifs	20 Inst. sans but lu-cratif	21 Secteurs gouverne-mentaux	22 Total[1]	N°
--	--	--	--	--	--	--	--	--	--	807	1
1	--	--	--	--	--	--	--	--	--	4 396	2
--	--	--	--	--	--	--	--	--	--	1 985	3
--	--	--	--	--	7	--	--	--	--	151	4
--	--	--	--	--	--	--	--	--	--	2 559	5
--	--	--	--	--	--	--	--	--	--	3 528	6
--	--	--	--	--	--	--	--	--	79	551	7
--	--	--	--	--	--	--	--	--	--	216	8
--	--	--	--	--	800	--	225	--	--	2 105	9
--	--	--	--	--	386	--	111	--	--	2 639	10
--	--	--	--	--	308	--	252	--	--	732	11
--	--	--	--	--	--	--	--	--	--	--	12
--	--	--	--	--	--	--	635	--	--	2 689	13
--	--	--	--	--	--	--	--	--	--	3 387	14
35	--	--	--	--	--	--	45	--	54	493	15
--	--	--	--	--	--	--	--	--	--	2 798	16
--	--	--	--	--	--	--	--	--	--	106	17
206	--	--	--	--	--	--	404	--	--	4 594	18
--	91	--	--	--	--	--	2 337	--	207	3 345	19
--	--	--	--	--	--	--	--	--	--	5 177	20
--	--	--	--	--	--	--	652	--	--	4 301	21
--	--	--	--	--	--	--	1 494	--	--	2 720	22
--	--	--	--	--	--	--	259	--	164	4 800	23
--	--	--	--	--	--	--	1 305	--	--	6 389	24
--	--	--	--	--	--	--	45	--	--	1 603	25
126	139	--	--	--	--	87	98	--	95	3 038	26
--	--	--	--	--	--	--	523	--	749	6 846	27
--	--	--	--	92	--	134	453	--	262	1 931	28
--	--	--	--	--	--	--	--	--	--	--	29
--	--	--	--	--	--	--	--	--	--	--	30
--	1 030	--	--	--	--	--	--	--	871	3 026	31
--	--	--	--	--	--	--	5 507	--	654	8 738	32
276	677	314	--	--	--	172	773	--	486	4 204	33
453	629	--	7	--	--	--	--	166	797	5 463	34
--	--	--	--	--	187	--	1 431	--	329	7 314	35
--	--	--	--	--	107	242	311	--	156	1 000	36
--	--	--	--	--	--	--	--	--	--	--	37
1 855	4 325	735	40	205	459	657	--	189	1 326	14 302	38
983	2 262	1 457	9	--	--	421	1 093	88	2 284	13 701	39
42	9	5	--	2	8	2	--	--	790	896	40
--	--	--	--	--	--	--	--	--	3 120	3 127	41
--	--	--	--	--	--	--	1 178	--	--	1 337	42
--	496	406	11	--	--	856	387	113	805	6 118	43
957	2 954	1 137	37	--	--	1 006	114	323	2 489	18 562	44
--	--	--	--	--	--	--	--	--	--	--	47
--	--	--	--	--	--	--	--	--	--	--	48
--	--	--	--	--	14	--	--	--	--	464	49
--	--	--	--	--	--	--	359	--	--	359	50
--	27	--	--	--	--	--	--	--	341	816	51
907	6 134	316	16	126	357	473	232	--	1 673	15 443	52
-61	-267	-222	--	-302	-24	-177	--	--	--	-3 113	53
6 105	5 639	4 757	87	1 157	2 609	3 132	--	1 602	22 091	82 983	54
700	592	485	10	--	253	--	--	132	3 855	12 279	55
719	3 854	1 061	85	2 541	229	431	--	--	--	11 134	56
1 340	10 545	1 210	--	310	534	1 352	--	83	3 751	47 669	57
15 243	39 350	11 822	318	4 804	7 227	9 641	20 665	3 071	47 759	329 854	58

Tableau 15.7

Matrice de la demande finale, en dollars courants, Québec, 1996

N°	Biens et services	1P Durables	2P Semi-durables	3P Non durables	4P Services	5M&E Sauf gouv.	6M&E Gouv.	7CON Sauf hab. et gouv.	8CON Résid. sauf gouv.
					'000 000 $				
1	Céréales	--	--	--	--	--	--	--	--
2	Autres produits agricoles	--	--	1 002	94	--	--	--	--
3	Produits forestiers	--	--	213	--	--	--	--	--
4	Poisson et fruits de mer, prod. de la chasse	--	--	121	--	--	--	--	--
5	Minerais et concentrés de métal	--	--	--	--	--	--	--	--
6	Combustibles minéraux	--	--	--	--	--	--	--	--
7	Minéraux non métalliques	--	--	--	--	--	--	--	--
8	Services relatifs à l'extraction minière	--	--	--	--	--	--	--	--
9	Prod. de la viande, poisson et laitiers	--	--	3 164	--	--	--	--	--
10	Fruits, lég., aut. prod. alim. et alim. pour anim.	--	--	3 845	--	--	--	--	--
11	Boissons gazeuses et alcooliques	--	--	1 265	1 429	--	--	--	--
12	Tabac et produits du tabac	--	--	705	--	--	--	--	--
13	Prod. en cuir, plastiques, et de caoutchouc	112	570	--	--	--	--	--	--
14	Produits textiles	--	294	--	--	--	--	--	--
15	Bas, vêtements et accessoires	--	2 050	--	--	--	--	--	--
16	Bois d'oeuvre et autres produits de bois	--	--	--	--	--	--	--	--
17	Meubles et articles d'ameublement	515	--	--	--	401	110	--	--
18	Pâte de bois, papier, et produits de papier	--	--	441	--	--	--	--	--
19	Impression et édition	--	601	--	--	--	--	--	--
20	Produits métalliques de prem. transform.	--	--	--	--	--	--	--	--
21	Autres produits métalliques	--	179	--	--	368	--	--	--
22	Machines et matériel	--	--	--	--	3 812	375	--	--
23	Véh. auto., aut. mat. de transport et pièces	4 384	--	--	--	1 774	161	--	--
24	Produits électriques, électro., et de com.	1 230	--	--	--	1 420	77	--	--
25	Produits de minéraux non métalliques	--	150	--	--	--	--	--	--
26	Produits de pétrole et de charbon	--	--	1 380	--	--	--	--	--
27	Produits pharmaceutiques et chimiques	--	--	1 463	--	--	--	--	--
28	Autres produits manufacturés	695	681	--	--	280	159	--	--
29	Construction de bâtiments résidentiels	--	--	--	--	--	--	--	6 478
30	Construction de bâtiments non résidentiels	--	--	--	--	--	--	5 077	--
31	Construction (réparation)	--	--	--	--	--	--	--	--
32	Transport et entreposage	--	--	--	1 943	--	--	--	--
33	Services de communications	--	--	--	2 059	--	--	--	--
34	Autres services d'utilité publique	--	--	3 074	352	--	--	--	--
35	Marge, sur le commerce de gros	1 335	760	2 160	--	1 512	189	--	--
36	Marge, sur le commerce de détail	3 611	3 231	4 981	--	--	--	--	--
37	Loyers bruts imputés	--	--	--	12 774	--	--	--	--
38	Aut. serv. fin., des assur. et immob.	--	--	--	14 119	--	--	207	917
39	Serv. rel. aux entreprises et informatiques	--	--	--	407	--	--	--	155
40	Services d'enseignement privé	--	--	--	816	--	--	--	--
41	Soins de santé et de services sociaux	--	--	--	2 745	--	--	--	--
42	Services d'hébergement et repas	--	--	--	5 175	--	--	--	--
43	Autres services	--	--	--	6 703	--	--	--	--
	Biens fictifs (biens 44,45,46)	85	77	341	20	--	--	--	--
47	Inst. sans but lucratif au serv. des ménages	--	--	--	2 011	--	--	--	--
48	Services du secteur gouvernemental	--	--	--	--	--	--	--	--
49	Importations non concurrentielles	--	--	144	--	--	--	--	--
50	Importations et exportations non réparties	--	--	--	--	--	--	--	--
51	Ventes d'autres services gouvernementaux	--	--	--	76	--	--	--	--
52	Impôts indirects	1 637	1 214	4 649	4 362	--	30	--	924
53	Subventions	--	--	--	--	--	--	--	--
54	Traitements et salaires	--	--	--	--	--	--	--	--
55	Revenu supplémentaire du travail	--	--	--	--	--	--	--	--
56	Revenu mixte	--	--	--	--	--	--	--	--
57	Autres excédents d'exploitation	--	--	--	--	--	--	--	--
58	**Total**[1]	**14 054**	**10 209**	**29 317**	**55 103**	**9 787**	**1 148**	**5 347**	**8 485**

Note : le symbole « -- » signifie données confidentielles, infimes ou égales à zéro.

1. La somme des lignes ou des colonnes diffère du total.

Source : Statistique Canada.

9CON Gouv.	10 Stocks	11G Dép. cour. gouv.	12X Export. intern.	13M Import. intern.	14X Export. interprov.	15M Import. interprov.	16 Total¹	Biens et services	N°
			'000 000 $						
--	137	--	34	-39	79	-405	**-194**	Céréales	1
--	30	--	212	-547	246	-370	**678**	Autres produits agricoles	2
--	33	--	28	-19	122	-140	**238**	Produits forestiers	3
--	--	--	19	-97	6	-50	**-2**	Poisson et fruits de mer, prod. de la chasse	4
--	-151	--	1 766	-1 096	333	-600	**251**	Minerais et concentrés de métal	5
--	2	--	182	-3 275	--	-472	**-3 528**	Combustibles minéraux	6
--	--	--	392	-193	66	-173	**93**	Minéraux non métalliques	7
--	--	--	4	-2	7	--	**9**	Services relatifs à l'extraction minière	8
--	--	--	1 079	-447	1 821	-1 636	**3 969**	Prod. de la viande, poisson et laitiers	9
--	--	--	721	-1 114	1 430	-2 412	**2 492**	Fruits, lég., aut. prod. alim. et alim. pour anim.	10
--	28	--	331	-435	312	-279	**2 652**	Boissons gazeuses et alcooliques	11
--	-2	--	86	-164	--	-338	**281**	Tabac et produits du tabac	12
--	--	--	1 212	-1 580	878	-766	**429**	Prod. en cuir, plastiques, et de caoutchouc	13
--	-8	--	986	-2 165	1 055	-489	**-221**	Produits textiles	14
--	-82	--	1 223	-1 152	1 894	-215	**3 677**	Bas, vêtements et accessoires	15
--	--	--	2 836	-212	851	-567	**3 020**	Bois d'oeuvre et autres produits de bois	16
--	--	--	532	-165	308	-325	**1 435**	Meubles et articles d'ameublement	17
--	40	--	6 161	-1 002	1 999	-1 495	**6 206**	Pâte de bois, papier, et produits de papier	18
--	--	--	457	-424	748	-701	**681**	Impression et édition	19
--	-300	--	6 768	-1 786	1 651	-1 530	**4 670**	Produits métalliques de prem. transform.	20
--	--	--	1 108	-1 564	1 130	-1 150	**155**	Autres produits métalliques	21
--	354	--	2 308	-6 451	572	-744	**565**	Machines et matériel	22
--	275	--	9 189	-8 843	1 437	-2 471	**5 954**	Véh. auto., aut. mat. de transport et pièces	23
--	170	--	6 256	-7 919	1 311	-1 053	**1 667**	Produits électriques, électro., et de com.	24
--	--	--	375	-389	266	-330	**106**	Produits de minéraux non métalliques	25
--	94	--	566	-868	1 056	--	**2 211**	Produits de pétrole et de charbon	26
--	175	--	2 364	-4 426	2 407	-2 030	**14**	Produits pharmaceutiques et chimiques	27
--	91	--	2 181	-3 154	710	-418	**1 364**	Autres produits manufacturés	28
--	--	--	--	--	--	--	**6 520**	Construction de bâtiments résidentiels	29
3 226	--	--	--	--	--	--	**8 303**	Construction de bâtiments non résidentiels	30
--	--	--	--	--	--	--	**--**	Construction (réparation)	31
--	--	--	1 629	-1 302	1 365	-1 135	**2 573**	Transport et entreposage	32
--	--	--	--	-512	--	--	**1 959**	Services de communications	33
--	--	--	621	--	121	-100	**4 002**	Autres services d'utilité publique	34
--	--	--	1 658	--	3 237	-4 443	**6 304**	Marge, sur le commerce de gros	35
--	--	--	--	--	228	-498	**11 695**	Marge, sur le commerce de détail	36
--	--	--	--	--	--	--	**12 774**	Loyers bruts imputés	37
--	--	--	1 025	-2 279	1 611	-2 509	**13 092**	Aut. serv. fin., des assur. et immob.	38
--	--	--	1 893	-1 443	996	-1 441	**627**	Serv. rel. aux entreprises et informatiques	39
--	--	--	120	-113	32	-44	**811**	Services d'enseignement privé	40
--	--	--	--	--	8	--	**2 733**	Soins de santé et de services sociaux	41
--	--	--	745	-1 341	319	-427	**4 471**	Services d'hébergement et repas	42
--	--	--	1 057	-777	458	-923	**6 520**	Autres services	43
--	--	--	1 619	--	1 056	-1 154	**2 104**	Biens fictifs	
--	--	--	--	--	--	--	**2 011**	Inst. sans but lucratif au serv. des ménages	47
--	--	42 248	--	--	--	--	**42 248**	Services du secteur gouvernemental	48
--	33	--	--	-654	--	--	**-464**	Importations non concurrentielles	49
--	--	--	529	-889	--	--	**-359**	Importations et exportations non réparties	50
--	--	--	--	--	--	--	**87**	Ventes d'autres services gouvernementaux	51
140	--	--	40	609	--	--	**13 804**	Impôts indirects	52
--	--	--	--	--	--	--	**--**	Subventions	53
--	--	--	--	--	--	--	**--**	Traitements et salaires	54
--	--	--	--	--	--	--	**--**	Revenu supplémentaire du travail	55
--	--	--	--	--	--	--	**--**	Revenu mixte	56
--	--	--	--	--	--	--	**--**	Autres excédents d'exploitation	57
3 408	**959**	**42 248**	**60 757**	**-58 430**	**34 198**	**-36 390**	**180 199**	**Total¹**	**58**

16

Industrie
bioalimentaire

Liste des tableaux

Liste des figures

Ce chapitre a été réalisé par Denis Belzile et Paul Provençal, de la Direction des comptes et des études économiques de l'Institut de la statistique du Québec et Joëlle Noreau du Mouvement Desjardins.

Au fil des ans, l'agriculture est demeurée une activité importante. Bien sûr, elle n'occupe plus autant de personnes qu'auparavant, et sa contribution à la richesse nationale paraît peu importante lorsqu'on ne tient pas compte des multiples liens qu'elle entretient avec les autres industries qui en sont tributaires. De nos jours, aucune analyse sérieuse du secteur agricole ne serait complète sans référence à une approche intégrée de type filière.

La pérennité de l'agriculture prend donc tout son sens dans l'analyse du secteur bioalimentaire. Dans un premier temps, ce texte s'intéressera au traitement réservé à l'agriculture dans les parutions antérieures de l'*Annuaire statistique*. Dans un deuxième temps, nous analyserons l'industrie bioalimentaire dans son ensemble en portant une attention particulière à ses principales composantes, à savoir les productions agricoles, la pêche et le piégeage, la transformation en produits alimentaires ainsi que la distribution de ces derniers sur les différents marchés. Finalement, nous jetterons un regard rapide sur l'importance régionale de l'activité agricole et conclurons notre exposé en présentant la situation actuelle des producteurs agricoles québécois et le principal défi qu'ils auront à relever au cours des prochaines années.

L'agriculture et l'*Annuaire statistique*

Entre les deux grandes guerres, les premières éditions de l'*Annuaire statistique* présentaient de l'information sur les terres, les arbres fruitiers, les céréales, les animaux de basse-cour ainsi que sur la production laitière. Il faut attendre les éditions de 1944 et de 1945-1946 pour que commence la diffusion de données provenant d'un recensement agricole, notamment celui de 1941. Les années 60 amènent de nouvelles préoccupations. On parle de colonisation, de développement coordonné des régions, de technologies du sol et de conditions climatiques. La dernière décennie souligne le décloisonnement de l'agriculture. Maintenant, il est question de l'industrie bioalimentaire, une nouvelle approche où les activités de production, de transformation et de distribution sont considérées intégralement et globalement.

Performance de l'industrie bioalimentaire : 1991-1999

Au cours de la dernière décennie du XXe siècle, l'industrie bioalimentaire québécoise s'est comportée comme le reste de l'économie. En effet, à la suite de la récession nord-américaine du début de la période (1990-1992), l'industrie bioalimentaire a profité de la vitalité des secteurs de l'agriculture, des aliments et boissons ainsi que du commerce de détail alimentaire. Dans les dernières années, elle affichait une forte croissance, soit une progression annuelle moyenne de 3,7 % (tableau 16.1).

Cette performance, légèrement supérieure à celle de l'ensemble de l'économie québécoise, tient à un ensemble de facteurs particulièrement favorables. Une situation inflation-
niste contrôlée et relativement stable – l'indice des prix à la consommation ne progressant
que de 1,2 % en moyenne entre 1991 et 1999 – a permis le maintien du taux d'escompte
dans une fourchette oscillant entre 4,5 % à 5,0 %, ce qui a favorisé une politique économique expansionniste. Cette conjoncture favorable a donné confiance aux principaux acteurs
de l'économie. En 1999, les transformateurs bioalimentaires ont injecté 349,9 millions de
dollars en immobilisations soit une augmentation annuelle moyenne de 11,3 % depuis 1996.
Pour la même année, la demande a été forte et soutenue, comme en témoignent les exportations bioalimentaires qui se sont chiffrées à 2,7 milliards de dollars, soit une hausse
annuelle de 9,9 % en moyenne. De plus, les ventes au détail des magasins d'alimentation
ont progressé annuellement de 5,0 %, pour atteindre 14,3 milliards de dollars en 1999.

De 1991 à 1999, le secteur agricole québécois a progressé à un rythme soutenu de 3,0 %
annuellement. Pour la première moitié de la décennie, la croissance du secteur est davantage attribuable à la forte hausse des ventes commerciales de produits agricoles, lesquelles
se sont maintenues en moyenne à un peu moins de 6,0 % par année (tableau 16.2). Dans
la seconde portion de la décennie, la performance du secteur résulte de l'effet combiné
d'une augmentation plus modérée des dépenses au titre des intrants agricoles et d'un accroissement important des paiements gouvernementaux dans le cadre du soutien apporté
aux revenus des producteurs de porc, ainsi que des céréales et oléagineux (tableau 16.3).

Les productions végétales

Au cours de la période 1991-1999, la valeur des ventes des productions végétales connaît
une croissance annuelle soutenue de 7,3 %, en passant de 685 millions à 1,2 milliard de
dollars (tableau 16.4). Pour sa part, la valeur des ventes attribuables aux productions animales a évolué plus modérément, soit au rythme annuel de 2,9 %. Conséquemment, au
cours de cette période, la part des productions végétales dans l'ensemble des ventes commerciales de produits agricoles s'est appréciée de 4,2 points de pourcentage, pour atteindre 23,0 % en fin de période.

En 1999, la production de maïs s'approprie la part la plus élevée de la valeur des ventes de
produits végétaux, avec 22,1 %. Cette production s'est relativement bien comportée au
cours de la décennie malgré la turbulence observée du côté des prix des céréales et oléagineux. En effet, les prix aux producteurs ont fluctué du simple au double dans les premières
années; ils se sont ensuite repliés tout juste au-dessus de leur niveau initial. Les programmes
de sécurité du revenu ont alors compensé le manque à gagner des producteurs impliqués
dans ces productions.

La production de légumes de champ accapare le second rang, avec près de 21 % de la
valeur des ventes. En termes de volume, ce secteur a connu une croissance modérée de
1,4 % en moyenne au cours de la période, alors que les recettes provenant du marché ont
progressé de 4,5 % (tableau 16.5).

La « médaille de bronze » est revendiquée par l'horticulture ornementale, avec 13 % de la
valeur des ventes. Ce volet regroupe les sous-secteurs de la floriculture, des gazonnières,
des pépinières ainsi que des arbres de Noël. Il profite généralement d'une forte demande
pour ses produits.

Sans occuper une place au podium, l'acériculture tire son épingle du jeu avec près de 11 % de la valeur des ventes. Ce secteur s'est particulièrement démarqué en raison d'une hausse importante du nombre d'entailles au cours de la période analysée. En l'espace de huit ans – principalement de 1996 à 1999, où la croissance annuelle moyenne a été de 15 % – le nombre total d'entailles est passé de 16 606 000 à 29 194 000. Cette augmentation s'est traduite par une forte progression du volume de sirop d'érable récolté, dont les prix à la hausse se sont maintenus jusqu'à 1998. En 1999, avec une production record de 23 585 000 litres, le cours des prix versés aux producteurs chutait de 11 %.

À ses débuts, en 1991, la culture du soya accaparait à peine 1 % des ventes. Toutefois, au cours de la décennie écoulée, elle a connu une progression fulgurante tant de sa production que de sa valeur. Aussi, en 1999, sa part de la valeur des ventes des produits d'origine végétale s'est établie à 7,5 %.

Les productions animales et produits dérivés

Au cours de la dernière décennie, particulièrement au chapitre de la valeur totale des ventes commerciales de produits agricoles, les productions animales et produits dérivés ont vu leur importance diminuer. De 1996 à 1999, la valeur des ventes de productions animales n'a progressé annuellement que d'un maigre 0,7 %, en raison notamment d'une perte moyenne de 2,6 % au seul titre des ventes d'animaux vivants. Ainsi, de 70 % qu'elle était au début des années 90, cette part n'était plus que de 62 % en fin de décennie (tableau 16.4).

En 1999, la production laitière domine toujours l'ensemble des productions agricoles québécoises, avec des ventes commerciales totalisant 1,5 milliard de dollars (tableau 16.6 et figure 16.1). Tout au long de la décennie, la filière laitière s'est ajustée aux nouvelles exigences du marché pour des produits à plus faible teneur en gras. Cette nouvelle tendance s'est reflétée dans les allocations imparties aux producteurs de la province. De plus en plus, la croissance du secteur laitier reposera sur le développement d'une variété de produits de haute qualité ciblant des créneaux particuliers et sur sa capacité de pénétrer de nouveaux marchés.

Les difficultés rencontrées par les producteurs de porcs québécois au milieu des années 90 ont été largement publicisées. La combinaison d'un ensemble de facteurs en est à l'origine. Les plus importants sont, sans contredit, la situation sur le marché asiatique, un large débouché pour le porc québécois, ainsi que la faiblesse des prix nord-américains de céréales qui incita de nombreux producteurs américains actifs dans ces productions à se lancer dans la production porcine. Ainsi, des inventaires de porcs trop élevés ont fait pression à la baisse sur les prix versés aux producteurs, plusieurs d'entre eux ne parvenant plus à rentabiliser leur exploitation.

En 1999, avec une valeur des ventes dépassant les 500 millions de dollars (sous-secteurs de la volaille et des œufs), le secteur avicole s'installe confortablement en troisième place des secteurs de production agricole au Québec. Entre 1996 et 1999, la valeur totale des ventes commerciales de poulet à griller n'a toutefois progressé que de 1,0 %. Cette situation s'explique par la baisse du prix payé au producteur (11 cent/kg), consécutive à la diminution du prix des grains de maïs et de soya. En effet, pour un producteur de poulet à griller, les sommes d'argent consacrées à ces céréales représentent environ 45 % des coûts de production. Par contre, la production de poulet à griller a augmenté de 29 millions de kilogrammes, pour atteindre 237 mille tonnes en 1999.

La pêche et le piégeage

En 1999, les activités de la pêche et du piégeage ont généré des revenus de l'ordre de 177,3 millions de dollars, dont la plus grande partie est attribuable à la pêche commerciale en eau marine.

Au Québec, on distingue la pêche commerciale maritime de celle effectuée dans les eaux intérieures. La première se pratique notamment dans la baie d'Ungava, sur la Côte-Nord, la péninsule gaspésienne et les Îles-de-la-Madeleine, alors que la seconde s'exerce dans le fleuve Saint-Laurent (incluant le lac Saint-Pierre), le lac Saint-Jean et dans les différents lacs et rivières sillonnant le territoire québécois.

Entre 1991 et 1999, le nombre de pêcheurs maritimes est passé de 5 381 à 3 953, soit une baisse de plus de 25 % (tableau 16.10). Dans l'ensemble, la valeur des débarquements a augmenté de 7,0 % annuellement. Cette croissance est due principalement à la remarquable hausse de la valeur des mollusques et des crustacés, qui a doublé en dix ans à peine. La situation est bien différente pour les débarquements de poissons de fond, dont la valeur a connu d'importantes baisses à la suite de la fermeture, au début des années 90, des zones de pêche à la morue et au sébaste.

En 1999, près de 200 personnes pratiquaient commercialement la pêche en eau douce. Les espèces les plus fréquemment capturées sont la perchaude, la barbotte, l'esturgeon jaune, l'esturgeon noir et l'anguille d'Amérique. La valeur estimée des captures se chiffre à un peu plus de 4 millions de dollars, pour un volume de 1 637 tonnes. En 1999, 30 % des prises étaient de la barbotte brune, soit 390,9 tonnes, suivies de loin par l'anguille d'Amérique avec 175,2 tonnes.

Depuis vingt-cinq ans, de nombreux efforts ont été faits pour développer le secteur de l'aquaculture commerciale au Québec. En 1999, 200 aquaculteurs ont été dénombrés sur le territoire. Les principaux élevages sont ceux de l'omble de fontaine, de la truite arc-en-ciel, de la moule et du pétoncle. L'aquaculture en eau marine (ou mariculture) génère 98 % des recettes de l'ensemble du secteur. Au total, la valeur des ventes aquacoles s'élève à 20 millions de dollars, dont 58,6 % proviennent des ventes liées à l'ensemencement des lacs et des rivières (tableau 16.7). En ce qui a trait aux quantités vendues, elles sont un peu plus élevées lorsque écoulées directement aux consommateurs (1 658 tonnes), comparativement à celles destinées à l'ensemencement (1 202 tonnes).

Les régions administratives de la Gaspésie–Îles-de-la-Madeleine et de la Côte-Nord sont les fiefs de la pêche maritime au Québec (tableau 16.9). On y retrouve principalement des mollusques et des crustacés. Le crabe des neiges est important dans ces deux régions, alors que le homard et les crevettes sont en abondance en Gaspésie et aux Îles-de-la-Madeleine. Les prises de pétoncles sont plus grandes sur la Côte-Nord. La pêche intérieure se pratique dans les régions administratives du Centre-du-Québec, du Bas-Saint-Laurent et de la Gaspésie–Îles-de-la-Madeleine (tableau 16.8).

Par ailleurs, les éleveurs et trappeurs québécois livrent de 250 000 à 300 000 peaux au marché de la pelleterie. En 1999, moins de 20 % de la production était issue d'un élevage. Le rat musqué, le castor et la martre sont les espèces capturées le plus fréquemment (tableau 16.11).

La transformation des produits agricoles

Après avoir été affecté de manière sensible par la récession du début de la décennie, le secteur des aliments et boissons enregistre une forte progression au cours de la période 1996-1999. En effet, cette industrie connaît un taux annuel de croissance de 4 %, alors que l'ensemble du secteur manufacturier progresse à bon rythme avec un taux global de 3,4 %.

Le nombre d'établissements du secteur des aliments et boissons accuse cependant une baisse de 70 unités au cours des années 1991 à 1996, en passant de 996 à 926 (tableau 16.12). Ce changement est attribuable, entre autres choses, au regroupement et à la consolidation d'entreprises en vue d'améliorer la compétitivité sur les plans national et international.

En 1996, le secteur des aliments rallie 95 % des établissements, le reste appartenant au secteur des boissons. Plus de la moitié (60 %) des établissements du secteur des aliments se retrouvent dans les domaines de la boulangerie-pâtisserie, de la farine et céréales de table préparées, ainsi que de la viande et volaille.

L'emploi manufacturier relié au secteur québécois des aliments et boissons progresse au rythme annuel moyen de 1,4 %; le nombre d'emplois est ainsi passé de 34 700 à 38 800 entre 1991 et 1999. Au cours de cette période, la valeur des expéditions manufacturières augmente de 2,7 % chaque année en moyenne, pour se chiffrer en fin de décennie à 13,8 milliards de dollars. Similairement, la valeur ajoutée manufacturière a passé le cap du 5 milliards de dollars en 1999; elle s'accroissait depuis 1996 au taux annuel de 3,8 %.

La distribution et la restauration

Entre 1991 et 1999, dans le secteur de la distribution alimentaire, les ventes des chaînes d'alimentation et des magasins indépendants sont passées de 1,2 milliard de dollars à 1,4 milliard de dollars, soit une hausse moyenne annuelle de 2,1 % (tableau 16.13). Fait à noter, c'est le secteur des chaînes alimentaires qui s'est le mieux comporté puisque les ventes des indépendants se sont maintenues pratiquement au même niveau. Toutefois, les indépendants affiliés et les indépendants non affiliés en alimentation ont connu des cheminements opposés. Effectivement, au cours de cette période, les ventes des indépendants non affiliés baissaient dramatiquement, en passant de 2,049 milliards de dollars à 580 millions de dollars, alors que celles des indépendants affiliés comblaient le fossé laissé par le premier groupe.

Dans le secteur de la distribution, l'emploi est nettement en croissance (de 108 700 à 114 000 postes). Le commerce de détail des magasins d'alimentation génère 81 % des emplois du secteur, ce qui laisse un peu moins de 20 % au commerce de gros des produits agricoles et alimentaires.

Au chapitre de la restauration, sur l'ensemble de la période, les recettes montrent une augmentation de 1,2 milliard de dollars, pour se chiffrer à 5,4 milliards en 1999. Ces dernières sont partagées comme suit : 81 % aux restaurants à service complet et restreint, 10 % aux entrepreneurs en restauration et traiteurs, 9 % aux débits de boissons alcoolisées. Dans ce secteur, l'emploi est à la baisse mais la rémunération horaire est passée de 6,46 dollars à 7,95 dollars.

Les marchés extérieurs

Le Québec a largement profité de la libéralisation du commerce que sous-tendait la ratification d'accords commerciaux (ALE et ALENA). En l'espace de huit ans, le solde du secteur bioalimentaire (exportations - importations), qui était largement déficitaire en 1991 (- 585 millions de dollars), s'est constamment amélioré pour clore avec un surplus de 66 millions de dollars en 1999 (tableau 16.14 et figure 16.3).

Au cours de cette période, la valeur des exportations bioalimentaires a progressé à un taux annuel moyen supérieur à 10 %, alors que la valeur des importations s'est appréciée de 5 % annuellement. Certains produits bioalimentaires ont été en grande demande sur les marchés internationaux : les céréales non transformées ont affiché une croissance annuelle de 38,4 %, les semences, 32,1 %, la viande de volaille et les œufs, 25,9 %, les produits céréaliers, 22,5 % et les pommes de terre de consommation, 19,4 %. À l'opposé, les besoins du Québec en produits bioalimentaires ont surtout été pour les produits oléagineux non transformés (34,6 %), les céréales non transformées (23,1 %) et les boissons (12,2 %).

La situation régionale

Les régions administratives affichant un bénéfice net moyen par exploitation supérieur à la moyenne québécoise occupent principalement la partie sud des basses-terres du Saint-Laurent, ainsi que celles du lac Saint-Jean (figure 16.2). En effet, sur la base des données fiscales de 1999, on s'aperçoit que l'ensemble des exploitations agricoles des régions administratives de Chaudière-Appalaches (36 505 $), du Saguenay–Lac-Saint-Jean (37 463 $), de la Mauricie (37 834 $), de la Montérégie (41 792 $) et du Centre-du-Québec (44 742 $) ont enregistré un bénéfice net moyen oscillant entre 36 500 et 45 000 dollars (tableau 16.15).

Les ensemencements de maïs-grain se retrouvent principalement dans les régions administratives de la Montérégie, du Centre-du-Québec et de Lanaudière (tableau 16.16). Les productions en avoine, orge et céréales mélangées sont davantage réparties sur l'ensemble du territoire québécois. La culture de la pomme de terre est une spécialité des régions de la Capitale-Nationale et de Lanaudière. La production de légumes se retrouve surtout en Montérégie, dans Lanaudière et la région de la Capitale-Nationale. Les vergers de pommes abondent en Montérégie et dans les Laurentides. Le bleuet distingue toujours le Saguenay–Lac-Saint-Jean ainsi que la Côte-Nord. Finalement, c'est principalement dans les régions administratives de Chaudière-Appalaches, de l'Estrie, du Bas-Saint-Laurent et du Centre-du-Québec que l'on peut se sucrer le bec à volonté.

Par ailleurs, les cheptels laitiers sont répartis à travers le territoire québécois avec une prépondérance dans les régions administratives de la Montérégie, du Centre-du-Québec et de Chaudière-Appalaches (tableau 16.17). Les bovins de boucherie sont principalement élevés dans les régions de Chaudière-Appalaches, de la Mauricie–Centre-du-Québec, de l'Outaouais et de l'Estrie. La production porcine se concentre dans les régions de la Montérégie, de Chaudière-Appalaches et de la Mauricie–Centre-du-Québec. Finalement, la production ovine est une spécialisation des régions du Bas-Saint-Laurent et de la Gaspésie–Îles-de-la-Madeleine.

La réalité des producteurs agricoles québécois

Désormais, les producteurs agricoles doivent aussi être sensibles aux fluctuations des indicateurs économiques susceptibles d'affecter les conditions de leur marché : l'évolution du dollar canadien, notamment, donne matière à réflexion. La faiblesse relative de notre devise favorise l'exportation de nos produits, notamment chez notre voisin du sud. Ce n'est pas la possibilité d'une remontée du huard qui est préoccupante, mais la vitesse à laquelle il pourrait s'apprécier. Une hausse trop rapide inciterait les acheteurs à s'approvisionner sur d'autres marchés.

Par ailleurs, les exigences de la production agricole nécessitent de plus en plus de connaissances de la part de l'exploitant. De nos jours, il doit allier de multiples talents : entrepreneur, gestionnaire, mécanicien, généticien et informaticien. Compte tenu de la taille grandissante des exploitations, l'exploitant doit s'adjoindre un personnel agricole possédant une formation et une expérience pertinentes, ce qui n'est pas automatiquement acquis. Enfin, la relève agricole est également source de préoccupations. L'âge moyen des producteurs continuant d'augmenter et le jour de la retraite approchant, qui assurera leur relève?

Aussi, les producteurs agricoles ont à l'œil les négociations commerciales de l'OMC. L'établissement de règles du jeu claires et comparables pour tous les pays mettra-t-il en péril les offices de commercialisation? Les systèmes actuels de gestion de l'offre sont-ils toujours adéquats? Est-il possible qu'ils appartiennent à une époque révolue? Les régimes d'assurance ont été élaborés dans un contexte différent. Seront-ils conformes aux ententes commerciales qui seront signées dans l'avenir? Si les réponses à ces questions s'avéraient négatives, à qui reviendrait la responsabilité d'élaborer de nouveaux régimes? Qui en paierait le prix? Voilà autant de questions qui tenaillent actuellement l'exploitant agricole.

À cet ordre du jour chargé viennent se greffer d'autres préoccupations tout aussi importantes. Mentionnons les problèmes environnementaux reliés à la gestion des sols, de l'eau et de l'air; les craintes soulevées par les organismes génétiquement modifiés (OGM) ainsi que les inquiétudes suscitées par les maladies (encéphalopathie spongiforme bovine ou « vache folle », fièvre aphteuse, dioxine…) touchant les troupeaux. Bref, il y a beaucoup de travail en perspective pour nos producteurs et leurs représentants.

Le nouveau défi : l'internationalisation

Au chapitre des défis à relever, l'agriculture et l'agroalimentaire ne seront pas soumis au régime minceur au cours des prochaines années. Le menu est copieux et à saveur « ouverture des marchés ».

Sera-t-il encore question d'internationalisation? Oui, mais elle n'est plus perçue comme une fatalité. Bien que le commerce avec les autres nations constitue une planche de salut pour bon nombre d'entreprises cherchant à croître, la progression de type « rouleau compresseur » que certains avaient prédite ne s'est pas matérialisée et ne semble pas en voie de l'être dans un avenir rapproché. De plus en plus de joueurs réclament une voix au chapitre, ce qui limite les actions unilatérales de la part de certains pays producteurs. Il faut rappeler que les questions agricoles sont incluses dans les négociations commerciales internationales depuis seulement quinze ans (négociations du GATT en 1986) et que beaucoup de chemin a été parcouru depuis. Ce n'est que le début; de nombreux obstacles doivent encore être éliminés. L'issue des négociations de l'Organisation mondiale du commerce (OMC) ne fait pas de doute : un accroissement des échanges de produits agricoles et transformés. Toutefois, la vitesse des changements elle, n'a rien de prévisible. Elle dépend de la volonté des États à ouvrir leurs frontières au commerce international, ce qui n'est pas acquis partout.

L'internationalisation suppose l'amélioration des méthodes de production pour concurrencer ceux à qui l'on ouvre nos marchés traditionnels. Elle commande beaucoup d'ingéniosité afin de produire à moindre coût que nos plus proches concurrents : cela signifie mettre au point une combinaison optimale minimisant l'utilisation des intrants tout en maximisant la production. Depuis quelques années, on ne cesse d'accroître la taille des installations (porcheries, couvoirs, troupeaux, surfaces cultivées, etc.) à coup de fusions, d'acquisitions ou d'achats de permis de production (quotas), afin de réaliser des économies d'échelle. Cependant, certaines questions restent en suspens : jusqu'où pourrons-nous aller dans cette voie? Et quels en seront les effets indésirables?

L'internationalisation n'est pas l'apanage du secteur agricole, pas davantage les problèmes de recrutement de main-d'œuvre et de formation professionnelle. Les transformateurs ne veulent pas se faire damer le pion par la concurrence. Ils doivent se plier à la réglementation du pays avec lequel ils désirent commercer, notamment en ce qui regarde les normes sanitaires, d'étiquetage et de qualité en vigueur.

L'avenir du secteur agroalimentaire s'inscrit sous le thème de l'adaptation. En cette ère de changements rapides, où gagner du temps devient prioritaire, l'« assemblage » d'ingrédients ou le « réchauffage » d'aliments se substitue souvent à la confection de petits plats raffinés. Cela exige des transformateurs une grande capacité d'adaptation aux besoins des familles modernes. Naturellement, leur réponse ne doit pas se faire au détriment des goûts ou exigences du consommateur en matière de qualité nutritive.

Les mouvements de fusion et d'acquisition dont parlent abondamment les revues et analyses financières caractérisent l'industrie agroalimentaire. Au Québec, le remue-ménage n'en est qu'à ses premiers balbutiements, de sorte que nous devrions voir poindre à l'horizon de nouvelles entités de taille considérable. Par ailleurs, au cours des dernières années, ces stratégies commerciales ont modifié considérablement le panorama de nos réseaux de distribution au détail, ces derniers passant de cinq à trois. En effet, Métro fait toujours cavalier seul, alors que, Provigo et Maxi sont maintenant rattachés à Loblaws, et qu'IGA et Super C sont liés à Sobey's. L'approche retenue par les grands distributeurs repose sur la volonté de constituer un approvisionnement transnational, ce qui n'est pas nécessairement à la portée des petites entreprises agroalimentaires. Toutefois, ce mode de fonctionnement offre à de plus petits joueurs la possibilité de s'approprier certains créneaux présentant moins d'intérêt pour les grands, ce qui laisse encore une grande place à l'originalité et à l'initiative.

La révolution biotechnologique est à l'avant-scène de l'industrie alimentaire. Sous peu, une nouvelle gamme de produits – les neutraceutiques[1] – fera son entrée sur le marché. La médicalisation des aliments entretient la controverse. Elle occupe des chercheurs à plein temps, fascine des industriels qui y voient un créneau particulièrement prometteur et aiguillonne le scepticisme des consommateurs, qui réclament à grands cris des produits naturels. Ce sujet risque d'alimenter des débats houleux. Et comme si ce n'était pas suffisant,

---

1. Santé Canada définit les neutraceutiques comme suit : « Produits fabriqués à partir d'aliments et vendus sous forme de pilules, poudres ou autres formes médicinales ».

des discussions se tiennent autour de l'emballage et l'étiquetage des produits. Les contenants doivent à la fois protéger les aliments, renseigner adéquatement le consommateur (substances et valeur nutritive du produit), présenter des qualités favorisant le recyclage et aiguiser l'appétit : tout un programme!

Ce bref tour d'horizon permet de constater que les enjeux et défis ne manquent pas pour tous les intervenants de la filière agroalimentaire. Soyons assurés que chacun d'eux sera en mesure de s'adapter à la nouvelle conjoncture et de se lancer à la conquête des marchés extérieurs.

Références

BÉLANGER, Danny et Joëlle NOREAU. « Le monde agricole : la culture du changement », *En perspective*, Mouvement Desjardins, vol. 11, n° 1, décembre 2000 – janvier 2001, p. 9-12.
INSTITUT DE LA STATISTIQUE DU QUÉBEC ET MINISTÈRE DE L'AGRICULTURE, DES PÊCHERIES ET DE L'ALIMENTATION. *Profil sectoriel de l'industrie bioalimentaire au Québec*, publication annuelle, Québec, Gouvernement du Québec, 108 p.
STATISTIQUE CANADA. *Statistiques économiques agricoles*, Ottawa, Gouvernement du Canada (21-603-UPF).
STATISTIQUE CANADA. *Statistiques financières agricoles*, Ottawa, Gouvernement du Canada (21-205-XPB).

Définitions

Dépenses d'exploitation agricole

Représentent les coûts d'exploitation engagés par les exploitants pour les biens et services nécessaires à la production des produits agricoles. Parmi les principaux postes de dépenses, mentionnons : aliments commerciaux pour le bétail, salaires en espèces, intérêts, réparations des machines et autres dépenses. Si des remises directes sont versées aux agriculteurs pour réduire le coût de certaines entrées, le solde net de ces dernières sera utilisé dans le calcul du *revenu net*.

Dulçaquiculture (dulciculture)

Néologisme se rapportant à l'aquaculture en eau douce.

Exploitant agricole

Depuis le recensement de 1991, on reconnaît comme exploitant agricole toute personne responsable de prendre quotidiennement les décisions de gestion nécessaires à la bonne marche de la ferme ou de l'exploitation agricole. Il peut donc y avoir plus d'un exploitant agricole. Avant 1991, un seul exploitant était pris en compte par exploitation agricole.

Exploitations agricoles

Entreprises qui produisent annuellement pour une valeur excédant 5 000 dollars, conformément à la Loi sur les producteurs agricoles.

Mariculture

Néologisme se rapportant à l'aquaculture en eau marine.

Producteur agricole

Selon la « Loi sur les producteurs agricoles » un producteur est défini comme étant une personne engagée dans la production d'un produit agricole.

Programmes gouvernementaux

Se rapportent aux paiements directs versés aux producteurs agricoles afin d'encourager la production, de les compenser pour les faibles rendements du marché, de stabiliser leur revenu, de réduire leurs dépenses au chapitre des intrants agricoles ou de les dédommager des pertes causées par des conditions météorologiques extrêmes, la maladie ou d'autres raisons. Généralement, ces programmes, aux termes desquels s'effectuent les paiements directs, sont financés par les gouvernements fédéral, provinciaux et municipaux d'une part, et les producteurs d'autre part. Parmi les plus importants d'entre eux, mentionnons : le compte de stabilisation du revenu net (CSRN), le régime d'assurance du revenu brut (RARB), l'assurance-récolte, l'assurance-stabilisation des revenus agricoles (ASRA), les subsides aux produits laitiers.

Solde commercial du secteur bioalimentaire

Statistiques sur les exportations et importations du secteur bioalimentaire qui sont tirées de l'ensemble des données douanières mensuelles produites par la Division du commerce international (DCI) de Statistique Canada (SC). Elles mesurent les mouvements transfrontaliers des biens selon la classification du Système harmonisé (SH). Ce dernier intègre des catégories désagrégées et communes à de nombreux pays, ce qui permet d'étudier des produits et marchés spécifiques, mais pas de mesurer le solde extérieur ou la balance commerciale des biens et services. Pour y parvenir, il faudrait envisager une série d'ajustements du type couverture ou étalement de certains coûts. De plus, les échanges internationaux de services et de commerce ne figurent pas dans les catégories du SH.

Les données douanières sont évaluées aux prix à la frontière. Selon ce mode, les exportations internationales de biens sont enregistrées à leur prix FAB (franco à bord) au point de sortie; ce dernier inclut tous les coûts de production à l'usine ainsi que tout autre coût survenant entre la sortie d'usine et le point de sortie du Canada, dont le transport intérieur. Quant à elles, les importations sont évaluées à leur prix FAB au point d'expédition directe au Canada.

Valeur de la variation des stocks

Valeur de la variation des produits agricoles détenus par les producteurs entre le début et la fin de l'année civile. Qu'elle soit positive ou négative, cette valeur ajoutée aux *recettes monétaires totales* et au *revenu en nature* représente la **valeur annuelle de la production**. Elle est estimée pour les produits agricoles suivants : blé, avoine, orge, seigle, maïs, graines de lin, soya, pomme de terre, tabac, boeufs, veaux, moutons et agneaux, porcs, poules, poulets et dindons.

Tableau 16.1
Principaux indicateurs du secteur bioalimentaire, Québec, 1991, 1996 et 1999

Indicateurs	Unité	1991	1996	1999	1999/1996	1999/1991
					Variation annuelle	
					%	
Produit intérieur brut réel[1]						
Total secteur bioalimentaire[2]	'000 000 $	11 473,5	11 316,1	12 632,2	3,7	1,2
Agriculture[3]	'000 000 $	1 953,6	2 184,8	2 467,9	4,1	3,0
Pêches et piégeage	'000 000 $	71,3	50,3	44,6	-3,9	-5,7
Transformation des aliments et des boissons	'000 000 $	3 851,5	3 307,7	3 722,8	4,0	-0,4
Supermarchés d'alimentation et épiceries	'000 000 $	2 215,2	2 328,5	2 638,5	4,3	2,2
Hébergement et restauration	'000 000 $	3 381,9	3 444,8	3 758,4	2,9	1,3
Immobilisations (CTI 1980)						
Total secteur bioalimentaire	'000 000 $	1 202,7	1 377,1	1 375,3	-0,04	1,7
Agriculture[3]	'000 000 $	451,7	546,9	584,7	2,3	3,3
Pêches et piégeage	'000 000 $	7,3	4,1	4,5	3,2	-5,9
Transformation des aliments et des boissons	'000 000 $	429,4	253,9	349,9	11,3	-2,5
Commerce de gros[4]	'000 000 $	112,5	162,9	110,8	-12,1	-0,2
Commerce de détail[5]	'000 000 $	69,0	283,1	217,1	-8,5	15,4
Restauration[6]	'000 000 $	132,8	126,2	108,3	-5,0	-2,5
Emplois						
Total secteur bioalimentaire	'000	368,7	378,7	380,5	0,2	0,4
Agriculture[7]	'000	66,6	66,5	62,6	-2,0	-0,8
Pêches	'000	5,4	4,3	4,0	-2,4	-3,7
Transformation des aliments et des boissons	'000	49,1	50,4	54,7	2,8	1,4
Commerce de gros[8]	'000	20,3	22,9	25,6	3,8	2,9
Commerce de détail[9]	'000	88,4	91,7	95,7	1,4	1,0
Restauration[6]	'000	138,9	142,9	137,9	-1,2	-0,1
Demande						
Ventes au détail des magasins d'alimentation	'000 000 $	12 205,0	12 183,0	14 287,0	5,5	2,0
Recettes des restaurants et autres établissements	'000 000 $	4 225,4	4 982,0	5 415,0	2,8	3,1
Exportations des produits bioalimentaires	'000 000 $	1 200,9	2 000,0	2 658,1	9,9	10,4
Indices des prix à la consommation						
Prix à la consommation	1992=100	98,2	103,4	108,0	1,5	1,2
Aliments achetés au magasin	1992=100	101,5	104,5	109,7	1,6	1,0
Aliments consommés au restaurant	1992=100	98,3	105,3	112,5	2,2	1,7
Boissons non-alcoolisées	1992=100	99,7	101,9	93,5	-2,8	-0,8
Boissons alcoolisées	1992=100	95,9	102,2	109,7	2,4	1,7

1. Au coût des facteurs, aux prix de 1992.
2. Estimation, sans le commerce de gros agricole et alimentaire.
3. Agriculture et services connexes.
4. Aliments, boissons, médicaments et tabac.
5. Aliments, boissons et médicaments.
6. Restaurants et services de restauration, tavernes, bars et boîtes de nuit.
7. Données avec une marge d'erreur élevée.
8. Produits agricoles, aliments et boissons.
9. Magasins d'alimentation et de spiritueux, vins et bières.

Sources : Statistique Canada, *Investissements privés et publics au Canada*, données réelles et perspectives (61-206 XIB); *Commerce de détail*, mensuel (63-005); *Restaurants, traiteurs et tavernes*, mensuel (63-001); *Statistiques économiques agricoles*, annuel (21-603 UPF); *Industries manufacturières du Canada : niveaux national et provincial*, annuel (31-203); *Emploi, gains et durée du travail*, mensuel (72-002 XPB); *CANSIM* : Banques de données socio-économiques.
Institut de la statistique du Québec, Direction des comptes et des études économiques, compilations spéciales.

Tableau 16.2
Compte de production agricole[1], Québec et Canada, 1991, 1996 et 1999

	Québec			Canada		
	1991	1996	1999	1991	1996	1999
			'000 000 $			
Sources de la valeur de la production						
Valeur de la production totale au prix du marché[2]	3 865	5 261	5 501	24 586	35 994	37 610
Ventes de produits agricoles	3 651	4 864	5 218	22 913	32 633	34 545
Aux autres exploitations agricoles	413	646	806	3 351	4 846	6 300
Aux autres secteurs	3 238	4 218	4 412	19 562	27 787	28 245
Ventes de produits non agricoles	45	73	76	106	190	197
Produits forestiers	45	73	76	106	190	197
Autres sources	139	140	157	1 156	1 714	2 097
Recettes du travail à forfait	71	106	141	685	1 270	1 673
Paiement de l'assurance-récolte	61	28	9	339	338	308
Remises sur les intrants	5	–	–	90	43	40
Loyer des terres agricoles	2	6	7	42	63	76
Utilisation de la production pour propre compte	30	184	50	411	1 457	771
Revenu en nature	40	56	57	115	156	161
Valeur de la variation des stocks	-10	128	-4	296	1 301	610
Allocation de la valeur de la production						
Dépenses au titre des produits	2 603	3 517	3 773	16 379	22 938	25 409
Des autres exploitants agricoles	416	651	813	3 393	4 909	6 376
Des autres secteurs (consommation intermédiaire)	2 187	2 866	2 960	12 986	18 029	19 032
Valeur ajoutée brute au prix du marché	1 262	1 744	1 728	8 207	13 056	12 201
Plus : paiements gouvernementaux	507	391	633	2 023	981	1 643
Plus : remises sur l'impôt foncier	42	49	58	159	156	58
Moins : impôt foncier	74	96	107	553	660	571
Plus : autres remises	76	34	16	164	43	27
Valeur ajoutée brute au coût des facteurs	1 813	2 122	2 328	10 000	13 576	13 358
Amortissement	344	416	480	2 995	3 553	3 982
Valeur ajoutée nette au coût des facteurs	1 469	1 706	1 848	7 005	10 023	9 376
Répartition de la valeur ajoutée nette						
Rémunération des salariés	388	469	556	2 149	2 747	3 176
Salaires non familiaux	200	273	324	1 173	1 607	1 868
Salaires familiaux	188	196	232	976	1 140	1 308
Excédent net d'exploitation	1 081	1 237	1 292	4 856	7 276	6 200
Loyer en espèces et en parts	37	51	60	758	1 025	1 122
Loyer versé aux non-exploitants	35	45	52	716	962	1 046
Loyer versé aux exploitants agricoles	2	6	8	42	63	76
Intérêts	369	346	450	2 012	1 727	2 132
Revenu net total	675	840	782	2 086	4 524	2 946
Plus : loyer versé aux exploitants agricoles	2	6	8	42	63	74
Moins : bénéfices des sociétés avant impôt	105	112	138	608	681	592
Revenu des exploitations indépendantes	572	734	652	1 520	3 906	2 428
Conciliation avec les comptes nationaux						
Valeur ajoutée brute au coût des facteurs	1 813	2 122	2 328	10 000	13 576	13 358
Ajustements[3]	33	-61	-34	132	102	-527
Valeur ajoutée brute au coût des facteurs (c.n.)	1 846	2 061	2 294	10 132	13 678	12 831
Formation de capital						
Formation brute de capital fixe	451	529	691	2 431	3 661	3 596
Construction	229	280	345	860	1 332	1 352
Machines et matériel	222	249	346	1 571	2 329	2 244
Amortissement	344	416	479	2 995	3 553	3 982
Bâtiments	101	129	170	626	756	939
Machines	243	287	309	2 369	2 797	3 043
Formation nette de capital fixe	107	113	212	-564	108	-386

1. Comptabilité de caisse.
2. La valeur de la production totale au coût des facteurs est obtenue en ajoutant les paiements gouvernementaux desquels nous retranchons les montants alloués à l'assurance-récolte, ainsi que les remises gouvernementales à l'exception de celles se rapportant aux intrants.
3. Afin de concilier les comptes économiques de production agricole aux comptes nationaux, des ajustements sont apportés à l'égard des inventaires, des transactions sur les grains de l'Ouest, des subventions et autres types d'ajustements reliés à la comptabilisation des données.

Sources : Statistique Canada, *Statistiques économiques agricoles* (21-603) et *Comptes nationaux; Investissements privés et publics au Canada* (61-205).
Institut de la statistique du Québec et Ministère de l'Agriculture, des Pêcheries et de l'Alimentation du Québec, compilations spéciales.

Tableau 16.3
Dépenses au titre des produits agricoles, Québec, 1991, 1996 et 1999

Dépenses	1991	1996	1999	1999/1996	1999/1991
		Dépenses		Variation annuelle	
		'000 000 $		%	
Dépenses au titre des produits	**2 603**	**3 517**	**3 773**	**2,4**	**4,7**
Dépenses auprès des autres exploitations	416	651	813	7,7	8,7
Dépenses auprès des autres secteurs[1]	2 187	2 866	2 960	1,1	3,9
Intrants à la ferme	**840**	**1 200**	**1 112**	**-2,5**	**3,6**
Achats de bétail et de volaille	74	96	33	-29,9	-9,6
Aliments commerciaux	682	998	958	-1,4	4,3
Semences commerciales	84	106	121	4,5	4,7
Intrants manufacturés	**535**	**642**	**682**	**2,0**	**3,1**
Énergie et lubrifiants	240	266	280	1,7	1,9
Électricité	94	102	111	2,9	2,1
Combustible	107	116	118	0,6	1,2
Combustible de chauffage	39	48	51	2,0	3,4
Engrais et chaux	170	203	204	0,2	2,3
Frais d'insémination art. et vétérinaire	80	104	123	5,8	5,5
Pesticides	45	69	75	2,8	6,6
Autres intrants	**812**	**1 024**	**1 166**	**4,4**	**4,6**
Entretien et réparation	306	353	385	2,9	2,9
Bâtiments et clôtures	103	122	122	0,0	2,1
Machines et autres dépenses	203	231	263	4,4	3,3
Services	254	340	391	4,8	5,5
Assurance commerciale	92	115	126	3,1	4,0
Assurance-récolte et grêle	22	19	21	3,4	-0,6
Téléphone	16	22	25	4,4	5,7
Travail à forfait[2]	124	184	219	6,0	7,4
Autres	253	332	390	5,5	5,6
Ficelle, fil et contenants	44	59	70	5,9	6,0
Frais juridiques et comptables	63	89	96	2,6	5,4
Indemnités de stabilisation	106	127	153	6,4	4,7
Irrigation	–	–	–	…	…
Autres	39	56	71	8,2	7,8

1. Dû à l'arrondissement des données, la somme des parties peut différer du total.
2. La dépense « travail à forfait » diffère de celle présentée dans *Statistiques économiques agricoles*, de Statistique Canada. Ce dernier présente cette dépense en valeur nette, à savoir le solde des recettes brutes du travail à forfait et de la dépense brute correspondante.

Sources : Statistique Canada, *Statistiques économiques agricoles*, 1994-1999 (21-603).
Institut de la statistique du Québec, Direction des comptes et des études économiques, compilations spéciales.

Tableau 16.4
Valeur de la production totale de l'agriculture[1], Québec, 1991, 1996 et 1999

	1991	1996	1999	1999/1996	1999/1991
	Valeur			Variation annuelle	
	'000 000 $			%	
Production totale au prix du marché[2]	**3 865**	**5 261**	**5 506**	**1,5**	**4,5**
Ventes de produits agricoles	3 651	4 864	5 220	2,4	4,6
Ventes aux autres secteurs	3 238	4 218	4 414	1,5	3,9
Ventes aux autres exploitations agricoles	413	646	806	7,7	8,7
Production animale finale	2 553	3 147	3 214	0,7	2,9
Animaux	919	1 270	1 173	-2,6	3,1
Bovins	193	207	232	3,9	2,3
Veaux	160	133	180	10,6	1,5
Porcs	560	922	749	-6,7	3,7
Moutons, agneaux	6	8	12	14,5	9,1
Volaille	323	419	428	0,7	3,6
Poulets à griller	272	361	372	1,0	4,0
Poules à bouillir	3	2	2	0,0	-4,9
Dindons	48	56	54	-1,2	1,5
Animaux à fourrure	2	4	2	-20,6	0,0
Produits d'animaux	1 309	1 454	1 611	3,5	2,6
Lait	1 166	1 286	1 479	4,8	3,0
Oeufs de consommation	61	82	82	0,0	3,8
Oeufs d'incubation[3]	2	5	6	6,3	14,7
Apiculture	5	5	5	0,0	0,0
Autres[4]	75	34	39	4,7	-7,8
Production végétale finale	685	1 071	1 200	3,9	7,3
Céréales	188	327	299	-2,9	6,0
Avoine	5	10	8	-7,2	6,1
Blé	11	14	8	-17,0	-3,9
Céréales mélangées	…	…	…	…	…
Maïs-grain	153	283	266	-2,0	7,2
Orge	19	20	17	-5,3	-1,4
Oléagineux et protéagineux	9	76	108	12,4	36,4
Canola	–	1	5	71,0	…
Haricots secs	–	7	11	16,3	…
Soja	9	68	92	10,6	33,7
Plantes fourragères	5	11	14	8,4	13,7
Foin et trèfle	5	11	14	8,4	13,7
Pâturages améliorés	…	…	…	…	…
Plantes industrielles	25	21	19	-3,3	-3,4
Tabac	25	21	19	-3,3	-3,4
Plantes sarclées	48	73	85	5,2	7,4
Pommes de terre	48	73	85	5,2	7,4
Légumes de champ	152	206	251	6,8	6,5
Fruits	60	82	100	6,8	6,6
Pomiculture	28	30	30	0,0	0,9
Petits fruits[5]	32	52	70	10,4	10,3
Horticulture ornementale	122	126	154	6,9	3,0
Acériculture	47	102	131	8,7	13,7
Autres[6]	29	47	39	-6,0	3,8
Ventes de produits non agricoles	45	73	76	1,4	6,8
Produits forestiers	45	73	76	1,4	6,8
Autres sources de revenus	139	140	157	3,9	1,5
Travail à forfait	71	106	141	10,0	9,0
Assurance-récolte	61	28	9	-31,5	-21,3
Remises gouvernementales (intrants)	5	–	–	…	…
Loyer des terres agricoles	2	6	7	5,3	17,0

Tableau 16.4 *(suite)*
Valeur de la production totale de l'agriculture[1], Québec, 1991, 1996 et 1999

	1991	1996	1999	1999/1996	1999/1991
		Valeur		Variation annuelle	
		'000 000 $		%	
Utilisation de la production pour propre compte	30	184	53	-34,0	7,4
Revenu en nature	40	56	57	0,6	4,5
Valeur de la variation des stocks	-10	128	-4	-131,5	-10,8

1. Comptabilité de caisse.
2. Dû à l'arrondissement des données, la somme des parties peut différer du total.
3. Ce montant ne correspond qu'à la valeur des exportations interprovinciales et internationales d'œufs d'incubation ainsi que de poussins et de dindonneaux. Pour 1991, il s'agit d'une valeur estimée.
4. Valeur résiduelle : valeur totale du bétail = (valeur totale animaux, lait, œufs de consommation et d'incubation, apiculture).
5. Autres fruits de verger, fraises, autres petits fruits et raisins.
6. La catégorie « autres » comprend les arbres de Noël, les légumes de serre et les champignons, ainsi que diverses cultures non précisées ailleurs.

Sources : Statistique Canada, *Statistiques économiques agricoles*, 1991-1999 (21-603F).
        Institut de la statistique du Québec, Direction des comptes et des études économiques, compilations spéciales.

Tableau 16.5
Statistiques principales des productions végétales, Québec, 1991, 1996 et 1999

Productions végétales	Unité	1991	1996	1999	1999/1996	1999/1991
					Variation annuelle	
					%	
Céréales						
Avoine						
Superficie de la culture	'000 ha	96,3	85,1	82,0	-1,2	-2,0
Production commerciale	'000 t	61,1	52,4	78,8	14,6	3,2
Recettes en provenance du marché	'000 $	5 392,0	9 511,0	7 704,0	-6,8	4,6
Blé						
Superficie de la culture	'000 ha	37,5	34,7	23,7	-11,9	-5,6
Production commerciale	'000 t	92,2	59,6	51,4	-4,8	-7,0
Recettes en provenance du marché	'000 $	10 687,0	14 315,0	7 526,0	-19,3	-4,3
Céréales mélangées						
Superficie de la culture	'000 ha	25,7	32,0	28,0	-4,4	1,1
Production commerciale	'000 t	—	—	—	...	...
Recettes en provenance du marché	'000 $	—	—	—	...	...
Maïs-grain						
Superficie de la culture	'000 ha	293,8	331,8	375,0	4,2	3,1
Production commerciale	'000 t	1 282,7	1 315,7	2 050,9	15,9	6,0
Recettes en provenance du marché	'000 $	152 613,0	282 843,0	265 550,0	-2,1	7,2
Orge						
Superficie de la culture	'000 ha	157,4	125,2	128,0	0,7	-2,6
Production commerciale	'000 t	19 215,0	20 359,0	17 042,0	-5,8	-1,5
Recettes en provenance du marché	'000 $	184,0	105,9	154,9	13,5	-2,1
Oléagineux et protéagineux						
Canola						
Superficie de la culture	'000 ha	..	3,2	12,0	55,4	...
Production commerciale	'000 t	..	1,8	18,3	116,6	...
Recettes en provenance du marché	'000 $	..	668,0	4 695,0	91,6	...
Haricot sec						
Superficie de la culture	'000 ha	..	6,5	11,4	20,6	...
Production commerciale	'000 t	..	10,9	16,1	13,9	...
Recettes en provenance du marché	'000 $	..	6 705,0	10 687,0	16,8	...
Soya						
Superficie de la culture	'000 ha	25,3	96,7	142,0	13,7	24,1
Production commerciale	'000 t	41,9	193,0	345,7	21,4	30,2
Recettes en provenance du marché	'000 $	9 343,0	67 605,0	91 613,0	10,7	33,0

Tableau 16.5 *(suite)*

Statistiques principales des productions végétales, Québec, 1991, 1996 et 1999

Productions végétales	Unité	1991	1996	1999	1999/1996	1999/1991
					Variation annuelle	
					%	
Plantes fourragères						
Foin cultivé						
Superficie de la culture	'000 ha	869,3	882,6	820,0	-2,4	-0,7
Production commerciale	'000 t	..	..	..	...	...
Recettes en provenance du marché	'000 $	4 886,0	10 826,0	13 428,0	7,4	13,5
Maïs fourrager						
Superficie de la culture	'000 ha	31,8	40,1	38,0	-1,8	2,3
Production commerciale	'000 t	–	–	–	...	...
Recettes en provenance du marché	'000 $	–	–	–	...	...
Pâturage ensemencé						
Superficie de la culture	'000 ha	270,9	197,4	175,0	-3,9	-5,3
Production commerciale	'000 t	...	...	...	...	...
Recettes en provenance du marché	'000 $	...	...	...	...	...
Autres productions végétales						
Horticulture ornementale[1]						
Superficie de la culture	'000 ha	10,6	13,9	22,3	17,1	9,7
Production commerciale	'000 t	...	...	...	...	...
Recettes en provenance du marché	'000 $	122 236,0	125 610,0	193 535,0	15,5	5,9
Légumes de plein champ						
Superficie de la culture	'000 ha	36,6	40,3	37,9	-2,0	0,4
Production commerciale	'000 t	526,0	578,0	587,0	0,5	1,4
Recettes en provenance du marché	'000 $	152 165,0	205 957,0	217 122,0	1,8	4,5
Légumes de serre et champignons						
Superficie de la culture	ha	101,8	110,7	91,6	-6,1	-1,3
Production commerciale	'000 t	...	...	...	...	...
Recettes en provenance du marché	'000 $	19 607,0	47 070,0	56 909,0	6,5	14,2
Petits fruits[2]						
Superficie de la culture	'000 ha	12,4	15,4	13,5	-4,3	1,1
Production commerciale	'000 t	20 273,0	24 558,0	31 211,0	8,3	5,5
Recettes en provenance du marché	'000 $	32 214,0	41 280,0	56 027,0	10,7	7,2
Pomme						
Superficie de la culture	'000 ha	8,9	8,1	8,6	2,0	-0,4
Production commerciale	'000 t	98,6	93,5	91,8	-0,6	-0,9
Recettes en provenance du marché	'000 $	27 935,0	30 410,0	29 768,0	-0,7	0,8
Pomme de terre						
Superficie de la culture	'000 ha	17,5	18,7	17,9	-1,4	0,3
Production commerciale	'000 t	330,0	409,3	445,4	2,9	3,8
Recettes en provenance du marché	'000 $	47 717,0	72 820,0	84 697,0	5,2	7,4
Produits de l'érable						
Entailles	'000	16 606,0	19 342,0	29 194,0	14,7	7,3
Production commerciale	'000 litres	12 518,0	17 405,0	23 585,0	10,7	8,2
Recettes en provenance du marché	'000 $	46 616,0	102 207,0	131 593,0	8,8	13,9
Tabac						
Superficie de la culture	'000 ha	2,5	1,8	1,3	-10,3	-7,8
Production commerciale	'000 t	5,2	4,2	3,0	-10,6	-6,6
Recettes en provenance du marché	'000 $	25,2	21,3	20,1	-1,9	-2,8

1. Floriculture, gazonnières et pépinières. Comprend des données sur les arbres de Noël à compter de 1999.
2. Bleuets, fraises, framboises, raisins.

Sources : Groupe de recherche en économie et politique agricole, GREPA.

Institut de la statistique du Québec, Direction des comptes et des études économiques.

Ministère de l'Agriculture, des Pêcheries et de l'Alimentation du Québec, Direction de l'analyse et de l'information économiques.

Statistique Canada, *Les industries des cultures de serre, des gazonnières et des pépinières* (22-202-XPB); *Production de fruits et légumes*, 1991-1996-1999 (22-003-XPB) et compilations spéciales; *Production et disposition des produits du tabac*, 1991-1996-1999 (32-022-XPB); *Recensement de l'agriculture*, 1991-1996 (95-335, 95-176-XPB); *Série de rapports sur les grandes cultures*, 1991-1996-1999 (22-002-XPB); *Statistiques économiques agricoles*, 1991-1996-1999 (21-603F) et compilations spéciales.

Tableau 16.6
Statistiques principales des productions animales, Québec, 1991, 1996 et 1999

Productions animales	Unité	1991	1996	1999	1999/1996	1999/1991
					Variation annuelle	
					%	
Laitière						
Producteurs	n	13 223	11 037	10 145	-2,8	-3,3
Production commerciale	'000 000 l	2 793,0	2 729,8	2 881,1	1,8	0,4
Recettes en provenance du marché	'000 000 $	1 166,4	1 286,5	1 479,1	4,8	3,0
Porcine						
Producteurs[1]	n	1 720	1 469	1 524	1,2	-1,5
Production commerciale[2]	'000 t	370,2	456,3	564,4	7,3	5,4
Recettes en provenance du marché	'000 000 $	560,1	922,1	747,9	-6,7	3,7
Bovine						
Producteurs[3]	n	10 622	9 007	7 944	-4,1	-3,6
Production commerciale[2]	'000 t	121,1	129,3	134,5	1,3	1,3
Recettes en provenance du marché	'000 000 $	353,0	339,5	412,9	6,7	2,0
Ovine						
Producteurs[3]	n	948	908	1 066	5,5	1,5
Production commerciale[2]	'000 t	1,4	1,6	2,2	11,2	5,8
Recettes en provenance du marché	'000 000 $	6,2	8,4	11,9	12,3	8,5
Volaille						
Producteurs	n	841	864	809	-2,2	-0,5
Production commerciale[4]	'000 t	204,7	245,1	274,0	3,8	3,7
Recettes en provenance du marché	'000 000 $	322,7	419,1	427,2	0,6	3,6
Œufs						
Consommation						
Producteurs	n	161	126	110	-4,4	-4,6
Production commerciale	'000 000	820,2	838,1	918,9	3,1	1,4
Recettes en provenance du marché	'000 000 $	58,1	83,5	80,5	-1,2	4,2
Incubation						
Producteurs	n	81	91	86	-1,9	0,8
Production commerciale	'000 000	140,5	155,4	193,2	7,5	4,1
Ventes à la ferme[5]	'000 000 $	35,8	40,5	52,9	9,3	5,0
Apicole						
Producteurs[6]	n	998	220	223	0,5	-17,1
Production commerciale	'000 t	2,1	1,2	1,8	14,5	-1,9
Recettes en provenance du marché	'000 $	5,1	4,9	5,4	3,3	0,7
Animaux à fourrure						
Élevage						
Producteurs	n	132	72	58	-7,0	-9,8
Production commerciale	n	88 404	57 520	55 510	-1,2	-5,7
Recettes en provenance du marché	'000 000 $	2,3	3,6	1,8	-20,6	-3,0
Sauvage						
Producteurs	n	...	...	...	...	...
Production commerciale	n	199 635	252 115	217 666	-4,8	1,1
Recettes en provenance du marché	'000 $	4,5	6,6	3,8	-16,8	-2,1
Total productions animales	**'000 $**	**2 514,2**	**3 114,7**	**3 223,4**	**1,2**	**3,2**

1. Producteurs commerciaux adhérents aux programmes de la Financière agricole du Québec.
2. Exprimée en poids carcasse.
3. Correspond au nombre total d'exploitations recensées par la *Fiche des exploitants agricoles du Québec*, du ministère de l'Agriculture, des Pêcheries et de l'Alimentation du Québec.
4. Exprimée en poids éviscéré.
5. À partir de 1997, le traitement des couvoirs a été modifié. Les ventes à la ferme pour l'année 1999 résultent d'une estimation.
6. À partir de 1996, l'enquête apicole s'adressait aux producteurs possédant six colonies et plus.

Sources : Statistique Canada, sources diverses.
       Ministère de l'Agriculture, des Pêcheries et de l'Alimentation du Québec, *Fiche des exploitants agricoles du Québec*.
       Institut de la statistique du Québec, enquêtes diverses et compilations spéciales.

Figure 16.1
Répartition des recettes monétaires par type de production animale, Québec, 1991 et 1999

Type de production

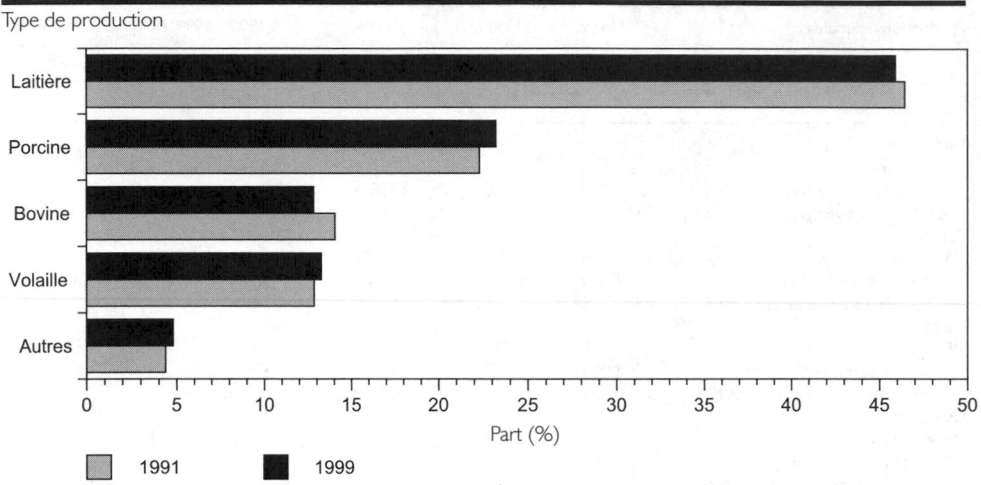

Source : Statistique Canada, *Statistiques financières agricoles* (21-205-XPB) et *Vue d'ensemble des revenus agricoles* (21-005-XIF).

Tableau 16.7
Volume des captures de la pêche intérieure, par région administrative, Québec, 1991, 1996 et 1999

Région administrative	Code de la région	1991	1996	1999	1999/1996	1999/1991
			Volume		Variation annuelle	
			t		%	
Bas-Saint-Laurent, Gaspésie–Îles-de-la-Madeleine	01-11	557,3	351,5	337,2	-1,4	-6,1
Centre-du-Québec	17	559,1	689,5	617,4	-3,6	1,2
Autres régions		724,8	492,3	682,4	11,5	-0,8
Le Québec		**1 841,2**	**1 533,3**	**1 637,0**	**2,2**	**-1,5**

Sources : Ministère de l'Agriculture, des Pêcheries et de l'Alimentation du Québec.
Institut de la statistique du Québec.

Tableau 16.8

Statistiques principales du secteur des pêches et de l'aquaculture commerciales, Québec, 1991, 1996 et 1999

	Unité	1991	1996	1999	1999/1996	1999/1991
					Variation annuelle	
					%	
Pêches						
Pêcheurs commerciaux en eau marine	n	5 381	4 309	3 953	-2,8	-3,8
Valeur des débarquements	'000 000 $	86,0	134,0	147,3	3,2	7,0
Poissons de fond	'000 000 $	24,3	5,4	13,6	36,1	-7,0
Pélagiques	'000 000 $	4,9	6,3	5,6	-3,9	1,7
Mollusques et crustacés	'000 000 $	56,8	122,0	127,9	1,6	10,7
Autres espèces	'000 000 $	–	0,3	0,2	-12,6	…
Pêcheurs commerciaux en eaux intérieures	n	228	203	185	-3,0	-2,6
Valeur estimée des captures	'000 000 $	2,5	3,4	4,3	8,1	7,0
Aquaculture commerciale						
Aquaculteurs	n	186	217	199	-2,8	0,8
Recettes estimées	'000 000 $	..	14,5	20,6	12,3	..
Dulçaquiculture (dulciculture)	'000 000 $	..	0,2	0,3	17,4	..
Mariculture	'000 000 $	..	14,3	20,2	12,3	..
Titulaires de permis d'étang de pêche	n	402	406	356	-4,3	-1,5
Indicateurs et indices						
PIB réel pêches et piégeage	'000 000 $	71,3	50,3	44,6	-3,9	-5,7
Immobilisations pêches et piégeage (CTI 1980)	'000 000 $	7,3	4,1	4,5	3,2	-5,9

Sources : Statistique Canada, *Statistiques économiques agricoles,* annuel (21-603 UPF).
Ministère de l'Agriculture, des Pêcheries et de l'Alimentation du Québec, Direction de l'analyse et de l'information économiques.
Pêches et Océans Canada, *Les pêches maritimes du Québec,* revue statistique annuelle.

Tableau 16.9
Volume et valeur des débarquements des produits de la pêche maritime selon l'espèce, par région administrative, Québec, 1991, 1996 et 1999

Région administrative et espèce	Code de la région	1991	1996	1999	1991	1996	1999
		Volume			Valeur		
		t			'000 $		
Bas-Saint-Laurent	01						
Poissons de fond		830,1	359,3	924,1	959,2	640,0	1 834,6
Morue		187,4	32,6	3,4	127,8	43,4	4,8
Flétan du Groenland		507,2	290,3	886,0	686,0	524,5	1 783,1
Autres		135,5	36,4	34,7	145,4	72,1	46,7
Espèces pélagiques et de l'Estuaire		605,6	456,0	98,4	2 393,4	1 381,1	195,3
Anguille		403,9	162,2	36,8	2 135,3	1 205,6	165,6
Hareng		85,9	161,1	55,8	43,4	70,7	18,0
Autres		115,8	132,7	5,8	214,7	104,8	11,7
Mollusques et crustacés		3 634,4	2 783,6	3 379,5	6 130,7	7 409,8	7 811,2
Crabe des neiges		766,8	821,0	886,1	2 055,1	3 636,7	3 884,0
Crevette		2 844,2	1 927,8	1 472,7	4 058,6	3 728,0	2 531,8
Autres		23,4	34,8	1 020,7	17,0	45,1	1 395,4
Côte-Nord	09						
Poissons de fond		2 780,3	698,9	1 347,3	2 234,2	1 312,4	2 216,5
Morue		2 544,6	159,0	690,4	1 928,5	161,8	839,1
Flétan du Groenland		124,3	471,3	594,2	155,2	1 033,5	1 176,6
Autres		111,4	68,6	62,7	150,5	117,1	200,8
Espèces pélagiques et de l'Estuaire		714,2	1 026,0	143,2	410,7	411,8	66,6
Hareng		528,4	450,7	128,0	156,4	157,3	56,4
Autres		185,8	575,3	15,2	254,3	254,5	10,2
Mollusques et crustacés		7 790,9	10 955,5	10 122,0	14 576,7	32 131,3	28 152,5
Crabe des neiges		3 994,4	6 289,2	5 128,4	10 156,5	25 014,9	20 704,8
Crevette		663,2	1 105,6	1 531,0	1 244,0	2 047,1	2 586,2
Homard		94,3	110,3	83,1	563,1	1 056,5	902,6
Pétoncle		1 837,2	1 806,8	1 378,8	1 916,1	2 582,9	2 276,9
Autres		1 201,8	1 643,6	2 000,7	697,0	1 429,9	1 682,0
Gaspésie–Îles-de-la-Madeleine	11						
Poissons de fond		36 823,3	2 050,3	6 439,1	21 070,8	3 407,1	9 596,2
Morue		16 362,1	311,6	3 444,7	12 951,4	361,4	4 781,8
Sébaste		16 088,0	40,1	376,7	4 055,5	21,7	302,4
Flétan du Groenland		954,3	1 101,7	1 408,8	1 303,2	2 016,7	2 822,1
Plie		2 725,4	276,4	652,0	1 863,5	265,5	584,4
Autres		693,5	320,5	556,9	897,2	741,8	1 105,5
Espèces pélagiques et de l'Estuaire		6 829,8	11 797,1	12 871,9	1 879,1	3 984,5	5 195,9
Hareng		3 321,5	7 303,0	5 933,6	632,4	2 159,7	1 071,2
Maquereau		3 233,4	4 307,9	5 706,5	1 038,5	1 679,8	2 060,6
Autres		274,9	186,2	1 231,8	208,2	145,0	2 064,1
Mollusques et crustacés		13 599,5	20 017,2	24 820,2	36 124,5	82 515,2	91 906,8
Crabe des neiges		3 220,4	5 973,9	5 399,3	8 323,3	31 553,5	29 941,2
Crevette		5 980,9	8 895,7	11 913,1	8 479,3	16 514,0	19 890,7
Homard		3 399,0	3 391,7	3 275,0	17 938,8	32 278,8	36 624,4
Pétoncle		679,9	672,1	885,9	931,0	1 295,7	1 354,2
Autres		319,3	1 083,8	3 346,9	452,1	873,2	4 096,3
Autres régions							
Poissons de fond		0,9	2,2	–	0,1	1,2	–
Espèces pélagiques et de l'Estuaire		224,4	157,2	20,8	251,4	487,4	102,1
Anguille		21,3	23,8	11,8	111,9	190,3	52,5
Autres		203,1	133,4	9,0	139,5	297,1	49,6
Mollusques et crustacés		–	6,9	1,5	–	17,7	3,9

Sources : Ministère de l'Agriculture, des Pêcheries et de l'Alimentation du Québec.
        Institut de la statistique du Québec.

Tableau 16.10
Quantité et valeur des ventes aquacoles, Québec, 1996-1999

	Unité	1996	1997	1998	1999
Quantité vendue	t	1 968,6	1 840,5	2 196,9	2 933,9
Directement du marché	t	977,6	830,2	1 110,8	1 658,0
À l'ensemencement	t	915,5	933,4	1 001,9	1 202,2
Étang de pêche	t	75,5	76,9	84,2	73,7
Valeur des ventes	'000 $	14 495,3	14 175,7	16 527,1	20 552,8
Directement du marché	'000 $	4 462,8	3 784,3	5 001,6	7 795,3
À l'ensemencement	'000 $	9 299,3	9 640,5	10 697,9	12 048,9
Étang de pêche	'000 $	733,2	750,9	827,6	708,6

Sources : Ministère de l'Agriculture, des Pêcheries et de l'Alimentation du Québec.
Institut de la statistique du Québec.

Tableau 16.11
Statistiques sur la quantité des peaux levées dans le secteur des animaux à fourrure, selon l'espèce, Québec, 1991, 1996 et 1999

Espèce	1991	1996	1999	1999/1996	1999/1991
	Quantité			Variation annuelle	
	n			%	
Fermes d'élevage[1]	132	72	58	-7,0	-9,8
Renards	99	52	38	-9,9	-11,3
Visons	33	20	20	0,0	-6,1
Inventaire[1, r]	30 716	23 640	21 600	-3,0	-4,3
Renards	5 073	2 840	1 900	-12,5	-11,6
Visons	25 643	20 800	19 700	-1,8	-3,2
Quantité de peaux levées	255 975	297 497	291 984	-0,6	1,7
Élevage	92 969	57 550	52 960	-2,7	-6,8
Renards	8 863	4 550	2 760	-15,3	-13,6
Visons	84 106	53 000	50 200	-1,8	-6,2
Sauvage[2]	163 006	239 947	239 024	-0,1	4,9
Castors	40 539	50 504	64 123	8,3	5,9
Loutres	2 072	2 914	3 432	5,6	6,5
Martres	25 615	39 377	22 321	-17,2	-1,7
Ratons laveurs	2 562	9 024	10 593	5,5	19,4
Rats musqués	59 658	93 360	90 963	-0,9	5,4
Renards	10 377	13 856	10 167	-9,8	-0,3
Visons	9 446	6 051	8 434	11,7	-1,4
Autres	12 737	24 861	28 991	5,3	10,8

1. Au 31 décembre.
2. Peaux provenant de la chasse et du trappage pour la période du 1er juillet au 30 juin.
Sources : Statistique Canada, *Statistiques du bétail* (23 603 et 21 603).
Institut de la statistique du Québec, Direction des comptes et des études économiques, compilations spéciales.

Tableau 16.12

Statistiques principales du secteur de la transformation des aliments et des boissons, Québec, 1991, 1996 et 1999

	Unité	1991	1996	1999	1999/1996	1999/1991
					Variation annuelle	
					%	
Établissements						
Industries des aliments et des boissons	n	996,0	926,0	..	...	...
Aliments	n	932,0	880,0	..	...	...
Viande et volaille	n	174,0	153,0	..	...	...
Transformation du poisson	n	43,0	43,0	..	...	...
Préparation de fruits et légumes	n	61,0	62,0	..	...	...
Laiteries	n	87,0	74,0	..	...	...
Farine, céréales de table préparées et autres	n	170,0	164,0	..	...	...
Huiles végétales (sauf maïs)	n	1,0	1,0	..	...	...
Produits de boulangerie-pâtisserie	n	228,0	209,0	..	...	...
Sucre et confiseries	n	38,0	40,0	..	...	...
Autres produits alimentaires	n	130,0	134,0	..	...	...
Boissons	n	64,0	46,0	..	...	...
Boissons gazeuses	n	41,0	27,0	..	...	...
Produits de distillation	n	7,0	6,0	..	...	...
Bière	n	7,0	8,0	..	...	...
Vin	n	9,0	5,0	..	...	...
Emplois manufacturiers[1]						
Industries des aliments et des boissons	'000	34,7	36,4	38,8	2,2	1,4
Aliments	'000	31,1	32,4	35,0	2,6	1,5
Viande et volaille	'000	9,4	9,6	..	...	...
Transformation du poisson	'000	1,4	x	..	...	...
Préparation de fruits et légumes	'000	2,1	2,5	..	...	...
Laiteries	'000	5,4	4,7	..	...	...
Produits de boulangerie-pâtisserie	'000	6,3	6,4	..	...	...
Autres[2]	'000	6,4	9,2	..	...	...
Boissons	'000	3,6	4,0	3,8	-1,7	0,7
Expéditions manufacturières						
Industries des aliments et des boissons	'000 000 $	11 143,7	12 879,3	13 777,3 e	2,3	2,7
Aliments	'000 000 $	9 642,8	10 994,4	11 716,3 e	2,1	2,5
Viande et volaille	'000 000 $	2 617,8	2 842,4	3 134,0 e	3,3	2,3
Transformation du poisson	'000 000 $	163,6	x	302,9 e	...	8,0
Préparation de fruits et légumes	'000 000 $	440,5	549,8	604,6 e	3,2	4,0
Laiteries	'000 000 $	3 251,5	3 076,7	3 205,5 e	1,4	-0,2
Produits de boulangerie-pâtisserie	'000 000 $	584,9	709,7	748,3 e	1,8	3,1
Autres[2]	'000 000 $	2 584,5	3 815,8	3 721,1 e	-0,8	4,7
Boissons	'000 000 $	1 500,9	1 884,9	2 061,0 e	3,0	4,0
Boissons gazeuses	'000 000 $	396,2	630,6	762,6 e	6,5	8,5
Autres[3]	'000 000 $	1 104,7	1 254,3	1 298,4 e	1,2	2,0
Valeur ajoutée manufacturière						
Industries des aliments et des boissons	'000 000 $	4 687,6	4 485,5	5 015,7 e	3,8	0,8
Aliments	'000 000 $	3 745,3	3 289,7	3 721,1 e	4,2	-0,1
Viande et volaille	'000 000 $	690,6	619,8	..	...	...
Transformation du poisson	'000 000 $	65,4	x	..	...	...
Préparation de fruits et légumes	'000 000 $	184,9	212,2	..	...	...
Laiteries	'000 000 $	1 343,2	852,9	..	...	...
Produits de boulangerie-pâtisserie	'000 000 $	431,3	515,6	..	...	...
Autres[2]	'000 000 $	1 029,8	1 089,2	..	...	...
Boissons	'000 000 $	942,4	1 195,8	1 294,6 e	2,7	4,0
Boissons gazeuses	'000 000 $	128,0	285,2	..	...	...
Autres[3]	'000 000 $	814,4	910,6	..	...	...

1. Personnes rémunérées (salariées) pour lesquelles l'employeur doit remplir un formulaire T4.
2. La catégorie « autres » inclut les autres industries alimentaires et les données confidentielles.
3. Produits de distillation, bière et vin.

Source : Institut de la statistique du Québec, *Profil du secteur manufacturier*, éditions 1994 et 1999; *Industries manufacturières du Québec, 1995-2000*.

Tableau 16.13
**Statistiques principales des secteurs de la distribution et de la restauration,
Québec, 1991, 1996 et 1999**

	Unité	1991	1996	1999	1999/1996	1999/1991
					Variation annuelle	
					%	
Distribution						
Établissements	n	10 965	9 585	8 957	-2,2	-2,5
Chaînes d'alimentation	n	1 544	2 306	1 963	-5,2	3,0
Supermarchés	n	148	193	263	10,9	7,5
Dépanneurs	n	1 396	2 113	1 700	-7,0	2,5
Indépendants en alimentation	n	9 421	7 279	6 994	-1,3	-3,7
Affiliés	n	2 657	1 761	2 253	8,6	-2,0
Non affiliés	n	6 764	5 518	4 741	-4,9	-4,3
Emplois[1] (CTI 1980)	'000	108,7	108,4	114,0	1,7	0,6
Commerce de gros de produits alimentaires	'000	20,3	20,3	20,9	1,0	0,4
Commerce de détail des magasins d'alimentation	'000	88,4	88,1	93,1	1,9	0,6
Ventes	'000 000 $	12 051,5	12 358,7	14 287,0	5,0	2,1
Chaînes d'alimentation	'000 000 $	2 396,4	3 742,7	4 590,0	7,0	8,5
Indépendants en alimentation	'000 000 $	9 655,1	8 616,0	9 697,0	4,0	0,1
Affiliés	'000 000 $	7 606,4	7 629,0	9 117,0	6,1	2,3
Non affiliés	'000 000 $	2 048,8	987,0	580,0	-16,2	-14,6
Restauration						
Établissements	n	..	..	12 988	...	...
Débits de boissons alcoolisées	n	..	..	2 020	...	...
Entrepreneurs en restauration et traiteurs	n	..	..	1 654	...	...
Restaurants à service complet et restreint	n	..	..	9 314	...	...
Emplois[1] (CTI 1980)						
Services de la restauration	'000	142,0	142,9	137,9	-1,2	-0,4
Recettes	'000 000 $	4 243,6	4 983,7	5 420,7	2,8	3,1
Débits de boissons alcoolisées	'000 000 $	463,0	418,5	501,1	6,2	1,0
Entrepreneurs en restauration et traiteurs	'000 000 $	..	..	525,0	...	...
Restaurants à service complet et restreint	'000 000 $	..	..	4 394,6	...	...
Indicateurs et indices						
Indice des prix à la consommation	1992=100	98,2	103,4	108,0	1,5	1,2
Aliments achetés au magasin	1992=100	101,5	104,5	109,7	1,6	1,0
Aliments consommés au restaurant	1992=100	98,3	105,3	112,5	2,2	1,7
Dépenses d'immobilisations (CTI 1980)	'000 000 $	314,3	572,2	436,2	-8,6	4,2
Commerce de gros[2]	'000 000 $	112,5	162,9	110,8	-12,1	-0,2
Commerce de détail[3]	'000 000 $	69,0	283,1	217,1	-8,5	15,4
Restauration	'000 000 $	132,8	126,2	108,3	-5,0	-2,5
Rémunération horaire (CTI 1980)						
Commerce de gros[2]	$/heure	11,35	12,03	12,08	0,1	0,8
Commerce de détail[3]	$/heure	9,29	10,12	10,27	0,5	1,3
Restauration	$/heure	6,46	7,88	7,95	0,3	2,6

1. Personnes rémunérées (salariées) pour lesquelles l'employeur doit remplir un formulaire T4.
2. Aliments, boissons, médicaments et tabac.
3. Aliments, boissons et médicaments.

Sources : Statistique Canada, *Investissements privés et publics au Canada* (61-206-XIB); *Les estimations annuelles de l'emploi, des gains et de la durée de travail, 1987-1999* (72F0002-XIB); *Magasins de détail à succursales et les grands magasins* (63-210); *Restaurants, traiteurs, tavernes* (63-011); *CANSIM* : Banque de données socio-économiques.
Éditions Maclean-Hunter, *Canadian Grocer*.

Tableau 16.14
**Exportations et importations internationales, par principaux groupes de produits[1],
Québec, 1991, 1996 et 1999[2]**

Groupes de produits	1991	1996	1999	1999/1996	1999/1991
	Valeur			Variation annuelle	
	'000 $			%	
Exportations bioalimentaires	**1 167 266,0**	**1 999 946,0**	**2 658 104,0**	**9,9**	**10,8**
Viandes	372 475,0	559 465,0	620 305,0	3,5	6,6
Boissons	95 269,0	198 682,0	269 632,0	10,7	13,9
Cacao, café et thé	69 198,0	145 761,0	256 510,0	20,7	17,8
Produits laitiers	118 751,0	169 256,0	197 439,0	5,3	6,6
Autres produits agricoles et alimentaires[3]	73 687,0	113 440,0	195 863,0	20,0	13,0
Produits céréaliers	33 995,0	69 828,0	172 205,0	35,1	22,5
Légumes sauf la pomme de terre	31 974,0	69 821,0	125 892,0	21,7	18,7
Miel, érable et sucre	49 969,0	102 659,0	125 291,0	6,9	12,2
Oléagineux non transformés	–	21 892,0	111 972,0	72,3	...
Mollusques et crustacés	58 536,0	139 185,0	104 019,0	-9,3	7,5
Céréales non transformées	6 600,0	25 991,0	88 664,0	50,5	38,4
Autres produits animaux	84 928,0	112 322,0	82 354,0	-9,8	-0,4
Fruits et noix	27 480,0	52 165,0	72 246,0	11,5	12,8
Poissons	65 510,0	58 974,0	64 102,0	2,8	-0,3
Aliments pour animaux	33 283,0	60 724,0	59 931,0	-0,4	7,6
Animaux vivants	27 847,0	36 744,0	37 525,0	0,7	3,8
Viande de volaille et œufs	4 331,0	21 746,0	27 354,0	7,9	25,9
Pomme de terre de consommation	4 660,0	8 691,0	19 266,0	30,4	19,4
Produits oléagineux	5 724,0	23 234,0	15 320,0	-13,0	13,1
Autres produits marins	2 766,0	3 497,0	9 589,0	40,0	16,8
Semences	283,0	5 869,0	2 625,0	-23,5	32,1
Importations bioalimentaires	**1 752 353,0**	**2 232 788,0**	**2 592 081,0**	**5,1**	**5,0**
Fruits et noix	423 950,0	436 680,0	467 867,0	2,3	1,2
Boissons	180 338,0	257 845,0	453 508,0	20,7	12,2
Cacao, café et thé	206 941,0	305 373,0	329 686,0	2,6	6,0
Autres produits agricoles et alimentaires[4]	142 306,0	189 304,0	211 368,0	3,7	5,1
Viandes[5]	166 899,0	115 078,0	159 850,0	11,6	-0,5
Légumes sauf la pomme de terre	133 348,0	130 160,0	154 534,0	5,9	1,9
Miel, érable et sucre	107 236,0	199 263,0	141 873,0	-10,7	3,6
Produits céréaliers	49 318,0	84 569,0	115 325,0	10,9	11,2
Produits laitiers	47 083,0	70 273,0	101 749,0	13,1	10,1
Produits oléagineux	43 868,0	97 235,0	98 853,0	0,6	10,7
Mollusques et crustacés	41 630,0	64 050,0	89 105,0	11,6	10,0
Poissons	48 977,0	57 271,0	83 614,0	13,4	6,9
Autres produits animaux	64 389,0	50 082,0	47 031,0	-2,1	-3,9
Céréales non transformées	7 940,0	78 109,0	41 913,0	-18,7	23,1
Aliments pour animaux	27 301,0	36 577,0	29 906,0	-6,5	1,1
Animaux vivants	21 001,0	24 882,0	27 567,0	3,5	3,5
Viande de volaille et œufs	21 060,0	14 887,0	17 168,0	4,9	-2,5
Pomme de terre de consommation	11 167,0	12 988,0	8 293,0	-13,9	-3,7
Semences	3 914,0	4 510,0	6 530,0	13,1	6,6
Autres produits marins	3 425,0	3 234,0	3 518,0	2,8	0,3
Oléagineux non transformés	262,0	418,0	2 823,0	89,0	34,6
Solde du secteur bioalimentaire	**-585 087,0**	**-232 842,0**	**66 023,0**	...	...

1. Les groupes de produits sont des compilations spécifiques effectuées par le MAPAQ.
2. Le tabac est exclu.
3. Principalement des préparations alimentaires diverses.
4. Coton principalement.
5. Bœuf principalement.

Sources : Statistique Canada, Division du commerce international.
Ministère de l'Agriculture, des Pêcheries et de l'Alimentation du Québec, Direction des politiques commerciales et intergouvernementales.

Figure 16.2
Bénéfices nets moyens des exploitations agricoles, par région administrative, Québec, 1999

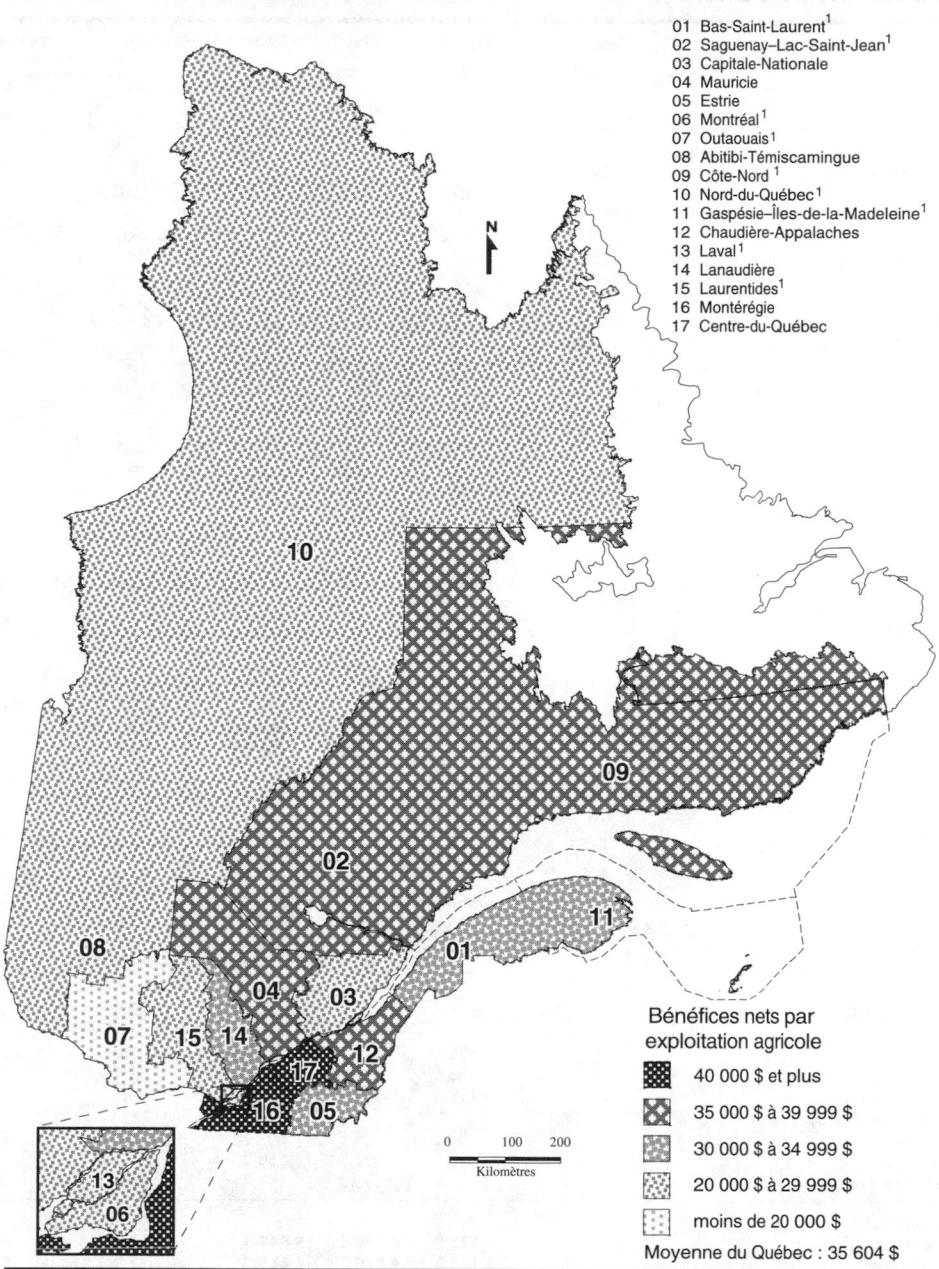

01 Bas-Saint-Laurent[1]
02 Saguenay–Lac-Saint-Jean[1]
03 Capitale-Nationale
04 Mauricie
05 Estrie
06 Montréal[1]
07 Outaouais[1]
08 Abitibi-Témiscamingue
09 Côte-Nord [1]
10 Nord-du-Québec[1]
11 Gaspésie–Îles-de-la-Madeleine[1]
12 Chaudière-Appalaches
13 Laval[1]
14 Lanaudière
15 Laurentides[1]
16 Montérégie
17 Centre-du-Québec

Bénéfices nets par
exploitation agricole

40 000 $ et plus

35 000 $ à 39 999 $

30 000 $ à 34 999 $

20 000 $ à 29 999 $

moins de 20 000 $

Moyenne du Québec : 35 604 $

1. Les limites entre certaines régions sont supprimées puisque les bénéfices nets moyens exprimés s'appliquent à l'ensemble des exploitations agricoles des régions ainsi réunies.

Source : Statistique Canada, Division de l'agriculture.

Réalisation : Institut de la statistique du Québec, Direction de l'édition et des communications, 2001.

Tableau 16.15
Statistiques financières des exploitations agricoles, ensemble des fermes, par région administrative, Québec, 1991, 1996 et 1999

Région administrative	Code de la région	1991	1996	1999	1999/1996	1999/1991
					Variation annuelle	
		000 000 $			%	
Bas-Saint-Laurent, Gaspésie–Îles-de-la-Madeleine	01-11					
Revenus		209,1	250,6	259,2	1,1	2,7
Dépenses		160,3	199,7	194,2	-0,9	2,4
Bénéfices nets		48,8	50,9	65,0	8,5	3,6
Saguenay–Lac-Saint-Jean, Côte-Nord	02-09					
Revenus		172,1	156,8	169,7	2,7	-0,2
Dépenses		135,1	130,6	131,3	0,2	-0,4
Bénéfices nets		37,0	26,2	38,4	13,6	0,5
Capitale-Nationale	03					
Revenus		155,8	150,2	206,5	11,2	3,6
Dépenses		125,1	130,7	180,3	11,3	4,7
Bénéfices nets		30,7	19,5	26,2	10,3	-2,0
Mauricie	04					
Revenus		155,6	204,5	168,3	-6,3	1,0
Dépenses		121,5	184,0	138,6	-9,0	1,7
Bénéfices nets		34,1	20,5	29,7	13,2	-1,7
Estrie	05					
Revenus		268,8	325,3	376,8	5,0	4,3
Dépenses		218,0	268,1	297,1	3,5	3,9
Bénéfices nets		50,8	57,2	79,7	11,7	5,8
Montréal, Laval, Laurentides	06-13-15					
Revenus		197,9	285,9	291,9	0,7	5,0
Dépenses		170,5	257,6	259,6	0,3	5,4
Bénéfices nets		27,4	28,3	32,3	4,5	2,1
Abitibi-Témiscamingue, Nord-du-Québec	07-10					
Revenus		64,3	79,5	81,7	0,9	3,0
Dépenses		50,1	63,7	68,0	2,2	3,9
Bénéfices nets		14,2	15,8	13,7	-4,6	-0,4
Outaouais	08					
Revenus		40,0	63,8	65,8	1,0	6,4
Dépenses		33,3	53,1	53,2	0,1	6,0
Bénéfices nets		6,7	10,7	12,6	5,6	8,2
Chaudière-Appalaches	12					
Revenus		674,2	934,4	1 048,4	3,9	5,7
Dépenses		552,1	790,1	867,7	3,2	5,8
Bénéfices nets		122,1	144,3	180,7	7,8	5,0
Lanaudière	14					
Revenus		260,5	360,6	465,1	8,9	7,5
Dépenses		212,7	307,5	402,9	9,4	8,3
Bénéfices nets		47,8	53,1	62,2	5,4	3,3
Montérégie	16					
Revenus		1 155,1	1 619,2	1 784,9	3,3	5,6
Dépenses		956,6	1 365,0	1 498,0	3,1	5,8
Bénéfices nets		198,5	254,2	286,9	4,1	4,7
Centre-du-Québec	17					
Revenus		541,2	603,1	697,2	5,0	3,2
Dépenses		424,3	492,5	550,0	3,7	3,3
Bénéfices nets		116,9	110,6	147,2	10,0	2,9
Le Québec[1]						
Revenus		**3 897,8**	**5 076,4**	**5 649,3**	**3,6**	**4,7**
Dépenses		**3 163,3**	**4 279,2**	**4 665,2**	**2,9**	**5,0**
Bénéfices nets		**734,5**	**797,2**	**984,1**	**7,3**	**3,7**

1. En raison d'un nombre résiduel d'exploitations qui n'ont pu être associées à une région spécifique et à l'arrondissement des données, la somme des régions administratives diffère légèrement du total provincial.

Sources : Statistique Canada, *Revenus et dépenses d'exploitation (Programme des données fiscales)*, Québec, 1991, 1996 et 1999.
Institut de la statistique du Québec, Direction des comptes et des études économiques, compilations spéciales.

Tableau 16.16
Production des grandes cultures, par région administrative, Québec, 1999

Région administrative	Code de la région	Avoine	Blé	Céréales mélangées	Foin cultivé	Maïs fourrager	Maïs-grain	Orge
		'000 t						
Bas-Saint-Laurent	01	37,0	3,2	15,5	601,8	..	..	90,6
Saguenay–Lac-Saint-Jean, Côte-Nord	02-09	49,7	2,2	4,6	219,6	..	..	58,0
Capitale-Nationale	03	4,6	..	2,7	142,5	..	..	13,8
Mauricie, Centre-du-Québec	04-17	26,7	10,7	10,1	814,6	378,7	577,0	57,8
Estrie	05	10,6	..	5,7	378,4	121,6	27,6	16,7
Outaouais	07	9,1	..	2,8	172,9	47,0	..	..
Abitibi-Témiscamingue, Nord-du-Québec	08-10	7,7	1,0	13,1	202,5	..	..	18,3
Gaspésie–Îles-de-la-Madeleine	11	4,9	..	2,1	..	..	..	5,1
Chaudière-Appalaches	12	14,6	7,7	14,0	749,0	149,1	43,4	51,1
Lanaudière	14	6,9	5,7	..	162,1	67,6	289,8	28,2
Laurentides	15	..	3,8	4,7	149,3	55,2	77,3	12,9
Montérégie	16	13,8	33,9	5,6	592,8	561,5	1 963,2	55,0
Autres		4,4	2,9	1,1	64,5	119,3	46,7	7,5
Le Québec		**190,0**	**71,1**	**82,0**	**4 250,0**	**1 500,0**	**3 025,0**	**415,0**

Sources : Statistique Canada, *Série de rapports sur les grandes cultures*, 1999 (22-002-XPB).
        Institut de la statistique du Québec, Direction des comptes et des études économiques.

Figure 16.3
Exportations et importations internationales, Québec, 1991, 1996 et 1999

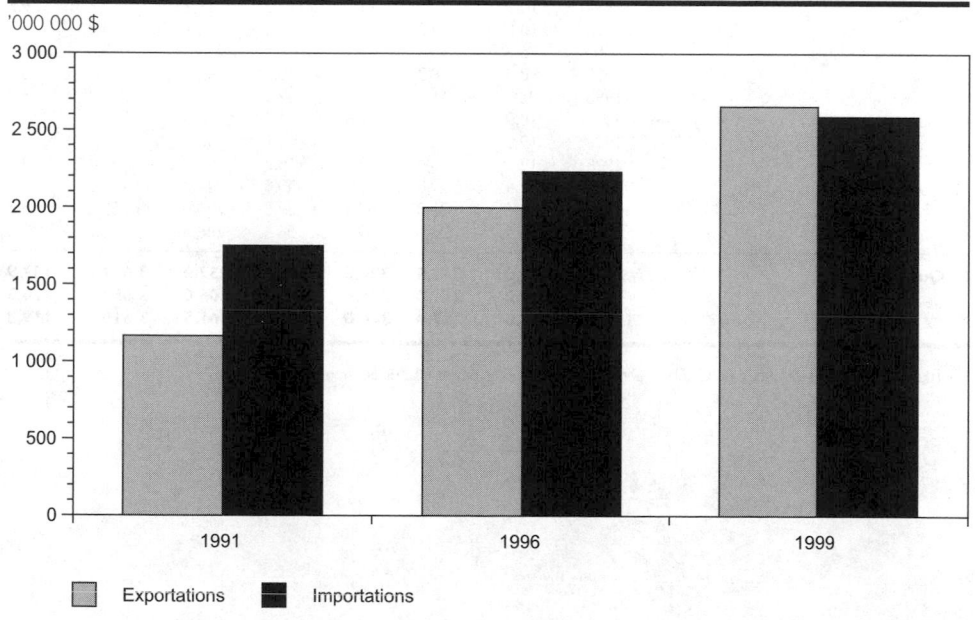

Source :   Institut de la statistique du Québec, Direction des comptes et des études économiques.

Tableau 16.17
Inventaire du bétail selon le type, par région administrative, Québec, 1er janvier, 1998, 1999 et 2000

Région administrative	Code de la région	Année	Bovins					Porcs	Ovins
			Vaches laitières	Vaches boucherie	Veaux	Autres bovins	Total	Total	Total
			'000						
Bas-Saint-Laurent, Gaspésie–Îles-de-la-Madeleine	01-11	2000	42,9	21,0	20,9	37,9	122,7	97,8	45,0
		1999	44,9	20,8	21,4	40,7	127,8	97,1	41,2
		1998	45,6	22,3	22,3	43,3	133,5	95,7	39,0
Saguenay–Lac-Saint-Jean, Côte-Nord	02-09	2000	25,7	8,1	10,0	15,5	59,3	9,1	7,0
		1999	27,1	7,9	10,4	15,8	61,2	9,1	6,2
		1998	27,4	8,4	10,7	17,5	64,0	9,0	6,1
Capitale-Nationale	03	2000	13,8	6,0	9,4	7,6	36,8	79,0	2,9
		1999	14,5	5,9	9,9	7,6	37,9	78,5	2,6
		1998	14,7	6,4	10,1	8,3	39,5	77,5	2,6
Mauricie, Centre-du-Québec	04-17	2000	87,4	30,7	60,8	41,4	220,3	638,8	20,1
		1999	92,3	31,3	63,2	43,5	230,3	633,3	17,4
		1998	93,5	33,0	65,0	47,3	238,8	625,5	17,3
Estrie	05	2000	41,7	26,5	29,0	35,1	132,3	208,7	15,2
		1999	44,0	26,5	30,1	37,2	137,8	206,9	13,2
		1998	44,5	28,4	30,9	40,1	143,9	204,2	13,2
Montréal, Laval, Laurentides	06-13-15	2000	13,4	8,2	9,2	14,0	44,8	28,2	2,5
		1999	14,0	8,0	9,4	14,6	46,0	27,8	2,4
		1998	14,3	8,6	9,7	15,6	48,2	27,5	2,2
Outaouais	07	2000	6,2	28,7	26,8	14,5	76,2	5,8	4,4
		1999	6,4	28,4	28,0	15,9	78,7	5,6	4,1
		1998	6,6	30,5	28,6	16,7	82,4	5,7	3,9
Abitibi-Témiscamingue, Nord-du-Québec	08-10	2000	9,8	18,0	13,2	16,4	57,4	4,9	10,7
		1999	10,3	18,0	13,7	17,2	59,2	4,8	9,7
		1998	10,5	19,3	14,1	18,2	62,1	4,8	9,3
Chaudière-Appalaches	12	2000	76,7	38,3	72,1	46,4	233,5	1 089,0	11,3
		1999	80,9	38,2	74,7	48,9	242,7	1 081,0	10,3
		1998	82,0	41,1	77,2	52,5	252,8	1 066,4	9,8
Lanaudière	14	2000	18,0	6,0	7,6	14,9	46,5	256,7	4,4
		1999	19,0	6,0	7,9	15,1	48,0	254,4	4,1
		1998	19,3	6,4	8,1	16,2	50,0	251,1	3,8
Montérégie	16	2000	91,4	21,0	65,0	49,8	227,2	1 269,6	14,4
		1999	96,6	20,0	67,3	52,5	236,4	1 259,4	13,3
		1998	97,6	22,6	69,3	56,8	246,3	1 243,2	12,6
Le Québec		**2000**	**427,0**	**212,5**	**324,0**	**293,5**	**1 257,0**	**3 687,6**	**137,9**
		1999	**450,0**	**211,0**	**336,0**	**309,0**	**1 306,0**	**3 657,9**	**124,5**
		1998	**456,0**	**227,0**	**346,0**	**332,5**	**1 361,5**	**3 610,6**	**119,8**

Source : Institut de la statistique du Québec, Direction des comptes et des études économiques.

17

Forêts

Liste des tableaux

Liste des figures

Ce chapitre a été réalisé par Blaise Parent, de la Direction du développement de l'industrie des produits forestiers, secteur Forêts, au ministère des Ressources naturelles du Québec.

Ce chapitre comporte quatre sections qui traitent sommairement des principales composantes de l'activité primaire et secondaire du secteur forestier. Dans la première section, il est question de la forêt québécoise, et plus précisément du potentiel forestier, des possibilités annuelles de coupe ainsi que de l'exploitation forestière. Les données sont analysées en distinguant les forêts publiques des forêts privées. La deuxième section porte sur l'amélioration de la forêt en ce qui a trait au reboisement, aux traitements sylvicoles et à la protection. La troisième section fournit des données sur les industries de transformation du bois : d'une part, les industries du bois et leurs composantes et, d'autre part, l'industrie des pâtes et papiers. La quatrième section porte sur l'importance du secteur forestier dans l'économie québécoise.

Les forêts ont toujours été importantes dans l'histoire et l'économie du Québec. Ce sujet fut traité dès la première édition de l'*Annuaire statistique* en 1914. On y décrivait les forêts québécoises (superficie, statut, essences), on évaluait leurs richesses et on donnait même des statistiques d'exploitation forestière telle la quantité de bois coupée par espèce. Les sommes perçues par le gouvernement à titre de droits de coupe ont également été mentionnées. De plus, des informations sur les industries forestières étaient fournies : la production et la valeur du bois de sciage et des autres produits forestiers, de même que la production et la consommation de la pulpe. Par la suite, le thème des forêts a été traité dans les 60 éditions subséquentes.

La forêt québécoise

Le programme national de données sur les forêts fait état de 4,2 millions de kilomètres carrés de superficie boisée au Canada. Le Québec en détient la plus grande partie (839 000 km²), suivi des Territoires du Nord-Ouest (614 000 km²), de la Colombie-Britannique (603 000 km²) et de l'Ontario (580 000 km²).

Le territoire québécois, en excluant le Labrador, couvre une superficie de 1 667 926 km². L'inventaire forestier décennal[1] (1990-1999) porte sur 1 229 324 km² : la zone d'inventaire intensif s'étend sur 764 843 km², et celle d'inventaire extensif, sur 464 481 km². Le territoire non inventorié atteint 267 322 km² dans le Grand Nord québécois. Au Québec, les terres forestières s'étendent sur 655 122 km², et la forêt productive accessible couvre 518 161 km² (tableau 17.1). De cette superficie, 86,6 % relèvent du gouvernement provincial et 0,6 %, du gouvernement fédéral. Le reste de l'étendue, soit 12,8 %, appartient à des particuliers. Le territoire des régions du Bas-Saint-Laurent, de l'Outaouais et de Gaspésie–Îles-de-la-Madeleine a une proportion élevée de terrains forestiers productifs (figure 17.1).

---

1. Mise à jour de novembre 2000 : les données d'origine relatives aux territoires qui proviennent du 2ᵉ inventaire décennal sont les données des régions 02, 03, 04, 09, 10, 14, et 15 et du 3ᵉ inventaire des régions 01, 05, 06, 07, 08, 11, 12, 13, 16 et 17 (pour la région 16, il manque une petite superficie).

En 2000, les forêts publiques sous la responsabilité du gouvernement du Québec, communément appelées forêts publiques provinciales, occupent 580 792 km² dont 77,3 % sont considérés comme zone productive accessible. Les régions de la Côte-Nord, du Nord-du-Québec et du Saguenay–Lac-Saint-Jean occupent 66,8 % de ces terrains forestiers productifs. Le volume marchand brut des forêts publiques québécoises accessibles est de 3,7 milliards de mètres cubes (tableau 17.3). Il se répartit comme suit : 76,2 % de forêts mûres (70 ans et plus), 22,9 % de jeunes forêts (30 et 50 ans), 0,9 % de forêts régénérées (0 à 10 ans). En volume marchand brut, la région de la Côte-Nord dispose de la plus importante quantité de résineux et de feuillus, suivie des régions du Saguenay–Lac-Saint-Jean, du Nord-du-Québec et de l'Abitibi-Témiscamingue. Ces quatre régions représentent plus de 70,5 % du volume marchand brut.

Les forêts résineuses publiques se situent principalement dans les régions au nord du fleuve Saint-Laurent (Côte-Nord, Nord-du-Québec, Saguenay–Lac-Saint-Jean). Quant aux forêts mélangées, elles se retrouvent surtout dans les régions de l'Abitibi-Témiscamingue, du Centre-du-Québec, de la Mauricie et du Saguenay–Lac-Saint-Jean. Par ailleurs, les forêts feuillues se situent surtout dans les régions de l'Outaouais et de l'Abitibi-Témiscamingue.

En 1999-2000, la possibilité annuelle de coupe de résineux dans les forêts publiques québécoises (sapins, épinettes, pins gris et mélèzes) est de 31,7 millions de mètres cubes et celle de feuillus, de 12,1 millions de mètres cubes (tableau 17.2). Les régions du Saguenay–Lac-Saint-Jean, de la Côte-Nord et de l'Abitibi-Témiscamingue possèdent 49,6 % des 43,7 millions de mètres cubes de volume marchand disponible (contrats d'approvisionnement et d'aménagement, et conventions d'aménagement forestier); cela représente un territoire de 313 678 km². L'ensemble du Québec enregistre une hausse des stocks ligneux et de la possibilité annuelle de coupe par rapport à l'inventaire forestier décennal précédent.

De 1992 à 1998, le volume total de bois récolté au Québec (forêts publiques et privées) est passé de 28,9 à 43,3 millions de mètres cubes, soit une augmentation de 50,2 %. Près de 76 % de cette hausse proviennent des forêts publiques provinciales, principalement de celles du Saguenay–Lac-Saint-Jean, du Nord-du-Québec, de la Côte-Nord et de l'Abitibi-Témiscamingue (tableau 17.4).

Les forêts privées couvrent une superficie de 70 400 km² seulement; 94,0 % de cette étendue sont des terrains forestiers productifs accessibles. C'est dans la région de Chaudière-Appalaches que ce type de terrain occupe le plus vaste territoire, soit 9 705 km². Viennent ensuite la région du Bas-Saint-Laurent (8 011 km²) et celle de l'Estrie (7 128 km²). Le volume marchand brut des forêts privées est de 612,9 millions de mètres cubes, soit 14,0 % du total québécois. Ce volume se retrouve d'abord dans la région de Chaudière-Appalaches, qui en détient 12,9 %, puis dans celles de l'Estrie (12,6 %), de l'Outaouais (11,8 %), du Bas-Saint-Laurent (10,6 %) et des Laurentides (9,7 %). Les forêts privées sont constituées de 17,4 % de peuplements résineux, de 45,2 % de peuplements feuillus et de 37,4 % de peuplements mélangés.

En 1999-2000, la possibilité annuelle de coupe dans les forêts privées est de 13,3 millions de mètres cubes, soit 23,3 % du total québécois. Les régions de Chaudière-Appalaches, du Bas-Saint-Laurent, de l'Estrie et des Laurentides accaparent près de 48 % du volume ligneux disponible dans les forêts privées québécoises. En 1998, il se coupe environ 10,4 millions de mètres cubes de bois; les associations de producteurs mettent sur le marché près de 61 % de ce volume.

En 1998, il y a au Québec quelque 1 700 établissements qui font de l'exploitation forestière (tableau 17.5). En ce qui concerne la main-d'œuvre, les statistiques ne tiennent compte que des emplois reliés à l'abattage proprement dit. Cette activité mobilise à elle seule 12 518 travailleurs (12 342 en 1987), qui se partagent une masse salariale de l'ordre de 360,0 millions de dollars (341,4 millions en 1987). Ces données n'englobent pas les emplois reliés à la surveillance de services. Le produit intérieur brut (PIB) du secteur de l'exploitation et des services forestiers atteint 963,1 millions de dollars en 1998. La part de ce secteur dans le PIB du Québec demeure stable, soit 0,63 % en 1998 comparativement à 0,62 % en 1981.

Le reboisement, les autres traitements sylvicoles et la protection de la forêt

Au cours des dix dernières années, le reboisement a diminué graduellement grâce à de nouvelles façons de faire, dont principalement la récolte de la matière ligneuse tout en protégeant la régénération préétablie, tant dans les forêts privées que dans les forêts publiques (tableau 17.6). Le virage a été considérable : il y a eu 138 millions de plants de reboisement en 1998 comparativement à 251 millions en 1989. Presque tous les semis sont des résineux répartis en 12 différentes variétés d'épinettes, de mélèzes et de pins. De 1974 à 1985, la majorité de tous les arbres servant au reboisement étaient plantés dans des forêts privées, contrairement à la période entre 1985 et 1998 où les forêts publiques accaparent annuellement les deux tiers, sinon les trois quarts, des plants de reboisement (figure 17.2).

En vertu de la Loi sur les forêts, entrée en vigueur en avril 1987, le système de reboisement mis en place est planifié et coordonné par le ministère des Ressources naturelles (MRN). Toutefois, c'est l'industrie forestière du Québec qui est responsable de la remise en état des superficies récoltées, dans le cadre de contrats d'approvisionnement et d'aménagement forestier touchant les forêts publiques.

Par ailleurs, le Règlement sur les normes d'intervention dans les forêts du domaine public, dont la version révisée est entrée en vigueur en mai 1996, a subi de nombreuses modifications pour permettre au MRN de respecter les résolutions formulées dans la *Stratégie de protection des forêts*. Dorénavant, seuls les modes de coupe avec protection de la régénération et des sols sont permis sur les aires de coupe, dont la superficie d'un seul tenant a été largement réduite. Ce règlement facilite notamment la régénération naturelle et réduit de la sorte les superficies à reboiser que les coupes à blanc occasionnaient.

L'aménagement intégré des ressources doit s'implanter comme une pratique courante. D'une part, on doit augmenter les aires protégées et, d'autre part, il est impérieux de maintenir la diversité biologique des forêts. Ainsi, la superficie des territoires qui ont été l'objet de traitements sylvicoles a augmenté entre 1994 et 1997, pour finir par se stabiliser en 1998 aux alentours de 593 000 hectares en forêts publiques et 60 000 hectares en forêts privées (tableau 17.7). Au Québec, la forêt est le patrimoine de tous et elle doit être protégée.

En 2001, une quinzaine d'insectes et de maladies sont échantillonnés et font l'objet d'un suivi entomologique. Les insectes les plus nuisibles pour les arbres sont l'arpenteuse de la pruche et la tordeuse des bourgeons de l'épinette. L'infestation par la tordeuse des bourgeons de l'épinette a atteint un niveau épidémique au début des années 70, avec un sommet de quelque 32 millions d'hectares infestés en 1974, pour décroître ensuite jusqu'en 1979. Après quelques fluctuations au cours des années 80 et 90, l'infestation touche 23 000 hectares en 1998 et en 1999. Par contre, l'arpenteuse de pruche, qui n'avait infesté que 472 hectares de terres forestières en 1993, a ravagé 472 000 hectares en 1999, ce qui rend l'action de cet insecte très préoccupante.

Outre les insectes, les maladies, le vent, le verglas, la neige, les animaux et l'homme, le feu est également un élément destructeur important. En 1998 et en 1999, le nombre de feux de forêt s'élève à 797 et à 1 005 respectivement. Depuis 1984, ce nombre se situe sous le seuil des 1 300 incendies par année. Entre 1990 et 1999, la foudre a causé environ 32 % des incendies, mais elle est responsable de 79 % des superficies brûlées. À ce chapitre, les opérations forestières occupent la deuxième place avec 12 % des territoires incendiés (figure 17.3). Pour ce qui est de la superficie totale incendiée, les 11 850 et 27 800 hectares brûlés en 1998 et en 1999 respectivement semblent négligeables comparativement aux superficies incendiées durant les années exceptionnelles de 1995 et de 1996 : plus de 195 000 hectares en 1995 et près de 244 000 en 1996. Ce sont les régions de la Côte-Nord, du Saguenay–Lac-Saint-Jean et de l'Abitibi-Témiscamingue qui enregistrent annuellement le plus grand nombre d'incendies de forêt. Entre 1994 et 1999, les coûts de protection (frais généraux et d'extinction) se sont chiffrés à environ 58,9 millions de dollars par année.

L'industrie des produits forestiers

Les industries du bois

Selon le nouveau système de classification des industries de l'Amérique du Nord (SCIAN), les industries du bois sont maintenant regroupées dans la catégorie « Fabrication de produits en bois » qui est subdivisée de la façon suivante : scieries et préservation de bois; fabrication de placages, de contreplaqués et de produits en bois reconstitué; fabrication d'autres produits en bois.

En 1998, 31,0 % (722) des 2 326 établissements du secteur canadien du bois sont établis au Québec qui devance ainsi la Colombie-Britannique (584) et l'Ontario (525). Les industries québécoises du bois occupent 28,0 % de la main-d'œuvre canadienne dans ce secteur et accaparent 25,4 % de la valeur des expéditions canadiennes de bois (tableau 17.8). Pour ce qui est de la valeur ajoutée, le Québec se situe, avec 28,7 %, derrière la Colombie-Britannique (30,3 %) mais devant l'Ontario (19,7 %). L'ensemble de la production québécoise de bois d'œuvre, de résineux et de feuillus est passé de 14,2 millions de mètres cubes en 1994 à 17,2 en 1998, et à 17,9 en 1999, soit une augmentation de 26 % en six ans.

Parmi toutes les industries qui composent le secteur québécois du bois, les scieries, sauf les usines de bardeaux et de bardeaux de fentes, occupent une place prépondérante en 1998 avec 51 % des emplois et 57 % des expéditions. Ces établissements sont éparpillés dans tout le Québec, mais particulièrement dans les régions de Chaudière-Appalaches, de la Montérégie ainsi que de l'Estrie. De 1994 à 1998, la valeur des expéditions augmente de 5,4 à 7,0 milliards de dollars et au chapitre de l'emploi, le nombre de salariés passe de 28 963 à 34 497. Les dépenses en immobilisations et en réparations des industries de ce secteur se chiffrent à 549,2 millions de dollars en 1998, comparativement à 469,8 millions en 1994 (tableau 17.13). En 1999, 47,6 % du bois de sciage (résineux) était destiné au Canada, 51,4 % aux États-Unis et 1 % outre-mer.

Les exportations de bois de sciage du Québec (résineux et feuillus) sont passées de 1,7 milliard de dollars en 1994 à 2,6 milliards en 1999, alors que celles du Canada ont progressé de 11,5 milliards de dollars en 1994 à 13,3 milliards en 1999, soit une augmentation, en six ans, de 53 % pour le Québec et de 16 % pour le Canada.

L'industrie des pâtes et papiers

Conformément au nouveau système de classification des industries de l'Amérique du Nord (SCIAN), les industries du papier et des activités connexes font maintenant partie de la catégorie « Fabrication du papier » qui comprend les subdivisions suivantes : usines de pâtes à papier, de papiers et de cartons; fabrication de produits en papier transformé.

En 1998, il y a 669 usines de papiers et de produits connexes au Canada, dont 29,6 % sont au Québec, 46,0 % en Ontario et 8,4 % en Colombie-Britannique (tableau 17.9). Quant aux expéditions, le Québec occupe la première place avec 34,5 % du total canadien; l'Ontario (30,4 %) et la Colombie-Britannique (17,3 %) suivent dans l'ordre. Au Québec, la main-d'œuvre occupée dans l'industrie des pâtes et papiers (34 029) représente 34,5 % de la main-d'œuvre canadienne.

Au Québec, on retrouve des usines de papiers et de produits connexes dans un grand nombre de villes et de municipalités réparties dans la plupart des régions. Elles sont toutefois en plus grand nombre dans les régions de Montréal, de la Montérégie, du Centre-du-Québec et de la Mauricie. Pour l'économie locale, leur présence constitue un apport considérable.

En 1999, 10,1 millions de tonnes métriques de pâtes, de papiers et de cartons ont été fabriquées au Québec; le papier journal représente 40 % de cette production. Les copeaux, les sciures et les rabotures constituent la principale source de matière ligneuse pour l'industrie des pâtes et papiers : en 1999, ces résidus de bois représentent 64,0 % des approvisionnements (tableau 17.10). Toujours en 1999, le volume des copeaux livrés par l'industrie du sciage est de 8,5 millions de tonnes métriques anhydres (tma)(équivalent de 21,5 millions de mètres cubes), tandis que celui du bois rond se chiffre à seulement 2,1 millions de tma (équivalent de 5,5 millions de mètres cubes). Les produits vendus principalement à l'extérieur du Canada en 1999 (7,7 millions de tonnes métriques) sont le papier journal (3,5 millions de tonnes), les pâtes destinées à la vente (1,2 million de tonnes) et les autres papiers et cartons (3 millions de tonnes). Le reste de la production est écoulé surtout sur les marchés canadien et québécois (2,3 millions de tonnes métriques) (tableau 17.12). Entre 1990 et 1999, ce sont les ventes à destination des pays autres que les États-Unis qui ont connu les plus importantes hausses (+ 886 000 tonnes métriques).

Le Québec est l'une des régions du monde où la production de pâtes et papiers par habitant est la plus élevée, soit plus d'une tonne métrique par habitant. Pour le papier journal, la production québécoise (4 millions de tonnes métriques) correspond à 10,6 % de la production mondiale en 1999. Par ailleurs, si l'on considère la production totale de papiers et de cartons (8,5 millions de tonnes métriques), la part du Québec s'élève à 2,7 % de l'ensemble de la production mondiale (tableau 17.11).

En 1998, plus de 20 % des investissements manufacturiers québécois ont été faits dans le secteur des pâtes et papiers, et des produits de transformation du papier et du carton (tableau 17.13). Au cours de la période 1994-1998, les dépenses en immobilisations et en réparations dans ce secteur passent de 1,3 à 1,4 milliard de dollars.

Le secteur forestier dans l'économie québécoise

Le secteur forestier est un puissant levier économique dans l'économie québécoise. Ainsi, la valeur des expéditions du secteur a atteint, en 1998, les quelque 20,2 milliards de dollars. Cette année-là, l'industrie du bois et des pâtes et papiers représente 15,0 % de la valeur de l'ensemble des activités du secteur manufacturier et 13,8 % de l'emploi manufacturier au Québec. La balance commerciale des produits forestiers (sur la base des données douanières) se chiffre à 9,3 milliards de dollars en 1998 et à 9,8 milliards en 1999.

Enfin, il est important de mentionner que la transformation du bois est la principale activité manufacturière dans 245 des 726 municipalités mono-industrielles du Québec. Cette activité y génère même plus de 90 % des emplois manufacturiers dans 153 d'entre elles.

Tout cela contribue à maintenir le secteur forestier au premier rang de l'économie québécoise.

Références

ASSOCIATION DES INDUSTRIES FORESTIÈRES DU QUÉBEC (AIFQ).
MINISTÈRE DES RESSOURCES NATURELLES. *Ressources et industries forestières*, édition 2000, *Site du Ministère des Ressources naturelles*, [En ligne], [www.mrn.gouv.qc.ca].
STATISTIQUE CANADA. *Exploitation forestière*, Ottawa, Gouvernement du Canada (25-201).
STATISTIQUE CANADA. *Investissements privés et publics au Canada*, Ottawa, Gouvernement du Canada (61-205 et 61-206).
STATISTIQUE CANADA. *Industries manufacturières du Canada : niveaux national et provincial*, Ottawa, Gouvernement du Canada (31-203).

Définitions

Forêt productive accessible

Superficie de terrain forestier d'au moins 8 hectares, dont l'inclinaison est inférieure à 40 % et où l'on peut produire plus de 30 mètres cubes de bois à l'hectare en moins de 100 ans.

Zone d'inventaire intensif

Zone qui correspond au territoire où les forêts sont aménageables, conformément au principe du rendement soutenu, sur un horizon de 120 ans. Les relevés de cette zone sont comptabilisés par planimétrie de feuillets de 1 : 20 000. On y répertorie entre autres la superficie, l'état, la composition, la densité et les essences pour des fins précises comme la planification, l'achat, l'évaluation, l'aménagement ou la récolte. Elle s'étend approximativement jusqu'au 52e parallèle.

Zone d'inventaire extensif

Zone située plus au nord est sommairement cartographiée dans sa partie nordique à l'aide d'images satellites, et dans sa partie sud, par des cartes forestières à l'échelle de 1 : 125 000 ou 1 : 250 000, et par une actualisation des volumes grâce à des placettes-échantillons permanentes. Elle s'étend du 52e au 56e parallèle.

Volume marchand brut

Cubage d'une tige et de ses branches sous écorce, depuis la souche (15 cm au-dessus du niveau le plus haut du sol) jusqu'à une découpe de 9 cm avec écorce. Pour être incluses dans le volume, les branches issues des dernières fourches doivent mesurer au moins un mètre de longueur du creux de la fourche au fin bout de 9 cm (avec écorce).

Possibilité annuelle de coupe (à rendement soutenu)

Volume maximum de bois que l'on peut prélever annuellement et à perpétuité, dans une aire donnée, sans en réduire la capacité de production. Synonyme : possibilité forestière.

Contrat d'approvisionnement et d'aménagement forestier (CAAF)

Au Québec, contrat qui confère à son bénéficiaire le droit d'obtenir annuellement, sur un territoire forestier qui est déterminé, un permis d'intervention pour la récolte d'un volume de bois ronds d'une ou plusieurs essences en vue d'assurer le fonctionnement de son usine de transformation du bois, et de réaliser des traitements sylvicoles permettant d'atteindre le rendement annuel prévu au contrat pour chaque aire destinée à la production forestière.

Figure 17.1
Part des terrains forestiers productifs dans l'ensemble du territoire des régions administratives du Québec, décembre 1999

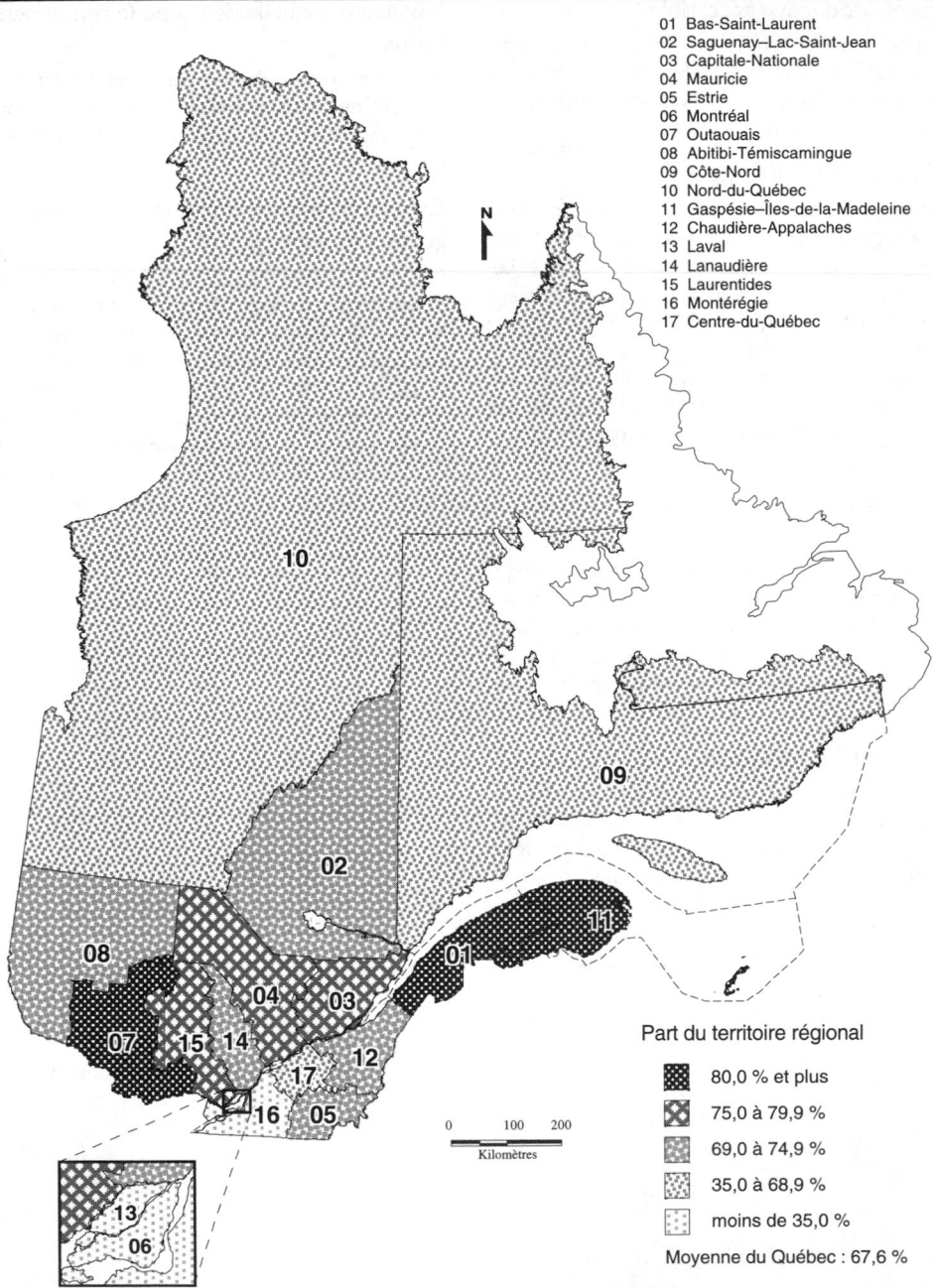

01 Bas-Saint-Laurent
02 Saguenay–Lac-Saint-Jean
03 Capitale-Nationale
04 Mauricie
05 Estrie
06 Montréal
07 Outaouais
08 Abitibi-Témiscamingue
09 Côte-Nord
10 Nord-du-Québec
11 Gaspésie–Îles-de-la-Madeleine
12 Chaudière-Appalaches
13 Laval
14 Lanaudière
15 Laurentides
16 Montérégie
17 Centre-du-Québec

Part du territoire régional

80,0 % et plus
75,0 à 79,9 %
69,0 à 74,9 %
35,0 à 68,9 %
moins de 35,0 %

Moyenne du Québec : 67,6 %

Source :   Ministère des Ressources naturelles, *Ressources et industries forestières*, édition 2001.

Réalisation : Institut de la statistique du Québec, Direction de l'édition et des communications, 2001.

Tableau 17.1

Superficie du territoire inventorié, selon la nature du territoire, par région administrative, Québec, 2000

Région administrative	Terrains forestiers[1]				Terrains forestiers productifs[2]			
	Fédéraux	Québécois	Privés	Total[3]	Fédéraux	Québécois	Privés	Total[3]
				km²				
01 Bas-Saint-Laurent	2	11 308	8 011	19 321	2	10 831	7 754	18 587
02 Saguenay–Lac-Saint-Jean	9	89 092	4 222	93 323	9	75 769	3 805	79 583
03 Capitale-Nationale	220	11 724	5 185	17 129	202	10 428	4 897	15 527
04 Mauricie	530	27 775	5 611	33 916	498	25 590	5 268	31 356
05 Estrie	1	732	7 128	7 861	1	677	6 974	7 652
06 Montréal	1	–	42	43	1	–	42	43
07 Outaouais	476	22 496	5 515	28 487	445	21 523	5 246	27 214
08 Abitibi-Témiscamingue	21	50 923	4 117	55 061	19	44 859	3 675	48 553
09 Côte-Nord	374	196 910	1 652	198 936	282	142 173	1 280	143 735
10 Nord-du-Québec	1 713	130 290	1 321	133 324	1 064	81 696	929	83 689
11 Gaspésie–Îles-de-la-Madeleine	278	15 971	3 271	19 520	228	13 343	2 881	16 452
12 Chaudière-Appalaches	–	1 571	9 705	11 276	–	1 489	9 410	10 899
13 Laval	–	–	59	59	–	–	59	59
14 Lanaudière	8	8 067	2 422	10 497	7	7 565	2 321	9 893
15 Laurentides	222	13 798	4 964	18 984	217	12 880	4 770	17 867
16 Montérégie	69	21	3 602	3 692	57	16	3 470	3 543
17 Centre-du-Québec	6	114	3 573	3 693	5	88	3 416	3 509
Le Québec[3]	**3 930**	**580 792**	**70 400**	**655 122**	**3 037**	**448 927**	**66 197**	**518 161**

1. Superficie correspondant à la zone d'inventaire intensif, mise à jour en novembre 2000.
2. Terres forestières dites productives (volume de bois de plus de 49 m³ / ha) et dont la pente est inférieure à 41 %.
3. En raison de l'arrondissement de certaines données, le total peut ne pas correspondre à la somme des parties.

Source : Ministère des Ressources naturelles, *Ressources et industries forestières*, édition 2000.

Tableau 17.2

Possibilité annuelle de coupe dans les forêts publiques[1] et dans les forêts privées[2], par région administrative, Québec, 1999-2000

Région administrative	Sapins, épinettes, pins gris et mélèzes	Autres résineux	Peupliers	Autres feuillus	Total
			m³		
01 Bas–Saint-Laurent	**1 863 643**	**225 578**	**576 171**	**746 714**	**3 412 106**
Forêts publiques	1 200 843	73 478	95 271	247 114	1 616 706
Forêts privées	662 800	152 100	480 900	499 600	1 795 400
02 Saguenay–Lac-Saint-Jean	**7 705 165**	**7 183**	**858 934**	**1 104 736**	**9 676 018**
Forêts publiques	7 446 665	1 683	612 734	1 008 836	9 069 918
Forêts privées	258 500	5 500	246 200	95 900	606 100
03 Capitale-Nationale	**1 333 819**	**69 267**	**201 501**	**820 262**	**2 424 849**
Forêts publiques	895 419	7 067	73 401	276 062	1 251 949
Forêts privées	438 400	62 200	128 100	544 200	1 172 900
04 Mauricie	**2 963 401**	**125 780**	**545 489**	**1 420 069**	**5 054 739**
Forêts publiques	2 527 401	70 480	460 689	1 034 369	4 092 939
Forêts privées	436 000	55 300	84 800	385 700	961 800
05 Estrie	**425 430**	**139 822**	**131 485**	**830 073**	**1 526 810**
Forêts publiques	35 530	1 622	4 385	40 573	82 110
Forêts privées	389 900	138 200	127 100	789 500	1 444 700

Tableau 17.2 *(suite)*
Possibilité annuelle de coupe dans les forêts publiques[1] et dans les forêts privées[2], par région administrative, Québec, 1999-2000

Région administrative	Sapins, épinettes, pins gris et mélèzes	Autres résineux	Peupliers	Autres feuillus	Total
			m³		
06 Montréal	–	–	–	–	–
Forêts publiques	–	–	–	–	–
Forêts privées	–	–	–	–	–
07 Outaouais	872 022	854 669	675 426	2 480 337	4 882 454
Forêts publiques	670 822	690 869	439 026	1 924 537	3 725 254
Forêts privées	201 200	163 800	236 400	555 800	1 157 200
08 Abitibi-Témiscamingue	3 363 784	528 531	1 030 244	1 620 484	6 543 043
Forêts publiques	3 258 284	521 731	791 244	1 579 884	6 151 143
Forêts privées	105 500	6 800	239 000	40 600	391 900
09 Côte-Nord	5 978 389	17 810	293 435	570 487	6 860 121
Forêts publiques	5 808 989	610	254 435	409 087	6 473 121
Forêts privées	169 400	17 200	39 000	161 400	387 000
10 Nord-du-Québec	5 126 544	400	582 260	246 359	5 955 563
Forêts publiques	5 118 244	–	569 660	243 959	5 931 863
Forêts privées	8 300	400	12 600	2 400	23 700
11 Gaspésie–Îles-de-la-Madeleine	2 196 557	144 822	269 129	342 686	2 953 194
Forêts publiques	1 831 757	72 022	129 229	184 886	2 217 894
Forêts privées	364 800	72 800	139 900	157 800	735 300
12 Chaudière-Appalaches	895 310	155 254	252 995	804 911	2 108 470
Forêts publiques	133 710	11 354	10 295	60 811	216 170
Forêts privées	761 600	143 900	242 700	744 100	1 892 300
13 Laval	–	–	–	–	–
Forêts publiques	–	–	–	–	–
Forêts privées	–	–	–	–	–
14 Lanaudière	562 052	129 942	216 435	695 994	1 604 423
Forêts publiques	477 152	49 942	171 835	430 894	1 129 823
Forêts privées	84 900	80 000	44 600	265 100	474 600
15 Laurentides	833 284	239 442	319 696	1 570 088	2 962 510
Forêts publiques	642 384	120 142	132 196	875 288	1 770 010
Forêts privées	190 900	119 300	187 500	694 800	1 192 500
16 Montérégie	120 500	60 200	67 000	409 600	657 300
Forêts publiques	–	–	–	–	–
Forêts privées	120 500	60 200	67 000	409 600	657 300
17 Centre-du-Québec	85 000	48 500	55 700	222 500	411 700
Forêts publiques	–	–	–	–	–
Forêts privées	85 000	48 500	55 700	222 500	411 700
Le Québec	**34 324 900**	**2 747 200**	**6 075 900**	**13 885 300**	**57 033 300**
Forêts publiques	30 047 200	1 621 000	3 744 400	8 316 300	43 728 900
Forêts privées	4 277 700	1 126 200	2 331 500	5 569 000	13 304 400

1. Données basées sur la possibilité forestière à rendement soutenu des forêts publiques (mise à jour de novembre 2000).
2. Données basées sur les prélèvements admissibles estimées pour les forêts privées (1999 et 2000).

Source : Ministère des Ressources naturelles, *Ressources et industries forestières*, édition 2000.

Tableau 17.3

Volume marchand brut de bois dans la forêt productive accessible, selon l'âge de la forêt, par région administrative, Québec, 2000

Région administrative et âge	Fédérale	Provinciale	Privée	Total
		'000 m³		
01 Bas–Saint-Laurent	**22**	**99 848**	**64 958**	**164 827**
0-10 ans	–	287	2 037	2 324
30 ans	–	5 252	7 429	12 681
50 ans	14	39 430	42 705	82 148
70 ans	8	33 325	9 206	42 539
90 ans et plus	–	21 554	3 581	25 134
02 Saguenay–Lac-Saint-Jean	**54**	**598 477**	**20 464**	**618 995**
0-10 ans	1	7 342	1 624	8 967
30 ans	34	31 109	13 174	44 317
50 ans	17	100 945	4 679	105 642
70 ans	1	97 154	276	97 431
90 ans et plus	–	361 927	711	362 637
03 Capitale-Nationale	**2 064**	**77 783**	**41 555**	**121 401**
0-10 ans	15	1 772	1 850	3 637
30 ans	164	14 883	10 265	25 312
50 ans	480	24 466	14 955	39 901
70 ans	1 404	20 670	14 420	36 494
90 ans et plus	1	15 992	65	16 057
04 Mauricie	**7 220**	**266 796**	**38 782**	**312 799**
0-10 ans	8	2 204	909	3 121
30 ans	33	19 649	5 496	25 178
50 ans	1 979	109 258	16 524	127 760
70 ans	2 210	68 774	6 569	77 553
90 ans et plus	2 990	66 912	9 284	79 186
05 Estrie	**17**	**9 127**	**77 248**	**86 391**
0-10 ans	–	9	182	190
30 ans	–	415	12 448	12 862
50 ans	17	4 792	48 892	53 700
70 ans	–	1 547	3 513	5 060
90 ans et plus	–	2 365	12 214	14 579
06 Montréal	**1**	**–**	**349**	**350**
0-10 ans	–	–	3	3
30 ans	1	–	60	61
50 ans	–	–	215	215
70 ans	–	–	–	–
90 ans et plus	–	–	71	71
07 Outaouais	**6 666**	**287 127**	**72 184**	**365 977**
0-10 ans	13	5 894	1 160	7 067
30 ans	101	9 903	3 405	13 410
50 ans	4 391	68 663	44 929	117 983
70 ans	964	57 531	10 704	69 200
90 ans et plus	1 196	145 136	11 987	158 318
08 Abitibi-Témiscamingue	**116**	**419 428**	**24 957**	**444 501**
0-10 ans	3	2 856	211	3 070
30 ans	41	20 660	4 062	24 762
50 ans	55	79 546	15 477	95 079
70 ans	18	140 953	4 416	145 386
90 ans et plus	–	175 412	791	176 203
09 Côte-Nord	**2 448**	**1 097 448**	**8 853**	**1 108 749**
0-10 ans	64	6 986	804	7 854
30 ans	149	28 413	1 376	29 937
50 ans	560	51 326	3 334	55 219
70 ans	494	110 503	979	111 977
90 ans et plus	1 181	900 220	2 361	903 762

Tableau 17.3 *(suite)*
Volume marchand brut de bois dans la forêt productive accessible, selon l'âge de la forêt, par région administrative, Québec, 2000

Région administrative et âge	Fédérale	Provinciale	Privée	Total
		'000 m³		
10 Nord-du-Québec	**8 650**	**509 666**	**7 268**	**525 583**
0-10 ans	15	2 877	66	2 958
30 ans	29	23 283	217	23 529
50 ans	186	84 258	712	85 156
70 ans	988	140 334	921	142 242
90 ans et plus	7 432	258 913	5 352	271 698
11 Gaspésie–Îles-de-la-Madeleine	**2 026**	**108 351**	**25 396**	**135 773**
0-10 ans	2	768	60	830
30 ans	108	9 976	3 239	13 323
50 ans	1 099	42 420	13 845	57 364
70 ans	647	25 350	5 604	31 601
90 ans et plus	171	29 837	2 647	32 655
12 Chaudière-Appalaches	**–**	**14 612**	**79 021**	**93 634**
0-10 ans	–	48	1 684	1 732
30 ans	–	449	13 314	13 763
50 ans	–	5 578	48 601	54 179
70 ans	–	5 762	4 201	9 962
90 ans et plus	–	2 776	11 221	13 997
13 Laval	**–**	**–**	**345**	**345**
0-10 ans	–	–	–	–
30 ans	–	–	101	101
50 ans	–	–	224	224
70 ans	–	–	1	1
90 ans et plus	–	–	19	19
14 Lanaudière	**84**	**81 891**	**22 736**	**104 712**
0-10 ans	–	1 995	379	2 374
30 ans	6	4 354	3 451	7 810
50 ans	11	34 038	13 829	47 878
70 ans	46	29 449	4 278	33 774
90 ans et plus	21	12 055	799	12 875
15 Laurentides	**2 414**	**151 103**	**59 480**	**212 998**
0-10 ans	15	1 596	880	2 492
30 ans	444	4 611	6 048	11 103
50 ans	1 050	33 838	28 226	63 114
70 ans	629	44 201	18 818	63 648
90 ans et plus	276	66 857	5 509	72 642
16 Montérégie	**648**	**153**	**39 598**	**40 399**
0-10 ans	19	1	293	313
30 ans	68	33	6 559	6 660
50 ans	414	70	22 294	22 777
70 ans	29	8	1 932	1 969
90 ans et plus	118	41	8 521	8 680
17 Centre-du-Québec	**49**	**753**	**29 666**	**30 468**
0-10 ans	–	20	680	700
30 ans	1	90	4 951	5 042
50 ans	46	505	21 026	21 578
70 ans	1	56	438	496
90 ans et plus	–	83	2 570	2 653
Le Québec	**32 478**	**3 722 563**	**612 861**	**4 367 902**
0-10 ans	155	34 656	12 821	47 633
30 ans	1 178	173 080	95 595	269 853
50 ans	10 317	679 133	340 466	1 029 916
70 ans	7 440	775 616	86 277	869 332
90 ans et plus	13 386	2 060 078	77 702	2 151 167

Source : Ministère des Ressources naturelles, *Ressources et industries forestières*, édition 2000.

Tableau 17.4
Volume de bois récolté dans les forêts publiques et dans les forêts privées, par région administrative, Québec, 1992-1998

Région administrative[1]	1992	1993	1994	1995	1996	1997	1998
				'000 m³			
01 Bas–Saint-Laurent	**2 579**	**2 809**	**3 162**	**3 215**	**3 012**	**3 013**	**3 485**
Forêts publiques	1 658	1 766	1 777	1 501	1 480	1 456	1 662
Forêts privées	921	1 043	1 385	1 714	1 532	1 557	1 823
02 Saguenay–Lac-Saint-Jean	**6 139**	**7 096**	**7 594**	**9 052**	**6 912**	**7 713**	**9 057**
Forêts publiques	5 547	6 395	7 070	8 542	6 381	7 290	8 569
Forêts privées	592	701	524	510	531	423	488
03 Capitale-Nationale	**1 359**	**1 392**	**1 329**	**1 237**	**1 260**	**1 374**	**1 190**
Forêts publiques	858	760	844	749	744	911	646
Forêts privées	501	632	485	488	516	463	544
04 Mauricie	**3 094**	**3 876**	**4 382**	**4 824**	**3 884**	**4 068**	**3 897**
Forêts publiques	1 957	2 531	3 306	3 655	2 723	3 203	2 865
Forêts privées	1 137	1 345	1 076	1 169	1 161	865	1 032
05 Estrie	**1 276**	**1 674**	**1 349**	**1 463**	**1 377**	**1 455**	**1 266**
Forêts publiques	24	36	40	38	70	78	69
Forêts privées	1 252	1 638	1 309	1 425	1 307	1 377	1 197
07 Outaouais	**1 644**	**2 202**	**2 214**	**2 470**	**2 418**	**2 555**	**2 705**
Forêts publiques	819	1 162	1 402	1 597	1 614	1 697	1 725
Forêts privées	825	1 040	812	873	804	858	980
08 Abitibi-Témiscamingue	**3 375**	**4 590**	**4 740**	**4 069**	**3 404**	**3 414**	**4 107**
Forêts publiques	3 005	4 170	4 360	3 690	2 992	2 983	3 610
Forêts privées	370	420	380	379	412	431	497
09 Côte-Nord	**1 272**	**1 425**	**2 203**	**3 294**	**3 339**	**4 806**	**4 445**
Forêts publiques	1 252	1 375	2 151	3 238	3 277	4 755	4 395
Forêts privées	20	50	52	56	62	51	50
10 Nord-du-Québec	**4 092**	**3 752**	**4 548**	**4 304**	**5 806**	**6 302**	**5 195**
Forêts publiques	4 092	3 745	4 448	4 196	5 764	6 277	5 149
Forêts privées	–	7	100	108	42	25	46
11 Gaspésie–Îles-de-la-Madeleine	**1 482**	**1 880**	**2 065**	**2 670**	**2 319**	**2 342**	**2 363**
Forêts publiques	1 155	1 495	1 803	2 265	2 020	1 970	1 918
Forêts privées	327	385	262	405	299	372	445
12 Chaudière-Appalaches	**639**	**1 187**	**1 514**	**1 761**	**1 759**	**1 608**	**1 557**
Forêts publiques	145	162	206	263	209	195	220
Forêts privées	494	1 025	1 308	1 498	1 550	1 413	1 337
14 Lanaudière	**860**	**998**	**934**	**1 044**	**982**	**1 017**	**1 289**
Forêts publiques	636	568	543	577	563	570	826
Forêts privées	224	430	391	467	419	447	463
15 Laurentides	**1 022**	**1 365**	**1 986**	**1 924**	**1 786**	**1 968**	**2 231**
Forêts publiques	904	1 134	1 255	1 096	1 072	1 173	1 339
Forêts privées	118	231	731	828	714	795	892
16 Montérégie	**29**	**43**	**184**	**211**	**192**	**203**	**197**
Forêts publiques	–	–	–	–	–	–	–
Forêts privées	29	43	184	211	192	203	197
Le Québec	**28 862**	**34 289**	**38 204**	**41 538**	**38 450**	**42 139**	**43 354**
Forêts publiques	**22 052**	**25 299**	**29 205**	**31 407**	**28 909**	**32 558**	**33 000**
Forêts privées	**6 810**	**8 990**	**8 999**	**10 131**	**9 541**	**9 581**	**10 354**

1. Aucun bois n'est récolté dans les régions administratives de Montréal (06), de Laval (13) et du Centre-du-Québec.

Source : Ministère des Ressources naturelles, *Ressources et industries forestières*, édition 2000.

Tableau 17.5
Statistiques principales de l'exploitation forestière[1], Québec, 1993-1998

	Unité	1993	1994	1995	1996	1997	1998
Établissements	n	2 039	1 673	2 223	2 066	1 714	1 700 e
Production							
Travailleurs à la production	n	9 541	8 826	11 649	10 393	10 881	..
Salaires	'000 000 $	317,0	258,4	307,2	308,4	304,3	..
Combustible et électricité	'000 000 $	64,9	48,1	64,3	56,2	52,7	..
Matières et fournitures	'000 000 $	800,5	845,7	1141,7	1258,2	1305,5	..
Valeur des expéditions	'000 000 $	1579,9	1533,6	1898,8	2031,0	2087,8	..
Valeur ajoutée	'000 000 $	674,9	618,5	704,3	732,1	705,4	..
Activité totale							
Propriétaires et associés actifs	n	757	587	489	477	506	..
Salariés	n	10 298	9 413	12 138	10 870	11 387	12 518
Traitements et salaires	'000 000 $	352,4	288,2	331,4	333,5	329,6	360,0 e
Valeur ajoutée	'000 000 $	675,6	622,6	712,8	731,3	705,8	..

1. Statistiques principales du groupe 041 (CTI de 1980).

Source : Statistique Canada, *Exploitation forestière* (25-201).

Figure 17.2
Nombre d'arbres plantés à des fins de reboisement, Québec, 1974-1998

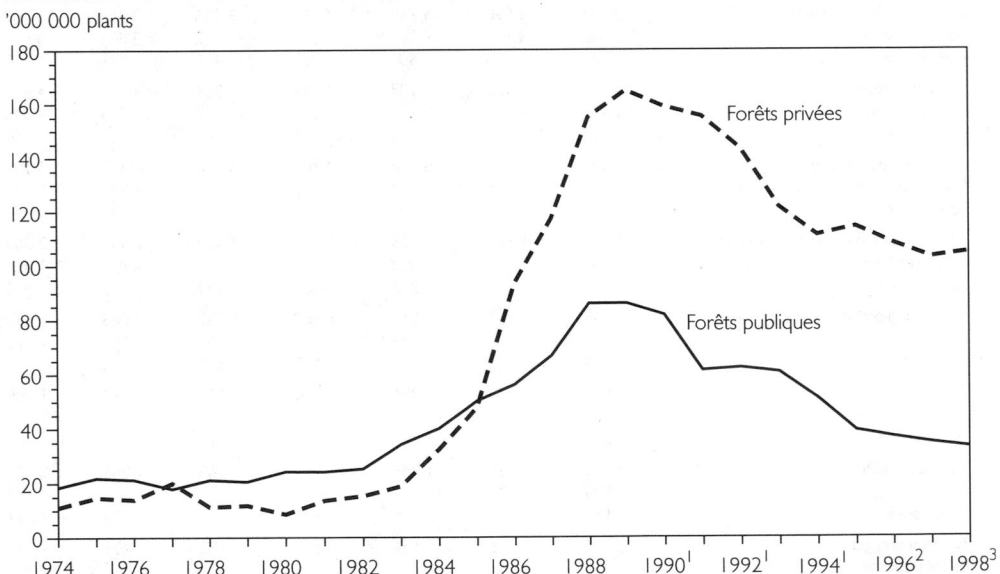

1. Données révisées : 1990 à 1995.
2. Données estimées : 1996.
3. Données provisoires : 1997-1998.

Tableau 17.6
Reboisement des forêts publiques et privées, selon les groupes d'essences, Québec, 1989-1998

	1989	1990	1991	1992	1993	1994	1995	1996	1997	1998
					'000 plants					
Forêts publiques	164 874,0	159 008,9	155 355,7	143 359,9	121 705,6	111 283,2	114 405,5	108 267,2	103 049,7	105 000,0
Résineux	164 454,0	158 433,2	154 734,5	142 882,8	121 382,0	111 186,7	114 262,0	108 135,8	102 495,5	..
Feuillus	420,0	575,7	621,2	477,1	323,6	96,5	143,5	131,4	554,2	..
Forêts privées	86 064,3	81 844,7	61 480,8	62 418,1	60 816,8	51 150,4	39 296,2	37 000,0	34 834,0	33 209,5
Résineux	85 517,1	80 974,2	60 391,9	61 325,1	59 756,5	50 545,7	38 776,0	..	..	..
Feuillus	547,2	870,5	1 088,9	1 093,0	1 060,3	604,7	520,2	..	..	..
Le Québec	**250 938,3**	**240 853,6**	**216 836,5**	**205 778,0**	**182 522,4**	**162 433,6**	**153 701,7**	**145 267,2**	**137 883,7**	**138 209,5**
Résineux	249 971,1	239 407,4	215 126,4	204 207,9	181 138,5	161 732,4	153 038,0	108 135,8	102 495,5	..
Feuillus	967,2	1 446,2	1 710,1	1 570,1	1 383,9	701,2	663,7	131,4	554,2	..

Source : Ministère des Ressources naturelles, *Ressources et industries forestières*, édition 2000.

Tableau 17.7
Sommaire des traitements sylvicoles réalisés, Québec, 1994-1998

	1994	1995	1996	1997	1998
			ha		
Forêts publiques	**475 273**	**484 650**	**523 691**	**600 175**	**593 390**
Préparation de terrain	43 119	41 626	35 407	35 709	38 335
Reboisement	58 449	52 306	66 341	60 303	50 485
Traitements non commerciaux	68 656	70 125	79 618	97 061	108 570
Traitements commerciaux	305 049	320 593	342 325	407 102	396 000
Forêts privées	**72 094**	**51 165**	**52 150**	**54 035**	**59 886**
Préparation de terrain	14 387	9 412	10 000	11 245	12 146
Reboisement	20 416	15 857	15 400	15 174	14 511
Traitements non commerciaux	29 225	19 780	19 900	20 541	24 092
Traitements commerciaux	8 066	6 116	6 850	7 075	9 137
Le Québec	**547 367**	**535 815**	**575 841**	**654 210**	**653 276**
Préparation de terrain	57 506	51 038	45 407	46 954	50 481
Reboisement	78 865	68 163	81 741	75 477	64 996
Traitements non commerciaux	97 881	89 905	99 518	117 602	132 662
Traitements commerciaux	313 115	326 709	349 175	414 177	405 137

Source : Ministère des Ressources naturelles, *Ressources et industries forestières*, édition 2000.

Tableau 17.8
Statistiques principales des industries du bois[1], par grande région, Canada, 1994-1998

	Unité	1994	1995	1996	1997	1998	
						Valeur	%
Établissements	n	2 206	2 237	2 448	2 350	2 326	100,0
Atlantique	n	..	..	..	..	249	10,7
Québec	n	..	..	..	..	722	31,0
Ontario	n	..	..	..	..	525	22,6
Prairies	n	..	..	..	..	246	10,6
Colombie-Britannique	n	..	..	..	..	584	25,1
Yukon et T.-N.-O.	n	..	..	..	..	..	..
Employés	n	109 248	109 930	114 973	120 060	123 272	100,0
Atlantique	n	7 249	7 436	8 135	8 780	9 510	7,7
Québec	n	28 963	29 510	30 846	32 565	34 497	28,0
Ontario	n	19 636	20 651	22 899	24 336	25 777	20,9
Prairies	n	11 746	12 495	13 764	15 156	15 309	12,4
Colombie-Britannique	n	41 654	39 838	39 329	39 223	38 179	31,0
Yukon et T.-N.-O.	n	..	..	..	..	..	..
Salaires	'000 $	3 885 541	4 080 550	4 223 193	4 470 309	4 500 077	100,0
Atlantique	'000 $	191 490	200 821	215 433	242 237	265 232	5,9
Québec	'000 $	836 429	897 067	953 731	1 004 425	1 068 156	23,7
Ontario	'000 $	632 303	675 583	719 074	808 451	870 521	19,3
Prairies	'000 $	391 554	434 693	476 995	537 527	554 329	12,3
Colombie-Britannique	'000 $	1 833 765	1 872 386	1 857 960	1 877 669	1 741 839	38,7
Yukon et T.-N.-O.	'000 $	..	..	..	..	..	..
Intrants	'000 $	12 998 863	14 315 144	14 990 769	16 668 374	17 660 912	100,0
Atlantique	'000 $	630 971	676 450	689 999	828 675	921 790	5,2
Québec	'000 $	2 779 459	3 040 461	3 223 879	3 806 719	4 191 126	23,7
Ontario	'000 $	1 678 854	1 843 297	2 026 139	2 448 325	2 837 378	16,1
Prairies	'000 $	1 086 548	1 235 295	1 420 533	1 633 427	1 740 207	9,9
Colombie-Britannique	'000 $	3 823 031	7 516 641	7 630 219	7 971 228	7 970 411	45,1
Yukon et T.-N.-O.	'000 $	..	..	..	..	..	..
Valeur des expéditions	'000 $	23 048 075	23 304 807	24 697 136	26 975 099	27 639 968	100,0
Atlantique	'000 $	1 105 113	1 074 579	1 272 429	1 502 856	1 611 087	5,8
Québec	'000 $	5 375 331	5 311 608	2 804 397	6 520 835	7 019 462	25,4
Ontario	'000 $	3 073 016	3 252 340	3 616 251	4 206 911	4 831 119	17,5
Prairies	'000 $	2 316 531	2 406 636	2 726 294	2 958 320	3 150 735	11,4
Colombie-Britannique	'000 $	11 178 084	11 259 644	11 277 765	11 786 177	11 027 565	39,9
Yukon et T.-N.-O.	'000 $	..	..	..	..	..	..
Valeur ajoutée	'000 $	9 794 154	8 503 961	9 297 551	9 772 182	9 503 517	100,0
Atlantique	'000 $	456 555	379 820	524 215	645 528	638 315	6,7
Québec	'000 $	2 531 953	2 181 563	2 487 711	2 600 303	2 732 133	28,7
Ontario	'000 $	1 318 313	1 331 538	1 487 574	1 668 407	1 873 703	19,7
Prairies	'000 $	1 188 780	1 128 327	353 761	1 274 228	1 375 667	14,5
Colombie-Britannique	'000 $	4 298 553	3 482 713	3 544 290	3 583 716	2 883 699	30,3
Yukon et T.-N.-O.	'000 $	..	..	..	..	..	..

1. Statistiques principales de l'activité totale du groupe 321 du Système de classification des industries de l'Amérique du Nord (SCIAN).

Source :   Statistique Canada, *Industries manufacturières du Canada : niveaux national et provincial* (31-203).

Tableau 17.9
Statistiques principales des industries des pâtes et papiers[1], par grande région, Canada, 1994-1998

	Unité	1994	1995	1996	1997	1998	
						Valeur	%
Établissements	n	654	676	696	659	669	100,0
Atlantique	n	..	..	..	..	47	7,0
Québec	n	..	..	..	..	198	29,6
Ontario	n	..	..	..	..	308	46,0
Prairies	n	..	..	..	..	56	8,4
Colombie-Britannique	n	..	..	..	..	60	9,0
Yukon et T.-N.-O.	n	..	..	..	..	..	..
Employés	n	100 430	103 706	102 432	101 555	98 564	100,0
Atlantique	n	x	x	8 591	8 545	x	x
Québec	n	33 891	34 932	34 930	35 165	34 029	34,5
Ontario	n	34 568	35 963	35 335	34 723	33 998	34,5
Prairies	n	x	x	6 292	6 394	x	x
Colombie-Britannique	n	17 046	17 422	17 284	16 728	14 227	14,4
Yukon et T.-N.-O.	n	..	..	..	..	..	..
Salaires	'000 $	4 717 101	5 034 148	5 119 409	5 139 002	4 982 728	100,0
Atlantique	'000 $	x	x	461 666	481 258	x	x
Québec	'000 $	1 532 658	1 637 681	1 706 142	1 765 026	1 726 325	34,6
Ontario	'000 $	1 491 645	1 582 591	1 600 891	1 546 239	1 520 432	30,5
Prairies	'000 $	x	x	335 559	345 663	x	x
Colombie-Britannique	'000 $	949 246	1 022 797	1 015 151	1 000 816	855 803	17,2
Yukon et T.-N.-O.	'000 $	..	..	..	..	..	..
Intrants	'000 $	137 282 350	187 366 890	173 336 260	169 125 170	160 489 950	100,0
Atlantique	'000 $	x	x	1 701 906	1 830 577	x	x
Québec	'000 $	40 722 100	53 023 960	50 447 070	52 677 520	49 864 700	31,1
Ontario	'000 $	41 603 880	56 686 810	54 953 900	51 826 930	51 029 800	31,8
Prairies	'000 $	x	x	11 301 980	11 309 170	x	x
Colombie-Britannique	'000 $	32 644 880	49 679 480	39 614 250	35 005 780	33 266 080	20,7
Yukon et T.-N.-O.	'000 $	..	..	..	..	..	..
Valeur des expéditions	'000 $	27 012 296	38 960 809	33 129 413	32 205 252	31 509 507	100,0
Atlantique	'000 $	x	x	3 459 526	3 451 573	x	x
Québec	'000 $	8 446 504	12 002 888	10 601 354	10 491 266	10 861 591	34,5
Ontario	'000 $	7 876 183	11 046 120	10 396 947	9 935 471	9 570 224	30,4
Prairies	'000 $	x	x	2 272 959	2 313 557	x	x
Colombie-Britannique	'000 $	6 031 421	8 658 097	6 398 627	6 013 385	5 441 315	17,3
Yukon et T.-N.-O.	'000 $	..	..	..	..	..	..
Valeur ajoutée	'000 $	10 904 170	18 296 575	13 453 191	12 698 523	13 394 637	100,0
Atlantique	'000 $	x	x	1 424 142	1 225 505	x	x
Québec	'000 $	3 471 266	5 902 588	4 750 202	4 207 379	5 072 113	37,9
Ontario	'000 $	3 233 833	4 994 024	4 385 670	4 208 298	4 083 961	30,5
Prairies	'000 $	x	x	974 606	1 038 982	x	x
Colombie-Britannique	'000 $	2 256 766	3 366 115	1 918 571	2 018 359	1 732 404	12,9
Yukon et T.-N.-O.	'000 $	..	..	..	..	..	..

1. Statistiques principales de l'activité totale du groupe 322 du Système de classification des industries de l'Amérique du Nord (SCIAN).

Source : Statistique Canada, *Industries manufacturières du Canada : niveaux national et provincial* (31-203).

Tableau 17.10
Matières premières utilisées par l'industrie québécoise des pâtes et papiers, Québec, 1994-1999

Année	Bois ronds[1]		Produits conjoints des scieries[2]		Autres fibres[3]		Total	
	'000 tma[4]	%	'000 tma[5]	%	'000 tma[6]	%	'000 tma	%
1994[r]	2 333	20,4	7 279	63,7	1 818	15,9	11 431	100,0
1995[r]	2 313	19,3	7 857	65,6	1 801	15,0	11 970	100,0
1996[r]	2 038	16,8	7 674	63,2	2 423	20,0	12 135	100,0
1997[r]	2 172	17,0	8 163	63,8	2 457	19,2	12 792	100,0
1998[r]	1 893	15,0	8 084	64,3	2 604	20,7	12 582	100,0
1999[p]	2 101	15,8	8 489	64,0	2 671	20,1	13 261	100,0

1. Achats hors Québec inclus.
2. Copeaux, sciures et rabotures.
3. Fibres recyclées et pâtes achetées.
4. 1 m^3 = 0,384 tonne métrique anhydre de bois ronds.
5. 1 m^3 = 0,396 tonne métrique anhydre de produits conjoints des scieries.
6. 1 m^3 = 0,381 tonne métrique anhydre d'autres fibres.

Source : Ministère des Ressources naturelles, *Ressources et industries forestières*, édition 2000.

Tableau 17.11
Production de papiers et de cartons, Québec, Canada, Monde, 1994-1999

Produit	Année	Québec	Canada	Monde	Québec / Canada	Québec / Monde
		'000 tm			%	
Papier journal	1994	4 004	9 299	33 865	43,1	11,8
	1995	4 051	9 226	35 274	43,9	11,5
	1996	3 978	9 025	34 773	44,1	11,4
	1997	4 122	9 204	35 994	44,8	11,5
	1998	3 812	8 581	36 260	44,4	10,5
	1999	4 007	9 204	37 863	43,5	10,6
Autres papiers et cartons	1994	3 753	8 994	234 930	41,7	1,6
	1995	4 028	9 405	243 110	42,8	1,7
	1996	3 942	9 395	247 204	42,0	1,6
	1997	4 110	9 769	263 330	42,1	1,6
	1998	4 215	10 143	264 752	41,6	1,6
	1999	4 489	11 022	277 837	40,7	1,6
Total	**1994**	**7 757**	**18 293**	**268 795**	**42,4**	**2,9**
	1995	**8 079**	**18 631**	**278 384**	**43,4**	**2,9**
	1996	**7 920**	**18 420**	**281 977**	**43,0**	**2,8**
	1997	**8 232**	**18 973**	**299 324**	**43,4**	**2,8**
	1998	**8 027**	**18 724**	**301 012**	**42,9**	**2,7**
	1999	**8 496**	**20 226**	**315 700**	**42,0**	**2,7**

Sources : Ministère des Ressources naturelles, *Ressources et industries forestières*, édition 2000.
Association des industries forestières du Québec (AIFQ).

Tableau 17.12
Destination des expéditions de pâtes et papiers, Québec, 1999

	Canada		États-Unis		Autres pays		Total	
	'000 tm	%	'000 tm	%	'000 tm	%	'000 tm	%
Papier journal	545	13,6	2 560	63,9	903	22,5	4 008	100,0
Pâtes destinées à la vente[1]	327	20,8	561	35,6	687	43,6	1 575	100,0
Autres papiers et cartons	1 474	32,9	2 804	62,5	206	4,6	4 484	100,0
Total	**2 346**	**23,3**	**5 925**	**58,9**	**1 796**	**17,8**	**10 067**	**100,0**

1. Cette donnée ne comprend pas les pâtes que certaines compagnies s'échangent entre elles.

Source : Ministère des Ressources naturelles, *Ressources et industries forestières*, édition 2000.

Tableau 17.13
Dépenses en immobilisations et en réparations pour la fabrication de produits en bois, et pour la fabrication du papier, Québec, 1991-2000

Secteur et sous-secteur	Année	Immobilisations[1]		Réparations[2]		Total	
		'000 000 $	%	'000 000 $	%	'000 000 $	%
Fabrication de produits en bois	1991	129,0	3,0	..	..	..	..
(SCIAN 321)	1992	102,0	3,2	..	..	..	..
	1993	133,3	5,2	..	..	..	..
	1994	266,3	8,0	203,5	9,7	469,8	8,6
	1995	343,9	9,3	164,0	8,1	507,9	8,9
	1996	356,5	8,9	117,4	6,4	473,9	8,1
	1997	496,0	11,5	161,8	8,1	657,8	10,4
	1998	327,4	7,0	221,8	10,1	549,2	8,0
	1999 [3]	427,8	8,0	..	..	..	..
	2000 [3]	433,4	7,3	..	..	..	..
Fabrication du papier	1991	769,5	18,2	..	..	..	..
(SCIAN 322)	1992	445,9	14,1	..	..	..	..
	1993	409,8	15,9	..	..	..	..
	1994	751,8	22,5	527,9	25,2	1 279,7	23,5
	1995	1 002,4	27,2	479,9	23,8	1 482,3	26,0
	1996	954,0	23,7	430,0	23,4	1 384,0	23,6
	1997	828,3	19,2	529,6	26,4	1 357,9	21,5
	1998	856,1	18,3	527,9	24,1	1 384,0	20,2
	1999 [3]	713,7	13,3	..	..	..	..
	2000 [3]	959,7	16,1	..	..	..	..
Fabrication	1991	4 233,0	100,0	..	100,0	..	100,0
(SCIAN 31-33)	1992	3 160,1	100,0	..	100,0	..	100,0
	1993	2 581,8	100,0	..	100,0	..	100,0
	1994	3 344,7	100,0	2 090,7	100,0	5 435,4	100,0
	1995	3 689,6	100,0	2 017,2	100,0	5 706,8	100,0
	1996	4 023,1	100,0	1 839,6	100,0	5 862,7	100,0
	1997	4 304,4	100,0	2 007,3	100,0	6 311,7	100,0
	1998	4 667,9	100,0	2 188,9	100,0	6 856,8	100,0
	1999 [3]	5 348,8	100,0	..	100,0	..	100,0
	2000 [3]	5 947,4	100,0	..	100,0	..	100,0

1. Les immobilisations et les réparations avant 1997 ont été recalculées selon le Système de classification des industries de l'Amérique du Nord (SCIAN).
2. Les réparations ne font plus partie de l'enquête pour les perspectives des dépenses. Seules les données définitives sont recueillies.
3. 1999 : dépenses réelles provisoires; 2000 : perspectives révisées.

Source : Statistique Canada, *Investissements privés et publics au Canada* (61-205 et 61-206).

Figure 17.3
Répartition des feux de forêt de la zone de protection intensive[1], selon les causes, Québec, 1990-1999

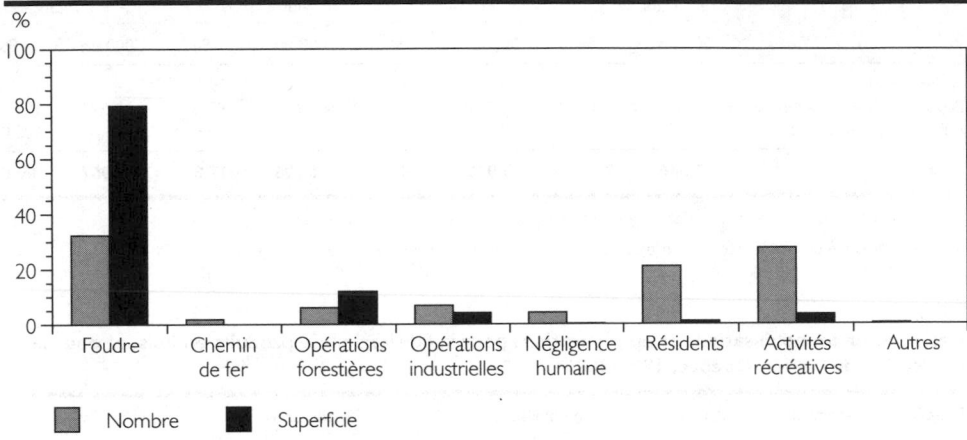

1. Zone de protection intensive : ensemble des forêts aménagées et des territoires qui les entourent. Cette zone s'étend de l'extrême sud du Québec jusqu'aux environs du 51e parallèle.
   Protection intensive : prévention et lutte systématique dès qu'on décèle un feu de forêt.

Figure 17.4
Schéma simplifié de l'industrie des produits forestiers

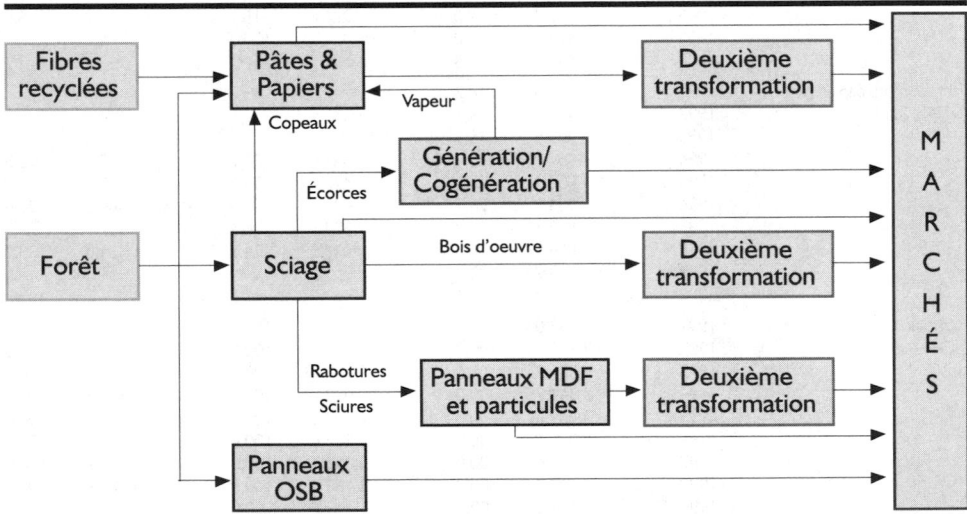

18

Mines

Liste des tableaux

Liste des figures

Ce chapitre a été réalisé par Marcel Grenier et Jean Désilets, du Service de la recherche en économie minérale, secteur Mines, au ministère des Ressources naturelles, avec la collaboration de Carol Fournel, de la Direction des industries chimiques et des matériaux au ministère de l'Industrie et du Commerce.

Le secteur minier joue un rôle déterminant dans l'économie du Québec. L'une des principales retombées de l'exploitation des ressources minérales est l'importante contribution au développement régional. Plusieurs villes et villages ont été créés autour de mines. Encore aujourd'hui, l'industrie minière constitue l'assise économique de plusieurs localités du Québec, voire de régions entières.

D'après les données provisoires de 1999, le produit intérieur brut (PIB) relatif à cette industrie se situe à environ 1,46 milliard de dollars. La part de l'activité minière dans le PIB québécois est donc d'un peu moins de 1 %.

Dès la première édition de l'*Annuaire statistique* en 1914, on fait une énumération détaillée de la production des mines et carrières de la partie sud du Québec, tout en soulignant que les prospecteurs trouveront au nord « des territoires vierges pleins de possibilités attrayantes ». Déjà on perçoit l'importance de la production de divers minéraux, tels que l'amiante, l'argent, l'or, le cuivre, le fer et la tourbe, de même que celle de quelques matériaux de construction. On y décrit même l'industrie métallurgique, alors concentrée sur la production d'aluminium à Shawinigan.

La production minérale

Selon les données préliminaires de 2000[1], la valeur totale des expéditions minérales du Québec s'établit à environ 3,6 milliards de dollars (tableau 18.1). Il s'agit d'un montant pratiquement identique à celui atteint en 1999. Depuis 1995, la valeur des expéditions affiche une légère tendance à la hausse. On subdivise la production minérale en trois grandes catégories, soit les minéraux métalliques (61,1 % de la production en 2000), les minéraux industriels (21,3 %) et les matériaux de construction (17,6 %) (figure 18.1).

Les minéraux métalliques

La valeur des expéditions de minéraux métalliques s'élève à 2 222 millions de dollars en 2000, comparativement à 2 225 millions en 1999 et à 2 161 millions en 1995.

Les expéditions d'or ont diminué de 9,5 % en volume et de 9,7 % en valeur par rapport à 1999. Elles affichent même une tendance à la baisse, étant passées de 40,3 tonnes en 1995 à 33,7 tonnes en 2000 (tableau 18.2).

Pour leur part, les expéditions de cuivre ont diminué de 19,9 % en valeur et de 30,6 % en volume comparativement à 1999. Sur une période de 5 ans, la diminution est de 45,2 % en valeur et de 18,7 % en volume. Cette baisse du volume de production s'explique, en bonne partie, par la cessation en octobre 1999 des activités minières à Mines Gaspé, ainsi que par la baisse de production constatée à Mines Selbaie.

---

1. Les données de 2000 sur les expéditions, l'emploi et les investissements dans l'industrie minière du Québec sont préliminaires puisqu'elles ont été compilées à partir de rapports d'activité produits au cours de l'automne 2000. Cependant, les données de 1999 sont finales.

La valeur des expéditions de zinc s'est accrue de 12,4 % en 2000, en atteignant 331,3 millions de dollars. Cela est attribuable à l'accroissement de la production (+ 7,5 %) et à l'augmentation du prix moyen de cette substance. Durant les 5 dernières années, elle a varié entre 245 et 331 millions de dollars, et les quantités se sont maintenues entre 161 000 et 198 000 tonnes.

Par ailleurs, les expéditions de minerai de fer sont demeurées, en 2000, à environ 14,5 millions de tonnes sous forme de divers types de boulettes et de concentrés, ce qui est légèrement sous la moyenne des 10 dernières années. Finalement, à la suite de l'expansion des installations minières de la Société minière Raglan du Québec, la production de nickel a augmenté de 15,0 % en quantité par rapport à 1999.

Les minéraux industriels

En 2000, la valeur des expéditions de minéraux industriels atteint 772 millions de dollars, une baisse de 6,8 % par rapport à 1999. Les producteurs québécois d'amiante ont subi une diminution de la demande. Cette baisse est la conséquence directe d'une reprise moins rapide que ce qui était prévu dans le secteur de la construction en Asie, de la compétition internationale et des projets de bannissement de l'amiante en Amérique du Sud. La tendance à long terme des livraisons d'amiante est à la baisse, quoique l'on ait assisté à une certaine stabilisation ces dernières années.

À la suite de problèmes techniques à certains fours de la fonderie et à l'usine UGS de QIT Fer et Titane, la production de fer et de bioxyde de titane a diminué sous le seuil de 1999. En ce qui concerne les autres minéraux industriels, l'année 2000 a été marquée par une légère augmentation des expéditions de silice et de tourbe. Cependant, on ne peut vraiment parler de tendance depuis 1995.

Les matériaux de construction

La valeur des expéditions de matériaux de construction a légèrement augmenté, soit de 4,5 %. De 613,4 millions de dollars en 1999, elle est passée à 640,9 millions de dollars en 2000. Cette hausse est attribuable, principalement, à l'accroissement de la production de chaux et de ciment. Sur une période de 5 ans, les expéditions de matériaux de construction affichent une augmentation de 29,4 %.

L'industrie métallurgique

La métallurgie est une composante majeure de l'industrie minière québécoise (tableau 18.3). L'activité la plus importante dans ce domaine est la production primaire de l'aluminium, même s'il n'y a pas de mines de bauxite au Québec. Avec la construction récente du complexe d'Alma (400 000 tonnes métriques) par la société Alcan, le Québec est le plus gros producteur d'aluminium au Canada (90 % de la capacité de production canadienne et 10 % de la capacité de production mondiale) et le plus important exportateur dans le monde. En 2000, ses 10 établissements situés dans les régions du Saguenay–Lac-Saint-Jean, de la Côte-Nord, de la Capitale-Nationale, de la Maurice et du Centre-du-Québec ont une capacité totale de production de 2,5 millions de tonnes métriques et donnent de l'emploi à quelque 14 900 personnes.

La fabrication de l'acier et de la fonte constitue également une activité importante de l'industrie métallurgique québécoise. Quatre aciéries procurent au Québec une capacité de production d'environ 3,0 millions de tonnes métriques par an et emploient 5 400 travailleurs. La « mini » aciérie Ispat Sidbec produit aussi des tubes, des fils et des aciers galvanisés, alors que QIT-Fer et Titane, qui exploite une mine d'ilménite près de Havre-Saint-Pierre, est impliquée dans la production de bioxyde de titane. La production de poudres de fer et d'acier est aussi très importante au Québec. En effet, avec ses 230 000 tonnes métriques par an, le Québec se classe 3e à ce titre sur le plan mondial. S'ajoutent à cela 1 forge, 17 fonderies de fonte et 4 fonderies d'acier.

Le groupe Noranda comprend trois usines pour l'exploitation du cuivre et une pour le zinc. La capacité de production du cuivre totalise 665 000 tonnes métriques, dont 360 000 tonnes de cathodes produites à l'Affinerie CCR de Montréal-Est. La main-d'œuvre atteint plus de 2 000 travailleurs. Quant au zinc, la société Zinc électrolytique du Canada a une capacité de production de 230 000 tonnes métriques par an et donne de l'emploi à plus de 800 travailleurs.

Le Québec produit aussi du magnésium. Les usines de Norsk Hydro et de Magnola, d'une capacité annuelle de production de 100 000 tonnes métriques en font le 1er producteur de magnésium au Canada et le 2e au niveau mondial.

Quant au secteur des ferro-alliages, trois usines sont en exploitation au Québec. Silicium Bécancour produit du silicium et du ferrosilicium, alors qu'Elkem métal Canada de Chicoutimi fabrique du ferrosilicium. De plus, la compagnie Niobec de Saint-Honoré est la seule productrice de ferroniobium en Amérique du Nord. Globalement, ce secteur donne de l'emploi à 350 travailleurs.

Le Québec dans le contexte canadien

Le Québec se classe au deuxième rang parmi les producteurs de minéraux au Canada (excluant les produits pétroliers), n'étant devancé que par l'Ontario. Sa production représente de 19 % à 21 % de la production canadienne depuis 1991 (tableau 18.4). En fait, la part relative de la production des différentes provinces et territoires est plutôt stable d'une année à l'autre.

En 1999, le Québec est le seul producteur d'amiante et le deuxième producteur d'or, après l'Ontario, avec 23,8 % de la production (tableau 18.5). Le Québec compte également pour 18,4 % des livraisons de zinc et 21,6 % des livraisons de cuivre.

Toujours en 1999[2], les expéditions minérales québécoises se répartissent de la manière suivante : 36 % sont consommées ou œuvrées au Québec, alors que 26 % sont exportées dans le reste du Canada, 20 % en Europe, 12 % aux États-Unis, 5 % en Asie et 1 % en Amérique latine. Au total, les exportations hors Québec de produits miniers québécois ont représenté un montant de 2,3 milliards de dollars, dont 1,4 milliard pour les exportations hors Canada.

---

2. Dernière année disponible pour les exportations.

La situation régionale de l'industrie minière

L'industrie minière est fortement implantée dans l'économie régionale. Trois régions accaparent environ 75 % de la valeur de la production : la Côte-Nord, le Nord-du-Québec et l'Abitibi-Témiscamingue (tableau 18.6).

La Côte-Nord

Selon les données préliminaires de 2000, la valeur de la production minière de la Côte-Nord (1 291 millions de dollars) place celle-ci au 1er rang parmi les régions administratives, avec près de 36 % de la production totale (figure 18.2). En 1996, la valeur de la production s'établissait à 1 080 millions de dollars. Cette production est axée essentiellement sur le minerai de fer et l'ilménite. La région compte également des carrières de granit, des sablières et des gravières, ainsi que des producteurs de tourbe.

Pour ce qui est de l'emploi minier, la région de la Côte-Nord occupe le 3e rang au Québec après l'Abitibi-Témiscamingue et la Montérégie. Le nombre d'emplois a augmenté à peine entre 1999 et 2000 en passant de 2 844 années-personnes à 2 946.

Selon les données finales de 1999, les investissements dans le secteur minier de la Côte-Nord s'élèvent à 268,5 millions de dollars, ce qui est près du montant de 271,6 millions de dollars atteint en 1996. En 1999, cette somme correspond à 26 % des investissements miniers au Québec. Les dépenses en exploration et en mise en valeur hors d'un site minier se chiffrent à 8,1 millions de dollars, une diminution de près de moitié par rapport à 1996 (16,4 millions de dollars).

Le Nord-du-Québec

Les activités minières du Nord-du-Québec relèvent de 7 établissements miniers, dont 3 exploitent des gisements d'or et 4 des mines polymétalliques. Selon les données préliminaires de 2000, la valeur de la production s'établit à 711,9 millions de dollars, soit 20 % de la production québécoise, ce qui situe cette région administrative au 2e rang après la Côte-Nord. La valeur de la production régionale a joui d'une hausse considérable depuis le début de l'exploitation commerciale, en 1997, de deux mines importantes, Troilus et Raglan; elle ne totalisait que 541,5 millions de dollars en 1996.

En ce qui concerne les emplois miniers (4e au Québec), la région a enregistré une baisse significative de leur nombre depuis 5 ans (1 873 personnes-années en 2000 par rapport à 2 172 en 1996), malgré la hausse observée entre 1999 et 2000 (+ 5,9 %).

En 1999, les investissements miniers de cette région se chiffrent à 274,6 millions de dollars, ce qui la place au 2e rang à ce chapitre. Ils avaient atteint un montant de 472,2 millions de dollars en 1996, à la fin de la période de développement des mines Troilus et Raglan.

Au regard des dépenses d'exploration et de mise en valeur, le Nord-du-Québec occupe aisément le 1er rang parmi les régions administratives au Québec, avec une somme de 66,4 millions de dollars. Celle-ci n'a à peu près pas varié depuis 1996. La très grande partie de ces dépenses, soit 62,7 millions de dollars, sont réalisées « hors d'un site minier », comparativement à 58,3 millions de dollars en 1996.

L'Abitibi-Témiscamingue

Selon les données préliminaires de l'année 2000, la valeur de la production minérale de la région atteint 689,7 millions de dollars. Avec près de 20 % de la valeur de la production totale du Québec, l'Abitibi-Témiscamingue se situe au 3e rang des régions administratives. Une baisse de 20 % est tout de même enregistrée par rapport à 1995, principalement à cause de la diminution observée au chapitre de la valeur de la production du cuivre et de l'or. Le nombre de mines d'or a d'ailleurs diminué de moitié (de 16 à 8) depuis 1996, alors que le nombre de mines de métaux usuels a doublé (de 2 à 4).

La production minérale de cette région provient surtout de 12 mines qui exploitent des substances métalliques, soit 8 mines de métaux précieux et 4 de métaux usuels (polymétalliques). On y trouve aussi la fonderie Horne de Noranda inc., un actif important pour l'industrie minière et l'économie de la région. Elle compte également un producteur de silice, au Témiscamingue, ainsi que des carrières et des sablières.

Au chapitre de l'emploi, l'industrie minière de l'Abitibi-Témiscamingue se situe au 2e rang après la Montérégie, avec 19 % de tous les emplois du secteur (soit 3 080). Elle occupe la première place si on ne tient pas compte des emplois relatifs aux fonderies et aux affineries. La baisse du nombre d'emplois dans la région (de 3 796 en 1996 à 3 080 en 2000) est reliée au secteur de l'or, où il y a eu une perte nette de près de 1 000 emplois (2 225 en 1996; 1 290 en 2000).

Les investissements miniers dans la région de l'Abitibi-Témiscamingue sont passés de 263,6 millions en 1996 à 341,7 millions de dollars en 1999, surtout à cause de la hausse des investissements dans la phase de l'aménagement du complexe minier, ceux-ci grimpant de 211,3 à 294,6 millions de dollars. Au cours de cette période, les dépenses d'exploration et de mise en valeur ont cependant baissé de 52,4 à 47,1 millions de dollars, et celles-ci sont de plus en plus concentrées sur le site minier (de 12,3 à 34,6 millions), alors que celles situées hors d'un site minier ont diminué de 40,1 à 12,5 millions de dollars.

Les emplois dans le secteur minier

Selon les données préliminaires de 2000, les emplois directs dans l'industrie minière totalisent 16 606 années-personnes, comparativement à 16 841 en 1999 et à 18 360 en 1995 (tableau 18.7). Il s'agit d'une baisse de 1,4 % en un an et de 9,6 % en 5 ans. L'augmentation de la productivité et la diminution du nombre de mines expliquent cette baisse. Des hausses d'emplois sont toutefois à signaler dans les secteurs du nickel, du zinc et des fonderies, alors que des baisses ont été observées dans les secteurs du cuivre, de l'or, de la tourbe et du sable et gravier (tableau 18.8). Le nombre d'emplois a diminué en un an de 5,7 % en Abitibi-Témiscamingue, mais il a augmenté dans les régions de la Côte-Nord et du Nord-du-Québec (+ 3,6 % et + 5,9 % respectivement).

Dans le secteur du forage au diamant, le nombre d'emplois s'établit à 262 années-personnes en 2000, en baisse pour une troisième année consécutive. Toujours en 2000, les salaires versés dans l'industrie minière totalisent plus de 937 millions de dollars, comparativement à 962 millions en 1999 et à 942 en 1995. Quant aux heures payées, leur nombre s'élève à près de 35 millions. Le salaire moyen annuel dans l'industrie minière du Québec est estimé à 56 450 $.

Les investissements dans l'industrie minière

Le suivi des données relatives à l'investissement représente l'un des meilleurs outils pour connaître l'évolution et les tendances de l'industrie minière. La santé future de cette industrie dépend effectivement du niveau actuel des capitaux alloués à la découverte de nouvelles ressources minérales lors des activités d'exploration, à leur conversion éventuelle en réserves minières lors des activités de mise en valeur et, finalement, aux projets en cours d'élaboration dans le cadre des activités d'aménagement du complexe minier.

Selon les données préliminaires de 2000, les investissements miniers atteignent 859,8 millions de dollars, ce qui est inférieur au montant de 1 020,7 millions de dollars de 1999 (figure 18.3). Depuis 1996, année au cours de laquelle un sommet de 1 158,9 millions de dollars a été atteint, les investissements miniers sont en baisse continue avec une variation totale de 299,1 millions de dollars (- 26 %) (tableau 18.9). Cette diminution est principalement liée à une baisse des investissements consacrés à la phase de l'aménagement du complexe minier (travaux généraux, immobilisations, réparations et entretien), qui représentent environ 85 % de tous les investissements miniers. En fait, la baisse des investissements a été surtout marquée au chapitre des immobilisations, ceux-ci ayant atteint un montant de 208,2 millions de dollars pour l'année 2000. Cela représente la moitié des 428,9 millions de dollars investis en 1996, un sommet pour la décennie 1990-2000 enregistré avant le début de la production commerciale aux mines Troilus et Raglan en 1997.

Les données préliminaires indiquent également une somme de 119,6 millions de dollars au chapitre des dépenses d'exploration et de mise en valeur, ce qui est inférieur de 16 % au montant de 148,1 millions de dollars atteint en 1996. La diminution a été occasionnée par une variation négative dans la catégorie « hors d'un site minier », les dépenses y étant passées de 124,5 millions de dollars en 1996 à 84,2 millions en 2000, soit une baisse de 32 % (tableau 18.10). Par ailleurs, les dépenses de ce type réalisées sur le site minier ont augmenté de 23,6 millions de dollars en 1996 à 35,4 millions en 2000. En résumé, les sociétés ont diminué leurs dépenses d'exploration et de mise en valeur, en plus de concentrer davantage celles-ci à proximité des mines existantes.

Rappelons que les investissements miniers n'incluent pas la dépense de l'ordre de 790 millions de dollars prévue entre 1995 et 2001 pour le projet Magnola, lequel a été plutôt associé jusqu'à présent au secteur manufacturier.

L'environnement

Les entreprises minières ont poursuivi leurs efforts pour réduire l'impact de leurs activités sur l'environnement. De 1995 à 1999, le taux de conformité aux normes environnementales du Québec applicables aux effluents des exploitations s'est maintenu à 99 %. La gestion de l'eau constitue une préoccupation importante de l'industrie; la recirculation des eaux utilisées par les mines a augmenté régulièrement au cours des dernières années, pour atteindre des taux variant entre 75 % et 91 % en 1999, selon le bilan environnemental de l'Association minière du Québec.

Tous les exploitants miniers ont déposé au ministère des Ressources naturelles un plan de restauration du site de leurs activités, conformément à la Loi sur les mines qui a été modifiée en 1995 pour inclure cette exigence. La majorité de ces plans ont été acceptés en concertation avec le ministère de l'Environnement du Québec. Le versement des garanties financières sous forme de chèque, lettre de crédit, cautionnement ou fiducie a été effectué selon les modalités prévues lors de l'approbation des plans de restauration.

Des progrès importants ont aussi été accomplis au regard de la restauration des sites miniers remis à l'État. Ainsi, au 31 mars 2001, 92 % de la superficie totale de ces sites aura été restaurée, et l'ensemble des travaux devraient être terminés en 2003. Le montant total investi à cette fin par le ministère des Ressources naturelles se chiffre à 20 millions de dollars.

Références

GOUVERNEMENT DU QUÉBEC. Ministère des Ressources naturelles, *Site du Ministère des Ressources naturelles*, [En ligne], [www.mrn.gouv.qc.ca].
MINISTÈRE DES RESSOURCES NATURELLES. *L'industrie minérale du Québec 2000*, Québec, Gouvernement du Québec, 2001.
MINISTÈRE DES RESSOURCES NATURELLES. *Production et investissements de l'industrie minière du Québec : statistiques 2000*, Québec, Gouvernement du Québec, 2001, 41 p.

Définitions

Dépenses d'exploration

Représentent toutes les activités et mesures de soutien, dont les dépenses d'immobilisations, réalisées sur un site minier ou hors d'un site minier en vue de chercher et de découvrir un gîte minéral ou métallifère et d'en exécuter la première délimitation. Cela permet d'établir sa valeur économique potentielle et de justifier la poursuite des travaux.

Dépenses de mise en valeur du gîte

Représentent toutes les activités et mesures de soutien, dont les dépenses d'immobilisations (construction, machinerie et équipements), réalisées sur un site minier ou hors d'un site minier afin d'acquérir une connaissance détaillée d'un gîte déjà délimité, pour satisfaire aux besoins d'une étude de faisabilité justifiant la décision d'entreprendre la mise en production et de réaliser l'investissement nécessaire.

Dépenses d'aménagement du complexe minier

Comprennent toutes les dépenses engagées pour l'aménagement d'une mine et pour la construction, la machinerie et l'équipement nécessaires à une propriété minière en production ou dont la mise en production est engagée. L'aménagement de la mine regroupe toutes les activités et mesures de soutien sur une propriété en production ou dont la mise en production est engagée afin de délimiter et de définir en détail le minerai, d'y avoir accès et d'en préparer l'extraction. Ce travail inclut aussi les forages, les travaux dans la roche et les mesures de soutien visant à renouveler les réserves de minerai.

Dépenses sur un site minier

Représentent toutes les activités, mesures de soutien et dépenses d'immobilisations appliquées à l'exploration ou à la mise en valeur d'un gîte supplémentaire et distinct, sur un site minier en production ou dont la mise en production est engagée.

Dépenses hors d'un site minier

Représentent toutes les activités, mesures de soutien et dépenses d'immobilisations appliquées à l'exploration ou à la mise en valeur de gîtes qui ne sont pas situés sur un site minier en production ou dont la mise en production est engagée. Ces dépenses comprennent celles qui sont faites pour des activités sur les sites des mines fermées.

Main-d'œuvre

Sauf mention contraire, les données de main-d'œuvre proviennent des données officielles du ministère des Ressources naturelles. Elles sont exprimées en années-personnes. Les emplois relatifs au secteur de l'investissement minier ne sont généralement pas inclus, à l'exception de ceux reliés au forage au diamant effectué par contrat.

Métaux précieux

Dans ce texte, on désigne par « métaux précieux » l'or et l'argent.

Métaux usuels

Dans ce texte, on désigne généralement par « métaux usuels » le cuivre, le zinc et le nickel.

Production minérale

Synonyme de « quantité vendue, expédiée ou utilisée »; ne désigne pas nécessairement les quantités produites au cours de l'année.

Valeur des expéditions

Dans les tableaux représente la valeur des ventes effectuées par les producteurs québécois, sauf pour le cuivre, le zinc, l'or et l'argent. Dans le cas de ces substances, qui sont souvent exploitées ensemble, la valeur indiquée a été obtenue en multipliant le volume du métal contenu dans les expéditions par le cours moyen de la substance durant l'année.

Tableau 18.1
Valeur des expéditions minérales, par substance, Québec, 1994-2000

Substance	1994	1995	1996	1997	1998	1999	2000 [1]
				$			
Minéraux métalliques	1 807 917 077	2 161 241 514	2 193 870 289	2 261 720 778	2 183 371 561	2 224 866 868	2 221 770 000
Argent	32 270 647	37 995 688	37 516 945	41 501 650	47 438 359	52 548 938	41 310 000
Cadmium	434 943	1 831 958	1 427 465	510 874	259 724	195 271	140 000
Cobalt	−	−	−	x	x	x	x
Cuivre	223 515 238	458 756 897	410 372 077	394 680 761	298 964 596	313 989 148	251 418 000
Fer de refonte	x	x	x	x	x	x	x
Minerai de fer	x	x	x	x	x	x	x
Nickel	−	−	−	x	x	x	x
Niobium	x	x	x	x	x	x	x
Or	690 158 365	682 911 647	698 841 502	548 173 535	528 233 428	495 513 317	447 684 000
Sélénium	2 830 400	3 365 312	x	1 998 220	1 489 036	1 724 207	3 061 000
Tellure	1 178 758	1 959 008	x	724 623	658 140	627 439	811 000
Zinc	190 680 701	242 782 635	272 308 579	346 683 024	244 869 172	294 700 318	331 316 000
Minéraux industriels	631 551 407	677 477 874	691 915 336	638 776 941	807 513 765	828 231 446	771 831 000
Amiante	x	x	x	x	x	x	x
Gaz naturel	x	−	−	−	−	−	−
Graphite	x	x	x	x	−	x	x
Ilménite	x	x	x	x	x	x	x
Mica	x	x	x	x	x	x	x
Sel	x	x	x	x	x	x	x
Silice	14 743 845	14 955 356	15 275 575	15 367 466	14 138 654	13 784 632	13 940 000
Soufre [2]	5 534 719	8 251 322	11 216 385	13 559 783	13 825 575	15 088 764	12 637 000
Talc	x	x	x	x	x	x	x
Titane	x	x	x	x	x	x	x
Tourbe	43 793 406	48 011 854	40 130 495	38 449 372	41 076 309	48 413 135	49 128 000
Matériaux de construction	517 994 164	495 460 901	525 295 647	532 668 690	569 004 330	613 424 259	640 928 000
Chaux	x	x	x	x	x	x	x
Ciment	182 246 418	172 686 663	207 379 233	209 199 684	220 813 159	246 594 000	271 883 000
Pierre	208 128 188	197 833 920	188 855 150	187 543 929	215 170 803	218 744 121	215 234 000
Produits d'argile - briques	x	x	x	x	x	x	x
Sable et gravier	89 330 834	82 735 967	81 944 082	82 562 412	72 413 942	83 401 582	82 774 000
Total	**2 957 462 648**	**3 334 180 289**	**3 411 081 272**	**3 433 166 409**	**3 559 889 656**	**3 666 522 573**	**3 634 529 000**

1. Données préliminaires.
2. Valeur de l'acide sulfurique.

Source : Ministère des Ressources naturelles, Service de la recherche en économie minérale.

Figure 18.1
Répartition de la valeur des expéditions des principales substances minérales, Québec, 2000

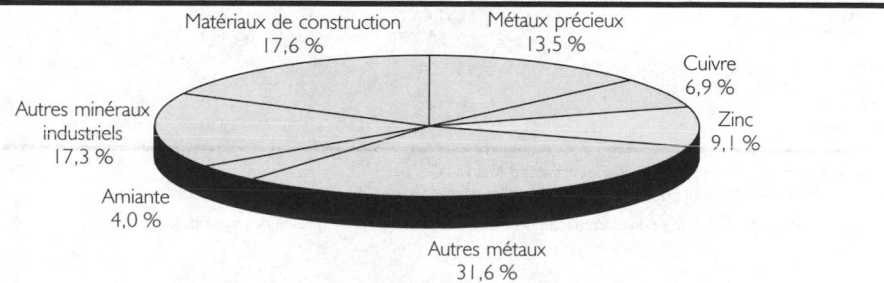

Matériaux de construction 17,6 %
Métaux précieux 13,5 %
Cuivre 6,9 %
Zinc 9,1 %
Autres minéraux industriels 17,3 %
Amiante 4,0 %
Autres métaux 31,6 %

Source : Ministère des Ressources naturelles, Service de la recherche en économie minérale.

Tableau 18.2
Volume des expéditions minérales, par substance, Québec, 1994-2000

Substance	Unité	1994	1995	1996	1997	1998	1999	2000[1]
Minéraux métalliques								
Argent	g	139 096 411	165 849 789	165 048 205	190 565 986	179 651 288	209 529 449	172 990 000
Cadmium	kg	126 290	329 252	383 521	326 437	277 483	336 674	266 000
Cobalt	kg	–		–	–	150 260	189 104	220 000
Cuivre	kg	69 150 265	114 090 250	130 029 176	124 662 274	121 777 839	133 669 283	92 778 000
Fer de refonte	t	x	x	x	x	x	x	x
Minerai de fer	t	15 652 110	15 990 267	13 930 140	16 549 790	14 454 816	14 962 334	14 516 000
Nickel	kg	–		–		16 297 149	19 402 238	22 310 000
Niobium	kg	3 383 429	2 041 461	2 288 022	2 252 754	2 194 497	2 312 892	2 170 000
Or	g	40 932 232	40 285 019	41 103 486	37 192 044	37 636 868	37 203 492	33 658 000
Sélénium	kg	273 733	227 125	454 073	234 533	200 139	231 065	248 000
Tellure	kg	36 596	96 598	51 145	51 707	55 213	56 526	73 000
Zinc	kg	139 897 800	171 577 834	194 784 393	190 276 083	161 098 139	184 302 887	197 928 000
Minéraux industriels								
Amiante	t	524 343	511 904	504 747	420 278	321 330	336 745	320 000
Gaz naturel	mmc[3]	x	–	–	–	–	–	–
Graphite	t	x	x	x	x	x	x	x
Ilménite	t	x	x	x	x	x	x	x
Mica	t	x	x	x	x	x	x	x
Sel	t	x	x	x	x	x	x	x
Silice	t	516 459	519 561	559 953	569 900	533 874	528 707	563 000
Soufre[2]	t	99 438	156 631	180 880	214 236	208 436	219 633	233 000
Talc	t	x	x	x	x	x	x	x
Titane	t	x	x	x	x	x	x	x
Tourbe	s[4]	7 076 762	7 676 777	7 257 217	8 003 547	9 066 509	10 479 924	10 464 000
Matériaux de construction								
Chaux	t	x	x	x	x	x	x	x
Ciment	t	2 840 138	2 525 799	2 849 392	2 610 187	2 744 233	2 857 546	2 911 000
Pierre	t	34 068 796	32 803 435	30 007 870	29 043 080	32 220 486	30 269 290	29 375 000
Produits d'argile - briques	unité	x	x	x	x	x	x	x
Sable et gravier	t	33 078 452	29 109 036	29 536 854	31 273 573	27 319 360	30 273 631	25 405 000

1. Données préliminaires.
2. Valeur de l'acide sulfurique.
3. Million de mètre cube.
4. Équivalent de sac de 170 dm^3.

Source : Ministère des Ressources naturelles, Service de la recherche en économie minérale.

Tableau 18.3
Statistiques principales de l'industrie métallurgique du Québec, 2000

	Établissements	Emplois	Capacité de production
	n		'000 t
Aluminium	10	14 900[1]	2 500
Acier	4	5 400[2]	3 000
Cuivre	3	2 050	665
Zinc	1	815	230
Magnésium	2	750	100
Ferro-alliages	3	350	90

1. Les emplois tiennent compte de toutes les activités d'Alcan au Québec.
2. Les emplois tiennent compte de toutes les activités d'Ispat Sidbec et de QIT-Fer et Titane au Québec.

Source : Ministère de l'Industrie et du Commerce, Direction des industries chimiques et des matériaux.

Tableau 18.4
Part relative de la valeur des expéditions minérales[1], par province et territoire, Canada, 1989-1999

Province et territoire	1989	1990	1991	1992	1993	1994	1995	1996	1997	1998	1999[2]
						%					
Terre-Neuve	5	5	5	5	5	6	5	5	6	6	6
Île-du-Prince-Édouard	–	–	–	–	–	–	–	–	–	–	–
Nouvelle-Écosse	1	1	1	1	1	1	1	1	1	1	1
Nouveau-Brunswick	5	5	4	6	6	6	6	5	5	5	5
Québec	15	18	20	19	20	20	19	20	20	21	21
Ontario	36	34	33	32	33	32	33	33	32	30	30
Manitoba	9	7	7	7	6	5	5	5	6	5	5
Saskatchewan	5	5	6	6	10	12	10	10	12	14	13
Alberta	4	4	3	3	3	3	3	3	3	4	4
Colombie-Britannique	12	13	13	13	12	12	14	12	11	11	10
Yukon	3	3	2	3	1	–	1	5	1	1	–
Territoires du Nord-ouest	5	5	4	5	3	3	3	3	3	2	4
Nunavut	...	...	...	...	...	...	...	...	...	...	2

1. Excluant les substances énergétiques.
2. Données préliminaires.
Source : Ressources naturelles Canada, Secteur minier.

Tableau 18.5
Part du Québec dans certaines productions minérales canadiennes, 1990-1999

	Québec/Canada					
	1990	1992	1994	1996	1998	1999[1]
			%			
Production minérale	**18,0**	**19,0**	**19,9**	**20,0**	**21,1**	**20,6**
Minéraux métalliques	16,0	17,0	18,7	18,7	21,1	22,3
Or	24,3	28,5	27,9	24,9	22,8	23,8
Zinc	10,2	9,3	14,3	16,7	16,2	18,4
Cuivre	12,9	12,5	11,7	19,9	17,6	21,6
Minéraux industriels	22,0	26,0	24,2	25,1	23,1	19,2
Amiante	70,0	95,2	100,0	100,0	100,0	100,0
Tourbe	45,7	34,2	33,0	28,4	24,7	25,5
Matériaux de construction	21,0	20,0	20,1	19,9	18,3	17,6
Pierre	36,7	40,9	37,1	31,9	29,5	28,8

1. Données préliminaires.
Source : Ressources naturelles Canada, Secteur minier.

Figure 18.2
Part de la valeur des expéditions minérales, par région administrative, Québec, 2000[1]

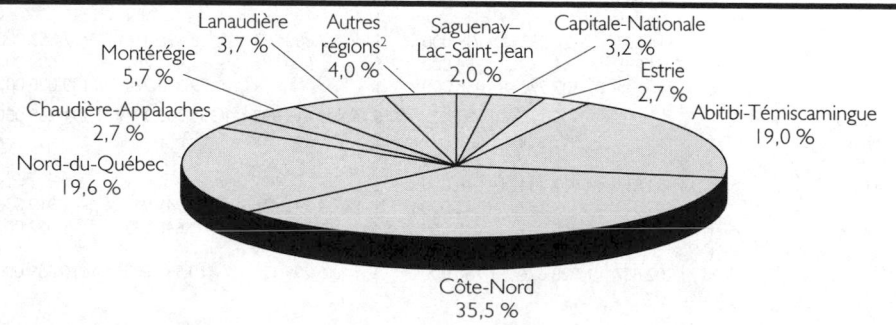

Lanaudière 3,7 %
Autres régions[2] 4,0 %
Saguenay–Lac-Saint-Jean 2,0 %
Capitale-Nationale 3,2 %
Montérégie 5,7 %
Estrie 2,7 %
Chaudière-Appalaches 2,7 %
Abitibi-Témiscamingue 19,0 %
Nord-du-Québec 19,6 %
Côte-Nord 35,5 %

1. Données préliminaires.
2. Bas-Saint-Laurent, Mauricie, Montréal, Outaouais, Laval, Laurentides, Centre-du-Québec.
Source : Ministère des Ressources naturelles, Service de la recherche en économie minérale.

Tableau 18.6
Volume et valeur des expéditions minérales, par région administrative, Québec, 1998-2000

Région administrative et substance	Unité	Volume			Unité	Valeur		
		1998	1999	2000 [1]		1998	1999	2000 [1]
01 Bas-Saint-Laurent		...	...	...	$	x	38 590 509	36 512 000
Pierre	t	175 871	199 276	122 000	$	4 354 800	7 490 080	6 648 000
Sable et gravier	t	1 547 133	1 865 786	1 411 000	$	3 003 839	4 191 478	3 109 000
Silice	t	x	—	—	$	x	—	—
Tourbe	s²	5 832 073	6 088 962	6 146 000	$	25 881 556	26 908 951	26 755 000
02 Saguenay–Lac-Saint-Jean		...	...	...	$	70 722 802	76 324 581	71 952 000
Niobium	kg	2 194 497	2 312 892	2 170 000	$	x	x	x
Pierre	t	1 393 712	1 590 196	976 000	$	14 711 677	18 840 214	15 445 000
Sable et gravier	t	2 807 117	4 359 714	2 713 000	$	5 398 969	5 510 815	4 571 000
Tourbe	s²	x	x	x	$	x	x	x
03 Capitale-Nationale		...	...	...	$	89 818 585	109 658 372	114 681 000
Ciment	t	x	x	x	$	x	x	x
Pierre	t	2 091 136	2 417 246	2 468 000	$	19 411 165	22 539 031	25 743 000
Sable et gravier	t	2 342 055	3 221 561	2 662 000	$	6 203 013	9 175 458	8 042 000
Silice	t	x	x	x	$	x	x	x
Tourbe	s²	x	x	x	$	x	x	x
04 Mauricie		...	...	...	$	17 964 797	22 281 743	21 366 000
Mica	t	x	x	x	$	x	x	x
Pierre	t	x	x	x	$	x	x	x
Sable et gravier	t	1 405 054	1 999 992	819 000	$	3 051 080	4 470 799	2 983 000
05 Estrie		...	...	...	$	95 885 086	96 789 905	97 619 000
Amiante	t	123 522	143 892	140 000	$	x	x	x
Chaux	t	x	x	x	$	x	x	x
Pierre	t	1 053 744	1 035 556	1 081 000	$	9 148 145	8 338 444	8 343 000
Sable et gravier	t	3 097 658	2 146 203	1 869 000	$	7 667 136	5 439 751	4 776 000
Silice	t	x	x	x	$	x	x	x
06 Montéal		...	...	...	$	x	x	x
Pierre	t	x	x	x	$	x	x	x
07 Outaouais		...	...	...	$	x	11 374 635	10 528 000
Pierre	t	1 000 928	1 080 218	964 000	$	7 000 879	8 445 658	6 859 000
Sable et gravier	t	759 854	1 158 263	1 316 000	$	2 173 417	2 928 977	3 669 000
Silice	t	x	—	—	$	x	—	—
08 Abitibi-Témiscamingue		...	...	...	$	696 122 801	712 103 533	689 670 000
Argent	g	64 617 620	84 830 959	85 864 000	$	17 062 798	21 275 180	20 509 000
Cuivre	kg	67 661 604	77 205 102	62 674 000	$	166 109 239	181 354 786	169 727 000
Or	g	27 082 914	26 457 548	25 813 000	$	380 108 683	352 388 087	343 339 000
Pierre	t	x	x	x	$	x	x	x
Sable et gravier	t	2 108 991	2 201 297	1 828 000	$	4 622 516	5 125 682	4 491 000
Sélénium	kg	172 686	197 010	211 000	$	1 284 785	1 470 090	2 602 000
Silice	t	x	x	x	$	x	x	x
Soufre	t	116 567	126 593	139 000	$	7 806 873	8 696 918	7 553 000
Tellure	kg	41 995	41 737	54 000	$	500 581	463 281	600 000
Zinc	kg	x	87 303 920	83 038 000	$	x	139 598 970	139 090 000
09 Côte-Nord		...	...	...	$	1 400 413 987	1 366 306 394	1 291 260 000
Fer de refonte	t	x	x	x	$	x	x	x
Ilménite	t	x	x	x	$	x	x	x
Minerai de fer	t	14 454 816	14 962 334	14 516 000	$	x	x	x
Pierre	t	907 323	93 192	312 000	$	4 341 415	945 941	1 919 000
Sable et gravier	t	516 963	680 769	419 000	$	1 321 182	1 648 633	1 082 000
Titane	t	x	x	x	$	x	x	x
Tourbe	s²	1 202 867	1 928 626	1 750 000	$	5 299 170	10 585 803	10 359 000

Tableau 18.6 *(suite)*

Volume et valeur des expéditions minérales, par région administrative, Québec, 1998-2000

Région administrative et substance	Unité	Volume			Unité	Valeur		
		1998	1999	2000 [1]		1998	1999	2000 [1]
10 Nord-du-Québec		...	...	...	$	505 913 368	600 965 651	711 852 000
Argent	g	103 800 908	115 843 140	87 126 000	$	27 409 461	29 052 880	20 801 000
Cobalt	kg	150 260	189 104	220 000	$	x	x	x
Cuivre	kg	28 909 686	34 674 334	30 104 000	$	70 973 279	81 450 011	81 691 000
Nickel	kg	16 297 149	19 402 238	22 310 000	$	x	x	x
Or	g	10 553 954	10 745 944	7 845 000	$	148 124 745	143 125 230	104 345 000
Sable et gravier	t	2 778 817	1 652 699	2 149 000	$	5 192 528	6 956 133	11 199 000
Zinc	kg	x	96 998 967	114 890 000	$	x	155 101 348	192 226 000
11 Gaspésie– Îles-de-la-Madeleine		...	...	...	$	x	x	x
Argent	g	11 232 760	8 855 350	–	$	2 966 100	2 220 878	–
Cuivre	kg	25 206 549	21 789 847	–	$	61 882 078	51 184 351	–
Pierre	t	x	x	x	$	x	x	x
Sable et gravier	t	529 572	295 193	191 000	$	1 049 437	1 008 106	556 000
Sel	t	x	x	x	$	x	x	x
Sélénium	kg	27 453	34 055	37 000	$	204 251	254 117	459 000
Soufre	t	26 628	23 700	26 000	$	1 693 471	1 628 188	1 382 000
Tellure	kg	13 218	14 789	19 000	$	157 559	164 158	211 000
12 Chaudière-Appalaches		...	...	...	$	125 104 496	115 342 479	98 128 000
Amiante	t	197 808	192 853	180 000	$	x	x	x
Pierre	t	843 749	910 309	640 000	$	4 032 940	4 683 281	3 410 000
Sable et gravier	t	2 178 278	1 623 264	1 454 000	$	6 562 410	5 768 744	5 480 000
Talc	t	x	x	x	$	x	x	x
Tourbe	s[2]	x	x	x	$	x	x	x
13 Laval		...	...	...	$	x	x	x
Pierre	t	x	x	x	$	x	x	x
14 Lanaudière		...	...	...	$	111 248 094	117 755 925	134 530 000
Chaux	t	x	x	x	$	x	x	x
Ciment	t	x	x	x	$	x	x	x
Pierre	t	1 342 813	1 417 556	1 070 000	$	9 557 979	8 461 707	6 781 000
Sable et gravier	t	2 990 821	3 329 345	4 270 000	$	10 191 772	11 051 022	15 103 000
15 Laurentides		...	...	...	$	58 111 886	56 080 164	62 746 000
Graphite	t	x	x	x	$	x	x	x
Pierre	t	4 386 207	3 746 106	3 763 000	$	26 085 543	23 419 634	23 468 000
Sable et gravier	t	1 590 607	2 271 613	2 006 000	$	7 124 464	9 627 287	10 781 000
Silice	t	x	x	x	$	x	x	x
16 Montérégie		...	...	...	$	191 320 732	196 701 117	207 182 000
Cadmium	kg	277 483	336 674	266 000	$	259 724	195 271	140 000
Chaux	t	x	x	x	$	x	x	x
Ciment	t	x	x	x	$	x	x	x
Pierre	t	11 485 217	9 934 324	10 427 000	$	74 180 412	70 500 705	72 677 000
Produits d'argile - briques	unité	x	x	x	$	x	x	x
Sable et gravier	t	2 095 123	1 942 802	1 639 000	$	6 162 286	5 531 643	4 825 000
Silice	t	x	x	x	$	x	x	x
Soufre	t	65 241	69 340	68 000	$	4 325 231	4 763 658	3 702 000
17 Centre-du-Québec		...	...	...	$	16 193 537	20 149 983	15 097 000
Pierre	t	...	...	...	$	x	x	x
Sable et gravier	t	571 317	1 525 130	659 000	$	2 689 893	4 967 054	2 107 000
Tourbe	s[2]	x	x	x	$	x	x	x
Le Québec		...	...	...	**$ 3 559 889 656**		**3 666 522 573**	**3 634 529 000**

1. Données préliminaires.
2. Équivalent de sac de 170 dm³.

Source : Ministère des Ressources naturelles, Service de la recherche en économie minérale.

Tableau 18.7
Emploi, rémunération et heures payées dans l'industrie minière[1], Québec, 1990-2000

Année	Années-personnes	Salaires	Heures payées
	n	$	n
1990	21 544	949 492 641	46 898 635
1991	20 251	929 957 150	42 934 616
1992	18 755	887 369 384	39 655 878
1993	18 083	852 615 991	38 148 968
1994	17 946	875 072 508	38 517 195
1995	18 360	942 179 612	39 571 471
1996	18 338	955 170 199	39 385 092
1997	17 997	969 640 544	37 524 100
1998	17 351	977 934 430	36 597 675
1999	16 841	962 011 110	35 221 638
2000	16 606	937 338 475	34 863 745

1. Exclut le secteur des investissements.

Source : Ministère des Ressources naturelles, Service de la recherche en économie minérale.

Tableau 18.8
Emploi, rémunération et heures payées dans l'industrie minérale, selon le secteur[1] et la substance, Québec, 1998-2000

Secteur et substance	Années-personnes			Salaires			Heures payées		
	1998	1999	2000[2]	1998	1999	2000[2]	1998	1999	2000[2]
	n			'000 $			'000		
Primaire	11 804	11 669	11 271	657 756,2	652 146,3	626 879,0	24 954,6	24 070,5	23 036,0
Amiante	1 604	1 443	1 400	70 545,2	66 643,3	62 200,0	x	x	x
Cuivre	1 175	1 105	873	77 913,5	77 932,5	55 200,0	2 482,2	2 352,0	1 849,0
Fer (ilménite)	x	x	x	x	x	x	x	x	x
Graphite	x	x	x	x	x	x	x	x	x
Magnésium	–	–	x	–	–	x	–	–	x
Mica	x	x	x	x	x	x	x	x	x
Minerai de fer	x	x	x	x	x	x	x	x	x
Nickel	334	361	422	33 703,8	31 632,3	29 000,0	974,1	971,9	1 000,0
Niobium	192	196	195	9 256,5	9 562,5	9 600,0	408,6	421,1	407,0
Or	2 214	2 122	1 960	138 141,8	134 096,9	126 358,0	4 728,1	4 647,6	4 427,0
Pierre	1 467	1 492	1 409	51 394,5	52 706,6	52 543,0	2 850,1	2 936,8	2 818,0
Sable et gravier	635	661	535	19 072,3	20 523,6	16 380,0	1 289,5	1 355,6	1 089,0
Sel	x	x	x	x	x	x	x	x	x
Silice	106	91	84	3 528,6	3 251,9	2 994,0	210,0	187,4	159,0
Talc	x	x	x	x	x	x	x	x	x
Tourbe	586	726	576	14 257,3	17 598,0	14 212,0	1 056,4	1 243,3	1 030,0
Wollastonite	x	–	x	x	–	x	x	–	x
Zinc	x	x	x	x	x	x	x	x	x
Forage au diamant	419	321	262	16 818,6	13 864,6	11 003,5	867,6	663,1	535,7
Secondaire	5 128	4 851	5 073	303 359,7	296 000,2	299 456,0	10 775,4	10 488,1	11 292,0
Chaux	x	x	x	x	x	x	x	x	x
Ciment	547	504	500	29 562,5	29 722,5	31 393,0	1 188,4	1 133,0	1 128,0
Fonderies[3]	4 362	4 111	4 350	263 232,5	255 563,0	257 884,0	9 093,2	8 885,3	9 716,0
Produits d'argile	x	x	x	x	x	x	x	x	x
Total	**17 351**	**16 841**	**16 606**	**977 934,4**	**962 011,1**	**937 338,5**	**36 597,7**	**35 221,6**	**34 863,7**

1. Exclut le secteur des investissements.
2. Données préliminaires.
3. Comprend les employés de la fonderie de Métallurgie Noranda inc. à Rouyn-Noranda et de son affinerie de Montréal-Est, de la fonderie de Mines et exploration Noranda inc. à Murdochville, de l'affinerie de Zinc électrolytique du Canada Limitée à Valleyfield et de la fonderie QIT-Fer et Titane inc. à Sorel.

Source : Ministère des Ressources naturelles, Service de la recherche en économie minérale.

Tableau 18.9
Répartition des investissements par groupe de substances, Québec, 1994-1999[1]

Groupe de substances	Exploration et mise en valeur			Aménagement de complexes miniers			Total
	Hors d'un site minier	Sur un site minier	Total	Travaux généraux	Immobilisations	Réparations	
				$			
Métaux usuels[2]							
1994	46 746 384	6 676 105	53 422 489	74 744 869	77 303 536	35 946 278	241 417 172
1995	37 466 115	4 442 649	41 908 764	64 749 411	131 646 759	48 404 247	286 709 181
1996	45 870 378	9 521 192	55 391 570	67 624 415	205 084 898	64 442 163	392 543 046
1997	56 106 273	8 431 013	64 537 286	69 537 218	190 843 840	69 315 974	394 234 318
1998	44 759 675	10 063 241	54 822 916	97 892 598	72 694 396	71 158 360	296 568 270
1999	39 393 544	6 833 182	46 226 726	129 285 693	61 115 170	65 519 830	302 147 419
Métaux précieux[3]							
1994	x	x	66 813 618	95 686 527	81 367 970	85 845 987	329 714 002
1995	58 728 912	17 422 390	76 151 302	118 756 413	161 578 226	84 837 291	441 323 232
1996	71 050 610	13 242 645	84 293 255	90 319 297	146 960 846	72 877 717	394 451 115
1997	57 687 936	55 342 875	113 030 811	54 582 778	67 962 913	89 668 132	325 244 634
1998	47 690 076	48 231 731 r	95 921 807	71 737 811	62 136 852	87 913 560 r	317 710 030
1999	41 005 733	31 434 903	72 440 636	88 757 803	76 085 620	88 662 061	325 946 120
Autres substances							
1994	x	x	16 325 244	109 381 101	48 734 238	145 974 661	320 415 244
1995	9 599 691	3 951 594	13 551 285	84 890 748	84 531 904	159 088 679	342 062 616
1996	7 611 653	871 579	8 483 232	119 388 433	76 885 499	167 121 085	371 878 249
1997	11 062 831	1 461 568	12 524 399	131 437 254	89 572 958	170 983 721	404 518 332
1998	8 007 274	—	8 007 274	166 874 305	78 620 054	155 679 550	409 181 183
1999	13 233 589	435 072	13 668 661	156 255 479	57 877 224	164 783 623	392 584 987
1994	**113 459 220**	**23 102 131**	**136 561 351**	**279 812 497**	**207 405 644**	**267 766 926**	**891 546 418**
1995	**105 794 718**	**25 816 633**	**131 611 351**	**268 396 572**	**377 756 889**	**292 330 217**	**1 070 095 029**
1996	**124 532 641**	**23 635 416**	**148 168 057**	**277 332 145**	**428 931 243**	**304 440 965**	**1 158 872 410**
1997	**124 857 040**	**65 235 456**	**190 092 496**	**255 557 250**	**348 379 711**	**329 967 827**	**1 123 997 284**
1998	**100 457 025**	**58 294 972** r	**158 751 997**	**336 504 714**	**213 451 302**	**314 751 470** r	**1 023 459 483**
1999	**93 632 866**	**38 703 157**	**132 336 023**	**374 298 975**	**195 078 014**	**318 965 514**	**1 020 678 526**

1. Pour les années 1997 à 1999, le tableau présente le montant total des dépenses incluant les nouvelles catégories.
2. Comprend le cuivre, le plomb, le zinc et le nickel.
3. Comprend l'or, l'argent et le platine.

Source : Ministère des Ressources naturelles, Service de la recherche en économie minérale.

Tableau 18.10
Dépenses d'exploration et de mise en valeur hors d'un site minier, par type d'intervenants, Québec, 1989-2000

Type d'intervenants	1989	1990	1991	1992	1993	1994	1995	1996	1997	1998	1999	2000 p
						'000 000 $						
Juniors	61,1	67,3	32,5	22,2	26,4	36,2	35,4	45,3	47,5	39,0	37,5	32,5
Majeurs	84,4	82,4	79,1	47,6	51,3	64,0	52,1	56,5	49,1	36,9	30,3	25,3
Publics	19,1	17,8	12,7	13,8	14,2	13,3	18,3	22,7	28,4	24,5	25,9	26,5
Total	**164,7**	**167,5**	**124,2**	**83,7**	**91,9**	**113,5**	**105,8**	**124,5**	**124,9**	**100,5**	**93,6**	**84,2**

Source : Ministère des Ressources naturelles, Service de la recherche en économie minérale.

Figure 18.3
Évolution des investissements miniers, par catégorie de dépenses, Québec, 1991-2000

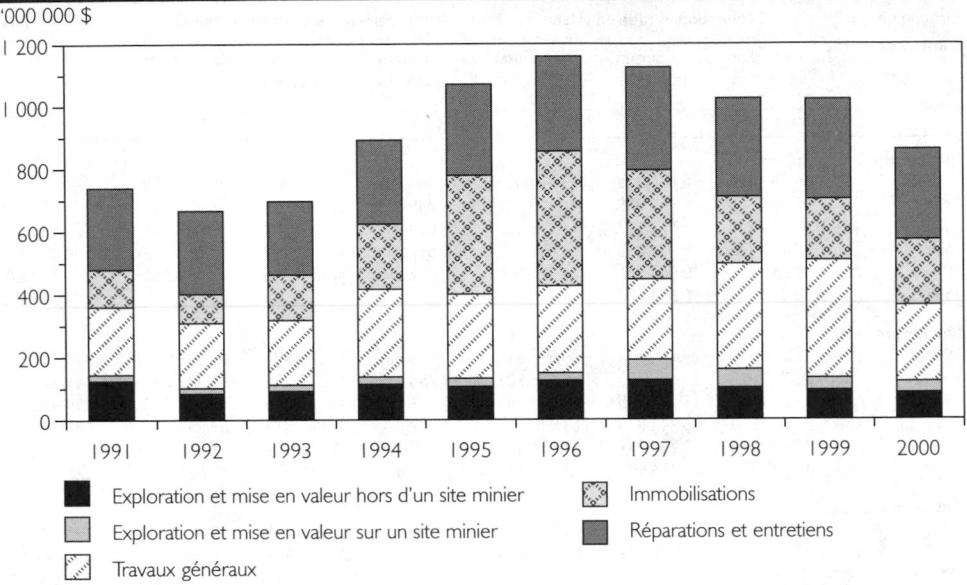

Source : Ministère des Ressources naturelles, Service de la recherche en économie minérale.

Tableau 18.11
Investissements et valeur de la production de l'industrie minière, Québec, 1990-1999

Année	Investissements		Valeur de la production		Investissements/production
	Total	Variation	Total	Variation	
	$[1]	%	$[1]	%	%
1990	855 002 467	-3,3	3 041 429 731	7,3	28,1
1991	739 952 058	-13,5	2 938 789 271	-3,4	25,2
1992	666 832 379	-9,9	2 696 797 193	-8,2	24,7
1993	696 886 549	4,5	2 693 885 310	-0,1	25,9
1994	891 546 418	27,9	2 957 462 648	9,8	30,1
1995	1 070 095 029	20,0	3 334 180 289	12,7	32,1
1996	1 158 872 410	8,3	3 411 081 272	2,3	34,0
1997	1 123 997 284[2]	-3,0	3 433 166 409	0,6	32,7
1998	1 023 459 483[2]	-8,9	3 559 889 656	3,7	28,7
1999	1 020 678 526[2]	-0,3	3 666 522 573	3,0	27,8

1. En dollars courants.
2. Montant total des dépenses, incluant les nouvelles catégories.

Source : Ministère des Ressources naturelles, Service de la recherche en économie minérale.

19

Énergie

Liste des tableaux

Liste des figures

Ce chapitre a été réalisé par Pierre Filion, de la Direction de la recherche et de la planification, secteur Énergie, au ministère des Ressources naturelles du Québec.

La première partie de ce texte donne une vue d'ensemble du secteur énergétique québécois. La deuxième traite de diverses formes d'énergie (électricité, pétrole, gaz naturel et énergies non conventionnelles) et des industries qui s'y rattachent; elles sont regroupées selon la forme d'énergie.

Dès la première édition de l'*Annuaire statistique* en 1914, il est question de la richesse énergétique du Québec. On évaluait alors la puissance hydraulique de la province à un minimum de 6 millions de chevaux-vapeur dont à peine 6 % étaient utilisés, en 1910, sous forme d'énergie électrique ou de force motrice. Dès 1919, on parlait de production et de distribution d'électricité; la liste des « usines électriques » en activité était donnée par municipalité, de même que de nombreux renseignements concernant les lignes de transmission, la population desservie, les prix, l'éclairage des rues, etc.

Le secteur énergétique québécois

Entre 1991 et 1997, la consommation totale d'énergie du Québec (excluant les énergies non conventionnelles) a augmenté progressivement aux environs de 34,8 millions de tonnes d'équivalent pétrole[1] (tep); elle a diminué légèrement en 1998 à 34,6 millions de tep, principalement en raison des conditions climatiques exceptionnellement clémentes observées au cours de l'année, puis s'est accrue de nouveau pour atteindre 35,2 millions de tep en 1999 (tableau 19.1). Depuis 1991, la consommation a augmenté de 12,1 %. Cette croissance demeure limitée si on la compare à la croissance du produit intérieur brut québécois, qui s'est élevée à 19,1 % au cours de la même période.

En 1999, l'intensité énergétique de l'économie québécoise, mesurée en divisant la consommation totale d'énergie par le produit intérieur brut total exprimé en dollars constants, a diminué pour une troisième année d'affilée. Elle s'est établie à 0,222 tep par millier de dollars de production, ce qui représente le niveau le plus bas des vingt dernières années. Par ailleurs, la consommation d'énergie par habitant a augmenté de 1,5 % en 1999, s'établissant à 4,79 tep par habitant. Cet indicateur croît régulièrement depuis l'année 1991.

Depuis le début des années 90, les parts de marché des différentes formes d'énergie dans la consommation totale sont pratiquement stables. Le pétrole et l'électricité se partagent des parts équivalentes du marché québécois, et représentent ensemble 83 % du bilan énergétique. En 1999, le pétrole est la première forme d'énergie consommée au Québec, avec 41,7 % de la consommation totale. La part de l'électricité est légèrement inférieure et s'établit à 41,4 % du bilan énergétique. Quant au gaz naturel, il représente 15,7 % de la consommation totale. Enfin, le charbon demeure une forme d'énergie marginale en assurant environ 1,2 % des besoins énergétiques totaux du Québec.

---

1. L'Organisation de coopération et de développement économique (OCDE) exprime ses bilans énergétiques en tonnes d'équivalent pétrole. Une tonne d'équivalent pétrole contient par définition 10^7 kcal. Même si l'énergie qu'elle représente est quelque peu inférieure au pouvoir calorifique moyen d'une tonne de pétrole brut, elle permet d'agréger les différentes formes d'énergie exprimées en unités naturelles.

La répartition sectorielle de la consommation d'énergie a changé légèrement au cours des années 90 : l'importance relative du secteur des transports augmente au détriment du secteur résidentiel. En 1999, le secteur industriel demeure le principal secteur consommateur d'énergie, avec le tiers de la consommation totale (36,2 %). Le secteur des transports est responsable de plus du quart de la consommation totale (28,6 %). Quant aux secteurs résidentiel et commercial, ils représentent 18,7 % et 16,5 % respectivement de la consommation énergétique (figure 19.1).

La structure de consommation d'énergie du Québec diffère sensiblement de ce que l'on observe dans le reste du Canada (tableau 19.2). En 1999, avec un peu plus du cinquième de l'énergie totale consommée, le Québec est le premier consommateur d'électricité au Canada (34,8 %) et le deuxième consommateur de pétrole (20,9 %), après l'Ontario (31,8 %). Par contre, la consommation québécoise de gaz naturel ne représente que 10,3 % du total canadien, soit quatre fois moins que la consommation ontarienne.

En 1999, la valeur des dépenses en énergie représentait 9,3 % de la dépense intérieure brute, soit une part légèrement inférieure à la moyenne des sept dernières années (tableau 19.3). En valeur absolue, la dépense énergétique, qui avait baissé de 3,5 % en 1998, a connu une hausse importante de 7,6 % en 1999, en raison principalement de la forte croissance des prix du pétrole. Dans le budget des ménages, la part des dépenses consacrée à l'énergie a progressé de 6,5 % en 1998 à 6,8 % en 1999 (tableau 19.4); malgré cette hausse, elle demeure inférieure à la moyenne observée au cours de la période 1994-1998, soit 7,1 %.

Les industries de l'énergie ont une incidence sur l'économie par les investissements et les emplois qui leur sont liés (tableau 19.5). Les investissements dans le secteur de l'énergie au Québec, qui avaient fortement augmenté en 1998, ont diminué sensiblement en 1999 pour se rapprocher du niveau atteint en 1997. Ces investissements se sont chiffrés à 2,1 milliards de dollars, soit une baisse de 21,8 % par rapport à 1998. Depuis le sommet atteint en 1993, les investissements dans le secteur de l'énergie sont en baisse : cela s'explique essentiellement par la diminution des investissements effectués dans le secteur de l'électricité. En 1999, la part des investissements énergétiques dans les investissements totaux a atteint 4,9 %; il s'agit du niveau le plus bas des vingt dernières années.

La part du secteur de l'énergie dans l'emploi total est modeste, en raison de la nature des industries de l'énergie qui utilisent davantage de capital que de ressources humaines. En fait, la principale incidence de ces industries sur l'emploi se fait surtout sentir au moment de la construction de centrales électriques, de gazoducs ou d'éléments de raffinerie, plutôt que lors du fonctionnement des installations elles-mêmes. En 1999, le secteur énergétique (à l'exclusion de ses activités de construction) assure au total environ 41 900 emplois, dont 90 % se retrouvent dans les secteurs de l'électricité et de la distribution des produits pétroliers. Par ailleurs, depuis 1993, le secteur de l'énergie a perdu plus de 9 000 emplois.

Les différentes formes d'énergie

L'électricité

L'électricité constitue la principale source d'énergie d'origine québécoise. Au 1er janvier 2000, la puissance installée[2] dont dispose le Québec s'élève à 40 757 MW. Plus des trois

---

2. On entend par « puissance installée », le nombre total de mégawatts qui seraient disponibles si toutes les centrales fonctionnaient à cent pour cent, en même temps.

quarts (77,3 %) de la puissance sont contrôlés directement par Hydro-Québec, avec 80 centrales réparties sur l'ensemble du territoire québécois. La puissance installée restante provient d'entreprises privées (10,0 % du total) et de municipalités (0,1 % du total), ou est disponible dans le cadre d'un contrat de livraison à long terme signé par Hydro-Québec et la compagnie administrant les installations des chutes Churchill (12,6 % du total). Plus des deux tiers de la puissance installée au Québec (excluant les chutes Churchill) est localisée dans deux régions, soit le Nord-du-Québec (43 % de la puissance totale installée) et la Côte-Nord (26 % du total) (figure 19.2 et tableau 19.6).

Le parc de production d'électricité au Québec comprend principalement des centrales hydro-électriques (93,6 % de la puissance totale disponible), le reste étant constitué de centrales thermiques qui fournissent l'électricité à partir de produits pétroliers (3,9 %), de gaz naturel (0,1 %) ou de biomasse (0,5 %), d'une centrale nucléaire, Gentilly-2 (1,7 %), et d'un parc éolien (0,2 %). La centrale hydroélectrique Robert-Bourassa, située sur la rivière La Grande, est la plus importante au Québec, avec une puissance installée de 5 328 MW. L'ensemble du complexe de la rivière La Grande fournit à lui seul 15 237 MW; il constitue, en 1999, le premier complexe hydroélectrique au monde, devançant ainsi les complexes de Itaipu (Brésil) et de Guri (Venezuela).

Le potentiel hydroélectrique théorique de base qui reste encore à aménager au Québec est estimé à environ 45 000 MW. De ce total, environ 35 000 MW peuvent être produits par des centrales de 100 MW et plus. Les 10 000 MW restants pourraient être exploités par de petites centrales d'une capacité inférieure à 100 MW. Le potentiel théorique ne peut être assimilé au potentiel économique qui est beaucoup plus faible, et varie en fonction du prix des sources concurrentes.

Après trois années de baisse d'affilée, la production totale d'électricité disponible au Québec (y compris les approvisionnements en provenance des chutes Churchill) a atteint un niveau record de 202,6 milliards de kWh en 1999, surpassant de 0,8 milliard de kWh le sommet précédent atteint en 1995 (tableau 19.7). À elle seule, Hydro-Québec assure plus des deux tiers (143,1 milliards de kWh) de cette production. Les producteurs privés d'électricité (y compris les municipalités) génèrent près de 14 % de la production, avec un niveau record de 28,1 milliards de kWh en 1999; depuis 1995, cette part est en constante progression. En 1999, le réseau d'Hydro-Québec a disposé également de 31,4 milliards de kWh en provenance des chutes Churchill, ce qui représente un peu moins du cinquième de l'énergie électrique consommée au Québec.

En raison de sa capacité de production, le Québec est un exportateur d'électricité important. Après avoir atteint un niveau faible de 8,2 milliards de kWh en 1990, les exportations d'électricité ont augmenté progressivement à 24,6 milliards de kWh en 1995; elles ont ensuite régressé au cours des deux années suivantes à 16,4 milliards de kWh, puis se sont redressées de nouveau pour atteindre 23,7 milliards de kWh en 1999 (tableau 19.8). La forte hausse des exportations observée depuis 1997 est attribuable essentiellement à la croissance des ventes à court terme, tant sur le marché des États-Unis que sur celui des autres provinces. Malgré cette augmentation, le niveau d'exportations enregistré en 1999 demeure inférieur de 18,0 % au niveau record atteint en 1987, soit 28,9 milliards de kWh.

Après une baisse de 2,6 % en 1998, provoquée en bonne partie par les températures exceptionnellement douces que le Québec a connues durant toute l'année, la consommation québécoise d'électricité a retrouvé sa tendance à la hausse en 1999 (tableau 19.9) : elle s'est élevée à 169,5 milliards de kWh, soit une augmentation de 2,6 % par rapport à 1998.

La progression a été relativement importante dans le secteur résidentiel (3,4 %), dans le secteur commercial (3,2 %) et dans le secteur des transports (3,2 %), alors qu'elle a été plus limitée dans le secteur industriel (2,0 %). Depuis le début des années 90, la consommation d'électricité s'est accrue de 14,8 %. L'électricité est actuellement, et de loin, la première forme d'énergie utilisée dans les secteurs résidentiel, commercial et industriel. Dans le secteur résidentiel, l'électricité représente même les deux tiers de la consommation totale d'énergie de ce secteur.

Le pétrole

Depuis 1996, les activités d'exploration des hydrocarbures connaissent un regain au Québec. Entre 1996 et 2000, la superficie du territoire québécois sous permis de recherche s'est élevée, en moyenne, à 3,3 millions d'hectares par année, soit bien au-dessus de la moyenne annuelle de 1,2 million d'hectares enregistrée au cours des six années précédentes (figure 19.3). Ce regain s'explique en partie par les découvertes intéressantes réalisées à Terre-Neuve et aux États-Unis, dans des régions ayant des caractéristiques géologiques voisines de celles du Québec.

Le Québec est essentiellement un importateur de pétrole brut. Après trois années consécutives de hausse, les importations de pétrole brut ont enregistré en 1999 une légère baisse de 1,5 % par rapport à 1998, pour se chiffrer à 129,6 millions de barils (tableau 19.10). Depuis 1987, la région de la mer du Nord (Royaume-Uni et Norvège) est la principale source de l'approvisionnement québécois en pétrole brut; en 1999, sa contribution s'élève à 58,6 %. Le reste de l'approvisionnement est fourni surtout par l'Amérique (21,5 %) et l'Afrique (18,6 %). Depuis 1982, le pétrole canadien ne contribue plus que de façon marginale à l'approvisionnement du Québec, après en avoir été la source la plus importante, au début des années 80.

La capacité de production des raffineries québécoises se chiffrait à 400 000 barils par jour en 1999, soit 9 000 barils de plus qu'en 1998 (tableau 19.11). La raffinerie d'Ultramar demeure celle dont la capacité de production est la plus élevée, soit 160 000 barils par jour.

Au 31 mars 2001, il y a 4 548 stations distributrices de carburants en service au Québec (tableau 19.12). Un peu plus de 27 % de ces stations sont situées dans les régions administratives de la Montérégie et de Montréal. Par ailleurs, environ 57 % des stations-service sont exploitées par des détaillants arborant les bannières de compagnies majeures, tandis que le reste des détaillants arborent les bannières de compagnies indépendantes. Par compagnies majeures, on entend les compagnies intégrées et celles exerçant des activités depuis le raffinage jusqu'à la mise en marché des produits. Quant aux compagnies indépendantes, il s'agit des entreprises qui exercent leurs activités comme revendeurs ou détaillants de produits. Les compagnies majeures ont une représentation supérieure à la moyenne provinciale, surtout à Montréal, dans la Capitale-Nationale, au Nord-du-Québec et en Gaspésie. Pour les compagnies indépendantes, une représentativité accrue est observée dans les trois régions suivantes : Centre-du-Québec, Lanaudière et Mauricie.

Depuis 1996, la balance des échanges de produits pétroliers énergétiques avec l'extérieur est excédentaire (tableau 19.13). Le surplus des échanges s'est accru sensiblement en 1999, atteignant 1,1 million de tep comparativement à 0,7 million de tep en 1998. Il s'agit du surplus le plus élevé depuis 1982, alors qu'il se chiffrait à 2,1 millions de tep. Cet accroissement du solde excédentaire est dû essentiellement à l'amélioration importante du solde des échanges avec les autres provinces canadiennes, qui a plus que compensé la détérioration des échanges avec l'étranger.

Malgré la forte augmentation des prix du pétrole, la tendance à la hausse de la consommation de produits pétroliers énergétiques observée depuis 1996 s'est poursuivie en 1999 (tableau 19.14). La consommation croît de 0,8 % par rapport à 1998, passant de 14,6 à 14,7 millions de tep. L'évolution de la consommation est contrastée selon les produits. On assiste à une hausse importante pour le carburéacteur (+ 5,1 %) et pour le carburant diesel (+ 4,3 %), alors qu'elle est plus limitée pour l'essence (+ 1,8 %). À l'inverse, la consommation diminue de 10,6 % pour le mazout lourd et de 3,9 % pour le mazout léger. Dans ce dernier cas, la consommation est en baisse pour la troisième année consécutive. Globalement, un seul produit, l'essence, représente près de la moitié de la consommation totale de produits pétroliers énergétiques (45,8 %). Entre 1983 et 1999, la structure de la consommation en produits pétroliers énergétiques a changé de façon importante : la part de l'essence est passée de 38 % à 46 % de la consommation, alors celles du mazout lourd et du mazout léger ont diminué respectivement de 21 % à 11 % et de 21 % à 10 %.

En 1999, le secteur des transports explique à lui seul plus des deux tiers (68,3 %) de la consommation de produits pétroliers énergétiques, le secteur industriel venant en second avec 10,9 %, suivi du secteur résidentiel avec 10,7 % et du secteur commercial avec 10,1 % (figure 19.4).

Le gaz naturel

La totalité du gaz naturel consommé au Québec provient de l'Ouest canadien. En 1999, la consommation de gaz naturel a atteint 6,1 milliards de m³, en hausse de 2,4 % par rapport à 1998 (tableau 19.15). Malgré cette croissance, le niveau de consommation demeure inférieur de 3,7 % au niveau record enregistré en 1997, soit 6,3 milliards de m³. La hausse de consommation a été importante dans le secteur commercial (+ 6,6 %) et dans le secteur résidentiel (+ 5,6 %), alors qu'elle était pratiquement nulle dans le secteur industriel. Depuis 1983, la consommation totale de gaz naturel est en constante progression. Le secteur industriel demeure de loin le principal utilisateur de gaz naturel au Québec, avec 60,2 % de la consommation totale en 1999; le secteur commercial vient en second avec 28,6 %, suivi du secteur résidentiel avec 11,2 %.

Les énergies non conventionnelles

Ce terme regroupe à la fois les énergies traditionnelles (biomasse forestière utilisée dans le secteur résidentiel, résidus de cultures, etc.) et les nouvelles énergies renouvelables (biomasse forestière utilisée dans le secteur industriel, biomasse urbaine, énergie solaire, énergie éolienne, etc.).

Au Québec, la biomasse tient une place à part parmi les énergies non conventionnelles. En 1999, elle représente 10,7 % du bilan énergétique du Québec intégrant les formes d'énergie conventionnelles et non conventionnelles, comparativement à 7,8 % en 1983 (figure 19.5). Les secteurs industriel et résidentiel absorbent 66,8 % et 32,9 % respectivement de la consommation totale de biomasse (tableau 19.16).

Références

GOUVERNEMENT DU QUÉBEC. Ministère des Ressources naturelles, *Site du Ministère des Ressources naturelles, Secteur de l'énergie*, [En ligne], [http://www.mrn.gouv.qc.ca/2/20].
MINISTÈRE DES RESSOURCES NATURELLES. *L'énergie au Québec*, édition 2001, Québec, Les Publications du Québec, 2001.

Tableau 19.1
Consommation d'énergie, selon la forme, Québec, 1983, 1988 et 1993-1999

	Charbon	Pétrole	Gaz naturel	Électricité	Total
			tep		
1983	353 811	14 981 335	3 339 965	9 537 770	28 212 881
1988	443 388	13 804 229	4 890 943	12 901 298	32 039 858
1993	325 688	13 516 424	5 156 089	13 661 726	32 659 927
1994	375 303	14 291 251	5 131 073	13 850 853	33 648 480
1995	388 819	13 854 664	5 364 426	14 012 809	33 620 718
1996	410 494	14 085 504	5 624 105	14 277 747	34 397 850
1997	412 227	14 098 269	5 739 070	14 577 164	34 826 730
1998	428 488	14 554 260	5 404 772	14 199 004	34 586 524
1999	417 140	14 673 585	5 529 190	14 571 893	35 191 808

Source : Ministère des Ressource naturelles, *L'énergie au Québec*, édition 2001.

Figure 19.1
Part de chaque secteur de consommation dans le bilan énergétique, Québec, 1999

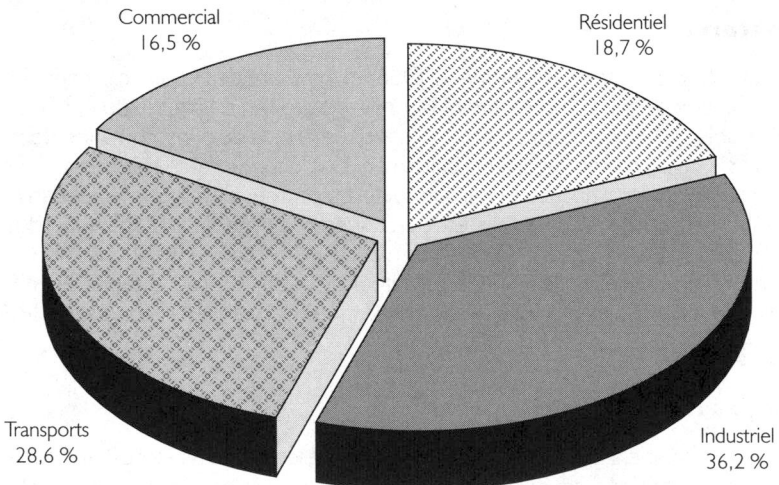

Commercial
16,5 %

Résidentiel
18,7 %

Transports
28,6 %

Industriel
36,2 %

Source : Ministère des Ressources naturelles, *L'énergie au Québec*, édition 2001.

Tableau 19.2
Consommation d'énergie selon la forme d'énergie, par région, Canada, 1999

Région	Charbon	Pétrole	Gaz naturel	Électricité	Total
			tep		
Québec	417 140	14 673 585	5 529 190	14 571 893	35 191 808
Atlantique	145 514	8 298 331	91 053	3 053 037	11 587 934
Ontario	3 514 801	22 351 472	21 242 531	11 724 562	58 833 366
Manitoba	46 936	2 360 844	2 112 573	1 413 956	5 934 309
Saskatchewan	31 936	3 114 687	4 204 390	1 372 418	8 723 430
Alberta	19 276	9 697 859	13 536 411	4 594 997	27 848 543
Colombie-Britannique, Yukon, Nunavut et Territoires du Nord-Ouest	160 968	9 861 624	6 767 666	5 157 441	21 947 698
Canada	**4 336 570**	**70 358 400**	**53 483 815**	**41 888 304**	**170 067 089**

Source : Ministère des Ressource naturelles, *L'énergie au Québec*, édition 2001.

Tableau 19.3
Dépense énergétique, Québec, 1983, 1988 et 1993-1999

Année	Dépense énergétique	Dépense intérieure brute	Part de la dépense énergétique
	'000 000 $		%
1983	11 041	92 056	12,0
1988	13 027	140 939	9,2
1993	16 136	162 093	10,0
1994	16 495	170 148	9,7
1995	16 682	177 107	9,4
1996	17 616	180 199	9,8
1997	18 284	187 862	9,7
1998	17 635	193 695	9,1
1999	18 971	204 062	9,3

Source : Ministère des Ressource naturelles, *L'énergie au Québec*, édition 2001.

Tableau 19.4
Part des dépenses des particuliers consacrée à l'énergie, Québec, 1994-1999

Dépenses des particuliers	Unité	1994	1995	1996	1997	1998	1999
Dépenses totales	000 000 $	101 468	103 733	108 682	115 108	119 957	125 379
Dépenses consacrées à l'énergie	000 000 $	7 386	7 408	7 946	8 215	7 789	8 487
Part	%	7,3	7,1	7,3	7,1	6,5	6,8

Source : Ministère des Ressource naturelles, *L'énergie au Québec*, édition 2001.

Tableau 19.5
Emplois et investissements dans le secteur de l'énergie, Québec, 1993-1999

Année	Secteur de l'énergie					Ensemble de l'économie
	Pétrole et Charbon	Distribution des produits pétroliers	Électricité	Gaz naturel	Total	
Emplois			n			
1993	1 953	21 200	26 491	1 569	51 213	3 039 900
1994	2 002	19 500	25 333	1 526	48 361	3 100 600
1995	1 904	18 800	24 869	1 458	47 031	3 147 500
1996	2 314	18 200	23 293	1 358	45 165	3 145 900
1997	2 315	17 700	20 426	1 367	41 808	3 195 100
1998	2 337	17 500	20 830	1 406	42 073	3 281 500
1999	2 375	17 800	20 328	1 433	41 935	3 357 400
Investissements			'000 000 $			
1993	168,3	–	4 164,0	130,8	4 463,1	34 356,1
1994	176,2	–	3 455,5	113,2	3 744,9	35 045,4
1995	185,3	–	3 009,3	193,6	3 388,2	32 720,0
1996	198,9	–	2 324,3	129,0	2 652,2	34 492,8
1997	220,3	–	1 815,2	130,9	2 166,4	36 644,1
1998	140,3	–	2 190,4	337,2	2 667,9	39 820,6
1999	227,8	–	1 694,6	163,3	2 085,7	42 889,5

Source : Ministère des Ressource naturelles, *L'énergie au Québec*, édition 2001.

Tableau 19.6
Répartition de la puissance installée des centrales électriques, par source d'énergie et par région administrative, Québec, au 1er janvier 2000

Région administrative	Source d'énergie				Total
	Hydraulique	Thermique	Nucléaire	Éolienne	
	kW				
01 Bas-Saint-Laurent	21 910	–	–	43 000	64 910
02 Saguenay–Lac-Saint-Jean	2 878 840	56 600	–	–	2 935 440
03 Capitale-Nationale	53 108	–	–	–	53 108
04 Mauricie	1 648 225	8 325	–	–	1 656 550
05 Estrie	44 797	–	–	–	44 797
06 Montréal	48 300	26 600	–	–	74 900
07 Outaouais	986 470	–	–	–	986 470
08 Abitibi-Témiscamingue	465 780	289 500	–	–	755 280
09 Côte-Nord	9 050 440	56 924	–	–	9 107 364
10 Nord-du-Québec	15 238 000	104 375	–	–	15 342 375
11 Gaspésie–Îles-de-la-Madeleine	–	70 290	–	57 000	127 290
12 Chaudière-Appalaches	34 140	–	–	–	34 140
13 Laval	770	–	–	–	770
14 Lanaudière	2 400	3 700	–	–	6 100
15 Laurentides	664 300	–	–	–	664 300
16 Montérégie	1 829 410	762 000	–	–	2 591 410
17 Centre-du-Québec	49 500	459 200	675 000	–	1 183 700
Le Québec	**33 016 390**	**1 837 514**	**675 000**	**100 000**	**35 628 904**

Source : Ministère des Ressource naturelles, *L'énergie au Québec*, édition 2001.

Figure 19.2
Production de l'électricité, Québec, au 1ᵉʳ janvier 2000

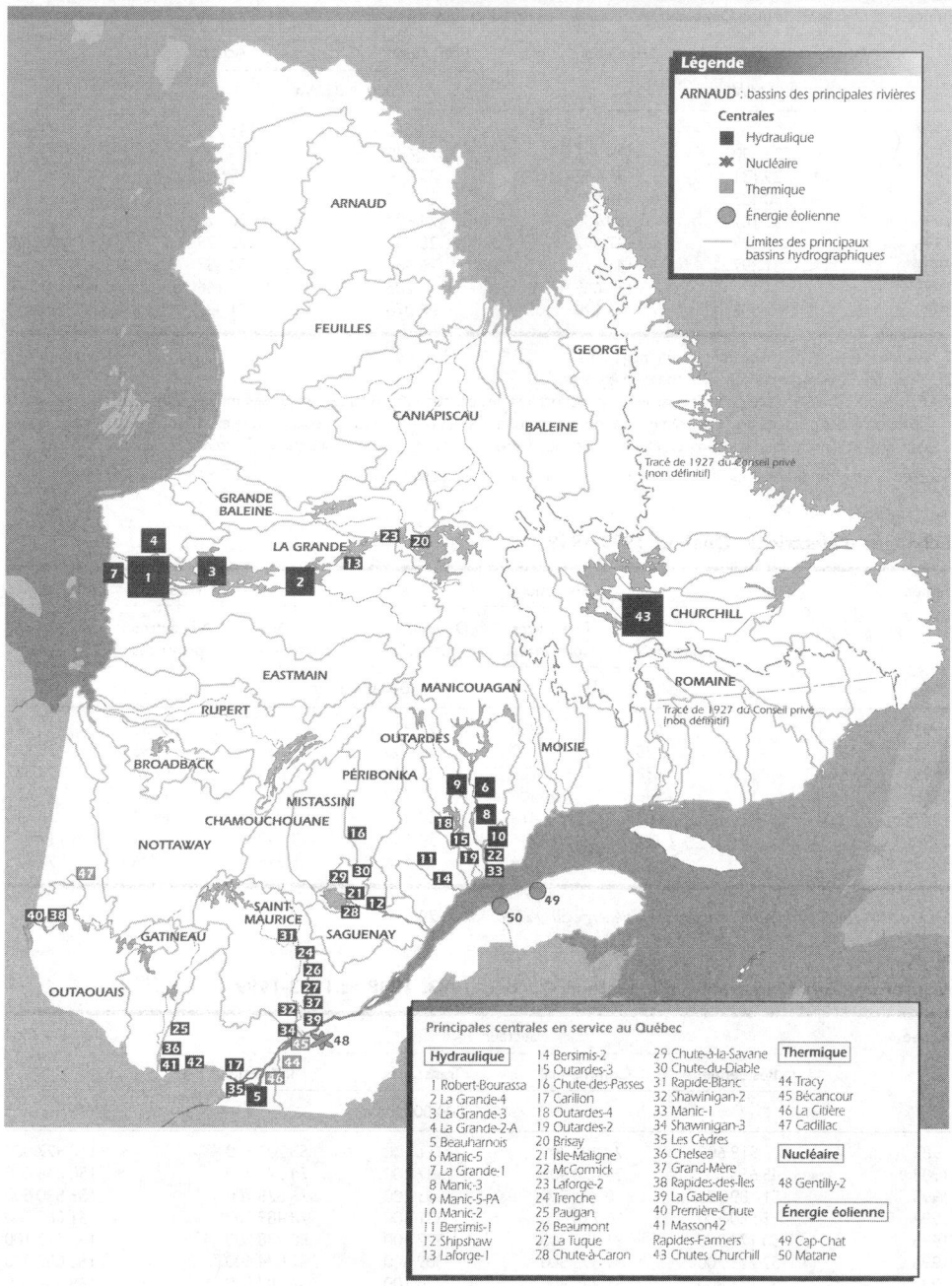

Légende

ARNAUD : bassins des principales rivières

Centrales

- ■ Hydraulique
- ✳ Nucléaire
- ▦ Thermique
- ⬤ Énergie éolienne
- — Limites des principaux bassins hydrographiques

Principales centrales en service au Québec

Hydraulique			Thermique
	14 Bersimis-2	29 Chute-à-la-Savane	
	15 Outardes-3	30 Chute-du-Diable	
1 Robert-Bourassa	16 Chute-des-Passes	31 Rapide-Blanc	44 Tracy
2 La Grande-4	17 Carillon	32 Shawinigan-2	45 Bécancour
3 La Grande-3	18 Outardes-4	33 Manic-1	46 La Citière
4 La Grande-2-A	19 Outardes-2	34 Shawinigan-3	47 Cadillac
5 Beauharnois	20 Brisay	35 Les Cèdres	
6 Manic-5	21 Îsle-Maligne	36 Chelsea	**Nucléaire**
7 La Grande-1	22 McCormick	37 Grand-Mère	
8 Manic-3	23 Laforge-2	38 Rapides-des-Îles	48 Gentilly-2
9 Manic-5-PA	24 Trenche	39 La Gabelle	
10 Manic-2	25 Paugan	40 Première-Chute	**Énergie éolienne**
11 Bersimis-1	26 Beaumont	41 Masson42	
12 Shipshaw	27 La Tuque	Rapides-Farmers	49 Cap-Chat
13 Laforge-1	28 Chute-à-Caron	43 Chutes Churchill	50 Matane

629

Tableau 19.7
Production d'électricité disponible, Québec, 1983, 1988 et 1993-1999

Année	Hydro-Québec		Producteurs privés[3]	Chutes Churchill	Production totale disponible
	Puissance installée[1]	Production[2]	Production[2]	Achats	
	MW		'000 000 kWh		
1983	21 301	88 321	23 390	31 229	142 940
1988	24 590	129 906	21 640	30 727	182 273
1993	29 131	131 552	25 414	29 942	186 908
1994	30 435	140 471	25 057	27 446	192 974
1995	31 162	150 408	24 684	26 721	201 813
1996	31 413	147 692	25 737	25 779	199 208
1997	31 397	141 726	26 485	30 333	198 544
1998	31 472	131 669	25 205	34 166	191 040
1999	31 505	143 129	28 078	31 438	202 645

1. Au 31 décembre de chaque année, en mégawatts.
2. Y compris l'électricité consommée dans les centrales.
3. Correspond à l'électricité produite par les autoproducteurs, les producteurs indépendants et les municipalités. Les données sur la production des producteurs privés ont été estimées en soustrayant des données sur la production totale disponible au Québec, celles concernant la production d'Hydro-Québec et celles des approvisionnements achetés des chutes Churchill.

Source : Ministère des Ressource naturelles, *L'énergie au Québec*, édition 2001.

Tableau 19.8
Échanges d'électricité, Québec, 1993-1999

Année	Réceptions			Livraisons		Total
	Des États-Unis	Des autres provinces	Des chutes Churchill	Aux États-Unis	Aux autres provinces	
			'000 000 kWh			
1993	684	250	29 942	13 009	2 132	15 141
1994	28	1 130	27 446	17 337	3 082	20 419
1995	838	783	26 721	16 874	7 698	24 572
1996	546	1 306	25 779	15 251	4 370	19 621
1997	903	1 416	30 333	11 845	4 571	16 416
1998	2 212	1 966	34 166	13 058	4 109	17 167
1999	2 613	3 836	31 438	15 949	7 726	23 675

Source : Ministère des Ressource naturelles, *L'énergie au Québec*, édition 2001.

Tableau 19.9
Consommation d'électricité, par secteur, Québec, 1983, 1988 et 1993-1999

Année	Secteur				Total
	Résidentiel	Commercial	Transports	Industriel	
			'000 000 kWh		
1983	33 918 600	21 493 700	311 600	55 203 100	110 927 000
1988	45 655 500	29 673 400	337 400	74 379 700	150 046 000
1993	51 189 100	30 741 500	333 200	76 626 700	158 890 500
1994	51 550 200	30 718 100	331 300	78 489 700	161 089 300
1995	50 774 300	31 497 900	322 400	80 378 500	162 973 100
1996	52 273 200	31 395 500	309 600	82 074 600	166 052 900
1997	53 123 800	31 729 800	296 100	84 387 000	169 536 700
1998	49 526 400	31 050 300	272 800	84 289 300	165 138 800
1999	51 222 000	32 036 500	281 400	85 935 600	169 475 500

Source : Ministère des Ressource naturelles, *L'énergie au Québec*, édition 2001.

Figure 19.3
Superficie du territoire sous permis de recherche d'hydrocarbures, Québec, 1990-2000

En millions d'hectares

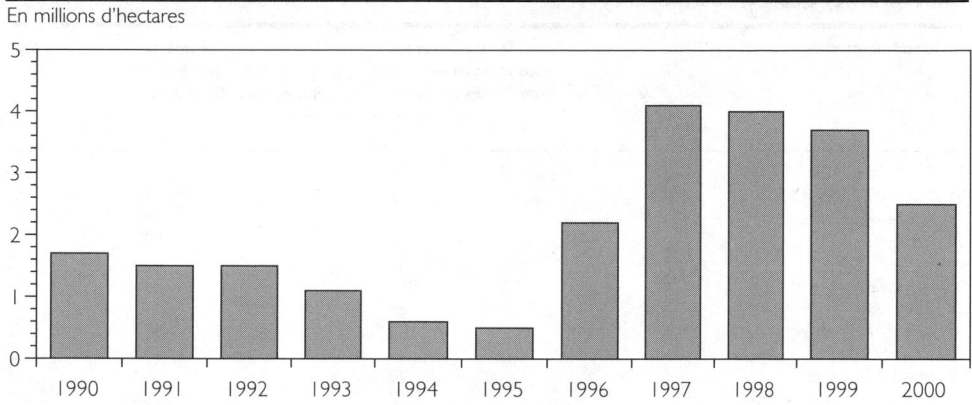

Source :   Ministère des Ressources naturelles, *L'énergie au Québec*, édition 2001.

Tableau 19.10
Provenance des approvisionnements de pétrole brut, Québec, 1983, 1988, 1993 et 1996-1999

Provenance	1983	1988	1993	1996	1997	1998	1999
				'000 barils			
Canada	73 512	37 412	2 981	1 727	96	418	549
Ouest canadien	73 512	37 412	2 981	1 727	96	–	–
Est canadien	–	–	–	–	–	418	549
Marché mondial	48 930	58 370	102 120	120 612	125 042	131 189	129 094
Afrique	4 595	568	15 658	24 016	21 229	25 636	24 147
Amérique	25 871	7 482	16 344	17 395	27 519	30 780	27 959
Moyen-Orient	12 951	–	6 769	–	–	2 679	–
Mer du Nord	..	47 446	61 528	77 381	73 314	70 821	75 949
Autres pays	5 513	2 874	1 821	1 820	2 980	1 273	1 039
Importations totales	**122 442**	**95 782**	**105 101**	**122 339**	**125 138**	**131 607**	**129 643**

Source :   Ministère des Ressource naturelles, *L'énergie au Québec*, édition 2001.

Tableau 19.11
Répartition de la capacité de raffinage, par région, Canada, 1983, 1988 et 1993-1999

Année	Québec	Atlantique	Ontario	Ouest	Canada
			'000 barils/jour		
1983	392,0	354,3	692,0	611,4	2 049,7
1988	310,6	452,5	550,7	605,0	1 918,8
1993	357,0	459,1	535,6	552,7	1 904,4
1994	377,0	437,0	546,1	566,3	1 926,4
1995	377,0	432,2	546,1	529,5	1 884,8
1996	385,0	439,5	545,2	530,6	1 900,3
1997	385,0	439,5	545,2	537,6	1 907,3
1998	391,0	439,1	547,7	553,3	1 931,1
1999	400,0	439,1	551,7	556,2	1 947,0

Source :   Ministère des Ressource naturelles, *L'énergie au Québec*, édition 2001.

Tableau 19.12
Nombre de stations distributrices de carburants, par type de détaillants et par région adminstrative, Québec, au 31 mars 2001

Région administrative	Stations opérant sous une bannière de compagnies majeures	Stations opérant sous une bannière de compagnies indépendantes	Total
	n		
01 Bas-Saint-Laurent	135	89	224
02 Saguenay–Lac-Saint-Jean	157	131	288
03 Capitale-Nationale	237	130	367
04 Mauricie	102	105	207
05 Estrie	122	100	222
06 Montréal	354	165	519
07 Outaouais	124	72	196
08 Abitibi-Témiscamingue	102	94	196
09 Côte-Nord	73	50	123
10 Nord-du-Québec	23	13	36
11 Gaspésie–Îles-de-la-Madeleine	102	58	160
12 Chaudière-Appalaches	211	166	377
13 Laval	74	54	128
14 Lanaudière	119	143	262
15 Laurentides	168	154	322
16 Montérégie	404	310	714
17 Centre-du-Québec	89	118	207
Le Québec	**2 596**	**1 952**	**4 548**

Source : Ministère des Ressource naturelles, *L'énergie au Québec*, édition 2001.

Tableau 19.13
Échanges de produits pétroliers énergétiques[1], Québec, 1983, 1988 et 1993-1999

Année	Échanges avec l'étranger			Échanges avec les autres provinces			Solde des échanges totaux
	Importations	Exportations	Solde des échanges	Importations[2]	Exportations[2]	Solde des échanges[3]	
	tep						
1983	1 147 137	538 805	-608 332	2 612 841	3 689 247	1 076 406	468 074
1988	3 789 563	775 332	-3 014 231	2 016 493	3 127 568	1 111 075	-1 903 156
1993	1 839 819	784 010	-1 055 809	2 839 450	3 190 049	267 189	-788 620
1994	2 414 421	949 469	-1 464 952	2 383 789	3 744 606	1 246 324	-218 629
1995	2 494 702	1 153 288	-1 341 414	2 023 846	3 461 866	1 329 805	-11 609
1996	2 142 956	1 118 175	-1 024 781	1 881 544	4 050 957	1 961 900	937 119
1997	2 451 229	1 391 861	-1 059 368	2 142 369	4 256 054	1 982 801	923 433
1998	2 692 478	1 314 853	-1 377 625	2 910 440	5 033 347	2 068 337	690 711
1999	2 582 292	898 830	-1 683 461	1 767 806	4 661 948	2 825 714	1 142 252

1. Comprend l'essence et l'essence aviation, le carburéacteur, le kérosène, le carburant diesel, le mazout léger et le mazout lourd, le coke de pétrole, les gaz de pétrole liquéfiés (à l'exclusion des gaz de pétrole liquéfiés classés dans la catégorie énergie primaire) et les gaz de distillation.
2. À partir de 1993, sont exclus le coke de pétrole et les gaz de pétrole liquéfiés, les données sur ces produits étant confidentielles.
3. Y compris le coke de pétrole et les gaz de pétrole liquéfiés.

Source : Ministère des Ressource naturelles, *L'énergie au Québec*, édition 2001.

Tableau 19.14
Consommation de produits pétroliers énergétiques, par type de produit, Québec, 1983, 1988, 1993, 1996-1999

Produit	1983	1988	1993	1996	1997	1998	1999
				tep			
Gaz de pétrole liquéfiés	330 081	246 276	322 520	213 885	259 697	216 088	196 053
Essence aviation	21 051	17 042	11 385	15 037	13 777	13 914	13 460
Essence	5 618 712	5 894 256	6 069 674	6 373 896	6 381 952	6 603 912	6 722 685
Carburéacteur	612 394	891 750	698 695	774 734	664 447	704 340	740 562
Kérosène	199 226	155 722	190 938	174 456	163 872	184 424	262 577
Carburant diesel	1 940 104	2 743 940	2 730 400	3 036 563	3 271 887	3 399 497	3 546 894
Mazout léger	3 081 784	2 054 820	1 825 798	1 904 138	1 756 296	1 526 351	1 467 393
Mazout lourd	3 127 560	1 718 123	1 545 395	1 423 335	1 453 979	1 765 981	1 578 532
Coke de pétrole	28 255	82 738	121 649	169 400	132 215	139 755	141 258
Gaz de distillation	–	95	–	–	–	–	–
Total	**14 959 167**	**13 804 762**	**13 516 454**	**14 085 444**	**14 098 122**	**14 554 262**	**14 669 414**

Source : Ministère des Ressource naturelles, *L'énergie au Québec*, édition 2001.

Figure 19.4
Consommation de pétrole par secteur, Québec, 1999

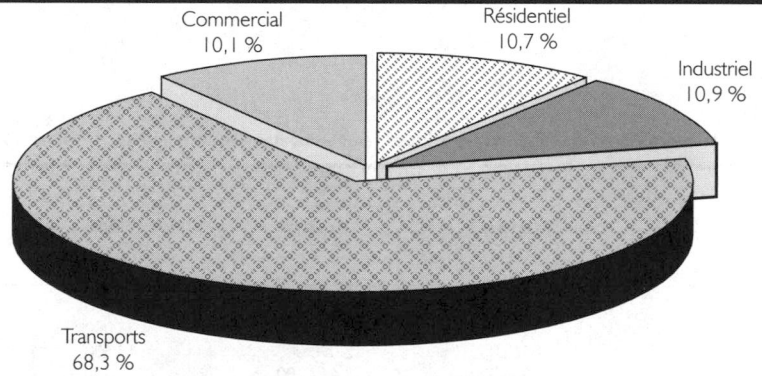

Commercial 10,1 %
Résidentiel 10,7 %
Industriel 10,9 %
Transports 68,3 %

Source : Ministère des Ressources naturelles, *L'énergie au Québec*, édition 2001.

Tableau 19.15
Consommation de gaz naturel, par secteur, Québec, 1983, 1988 et 1993-1999

Année	Secteur				Total
	Résidentiel	Commercial	Transports	Industriel	
	'000 m³				
1983	579 901	765 400	201	2 259 898	3 605 400
1988	645 200	1 258 900	7 500	3 295 400	5 207 000
1993	671 653	1 608 725	2 700	3 395 365	5 678 443
1994	711 355	1 630 026	1 201	3 229 852	5 572 435
1995	693 153	1 704 231	700	3 503 271	5 901 354
1996	735 758	1 716 132	1 201	3 727 290	6 180 382
1997	735 554	1 751 737	1 601	3 814 499	6 303 391
1998	643 150	1 630 729	1 601	3 652 884	5 928 364
1999	679 455	1 737 635	1 300	3 652 782	6 071 173

Source : Ministère des Ressource naturelles, *L'énergie au Québec*, édition 2001.

Figure 19.5
Bilan énergétique incluant la biomasse, Québec, 1983 et 1999

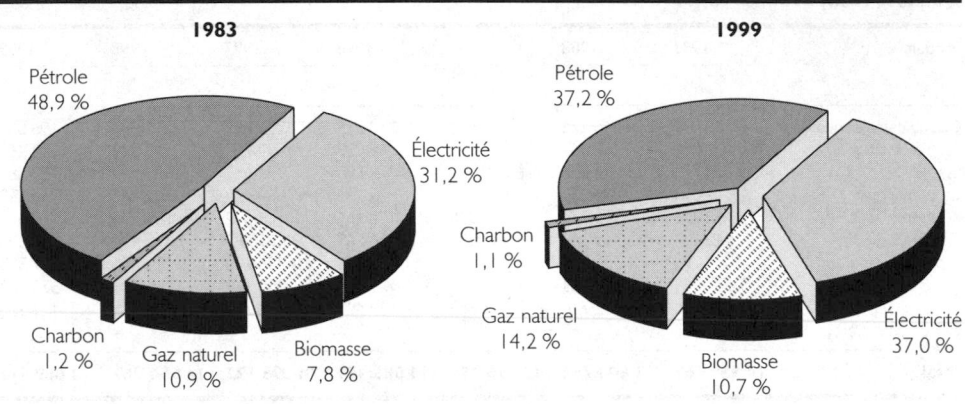

Source : Ministère des Ressources naturelles, *L'énergie au Québec*, édition 2001.

Tableau 19.16
Utilisation de la biomasse à des fins énergétiques, par secteur, Québec, 1983, 1988 et 1993-1999

Année	Secteur			Total
	Résidentiel	Industriel	Institutionnel	
		tep		
1983	728 000	1 633 000	32 000	2 393 000
1988	916 000	1 960 000	33 000	2 909 000
1993	968 300	2 098 000	13 500	3 079 800
1994	946 400	2 447 200	13 600	3 407 200
1995	1 031 900	2 325 300	11 500	3 368 700
1996	1 119 800	2 302 800	11 900	3 434 500
1997	1 206 700	2 434 200	10 000	3 650 900
1998	1 294 300	2 698 300	9 900	4 002 500
1999	1 384 200	2 808 200	10 800	4 203 200

Source : Ministère des Ressource naturelles, *L'énergie au Québec*, édition 2001.

20

Industries manufacturières

Liste des tableaux

Liste des figures

Ce chapitre a été réalisé par Jean Berselli et Laval Tremblay, de la Direction des comptes et des études économiques de l'Institut de la statistique du Québec.

Les données sur le secteur manufacturier sont apparues dès la première édition de l'*Annuaire statistique*, en 1914. Au cours des années, cependant, le traitement de l'information a sensiblement évolué. À l'origine, on fournissait pour quelques industries un certain nombre de variables, comme les établissements recensés, les salaires et gages payés, les matières premières utilisées, la valeur des expéditions et les produits fabriqués. Les dernières éditions, dont la présente, tracent le portrait de la structure manufacturière de la province sur une période d'au moins cinq ans, pour toutes les industries, en plaçant ce secteur dans l'ensemble canadien.

Coup d'œil sur le secteur manufacturier

De 1987 à 1997, le secteur manufacturier québécois affiche une croissance supérieure à celle de l'ensemble de l'économie, soit de 55,6 % contre 45,3 % (tableau 20.1). Sa part relative dans le produit intérieur brut (PIB) passe ainsi de 21,6 % à 23,1 %. Au cours de la même période, le PIB des secteurs primaire et tertiaire s'est accru respectivement de 22,5 % et 47,5 %. Si le secteur tertiaire a légèrement augmenté sa part (de 68,3 % en 1987 à 69,3 % en 1997), les secteurs primaire et de la construction ont vu la leur diminuer respectivement de 3,4 % à 2,9 % et de 6,7 % à 4,7 % (figure 20.1).

Entre 1991 et 1997, les expéditions manufacturières de la province ont progressé de 47,3 %, et l'emploi a crû de 6,9 % (tableau 20.4). Pendant cet intervalle, l'activité du secteur se divise en deux phases. Jusqu'à 1992 inclusivement, la récession amorcée en 1987 se poursuit, l'année 1991 étant particulièrement marquante avec une diminution des expéditions de 5,1 % et une baisse de l'emploi total de 8,5 % (- 14,2 % pour l'emploi à la production). Les années 1993 à 1997 représentent, quant à elles, une période de croissance ininterrompue. L'année 1994 s'est avérée la plus dynamique, grâce à une croissance des expéditions de 13,3 %.

Le Québec dans l'ensemble canadien

En 1997, les expéditions totales de la province s'élèvent à 113,1 milliards de dollars, alors qu'en 1991 elles se situaient à 76,7 milliards (tableau 20.2). Cette hausse de 47,3 % est cependant inférieure à celle enregistrée à l'échelle canadienne (51,7 %). La part du Québec dans les expéditions nationales est passée de 23,5 % à 22,8 %. Celle de l'Ontario, quant à elle, est restée stable à 54,9 %.

Toujours en 1997, le Québec compte 10 176 établissements manufacturiers sur un total de 34 935 au Canada. Avec 29,1 % des établissements canadiens, il occupe le deuxième rang, derrière l'Ontario (39,8 %). La part relative de la province à ce chapitre était de 32,5 % en 1991, alors que celle de l'Ontario se situait à 39,3 %.

Le secteur manufacturier emploie 500 906 salariés en 1997, ce qui représente une hausse de 6,9 % par rapport à 1991, alors que la moyenne au pays est de 5,9 %. Au cours de la même période, l'Ontario n'augmente le nombre de ses emplois que de 1,4 %. Il voit alors sa part dans l'ensemble canadien passer de 50,6 % à 48,4 %, tandis que celle du Québec reste stable (27,2 % en 1997 contre 27,0 % en 1991). Ce sont les provinces des Prairies qui accroissent le plus leur part relative, celle-ci passant de 9,2 % à 11,2 %.

Le secteur manufacturier englobe 21 groupes d'industries qui fabriquent des produits destinés à l'industrie et à la consommation. L'Ontario et le Québec dominent dans ce secteur (tableau 20.3). Le Québec se situe au deuxième rang dans la plupart des groupes et au premier rang dans trois groupes : les produits textiles, l'habillement, ainsi que le papier et les produits connexes. C'est cependant la Colombie-Britannique qui se situe au premier rang dans l'industrie du bois. L'Ontario et le Québec emploient à elles seules près de 1,4 million de personnes, ce qui représente plus de 75,0 % de l'ensemble de la main-d'œuvre du secteur manufacturier canadien.

Les caractéristiques et la structure de l'industrie manufacturière québécoise

Les caractéristiques

Une très forte proportion des 10 176 établissements québécois emploie moins de 200 salariés (95,8 %) (tableau 20.6). Ces établissements n'embauchent cependant que 54,9 % du total des salariés de ce secteur et ne réalisent que 42,0 % des expéditions (figure 20.2). Le groupe des établissements de moins de 200 employés est composé à 82,0 % d'établissements ayant moins de 50 employés (78,5 % de tous les établissements de la province). Ceux-ci expédient 14,2 % de la production provinciale et comptent 21,5 % de la main-d'œuvre. Par contre, les établissements de 1 000 employés et plus, qui ne représentent que 0,3 % de l'ensemble, accaparent 23,8 % des expéditions totales et 16,0 % de la main-d'œuvre.

En 1996, une nouvelle approche concernant la répartition des établissements selon la taille des expéditions a été adoptée : il s'agit de l'approche par quartile. Les établissements sont classés à partir du volume de leurs expéditions, du plus élevé au plus bas. Ils sont ensuite répartis par quartile. Cette répartition est utilisée tant à l'échelle provinciale qu'à celle des groupes d'industries et des industries.

De 1996 à 1997, la répartition des expéditions totales est restée stable. Les établissements du premier quartile ont réalisé 91,3 % des expéditions, contre 91,9 % en 1996, alors que ceux des deuxième, troisième et quatrième quartiles en réalisaient respectivement 6,4 %, 1,8 % et 0,5 %. Ce sont les établissements du premier quartile qui ont le moins augmenté leurs expéditions en 1997, avec une hausse de 4,9 %. Dans les trois autres quartiles, le taux de croissance a été de 12,9 %, 12,6 % et 12,5 % respectivement.

La répartition de l'emploi entre les quartiles a également peu évolué entre 1996 et 1997. Le premier et le quatrième quartiles ont vu leur part diminuer légèrement, passant respectivement de 79,2 % à 78,6 % et de 2,2 % à 1,8 %, alors que celles des deuxième et troisième passaient de 13,4 % à 14,0 % et de 5,2 % à 5,6 %. Malgré une hausse de l'emploi de 3,5 % en 1997, les établissements du quatrième quartile enregistrent une baisse du nombre de leurs employés de 14,6 %. Ce sont les établissements du troisième quartile qui affichent la croissance la plus importante avec un gain de 10,8 %, comparativement à 8,2 % et 2,7 % pour les deuxième et premier quartiles.

En 1997, les statistiques portant sur la PME – définie comme toute société ayant moins de 200 employés – indiquent que 88,1 % de tous les établissements manufacturiers sont des PME (tableau 20.7). Elles occupent 46,1 % de la main-d'œuvre manufacturière, mais ne contribuent qu'à 30,1 % des expéditions. Cinq groupes d'industries réunissent 57,0 % des PME : les produits métalliques (14,5 %, 1 303 PME), l'imprimerie (13,1 %, 1 172 PME), l'habillement (10,9 %, 973 PME), le bois (10,7 %, 955 PME) et les aliments (8,0 %, 719 PME).

La structure

Comme en 1991, le groupe d'industries des aliments est le plus important au Québec en 1997 (tableau 20.5). Il réalise 11,4 % des expéditions (premier rang) et génère 9,4 % de l'emploi (deuxième rang). Son importance relative au sein du secteur manufacturier a toutefois diminué au cours de la période 1991-1997, puisqu'il accaparait 13,9 % des expéditions en 1991. Alors que ses expéditions avaient chuté de 23,3 % en 1991 et qu'il expédiait 6,8 % des produits fabriqués au Québec, le groupe d'industries du matériel de transport est le deuxième expéditeur manufacturier en 1997 avec 10,0 % des expéditions totales. Sa part dans l'emploi s'est également accrue, passant de 7,7 % à 8,5 % ; cela le situe au troisième rang des employeurs manufacturiers. Deux autres groupes ont également augmenté leur importance relative au sein du secteur manufacturier : le groupe du bois (+ 1,9 %) et celui des produits en matière plastique (+ 0,4 %).

En 1997, les groupes industriels qui embauchent le plus grand nombre d'employés sont, par ordre d'importance, ceux de l'habillement (47 942), des aliments (47 165), du matériel de transport (42 699), du bois (36 515), des produits métalliques (36 322), du papier et des produits connexes (35 096), des produits électriques et électroniques (32 913) et de l'imprimerie (31 681). Presque les deux tiers (62,0 %) des emplois du secteur manufacturier s'y retrouvent.

En ce qui concerne les expéditions totales du secteur manufacturier, huit groupes d'industries ont des expéditions supérieures à cinq milliards de dollars (66,1 % de l'ensemble des expéditions). Parmi ceux-ci, trois ont des expéditions supérieures à dix milliards de dollars : les aliments (12,9 milliards), le matériel de transport (11,3 milliards), de même que le papier et les produits connexes (10,4 milliards). Ni le groupe d'industries de l'habillement (premier rang des employeurs manufacturiers) ni celui de l'imprimerie (huitième rang des employeurs) ne figurent parmi les huit premiers groupes en ce qui concerne les expéditions. Par ailleurs, deux groupes seulement ne figurent pas parmi les huit plus gros employeurs ; il s'agit des groupes de la première transformation des métaux et des produits chimiques.

En 1997, la valeur des dix principaux groupes de produits fabriqués par les manufacturiers québécois s'établit à 54,5 milliards de dollars, ce qui équivaut à 52,6 % de l'ensemble des produits fabriqués dans le secteur manufacturier (tableau 20.12). Parmi les principaux produits que les manufacturiers fabriquent, on retrouve en première place le groupe « Papiers ou cartons et produits en pâte à papier », avec 9,2 milliards de dollars. Le deuxième rang revient au groupe « Machines, appareils et matériel électriques, parties ; appareils d'enregistrement, reproduction du son et images, parties, accessoires » dont la production représente 8,2 milliards de dollars.

L'activité manufacturière dans les régions

La période 1992-1997 se caractérise par une baisse du nombre d'établissements manufacturiers dans la majorité des régions administratives du Québec, accompagnée d'une hausse des expéditions manufacturières (tableau 20.9). La région de Montréal, où l'on retrouve une concentration élevée d'établissements manufacturiers (33,5 % des établissements du Québec en 1997), illustre bien ce phénomène. En effet, le nombre de ses établissements y a diminué de 17,3 %, alors que les expéditions s'accroissaient de 33,3 % pour atteindre 34,3 milliards de dollars, soit le tiers des expéditions manufacturières provinciales. En plus de celle des Laurentides, dont le groupe d'industries du matériel de transport a connu une hausse des expéditions manufacturières de 208,3 % de 1992 à 1997, les régions de l'Estrie et de la Côte-Nord ont affiché de fortes augmentations de leurs expéditions manufacturières (+ 84,5 % et + 83,9 % respectivement). Les autres régions ont, quant à elles, enregistré des hausses allant de 31,5 % à 64,3 %.

En ce qui concerne les PME, elles accaparent au moins la moitié de l'emploi manufacturier dans sept régions administratives en 1997 : Laval (75,0 %), Gaspésie–Îles-de-la-Madeleine (60,8 %), Bas-Saint-Laurent (57,8 %), Lanaudière (58,3 %), Chaudière-Appalaches (53,0 %), Centre-du-Québec (53,3 %) et Capitale-Nationale (52,1 %). La région de Montréal accueille sur son territoire 33,9 % des PME québécoises du secteur manufacturier. Celles-ci expédient 34,8 % de la production et emploient 36,3 % de la main-d'œuvre à la production de l'ensemble des PME (figure 20.3).

En ce qui a trait aux municipalités régionales de comté (MRC), neuf d'entre elles réalisent près de 56 % des expéditions du secteur manufacturier au Québec en 1997. La Communauté-Urbaine-de-Montréal accapare à elle seule 59,8 % de ces expéditions (tableau 20.10); suivent de très loin La Haute-Yamaska, Le Fjord-du-Saguenay, Lajemmerais, la Communauté-Urbaine-de-Québec, Thérèse-De Blainville, Champlain, Les Chutes-de-la-Chaudière et Le Val-Saint-François.

La destination des expéditions des manufacturiers exportateurs

En 1997, 54,5 % des établissements manufacturiers québécois expédient leurs produits hors du Québec. Ces expéditions se chiffrent à 62,8 milliards de dollars, soit 61,0 % des expéditions manufacturières provinciales. Les expéditions à destination de l'étranger atteignent 41,7 milliards de dollars et celles vers les autres régions canadiennes 21,0 milliards de dollars. Cela représente respectivement 40,6 % (22,4 % en 1990) et 20,5 % du total de la province. Le poids relatif des expéditions à destination des États-Unis, par rapport aux expéditions hors Québec, était de 38,5 % en 1990; il est de 52,2 % en 1997. Au cours de la même période, celui des envois vers l'Ontario est passé de 32,8 % à 21,3 %. La région de la Côte-Nord est, proportionnellement, celle qui exporte le plus, puisque 82,5 % de sa production est acheminée hors Québec (tableau 20.11). Les régions de l'Outaouais et de l'Estrie viennent ensuite avec respectivement 76,6 % et 73,3 %. La région de Montréal, quant à elle, réalise près du tiers de toutes les expéditions hors Québec.

Les PME expédient pour 30,9 milliards de dollars de produits manufacturés, dont 13,2 milliards à l'extérieur de la province, soit 21,0 % de l'ensemble des livraisons hors Québec.

Le commerce interprovincial

En 1997, près de 50 % des expéditions québécoises vers les autres provinces sont réalisées par cinq groupes d'industries : les aliments (14,3 %), les produits chimiques (13,0 %), l'habillement (7,3 %), le papier et les produits connexes (7,1 %) et la première transformation des métaux (6,7 %) (tableau 20.8). L'Ontario s'approprie 66,2 % des expéditions des manufacturiers exportateurs vers les autres provinces. Pour leur part, les provinces de l'Ouest et de l'Atlantique recueillent respectivement 22,3 % et 11,5 % de ces expéditions. Cinq régions écoulent plus de 20 % de leurs produits fabriqués vers les autres provinces canadiennes; il s'agit, dans l'ordre, de Laval (23,9 %), Montréal (23,6 %), Centre-du-Québec (21,8 %), Lanaudière (20,6 %) et Chaudière-Appalaches (20,2 %).

En ce qui concerne les PME, elles acheminent 18,8 % de leur production (5,8 milliards) vers les autres provinces. Plus de la moitié (57,4 %) est envoyée vers l'Ontario, tandis que 18,4 % et 9,6 % sont acheminés respectivement vers les provinces de l'Ouest et de l'Atlantique.

Le marché international

Les entreprises manufacturières québécoises exportent pour 41,7 milliards de dollars en 1997, comparativement à 16,6 milliards en 1990. Comme en 1990, la grande majorité des exportations est dirigée vers les États-Unis (78,6 % en 1997 et 76,9 % en 1990). Quatre grands groupes industriels réalisent 64,3 % des exportations manufacturières : le matériel de transport (19,6 %), les produits électriques et électroniques (16,0 %), le papier et les produits connexes (14,6 %) et la première transformation des métaux (14,2 %). Les régions de la Côte-Nord (74,3 %) et du Saguenay–Lac-Saint-Jean (61,6 %) sont celles qui consacrent la plus grande partie de leurs expéditions manufacturières aux exportations vers l'étranger (figure 20.4).

Des 32,8 milliards d'expéditions vers les États-Unis, 5,5 milliards sont attribuables aux PME, soit 75,6 % des exportations des PME.

Références

INSTITUT DE LA STATISTIQUE DU QUÉBEC. *Statistiques manufacturières régionales,* édition 2000, Québec, Gouvernement du Québec, 2000, 251 p.
INSTITUT DE LA STATISTIQUE DU QUÉBEC. *Statistiques des PME manufacturières du Québec,* édition 2000, Québec, Gouvernement du Québec, 2001, 224 p.
INSTITUT DE LA STATISTIQUE DU QUÉBEC. *Profil du secteur manufacturier au Québec,* édition 2000, Québec, Gouvernement du Québec, 2000, 174 p.
INSTITUT DE LA STATISTIQUE DU QUÉBEC. *Industries manufacturières du Québec, 1995-2000,* Québec, Gouvernement du Québec, 2001, 44 p.
INSTITUT DE LA STATISTIQUE DU QUÉBEC. *Destination des expéditions des manufacturiers exportateurs du Québec, 1995-1997,* Québec, Gouvernement du Québec, 2000, 174 p.
STATISTIQUE CANADA. *Industries manufacturières du Canada : niveaux national et provincial,* Ottawa, Gouvernement du Canada (31-203).
STATISTIQUE CANADA. *Destination des livraisons,* Ottawa, Gouvernement du Canada (31-F026MIF).
STATISTIQUE CANADA. *Structure de l'activité manufacturière au Canada,* Ottawa, Gouvernement du Canada (31-F002XIF).

Définitions

Employé à la production

Personne travaillant à la production et au montage. Sont aussi compris les ouvriers préposés à l'entreposage, l'inspection, la manutention, l'emballage, l'emmagasinage, etc., ainsi que ceux des services d'entretien, de réparation et de conciergerie, les gardiens et les contremaîtres qui font le même travail que les ouvriers qu'ils dirigent.

Établissement

Plus petite unité d'exploitation, en général une usine ou une fabrique, en mesure de fournir certaines données relatives à son activité et nécessaires au calcul de la valeur ajoutée.

Intrants

Activité manufacturière

Coût des matières et fournitures et éléments nécessaires à la production. Est aussi compris le coût du combustible et de l'électricité achetés et consommés.

Activité totale

Intrants à l'activité manufacturière plus coût des marchandises destinées à être revendues dans l'état où elles ont été achetées et coût des autres matières et fournitures non incluses à l'activité manufacturière.

Salaires à la production

Gains bruts des ouvriers à la production et assimilés incluant bonis, gratifications et rémunération des heures supplémentaires.

Salarié

Personne travaillant à la production ou affectée à des opérations non manufacturières d'un établissement comme la cafétéria, le siège social, un bureau d'administration ou de ventes. Sont aussi compris les travailleurs affectés aux constructions nouvelles, aux réparations ou aux transformations majeures. Les propriétaires et associés actifs ne sont pas compris dans les salariés.

Traitements et salaires

Gains bruts des salariés à l'exclusion des retraits des propriétaires et associés actifs.

Valeur ajoutée

Activité manufacturière

Correspond à la valeur de production, c'est-à-dire à la valeur des expéditions de produits de propre fabrication, en tenant compte de la variation nette des stocks de produits en cours de fabrication et de produits finis, moins le coût des matières et fournitures utilisées, le coût du combustible et de l'électricité consommés, ainsi que les montants versés à d'autres pour du travail à forfait.

Activité totale

Valeur ajoutée à l'activité manufacturière plus valeur ajoutée de l'activité non manufacturière. Cette dernière s'obtient en retranchant de la production brute de l'activité non manufacturière les achats de biens pour la revente dans le même état (en tenant compte de la variation nette des stocks de ces produits), les achats de matières et fournitures utilisées dans la construction nouvelle ou dans la production de machinerie et d'outillage destinés à l'usage de l'établissement, les fournitures de bureau achetées et utilisées, ainsi que toutes matières et fournitures achetées et utilisées par l'établissement dans une activité non manufacturière.

Valeur des expéditions

Activité manufacturière

Valeur nette des ventes des produits de propre fabrication et montant reçu pour du travail à forfait exécuté sur des matières appartenant à d'autres établissements.

Activité totale

Valeur des expéditions de produits de propre fabrication plus les revenus provenant d'activités non manufacturières, comme la vente de biens achetés et revendus tels quels, la valeur comptable de travaux en construction et en équipement effectués par le personnel de l'établissement pour son propre usage, les revenus provenant de l'exploitation de cafétérias, etc.

Tableau 20.1
**Importance relative du secteur manufacturier dans le produit intérieur brut,
Québec, 1987, 1992 et 1997**

Secteur	Produit intérieur brut					
	1987		1992		1997	
	'000 000 $	%	'000 000 $	%	'000 000 $	%
Primaire	**3 749**	**3,4**	**3 927**	**2,9**	**4 592**	**2,9**
Agriculture	1 563	1,4	1 880	1,4	2 180	1,4
Forêts	816	0,7	825	0,6	946	0,6
Pêche et piégeage	92	0,1	70	0,1	74	0,0
Mines	1 278	1,2	1 152	0,9	1 392	0,9
Secondaire	**31 260**	**28,3**	**32 992**	**24,7**	**44 657**	**27,8**
Industries manufacturières	23 850	21,6	24 748	18,5	37 120	23,1
Construction	7 410	6,7	8 244	6,2	7 537	4,7
Tertiaire	**75 378**	**68,3**	**96 795**	**72,4**	**111 157**	**69,3**
Transport et entreposage	4 859	4,4	5 358	4,0	7 063	4,4
Communications	3 433	3,1	4 403	3,3	4 959	3,1
Énergie électrique, gaz et eau	4 960	4,5	6 312	4,7	7 400	4,6
Commerce	14 266	12,9	15 298	11,4	18 534	11,6
Finances, assurances et affaires immobilières	14 495	13,1	19 390	14,5	22 526	14,0
Services	26 050	23,6	36 058	27,0	40 329	25,1
Administration publique	7 315	6,6	9 976	7,5	10 346	6,4
Produit intérieur brut au coût des facteurs[1]	**110 387**	**100,0**	**133 714**	**100,0**	**160 406**	**100,0**

1. Produit intérieur brut au coût des facteurs estimé sous l'angle de la valeur ajoutée.

Source : Institut de la statistique du Québec, *Comptes économiques des revenus et des dépenses*, édition 1999.

Figure 20.1
**Évolution de l'importance relative du secteur manufacturier dans le PIB,
Québec, 1987, 1992 et 1997**

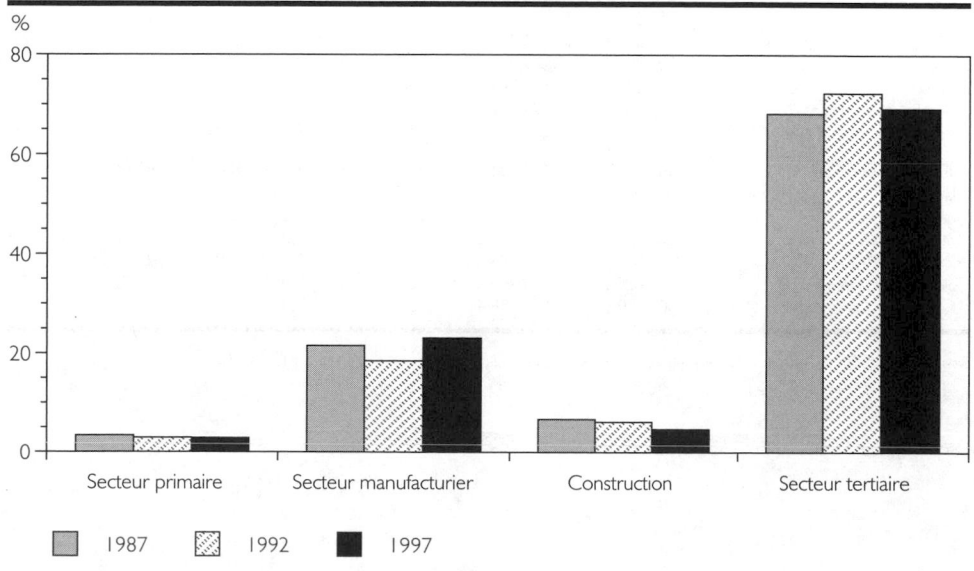

Source : Institut de la statistique du Québec, *Comptes économiques des revenus et des dépenses*, édition 1999.

Tableau 20.2
Statistiques principales du secteur manufacturier, par région, Canada, 1991, 1994 et 1997

	Unité	1991		1994		1997	
		Valeur	%	Valeur	%	Valeur	%
Établissements	n	36 339	100,0	31 974	100,0	34 935	100,0
Atlantique	n	1 837	5,1	1 674	5,2	1 891	5,4
Québec	n	11 793	32,5	10 164	31,8	10 176	29,1
Ontario	n	14 295	39,3	12 510	39,1	13 906	39,8
Prairies	n	4 490	12,4	4 072	12,7	4 689	13,4
Colombie-Britannique	n	3 874	10,7	3 513	11,0	4 228	12,1
Yukon et Territoires du Nord-Ouest	n	50	0,1	41	0,1	45	0,1
Salariés	n	1 737 606	100,0	1 669 654	100,0	1 840 923	100,0
Atlantique	n	87 252	5,0	81 527	4,9	85 295	4,6
Québec	n	468 782	27,0	461 056	27,6	500 906	27,2
Ontario	n	878 628	50,6	812 362	48,7	890 803	48,4
Prairies	n	159 547	9,2	166 346	10,0	206 904	11,2
Colombie-Britannique	n	142 959	8,2	147 937	8,9	156 422	8,5
Yukon et Territoires du Nord-Ouest	n	438	0,0	426	0,0	593	0,0
Traitements et salaires	'000 000 $	58 083,4	100,0	61 637,8	100,0	71 058,7	100,0
Atlantique	'000 000 $	2 544,0	4,4	2 529,4	4,1	2 720,7	3,8
Québec	'000 000 $	14 944,7	25,7	15 717,9	25,5	17 768,7	25,0
Ontario	'000 000 $	30 174,7	52,0	31 639,5	51,3	36 550,9	51,4
Prairies	'000 000 $	5 023,6	8,6	5 690,7	9,2	7 352,3	10,3
Colombie-Britannique	'000 000 $	5 384,5	9,3	6 047,7	9,8	6 649,9	9,4
Yukon et Territoires du Nord-Ouest	'000 000 $	12,0	0,0	12,5	0,0	16,2	0,0
Intrants totaux	'000 000 $	204 474,4	100,0	264 486,8	100,0	314 450,1	100,0
Atlantique	'000 000 $	9 401,7	4,6	10 008,6	3,8	12 649,9	4,0
Québec	'000 000 $	44 739,1	21,9	54 537,4	20,6	66 967,5	21,3
Ontario	'000 000 $	115 397,6	56,4	155 043,0	58,6	177 533,2	56,5
Prairies	'000 000 $	19 835,1	9,7	24 693,0	9,3	34 125,4	10,9
Colombie-Britannique	'000 000 $	15 062,9	7,4	20 164,9	7,6	23 143,1	7,4
Yukon et Territoires du Nord-Ouest	'000 000 $	37,9	0,0	40,1	0,0	30,9	0,0
Expéditions totales	'000 000 $	326 561,2	100,0	416 450,2	100,0	495 488,1	100,0
Atlantique	'000 000 $	14 236,7	4,4	15 731,4	3,8	18 985,2	3,8
Québec	'000 000 $	76 745,3	23,5	94 458,3	22,7	113 079,2	22,8
Ontario	'000 000 $	179 346,9	54,9	232 938,1	55,9	271 863,6	54,9
Prairies	'000 000 $	31 244,1	9,6	39 629,3	9,5	54 607,2	11,0
Colombie-Britannique	'000 000 $	24 922,6	7,6	33 625,2	8,1	36 899,6	7,4
Yukon et Territoires du Nord-Ouest	'000 000 $	65,5	0,0	67,9	0,0	53,4	0,0
Valeur ajoutée totale	'000 000 $	120 984,4	100,0	153 794,6	100,0	182 668,1	100,0
Atlantique	'000 000 $	4 731,0	3,9	5 690,0	3,7	6 376,1	3,5
Québec	'000 000 $	31 901,6	26,4	40 289,6	26,2	46 859,1	25,7
Ontario	'000 000 $	63 325,6	52,3	78 888,0	51,3	94 723,4	51,9
Prairies	'000 000 $	11 288,5	9,3	15 205,3	9,9	20 896,5	11,4
Colombie-Britannique	'000 000 $	9 709,4	8,0	13 693,9	8,9	13 790,3	7,5
Yukon et Territoires du Nord-Ouest	'000 000 $	28,4	0,0	27,9	0,0	22,7	0,0

Source :   Statistique Canada, *Industries manufacturières du Canada : niveaux national et provincial* (31-203).

Tableau 20.3
Valeur des expéditions totales, par groupe d'industries et par région, Canada, 1997

Groupe d'industries	Atlantique	Québec	Ontario	Prairies	Colombie-Britannique	Yukon T. N.-O.	Canada
				'000 000 $			
Aliments	5 239,5	12 926,2	24 026,3	11 456,2	3 980,6	–	57 628,7
Boissons	x	1 923,8	3 927,4	1 009,8	799,0	–	8 133,7
Tabac	x	x	x	x	–	–	4 378,7
Produits en caoutchouc	x	2 907,0	4 749,9	x	x	–	8 520,5
Produits en matière plastique	x	2 608,7	5 921,4	1 106,8	678,9	–	10 603,5
Cuir et produits connexes	x	502,7	488,2	108,8	11,7	–	1 138,5
Textiles de première transformation	x	1 970,1	2 068,1	x	x	–	4 406,4
Produits textiles	109,8	1 986,5	1 364,4	165,0	135,8	–	3 761,7
Habillement	x	4 555,3	1 981,8	667,6	289,0	–	7 585,0
Bois	1 427,0	6 885,4	4 734,3	2 968,9	11 845,0	–	27 860,6
Meuble et articles d'ameublement	x	1 774,5	3 932,4	x	251,1	–	6 912,7
Papier et produits connexes	x	10 411,5	10 265,3	x	6 106,1	–	32 827,7
Imprimerie, édition et produits connexes	417,0	4 500,3	8 561,9	1 930,6	1 358,0	–	16 767,7
Première transformation des métaux	x	9 721,6	14 925,6	x	1 348,3	–	28 934,9
Produits métalliques (sauf du transport)	507,2	5 197,3	14 501,4	3 234,2	1 955,0	–	25 395,0
Machinerie (sauf électrique)	187,5	3 402,4	10 298,5	4 387,9	1 189,6	–	19 466,0
Matériel de transport	1 101,7	11 262,8	104 072,5	2 263,1	1 341,6	–	120 041,7
Produits électriques et électroniques	x	9 835,2	18 390,3	3 063,8	1 304,2	–	32 771,7
Produits minéraux non métalliques	337,0	2 073,0	4 548,3	1 357,1	1 069,1	–	9 384,2
Produits raffinés, pétrole et charbon	x	4 387,5	6 995,1	x	1 506,8	–	21 993,2
Produits chimiques	305,8	8 491,1	18 974,6	7 994,8	1 138,8	–	36 905,1
Autres industries manufacturières	x	x	x	797,2	527,0	–	10 070,9
Total	**18 985,2**	**113 079,2**	**271 863,6**	**54 606,8**	**36 899,6**	**53,0**	**495 488,1**

Source : Statistique Canada, *Industries manufacturières du Canada : niveaux national et provincial* (31-203).

Tableau 20.4
Statistiques principales du secteur manufacturier, Québec, 1991-1997

	Unité	1991	1992	1993	1994	1995	1996	1997
Établissements	n	**11 793**	**11 129**	**10 553**	**10 164**	**9 983**	**10 603**	**10 176**
Activité manufacturière								
Employés à la production	n	327 750	316 794	315 123	326 902	332 734	345 776	362 788
Heures-personnes payées	'000	679 904	654 947	652 242	676 651	690 618	711 111	733 511
Salaires à la production	'000 $	9 350 198	9 296 158	9 433 762	9 871 579	10 303 285	10 835 643	11 272 319
Coût des matières et fournitures utilisées	'000 $	36 928 701	36 399 357	39 589 019	44 302 892	49 654 203	52 261 231	54 583 930
Coût du combustible et de l'électricité	'000 $	2 510 130	2 483 077	2 585 141	2 763 102	2 959 022	3 091 559	3 265 431
Valeur des expéditions	'000 $	69 958 502	69 220 354	74 675 380	85 132 990	94 321 050	97 305 119	102 825 558
Valeur de la production	'000 $	69 853 923	69 401 017	74 942 891	85 501 755	94 989 005	97 816 564	103 572 960
Valeur ajoutée	'000 $	30 415 092	30 518 583	32 768 731	38 435 761	42 375 780	42 463 774	45 723 599
Activité totale								
Personnel hors fabrication	n	141 032	137 973	135 664	134 139	132 395	135 596	138 118
Traitements	'000 $	5 594 485	5 686 235	5 771 122	5 845 570	5 931 517	6 189 901	6 496 335
Salariés	n	468 782	454 767	450 787	461 041	465 129	481 372	500 906
Traitements et salaires	'000 $	14 944 683	14 982 393	15 204 884	15 717 149	16 234 802	17 025 544	17 768 654
Coût des matières et fournitures utilisées[1]	'000 $	42 255 985	42 201 278	46 412 227	51 774 335	57 371 900	60 437 661	63 702 057
Valeur des expéditions et autres recettes	'000 $	76 745 295	76 469 746	83 371 224	94 458 298	103 857 619	107 019 537	113 079 195
Valeur de la production	'000 $	76 640 716	76 650 409	83 638 735	94 827 063	104 525 574	107 530 981	113 826 597
Valeur ajoutée	'000 $	31 874 601	31 966 054	34 641 367	40 289 626	44 194 652	44 001 761	46 859 109

1. Incluant le coût des marchandises revendues telles quelles.

Source : Institut de la statistique du Québec, *Industries manufacturières du Québec, 1991-1997*.

Tableau 20.5
Statistiques principales du secteur manufacturier, par groupe d'industries, Québec, 1997

Groupe d'industries	Établissements	Salariés	Traitements et salaires	Intrants totaux	Expéditions totales	Valeur ajoutée totale
	n		'000 $			
Aliments	858	47 165	1 446 081	9 056 360	12 926 249	3 900 845
Boissons	43	8 115	375 616	732 408	1 923 767	1 186 227
Tabac	7	x	x	x	x	x
Produits en caoutchouc	64	7 539	303 962	2 056 467	2 906 959	851 587
Produits en matière plastique	348	17 178	493 683	1 444 921	2 608 729	1 203 131
Cuir et produits connexes	89	4 822	108 018	280 700	502 734	226 445
Textiles de première transformation	109	11 416	369 419	1 147 396	1 970 100	826 428
Produits textiles	281	13 427	368 015	1 132 243	1 986 516	856 027
Habillement	1 033	47 942	1 014 774	2 422 515	4 555 317	2 156 320
Bois	1 056	36 515	1 089 792	4 154 653	6 885 396	2 769 022
Meuble et articles d'ameublement	513	17 469	436 218	846 209	1 774 534	946 346
Papier et produits connexes	206	35 095	1 763 188	6 180 660	10 411 525	4 174 232
Imprimerie, édition, produits connexes	1 318	31 681	1 184 982	1 780 230	4 500 282	2 739 625
Première transformation des métaux	121	26 634	1 312 869	6 026 309	9 721 556	3 727 911
Produits métalliques (sauf transport)	1 372	36 322	1 187 543	2 787 870	5 197 287	2 416 338
Machinerie (sauf électrique)	472	19 873	732 329	1 696 967	3 402 431	1 859 973
Matériel de transport	268	42 699	1 803 927	6 497 159	11 262 833	5 196 603
Produits électriques et électroniques	427	32 913	1 349 374	5 933 530	9 835 196	3 923 876
Produits minéraux non métalliques	407	11 531	408 617	1 054 882	2 072 964	1 012 746
Produits raffinés du pétrole	52	2 315	146 333	3 843 880	4 387 534	534 355
Produits chimiques	380	24 916	1 092 225	4 675 018	8 491 090	3 807 468
Autres industries manufacturières	752	x	x	x	x	x
Total du Québec	**10 176**	**500 906**	**17 768 654**	**66 967 488**	**113 079 195**	**46 859 109**

Source : Institut de la statistique du Québec, *Industries manufacturières du Québec, 1994-1999.*

Figure 20.2
Répartition des établissements, des salariés et des expéditions totales, selon la tranche d'emploi, Québec, 1997

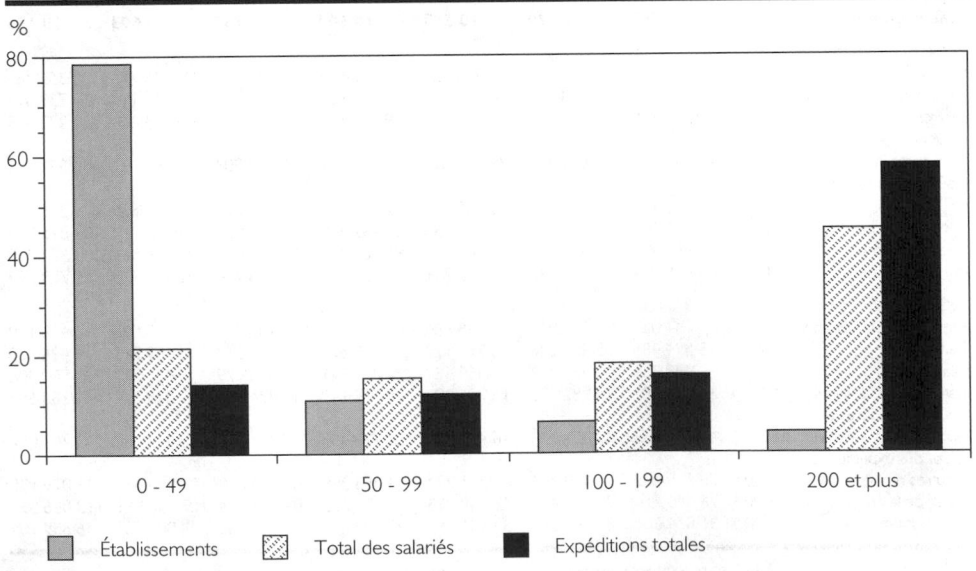

Source : Institut de la statistique du Québec, *Profil du secteur manufacturier,* édition 2000.

Tableau 20.6

Statistiques principales du secteur manufacturier, selon la tranche d'emploi et le quartile d'expédition, Québec, 1997

	Établissements	Salariés	Traitements et salaires	Intrants totaux	Expéditions totales	Valeur ajoutée totale
	n		'000 $			
Emploi	**10 176**	**500 906**	**17 768 654**	**66 967 488**	**113 079 195**	**46 859 109**
0-49	7 992	107 902	2 891 848	9 225 695	16 040 271	6 883 726
0-4	2 361	5 811	123 594	519 887	880 899	367 969
5-9	1 780	12 025	300 425	813 437	1 502 723	717 739
10-19	1 757	24 472	649 935	2 025 637	3 494 559	1 478 646
20-49	2 094	65 594	1 817 894	5 866 734	10 162 090	4 319 372
50-99	1 108	76 524	2 280 212	8 201 277	13 613 329	5 461 727
100-199	648	90 336	2 894 612	10 372 986	17 827 745	7 497 415
200 et plus[1]	428	226 144	9 701 982	39 167 530	65 597 850	27 016 241
200-499	323	95 879	3 545 974	15 305 864	25 540 285	10 234 631
500-999	74	49 963	2 235 255	6 632 941	13 145 948	6 453 545
1 000 et plus[1]	31	80 302	3 920 753	17 228 725	26 911 617	10 328 065
Expéditions	**10 176**	**500 906**	**17 768 654**	**66 967 488**	**113 079 195**	**46 859 109**
Premier quartile[1]	2 544	393 505	15 128 114	62 106 494	103 293 268	41 885 651
Deuxième quartile	2 545	70 359	1 833 276	3 689 028	7 252 367	3 571 762
Troisième quartile	2 544	28 119	633 089	928 262	2 004 207	1 106 303
Quatrième quartile	2 543	8 923	174 175	243 704	529 353	295 393

1. Incluant les sièges sociaux.

Source : Institut de la statistique du Québec, *Profil du secteur manufacturier*, édition 2000.

Figure 20.3

Répartition des PME manufacturières dans les principales régions administratives, Québec, 1997

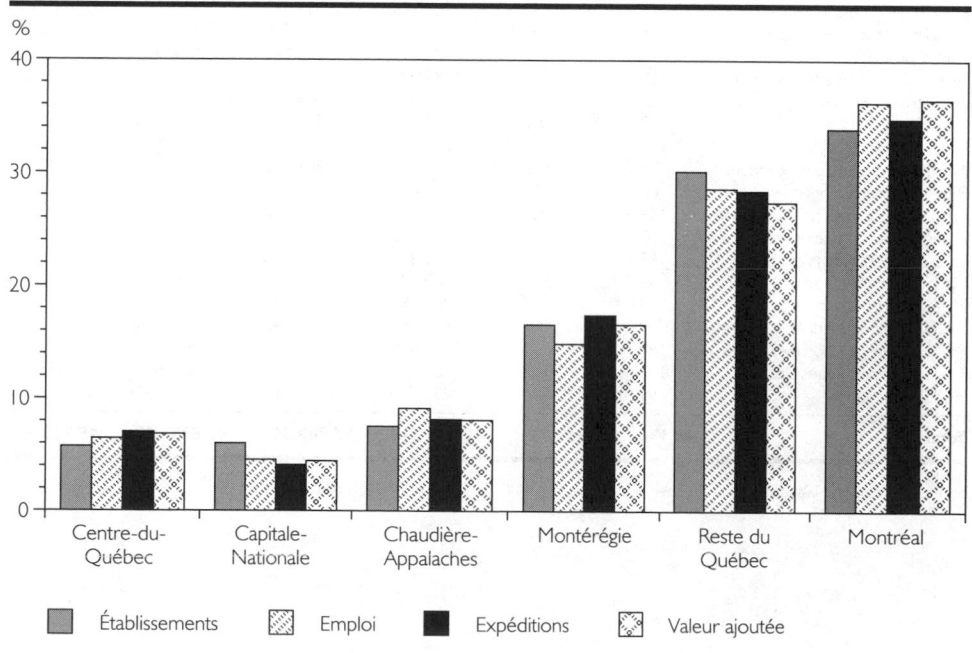

Source : Institut de la statistique du Québec, *Statistiques des PME manufacturières au Québec*, édition 2000.

Tableau 20.7
Statistiques principales du secteur manufacturier, selon le type d'entreprise et le groupe d'industries, Québec, 1997

Type d'entreprise et groupe d'industries	Établis-sements	Employés à la production	Salaires à la production	Intrants manufacturiers	Expéditions manufacturières	Valeur ajoutée manufacturière
	n			'000 $		
PME	**8 962**	**167 252**	**4 056 199**	**17 016 637**	**30 912 848**	**14 049 499**
Aliments	719	14 369	308 227	2 997 906	4 216 957	1 220 722
Boissons	29	615	17 729	130 022	294 243	167 419
Produits en caoutchouc	48	1 172	29 626	180 389	342 825	158 971
Produits en matière plastique	303	9 406	221 647	877 184	1 583 719	742 380
Cuir et produits connexes	83	2 891	53 063	157 040	290 320	133 060
Textiles de première transformation	70	2 839	70 083	448 854	689 429	241 918
Produits textiles	258	5 713	115 126	390 474	721 748	337 030
Habillement	973	23 394	408 051	1 505 893	2 693 563	1 201 392
Bois	955	19 011	451 419	2 002 813	3 275 924	1 299 470
Meuble et articles d'ameublement	487	9 623	213 308	539 592	1 141 965	606 844
Papier et produits connexes	120	4 699	158 203	872 733	1 506 428	638 992
Imprimerie, édition, produits connexes	1 172	9 488	252 126	692 666	1 817 109	1 133 019
Première transformation des métaux	71	2 648	82 884	329 656	620 980	296 468
Produits métalliques (sauf transport)	1 303	20 929	568 183	1 464 090	3 061 730	1 614 323
Machinerie (sauf électrique)	440	9 553	288 660	873 777	1 782 249	928 978
Matériel de transport	220	5 020	138 627	435 292	815 662	380 563
Produits électriques et électroniques	357	6 696	181 125	770 986	1 558 855	805 246
Produits minéraux non métalliques	318	4 968	139 217	407 615	861 683	455 347
Produits raffinés du pétrole	44	340	10 639	89 827	142 809	54 542
Produits chimiques	281	5 199	148 511	1 215 879	2 154 040	937 643
Grandes entreprises	**1 214**	**195 536**	**7 216 120**	**40 832 724**	**71 912 710**	**31 674 100**
Aliments	139	20 480	639 020	4 974 554	7 480 774	2 535 505
Boissons	14	2 916	142 140	549 359	1 572 889	1 015 200
Produits en caoutchouc	16	4 189	162 323	538 886	955 736	421 410
Produits en matière plastique	45	4 190	118 157	435 040	862 270	430 708
Cuir et produits connexes	6	1 142	25 514	76 180	146 949	75 400
Textiles de première transformation	39	6 264	185 004	671 314	1 252 515	583 582
Produits textiles	23	4 733	126 848	603 209	1 030 953	423 742
Habillement	60	17 032	320 728	712 183	1 588 386	885 999
Bois	101	11 353	389 634	1 874 068	3 285 982	1 423 834
Meuble et articles d'ameublement	26	4 495	105 065	261 622	580 001	331 929
Papier et produits connexes	86	21 901	1 071 643	4 538 839	8 562 590	3 961 821
Imprimerie, édition, produits connexes	146	8 503	357 913	930 482	2 519 937	1 600 452
Première transformation des métaux	50	18 195	899 992	5 493 874	8 941 227	3 474 873
Produits métalliques (sauf transport)	69	6 419	243 444	1 056 716	1 820 445	753 967
Machinerie (sauf électrique)	32	3 950	160 230	561 518	1 340 289	912 774
Matériel de transport	48	22 526	866 586	5 607 435	9 765 903	4 589 204
Produits électriques et électroniques	70	15 896	618 858	4 754 240	7 739 364	2 989 957
Produits minéraux non métalliques	89	3 724	141 406	388 189	927 518	532 714
Produits raffinés du pétrole	8	813	64 940	3 344 938	3 833 567	477 770
Produits chimiques	99	7 174	299 360	2 600 984	5 130 095	2 521 025
Total	**10 176**	**362 788**	**11 272 319**	**57 849 361**	**102 825 558**	**45 723 599**

Source : Institut de la statistique du Québec, *Statistiques des PME manufacturières au Québec*, édition 2000.

Tableau 20.8

Destination des expéditions des manufacturiers exportateurs, par groupe d'industries, Québec, 1990 et 1997

Groupe d'industries	Destination						Total
	Provinces atlantiques	Québec	Ontario	Provinces de l'Ouest	États-Unis	Autres pays	
	'000 $						
1990¹	**2 360 811**	**24 097 337**	**10 849 527**	**3 297 185**	**12 751 822**	**3 842 230**	**57 198 912**
Aliments	250 004	4 182 223	1 214 727	307 941	192 951	123 576	6 271 422
Boissons	16 949	943 720	72 934	22 863	121 836	13 800	1 192 102
Tabac	83 075	261 364	243 585	231 284	x	x	979 467
Produits en caoutchouc	9 001	77 760	75 540	24 137	392 744	11 618	590 800
Produits en matière plastique	38 471	489 222	224 236	38 857	177 919	18 314	987 019
Cuir et produits connexes	11 781	135 540	102 745	34 031	41 895	2 840	328 832
Textiles de première transformation	32 674	608 033	310 031	86 898	82 145	75 897	1 195 678
Produits textiles	39 790	482 326	368 821	129 847	93 736	19 036	1 133 556
Habillement	118 759	1 103 978	970 381	396 000	105 457	21 649	2 716 224
Bois	76 001	1 259 129	297 379	32 742	445 869	160 820	2 271 940
Meuble et articles d'ameublement	40 407	418 413	215 134	75 177	148 228	7 618	904 977
Papier et produits connexes	133 502	2 148 855	1 057 401	152 400	2 849 847	629 973	6 971 978
Imprimerie, édition, produits connexes	47 918	1 518 113	393 006	58 342	115 867	13 395	2 146 641
Première transformation des métaux	51 759	1 640 459	988 178	68 641	2 333 817	568 842	5 651 696
Produits métalliques (sauf transport)	115 384	1 169 792	346 392	138 800	329 135	27 661	2 127 164
Machinerie (sauf électrique)	50 467	575 358	170 793	198 780	261 781	87 281	1 344 460
Matériel de transport	361 849	432 827	680 424	145 567	3 249 935	1 145 866	6 016 468
Produits électriques et électroniques	439 254	757 713	1 032 297	333 461	988 386	570 842	4 121 953
Produits minéraux non métalliques	30 538	605 549	104 250	27 244	91 684	4 159	863 424
Produits raffinés du pétrole	133 367	3 184 815	209 889	28 553	x	x	3 695 658
Produits chimiques	252 742	1 801 529	1 535 634	665 929	456 203	104 522	4 816 559
Autres industries manufacturières	27 119	300 619	235 750	99 691	132 325	75 390	870 894
1997	**2 308 696**	**30 616 631**	**13 349 990**	**4 500 927**	**32 784 403**	**8 936 730**	**93 371 967**
Aliments	399 140	4 945 552	1 822 992	668 346	734 080	597 308	9 167 418
Boissons	77 818	1 107 682	161 799	84 895	236 340	25 167	1 693 701
Tabac	x	x	x	x	x	x	x
Produits en caoutchouc	11 939	434 809	182 512	39 051	333 855	x	x
Produits en matière plastique	63 667	1 143 007	358 203	85 526	473 797	43 378	2 167 578
Cuir et produits connexes	11 233	161 384	103 376	35 117	88 643	19 179	418 932
Textiles de première transformation	23 996	599 091	332 629	88 594	552 256	178 458	1 775 024
Produits textiles	30 080	542 980	489 738	151 709	243 685	123 742	1 581 934
Habillement	105 466	1 202 412	922 360	438 345	817 806	69 548	3 555 937
Bois	95 357	2 144 533	821 493	72 030	2 432 781	248 770	5 814 964
Meuble et articles d'ameublement	47 473	642 593	220 528	77 214	496 339	26 703	1 510 850
Papier et produits connexes	156 172	2 449 291	1 095 110	175 676	4 591 233	1 483 559	9 951 041
Imprimerie, édition, produits connexes	48 566	1 823 091	572 543	101 287	560 460	114 259	3 220 206
Première transformation des métaux	48 963	2 237 770	1 183 201	117 348	4 501 309	1 415 221	9 503 812
Produits métalliques (sauf transport)	162 040	1 819 517	563 997	282 724	1 023 187	199 086	4 050 551
Machinerie (sauf électrique)	80 315	880 409	254 493	174 680	1 039 123	449 229	2 878 249
Matériel de transport	71 277	1 029 075	749 457	242 189	6 218 244	1 944 061	10 254 303
Produits électriques et électroniques	101 167	1 127 276	739 367	299 191	5 562 258	1 124 315	8 953 574
Produits minéraux non métalliques	41 621	727 562	176 411	49 277	302 620	28 811	1 326 302
Produits raffinés du pétrole	x	x	x	1 957	x	x	x
Produits chimiques	293 325	2 103 391	1 589 669	739 582	1 611 872	478 527	6 816 366
Autres industries manufacturières	x	x	x	x	x	x	x

1. Expéditions manufacturières des établissements ayant expédié pour 100 000 $ et plus hors Québec.

Source : Institut de la statistique du Québec, *Destination des expéditions des manufacturiers exportateurs*, 1988-1990 et 1995-1997.

Tableau 20.9
Statistiques principales du secteur manufacturier, par région administrative, Québec, 1992 et 1997

Région administrative	Établis- sements	Employés à la production	Salaires à la production	Intrants manufacturiers	Expéditions manufacturières	Valeur ajoutée manufacturière
	n			'000 $		
01 Bas-Saint-Laurent						
1992	226	5 106	140 900	655 459	1 213 895	547 996
1997	239	6 929	189 720	1 072 606	1 688 141	653 603
02 Saguenay–Lac-Saint-Jean						
1992	274	10 759	463 474	1 957 669	3 082 369	1 101 448
1997	280	13 779	558 198	2 820 023	5 046 320	2 213 029
03 Capitale-Nationale						
1992	638	14 116	447 777	1 510 472	2 965 758	1 436 764
1997	605	14 646	482 454	1 939 391	4 091 542	2 145 960
04 Mauricie						
1992[1]	956	28 090	814 690	3 507 828	5 746 153	2 233 345
1997	335	14 510	464 318	2 141 544	3 801 750	1 642 283
05 Estrie						
1992	513	16 776	436 466	1 451 786	2 762 293	1 326 788
1997	495	22 916	649 464	2 552 941	5 095 263	2 578 011
06 Montréal						
1992	4 123	120 343	3 344 616	13 006 412	25 763 020	13 112 307
1997	3 411	126 026	3 736 748	17 693 106	34 330 845	17 248 307
07 Outaouais						
1992	134	4 274	159 582	568 625	896 620	317 781
1997	119	4 897	180 512	765 502	1 464 562	693 365
08 Abitibi-Témiscamingue						
1992	120	4 002	142 949	664 350	1 067 470	416 115
1997	119	5 139	201 410	962 951	1 698 819	744 461
09 Côte-Nord						
1992	62	4 128	165 796	730 242	1 064 055	340 356
1997	65	4 905	225 222	1 337 112	1 956 453	583 476
10 Nord-du-Québec						
1992	14	1 367	57 455	233 160	367 487	131 441
1997	18	1 481	77 029	326 671	603 710	280 614
11 Gaspésie–Îles-de-la-Madeleine						
1992	100	2 779	89 302	261 909	1 213 895	547 996
1997	96	3 045	94 558	363 115	1 688 141	653 603
12 Chaudière-Appalaches						
1992	763	22 217	574 954	2 831 967	4 619 554	1 719 952
1997	762	28 804	757 507	4 723 878	7 269 155	2 534 514
13 Laval						
1992	442	7 738	206 403	648 753	1 432 679	779 243
1997	406	8 698	235 562	972 670	1 884 685	925 907
14 Lanaudière						
1992	494	9 502	265 518	886 346	1 554 358	668 216
1997	465	10 193	302 734	1 254 759	2 133 632	869 680
15 Laurentides						
1992	475	10 557	294 052	1 117 601	1 941 056	791 535
1997	462	14 492	485 637	3 729 879	5 983 837	2 264 445
16 Montérégie						
1992	1 795	55 040	1 692 224	8 849 855	14 339 009	5 449 221
1997	1 726	62 071	2 034 928	12 190 610	20 162 208	8 088 566
17 Centre-du-Québec						
1992	...	...	...	...	...	...
1997	573	20 257	596 318	3 002 603	5 008 775	2 019 395
Le Québec						
1992	**11 129**	**316 794**	**9 296 158**	**38 882 434**	**69 220 354**	**30 518 583**
1997	**10 176**	**362 788**	**11 272 319**	**57 849 361**	**102 825 558**	**45 723 599**

1. Les données de 1992 sont pour la région Mauricie–Bois-Francs. Cette région a été redécoupée pour former les régions de la Mauricie et du Centre-du-Québec. Les données de 1997 ont été publiées selon ce nouveau découpage.

Souce :   Institut de la statistique du Québec, *Statistiques manufacturières régionales*, éditions 1995 et 2000.

Tableau 20.10

Nombre d'établissements et valeur des expéditions manufacturières, selon la région administrative, par MRC[1], 1997

Région administrative et MRC	Établis- sements	Expéditions manufacturières	Région administrative et MRC	Établis- sements	Expéditions manufacturières
	n	'000 $		n	'000 $
01 Bas-Saint-Laurent			**11 Gaspésie–Îles-de-la-Madeleine**		
07 La Matapédia	21	190 360	02 Le Rocher-Percé	14	189 929
08 Matane	27	262 758	03 La Côte-de-Gaspé	19	94 065
09 La Mitis	14	137 411	04 La Haute-Gaspésie	16	56 632
10 Rimouski-Neigette	48	94 112	05 Bonaventure	19	167 062
11 Les Basques	16	11 382			
12 Rivière-du-Loup	43	283 928	**12 Chaudière-Appalaches**		
13 Témiscouata	32	327 662	17 L'Islet	47	289 638
14 Kamouraska	38	380 528	18 Montmagny	64	455 580
			19 Bellechasse	63	756 821
02 Saguenay–Lac-Saint-Jean			24 Desjardins	63	522 354
91 Le Domaine-du-Roy	49	623 174	25 Les Chutes-de-la-Chaudière	94	2 146 071
92 Maria-Chapdelaine	34	419 099	26 La Nouvelle-Beauce	67	924 377
93 Lac-Saint-Jean-Est	53	653 414	27 Robert-Cliche	59	413 647
94 Le Fjord-du-Saguenay	144	3 350 633	28 Les Etchemins	30	149 092
			29 Beauce-Sartigan	133	995 486
03 Capitale-Nationale			31 L'Amiante	78	258 315
15 Charlevoix-Est	14	257 057	33 Lotbinière	64	357 774
16 Charlevoix	15	36 124			
21 La Côte-de-Beaupré	18	249 944	**13 Laval**		
23 Communauté-Urbaine-de-Québec	482	2 789 110	65 Laval	406	1 884 685
34 Portneuf	65	755 529			
			14 Lanaudière		
04 Mauricie			52 D'Autray	74	319 682
35 Mékinac	34	207 799	60 L'Assomption	79	354 778
36 Le Centre-de-la-Mauricie	76	1 072 080	61 Joliette	88	734 942
37 Francheville	148	1 694 224	62 Matawinie	67	213 671
51 Maskinongé	66	409 233	63 Montcalm	55	186 223
90 Le Haut-Saint-Maurice	11	418 414	64 Les Moulins	102	324 336
05 Estrie			**15 Laurentides**		
30 Le Granit	79	406 713	72 Deux-Montagnes	77	435 621
40 Asbestos	28	27 717	73 Thérèse-De Blainville	120	2 623 155
41 Le Haut-Saint-François	45	276 138	74 Mirabel	25	1 257 316
42 Le Val-Saint-François	59	2 082 832	75 La Rivière-du-Nord	105	918 405
43 La Région-Sherbrookoise	180	1 334 221	76 Argenteuil	36	428 726
44 Coaticook	34	209 097	77 Les Pays-d'en-Haut	22	42 302
45 Memphrémagog	70	758 545	78 Les Laurentides	37	80 293
			79 Antoine-Labelle	40	198 019
06 Montréal					
66 Communauté-Urbaine-de-Montréal	3 411	34 330 845	**16 Montérégie**		
			46 Brome-Missisquoi	94	831 409
07 Outaouais			47 La Haute-Yamaska	185	4 728 922
80 Papineau	22	392 138	48 Acton	31	360 811
81 Communauté-Urbaine-de-l'Outaouais	74	818 768	53 Le Bas-Richelieu	62	1 273 852
82 Les Collines-de-l'Outaouais	3	469	54 Les Maskoutains	178	1 695 567
			55 Rouville	64	886 139
08 Abitibi-Témiscamingue			56 Le Haut-Richelieu	148	1 080 163
85 Témiscamingue	26	612 177	57 La Vallée-du-Richelieu	147	574 980
86 Rouyn-Noranda	18	252 162	58 Champlain	271	2 355 321
87 Abitibi-Ouest	19	186 621	59 Lajemmerais	179	3 002 916
88 Abitibi	23	291 716	67 Roussillon	145	982 100
89 Vallée-de-l'Or	33	356 143	68 Les Jardins-de-Napierville	47	164 227
			69 Le Haut-Saint-Laurent	27	208 880
09 Côte-Nord			70 Beauharnois-Salaberry	66	1 452 549
95 La Haute-Côte-Nord	13	92 436	71 Vaudreuil-Soulanges	82	564 372
96 Manicouagan	19	1 496 721			
971 Sept-Rivières	27	321 281	**17 Centre-du-Québec**		
			32 L'Érable	98	643 107
10 Nord-du-Québec			38 Bécancour	39	1 306 993
991 Jamésie	18	603 710	39 Arthabaska	157	1 077 267
			49 Drummond	220	1 819 735
			50 Nicolet-Yamaska	59	161 673

1. À l'exception du territoire de Kativik qui ne compte aucun établissement manufacturier, les données relatives aux MRC dont les noms n'apparaissent pas dans ce tableau sont confidentielles.

Source : Institut de la statistique du Québec, *Statistiques manufacturières régionales*, édition 2000.

Tableau 20.11
Destination des expéditions des manufacturiers exportateurs, par région administrative, Québec, 1990 et 1997

Région administrative	Destination						Total
	Provinces atlantiques	Québec	Ontario	Provinces de l'Ouest	États-Unis	Autres pays	
	'000 $						
1990[1]	**2 360 811**	**24 097 337**	**10 849 527**	**3 297 185**	**12 751 822**	**3 842 230**	**57 198 912**
01 Bas-Saint-Laurent	35 238	236 479	79 544	12 717	149 772	73 188	586 938
02 Saguenay–Lac-Saint-Jean	20 242	726 396	345 931	36 945	1 311 644	310 032	2 751 190
03 Capitale-Nationale	81 853	727 725	366 438	181 366	666 709	165 546	2 189 637
04 Mauricie–Bois-Francs[2]	113 724	1 517 916	842 355	204 076	1 084 105	228 265	3 990 441
05 Estrie	94 094	786 552	465 824	103 251	650 958	85 573	2 186 252
06 Montréal	1 122 789	10 986 828	4 525 612	1 702 279	2 645 466	1 274 937	22 257 911
07 Outaouais	4 627	130 866	156 592	13 661	225 778	120 607	652 131
08 Abitibi-Témiscamingue	3 499	241 405	105 898	6 957	79 217	56 067	493 043
09 Côte-Nord	x	x	x	x	720 749	132 671	1 021 848
10 Nord-du-Québec	–	153 115	48 947	–	x	x	286 100
11 Gaspésie–Îles-de-la-Madeleine	x	x	x	x	x	x	176 659
12 Chaudière-Appalaches	224 036	2 754 208	536 566	96 178	311 086	74 641	3 996 715
13 Laval	30 707	440 186	174 648	101 991	108 786	10 084	866 402
14 Lanaudière	38 021	369 250	279 155	154 587	236 572	90 596	1 168 181
15 Laurentides	37 396	465 554	555 047	117 834	1 571 139	119 254	2 866 224
16 Montérégie	536 725	4 341 451	2 320 261	564 847	2 869 386	1 076 570	11 709 240
1997[3]	**2 308 696**	**30 616 631**	**13 349 990**	**4 500 927**	**32 784 403**	**8 936 730**	**93 371 967**
01 Bas-Saint-Laurent	52 768	622 324	119 199	27 859	473 978	257 468	1 553 596
02 Saguenay–Lac-Saint-Jean	42 236	1 322 973	217 399	50 658	2 584 694	522 738	4 740 698
03 Capitale-Nationale	99 986	1 248 792	460 001	226 054	1 178 889	328 268	3 541 990
04 Mauricie	52 553	966 582	403 537	103 722	1 609 205	225 492	3 361 091
05 Estrie	91 175	969 803	619 788	229 957	2 536 371	257 998	4 705 092
06 Montréal	891 587	11 202 314	5 039 372	2 178 869	8 115 658	3 095 381	30 523 181
07 Outaouais	15 843	266 589	220 407	38 995	537 814	308 426	1 388 074
08 Abitibi-Témiscamingue	5 545	505 358	282 101	14 903	577 071	214 778	1 599 756
09 Côte-Nord	25 150	298 999	132 782	2 878	1 063 757	389 334	1 912 900
10 Nord-du-Québec	x	x	55 957	x	x	x	594 292
11 Gaspésie–Îles-de-la-Madeleine	x	x	82 679	x	x	x	517 749
12 Chaudière-Appalaches	392 380	3 126 435	844 407	234 284	1 578 823	149 602	6 325 931
13 Laval	60 433	806 571	301 639	88 343	334 628	96 010	1 687 624
14 Lanaudière	109 954	696 099	232 108	97 075	223 348	58 359	1 416 943
15 Laurentides	52 516	1 043 673	681 195	141 244	2 942 118	553 283	5 414 029
16 Montérégie	292 340	5 588 358	2 924 992	803 501	7 129 386	1 917 215	18 655 792
17 Centre-du-Québec	102 770	1 632 964	732 427	258 149	1 393 229	439 100	4 558 639

1. Expéditions manufacturières des établissements ayant expédié pour 100 000 $ et plus hors Québec.
2. La région de Mauricie–Bois-Francs a été redécoupée pour former les régions de la Mauricie (04) et du Centre-du-Québec (17). Les données de 1997 ont été publiées selon ce nouveau découpage.
3. Des expéditions de 844,9 millions de dollars vers les autres provinces du Canada n'ont pu être réparties par province. Elles sont toutefois incluses dans le total.

Source : Institut de la statistique du Québec, *Destination des expéditions des manufacturiers exportateurs*, 1988-1990 et 1995-1997.

Tableau 20.12
Principaux produits fabriqués[1] par les manufacturiers, par ordre décroissant de la valeur des expéditions, Québec, 1997

Produit	Valeur	Établissement	Code d'activité économique[2]	Région administrative[2]
	'000 $	n		
Papiers ou cartons et produits en pâte à papier	9 170 862	363	2712 2719 2713 2732 2731 2791 2811 2793 2819 2799	04 06 03 05 02 07 16 17 09 08
Machines, appareils et matériel électriques, parties; appareils d'enregistrement, reproduction du son et images, parties, accessoires	8 195 624	368	3352 3351 3359 3381 3321 3399 3372 3371 3392 3994	16 06 15 12 17 03 14 05 13 04
Bois, charbon de bois	6 170 583	765	2512 2549 2543 2521 2592 2593 2599 2561 2591 2714	12 02 08 01 04 05 10 17 15 09
Aluminium et produits en aluminium	5 397 704	212	2951 2961 3049 3031 2999 3039 2799 3042 3381 3081	02 09 04 06 17 03 16 12 15 13
Réacteurs nucléaires, chaudières, machines et appareils mécaniques; leurs parties	4 711 791	804	3199 3211 3192 3194 3361 3321 3081 3092 3121 3111	06 16 05 17 13 12 02 03 14 15
Véhicules terrestres, autres que ferroviaires, leurs parties et accessoires	4 552 366	225	3231 3299 3242 3259 3255 3241 3931 3256 3192 3253	15 05 12 16 06 17 14 13 03 01
Véhicules aériens, véhicules spatiaux et leurs parties	4 383 496	53	3211 3359 3081 3099 3352 3199 3351 3256	06 15 16 13 03 04 05 14 17
Combustibles minéraux, huiles minérales et produits de leur distillation; matières bitumineuses; cires minérales	4 014 899	56	3611 3699 3712 3612 3799 3549 3551 3599 3792 3761	06 12 16 13 04 15 01 17 03 08
Huiles de pétrole et de minéraux bitumineux, autres que brutes	3 983 611	55	3611 3699 3712 3612 3549 3799 3551 3599 3792 3761	06 12 16 13 15 01 17 03 08 14
Matières plastiques et ouvrages en ces matières	3 938 278	524	1699 3731 1631 1691 1611 1621 3993 1599 3999 3971	06 16 12 13 14 15 05 17 08 04
Aluminium sous forme brute	3 509 066	17	2951 2961 2971 2999 3711	02 09 03 04 16 17 12
Produits pour l'édition, la presse ou autres industries graphiques; textes manuscrits ou dactylographiés et plans	3 475 481	1 022	2819 2839 2831 2841 2849 2811 2821 2791 3999 3211	06 16 03 12 17 04 13 05 15 02
Bois d'oeuvre	3 215 826	252	2512 2599 2591 2549 2561 2511 3562 2541 2543 3994	02 12 08 10 01 04 09 07 05 17
Papier journal, en rouleaux ou en feuilles	2 990 353	21	2712 2719	04 03 02 07 09 11 05 01 08 06
Ouvrages en fonte, fer ou acier	2 910 025	803	3029 3049 3053 3039 3031 3099 2941 3042 2921 3059	06 16 12 13 17 03 05 15 14 04
Bois d'oeuvre de conifères (bois résineux)	2 859 113	212	2512 2599 2591 2511 2549 2561 3562 2541 3994	02 12 08 10 01 04 09 11 03 15

1. Certains produits sont absents de ce tableau, les données étant de nature confidentielle.
2. En ordre décroissant d'importance.

Sources : Statistique Canada, Enquête annuelle des manufactures, 1997.
Institut de la statistique du Québec, Direction des comptes et des études économiques.

Figure 20.4
Part des exportations[1] dans les expéditions manufacturières, selon la région administrative, Québec, 1997

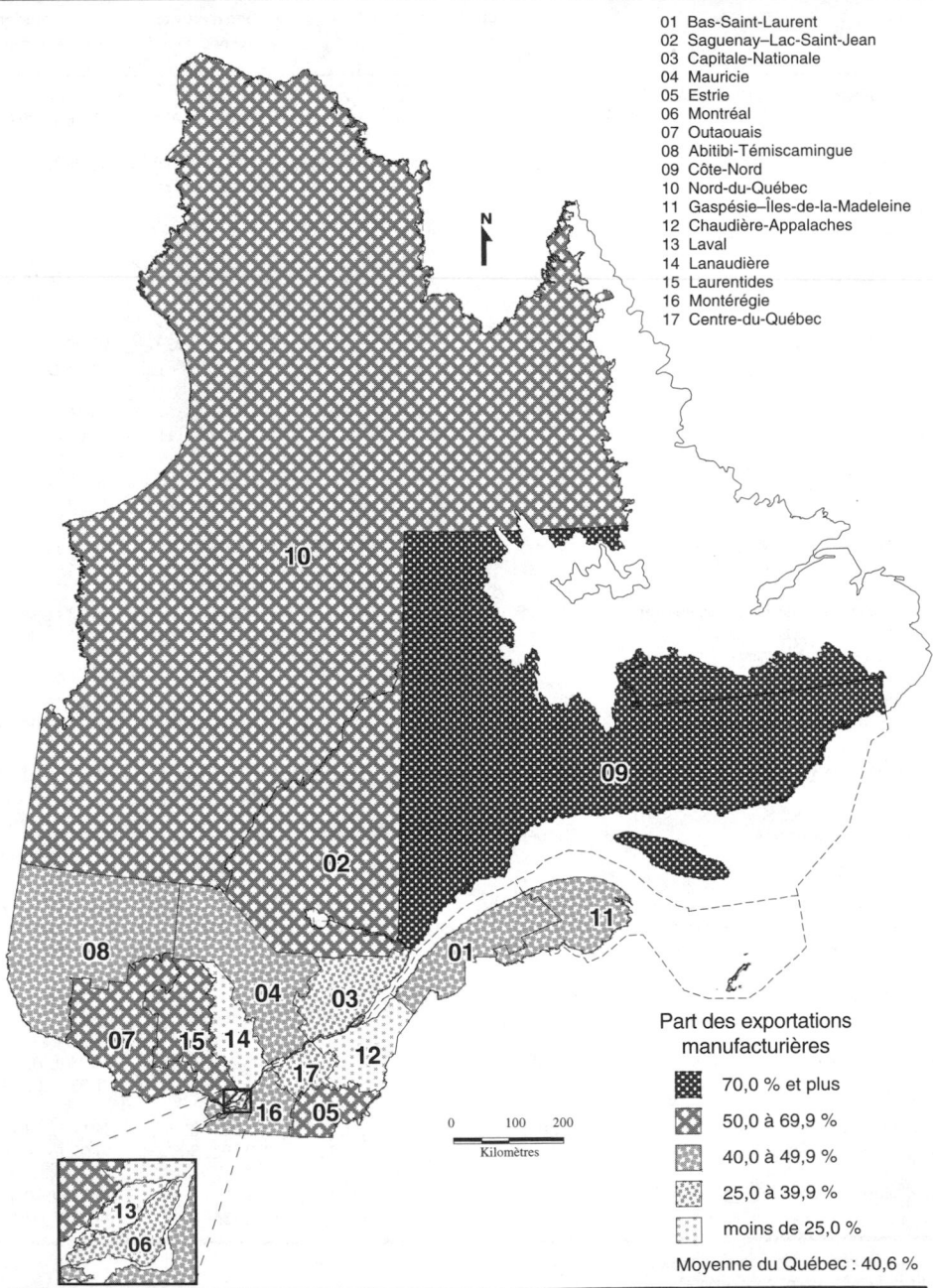

01 Bas-Saint-Laurent
02 Saguenay–Lac-Saint-Jean
03 Capitale-Nationale
04 Mauricie
05 Estrie
06 Montréal
07 Outaouais
08 Abitibi-Témiscamingue
09 Côte-Nord
10 Nord-du-Québec
11 Gaspésie–Îles-de-la-Madeleine
12 Chaudière-Appalaches
13 Laval
14 Lanaudière
15 Laurentides
16 Montérégie
17 Centre-du-Québec

Part des exportations manufacturières

70,0 % et plus
50,0 à 69,9 %
40,0 à 49,9 %
25,0 à 39,9 %
moins de 25,0 %

Moyenne du Québec : 40,6 %

1. Il s'agit de la première destination.

Source : Institut de la statistique du Québec, *Destination des expéditions manufacturiers exportateurs*, 1995-1997.

Réalisation : Institut de la statistique du Québec, Direction de l'édition et des communications, 2001.

21

Construction et logement

Liste des tableaux

Liste des figures

Ce chapitre a été réalisé par Manon Leclerc, de la Direction de l'édition et des communications de l'Institut de la statistique du Québec.

L'industrie de la construction se révèle un des principaux moteurs de la production nationale dans les économies industrialisées, et l'économie du Québec ne fait pas exception. Le présent chapitre analyse l'importance économique du secteur et son évolution générale depuis la fin des années 80, à travers des indicateurs aussi variés que les investissements en construction, les permis de bâtir, les entreprises, la main-d'œuvre, les logements occupés et inoccupés, le prix des logements neufs et les taux d'intérêt sur les prêts hypothécaires.

Déjà, en 1915, deuxième année de la publication de l'*Annuaire statistique*, l'activité dans le domaine de la construction faisait l'objet d'une analyse spécifique traitant du nombre et de la valeur des nouvelles constructions érigées dans certaines grandes villes du Québec, plus particulièrement à Montréal. Vers les années 50, la couverture du sujet s'est étendue au nombre de logements achevés, à la valeur des travaux de génie et à celle des contrats de construction. Puis, au début des années 70, se sont ajoutées des données sur les investissements, le volume et les coûts de construction, ainsi que sur les prêts hypothécaires et les mutations de propriété.

L'activité dans le secteur de la construction

Au Québec, la part du secteur de la construction dans le produit intérieur brut (PIB) au coût des facteurs a diminué durant la décennie 90, en passant de 7,3 % en 1990 à 5,0 % en 2000. De fait, cette part a constamment reculé entre 1990 et 1995, pour finalement se maintenir autour de 5 % durant les dernières années de la décennie (tableau 21.1). Toujours sous l'angle de la valeur ajoutée, en dollars constants de 1992, l'activité de la construction a baissé entre 1991 et 2000 au taux annuel moyen de 0,9 %, alors que l'ensemble de l'économie québécoise progressait de 2,5 %.

Au total, les dépenses d'immobilisations en construction effectuées en 1999 par les administrations publiques, les entreprises et les particuliers s'élèvent **en dollars courants** à 18,4 milliards, soit une augmentation de 9,0 % par rapport à 1998. Cette croissance provient notamment d'une hausse de 20,7 % des dépenses d'immobilisations dans le secteur de la construction résidentielle.

Les dépenses dans le secteur de la construction

Les dépenses d'immobilisations dans le secteur de la construction se partagent entre deux catégories de travaux : celles relatives à la construction de bâtiments et celles reliées aux travaux de génie. Les premières représentent généralement le double, et même le triple des secondes (tableau 21.2). En 1997 notamment, plus de 15 milliards de dollars ont été investis dans le secteur de la construction, dont 11,2 milliards uniquement pour la construction de bâtiments.

Les travaux de construction de bâtiments

De 1993 à 1997, les travaux de construction de bâtiments ont crû de 3,4 % globalement, et leur part dans les investissements du secteur de la construction est passée de 67,8 % à 74,1 %. Entre 1996 et 1997, ils ont augmenté de 4,0 %, en raison essentiellement de l'augmentation des investissements dans le secteur résidentiel (+ 10,5 %) puisqu'ils ont diminué de plus de 11 % tant en construction commerciale (- 11,9 %) qu'industrielle (- 11,7 %). C'est le secteur résidentiel qui bénéficie de la plus importante part des investissements dans cette catégorie. En 1997, 66,0 % des investissements y sont faits, suivis par ceux des secteurs commercial (13,2 %) et institutionnel (9,4 %).

Les travaux de génie

En 1997, un peu plus du quart des dépenses d'immobilisations en construction est consacré aux travaux de génie, ce qui équivaut à 3,9 milliards de dollars. Dans cette catégorie, les sommes les plus importantes sont investies dans les travaux liés aux transports et à l'énergie électrique, lesquels reçoivent plus de 50 % du total des montants dépensés pour les travaux de génie en 1997, soit 1,2 milliard et 825,7 millions respectivement. Les sommes les plus faibles sont injectées dans des domaines tels que le génie maritime (52,4 millions) et l'exploitation pétrolière et gazéifère (152,9 millions).

De 1993 à 1997, les investissements destinés aux travaux de génie ont subi une décroissance de 23,6 %, principalement due à une diminution marquée des montants imputés aux travaux liés à l'énergie électrique, qui sont passés de 2,4 milliards à 825,7 millions en quelques années. Cependant, la crise du verglas de 1998 va renverser cette tendance à la baisse en forçant l'investissement par TransÉnergie – filiale d'Hydro-Québec – de sommes importantes, notamment dans des projets de reconstruction des infrastructures de transport détruites lors de cette catastrophe naturelle. Par ailleurs, c'est le secteur des installations minières qui a enregistré la plus forte croissance de ses investissements durant la période quinquennale : ceux-ci sont passés de 273,3 à 463,4 millions de dollars, soit une hausse de 69,6 %.

Les permis de bâtir

En 2000, la valeur totale des permis de bâtir émis au Québec se chiffre à 6,3 milliards de dollars, dont 3,2 milliards exclusivement pour la construction résidentielle (figure 21.1). Cette dernière accapare 50,9 % de la valeur totale des permis, suivie par la construction commerciale (24,9 %), la construction industrielle (14,9 %) et les secteurs de la construction institutionnelle et gouvernementale (9,3 %). De 1995 à 2000, la valeur totale des permis émis a augmenté de 26,8 %. Dans l'ensemble, elle a crû pour chacun des types de construction, sauf pour celui de la construction institutionnelle et gouvernementale (- 9,0 %). Avec une croissance de près de 50 %, la construction résidentielle affiche la plus forte augmentation, suivie du secteur commercial (+ 25,3 %).

À l'échelle régionale, en 2000, la valeur des permis de bâtir émis est très élevée dans les régions de Montréal et de la Montérégie (1,5 et 1,1 milliard de dollars respectivement), alors que dans celle du Nord-du-Québec, elle se chiffre uniquement à 11,3 millions (tableau 21.3). Dans quatre autres régions, cette valeur est inférieure à 100 millions de dollars; il s'agit du Bas-Saint-Laurent, de l'Abitibi-Témiscamingue, de la Côte-Nord et de Gaspésie–Îles-de-la-Madeleine.

À titre de comparaison, au Canada, la valeur des permis de bâtir s'est élevée à 36,9 milliards de dollars en 2000, dont 55 % pour la construction résidentielle. De 1995 à 2000, tous les types de construction ont connu une croissance au pays, mais le secteur de la construction commerciale a présenté la plus forte hausse (+ 63,7 %). Du côté de l'Ontario, la valeur des permis est à la hausse dans tous les secteurs, celui de la construction résidentielle étant toutefois de loin le plus dynamique, avec une augmentation de plus de 100 %. Contrairement à l'Ontario, où elle a crû de 91,0 % entre 1995 et 2000, la valeur des permis de bâtir a diminué de 16,8 % en Colombie-Britannique.

Les entreprises

En 1999, 18 455 employeurs sont actifs au Québec dans le secteur de la construction (tableau 21.4). De ce nombre, 25,1 % sont des « entrepreneurs généraux » dont la fonction consiste à superviser l'ensemble des travaux sur un chantier donné. Les autres « entrepreneurs spécialisés » se répartissent ainsi : 15,3 % dans le domaine de la charpenterie-menuiserie, 9,6 % en électricité, 6,9 % en excavation, 5,5 % en tuyauterie, 4,8 % en peinture et 4,2 % en maçonnerie. Entre 1990 et 1994, le nombre d'entreprises actives dans la construction est passé de 19 040 à 13 507, pour ensuite remonter graduellement à plus de 18 000 vers la fin de la décennie (tableau 21.5).

Au Québec, la majorité des entreprises en construction sont relativement petites; d'ailleurs, 86 % des employeurs emploient en moyenne 5 salariés et moins. En 1990, le nombre moyen de salariés par employeur était de 4,7; en 1999, il se situe à 3,8. En 1999, les employeurs ont rapporté 4 341 heures de travail en moyenne, soit 1 481 heures de moins qu'en 1990. Durant cette période, en y incluant les indemnités de congés et de primes, la masse salariale moyenne par employeur a également diminué, en passant de 129 384 $ au début de la décennie à 112 352 $ à la fin.

La main-d'oeuvre

Les salariés et les heures de travail

En 1999, l'industrie de la construction rapporte 80,1 millions d'heures effectuées par ses 93 447 salariés actifs. Il s'agit d'une hausse de 7,6 millions d'heures par rapport à 1998. Pendant la même année, 35,7 % des salariés actifs de ce secteur cumulent moins de 500 heures de travail, et seulement 2,1 % travaillent 2 000 heures et plus (tableau 21.6). Toutes tranches d'heures confondues, ce sont les compagnons (ouvriers détenant un certificat de qualification) qui proportionnellement totalisent le plus grand nombre d'heures travaillées. Par ailleurs, dans leur corps d'emploi respectif, les apprentis (travailleurs munis d'un carnet d'apprentissage) et les salariés non qualifiés présentent de fortes proportions de travailleurs cumulant moins de 500 heures dans l'année, soit 42,5 % et 42,8 % respectivement. De 1997 à 1999, la proportion de salariés travaillant entre 1 500 et 1 999 heures par année est celle qui a le plus augmenté; elle est en effet passée de 13,8 % à 17,4 %, soit une hausse de 3,6 points de pourcentage.

Les femmes sont de plus en plus présentes dans le secteur de la construction. En 1999, avec un total de 411 travailleuses, leur part atteint 0,4 % de l'ensemble des travailleurs du secteur. En 1998, elles n'en comptaient que 0,3 % (302 salariées). On retrouve les femmes surtout comme peintres (73), charpentiers-menuisiers (62), manœuvres (49) ou électriciennes (41).

La qualification et le revenu

En 1999, 81,1 % des travailleurs de la construction sont des salariés qualifiés formés de 70,1 % de compagnons et de 29,9 % d'apprentis (tableau 21.7). Ces proportions ont changé depuis 1992, année où la part des compagnons était beaucoup plus forte (78.2 %). En 1999, le salaire annuel moyen d'un compagnon se chiffre à 26 865 $, alors que celui d'un apprenti s'élève à un peu plus de la moitié de cette somme, soit 14 656 $ (tableau 21.9). Dans l'ensemble des salariés qualifiés, ce sont les mécaniciens d'ascenseur qui sont les mieux rémunérés (47 646 $), suivis des chaudronniers (43 278 $). Chez les salariés non qualifiés, ce sont les soudeurs qui ont les revenus les plus élevés (29 837 $).

Les salariés du secteur de la construction domiciliés dans la région du Grand Montréal[1] ont travaillé 46,2 millions d'heures en 1999, soit 57,7 % de toutes les heures travaillées dans cette industrie (tableau 21.8). Ils sont suivis de très loin par ceux de la région de Québec, avec 12,0 millions d'heures ou 15,0 % du total des heures travaillées. En plus du Grand Montréal, où sont travaillées le plus d'heures par des salariés originaires d'une autre région (1,7 million), l'Estrie attire beaucoup de travailleurs venus d'ailleurs (1,3 million d'heures). Bien qu'ils travaillent surtout dans leur région de domicile, les salariés de certaines régions réalisent une part importante de leurs heures de travail en dehors de leur région. C'est le cas notamment des travailleurs de la construction des régions de Mauricie–Bois-Francs (28,8 %) et du Bas-Saint-Laurent (25,6 %), dont plus du quart des heures travaillées le sont à l'extérieur de leur région.

Le logement

Au Québec, le nombre de logements dont la construction a été achevée en 2000 est de 23 346, alors qu'en Ontario, il dépasse les 65 000 (tableau 21.11). Par rapport à l'année 1994, le stock de logements achevés en 2000 sur le territoire québécois a régressé de 35,8 %, une diminution de quelque 13 000 unités. Durant cette période, seulement trois provinces canadiennes n'ont pas subi de recul : il s'agit de l'Ontario (+ 16 279 logements achevés), de l'Alberta (+ 7 059) et de la Saskatchewan (+ 1 239). Par ailleurs, le nombre de logements mis en chantier au Québec en 2000 (24 695) représente une baisse de près de 10 000 unités par rapport aux 34 154 logements construits en 1994.

Les logements occupés

En 1996, 2 951 485 logements occupés sont recensés dans l'ensemble du Québec. De ce nombre, 129 455 ou 4,4 % sont des logements collectifs, c'est-à-dire des établissements commerciaux, institutionnels ou communautaires.

La même année, on dénombre 2 822 030 logements privés occupés, dont 56,5 % sont habités par leurs propriétaires. En effet, 1 593 600 ménages québécois sont propriétaires de leur logement, alors que 1 225 305 sont locataires. Ce stock de logements est complété par 3 120 logements de bande (tableau 21.12). Entre 1991 et 1996, tous modes d'occupation confondus, le nombre de logements privés occupés a connu une augmentation considérable (+ 187 725), marquée par la forte croissance du nombre de propriétaires-occupants (près de 70 % de celle-ci).

---

1. Telle que définie par la Commission de la construction du Québec, cette région inclut les régions administratives de Montréal, Montérégie, Laval, Laurentides et Lanaudière.

Dans l'ensemble du Québec, en 1996, la très grande majorité des maisons individuelles (92,5 %) et des maisons mobiles (87,1 %) sont habitées par leurs propriétaires, alors que les maisons appartements de 5 étages et plus comptent 84,5 % de ménages locataires (figure 21.2).

Sur les 2 822 030 logements privés occupés du Québec, ce sont les logements de 5 pièces qui sont les plus répandus (23,9 % du parc de logements), suivis de près par ceux de 4 pièces et de 8 pièces et plus (18,0 % respectivement) (tableau 21.12). La taille des logements diffère énormément selon que l'occupant en est le propriétaire ou le locataire. En effet, les ménages propriétaires habitent en plus grande proportion des logements de 8 pièces et plus (29,9 %) et des logements de 6 pièces (22,3 %). Du côté des ménages locataires, ils occupent proportionnellement davantage de logements de 4 pièces (31,5 %) et de 5 pièces (28,7 %). À l'opposé des logements occupés par des ménages propriétaires, le nombre de logements locatifs de plus de 5 pièces diminue substantiellement; plus ils sont grands, moins les logements sont nombreux.

De 1991 à 1996, le Québec s'est enrichi de 187 730 nouveaux logements privés occupés, soit une hausse de 7,1 %. Ce sont les logements de 2 pièces qui ont gagné le plus en popularité, avec une croissance remarquable de 66,2 %, suivis de loin par ceux de 6 pièces (+ 34,1 %). Par contre, le nombre des logements de 1, 3 et 4 pièces a diminué. Ce sont les 3 pièces qui présentent le plus important recul (- 29,7 %).

Par ailleurs, 57,4 % des logements occupés au Québec en 1996 ont été construits entre 1946 et 1980, soit 18,5 % de 1946 à 1960, 17,5 % de 1961 à 1970 et, finalement, 21,4 % de 1971 à 1980 (tableau 21.13). En fait, 23,7 % des propriétaires-occupants possèdent une propriété construite durant les années 70 (1971 à 1980). Quant aux ménages locataires, 21,1 % d'entre eux habitent un logement dont la construction remonte à la période 1946-1960 et 20,5 %, à celle de 1961-1970. Les logements neufs, c'est-à-dire ceux construits **en 1996**, occupent une très faible part de marché (0,2 % chez les propriétaires et 0,1 % chez les locataires).

Les logements locatifs inoccupés[2]

En 2000, c'est dans la région métropolitaine de recensement (RMR) de Trois-Rivières que le taux d'inoccupation des immeubles de 6 logements et plus est le plus élevé (6,4 %); ce taux est suivi par ceux des RMR de Sherbrooke (4,9 %) et de Chicoutimi-Jonquière (4,8 %) (tableau 21.14). Le taux d'inoccupation le plus faible pour ce type de logement se retrouve dans la RMR d'Ottawa-Hull, où la quasi-totalité des immeubles d'habitation de cette taille ont trouvé preneur (0,4 %). La RMR de Québec présente aussi un taux d'inoccupation faible pour ces logements (1,5 %). Par rapport à 1995, le taux d'inoccupation a baissé dans l'ensemble des territoires des RMR, mais d'une façon plus remarquable dans celles de Québec et d'Ottawa-Hull, où la baisse atteint plus de 4 points de pourcentage. Entre 1999 et 2000, c'est la RMR de Sherbrooke qui a vu le plus diminuer son taux d'inoccupation, la baisse atteignant 3,2 points de pourcentage (de 8,1 % à 4,9 %).

---

2. Les données n'étant pas disponibles, la présente analyse ne tient pas compte des taux d'inoccupation des immeubles de 6 logements et plus de la RMR de Montréal pour 1999 et 2000.

Les mouvements de prix des logements neufs et des taux d'intérêt sur les prêts hypothécaires

En 2000, avec 1992 comme année de référence, l'indice des prix des logements neufs a augmenté de 8,4 % à Montréal et de 7,6 % à Ottawa-Hull. À Toronto et dans l'ensemble du Canada, les hausses sont moins marquées, soit de 6,6 % et de 3,2 % respectivement (tableau 21.15). Il est à noter que Calgary présente une augmentation record de 32,1 % en 2000, alors que de son côté Vancouver affiche la plus forte baisse à survenir depuis 1993 (- 16,7 %).

En 1990 et 1991, la moyenne annuelle des taux d'intérêt sur les prêts hypothécaires bancaires d'un terme de 5 ans était supérieure à 10 %; d'avril à juillet 1990, les taux ont même grimpé jusqu'à 14,25 % (tableau 21.16). Depuis la fin de 1995, les taux annuels moyens sont à la baisse. Toutefois, d'octobre 1999 à novembre 2000, ils ont remonté au-dessus des 8 %. Dans la première moitié de 2001, la tendance à la baisse amorcée à la fin de l'année précédente (7,95 % en décembre 2000) se continue, les taux demeurant relativement stables à 7,75 %.

Références

COMMISSION DE LA CONSTRUCTION DU QUÉBEC. *Analyse de l'industrie de la construction au Québec*, Direction recherche et organisation, 1999.
INSTITUT DE LA STATISTIQUE DU QUÉBEC. *L'Écostat*, revue trimestrielle, Québec, Gouvernement du Québec.
INSTITUT DE LA STATISTIQUE DU QUÉBEC. *Comptes économiques du Québec*, publication trimestrielle, Québec, Gouvernement du Québec.
INSTITUT DE LA STATISTIQUE DU QUÉBEC. *Produit intérieur brut par industrie au Québec*, publication mensuelle, Québec, Gouvernement du Québec.
INSTITUT DE LA STATISTIQUE DU QUÉBEC. *Investissements privés et publics, Québec et ses régions*, publication annuelle, Québec, Gouvernement du Québec.

Définitions

Logement collectif

Établissement commercial, institutionnel ou communautaire. Sont inclus dans cette catégorie les pensions et maisons de chambres, les hôtels, motels et maisons de chambres pour touristes, les maisons de repos, les hôpitaux, les résidences de personnel, les casernes (camps militaires), les camps de chantier, les prisons, les centres d'accueil, les foyers collectifs, etc.

Logement privé

Ensemble distinct de pièces d'habitation ayant une entrée privée donnant sur l'extérieur ou sur le corridor, un hall, un vestibule ou un escalier commun à l'intérieur, occupé de façon permanente par une personne ou un groupe de personnes autres que des résidents étrangers.

Logement privé occupé

Logement privé occupé de façon permanente par une personne ou un groupe de personnes. Sont également inclus dans cette catégorie les logements privés dont les résidents habituels sont temporairement absents le jour du recensement.

Ménage

Personne ou groupe de personnes (autres que des résidents étrangers) occupant un même logement et n'ayant pas de domicile habituel ailleurs au Canada.

Permis de bâtir

Valeur, en milliers de dollars, des permis de construction émis soit pour l'érection de nouveaux édifices ou pour l'exécution de travaux d'amélioration, selon le type de construction (résidentiel, industriel, commercial, institutionnel et gouvernemental).

Salarié qualifié

Compagnon
Personne qui a démontré sa qualification dans l'un ou l'autre des 26 métiers existants ou dans une spécialité ou une activité de métier, et ce, suite à la réussite d'un examen de qualification.

Apprenti
Personne en formation dans l'un des 26 métiers de l'industrie de la construction. Elle doit, à ce titre, compléter les heures requises dans l'apprentissage de son métier pour accéder à l'examen de qualification.

Salarié non qualifié

Occupation
Salarié qui exerce une activité sur les chantiers de construction, soit à titre de manœuvre ou à titre de manœuvre spécialisé.

Secteur industriel

Secteur de la construction de bâtiments, y compris les installations et les équipements physiquement rattachés ou non à ces bâtiments, réservés principalement à la réalisation d'une activité économique par l'exploitation des richesses minérales, la transformation des matières premières et la production de biens.

Secteur institutionnel et commercial

Secteur de la construction de bâtiments, y compris les installations et les équipements physiquement rattachés ou non à ces bâtiments, réservés principalement à des fins institutionnelles ou commerciales ainsi que toute construction qui ne peut être comprise dans le secteur résidentiel, industriel ou génie civil et voirie.

Secteur résidentiel

Secteur de la construction de bâtiments ou d'ensembles de bâtiments contigus, y compris les installations et les équipements physiquement rattachés ou non à ces bâtiments, dont au moins 85 % de la superficie (excluant celle de tout espace de stationnement) est réservée à l'habitation et dont le nombre d'étages au-dessus du sol (excluant toute partie de sous-sol et vu de toute face du bâtiment ou de l'ensemble) n'excède pas six dans le cas de bâtiments neufs ou huit dans les autres cas.

Tableau 21.1
Indicateurs de l'activité dans l'industrie de la construction[1], Québec, 1990-1999

	Unité	1990	1991	1992	1993	1994	1995	1996	1997	1998	1999
Salariés actifs[2]	n	115 659	107 224	98 921	93 373	80 691	86 899	85 134	85 255	88 224	93 447
Heures travaillées	'000 000	110,9	91,5	72,5	65,7	57,5	65,7	65,2	68,1	72,5	80,1
Moyenne annuelle des heures travaillées par salarié	n	959	853	733	703	713	756	766	799	822	857
Salaire annuel moyen[3]	$	21 290	20 400	18 309	17 568	18 207	19 365	19 190	20 250	20 992	22 183
Masse salariale	'000 000 $	2 462	2 187	1 811	1 640	1 469	1 682	1 634	1 726	1 852	2 073
Employeurs actifs	n	19 040	18 108	17 958	18 049	13 507	16 829	17 246	17 608	17 916	18 445
Part du secteur de la construction[4] dans le produit intérieur brut[5]	%	7,3	6,8	6,2	6,0	5,7	5,0	4,9	5,0	5,0	5,0

1. Assujettie à la Loi sur les relations du travail, la formation professionnelle et la gestion de la main-d'œuvre dans l'industrie de la construction (Loi R-20).
2. Salariés ayant travaillé au moins une heure dans l'année.
3. Salaires incluant les indemnités de congés, de même que les différentes primes, à l'exception des frais de déplacement.
4. Incluant la construction non assujettie.
5. Au coût des facteurs, aux prix de 1992.

Sources : Commission de la construction du Québec, mai 2000.
    Institut de la statistique, Direction des comptes et des études économiques.

Tableau 21.2
Dépenses dans le secteur de la construction selon la catégorie de travaux, Québec, 1992-1999

Catégorie	1993	1994	1995	1996	1997	1998	1999
	'000 $						
Construction de bâtiments	**10 795,7**	**11 365,7**	**9 642,8**	**10 727,3**	**11 160,9**	..	..
Résidentiels	6 821,0	7 611,8	5 831,6	6 665,9	7 362,7	..	..
Industriels	432,1	712,2	664,8	906,3	800,0	..	..
Commerciaux	2 189,2	1 432,5	1 584,1	1 669,4	1 470,8	..	..
Institutionnels	912,5	1 119,9	1 072,7	1 026,0	1 050,7	..	..
Autres	440,8	489,3	489,6	459,8	476,8	..	..
Travaux de génie	5 116,8	4 915,6	4 635,5	4 236,3	3 907,6	..	..
Maritimes	41,3	81,5	68,4	84,8	52,4	..	..
Liés aux transports	1 110,3	1 175,6	1 295,5	1 274,0	1 219,9	..	..
Pour l'aqueduc	178,9	198,4	222,1	248,9	244,5	..	..
Pour le traitement des eaux usées	307,7	350,6	368,5	307,1	307,9	..	..
Liés à l'énergie électrique	2 371,0	1 883,5	1 470,0	1 072,0	825,7	..	..
Liés aux communications	379,6	323,0	221,2	319,2	417,2	..	..
Pour le pétrole et le gaz	148,2	128,8	205,3	191,2	152,9	..	..
Pour les installations minières	273,3	367,2	408,9	456,6	463,4	..	..
Autres	306,4	407,1	375,5	282,6	223,5	..	..
Dépenses d'immobilisations totales en construction	**15 912,5**	**16 281,3**	**14 278,3**	**14 963,6**	**15 068,4**	**16 987,0**	**18 386,0**

Sources : Statistique Canada, CANSIM.

Figure 21.1
Évolution de la valeur des permis de bâtir selon le genre de bâtiment, Québec, 1995-2000

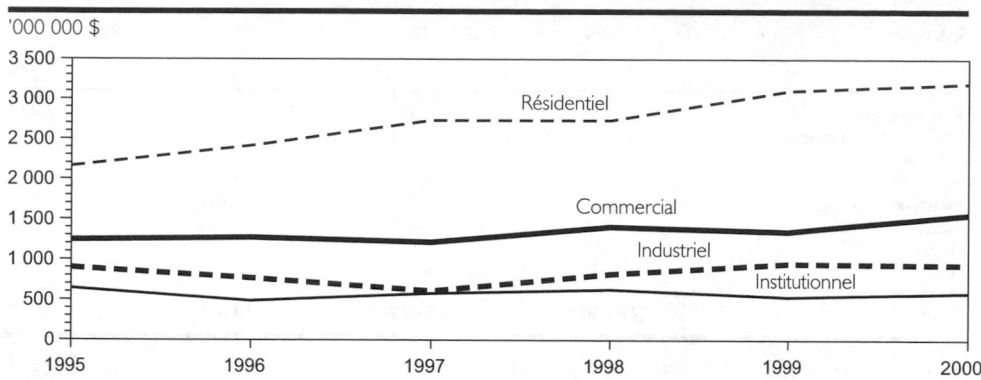

Source : Statistique Canada, CANSIM.

Tableau 21.3
Valeur des permis de bâtir émis, par région administrative, Québec, 1995-2000

Région administrative	Type de construction				Total
	Résidentielle	Industrielle	Commerciale	Institutionnelle et gouvernementale	
			'000 $		
1995	**2 159 727**	**899 658**	**1 244 437**	**643 624**	**4 947 446**
01 Bas-Saint-Laurent	53 199	14 674	27 807	22 220	117 900
02 Saguenay–Lac-Saint-Jean	82 524	149 228	43 354	19 689	294 795
03 Capitale-Nationale	204 807	31 813	181 245	98 461	516 326
04 Mauricie	82 197	66 517	37 510	18 372	204 596
05 Estrie	97 963	24 326	32 645	14 484	169 418
06 Montréal	238 534	105 641	358 948	214 258	917 381
07 Outaouais	137 410	22 872	97 428	46 612	304 322
08 Abitibi-Témiscamingue	44 898	16 747	31 736	13 052	106 433
09 Côte-Nord	33 765	21 257	11 323	23 761	90 106
10 Nord-du-Québec	13 122	163 387	22 696	726	199 931
11 Gaspésie–Îles-de-la-Madeleine	22 513	4 226	8 057	4 439	39 235
12 Chaudière-Appalaches	111 485	32 082	44 809	15 616	203 992
13 Laval	124 396	10 721	39 319	15 858	190 294
14 Lanaudière	141 623	37 069	26 173	24 997	229 862
15 Laurentides	288 129	24 924	86 912	31 966	431 931
16 Montérégie	410 339	144 026	163 931	71 091	789 387
17 Centre-du-Québec	72 823	30 148	30 544	8 022	141 537
2000	**3 194 351**	**932 834**	**1 559 172**	**585 629**	**6 271 986**
01 Bas-Saint-Laurent	40 229	12 135	39 218	7 597	99 179
02 Saguenay–Lac-Saint-Jean	93 533	45 992	42 140	24 790	206 455
03 Capitale-Nationale	227 753	28 344	171 452	59 192	486 741
04 Mauricie	93 209	14 439	45 612	26 153	179 413
05 Estrie	139 890	42 250	38 382	22 643	243 165
06 Montréal	550 142	301 975	468 575	166 647	1 487 339
07 Outaouais	153 214	9 380	161 381	22 943	346 918
08 Abitibi-Témiscamingue	30 610	36 138	19 966	6 921	93 635
09 Côte-Nord	14 806	8 013	11 679	6 318	40 816
10 Nord-du-Québec	4 523	3 855	1 115	1 788	11 281
11 Gaspésie–Îles-de-la-Madeleine	14 863	1 095	10 707	6 867	33 532
12 Chaudière-Appalaches	136 663	60 286	41 147	27 255	265 351
13 Laval	222 826	35 095	123 475	26 475	407 871
14 Lanaudière	194 803	35 627	50 770	47 751	328 951
15 Laurentides	499 289	51 151	102 557	56 307	709 304
16 Montérégie	684 023	199 829	198 748	61 630	1 144 230
17 Centre-du-Québec	93 975	47 230	32 248	14 352	187 805

Source : Statistique Canada, Enquête mensuelle sur les permis de bâtir, compilation spéciale.

669

Tableau 21.4
Nombre d'employeurs actifs selon la spécialité de l'entreprise, Québec, 1990, 1995 et 1999

Spécialité	1990	1995	1999	
	n		n	%
Travaux généraux	5 518	4 595	4 627	25,1
Charpenterie-menuiserie	2 879	2 344	2 825	15,3
Électricité	2 011	1 901	1 769	9,6
Excavation	1 371	1 210	1 280	6,9
Tuyauterie	1 131	1 006	1 016	5,5
Peinture	1 036	829	883	4,8
Maçonnerie	1 057	804	777	4,2
Autres	4 037	4 140	5 268	28,6
Total	**19 040**	**16 829**	**18 445**	**100,0**

Source : Commission de la construction du Québec, mai 2000.

Tableau 21.5
Données relatives aux employeurs actifs dans l'industrie de la construction, Québec, 1990-1999

Année	Employeurs	Salariés par employeur[1]	Part des employeurs ayant 5 salariés ou moins[1]	Moyenne des heures rapportées par employeur	Masse salariale moyenne par employeur[2]
	n		%	h	$
1990	19 040	4,7	85,0	5 822	129 384
1991	18 108	4,3	86,0	5 050	120 837
1992	17 958	3,8	87,0	4 036	100 855
1993	18 049	3,6	88,0	3 636	90 857
1994	13 507	4,1	85,0	4 258	108 756
1995	16 829	3,7	88,0	3 901	99 977
1996	17 246	3,6	88,0	3 779	94 707
1997	17 608	3,6	88,0	3 869	98 028
1998	17 916	3,6	87,0	4 048	103 346
1999	18 445	3,8	86,0	4 341	112 352

1. D'après le nombre moyen de salariés observé au cours des seuls mois durant lesquels l'employeur a embauché un ou des salariés.
2. Incluant les indemnités de congés et les primes.

Source : Commission de la construction du Québec, mai 2000.

Tableau 21.6
Salariés actifs selon le nombre d'heures travaillées dans la construction, Québec, 1997-1999

Heures travaillées	1997	1998	1999			
	Tous les salariés	Tous les salariés	Compagnons	Apprentis	Salariés non qualifiés	Tous les salariés
			n			
Moins de 500	32 161	33 164	16 193	9 626	7 551	33 370
500 à 999	21 600	20 862	11 369	5 984	4 159	21 512
1 000 à 1 499	18 175	18 926	12 345	4 277	3 684	20 306
1 500 à 1 999	11 798	13 311	11 821	2 617	1 840	16 278
2 000 et plus	1 521	1 960	1 436	149	395	1 980
Total	**85 255**	**88 223**	**53 164**	**22 653**	**17 629**	**93 446**

Source : Commission de la construction du Québec, mai 2000.

Tableau 21.7
Salariés actifs de la construction selon le statut professionnel, le métier et la tranche de salaire, Québec, 1999

Statut professionnel et métier	Tranche de salaire				Tous les salariés	Salaire annuel moyen par salarié
	Moins de 10 000 $	10 000 à 19 999 $	20 000 à 29 999 $	30 000 $ et plus		
	n					$
Salarié qualifié	**23 797**	**13 218**	**12 656**	**26 147**	**75 818**	**23 217**
Compagnon	13 646	7 566	8 724	23 229	53 165	26 865
Apprenti	10 151	5 652	3 932	2 918	22 653	14 656
Charpentier-menuisier	7 419	4 095	3 653	5 674	20 841	19 862
Électricien	2 694	1 708	1 721	5 136	11 259	27 868
Tuyauteur	1 285	909	977	2 735	5 906	29 008
Opérateur d'équipement lourd	1 943	750	873	1 229	4 795	18 171
Peintre	1 617	927	665	629	3 838	15 650
Briqueteur-maçon	930	642	715	709	2 996	19 755
Autres métiers	7 909	4 187	4 052	10 035	26 183	25 011
Salarié non qualifié	**7 036**	**3 544**	**3 403**	**3 646**	**17 629**	**17 736**
Boutefeu et foreur	88	66	57	146	357	27 074
Monteur de ligne	150	104	104	266	624	27 829
Manœuvre	4 345	2 709	2 681	2 263	11 998	17 538
Soudeur	247	130	132	465	974	29 837
Autres occupations	2 206	535	429	506	3 676	12 556
Total	**30 833**	**16 762**	**16 059**	**29 793**	**93 447**	**22 183**

Source : Commission de la construction du Québec, mai 2000.

Tableau 21.8
Nombre d'heures travaillées par les salariés de la construction, selon la région de domicile et de travail, Québec, 1999

Région de domicile	Région de travail										Total[2]
	Bas-Saint-Laurent–Gaspésie	Saguenay–Lac-Saint-Jean	Québec	Mauricie–Bois-Francs	Estrie	Grand Montréal[1]	Outaouais	Abitibi-Témis-camingue	Baie-James	Côte-Nord	
	'000										
Bas-Saint-Laurent–Gaspésie	1 776	96	90	30	30	157	26	6	13	77	2 386
Saguenay–Lac-Saint-Jean	6	5 058	120	27	27	69	15	20	16	12	5 589
Québec	157	201	9 795	152	300	605	49	56	26	127	11 978
Mauricie–Bois-Francs	21	57	125	3 817	491	498	38	35	7	20	5 361
Estrie	10	15	30	124	2 774	182	22	6	1	5	3 265
Grand Montréal[1]	42	122	150	226	413	43 343	258	72	31	59	46 209
Outaouais	5	5	17	4	9	57	2 071	6	–	1	2 257
Abitibi-Témiscamingue	17	36	5	11	20	35	25	828	10	5	1 018
Baie-James	–	–	–	–	–	–	–	1	3	–	5
Côte-Nord	37	67	15	3	7	33	4	8	21	1 590	1 854
Extérieur et non défini	4	10	2	1	3	20	117	2	–	1	165
Ensemble du Québec	**2 077**	**5 667**	**10 349**	**4 393**	**4 076**	**44 999**	**2 625**	**1 041**	**128**	**1 897**	**80 088**

1. Cette région inclut les régions administratives de Montréal, de la Montérégie, de Laval, des Laurentides et de Lanaudière.
2. Le total comprend les heures dont on ne connaît pas la région où elles ont été travaillées.
Source : Commission de la construction du Québec, mai 2000.

Tableau 21.9
Répartition des salariés de la construction selon le statut professionnel, le métier, la moyenne des heures travaillées et le salaire annuel moyen, Québec, 1999

Statut et métier	Nombre de salariés		Moyenne des heures travaillées par salarié		Salaire annuel moyen[1]	
	Compagnons	Apprentis	Compagnons	Apprentis	Compagnons	Apprentis
	n		h		$	
Total des salariés qualifiés	53 165	22 653	951	730	26 865	14 656
Briqueteur-maçon	2 119	877	819	655	22 554	12 991
Calorifugeur	508	109	1 265	860	37 135	18 411
Carreleur	577	390	789	595	21 039	11 423
Charpentier-menuisier	13 761	7 080	870	656	23 373	13 039
Chaudronnier	599	98	1 216	985	45 678	28 607
Cimentier-applicateur	1 053	491	935	692	25 274	15 057
Couvreur	1 755	1 257	894	553	24 637	13 059
Électricien	7 857	3 402	1 112	947	31 918	18 516
Ferblantier	2 287	859	1 104	738	31 563	15 332
Ferrailleur	583	127	1 040	605	31 883	15 110
Frigoriste	1 118	616	1 424	1 107	40 425	20 571
Grutier	810	61	1 165	749	36 487	21 250
Mécanicien d'ascenseur	491	156	1 612	1 404	53 026	30 714
Mécanicien de chantier	1 046	142	719	533	24 948	13 633
Mécanicien de machines lourdes	155	35	615	370	19 171	8 236
Mécanicien en protection-incendie	400	312	1 397	1 240	39 777	23 525
Monteur d'acier de structure	1 493	419	1 181	794	37 522	19 034
Monteur-mécanicien (vitrier)	724	438	837	604	21 764	11 840
Opérateur d'équipement lourd	4 343	452	731	504	18 867	11 480
Opérateur de pelles mécaniques	2 037	369	826	516	22 330	12 306
Peintre	2 189	1 649	761	629	18 775	11 502
Plâtrier	793	695	705	578	17 997	10 988
Poseur de systèmes intérieurs	871	723	964	602	25 624	10 998
Poseur de revêtements souples	748	240	592	467	14 125	9 626
Serrurier de bâtiment	440	158	922	578	26 264	12 996
Tuyauteur	4 408	1 498	1 079	950	32 741	18 024
Total des salariés non qualifiés[2]	...	...	...	...	...	...
Boutefeu et foreur	...	...	...	...	...	...
Monteur de ligne	...	...	...	...	...	...
Manœuvre	...	...	...	...	...	...
Soudeur	...	...	...	...	...	...
Autres	...	...	...	...	...	...
Total	...	...	...	...	...	...

1. Salaires incluant les indemnités de congés, de même que les différentes primes, à l'exception des frais de déplacement.
2. Occupations.

Source : Commission de la construction du Québec, mai 2000.

Tableau 21.10
Âge moyen[1] des salariés selon le statut professionnel, Québec, 1990-1999

Statut	1990	1991	1992	1993	1994	1995	1996	1997	1998	1999
Salariés qualifiés	37,07	38,01	38,08	39,02	39,09	39,10	40,04	40,09	40,11	40,11
Apprentis	28,07	29,01	29,08	30,02	30,05	30,09	31,03	31,07	31,10	31,10
Compagnons	43,02	42,09	42,07	42,06	42,11	43,02	43,07	43,11	44,04	44,09
Salariés non qualifiés	38,03	38,01	38,04	38,07	40,08	40,07	40,08	41,03	41,04	41,02
Tous les salariés	37,09	38,01	38,07	39,00	39,11	40,00	40,05	40,10	41,00	40,11

1. Le chiffre après la virgule indique le nombre de mois.

Source : Commission de la construction du Québec, mai 2000.

Tableau 21.11
Logements mis en chantier et achevés, par province, Canada, 1994-2000

Province	1994		1996		1998		2000	
	Mis en chantier	Achevés	Mis en chantier	Achevés	Mis en chantier	Achevés	Mis en chantier	Achevés
				n				
Terre-Neuve	2 243	2 590	2 034	1 958	1 450	1 974	1 459	1 398
Île-du-Prince-Édouard	669	742	554	525	524	400	710	668
Nouvelle-Écosse	4 748	4 920	4 059	4 062	3 137	3 416	4 432	3 986
Nouveau-Brunswick	3 203	3 696	2 722	2 591	2 447	2 371	3 079	2 701
Québec	34 154	36 345	23 220	22 194	23 138	22 944	24 695	23 346
Ontario	46 645	49 106	43 062	40 729	53 830	48 403	71 521	65 385
Manitoba	3 197	2 996	2 318	1 588	2 895	2 741	2 560	2 785
Saskatchewan	2 098	1 851	2 438	1 910	2 965	3 163	2 513	3 090
Alberta	17 692	18 671	16 665	16 357	27 122	25 071	26 266	25 730
Colombie-Britannique	39 408	41 168	27 641	25 920	19 931	23 458	14 418	16 784
Canada	**154 057**	**162 085**	**124 713**	**117 834**	**137 439**	**133 941**	**151 653**	**145 873**

Source : Société canadienne d'hypothèque et de logement (SCHL).

Tableau 21.12
Logements privés occupés selon le nombre de pièces et le mode d'occupation, Québec, 1996

Nombre de pièces	Propriétaire		Locataire		Logement de bande		Total	
	1991	1996	1991	1996	1991	1996	1991	1996
				n				
1	980	1 170	26 780	23 080	10	–	27 760	24 255
2	2 270	3 935	37 085	61 445	10	30	39 360	65 410
3	20 680	23 010	288 935	194 740	95	125	309 710	217 875
4	131 055	121 525	439 330	386 255	220	370	570 615	508 155
5	349 660	320 455	254 710	351 810	630	1 250	605 005	673 510
6	297 095	355 195	70 330	137 360	320	685	367 740	493 245
7	247 290	291 490	28 380	38 475	330	400	276 005	330 360
8 et plus	413 745	476 810	24 160	32 145	195	250	438 105	509 205
Total	**1 462 785**	**1 593 600**	**1 169 715**	**1 225 305**	**1 800**	**3 120**	**2 634 300**	**2 822 030**

Source : Statistique Canada, Recensement du Canada, 1996.

Figure 21.2
Proportion de logements privés occupés selon le type de logement et le mode d'occupation, Québec, 1996

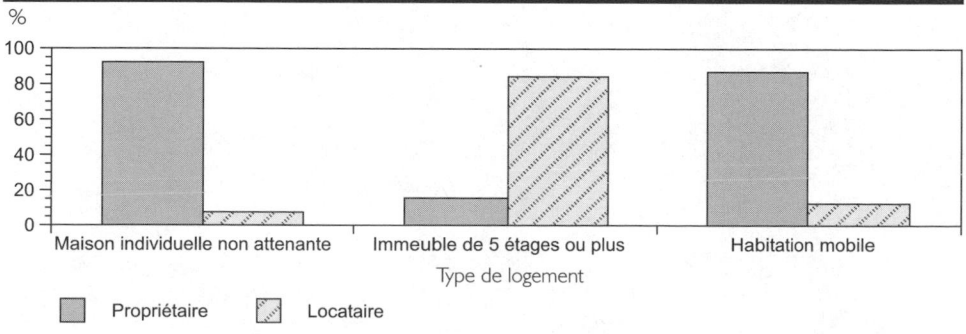

Source : Statistique Canada, Recensement du Canada, 1996.

Tableau 21.13
Logements privés occupés selon la période de construction et le mode d'occupation, Québec, 1996

Période	Propriétaire		Locataire		Logement de bande		Total	
	n	%	n	%	n	%	n	%
1920 ou avant	121 805	7,6	78 660	6,4	–	–	200 470	7,1
1921-1945	117 720	7,4	139 980	11,4	25	0,8	257 735	9,1
1946-1960	263 215	16,5	258 865	21,1	85	2,7	522 165	18,5
1961-1970	241 640	15,2	251 665	20,5	290	9,3	493 595	17,5
1971-1980	377 070	23,7	227 115	18,5	620	19,9	604 805	21,4
1981-1985	141 140	8,9	90 000	7,3	550	17,6	231 690	8,2
1986-1990	186 095	11,7	111 610	9,1	705	22,6	298 410	10,6
1991-1995	141 885	8,9	65 795	5,4	800	25,6	208 485	7,4
1996	3 025	0,2	1 605	0,1	45	1,4	4 675	0,2
Total	**1 593 595**	**100,0**	**1 225 295**	**100,0**	**3 120**	**100,0**	**2 822 030**	**100,0**

Source : Statistique Canada, Recensement du Canada, 1996.

Tableau 21.14
Taux d'inoccupation des immeubles d'habitation[1] par région métropolitaine de recensement (RMR), Québec, 1995-2000

RMR	1995	1996	1997	1998	1999	2000
			%			
Chicoutimi-Jonquière	6,9	5,7	4,6	5,3	5,4	4,8
Québec	6,2	6,4	6,5	5,1	3,4	1,5
Sherbrooke	6,8	7,1	8,1	8,2	8,1	4,9
Trois-Rivières	7,8	8,5	8,8	8,3	8,0	6,4
Montréal	6,8	6,3	6,6	5,2	..	..
Ottawa-Hull (partie québécoise)	4,8	5,4	5,0	2,8	1,2	0,4

1. Immeubles de 6 logements et plus.

Source : Société canadienne d'hypothèque et de logement (SCHL).

Tableau 21.15
Indice des prix des logements neufs dans certaines régions métropolitaines de recensement (RMR), Canada, 1993-2000

RMR	1993	1994	1995	1996	1997	1998	1999	2000
				1992=100				
Calgary	103,1	105,5	106,4	107,4	114,5	123,3	129,1	132,1
Edmonton	103,5	104,5	103,1	102,3	104,1	107,6	109,8	112,1
Montréal	100,8	101,4	102,1	102,0	101,9	102,4	104,5	108,4
Ottawa-Hull	99,4	99,7	97,9	96,4	97,0	97,7	100,3	107,6
Toronto	97,6	97,3	98,0	96,8	98,9	102,0	103,8	106,6
Québec	99,7	99,2	99,9	98,5	98,1	98,7	100,4	102,5
Vancouver	107,7	107,1	101,5	95,4	92,3	87,7	84,1	83,3
Canada	**101,3**	**101,5**	**100,3**	**98,4**	**99,1**	**100,1**	**101,0**	**103,2**

Source : Statistique Canada, CANSIM.

Tableau 21.16
Taux d'intérêt sur les prêts hypothécaires bancaires d'un terme de 5 ans, Canada, 1990-2000

Année	Mois												
	J	F	M	A	M	J	J	A	S	O	N	D	Moyenne
	%												
1990	12,00	12,75	13,25	14,25	14,25	14,25	14,25	13,50	13,25	13,25	12,75	12,50	13,35
1991	12,00	11,50	11,50	11,25	11,25	11,25	11,50	11,50	11,25	10,75	9,90	9,90	11,13
1992	9,75	9,75	10,50	10,25	9,90	9,63	8,88	8,75	8,50	9,25	9,50	9,50	9,51
1993	9,50	9,50	8,95	8,95	8,95	8,95	8,75	8,75	8,75	8,75	7,75	7,75	8,78
1994	7,25	7,25	8,95	9,50	9,50	10,75	10,75	10,25	9,90	9,90	9,90	10,50	9,53
1995	10,75	10,38	9,88	9,38	8,88	8,63	8,50	8,95	8,95	8,70	8,45	8,45	9,16
1996	7,80	7,80	8,50	8,50	8,50	8,50	8,50	7,95	7,95	7,20	6,95	6,95	7,93
1997	7,25	7,00	7,30	7,65	7,35	7,00	7,00	7,00	6,85	6,70	6,70	7,05	7,07
1998	6,85	6,85	6,85	6,95	6,95	6,95	6,95	7,15	7,15	6,75	7,15	6,60	6,93
1999	6,90	6,90	6,95	6,95	7,30	7,70	7,75	7,80	7,70	8,25	8,25	8,25	7,56
2000	8,55	8,55	8,35	8,35	8,75	8,45	8,25	8,25	8,25	8,25	8,25	7,95	8,35
2001	7,75	7,75	7,25	7,50	7,75	7,75	7,75	..	..	..	..	..	..

Source : Société canadienne d'hypothèque et de logement (SCHL).

22

Transports

Liste des tableaux

Liste des figures

Ce chapitre a été réalisé par Hamid Baghdadi, de la Direction de la planification du ministère des Transports du Québec.

De par la vastitude de son territoire et l'ouverture de son économie, le Québec possède des systèmes de transport étendus, variés et efficaces qui mobilisent d'importantes ressources. En effet, ils accaparent une bonne part des dépenses des ménages, attirent une partie non négligeable des investissements effectués par les gouvernements et les entreprises, et génèrent un grand nombre d'emplois directs et indirects.

L'objectif de ce chapitre est de tracer un portrait statistique du transport au Québec. Il comprend six sections : la première présente les principaux indicateurs économiques, les deuxième et troisième portent sur les mouvements de personnes et de marchandises, tandis que les quatrième, cinquième et sixième sections donnent respectivement des informations sur la sécurité, le parc de véhicules routiers et les infrastructures.

Dès 1914, le premier *Annuaire statistique* incluait déjà une section sur les infrastructures routières et ferroviaires, ainsi qu'une autre, très détaillée, sur les infrastructures et l'activité économique du transport maritime. Toutefois, il faut attendre l'édition de 1915 pour que soient introduites des statistiques traitant de l'automobile. Par ailleurs, c'est dans l'édition de 1945-1946 que l'on a présenté pour la première fois des statistiques concernant le transport aérien, notamment sur le trafic de l'aviation civile.

Les indicateurs économiques du transport

La part du transport dans l'économie

Le produit intérieur brut (PIB) au coût des facteurs est la mesure de la valeur ajoutée par une industrie donnée, en l'occurrence l'industrie du transport et de l'entreposage. Il convient de signaler que cette mesure ne tient pas compte du transport des personnes et des marchandises effectué par les ménages et les entreprises pour leur propre compte.

Au Québec, le PIB de l'industrie du transport et de l'entreposage a progressé de 1,7 % en moyenne par année durant la période 1989-1999, soit à un rythme inférieur à celui du PIB de l'ensemble des industries qui a augmenté de 2,5 % en moyenne par année. Ainsi, la part du transport dans l'économie est passée de 4,1 % en 1989 à 3,8 % en 1999 (figure 22.1). Au Canada, le PIB de l'industrie du transport et de l'entreposage s'est accru légèrement plus vite que le PIB de l'ensemble des industries, soit 2,8 % comparativement à 2,2 %. La part du transport dans l'économie canadienne a donc augmenté un peu, passant de 4,4 % en 1989 à 4,6 % en 1999. Diverses raisons peuvent expliquer cette situation dont le progrès technologique et la rationalisation au chapitre de l'emploi, notamment dans le transport ferroviaire.

Entre 1992 et 1999, le PIB du camionnage, la plus importante activité du secteur, a progressé de 61,5 % au Québec et de 82,2 % au Canada, ce qui est très supérieur au rythme de l'industrie du transport et de l'entreposage qui a crû de 23,5 % au Québec et de 33,9 % au Canada (tableau 22.1).

Les dépenses des ménages

Selon l'Enquête sur les dépenses des ménages effectuée par Statistique Canada, les ménages québécois ont dépensé, en moyenne, 5 945 $ en transport en 1999, soit 18,2 % de leurs dépenses de consommation courante. Cela représente exactement la même proportion que celle des ménages canadiens (tableau 22.2) dont les dépenses de consommation courante sont cependant supérieures de plus de 15 % aux dépenses des ménages québécois. Il en est de même pour ce qui est des dépenses moyennes en transport.

Les données relatives aux plus importantes régions métropolitaines de recensement (RMR) du Canada montrent que ce sont les ménages de la RMR de Québec qui ont consacré au transport la plus importante proportion de leurs dépenses de consommation courante, soit 19,8 %; ils sont suivis des ménages de la RMR de Vancouver, avec 17,5 %. Par ailleurs, les ménages de la RMR de Toronto ont consacré au transport une proportion de leurs dépenses de consommation courante légèrement supérieure à celle des ménages de la RMR de Montréal, soit 17,3 % comparativement à 17,0 %.

L'investissement des entreprises

Les dépenses en immobilisations effectuées par les entreprises publiques et privées de l'industrie du transport et de l'entreposage ont varié entre 1,0 milliard de dollars en 1996, 1,9 milliard en 1998 et 1,7 milliard en 2000, pour une moyenne de près de 1,5 milliard de dollars durant la période 1996-2000 (tableau 22.3). La part des dépenses en immobilisations de l'industrie du transport et de l'entreposage dans les dépenses en immobilisations de l'ensemble des industries québécoises a varié aussi entre 3,7 % et 4,8 % durant la période en question.

Les parts des dépenses en immobilisations des principales industries du transport dans les dépenses totales de ce secteur sont sujettes à une grande variation d'une année à l'autre. Cependant, en raison des règles de confidentialité, l'ensemble des données relatives aux dépenses en immobilisations ne sont disponibles que pour 1998. Ainsi, la part du transport aérien et des services qui lui sont liés représentait 35,6 % des dépenses totales en immobilisations du secteur du transport et de l'entreposage; elle est suivie de la part du camionnage (13,7 %). La faiblesse de la part relative du camionnage, par comparaison avec son importance dans le PIB du secteur, s'explique en partie par le fait que ce sont les gouvernements qui assument les investissements dans les infrastructures que cette industrie utilise. Les parts du transport ferroviaire et des services qui lui sont liés et de l'industrie du transport en commun urbain et interurbain s'élevaient à 13,4 % et à 7,2 % respectivement. Enfin, la part de l'industrie du transport par eau et des services qui lui sont liés ne représentait que 1,7 % des dépenses totales en immobilisations du secteur du transport et de l'entreposage en 1998.

L'emploi

Au Québec, le nombre de salariés dans l'industrie du transport n'a pratiquement pas changé entre 1995 et 1999 (tableau 22.4). Toutefois, cette stabilité cache d'importantes différences entre les sous-secteurs. Si le nombre de salariés de l'industrie du transport aérien a progressé de 6,2 % en moyenne par année, ceux des industries ferroviaires et des « autres » industries ont régressé respectivement de 2,1 % et de 3,3 % en moyenne par année. Dans le camionnage, le sous-secteur le plus important en termes de salariés, le nombre de ceux-ci est demeuré pratiquement inchangé. Enfin, le nombre de salariés dans l'industrie du transport en commun et dans celle du transport maritime a progressé respectivement de 1,5 % et de 1,0 % en moyenne par année.

Au Canada, le nombre de salariés dans l'industrie du transport a augmenté de 2,0 % en moyenne par année entre 1995 et 1999, grâce aux progressions de 8,4 % dans l'industrie du transport aérien, de 3,2 % dans le camionnage et de 2,1 % dans le transport en commun. Cette hausse aurait été plus forte n'eut été des reculs dans l'industrie du transport ferroviaire (- 3,4 %), dans l'industrie du transport maritime (- 1,6 %) et dans le sous-secteur dit « autres » (- 1,0 %).

Globalement, le transport, incluant les industries connexes, a procuré de l'emploi directement et indirectement à 285 196 salariés, soit l'équivalent de un emploi sur dix au Québec en l'an 2000 (figure 22.3).

Le transport des personnes

Le transport terrestre

Le nombre total de titulaires de permis de conduire a augmenté de 34,8 % entre 1980 et 1999 (tableau 22.5). Cependant, la répartition des titulaires selon le sexe montre que le nombre de femmes titulaires de permis de conduire a crû plus de deux fois plus vite que celui des hommes (+ 774 125 comparativement à + 374 809). Ainsi, la proportion de femmes titulaires de permis de conduire est passée de 39,0 % en 1980 à 46,3 % en 1999.

L'automobile est le moyen de transport des personnes le plus populaire au Québec : elle accaparait près de 92 % du kilométrage total parcouru sur le réseau routier québécois en 1997 et 78 % des déplacements quotidiens dans l'agglomération urbaine de Montréal en 1998, soit une hausse de 8 points de pourcentage par rapport à 1997 (figure 22.2).

Le transport aérien

Les données relatives au transport aérien portent sur les vols réguliers interprovinciaux et transfrontaliers, c'est-à-dire vers les États-Unis (tableau 22.6). Dans le cas des vols interprovinciaux, la liaison Montréal–Toronto domine largement; elle est suivie des liaisons Montréal–Vancouver et Québec–Toronto. En ce qui concerne les vols réguliers transfrontaliers, la liaison Montréal–New-York arrive au premier rang, suivie de la liaison Montréal–Chicago. Il est à noter que ces données ne tiennent pas compte des vols d'affrètement dont l'État de la Floride est l'une des principales destinations.

Le transport ferroviaire

Le nombre de personnes embarquées et débarquées dans les gares du Québec a augmenté de 2,4 % entre 1994 et 1999. Cette progression est attribuable à la hausse du nombre de personnes embarquées et débarquées à Montréal, puisque les gares de Québec et de Sainte-Foy (- 20,7 %) ainsi que celle de Dorval (- 6,9 %) ont enregistré des baisses durant cette période (tableau 22.7).

Le transport maritime : les traversiers

En 2000, les traversiers ont transporté 5,6 millions de passagers, soit 5,4 millions pour les traverses exploitées par la Société des traversiers du Québec (STQ) et 238,1 mille pour les traverses exploitées par la STQ en collaboration avec des entreprises privées (tableau 22.8).

Outre des passagers, les traverses maritimes ont transporté surtout des automobiles (1,6 million) et des camions (223,4 mille).

Le transport en commun urbain

Les 143 services de transport en commun subventionnés ont coûté près de 1,3 milliard de dollars en 1999 (tableau 22.9). La part assumée par les usagers s'élève à 37 %, le reste étant financé par les automobilistes (8,5 %), le ministère des Transports du Québec (19,6 %) et les municipalités (34,9 %).

Le transport des marchandises

En 1998, plus de 291 millions de tonnes de marchandises ont été transportées au Québec, soit 108 millions de tonnes par bateau, 97 millions par camion (pour compte propre et pour compte d'autrui) et 86 millions par train (compagnies nationales et régionales). Près de la moitié de ces mouvements étaient liés au commerce extérieur.

Le camionnage

Le volume de marchandises transportées par les entreprises de camionnage pour compte d'autrui établies au Canada, et dont le chiffre d'affaires est de un million de dollars et plus, est passé de 57,7 millions de tonnes en 1998 à 67,2 millions de tonnes en 1999, soit une hausse de 16,5 % (tableau 22.10). Les mouvements interprovinciaux et internationaux de marchandises ont augmenté presque au même rythme, soit de 16,8 % et de 16,9 % respectivement, alors que les mouvements intraprovinciaux n'ont crû que de 11,8 %.

Cette activité s'est traduite par une hausse des recettes d'exploitation plus rapide que celle des dépenses d'exploitation, 9,7 % comparativement à 8,1 % et, par conséquent, par une hausse des recettes nettes d'exploitation de 43,9 % entre 1998 et 1999 (tableau 22.11). Quant aux bénéfices nets, ils ont augmenté de 27,4 %.

Le transport ferroviaire

Entre 1990 et 1998, le volume de marchandises transportées par les compagnies de chemin de fer de catégorie I (CN et CP) s'est accru de 3,2 % en moyenne par année. Cependant, le trafic international, c'est-à-dire entre le Québec et les États-Unis, a augmenté de 10 % en moyenne par année, soit 10 fois plus vite que le trafic intraprovincial et 25 fois plus vite que le trafic interprovincial. La part du trafic international est donc passée de 24 % du trafic total en 1990 à 41 % en 1998 (tableau 22.12).

Les principales marchandises transportées par l'ensemble des compagnies de chemin de fer (catégories I [CN et CP] et II [autres transporteurs menant des activités de transport ferroviaire au Canada]) sont les matières brutes non comestibles et les demi-produits non comestibles (tableau 22.13). Les matières brutes non comestibles sont constituées principalement de minerai de fer, dont une bonne partie provient du Labrador (ce qui explique d'ailleurs la différence entre le volume chargé et le volume déchargé); les demi-produits sont des dérivés de produits de la forêt, des mines et du pétrole. Quant aux produits alimentaires, ils consistent essentiellement en céréales provenant de l'Ouest canadien en vue de leur exportation à partir de ports québécois.

Le transport maritime

Si la quantité de marchandises manutentionnées dans les ports du Québec n'a pratiquement pas changé entre 1990 et 1998, par contre, sa composition s'est modifiée : le trafic international a augmenté de 8 % alors que le trafic intérieur a diminué de 15 % (tableau 22.14). Les cinq premiers ports, Sept-Îles, Montréal, Port-Cartier, Québec et Baie-Comeau, ont accaparé près de 80 % du volume de marchandises manutentionnées dans l'ensemble des ports québécois en 1998.

Par ailleurs, le port de Montréal–Contrecœur est le centre canadien du trafic de marchandises conteneurisées. La quantité totale de marchandises conteneurisées est passée de 5,5 millions de tonnes en 1990 à 8,6 millions en 1998, soit une hausse de 5,8 % en moyenne par année.

Le transport aérien

Le volume de marchandises embarquées et déparquées dans les aéroports québécois est infime comparativement au volume de marchandises manutentionnées dans les ports : 138,4 mille tonnes contre 107,7 millions de tonnes en 1998. La presque totalité des marchandises en question ont transité par les trois principaux aéroports du Québec, soit Montréal–Dorval (71,7 %), Montréal–Mirabel (28,0 %) et Québec–Jean-Lesage (0,2 %) (tableau 22.15).

La situation est similaire en Ontario où 94,2 % des 380,5 mille tonnes de marchandises manutentionnées dans les aéroports en 1998 ont transité par Toronto–Lester B. Pearson, en regard de 2,2 % par London et 1,8 % par Ottawa–Macdonald-Cartier.

La sécurité

Malgré les fluctuations annuelles, les routes québécoises sont devenues relativement moins dangereuses au cours de la période 1994-1999 (tableau 22.16). À titre d'exemple, 759 personnes sont décédées dans des accidents de la route en 1999, soit une baisse de 4,4 % par rapport à 1994, alors que le parc de véhicules a augmenté de plus de 7,0 % durant la même période.

Cette tendance est confirmée par la diminution du nombre d'accidents mortels par 10 000 véhicules en circulation qui est passé de 2 en 1994 à 1 en 1999, alors que le nombre d'accidents graves est passé de 11 à 9 (tableau 22.17). Le nombre total d'accidents a chuté de 398 par 10 000 véhicules en circulation en 1994 à 319 en 1999.

Le parc de véhicules

La répartition des véhicules en circulation, selon le type d'utilisation, montre que les véhicules de promenade, les véhicules pour utilisation institutionnelle et les véhicules hors réseau représentaient 75,0 %, 13,5 % et 11,5 % respectivement du parc de véhicules en circulation au 31 décembre 1999. Il convient de signaler que les automobiles et les camions légers constituaient 82,5 % de l'ensemble du parc, comparativement à 2,3 % pour les camions et les tracteurs routiers (tableau 22.18).

Parmi les véhicules de promenade, c'est le nombre de camions légers qui a augmenté le plus rapidement, soit de 28,7 % entre 1995 et 1999; les motocyclettes suivent immédiatement après avec un taux de croissance de 23,8 %. Parmi les véhicules d'utilisation institutionnelle, professionnelle ou commerciale, les automobiles et les camions légers représentaient 71,0 % du total, les camions et les tracteurs routiers, 17,0 %, les autobus et les autobus scolaires, 3,0 % et les autres types, 9,0 %.

Les infrastructures

Outre les 29 140 km de routes sous la responsabilité du ministère des Transports du Québec (tableau 22.19), le Québec possède 8 497 km de voies ferrées (tableau 22.20).

On estime que le réseau routier québécois, pour tous les paliers de gouvernement, aurait une valeur à neuf s'élevant à plus de 50 milliards de dollars. À cela s'ajoutent les infrastructures de transport en commun, évaluées à au moins 5 milliards, les infrastructures maritimes dont la valeur dépasse 3 milliards, les infrastructures aéroportuaires qui atteignent plus de 2 milliards et les infrastructures ferroviaires qui valent plus de 3 milliards de dollars. Au total, la valeur des infrastructures de transport en sol québécois s'élèverait donc à au moins 65 milliards de dollars.

Le maintien en état de ces infrastructures nécessite d'importants investissements publics (tableau 22.21). Or, parmi les effets des investissements en transport, ce sont ceux des investissements dans les infrastructures routières qui sont les mieux connus. Selon une étude récente[1], une augmentation de 1 % de la valeur réelle du stock de capital routier se traduit par une baisse des coûts de production des biens et des services variant entre 0,01 % et 0,22 %.

Enfin, il est reconnu que des réseaux efficaces et performants améliorent l'accès à de nouveaux marchés, aux ressources ainsi qu'à la main-d'œuvre : ils favorisent une plus grande spécialisation des fonctions de production et une plus grande flexibilité des méthodes de production.

Références

BOLDUC, Denis et Richard LAFERRIÈRE. *Les effets des dépenses d'infrastructures routières sur le développement économique du Québec*, Québec, Ministère des Transports du Québec, 2001.

BOLDUC, Denis et Richard LAFERRIÈRE. *Le modèle prévisionnel de transport du fret et des individus du Québec (TRAFIQ)*, Québec, Ministère des Transports du Québec, vol. I et II, 2001.

GAUDRY, Marc, Sylvie MALLET et Claudette MARULLO, en collab. avec Jean-Martin Aussant et Lyne Lanoix. *BRQ-1 : Un premier bilan intégré des coûts et revenus du réseau routier au Québec et du transport public de la grande région de Montréal de 1979 à 1994*, édition rév., Montréal, Université de Montréal, Centre de recherche sur les transports, février 1997, n° 96-43.

MINISTÈRE DES TRANSPORTS. *Bulletin économique du transport au Québec*, publié 3 fois par année, Québec, Gouvernement du Québec.

---

1. Denis Bolduc et Richard Laferrière, *Les effets des dépenses d'infrastructures routières sur le développement économique du Québec*, Québec, Ministère des Transports du Québec, 2001.

Définitions

Accident grave

Accident nécessitant l'hospitalisation d'au moins une victime.

Camion lourd

Véhicule dont le poids est égal ou supérieur à 3 000 kg.

Dépenses d'exploitation

Dépenses engagées pour des activités de transport routier de marchandises. Elles excluent les dépenses diverses telles que les pertes de capital, les intérêts versés, etc.

Produit intérieur brut (PIB)

Valeur totale des biens et services produits au Québec ou au Canada, selon le cas, sous propriété canadienne ou étrangère.

Recettes d'exploitation

Recettes relatives au transport routier de marchandises pour compte d'autrui. Elles excluent la part des recettes prévues pour les autres transporteurs dans le cas de liaisons intertransporteurs.

Transporteurs ferroviaires (compagnies de chemin de fer)

Compagnies qui relèvent de la compétence législative du Parlement du Canada :
* Catégorie I : Canadien National (CN), Canadien Pacifique et Via Rail, ainsi que les services qui leur sont liés;
* Catégorie II : autres transporteurs menant des activités au Canada;
* Catégorie III : autres compagnies telles que celles qui exploitent des gares, des ponts et des tunnels.

Transporteurs routiers pour compte d'autrui (entreprises de camionnage)

Transporteurs qui, moyennant rétribution, assurent le transport des marchandises.

Transporteurs routiers pour compte propre

Entreprises dont l'activité principale n'est pas le camionnage, mais qui exploitent leur propre parc de véhicules (possédés ou loués) pour le transport des marchandises.

Figure 22.1

Évolution de la part relative de l'industrie du transport et de l'entreposage dans l'ensemble du produit intérieur brut, au coût des facteurs, Québec et Canada, 1989-1999

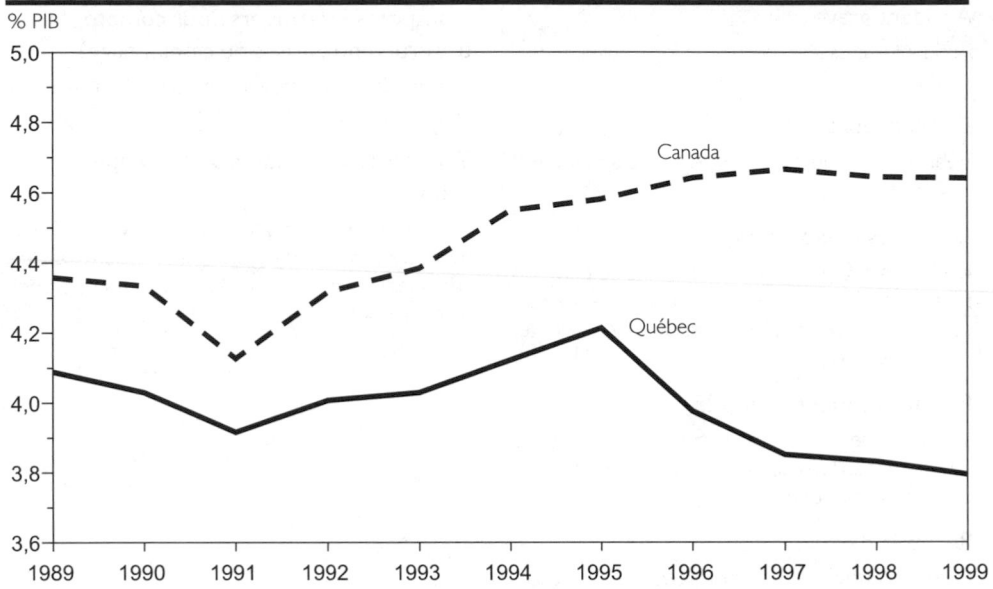

Source : Statistique Canada, CANSIM, matrice 4671.

Tableau 22.1

Produit intérieur brut au coût des facteurs de l'industrie du transport et de l'entreposage, aux prix de 1992, selon la CTI 1980[1], Québec et Canada, 1992-1999

Secteur	1992	1993	1994	1995	1996	1997	1998	1999
				'000 000 $				
Québec	5 358	5 510	5 831	6 018	6 125	6 177	6 345	6 616
Industries du transport	5 193	5 338	5 642	5 816	5 923	5 973	6 133	6 396
Transport aérien et services liés	736	692	719	755	767	775	813	810
Transport ferroviaire et services liés	x	x	x	x	x	x	x	x
Transport par eau et services liés	412	424	442	419	426	441	432	447
Camionnage	1 497	1 527	1 694	1 915	2 088	2 173	2 269	2 417
Transport en commun urbain	694	775	776	776	752	764	780	793
Transport en commun interurbain et rural	x	x	x	x	x	x	x	x
Industrie de l'entreposage et l'emmagasinage	64	60	71	83	84	84	82	89
Canada	26 078	27 109	29 380	30 368	31 214	32 645	33 506	34 924
Industries du transport	22 562	23 346	25 322	26 191	26 939	28 232	28 992	30 415
Transport aérien et services liés	3 195	3 149	3 335	3 562	3 693	3 830	3 878	3 845
Transport ferroviaire et services liés	3 772	3 846	4 288	3 902	4 109	4 634	4 513	4 739
Transport par eau et services liés	1 913	1 959	2 089	2 128	2 216	2 289	2 321	2 386
Camionnage	6 849	7 557	8 617	9 482	10 052	10 630	11 394	12 479
Transport en commun urbain	2 097	2 045	2 081	2 109	2 040	2 156	2 226	2 273
Transport en commun interurbain et rural	209	187	191	178	163	132	125	132
Industrie de l'entreposage et l'emmagasinage	752	730	772	817	861	943	961	983

1. *Classification type des industries (CTI) 1980.*

Sources : Institut de la statistique du Québec, Direction des comptes et des études économiques.
         Statistique Canada, Cansim, matrice 4661.

Tableau 22.2
Dépenses moyennes des ménages en transport, au Québec, au Canada et selon certaines régions métropolitaines, 1999

	Transport	Consommation courante totale	Part
	$		%
Régions métropolitaines			
Montréal	6 022	35 396	17,0
Québec	6 545	33 133	19,8
Toronto	7 935	45 821	17,3
Vancouver	7 471	42 808	17,5
Québec	5 945	32 715	18,2
Canada	6 877	37 713	18,2

Source : Statistique Canada, *Enquête sur les dépenses des ménages au Canada*, 1999.

Tableau 22.3
Dépenses en immobilisations de l'industrie du transport par secteur, selon le SCIAN[1], Québec, 1996-2000[2]

Secteur	1996	1997	1998	1999	2000
			'000 $		
Industrie du transport et de l'entreposage	1 003 779	1 151 911	1 941 122	1 648 189	1 650 288
Transport aérien et services liés	x	x	690 798	531 280	420 734
Transport ferroviaire et services liés	x	x	260 566	269 215	x
Transport par eau et services liés	76 666	43 456	33 224	x	x
Camionnage	121 121	251 937	266 521	256 381	241 772
Transport en commun urbain et interurbain	292 351	186 789	139 288	140 031	191 360

1. Statistique Canada, *Système de classification des industries de l'Amérique du Nord*, Canada, 1997.
2. 1996, 1997 et 1998 : réelles; 1999 : réelles provisoires, 2000 : perspectives révisées.
Source : Institut de la statistique du Québec, Direction des comptes et des études économiques.

Tableau 22.4
Répartition des salariés dans l'industrie du transport par secteur[1], Québec et Canada, 1995-1999

Secteur	1995	1996	1997	1998	1999
			n		
Québec	**111 674**	**108 929**	**107 334**	**110 222**	**114 208**
Transport aérien	14 364	14 673	15 330	17 254	18 293
Transport ferroviaire	11 949	9 096	7 415	8 761	10 966
Transport maritime	8 460	8 519	8 698	8 244	8 792
Camionnage	33 096	33 360	34 852	34 438	33 256
Transport en commun	24 663	26 097	24 797	24 807	26 166
Autres	19 142	17 185	16 241	16 718	16 735
Canada	**439 200**	**434 923**	**450 814**	**462 238**	**475 382**
Transport aérien	60 870	61 475	70 232	78 223	84 058
Transport ferroviaire	53 406	50 645	48 647	48 433	50 100
Transport maritime	32 019	29 516	26 726	26 097	27 911
Camionnage	135 813	140 717	151 100	153 102	152 936
Transport en commun	76 605	77 518	78 195	80 396	83 172
Autres	80 486	75 052	75 914	75 987	77 205

1. Données non désaisonnalisées.
Source : Statistique Canada, *Enquête sur l'emploi et les heures de travail*, Cansim II, matrices 17000 et 17005.

Figure 22.2
Principales infrastructures de transport

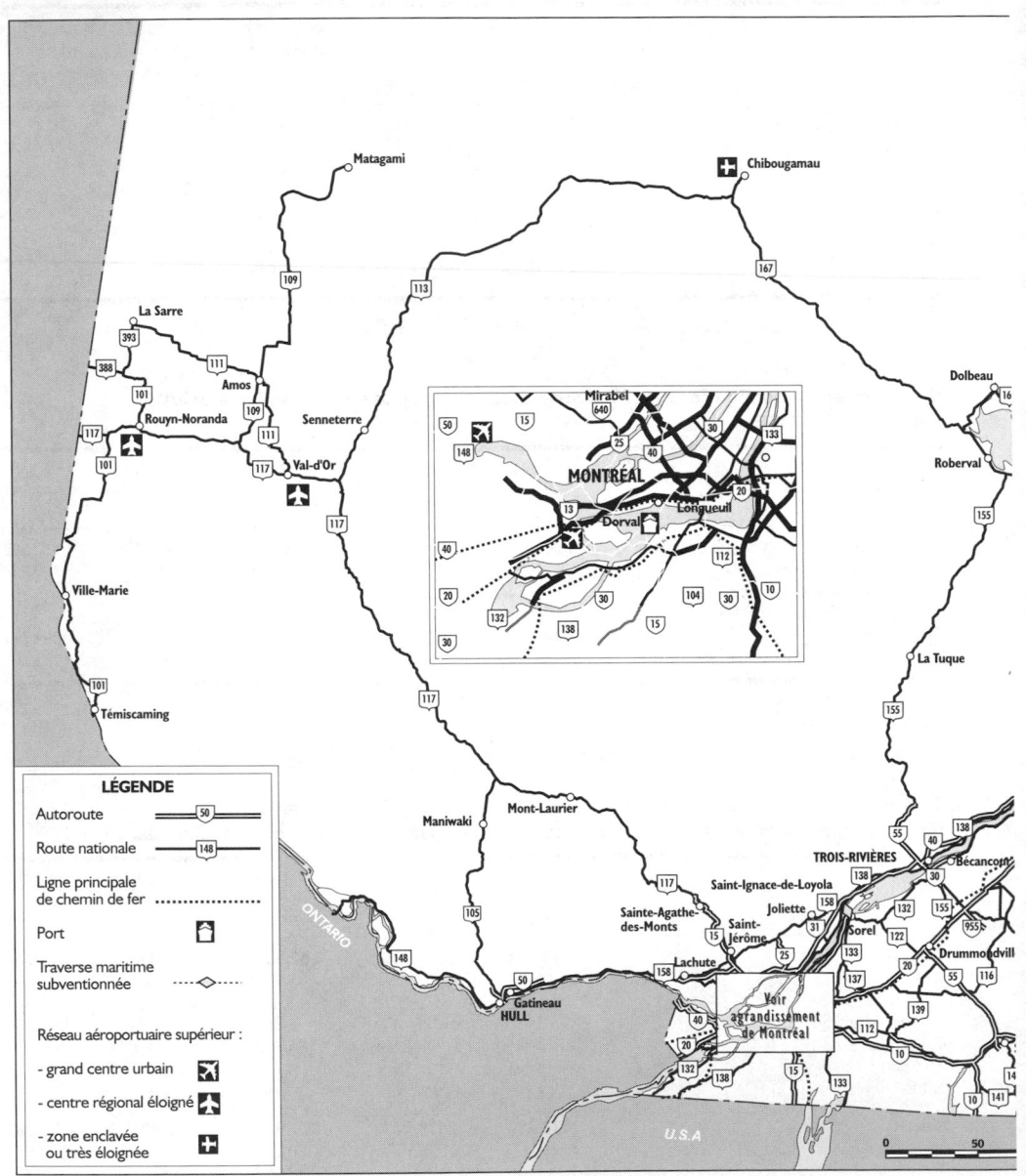

Réalisée par le Service de l'économie et du plan directeur en transport, ministère des Transport du Québec, mai 2001.

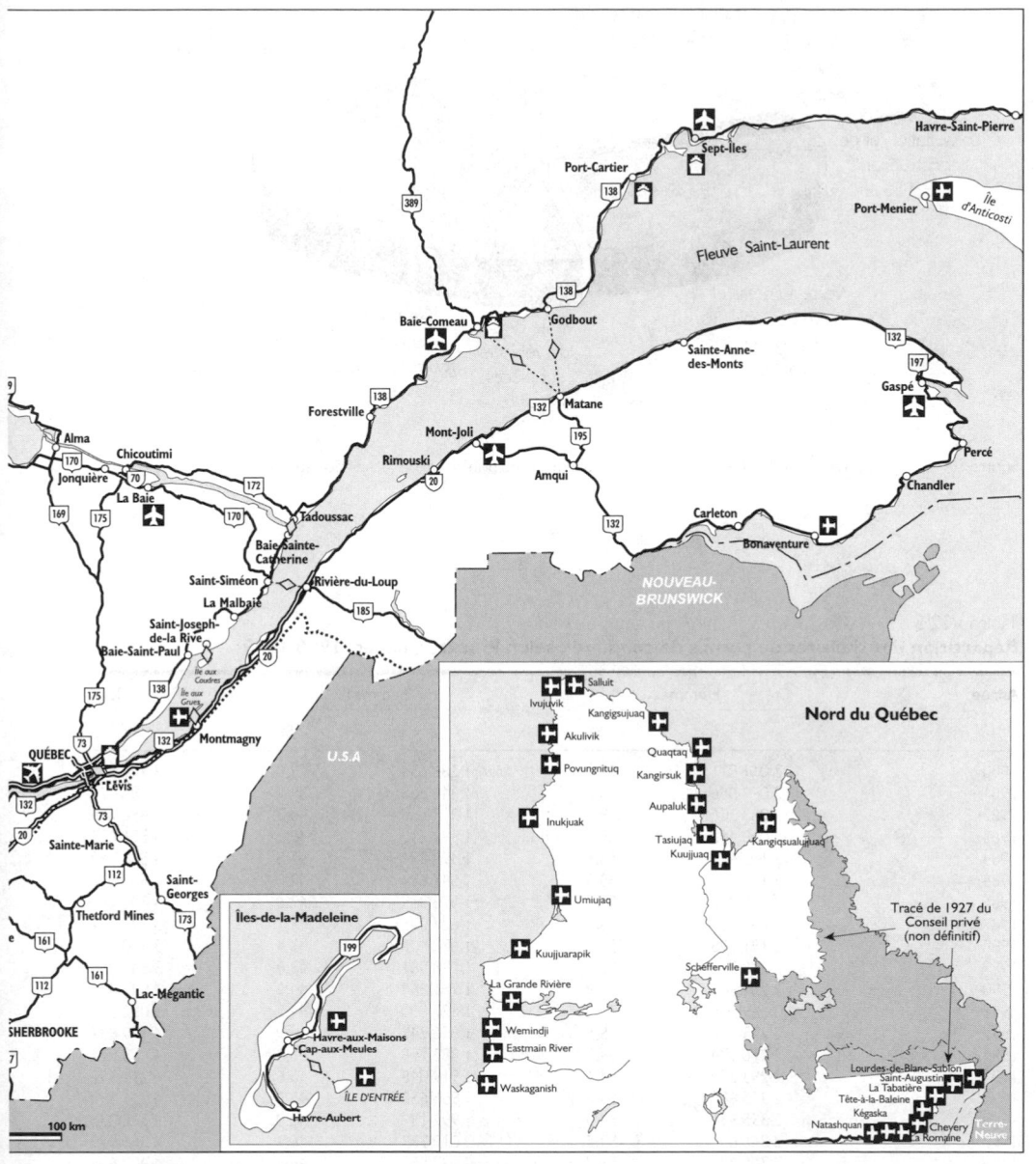

Havre-Saint-Pierre

Sept-Îles

Port-Cartier

389

138

Port-Menier

Île d'Anticosti

Fleuve Saint-Laurent

138

Baie-Comeau

Godbout

Sainte-Anne-des-Monts

132

197

Gaspé

Forestville

138

132

Matane

Percé

Mont-Joli

195

Rimouski

20

Amqui

Chandler

Alma

Chicoutimi

169

170

Jonquière

70

172

Chandler

175

La Baie

170

132

Carleton

Tadoussac

Bonaventure

NOUVEAU-BRUNSWICK

Baie-Sainte-Catherine

Saint-Siméon

Rivière-du-Loup

La Malbaie

185

Saint-Joseph-de-la-Rive

Baie-Saint-Paul

Île aux Coudres

Île aux Grues

175

138

20

QUÉBEC

73

132

Montmagny

U.S.A

Lévis

132

73

20

Sainte-Marie

112

Saint-Georges

Thetford Mines

173

161

112

161

Lac-Mégantic

SHERBROOKE

Îles-de-la-Madeleine

199

Havre-aux-Maisons

Cap-aux-Meules

ÎLE D'ENTRÉE

Havre-Aubert

100 km

Nord du Québec

Salluit

Ivujivik

Kangigsujuaq

Akulivik

Quaqtaq

Povungnituq

Kangirsuk

Aupaluk

Inukjuak

Tasiujaq

Kangiqsualujjuaq

Kuujjuaq

Umiujaq

Kuujjuarapik

Schefferville

La Grande Rivière

Wemindji

Eastmain River

Waskaganish

Tracé de 1927 du Conseil privé (non définitif)

Lourdes-de-Blanc-Sablon

Saint-Augustin

La Tabatière

Tête-à-la-Baleine

Kégaska

Natashquan

Chevery

Terre-Neuve

La Romaine

691

Figure 22.3
Salariés dans l'industrie du transport et les industries connexes, Québec, 2000

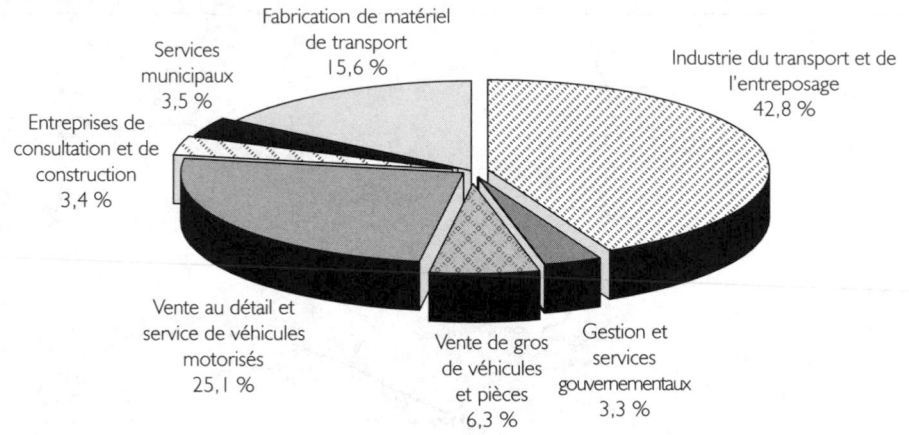

Source : Ministère des Transports du Québec, Service de l'économie et du plan directeur, compilation spéciale.

Tableau 22.5
Répartition des titulaires de permis de conduire[1], selon le sexe, Québec, 1980-1999

Année	Hommes		Femmes		Total
	n	%	n	%	n
1980	2 011 871	61,0	1 286 634	39,0	3 298 505
1981	2 041 656	60,3	1 344 665	39,7	3 386 321
1982[2]	2 063 206	59,7	1 393 560	40,3	3 456 766
1983	2 080 462	59,1	1 441 210	40,9	3 521 672
1984	2 105 428	58,5	1 492 834	41,5	3 598 262
1985	2 139 327	58,0	1 547 694	42,0	3 687 021
1986	2 125 357	57,4	1 578 809	42,6	3 704 166
1987[3]	2 144 767	56,9	1 627 025	43,1	3 771 792
1988	2 191 195	56,6	1 678 805	43,4	3 870 000
1989	2 218 573	56,2	1 728 381	43,8	3 946 954
1990	2 251 607	55,8	1 781 364	44,2	4 032 971
1991	2 269 568	55,5	1 822 800	44,5	4 092 368
1992	2 273 590	55,1	1 856 242	44,9	4 129 832
1993	2 276 174	54,7	1 882 798	45,3	4 158 972
1994	2 293 544	54,4	1 919 048	45,6	4 212 592
1995	2 315 689	54,2	1 955 658	45,8	4 271 347
1996	2 335 936	54,0	1 992 139	46,0	4 328 075
1997	2 346 636	53,7	2 019 373	46,3	4 366 009
1998	2 365 139	53,7	2 037 553	46,3	4 402 692
1999	2 386 680	53,7	2 060 759	46,3	4 447 439

1. Nombre de permis en vigueur au 1er juin de chaque année.
2. Le permis de conduire n'est plus nécessaire pour la conduite d'une motoneige.
3. Le permis de conducteur est obligatoire pour la conduite de cyclomoteurs (14 ans et plus, juin 1987).

Source : Société d'assurance automobile du Québec, *Dossier statistique*, Bilan 1999, accidents, parc automobile, permis de conduire.

Tableau 22.6

Destination des passagers embarqués à Montréal, selon les principales liaisons pour les vols réguliers, Québec, 1997-1998

Principales liaisons	1997	1998	Variation 1998/1997
	n		%
Interprovinciales			
Montréal–Toronto	1 181 770	1 290 990	9,2
Montréal–Vancouver	193 590	236 670	22,3
Québec–Toronto	82 590	107 110	29,7
Montréal–Winnipeg	62 590	83 450	33,3
Montréal–St.John's (T.-N)	31 820	34 790	9,3
Montréal–Moncton	28 830	34 390	19,3
Montréal–London	26 540	32 010	20,6
Montréal–Saskatoon	13 970	17 620	26,1
Montréal–Saint John (N.-B.)	14 400	16 310	13,3
Montréal–Régina	14 160	15 610	10,2
Transfrontalières			
Montréal–New York	297 680	356 630	19,8
Montréal–Chicago	129 510	164 950	27,4
Montréal–Los Angeles	127 850	139 590	9,2
Montréal–Miami	142 000	131 240	-7,6
Montréal–Washington/Baltimore	90 350	102 100	13,0
Montréal–San Francisco	86 100	87 410	1,5
Montréal–Fort Lauderdale	87 060	71 660	-17,7
Montréal–Boston	45 330	70 410	55,3
Montréal–Tampa/St.Petersburg	50 330	43 530	-13,5

Source : Statistique Canada, *Origine et destination des passagers aériens*, Rapport Canada–États-Unis et rapport sur le traffic intérieur (51-204).

Tableau 22.7

Passagers embarqués et débarqués dans les principales gares, Québec, 1994-1999

Gares	1994	1995	1996	1997	1998	1999	Variation 1999/1994
	'000						%
Montréal	1 236	1 245	1 266	1 265	1 217	1 290	4,4
Québec et Ste-Foy	261	272	263	277	194	207	-20,7
Dorval	140	147	138	139	128	131	-6,9
Ensemble des gares du Québec	**1 872**	**1 899**	**1 896**	**1 907**	**1 828**	**1 916**	**2,4**

Source : Via Rail, compilation spéciale.

693

Tableau 22.8
Trafic des traverses maritimes, Québec, 1999-2000

Liaison	Passagers	Automobiles	Camions	Autobus	Motos et motoneiges	Autres
			n			
Traverses exploitées par la STQ						
Sorel–Sainte-Ignace-de-Loyola	906 884	404 254	26 518	184	18 560	22 964
Québec–Lévis	1 632 954	239 031	409	41	3 224	495
Île aux Coudres–Saint-Joseph-de-la-Rive	623 377	264 131	8 240	854	8 212	1 795
Tadoussac–Baie-Sainte-Catherine	1 998 843	591 826	170 124	5 219	13 846	23 005
Matane–Baie-Comeau–Godbout	231 205	72 712	13 140	191	2 799	2 837
Traverses exploitées en collaboration avec l'entreprise privée						
Île aux Grues–Montmagny	54 756	15 545	658	-	158	1 205
Rivière-du-Loup–Saint-Siméon	178 400	64 009	4 281	165	2 769	1 915
Île d'Entrée–Cap-aux-Meules	4 985	...	...	...	...	...
Total	**5 631 404**	**1 651 508**	**223 370**	**6 489**	**46 641**	**54 216**

Source : Société des traversiers du Québec, *Rapport d'activités 1999-2000.*

Tableau 22.9
Données relatives au transport en commun urbain, Québec, 1999

	Services subventionnés	Achalandage[1]	Recettes d'exploitation[2]	Contributions des automobilistes[3]	Contributions du ministère des Transports du Québec[4]	Contributions des municipalités[5]	Dépenses totales
	n				'000 $		
Organismes publics de transport (OPT)	9	451 855 192	425 073	74 805	170 245	401 909	1 072 032
Agence métropolitaine de transport (AMT)	1	11 297 732	19 028	33 785	26 516	31 559	110 888
Organismes municipaux ou intermunicipaux de transport (OMIT)	29	15 920 483	28 651	1 673	16 348	8 212	54 884
Transport adapté	104	4 314 377	6 914	...	41 399	10 746	59 059
Total	**143**	**483 387 784**	**479 666**	**110 263**	**254 508**	**452 425**	**1 296 863**

1. C'est le nombre de déplacements effectués par les usagers des services de transport en commun.
2. Les recettes d'exploitation comprennent les contributions des usagers et les autres revenus d'exploitation.
3. Il s'agit du droit sur l'immatriculation (30 $) et de la taxe sur les carburants (1,5 cent le litre).
4. La contribution du ministère des Transports du Québec (MTQ) comprend une partie des intérêts sur la dette du métro.
5. Les municipalités assument le déficit d'exploitation des organisme de transport en commun.

Source : Ministère des Transports du Québec, Direction du transport terrestre des personnes.

Tableau 22.10
Volume de marchandises transportées par les transporteurs routiers pour compte d'autrui selon le type de trafic[1], Québec, 1998-1999

Type de trafic	1998	1999
	'000 000 t	
Intraprovincial	26,6	29,7
Interprovincial	18,9	22,1
International	13,2	15,4
Total	**57,7**	**67,2**

1. Mouvements origine et destination; chiffres arrondis.

Source : Statistique Canada, *Le camionnage au Canada* (53-222).

Tableau 22.11
Recettes et dépenses des transporteurs routiers pour compte d'autrui, Québec, 1998-1999

	1998	1999
	'000 000 $	
Recettes		
Recettes d'exploitation	2656,5	2915,4
Autres recettes	81,4	57,8
Dépenses		
Dépenses d'exploitation	2532,9	2737,6
Autres dépenses	100,3	107,4
Bénéfices		
Bénéfices d'exploitation	123,6	177,8
Autres bénéfices	-18,9	-49,6
Bénéfices avant impôt	104,6	128,2
Provisions pour impôt	30	35,4
Bénéfices avant gain/pertes extraordinaires	74,6	92,8
Gains/pertes extraordinaires	-2,7	-1,2
Bénéfices nets	**71,9**	**91,6**

Source : Statistique Canada, *Le camionnage au Canada* (53-222).

Tableau 22.12
Origine et destination des marchandises transportées par les compagnies ferroviaires de catégorie I[1], Québec, 1990-1998

Année	Intraprovinciale	Interprovinciale	Internationale (É-U)	Total
	'000 000 t			
1990	6,0	16,3	7,0	29,3
1991	5,3	16,2	6,8	28,3
1992	5,3	17,1	7,6	30,0
1993	5,4	17,7	9,1	32,1
1994	5,9	18,7	10,7	35,4
1995	5,5	18,6	10,3	34,4
1996	5,5	18,6	10,3	34,4
1997	5,5	18,6	10,3	34,4
1998	6,5	15,8	15,5	37,8

1. Compagnie des chemins de fer nationaux (CN) et Canadien Pacifique limitée (CP).

Source : Statistique Canada, *Le transport ferroviaire au Canada* (52-216).

Tableau 22.13
Volume des marchandises transportées par chemin de fer, par catégorie, Québec, 1998

Catégorie	Marchandises chargées	Marchandises déchargées
	t	
Charge complète	46 953 265	64 040 541
Denrées alimentaires, aliments pour animaux boissons et tabacs	247 726	2 790 884
Matières brutes, non comestibles	23 600 806	46 599 717
Demi-produits, non comestibles	17 616 382	9 562 628
Produits finis, non comestibles	217 392	780 522
Transports spéciaux	5 270 959	4 306 790
Chargements de détail	11 548	3 244
Total	**46 964 813**	**64 043 785**

Source : Statistique Canada, *Le transport ferroviaire au Canada* (52-216).

Tableau 22.14
Volume total des marchandises manutentionnées dans les ports selon le type de transport, Québec, 1990-1998

Année	Intérieur	International	Total
	'000 000 t		
1990	35,5	71,9	107,4
1991	35,0	70,7	105,7
1992	32,2	67,0	99,1
1993	26,0	65,8	91,8
1994	30,4	73,7	104,1
1995	29,5	81,1	110,7
1996	28,3	76,9	105,2
1997	28,1	78,5	106,6
1998	30,2	77,6	107,7

Source : Statistique Canada, *Le transport maritime au Canada* (54-205).

Tableau 22.15
Volume des marchandises[1] embarquées et débarquées dans les principaux aéroports du Québec et de l'Ontario, 1998

Principaux aéroports	Marchandises embarquées	Marchandises débarquées	Total
	t		
Québec	..	..	138 430
Montréal–Dorval	44 742	54 480	99 222
Montréal–Mirabel	19 712	19 108	38 819
Québec–Jean-Lesage	108	147	255
Ontario	..	..	380 544
Toronto–Lester B. Pearson	169 910	188 802	358 712
London	3 793	4 445	8 237
Ottawa–Macdonald-Cartier	2 998	3 744	6 742

1. Selon l'enquête de Statistique Canada, ces données ne représentent pas la totalité des marchandises chargées et déchargées au Canada pour les principaux vols réguliers et d'affrètement des transporteurs.

Source : Statistique Canada, *Trafic des transporteurs aériens aux aéroports canadiens*, 1998.

Tableau 22.16
Décès à la suite d'accidents de la route, selon l'âge des victimes, Québec, 1994-1999

Âge	1994	1995	1996	1997	1998	1999
				n		
0 à 14 ans	65	64	58	48	46	39
15 à 24 ans	186	217	215	176	170	206
25 à 34 ans	127	151	130	132	105	116
35 à 44 ans	105	117	121	117	96	110
45 à 54 ans	85	89	103	69	84	81
55 à 64 ans	79	65	69	75	54	58
65 à 74 ans	81	84	83	83	62	64
75 et plus	55	46	73	58	68	80
Non précisé	11	12	6	8	1	5
Total	**794**	**845**	**858**	**766**	**686**	**759**

Source : Société de l'assurance automobile du Québec, *Dossier statistique*, Bilan 1999, accidents, parc automobile, permis de conduire.

Tableau 22.17
Nombre d'accidents routiers par 10 000 véhicules en circulation, Québec, 1994-1999

	1994	1995	1996	1997	1998	1999
				n		
Dommages corporels	83	82	79	77	74	76
Mortels	2	2	2	1	1	1
Graves[1]	11	10	10	10	10	9
Légers	70	69	67	66	63	65
Dommages matériels	315	309	290	303	276	243
Total	**398**	**390**	**368**	**380**	**350**	**319**

1. Nécessitant l'hospitalisation d'au moins une victime.

Source : Société de l'assurance automobile du Québec, *Dossier statistique*, Bilan 1999, accidents, parc automobile, permis de conduire.

Tableau 22.18
Nombre de véhicules en circulation[1], selon le type d'utilisation et le type de véhicule, Québec, 1995-1999

Utilisation et véhicule	1995	1996	1997	1998	1999
			n		
Promenade	**3 208 026**	**3 258 790**	**3 306 961**	**3 369 631**	**3 436 179**
Automobile et camion léger	3 124 587	3 174 401	3 220 446	3 277 703	3 338 852
Automobile	2 518 401	2 525 409	2 523 149	2 530 247	2 560 298
Camion léger	604 040	647 041	695 566	745 928	777 234
Non précisé[2]	2 146	1 951	1 731	1 528	1 320
Motocyclette	66 004	67 933	71 027	76 506	81 692
Cyclomoteur	17 435	16 456	15 488	15 422	15 635
Utilisation institutionnelle, professionnelle ou commerciale	**572 977**	**585 751**	**596 402**	**611 572**	**618 207**
Automobile et camion léger	405 660	412 069	420 243	432 774	438 132
Automobile	164 516	164 182	165 364	167 461	168 295
Camion léger	240 193	247 126	254 197	264 645	269 236
Non précisé[2]	951	761	682	668	601
Taxi	8 028	8 052	8 043	8 039	8 057
Autobus	6 700	6 726	6 896	6 879	6 961
Autobus scolaire	9 788	9 867	9 642	9 612	9 504
Camion et tracteur routier	100 718	101 738	103 806	106 415	106 740
Véhicule-outil et autres	42 083	47 299	47 772	47 853	48 813
Hors réseau	**494 426**	**496 627**	**504 154**	**515 173**	**526 271**
Motoneige	158 982	154 697	157 905	157 220	151 608
Deux roues[3]	19 081	17 952	16 497	15 038	14 299
Véhicule tout-terrain	147 647	156 194	162 892	175 026	191 311
Véhicule-outil et autres	168 716	167 784	166 860	167 889	169 053
Total[4]	**4 275 429**	**4 341 168**	**4 407 517**	**4 496 376**	**4 580 657**

1. Véhicules autorisés à circuler au 31 décembre.
2. Ce sont les véhicules pour lesquels on n'a pu distinguer si c'était des automobiles ou des camions légers.
3. Inclut les motocyclettes et les cyclomoteurs.
4. Ne comprend pas les remorques et les véhicules utilisés exclusivement dans les gares, les ports et les aéroports.

Source :   Société d'assurance automobile du Québec, *Dossier statistique*, Bilan 1999, accidents, parc automobile, permis de conduire.

Tableau 22.19
Longueur pondérée du réseau routier sous la responsabilité du ministère des Transports, Québec, 2000

	km
Réseau autoroutier	4 854
Réseau national	9 640
Réseau régional	5 547
Réseau collecteur	7 737
Réseau d'accès aux ressources	1 362
Total	**29 140**

Source :   Ministère des Transports du Québec, Service de l'information corporative.

Tableau 22.20
Réseau de chemin de fer exploité, par type de transporteur, Québec, 1998

Type de transporteur	Voies principales	Autres voies	Total
		km	
Nationaux (CN et CP)	3 538	2 692	6 230
De courtes distances	1 741	526	2 267
Via Rail[1]	…	…	…
Total	**5 279**	**3 218**	**8 497**

1. Parmi les voies ferrées exploitées par Via Rail, 2 340 km appartiennent au CN et au CP.

Source : Statistique Canada, *Le transport ferroviaire au Canada* (52-216).

Tableau 22.21
Dépenses du ministère des Transports, Québec, 1999-2000 et 2000-2001

Dépenses	1999-2000	2000-2001
	'000 000 $	
Transport aérien	**5,8**	**12,4**
Exploitation et entretien	2,0	2,8
Immobilisations	1,8	7,5
Paiements de transfert	2,0	2,1
Transport maritime	**44,1**	**46,5**
Exploitation et entretien	1,0	2,4
Immobilisations	0,1	1,1
Paiements de transfert	43,0	43,0
Transport ferroviaire	**1,6**	**5,1**
Paiements de transfert	1,6	5,1
Réseau routier	**1 347,0**	**1 249,9**
Exploitation et entretien	390,9	375,3
Immobilisations	733,5	807,3
Paiements de transfert	222,6	67,3
Transport en commun	**252,1**	**249,5**
Exploitation et entretien	7,3	8,2
Immobilisations	0,05	0,1
Paiements de transfert	244,7	241,2
Dépenses d'administration	**90,4**	**96,5**
Exploitation et entretien	85,6	91,0
Immobilisations	3,3	3,8
Paiements de transfert	1,5	1,7
Dépenses totales	**1 741,0**	**1 660,0**
Moins les subventions fédérales	**23,3**	**15,4**
Dépenses totales nettes	**1 717,7**	**1 644,5**

Source : Ministère des Transports, Service de l'information corporative.

23

Culture et communications

Liste des tableaux

Liste des figures

Ce chapitre a été réalisé par Christine Routhier, avec la collaboration de Richard Cloutier et de André Côté, de l'Observatoire de la culture et des communications de l'Institut de la statistique du Québec.

Le champ des industries culturelles comporte une douzaine de domaines liés essentielle-ment aux arts, aux lettres, au patrimoine et aux médias. Ce chapitre présente d'abord un portrait économique général des industries culturelles au Québec. Il y est question des revenus comparés de divers secteurs, du soutien financier des administrations publiques et des emplois culturels. La seconde partie du chapitre examine successivement différents domaines, principalement sous l'angle de l'offre des produits culturels.

C'est dans l'édition 1936 de l'*Annuaire statistique* qu'apparaissent pour la première fois des données sur un type d'activité culturelle : il s'agit de statistiques sur les salles de cinéma (recettes, nombre d'établissements et d'employés) qui sont alors présentées dans une sec-tion portant sur le « commerce intérieur »[1]. En 1954, une section portant sur la radio et la télévision est introduite à l'intérieur du chapitre *Transports et communications,* et à partir de 1964-1965 cette section traitera aussi de la presse.

Il faut attendre l'édition de 1968-1969 pour retrouver dans l'Annuaire une section traitant explicitement de culture (un chapitre s'intitule *Instruction et culture*). À partir de l'édition 1970, et dans toutes les éditions subséquentes, un chapitre sera consacré exclusivement à la culture. Ce chapitre exclura toujours les médias d'information qui sont traités ailleurs dans l'ouvrage sous le vocable « Communications ». La présente édition rassemble pour la pre-mière fois l'ensemble des statistiques liées aux industries culturelles.

Portrait économique des industries culturelles au Québec

Au Québec, la culture et les communications font l'objet d'une préoccupation particulière de la part des pouvoirs publics, la spécificité culturelle du Québec justifiant l'importance de l'intervention étatique dans ces domaines. Cette préoccupation gouvernementale est d'autant plus prégnante qu'elle s'inscrit dans un contexte économique désormais caractérisé par une tendance à la mondialisation de la culture et par les débats autour de la question de « l'ex-ception culturelle ».

Pendant la seconde moitié des années 90, le champ des industries culturelles québécoises a été marqué par le développement important du domaine du multimédia et par la démocra-tisation de l'accès au réseau Internet. On assiste aussi à une concentration de la propriété, en particulier dans les secteurs de la production audiovisuelle et des médias, et à l'expansion de grandes entreprises comme Vidéotron, Power Corporation ou Quebecor qui sont dé-sormais actives dans plusieurs secteurs à la fois : édition, accès à Internet, câblodistribution, médias électroniques, téléphonie. Durant cette même période, le Gouvernement du Québec

---

1. Les statistiques sur l'industrie cinématographique seront présentées sous cette rubrique pendant près de 50 ans; ce n'est qu'en 1985 qu'elles seront enfin traitées avec l'ensemble des autres données sur la culture.

met en place deux sociétés d'état vouées au soutien de la production culturelle : le Conseil des arts et des lettres du Québec[2] et la Société de développement des entreprises culturelles[3].

Les revenus

Les revenus directs des différents secteurs culturels proviennent de trois sources : les recettes autonomes, c'est-à-dire les revenus tirés de l'activité des établissements; les subventions des administrations publiques et enfin l'aide financière privée accordée sous forme de dons ou de commandites. En additionnant les revenus de dix secteurs seulement, on obtient pour l'année 1996-1997 des revenus totaux qui s'élèvent à plus de 3 milliards de dollars (tableau 23.1). Ces revenus totaux proviennent principalement de quatre secteurs : les médias écrits avec 745 millions de dollars, la câblodistribution avec 626 millions de dollars, le livre avec 467 millions de dollars et la télédiffusion privée avec 353 millions de dollars.

Le soutien financier des administrations publiques

Au cours de la période qui s'étend de 1996-1997 à 1999-2000, les dépenses du gouvernement du Québec au titre de la culture ont augmenté de 14,5 %, passant de 651,1 millions de dollars à 745,4 millions (tableau 23.2). En 1999-2000, ce sont les domaines du patrimoine, avec 160,1 millions de dollars (21,5 % des dépenses culturelles) et des bibliothèques, avec 140,5 millions (18,9 % des dépenses culturelles) qui ont reçu la part la plus importante des subsides québécois.

Les différents paliers de gouvernement ont dépensé au Québec 226 $ par habitant à des fins culturelles en 1996-1997 (tableau 23.3). De ce montant, 50 % provient de l'administration fédérale, 35 % de l'administration provinciale et 15 % des administrations locales ou municipales. Comparativement aux autres provinces canadiennes, le Québec arrive au premier rang en ce qui concerne les dépenses culturelles per capita, suivi de l'Île-du-Prince-Edouard (197 $) et de l'Ontario (195 $). Les dépenses publiques culturelles par habitant du Québec sont aussi supérieures à celles de l'Allemagne, de l'Australie ou des Pays-Bas (figure 23.1).

L'emploi

En 1996, le Québec compte 257 440 travailleurs qui œuvrent dans les différents domaines culturels, ce qui représente 8 % de la population active occupée (tableau 23.4). C'est dans le domaine des médias que l'on retrouve le plus grand nombre d'employés : 16 198 personnes (6,3 %) travaillent dans le secteur des médias écrits et 14 484 (5,6 %) dans les secteurs de la radio, de la télévision et de la câblodistribution.

---

2. Le Conseil des arts et des lettres du Québec (CALQ) a été créé en 1994. Il administre les programmes d'aide à la création destinés aux artistes et aux organismes artistiques.
3. Créée en 1995, la Société de développement des entreprises culturelles (SODEC) soutient les entreprises actives dans les secteurs du cinéma et de la production télévisuelle, du disque et du spectacle de variétés, du livre et de l'édition spécialisée, ainsi que dans le secteur des métiers d'art.

La culture et les communications par domaines

Le livre

En 1998-1999, on compte au Québec 234 entreprises dont l'édition ou la diffusion de livres est l'activité principale (tableau 23.5). Ces entreprises emploient 2 214 personnes, pour une masse salariale versée de 86,7 millions de dollars. L'édition de livres génère au Québec des revenus de 511,9 millions de dollars dont près de 80 % proviennent de ventes de livres au Canada et 12 % de ventes de livres à l'étranger.

Un total de 7 966 titres ont été publiés en 1998-1999, cette production étant composée à 51,9 % de nouvelles publications et à 48,1 % de réimpressions. Entre 1993 et 1999, le nombre total de titres québécois déposés à la Bibliothèque nationale augmente de 3,9 % en même temps que se manifeste, à l'inverse, une diminution importante (- 41,0 %) dans le tirage moyen par titre, lequel passe de 3 538 exemplaires en 1993 à 2 089 exemplaires en 1999 (tableau 23.6).

Les bibliothèques publiques

Au Québec, en 1998, les services d'une bibliothèque publique sont accessibles à 89,2 % de la population (tableau 23.7). Alors qu'il était relativement stable depuis 1995, le nombre de bibliothèques publiques a diminué légèrement en 1998, pour s'établir à 971 bibliothèques (soit 3 de moins qu'en 1997). Et le nombre de municipalités desservies a diminué lui aussi, passant de 1 052 en 1995 à 1 011 en 1998. Cette année-là, les usagers des bibliothèques ont accès à 14,9 millions de livres, soit l'équivalent de 7,5 livres par usager inscrit ou 2,3 livres par habitant des municipalités desservies.

Les revenus des bibliothèques publiques sont de 157,8 millions de dollars en 1998, l'implication des administrations municipales dans le financement de ces services étant très importante. Ainsi, en 1998, 79,1 % des revenus proviennent des municipalités contre 11,2 % seulement en provenance du gouvernement du Québec. Plus de la moitié des dépenses des bibliothèques publiques sont consacrées à la rémunération du personnel.

Le patrimoine

Les établissements patrimoniaux du Québec, c'est-à-dire les musées, les centres d'archives et les lieux historiques, sont au nombre de 365 en 1997-1998 (tableau 23.8). Cette même année, ces établissements ont enregistré des revenus totaux de 305,3 millions de dollars (dont 69,1 % en subventions) et ont procuré de l'emploi à 5 070 travailleurs (dont 45,2 % seulement occupent un emploi à temps plein). Plus de 14 millions d'entrées ont été enregistrées pour les différentes expositions et activités présentées au public par ces établissements en 1997-1998. En ce qui concerne les musées plus particulièrement, on en compte 173 répartis sur tout le territoire du Québec, les régions les mieux pourvues étant celles de Montréal (23,7 %), de la Montérégie (13,3 %) et de la Capitale-Nationale (12,7 %) (tableau 23.9).

En 2000, le gouvernement du Québec adopte pour la première fois une politique visant à baliser son action dans le secteur de la muséologie[4]. L'intervention de l'état dans le domaine du patrimoine est pourtant ancienne : l'adoption de la Loi relative à la conservation des

---

4. Cette politique s'intitule *Vivre autrement… la ligne du temps*.

monuments historiques et des objets artistiques remonte à 1922. Depuis cette date, le rythme de classement des biens culturels a beaucoup varié. Ainsi, de 1922 à 1961, seulement 106 biens culturels ont été classés, alors qu'au cours de la période 1977-1981, sans doute l'âge d'or des biens culturels au Québec, 982 biens ont fait l'objet d'un classement ou d'une reconnaissance[5]. En 1999, le Québec compte 20 762 biens ou ensembles de biens culturels de toutes catégories, dont 528 monuments historiques et 1 042 œuvres ou objets d'art (tableau 23.10).

Les métiers d'art

Le secteur des métiers d'art est à distinguer du secteur des arts visuels; il s'agit d'un secteur autonome ayant sont propre système de formation, de production et de diffusion. Le secteur des métiers d'art a généré en 1995 des exportations québécoises de 238,6 millions de dollars (dont 91,3 % en ventes aux États-Unis) (tableau 23.11). Le nombre d'artisans actifs au Québec est de 2 425 en 1995, alors qu'il était de 3 840 cinq ans plus tôt (une diminution de 36,8 % des effectifs). Le revenu annuel moyen est de 12 693 $ pour l'ensemble des artisans québécois, et, pour les artisans travaillant à temps complet, de 19 854 $.

Les arts de la scène

Le domaine des arts de la scène regroupe quatre secteurs différents : le théâtre, la musique, la danse et l'opéra. En 1998-1999, les 226 compagnies professionnelles sans but lucratif œuvrant dans ce domaine au Québec enregistrent des revenus totaux de 123,6 millions de dollars (tableau 23.12). Les revenus de l'ensemble de ces compagnies se composent à 46,2 % de revenus gagnés (billetterie, bar, etc.), à 42,9 % de subventions publiques et à 10,9 % d'aide privée (dons, commandites, etc.) Toujours en 1998-1999, 3,7 millions d'entrées ont été enregistrées pour un total de 11 633 représentations données. La consolidation du domaine des arts de la scène est une préoccupation pour le gouvernement du Québec : en décembre 1996, le ministère de la Culture et des Communications lançait la première politique québécoise de diffusion des arts de la scène[6].

Le film

Le film est un vaste domaine qui englobe les secteurs de la production et de la distribution de longs ou de courts métrages de fiction, d'émissions de télévision, de messages publicitaires, de vidéos de toutes sortes et de documentaires, de même que les secteurs de la projection et du commerce au détail de matériel vidéo. Pour l'année 1997-1998, les 418 établissements actifs en production, en postproduction ou en distribution de films ont généré des revenus totaux de 873,6 millions de dollars et ont fourni de l'emploi à environ 13 000 personnes (tableau 23.13).

Cette même année, 5 891 productions ont été fabriquées au Québec. De ces productions, 55,5 % sont des émissions de télévision, 30,2 % sont des messages publicitaires et moins de 1 % (soit 19 films) sont des longs métrages pour les cinémas. En fait, la région urbaine de Montréal, où se trouve concentré l'essentiel des activités de production, est le plus important centre de production télévisuelle francophone au monde, après Paris[7].

---

5. Données de la Commission des biens culturels du Québec.
6. Intitulée *Remettre l'art au monde*, cette politique vise à accroître l'intérêt des Québécois pour les arts de la scène et à favoriser une diversification des spectacles partout au Québec.
7. Selon les données du ministère de la Culture et des Communications du Québec.

Le nombre de salles de cinéma est en progression depuis le début des années 90. En 2000, l'ensemble du territoire québécois compte 137 cinémas et ciné-parcs pour un total de 718 écrans et de 139 295 fauteuils (tableau 23.14). Par rapport à 1999, le nombre de projections en 2000 a augmenté de 12,8 % alors que, paradoxalement, la fréquentation a diminué de 5,8 %, passant de 27,3 millions d'entrées à 25,7 millions. Il s'agit d'un important renversement de tendance, puisqu'au cours des cinq années précédentes (soit depuis 1995), l'assistance avait augmenté de 10,9 % par année en moyenne.

Par ailleurs, sur les 134,6 millions de dollars générés en 1998 par les entrées dans les salles de cinéma et les ciné-parcs, seulement 7,2 % des recettes provient de la projection de films québécois. Ce résultat est faible en comparaison de ceux obtenus dans des pays tels que le Danemark, la France ou la Suède, où les films nationaux ont généré respectivement 14,0 %, 27,0 % et 17,8 % des recettes en 1998 (tableau 23.15).

L'enregistrement sonore

En 1995-1996, les 84 entreprises de production et de distribution d'enregistrements sonores actives au Québec enregistrent des revenus de 170,3 millions de dollars et procurent 855 emplois (tableau 23.17). Les ventes de contenu canadien[8] réalisées par ces entreprises s'élèvent à 20,5 millions de dollars, soit 21,7 % des ventes totales. Par ailleurs, le nombre de nouveaux enregistrements produits en 1995-1996 est de 1 218 dont 13,0 % d'enregistrements en français, comparativement à 24,1 % en 1993-1994 (tableau 23.16). En ce qui concerne les genres musicaux, les catégories « Musique populaire pour adulte » et « Succès du palmarès, rock ou disco » sont celles qui occupent la plus grande part de la production en 1995-1996 (44,0 % des nouveaux enregistrements).

Les médias écrits

En 1999, environ 600 médias écrits sont édités au Québec : 12 quotidiens, 188 hebdomadaires et quelque 400 périodiques. Les 200 journaux québécois (quotidiens et hebdomadaires confondus) sont répartis dans toutes les régions dont 17,5 % à Montréal et 16,5 % en Montérégie (tableau 23.18). Le Nord-du-Québec est la région la plus faiblement pourvue avec un seul hebdomadaire. Le marché montréalais compte pour sa part quatre quotidiens qui représentent 64,5 % du tirage total des quotidiens québécois, lequel s'élève à 960 000 exemplaires par jour. La répartition linguistique des 200 journaux est la suivante : 83,5 % en français, 8,5 % bilingues et 8,0 % en anglais (tableau 23.19). Dans la seconde moitié des années 90, les hebdomadaires de langue anglaise ont plus que doublé leur tirage, passant de 137 000 exemplaires par semaine (2,7 % du tirage total des hebdomadaires) en 1995 à 281 000 exemplaires (6,8 % du tirage total) en 1999[9].

En ce qui concerne les périodiques (magazines et revues), leur nombre est de 395 en 1996-1997 alors qu'il était de 444 en 1992-1993 (une diminution de 11,0 %) (tableau 23.20). Le tirage annuel subit lui aussi une baisse (- 3,3 %) pour s'établir à 155,9 millions d'exemplaires en 1996-1997. Cette même année, les revenus liés à l'édition de périodiques s'élèvent à 744,9 millions de dollars, les deux principales sources de revenus étant la vente de publicité (45,6 % des revenus) et les abonnements (29,8 %).

---

8. En 1995-1996, les ventes ont été déclarées en vertu de la nationalité des artistes.
9. Selon une compilation faite à partir des informations du *Guide annuel des médias*, éditions 1996 et 2000, publié par Info-Presse Communications.

Les médias électroniques

La radiodiffusion

En 1996, le Québec compte 95 stations de radio privées, auxquelles il faut ajouter une quinzaine de stations de propriété publique. Les stations de radio privées sont disséminées sur presque tout le territoire québécois, les régions du Nord-du-Québec et de Lanaudière étant les seules à n'en compter aucune (tableau 23.22). À l'inverse, les régions les mieux équipées sont celles de Montréal (18 stations privées en incluant celles de la région de Laval) et du Bas-Saint-Laurent (10 stations). Au cours de la décennie 1987-1998, les revenus enregistrés par les stations de radio privées se sont accrus de 14,7 % au total pour atteindre 178,1 millions de dollars (tableau 23.23). Durant la même période, l'écoute de la radio a légèrement augmenté chez les Québécois francophones, passant de 90 minutes par jour en 1986 à 102 minutes en 1998 (tableau 23.24).

La télédiffusion

En 1996, les 22 stations de télévision privées du Québec sont essentiellement installées autour des grands centres que sont Montréal, Québec, Sherbrooke, Trois-Rivières, Chicoutimi et Rouyn-Noranda, lesquels possèdent chacun trois stations (tableau 23.22). Ces stations diffusent presque toutes en français; en 1996, il y a seulement deux stations de télévision privées de langue anglaise au Québec : une à Montréal (CFCF-TV) et une à Québec (CKMI-TV)[10]. Au cours de la décennie 90, les revenus des stations de télévision privées sont en progression constante : ils passent de 248,2 millions de dollars en 1987 à 409,1 millions de dollars en 1998, ce qui représente une augmentation de 64,8 % en 11 ans (ou une augmentation moyenne de 5,9 % par année) (tableau 23.23).

La câblodistribution

En 1997, les deux tiers des ménages québécois sont abonnés au câble (tableau 23.21) et il existe sur l'ensemble du territoire 225 entreprises de câblodistribution, lesquelles procurent de l'emploi à quelque 2 000 personnes (tableau 23.23). Ces entreprises ont vu leurs revenus augmenter de manière spectaculaire dans les années 90. De 221,6 millions de dollars en 1987, les revenus sont passés à 717,8 millions de dollars en 1998, affichant une croissance de 223,8 % (ou de 20,3 % par année en moyenne).

Internet et le multimédia

Le multimédia est une technologie de l'information qui permet d'intégrer du texte, des images et du son sur un même support numérique, lequel est doté de l'interactivité que permet l'informatique. Le multimédia est à la base du développement d'activités comme l'édition de cédéroms grand public, la production de jeux vidéos, de sites Internet, de bornes interactives, etc. Le domaine économique lié aux industries du multimédia est vaste et difficile à circonscrire; il recoupe en partie celui des services électroniques. C'est un domaine dont l'émergence est récente et qui a fait l'objet de quelques analyses statistiques mais qui reste encore à explorer en profondeur.

Au Québec en 1999, on évalue à environ 4,1 milliards de dollars les revenus issus des activités reliées aux services électroniques et au multimédia (tableau 23.25). Les

---

10.Selon les données compilées par le ministère de la Culture et des Communications du Québec.

établissements actifs dans ces secteurs sont au nombre de 3 175 et près des trois quarts d'entre eux (72,5 %) sont situés dans la région métropolitaine de Montréal. Uniquement en ce qui concerne les activités reliées à la production de contenus multimédias, les revenus sont d'environ 1,7 milliard de dollars pour 2 139 établissements.

Par ailleurs, en 1999, 23,4 % des ménages québécois sont dotés d'un branchement qui leur permet d'accéder au réseau Internet à partir d'un ordinateur personnel (figure 23.4). Les régions les plus fortement branchées sont celles de la Capitale-Nationale et de Montréal avec chacune 27,7 % des ménages. Une enquête réalisée l'année précédente (en 1998) montre que la majorité des internautes québécois passent plus de la moitié de leur temps de consultation de l'Internet sur des sites anglophones (tableau 23.26).

Références

BAILLARGEON, Jean- Paul (sous la direction de). *Les publics du secteur culturel Nouvelles approches*, Québec, Les presses de l'Université Laval, Institut québécois de recherche sur la culture, 1996, 185 p.

BIBLIOTHÈQUE NATIONALE DU QUÉBEC. *Statistiques de l'édition au Québec en 1999*, Montréal, 2000, 46 p.

BUREAU DE LA STATISTIQUE DU QUÉBEC. *Actes du colloque Recherche : culture et communications*, 64ᵉ congrès de l'Association canadienne-française pour l'avancement des sciences, 15 et 16 mai 1996, Québec, 1996, 261 p.

INSTITUT DE LA STATISTIQUE DU QUÉBEC. *Indicateurs d'activités culturelles au Québec*, Québec, Gouvernement du Québec.

INSTITUT DE LA STATISTIQUE DU QUÉBEC. *Rapport d'enquête sur l'industrie québécoise des services électroniques et du multimédia 1999*, [En ligne], Québec, Gouvernement du Québec, 2001 [http://sq/publicat/rapport_elec_mul1999.htm].

INSTITUT DE LA STATISTIQUE DU QUÉBEC. *Statistiques culturelles financières Dépenses, recettes autonomes et emplois de l'Administration publique québécoise au titre de la culture 1994-1995 à 1998-1999*, Québec, Gouvernement du Québec, 2000, 74 p.

INSTITUT DE LA STATISTIQUE DU QUÉBEC. *Statistiques sur l'industrie du film*, édition 2000, Québec, Gouvernement du Québec, 90 p.

MINISTÈRE DE LA CULTURE ET DES COMMUNICATIONS. *La diffusion des arts de la scène 1989-1990, 1993-1994 et 1997-1998*, Québec, Gouvernement du Québec, 2000, 79 p.

MINISTÈRE DE LA CULTURE ET DES COMMUNICATIONS. *Portrait statistique des institutions muséales du Québec*, Québec, Gouvernement du Québec, 2000, 51 p.

SOCIÉTÉ DE DÉVELOPPEMENT DES ENTREPRISES CULTURELLES. *Les librairies du Québec Profil économique*, Montréal, 1997, 51 p.

SOCIÉTÉ DE DÉVELOPPEMENT DES ENTREPRISES CULTURELLES. *Le spectacle de chanson au Québec Portrait économique Étude réalisée pour le Groupe de travail sur la chanson*, Montréal, 1998, 65 p.

SOCIÉTÉ DE DÉVELOPPEMENT DES ENTREPRISES CULTURELLES. *L'industrie du disque au Québec Portrait économique Étude réalisée pour le Groupe de travail sur la chanson*, Montréal, 1998, 115 p.

SOCIÉTÉ DE DÉVELOPPEMENT DES ENTREPRISES CULTURELLES. *Rapport du comité sur les pratiques commerciales dans le domaine du livre*, Montréal, 2000, 104 p.

STATISTIQUE CANADA. *Le Canada, sa culture, son patrimoine et son identité : Perspective statistique*, édition 2000, Ottawa, Gouvernement du Canada, 124 p. (87-211-XPB).

TREMBLAY, Gaétan (sous la direction de). *Les industries de la culture et de la communication au Québec et au Canada*, Montréal, Les presses de l'Université du Québec, Télé-université, 1990, 429 p.

Définitions

Classement

Plus importante des mesures de protection prévues par la Loi sur les biens culturels qui s'applique à des biens possédant une valeur patrimoniale exceptionnelle et ayant une valeur de symbole pour l'ensemble de la collectivité québécoise.

Exception culturelle

Mesure visant à intégrer dans les accords commerciaux axés sur la libéralisation des échanges internationaux, des exceptions concernant les marchandises culturelles. Ce genre de mesure repose sur l'idée que les produits culturels ne sont pas des marchandises ordinaires et que leur circulation mondiale doit faire l'objet de politiques protectionnistes visant à permettre l'épanouissement de ces produits sur leurs marchés locaux ou nationaux.

Industries culturelles

Secteur économique créé par l'exploitation commerciale des œuvres de l'esprit.

Internet

Réseau informatique mondial constitué d'un ensemble de réseaux nationaux, régionaux et privés, qui sont reliés par le protocole TCP-IP et qui coopèrent dans le but d'offrir une interface unique à leurs utilisateurs.

Internaute

Utilisateur du réseau Internet.

Mondialisation de la culture

Circulation des produits ou biens culturels à l'échelle du globe.

Multimédia

Technologie de l'information permettant l'utilisation simultanée de plusieurs types de données numériques (textuelles, visuelles et sonores) à l'intérieur d'une même application ou d'un même support (cédérom, borne interactive, Internet, etc.) et ceci, en y intégrant l'interactivité apportée par l'informatique.

Reconnaissance

Mesure moins contraignante que le classement qui s'applique à des biens culturels dont l'importance patrimoniale mérite d'être soulignée, mais ne justifie pas un classement.

Services électroniques

Services qui regroupent l'ensemble des « services en ligne » c'est-à-dire des applications permettant des transactions ou des prestations de services à distance, ainsi que les activités de support et de développement d'applications et de logiciels spécialisés aux fins propres de l'industrie des services en ligne ou du multimédia.

Site Internet

Lieu où se trouve implanté un hôte Internet et qui est identifié par une adresse Internet. Un « site Web » est un site Internet où sont stockées des données accessibles par le Web.

Web

Système basé sur l'utilisation de l'hypertexte, qui permet la recherche d'information dans Internet, l'accès à cette information et sa visualisation.

Tableau 23.1
Revenus de certains domaines culturels, Québec, 1994-1995 à 1996-1997

Domaine	1994-1995	1995-1996	1996-1997
		'000 $	
Édition de livres	487 630	..	467 248
Édition de médias écrits	637 605	..	744 927
Établissements du patrimoine	..	314 710	..
Arts d'interprétation[1]	98 887	..	107 770
Radiodiffusion privée	163 078	147 958	159 104
Télédiffusion privée	359 268	347 804	352 706
Câblodistribution	533 991	585 129	626 118
Production de films[2]	205 700	309 000	288 700
Enregistrement sonore[3]	..	170 300	..
Fêtes populaires et festivals culturels[4]	..	..	128 962

1. Le domaine des arts d'interprétation comprend les disciplines suivantes : le théâtre, la musique, la danse et l'opéra.
2. Comprend la production d'émissions de télévision, de longs métrages, de messages publicitaires télévisés, de vidéos, etc.
3. Comprend les activités de production et de distribution des enregistrements sonores.
4. Ne comprend pas les fêtes organisées au Québec pour souligner la fête du Canada.

Sources : Statistique Canada, *L'édition du livre* (87-210), *Les établissements du patrimoine* (87F0002XPF), *Les arts d'interprétation* (87-209), *Enquête sur les arts d'interprétation* (87F0003XPE), *Radiodiffusion et télévision* (56-204), *Télédistribution* (56-205), *L'enregistrement sonore* (87-202), *Le film et la vidéo* (87F0010XPF) et compilations spéciales.
Société des fêtes et festivals du Québec.
Société de développement des entreprises culturelles (SODEC).
Institut de la statistique du Québec.

Tableau 23.2
Dépenses de l'Administration publique québécoise au titre de la culture selon le domaine culturel, Québec, 1991-1992 à 1999-2000

Domaine	1991-1992	1994-1995	1996-1997	1999-2000
		'000 $		
Bibliothèques	117 098	158 029	140 653	140 524
Nationale	..	10 270	9 835	10 464
Publiques	..	30 412	31 068	38 293
Scolaires	..	11 437	8 031	7 603
Collégiales	..	24 359	23 037	23 333
Universitaires	..	81 551	68 683	60 831
Patrimoine	116 432	135 155	140 009	160 100
Musées	71 626	79 817	82 450	97 986
Archives publiques	7 576	12 215	10 108	13 737
Parcs et lieux historiques		24 336	27 066	28 002
Parcs naturels et parcs provinciaux	..	13 823	15 936	16 604
Autres ressources du patrimoine	..	4 964	4 448	3 771
Arts d'interprétation	77 609	67 680	72 473	92 655
Arts visuels et métiers d'art	11 411	14 781	16 943	23 484
Édition	6 529	7 790	7 590	12 792
Film	37 026	36 104	30 120	34 120
Radiodiffusion et télévision	92 328	106 085	77 053	87 804
Phonogramme	1 371	2 535	3 142	7 320
Enseignement des arts	18 505	19 346	18 220	19 689
Relations interculturelles	5 307	13 710	17 747	4 852
Protection, promotion et développement de la langue française	50 534	72 888	67 863	91 106
Activités multidisciplinaires	25 807	14 796	22 101	32 811
Autres domaines	36 107	26 219	37 143	38 164
Dépenses totales[1]	**596 064**	**675 117**	**651 058**	**745 422**

1. En raison de l'arrondissement des nombres, le total peut être différent de la somme.

Source : Institut de la statistique du Québec, *Enquête sur les dépenses de l'Administration publique québécoise au titre de la culture.*

Tableau 23.3
Dépenses publiques au titre de la culture par habitant, Canada, provinces et territoires, 1996-1997

Province ou territoire	Unité	Administrations			Total
		Fédérale	Provinciale ou territoriale	Municipales[1]	
Terre-Neuve	$	79	71	22	172
Île-du-Prince-Édouard	$	99	89	9	197
Nouvelle-Écosse	$	91	58	34	183
Nouveau-Brunswick	$	62	48	25	135
Québec[2]	**$**	**114**	**79**	**33**	**226**
Ontario	$	102	39	54	195
Manitoba	$	57	73	43	173
Saskatchewan	$	40	63	51	154
Alberta	$	52	47	48	147
Colombie-Britannique	$	38	68	77	183
Yukon	$	416	583	74	1 073
Territoires du Nord-Ouest	$	571	129	38	738
Canada	**$**	**93[3]**	**58**	**48**	**199**
Écart du Québec par rapport à la moyenne canadienne	$	+ 21	+ 21	- 15	+ 27
Rang du Québec parmi les provinces et territoires	n	3	4	9	3

1. Les dépenses des administrations municipales sont établies en fonction de l'année civile.
2. Ne comprend pas les dépenses au titre de la promotion, de la protection et du développement de la langue française.
3. Comprend aussi les dépenses non réparties.

Source : Statistique Canada, *Dépenses publiques au titre de la culture* (11-001F).

Figure 23.1
**Dépenses publiques par habitant pour la culture et les communications[1],
Québec, Canada et autres pays**

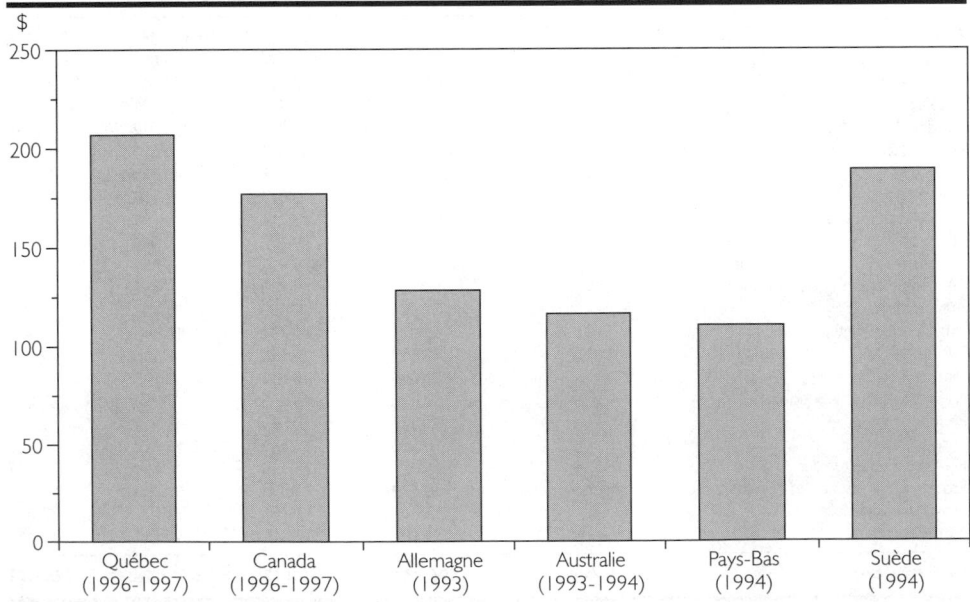

1. Incluant la radio et la télévision.

Source : Ministère de la Culture et des Communications, Direction de l'action stratégique, de la recherche et de la statistique.

Tableau 23.4
Emplois culturels selon certains domaines culturels, Québec, 1994-1996

Domaine	Unité	1994	1995	1996
Médias écrits	n	12 169	14 998	16 198
Film	n	7 425	7 943	8 045
Radio, télévision, câblodistribution	n	15 222	15 247	14 484
Musées et archives	n	8 092	4 950	7 587
Bibliothèques	n	8 548	8 005	6 188
Théâtres et artistes	n	9 486	9 791	10 950
Autres domaines ou secteurs culturels	n	174 569	181 683	193 988
Total	**n**	**235 511**	**242 617**	**257 440**
Tous les emplois	n	3 156 232	3 204 090	3 212 625
Part des emplois des domaines culturels	%	7,5	7,6	8,0

Source : Statistique Canada, compilations spéciales.

Tableau 23.5
Statistiques principales des maisons d'édition de livres, Québec, 1988-1989 à 1998-1999

	Unité	1988-1989	1990-1991	1992-1993	1994-1995	1996-1997	1998-1999 [1]
Maisons d'édition[2]	n	129	136	137	139	183	234
Recettes	'000 $	287 674	346 467	393 766	487 630	467 248	511 936
Ventes à l'étranger	000 $	7 643	10 860	38 361	72 919	65 320	62 098
Ventes au Canada	000 $	270 447	325 938	338 609	390 351	377 550	407 993
Autres recettes	000 $	9 584	9 669	16 796	24 360	24 378	41 845
Dépenses	'000 $	..	..	372 303	442 486	445 407	495 717
Salaires et honoraires[3]	000 $	41 676	44 078	66 304	70 507	74 213	86 720
Emplois	n	..	..	1 550	1 848	2 049	2 214
À temps plein	n	1 240	1 199	1 550	1 604	1 730	1 930
À temps partiel	n	..	..	—	244	319	284
Ouvrages[4]							
Édités	n	2 126	2 376	3 094	3 421	3 688	4 135
Réimprimés	n	1 879	2 268	2 871	3 209	3 345	3 831
Inscrits au catalogue	n	19 815	20 041	24 159	31 129	35 688	41 882

1. Statistique Canada a élargi le champ des entreprises enquêtées en 1998-1999.
2. Incluent les distributeurs exclusifs qui font de l'édition de livres.
3. Comprend les salaires des employés à temps plein, à temps partiel ainsi que les frais de sous-traitance.
4. Comprend les activités des maisons d'édition seulement.

Source : Statistique Canada, L'édition du livre (87-210) et compilations spéciales.

Tableau 23.6
Nombre de titres et tirage des monographies, livres et brochures[1,2] selon la catégorie, Québec, 1993, 1995 et 1999

Catégorie	Titres		Tirage[3]		
			Moyen	Total	
	n	%	n	n	%
1993	**8 330**	**100**	**3 538**	**29 470 057**	**100**
Livres techniques et scientifiques	2 128	26	1 796	3 822 550	13
Livres de culture générale	3 725	45	3 316	12 351 836	42
Oeuvres littéraires	595	7	1 519	903 737	3
Ouvrages pour la jeunesse	451	5	18 302	8 254 047	28
Autres ouvrages	1 431	17	2 892	4 137 887	14
1995	**8 575**	**100**	**2 521**	**21 617 387**	**100**
Livres techniques et scientifiques	1 861	22	1 694	3 151 845	15
Livres de culture générale	3 776	44	2 215	8 364 192	39
Oeuvres littéraires	660	8	1 219	804 335	4
Ouvrages pour la jeunesse	618	7	8 261	5 105 421	23
Autres ouvrages	1 660	19	2 525	4 191 594	19
1999	**8 657**	**100**	**2 089**	**18 083 021**	**100**
Livres techniques et scientifiques	1 900	22	1 240	2 355 677	13
Livres de culture générale	3 524	41	1 819	6 409 993	35
Oeuvres littéraires	840	9	1 455	1 222 405	7
Ouvrages pour la jeunesse	581	7	5 590	3 247 869	18
Autres ouvrages	1 812	21	2 675	4 847 077	27

1. Comprend toutes les monographies, livres et brochures ayant fait l'objet d'un dépôt légal à la Bibliothèque nationale du Québec. Le dépôt légal ne s'applique qu'aux éditions et aux rééditions de documents; les réimpressions ne sont pas déposées.
2. Comprend à la fois les publications des maisons d'édition commerciales et les publications gouvernementales.
3. Le tirage ne comprend pas les réimpressions de titres car ce ne sont que des tirages d'une même édition, et elles ne comportent donc pas de modifications au contenu ou à la présentation.

Source : Bibliothèque nationale du Québec, *Statistiques de l'édition au Québec*, 1993, 1995 et 1999.

Compilation : Institut de la statistique du Québec.

Figure 23.2
Tirage[1] des monographies, livres et brochures[2,3] selon la catégorie, Québec, 1999

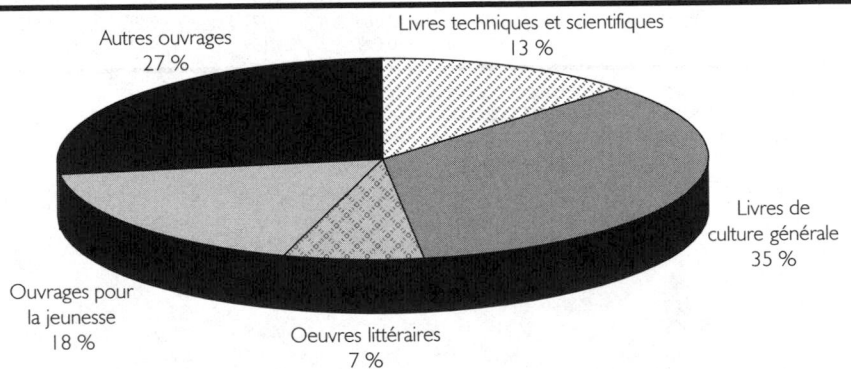

Autres ouvrages
27 %

Livres techniques et scientifiques
13 %

Livres de culture générale
35 %

Ouvrages pour la jeunesse
18 %

Oeuvres littéraires
7 %

1. Le tirage ne comprend pas les réimpressions de titres (lesquelles ne sont que des tirages d'une même édition et ne comportent donc pas de modifications au contenu ou à la présentation).
2. Comprend toutes les monographies, livres et brochures ayant fait l'objet d'un dépôt légal à la Bibliothèque nationale du Québec. Le dépôt légal ne s'applique qu'aux éditions et aux rééditions de documents; les réimpressions ne sont pas déposées.
3. Comprend à la fois les publications des maisons d'édition commerciales et les publications gouvernementales.

Source : Bibliothèque nationale du Québec, *Statistiques de l'édition au Québec*, 1999.
Compilation : Institut de la statistique du Québec.

Tableau 23.7
Statistiques principales des bibliothèques publiques, Québec, 1994-1998

	Unité	1994	1995	1996	1997	1998
Bibliothèques publiques	n	968	973	974	974	971
Municipales autonomes	n	159	161	161	162	162
Municipales affiliées	n	796	799	800	799	796
Autres bibliothèques[1]	n	13	13	13	13	13
Revenus	'000 $	149 719	155 391	157 101	165 772	157 754
Contributions municipales	'000 $	118 105	128 038	128 028	129 995	124 736
Subventions du Québec	'000 $	23 137	17 587	17 739	21 195	17 658
Autres revenus	'000 $	8 477	9 765	11 334	14 582	15 360
Dépenses	'000 $	149 056	155 023	156 790	165 351	157 416
Documents	'000 $	23 612	24 247	23 860	29 060	24 058
Salaires et avantages sociaux	'000 $	84 403	87 520	88 386	90 324	89 158
Autres dépenses	'000 $	41 041	43 256	44 544	45 967	44 200
Emplois						
Nombre d'employés à plein temps	n	2 180	2 205	2 311	2 256	2250
Municipalités desservies	n	1 049	1 052	1 029	1 023	1 011
Population						
Population du Québec[2]	'000	7 288	7 241	7 274	7 308	7 333
Population desservie	'000	6 535	6 568	6 566	6 546	6 531
Proportion de la population desservie	%	89,7	90,7	91,1	89,6	89,2
Usagers	'000	1 896	1 977	2 031	2 037	1 981
Services						
Nombre de livres	'000	13 403	13 801	14 205	14 586	14 868
Par habitant	n	1,8	2,10	2,16	2,23	2,28
Nombre de prêts	'000	35 455	36 455	39 423	39 893	39 611
Par habitant	n	4,9	5,6	6,0	6,1	6,1

1. Incluent les centres régionaux de services aux bibliothèques publiques.
2. Données statistiques provenant de Statistique Canada, Estimations de la population.

Source : Ministère de la Culture et des Communications, *Bibliothèques publiques*, cahiers statistiques 1995, 1996, 1997, 1998 et 1999.

Tableau 23.8
Statistiques principales des établissements patrimoniaux[1], Québec, 1995-1996 et 1997-1998[2]

	Unité	1995-1996	1997-1998
Établissements	n	363	365
Fréquentation	'000	13 746	14 442
Emplois	n	**5 461**	**5 070**
À temps plein	n	2 623	2 290
À temps partiel	n	2 838	2 780
Bénévoles	n	3 629	3 588
Revenus	**'000 $**	**314 710**	**305 286**
Revenus de fonctionnement (non gagnés)	'000 $	207 741	211 115
Administration fédérale	'000 $	59 603	65 548
Administration québécoise	'000 $	88 351	82 587
Autres administrations publiques	'000 $	35 368	34 758
Secteur institutionnel/privé	'000 $	24 419	28 222
Revenus de fonctionnement (gagnés)	'000 $	60 134	68 579
Cotisations	'000 $	969	1 258
Droits d'entrée	'000 $	21 779	28 819
Autres revenus gagnés	'000 $	37 386	38 502
Revenus d'immobilisations	'000 $	46 835	25 592
Dépenses	**'000 $**	**324 741**	**302 235**
Dépenses de fonctionnement	'000 $	274 868	264 176
Salaires	'000 $	141 316	135 498
Artefacts	'000 $	3 679	3 642
Autres dépenses	'000 $	129 873	125 036
Dépenses d'immobilisations	'000 $	49 873	38 059

1. Les établissements patrimoniaux comprennent essentiellement les musées, les centres d'archives et les lieux historiques.
2. En raison de l'arrondissement des nombres, certains totaux peuvent être différents des sommes.

Source : Statistique Canada, *Les établissements du patrimoine* (87F0002XPF).

Tableau 23.9
Répartition des musées selon la région administrative, Québec, 1998

Région administrative	Musées	
	n	%
01 Bas-Saint-Laurent	11	6,4
02 Saguenay–Lac-Saint-Jean	6	3,4
03 Capitale-Nationale	22	12,7
04 Mauricie	8	4,6
05 Estrie	9	5,2
06 Montréal	41	23,7
07 Outaouais	5	2,9
08 Abitibi-Témiscamingue	2	1,2
09 Côte-Nord	6	3,5
10 Nord-du-Québec	2	1,2
11 Gaspésie–Îles-de-la-Madeleine	10	5,8
12 Chaudière-Appalaches	10	5,8
13 Laval	1	0,6
14 Lanaudière	3	1,7
15 Laurentides	8	4,6
16 Montérégie	23	13,3
17 Centre-du-Québec	6	3,4
Le Québec	**173**	**100,0**

Source : Ministère de la Culture et des Communications, *Portrait statistique des institutions muséales du Québec 1998*.

Tableau 23.10
Répartition des biens culturels selon le type de biens et la région, Québec, 1999

Type de biens	Québec	Montréal	Autres régions du Québec	Total
			n	
Biens immobiliers	..	..	..	899 [1]
Arrondissements historiques	5	1	3	9
Arrondissements naturels	–	1	2	3
Sites historiques nationaux	1		–	1
Sites historiques classés[2]	10	8	31	49
Sites historiques reconnus[3]	–	–	5	5
Sites archéologiques classés	–	1	12	13
Sites archéologiques reconnus	–	–	2	2
Monuments historiques classés	149	77	215	441
Monuments historiques reconnus	12	18	57	87
Biens historiques classés	1	–	1	2
Biens historiques reconnus	–	–	1	1
Biens archéologiques classés	1	3	3	7
Biens archéologiques reconnus	1	–	–	1
Objets mobiliers artistiques classés	–	–	1	1
Statuts municipaux	13	34	153	200
Monuments historiques	12	28	114	154
Sites du patrimoine	1	6	39	46
Aires de protection	23	23	58	104
Biens mobiliers	**19 052**	**202**	**609**	**19 863**
Biens ou objets historiques classés[2]	2 748	4	96	2 848
Biens historiques reconnus[3]	4	4	165	173
Biens archéologiques classés	15 800	–	–	15 800
Œuvres d'art ou objets artistiques classés	447	166	342	955
Œuvres d'art reconnues	53	28	6	87

1. Vingt-sept biens culturels immobiliers ont un double statut ou sont inscrits dans deux catégories.
2. Le « classement » est la plus importante des mesures de protection prévues par la Loi sur les biens culturels.
3. La « reconnaissance » est attribuée généralement à un bien dont l'importance patrimoniale mérite d'être soulignée, sans toutefois justifier un classement.

Source :   Commission des biens culturels du Québec, avril 1999.

Tableau 23.11
Statistiques générales sur les artisans, Québec, 1995

	Unité	Hommes	Femmes	Total
Artisans	n	1 215	1 210	**2 425**
Travailleurs à temps complet	n	..	..	760
Travailleurs à temps partiel	n	..	..	1 665
Salaire annuel moyen	$	15 793	9 581	**12 693**
Travailleurs à temps complet	$	..	..	19 854
Travailleurs à temps partiel	$	..	..	9 424
Exportations	$	...	...	**238 605 116**
Ventes québécoises aux États-Unis	$	...	...	217 856 214
Ventes québécoises dans le reste du monde	$	...	...	20 748 902

Source :   Statistique Canada, compilations spéciales (tirées du rapport d'étude *Mise à jour des informations stratégiques sur le secteur des métiers d'art et analyse des impacts stratégiques* réalisé par le Groupe de recherche en management stratégique de l'Université du Québec à Montréal, pour le Conseil des métiers d'art du Québec, 2000).

Tableau 23.12
Statistiques principales des organismes professionnels des arts de la scène[1] selon la discipline, Québec, 1988-1989 à 1998-1999

	Unité	1988-1989	1990-1991	1992-1993	1994-1995	1996-1997	1998-1999
Théâtre							
Compagnies	n	78	79	111	126	155	137
Recettes	'000 $	30 424	54 364	46 257	43 959	50 506	58 318
Gagnées	'000 $	15 029	35 772	20 200	18 668	24 497	29 116
Administrations publiques	'000 $	13 812	17 342	23 533	22 695	22 349	24 872
Secteur privé	'000 $	1 582	1 250	2 524	2 596	3 660	4 330
Dépenses	'000 $	30 143	56 058	69 516	44 393	50 011	57 556
Représentations	n	8 003	8 607	10 708	8 245	8 935	8 668
Fréquentation	'000	2 162	2 550	3 193	1 819	2 141	2 062
Musique[2]							
Compagnies	n	26	24	25	26	50	55
Recettes	'000 $	25 388	26 475	30 378	29 493	30 957	37 604
Gagnées	'000 $	12 719	12 205	12 370	11 291	12 799	14 728
Administrations publiques	'000 $	8 073	8 949	12 304	12 582	12 383	16 596
Secteur privé	'000 $	4 595	5 321	5 704	5 620	5 774	6 280
Dépenses	'000 $	25 985	27 845	30 068	30 219	32 805	38 486
Représentations	n	1 075	1 447	1 459	1 442	1 758	2 066
Fréquentation	'000	1 077	879	928	874	1 287	1 069
Danse							
Compagnies	n	19	22	20	32	37	29
Recettes	'000 $	10 610[3]	12 753	13 808	16 814	17 784	18 333
Gagnées	'000 $	4 180	4 527	4 619	6 314	7 114	7 672
Administrations publiques	'000 $	5 432	7 142	8 165	8 927	8 984	8 715
Secteur privé	'000 $	997	1 084	1 024	1 573	1 687	1 946
Dépenses	'000 $	10 641	13 153	13 290	16 928	17 778	19 000
Représentations	n	748	292	540	740	1 302	800
Fréquentation	'000	497	291	259	360	442	396
Opéra							
Compagnies	n	3	4	2	3	6	5
Recettes	'000 $	6 646	7 777	7 358	8 612	8 523	9 325
Gagnées	'000 $	2 771	3 632	4 249	5 117	4 908	5 631
Administrations publiques	'000 $	3 057	3 111	2 855	2 898	2 950	2 778
Secteur privé	'000 $	817	1 034	254	597	665	916
Dépenses	'000 $	6 111	7 530	6 867	8 690	8 306	9 339
Représentations	n	47	56	39	61	127	99
Fréquentation	'000	77	83	85	113	122	124

1. Comprend toutes les compagnies professionnelles sans but lucratif.
2. Musique instrumentale ou chorale.
3. Recettes de 18 compagnies seulement.

Sources : Statistique Canada, *Les arts d'interprétation* (87-209) et *Enquête sur les arts d'interprétation* (87F0003XPE).

Tableau 23.13
Principaux indicateurs des activités de production, de postproduction et de laboratoires, ainsi que de distribution de films, Québec, 1993-1994 à 1998-1999

	Unité	1993-1994	1995-1996	1997-1998	1998-1999
Production					
Producteurs	n	218	177	253	218
Productions totales	n	6 338	4 980	5 891	3 695
Émissions de télévision	n	4 514	3 595	3 270	2 759
Longs métrages[1] pour les cinémas	n	15	22	19	26
Messages publicitaires télévisés	n	975	571	1 778	204
Vidéos, films documentaires et autres	n	834	792	824	706
Emplois	n	7 156	10 385	11 844	16 868
Recettes de production	'000 $	223 100	309 000	328 200	438 400
Dépenses	'000 $	201 300	284 600	300 900	381 800
Rénumération	'000 $	66 500	75 300	96 500	168 300
Postproduction et laboratoires					
Établissements	n	55	55	92	70
Recettes	'000 $	89 900	144 800	171 400	113 000
Dépenses	'000 $	83 200	123 600	148 100	93 200
Distribution					
Établissements	n	..	..	73	..
Emplois	n	..	..	1 062	..
Recettes	'000 $	..	..	373 996	..
Dépenses	'000 $	..	..	355 219	..
Rémunération	'000 $	..	..	27 202	..

1. Films de 60 minutes et plus.

Source : Statistique Canada, *Le film et la vidéo* (87-204 et 87F0010XPF) et compilations spéciales.

Tableau 23.14
Statistiques principales des cinémas et des ciné-parcs, Québec, 1995-2000

	Unité	1995	1996	1997	1998	1999	2000
Établissements	n	136	135	134	136	139	137
Cinémas	n	113	116	115	116	119	120
Ciné-parcs	n	23	19	19	20	20	17
Écrans	n	446	501	546	587	641	718
Fauteuils[1]	n	99 320	107 056	109 941	114 989	124 000	139 295
Projections	n	471 670	535 069	577 807	640 897	723 801	816 295
En français	n	303 972	352 515	388 115	447 439	498 345	569 267
En langue autre que le français	n	167 698	182 554	189 692	193 458	225 456	247 028
Assistance	'000	19 023	20 875	23 120	26 142	27 309	25 729
Taux d'occupation[1]	%	15,5	16,2	17,7	18,8	17,6	14,9
Recettes – entrées	'000 $	94 168	102 327	117 830	134 640	146 134	146 869
Recettes – concessions et autres	'000 $	29 305	36 120	41 962	..	..	..
Prix d'entrée moyen	$	4,95	4,90	5,10	5,15	5,35	5,71
Dépenses	'000 $	110 228	127 632	147 766	..	..	..
Emplois	n	2 148	2 129	2 409	..	..	..

1. Ne s'applique qu'aux salles de cinéma.

Sources : Institut de la statistique du Québec, *Statistiques sur l'industrie du film, 2000.*
Statistique Canada, *Cinémas et ciné-parcs* (87F0009XPB).

Tableau 23.15

Part relative des recettes de l'industrie des projections cinématographiques au Québec et dans certains pays, selon l'origine des films présentés, 1998

Marché	Films nationaux	Films américains	Autres origines
		%	
Québec	7,2	82,8	10,0
Australie	4,1	..	..
Danemark	14,0	74,0	12,0
France	27,0	64,0	9,0
Pays-Bas	5,6	..	..
Royaume-Uni	10,4	87,0	2,6
Suède	17,8	70,0	12,2

Source : Données compilées par la Société de développement des entreprises culturelles (SODEC).

Tableau 23.16

Nouveaux enregistrements sonores selon différentes caractéristiques, Québec, 1993-1994 et 1995-1996

	Unité	1993-1994	1995-1996
Nouveaux enregistrements sonores[1,2]	n	862	1 218
Contenu			
Contenu canadien	n	254	225[3]
Autres contenus	n	608	993
Langue			
Paroles en français	n	208	158
Paroles en anglais	n	476	717
Autres langues et musique instrumentale	n	178	343
Catégorie musicale			
Musique populaire pour adultes	n	145	536[4]
Succès du palmarès ou musique rock ou disco	n	..	...
Musique classique et genres connexes	n	82	164
Jazz	n	13	118
Musique country et traditionnelle	n	49	44
Musique pour enfants	n	..	6
Autres genres[5]	n	241	350

1. Comprend uniquement les disques.
2. Un nouvel enregistrement est un enregistrement auquel correspond un nouveau numéro de catalogue, ou qui a déjà fait l'objet d'une édition mais dont le contenu a été modifié d'une façon quelconque.
3. En 1995-1996, les enregistrements ont été déclarés en vertu de la nationalité des artistes et non en vertu de la définition de « contenu canadien » donnée par le CRTC, comme ce fut le cas les années antérieures.
4. Comprend également les « succès du palmarès ou musique rock ou disco ».
5. Comprend les musiques non précisées.

Source : Statistique Canada, *L'enregistrement sonore* (87-202) et compilations spéciales.

Tableau 23.17

Statistiques principales des entreprises de production et de distribution d'enregistrements sonores, Québec, 1991-1992, 1993-1994 et 1995-1996

	Unité	1991-1992	1993-1994	1995-1996
Entreprises	n	61	76	84
Emplois	n	818	818	855
À temps plein	n	694	710	721
À temps partiel	n	124	84	56
À la pige	n	–	24	78
Revenus	000 $	126 600	169 300	170 300
Ventes totales	000 $	69 900	103 900	94 600
Autres revenus	000 $	56 700	65 400	75 700
Ventes avec contenu canadien	000 $	18 600	23 800	20 500 [1]
Dépenses	000 $	101 700	142 300	145 400

1. En 1995-1996, les ventes ont été déclarées en vertu de la nationalité des artistes et non en vertu de la définition de « contenu canadien » donnée par le CRTC, comme ce fut le cas les années antérieures.

Source : Statistique Canada, *L'enregistrement sonore* (87-202) et compilations spéciales.

Tableau 23.18

Nombre et tirage des journaux selon la région administrative, Québec, 1999

Région administrative	Journaux quotidiens		Journaux hebdomadaires	
	Titres	Tirage[1]	Titres	Tirage[2]
	n	'000	n	'000
01 Bas-Saint-Laurent	–	–	12	209
02 Saguenay–Lac-Saint-Jean	1	29	8	177
03 Capitale-Nationale	2	180	8	210
04 Mauricie	1	44	6	156
05 Estrie	2	37	7	104
06 Montréal	4 [3]	619	31	914 [4]
07 Outaouais	1	35	11	277
08 Abitibi-Témiscamingue	–	–	8	102
09 Côte-Nord	–	–	8	76
10 Nord-du-Québec	–	–	1	6
11 Gaspésie–Îles-de-la-Madeleine	–	–	8	82
12 Chaudière-Appalaches	–	–	13	287
13 Laval	–	–	4	211
14 Lanaudière	–	–	7	301
15 Laurentides	–	–	18	427
16 Montérégie	1	15	32	868
17 Centre-du-Québec	–	–	6	178
Le Québec[5]	**12**	**960**	**188**	**4 586**

1. Tirage moyen des éditions du lundi au vendredi.
2. Tirage hebdomadaire.
3. Comprend *Le Droit* publié à Ottawa (Ontario), mais dont une partie importante du tirage est distribuée au Québec.
4. Donnée de 1998.
5. En raison de l'arrondissement des nombres, le total peut être différent de la somme.

Source : Info-Presse Communications, *Le guide annuel des médias*, éditions 1999 et 2000.
Compilation : Institut de la statistique du Québec.

Tableau 23.19
Répartition des médias selon le type et la langue principale de diffusion, Québec, 1995, 1997 et 1999

	1995	1997	1999
		n	
Quotidiens[1]	12	12	12
En français	10	10	10
En anglais	2	2	2
Hebdomadaires	217	202	188
En français	183	171	157
En anglais	13	13	15
Bilingues	21	18	16
Périodiques[2]	421	395	..
Stations de radio[3,4]	166	170	176
En français	146	149	151
En anglais	20	21	25 [5]
Stations de télévision	48	..	52
En français	42	..	44
En anglais	6	..	8

1. Comprend *Le Droit* publié à Ottawa (Ontario), mais dont une partie importante du tirage est distribuée au Québec.
2. Inclut les revues et les magazines.
3. Comprend les stations de radio privées, publiques et communautaires mais ne comprend pas les stations de radio autochtones. Inclut également les stations réémettrices.
4. Inclut les stations de radio de la région urbaine d'Ottawa (Ontario).
5. Inclut deux stations diffusant également dans d'autres langues, dont le français.

Sources : Info-Presse Communications, *Le guide annuel des médias*, éditions 1996, 1998 et 2000.
       Statistique Canada, compilations spéciales.
Compilation : Institut de la statistique du Québec.

Tableau 23.20
Statistiques principales de l'édition des périodiques, Québec, 1992-1993, 1994-1995 et 1996-1997

	Unité	1992-1993	1994-1995	1996-1997
Périodiques	n	444	421	395
Tirage annuel total	'000	161 300	157 100	155 900
Nombre total des pages produites	n	30 289	30 477	29 107
Part des pages de publicité	%	16,8	17,3	18,2
Emplois	n	1 572	1 522	1 423
À temps plein	n	1 128	1 076	1 099
À temps partiel	n	444	446	324
Recettes	'000 $	611 347	637 605	744 927
Ventes en kiosque	'000 $	109 716	122 163	145 154
Ventes par abonnement	'000 $	183 206	194 702	221 894
Publicité	'000 $	279 573	289 061	339 467
Autres[1]	'000 $	38 852	31 680	38 412
Dépenses	'000 $	562 330	566 816	671 795
Salaires, traitements et honoraires	'000 $	48 200	49 800	51 300

1. Comprend les recettes provenant de la vente d'anciens numéros et de listes d'adresses, de subventions, de transferts, de dons et de cotisations.

Source : Statistique Canada, compilations spéciales.

Tableau 23.21
Proportion des ménages dotés d'appareils et de services liés à l'audiovisuel, Québec, 1994, 1996 et 1997

	1994	1996	1997
		%	
Récepteur radio	99,1	99,0	99,0
Un récepteur	27,9	23,5	23,8
Deux récepteurs	32,4	27,0	27,9
Trois récepteurs ou plus	38,8	48,5	47,3
Téléviseur en couleurs	98,2	98,8	99,3
Un téléviseur	49,0	47,4	48,7
Deux téléviseurs	49,2	51,4	50,6
Magnétoscope	74,0	78,5	80,4
Un magnétoscope	62,9	62,2	63,1
Deux magnétoscopes	11,1	16,3	17,3
Magnétophone	67,1	75,9	78,2
Lecteur de disques compacts	36,3	48,8	54,5
Câblodistribution	66,7	66,7	66,3
Ordinateur personnel	19,5	24,0	27,7
Branchement à l'Internet	..	4,1	8,2

Source : Statistique Canada, *L'équipement ménager* (64-202).

Tableau 23.22
Répartition régionale des stations de radio et de télévision privées, et des réseaux de câblodistribution, Québec, 1996

Région administrative	Stations de radio privées[1]	Stations de télévision privées[1]	Entreprises de câblodistribution[2]
		n	
01 Bas-Saint-Laurent	10	1	25
02 Saguenay–Lac-Saint-Jean	8	3	22
03 Capitale-Nationale	6	3	21[3]
04 Mauricie[4]	10	3	19
05 Estrie	5	3	18
06 Montréal[5]	18	3	2
07 Outaouais	5	2	19
08 Abitibi-Témiscamingue	8	3	5
09 Côte-Nord	5	–	20
10 Nord-du-Québec	–	–	5
11 Gaspésie–Îles-de-la-Madeleine	5	1	11
12 Chaudière-Appalaches	6	–	33
13 Laval[5]	…	…	…
14 Lanaudière	–	–	6
15 Laurentides	3	–	12
16 Montérégie	6	–	13
17 Centre-du-Québec[4]	…	…	…
Le Québec	**95**	**22**	**231**

1. Excluant les stations de radio communautaires, autochtones et étudiantes, ainsi que les stations de télévision communautaires.
2. À des fins de compilation, Statistique Canada a fusionné et omis plusieurs petits réseaux de câblodistribution.
3. Inclut les réseaux de câblodistribution de Lévis et de ses environs.
4. Les données de la région du Centre-du-Québec sont comprises dans celles de la région de la Mauricie.
5. Les données de la région de Laval sont comprises dans celles de la région de Montréal.

Source : Statistique Canada, compilation par le ministère de la Culture et des Communications.

Tableau 23.23
Statistiques principales des stations de radio et de télévision privées, et des entreprises de câblodistribution, Québec, 1987-1998

	Unité	1987	1991	1995	1997	1998
Stations de radio privées	n	**97**	**109**	**93**	**90**	**88**
Recettes d'exploitation[1]	'000 $	155 317	163 481	147 958	171 314	178 149
Vente de temps d'antenne	'000 $	150 897	157 933	145 210	167 977	175 233
Production	'000 $	–	–	1 284	1 549	1 498
Autres recettes	'000 $	4 420[2]	5 548[2]	1 464	1 887	1 418
Dépenses d'exploitation[1]	'000 $	148 159	179 421	144 939	151 732	156 570
Production d'émissions	'000 $	49 395	62 137	51 562	53 231	55 024
Services techniques	'000 $	5 210	5 717	4 809	5 147	5 112
Ventes et promotion	'000 $	36 824	39 703	35 451	41 082	43 438
Administration et autres	'000 $	56 730	71 864	53 117	52 272	52 995
Effectifs (moyenne hebdomadaire)	n	2 104	2 060	1 726	1 574	1 598
Rémunération et avantages sociaux	'000 $	69 432	84 640	68 462	72 071	73 477
Stations de télévision privées	n	**24**	**26**	**26**	**25**	**27**
Recettes d'exploitation[1]	'000 $	248 163	331 237	347 804	392 611	409 072
Vente de temps d'antenne	'000 $	228 280	287 490	318 080	338 256	360 185
Production	'000 $	–	–	22 941	14 920	7 489
Autres recettes	'000 $	19 883[2]	44 200[2]	6 783	39 435	41 398
Dépenses d'exploitation[1]	'000 $	254 547	390 629	322 416	356 071	381 196
Production d'émissions	'000 $	132 828	209 898	167 541	200 412	216 769
Services techniques	'000 $	18 754	17 402	15 610	13 965	14 694
Ventes et promotion	'000 $	30 961	43 684	38 182	43 498	47 402
Administration et autres	'000 $	72 004	119 645	101 083	98 195	102 330
Effectifs (moyenne hebdomadaire)	n	2 102	2 236	2 121	2 137	2 065
Rémunération et avantages sociaux	'000 $	85 320	122 675	123 717	136 570	141 562
Entreprises de câblodistribution	n	**210**	**217**	**230**	**225**	**223**
Recettes d'exploitation[1]	'000 $	221 639	427 497	585 129	657 257	717 761
Abonnements	'000 $	209 191	407 074	543 647	613 327	672 049
Branchements et installations	'000 $	9 807	10 846	13 663	13 168	16 751
Autres recettes	'000 $	1 131	9 577	27 459	30 762	28 961
Dépenses d'exploitation[1]	'000 $	94 645	380 418	567 153	612 579	830 431
Production d'émissions	'000 $	11 872	16 832	19 813	21 644	19 762
Services techniques	'000 $	37 561	84 328	106 144	108 803	142 363
Ventes et promotion	'000 $	7 054	19 544	23 401	22 348	79 092
Administration et autres	'000 $	38 158	259 714	417 795	459 783	589 212
Effectifs (moyenne hebdomadaire)	n	1 770	2 661	2 309	2 080	2 292
Rémunération et avantages sociaux	'000 $	52 970	98 218	110 493	106 409	110 917

1. En raison de l'arrondissement des nombres, le total peut être différent de la somme.
2. Inclut les recettes de production.

Source : Statistique Canada, *Radiodiffusion et télévision* (56-204) et *Télédistribution* (56-205).

Tableau 23.24
Écoute quotidienne de la radio et de la télévision, selon la langue d'usage des auditeurs de 15 ans et plus, Québec, 1986, 1992 et 1998

	1986	1992	1998
		min/j	
Radio			
Ensemble des auditeurs	82,5	84,0	85,2
Auditeurs francophones	90,3	86,4	102,4
Auditeurs anglophones	56,7	33,3	53,3
Télévision			
Ensemble des auditeurs	191,0[1]	161,1	156,1
Auditeurs francophones	191,8[1]	160,2	153,1
Auditeurs anglophones	186,8[1]	167,4	166,0

1. Inclut le visionnement de cassettes préenregistrées empruntées ou achetées par les auditeurs.

Source : Statistique Canada, *Enquête sociale générale*, 1986, 1992 et 1998.

Tableau 23.25
Statistiques principales des établissements de l'industrie des services électroniques et du multimédia (SEM), par domaine d'activité, Québec, 1999

	Unité	Domaine d'activité[1]				Ensemble des établissements
		Production de contenus multimédias	Soutien à la production multimédia ou de services en ligne	Services Internet	Commerce électronique	
Établissements						
Établissements qui oeuvrent dans les SEM	n	2 139	1 634	1 120	880	3 175
Établissements non spécialisés dans les SEM[2]	n	877	607	497	408	1 384
Établissements spécialisés dans les SEM[3]	n	1 262	1 027	623	471	1 791
Établissements qui n'oeuvrent que dans les SEM[4]	n	934	634	408	288	1 284
Revenus[5]						
Établissements qui oeuvrent dans les SEM	'000 $	1 742 427	911 053	672 025	772 415	4 097 921
Établissements non spécialisés dans les SEM[2]	'000 $	428 224	86 945	219 405	559 981	1 294 555
Établissements spécialisés dans les SEM[3]	'000 $	1 314 203	824 108	452 620	212 434	2 803 365
Établissements qui n'oeuvrent que dans les SEM[4]	'000 $	1 125 735	661 357	245 260	128 249	2 160 601
Emplois spécialisés[6]						
Tous les emplois spécialisés	n	..	..	..	..	24 974
Temps plein[7]	n	..	..	..	..	20 487
Temps partiel	n	..	..	..	..	4 487

1. Certains établissements sont actifs dans plus d'un domaine d'activité à la fois.
2. Établissements dont moins de 50 % des revenus proviennent des SEM.
3. Établissements dont 50 % et plus des revenus proviennent des SEM.
4. Ces établissements sont inclus dans la catégorie des établissements spécialisés dans les SEM.
5. Il s'agit des revenus reliés aux services électroniques et au multimédia.
6. Les employés spécialisés sont ceux dont les tâches principales sont reliées au domaine des services électroniques et du multimédia. Les emplois spécialisés excluent donc notamment le personnel de soutien administratif.
7. Les employés à temps plein travaillent 30 heures et plus par semaine.

Source : Institut de la statistique du Québec, *Enquête sur l'industrie québécoise des services électroniques et du multimédia*, 2001.

Figure 23.3

Volume des ventes brutes pour les activités des services électroniques et du multimédia, selon le marché, Québec, 1999

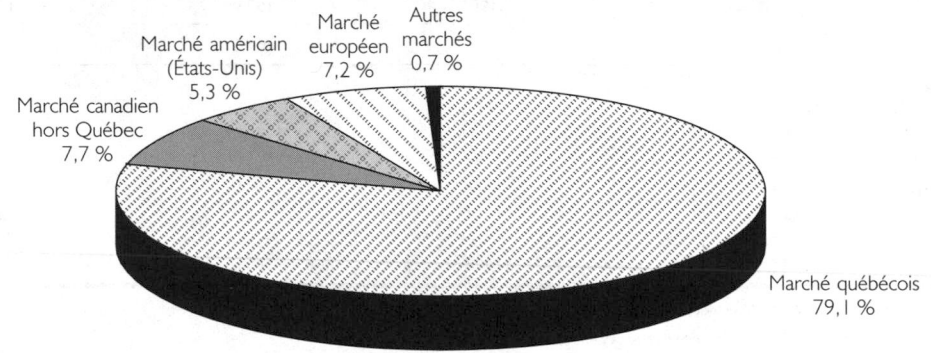

Source :   Institut de la statistique du Québec, *Enquête sur l'industrie québécoise des services électroniques et du multimédia*, 2001.

Tableau 23.26

Proportion d'internautes selon le temps de consultation de l'Internet en français, en anglais ou dans une autre langue, Québec, 1998

Temps de consultation	Internautes[1]
	%
En français	
Moins de 50 %	56,1
50 % et plus	41,6
Ne peut préciser	2,4
En anglais	
Moins de 50 %	30,3
50 % et plus	66,9
Ne peut préciser	2,8
Dans une autre langue	
Aucune consultation	72,2
Consultation	11,8
Ne peut préciser	16,1

1. Estimation basée sur des données d'enquête recueillies auprès d'un échantillon de 2 607 internautes.

Source :   Centre francophone d'informatisation des organisations (CEFRIO), Institut de la statistique du Québec et Réseau interordinateurs scientifique québécois (RISQ), *Internet : accès et utilisation au Québec*, 1998.

Figure 23.4
Part des ménages branchés au réseau Internet, par région administrative, Québec, 1999

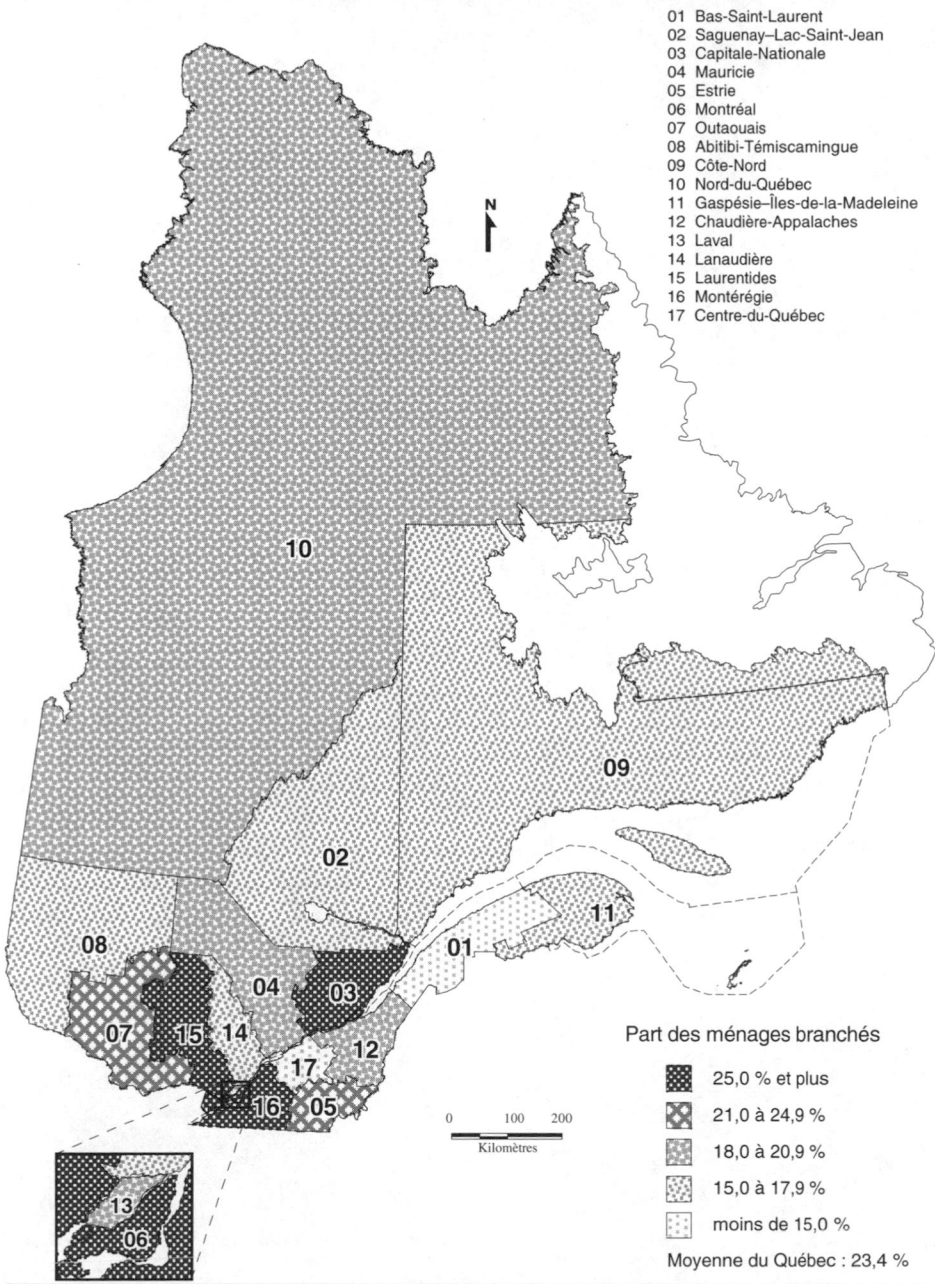

01 Bas-Saint-Laurent
02 Saguenay–Lac-Saint-Jean
03 Capitale-Nationale
04 Mauricie
05 Estrie
06 Montréal
07 Outaouais
08 Abitibi-Témiscamingue
09 Côte-Nord
10 Nord-du-Québec
11 Gaspésie–Îles-de-la-Madeleine
12 Chaudière-Appalaches
13 Laval
14 Lanaudière
15 Laurentides
16 Montérégie
17 Centre-du-Québec

Part des ménages branchés

- 25,0 % et plus
- 21,0 à 24,9 %
- 18,0 à 20,9 %
- 15,0 à 17,9 %
- moins de 15,0 %

Moyenne du Québec : 23,4 %

Source :   Ministère de la Culture et des Communications, *Enquête sur les pratiques culturelles des Québécoises et Québécois*, 1999.
Réalisation : Institut de la statistique du Québec, Direction de l'édition et des communications, 2001.

24

Commerce de gros et de détail

Liste des tableaux

Liste des figures

Ce chapitre a été réalisé par Daniel Mercier, de la Direction des comptes et des études économiques de l'Institut de la statistique du Québec.

Ce chapitre réunit l'essentiel des statistiques sur le commerce de gros et le commerce de détail, dont certaines données inédites sur le Québec concernant les ventes des marchands de gros par groupe de commerce. L'analyse et les divers tableaux statistiques sur le commerce portent sur la production, les ventes, les investissements, l'emploi et la rémunération.

Le commerce est analysé la première fois lors de l'édition de l'*Annuaire statistique* de 1923, qui traite des faillites commerciales. Ce n'est qu'en 1940 que l'on présente de l'information fine sur les ventes au détail au Québec, à la fois par genre de commerce et pour les grandes chaînes de magasin. L'édition de 1950 est la première dans laquelle on retrouve de façon détaillée un ensemble de statistiques sur le commerce, telles que le commerce de gros par genres d'opération, les établissements et ventes des grossistes ainsi que le commerce et les services de détail dans la province.

Le commerce dans le nouveau système de classification SCIAN

Toute statistique publiée sur une industrie particulière se réfère nécessairement à une certaine classification qui décrit l'industrie en question. Jusqu'à la fin de 2003, notre système statistique est en transition, de sorte que deux systèmes de classification se côtoient. L'ancien système, la Classification type des industries (CTI), a plus de 50 ans d'existence et a été révisé à trois reprises, la dernière étant la CTI 1980. Le nouveau système, le Système de classification des industries de l'Amérique du Nord (SCIAN), existe officiellement au Canada depuis mars 1998 avec la publication du *SCIAN Canada 1997*. Le SCIAN a été élaboré pour fournir des définitions communes de la structure des activités économiques pour les trois pays membres de l'ALENA, soit le Canada, les États-Unis et le Mexique. D'une facture plus récente, il permet de mieux cerner l'activité économique actuelle. Il a aussi la caractéristique de classer les établissements selon un seul critère, soit la façon de produire les biens et les services.

Il faut souligner que les enquêtes mensuelles sur le commerce de gros et sur le commerce de détail sont les deux dernières enquêtes converties au SCIAN. Aussi, il est important d'exercer une certaine prudence dans l'analyse comparative des données sur le commerce.

Les données sur l'emploi au Canada pour l'année 1998 permettent d'illustrer l'incidence des changements de classification sur divers secteurs de l'économie (tableau 24.1). L'importance relative du commerce a légèrement diminué avec la nouvelle classification. Avec la CTI 1980, 16,9 % des emplois sont dans le secteur commerce, alors qu'avec le SCIAN la proportion baisse à 15,2 %. Cette baisse est l'effet net de la combinaison de deux facteurs : d'une part, 13 % des emplois classés auparavant dans le commerce se retrouvent dorénavant dans d'autres secteurs; d'autre part, seuls 3,4 % des emplois situés dans des secteurs autres que le commerce se retrouvent maintenant dans le commerce.

L'importance du commerce dans l'économie

Le commerce joue un rôle important dans l'économie puisque, bon an mal an, environ la moitié des dépenses personnelles de consommation en biens et services des Québécois est dirigée vers les détaillants, et que les grossistes en sont les principaux fournisseurs. Globalement, avec un PIB réel au coût des facteurs de 22,3 milliards de dollars pour l'année 2000, le secteur commercial contribue au Québec pour 13,5 % de l'activité économique totale (tableau 24.2). Il est le deuxième en importance après les industries manufacturières, lesquelles constituent environ 21,5 % de l'économie.

Depuis 1991, le secteur commercial est l'un des secteurs qui affichent la meilleure performance au Québec avec un taux de variation annuel moyen de 4,5 %, soit près du double de l'ensemble des industries (2,4 %). Le commerce de détail se démarque par une croissance ininterrompue depuis 1992, alors que le commerce de gros connaît des fluctuations beaucoup plus importantes, tantôt à la hausse tantôt à la baisse, et même une croissance exceptionnelle de 15,7 % en 1999. Il faut remarquer que l'activité économique du commerce de détail est tributaire en bonne partie de l'évolution démographique, laquelle se caractérise par un rythme annuel assez lent, tandis que l'activité des grossistes dépend de plusieurs industries – dont certaines sont très instables – ainsi que du commerce extérieur.

En regard du PIB réel au coût des facteurs, l'activité commerciale, tant pour le Québec, l'Ontario et le Canada, connaît une bonne performance pour la période s'étendant de 1991 à 2000.

Les ventes

Les données détaillées sur les ventes des marchands de gros sont regroupées selon 11 groupes de commerce. Pour le Québec, les trois principaux groupes sont responsables d'environ la moitié des ventes, soit les produits alimentaires, les machines, matériel et fournitures industriels et autres ainsi que les produits divers (tableau 24.3).

Les données sur les ventes par groupe de commerce des grossistes affichent des fluctuations assez importantes. On remarque notamment que les ventes des grossistes en bois et matériaux de construction augmentent de 12,0 % en 1998 et de 22,0 % en 1999, pour baisser de 2,0 % en 2000. Un phénomène semblable est observé en ce qui concerne les ordinateurs, logiciels et autres équipements électroniques, dont les ventes augmentent respectivement de 14,0 % et 26,5 % en 1998 et 1999, pour diminuer de 2,3 % en 2000. Le groupe des boissons, médicaments et tabac est celui qui connaît la plus forte croissance de 1999 à 2000 (+ 14,0 %); à l'opposé, la plus importante diminution revient au groupe des machines, matériel et fournitures agricoles (– 16,4 %).

Au cours des dernières années, le rythme annuel des ventes des grossistes a été plus vigoureux du côté de l'Ontario que du Québec (figure 24.1). En fait, de 1991 à 2000, le taux de variation annuel moyen des ventes des grossistes est de 11,2 % en Ontario, par rapport à 6,6 % au Québec et à 8,9 % dans l'ensemble du Canada. Toutefois, au cours des années récentes, la situation relative du Québec s'est grandement améliorée. En prenant 1995 comme année de référence, date de début des données détaillées et complètes par groupe de commerce au Québec, les ventes des grossistes augmentent au rythme annuel de 7,7 % au Québec, de 9,4 % en Ontario et de 7,9 % dans l'ensemble du Canada.

Concernant les données sur les ventes au détail, elles sont regroupées selon 16 groupes de commerce. Au Québec, deux groupes sont responsables d'environ la moitié des ventes, soit les supermarchés d'alimentation et épiceries avec les concessionnaires de véhicules automobiles et récréatifs (tableau 24.4). L'importance relative de ces deux groupes de commerce a évolué beaucoup depuis 1991. En effet, alors que les supermarchés d'alimentation et épiceries sont responsables de 27,0 % de l'ensemble de toutes les ventes des détaillants pour l'année 1991, ils n'en représentent plus que 22,7 % en 2000. Par ailleurs, les ventes des concessionnaires en véhicules automobiles et récréatifs, qui composent 21,3 % des ventes totales en 1991, en constituent 27,4 % en 2000.

De façon générale, les consommateurs ont privilégié les dépenses de consommation en biens durables depuis 1991. En effet, alors que les ventes totales des détaillants augmentent au rythme annuel de 3,9 % pour la période 1991-2000, les ventes des concessionnaires de véhicules automobiles et récréatifs ont crû de 6,9 %, celles des magasins de meubles et d'appareils ménagers, de 6,8 % et celles des autres magasins de produits durables, de 5,9 %.

Certaines similitudes existent entre les ventes au détail et les ventes de gros, telles que des sommets pour les années 1994 et 1997 (figures 24.1 et 24.2). Cette similarité s'explique par une relation assez étroite entre l'activité des grossistes et celle des détaillants. En effet, bien que les détaillants s'approvisionnent surtout chez les grossistes, ils peuvent aussi trouver leur compte du côté d'un producteur, d'un importateur ou d'un autre détaillant. Par ailleurs, les grossistes fournissent les détaillants, mais aussi les producteurs et les exportateurs.

Compte tenu de l'importance de l'automobile dans le panier de biens et services des consommateurs, nous complétons les statistiques sur les ventes au détail par de l'information plus fine sur les ventes de voitures particulières neuves. Au Québec, le nombre de voitures particulières neuves vendues pour l'année 2000 est de 249 635 (tableau 24.5). À l'exception de l'année 1995, les ventes de voitures particulières neuves depuis 1991 sont au moins de 200 000, et le maximum est atteint en 1991 avec un total de 265 975. Les années 1991 et 2000 sont les meilleures années de ventes de véhicules particulières neuves de la décennie.

Durant l'année 2000, il s'est vendu au Québec 167 127 voitures particulières neuves fabriquées en Amérique du Nord, soit 66,9 % du marché de ces voitures. Depuis 1994, la part du marché de la voiture fabriquée en Amérique du Nord a augmenté beaucoup, et ce, au détriment des importations japonaises (figure 24.3). Il faut rappeler que la plus grande partie du commerce dans le secteur automobile au Canada est régie par l'Accord de libre-échange nord-américain (l'ALENA), entré en vigueur en 1994 et conclu entre le Canada, les États-Unis et le Mexique. Les entreprises japonaises et européennes ont commencé dès lors à accroître leur production en Amérique du Nord, occasionnant ainsi une baisse des importations en provenance de ces pays.

Dans l'ensemble, le prix moyen des voitures particulières s'est accrû au rythme annuel de 4,4 % de 1991 à 2000 et il n'a connu aucune baisse durant cette période (tableau 24.6). Ce taux est toutefois légèrement supérieur à celui de l'indice de prix à la consommation de l'achat d'automobiles, lequel augmente de 3,0 % (tableau 24.7). Cet écart s'explique par le fait que le prix moyen reflète, en plus d'une augmentation de prix, une amélioration de la qualité des automobiles vendues. Au rythme annuel de 3,3 %, le prix moyen des voitures particulières fabriquées au Japon présente la plus faible croissance des dix dernières années. Les voitures japonaises ont aussi la particularité d'afficher le prix moyen le moins élevé pour la période s'étendant de 1991 à 2000, à l'exception toutefois de l'année 1996. Le prix moyen de l'ensemble des voitures particulières est alors de 20 437 $, en comparaison de 19 900 $ pour celles fabriquées en Amérique du Nord, de 23 047 $ pour celles fabriquées outre-mer (20 500 $ pour les voitures du Japon et 26 228 $ pour les autres).

Les investissements

Les investissements au Québec durant l'année 2000 ont atteint 1 198 millions de dollars dans le secteur commercial, ce qui correspond à 3,5 % des investissements totaux (tableau 24.8). Les grossistes ont investi pour un total de 592 millions de dollars, par rapport à 606 millions de dollars du côté des détaillants. Pour la période 1991-2000, les investissements du secteur commercial constituent environ 4,0 % des investissements totaux, avec un sommet de 5,6 % en 1997 et un creux de 2,2 % en 1991. D'ailleurs, pour cette période, les investissements les plus importants pour le commerce de gros et le commerce de détail se réalisent durant l'année 1997, soit 641 millions et 1,0 milliard de dollars respectivement.

De 1991 à 2000, les investissements dans le secteur commercial ont augmenté au rythme annuel de 8,0 % au Québec, comparativement à 7,1 % pour l'Ontario et à 7,3 % pour le Canada. Les investissements dans ce secteur se sont avantageusement démarqués de l'ensemble des secteurs, surtout au Québec. Les taux de variation annuels moyens des investissements totaux sont en effet de 2,7 % pour le Québec, 4,1 % pour l'Ontario et 4,4 % pour le Canada.

Les investissements les plus importants du secteur commercial sont généralement le fait des détaillants, et ce, tant au Québec qu'en Ontario et au Canada. Toutefois, alors qu'en 1995, jusqu'à 75 % des investissements du secteur commercial au Québec proviennent des détaillants, pour les années 1999 et 2000, les détaillants et les grossistes investissent presque à part égale.

Les statistiques sur les investissements des sous-secteurs du commerce de gros et de détail existent seulement depuis 1995. Chez les grossistes, ce sont les investissements en machines, matériel et fournitures qui ont la part du lion pour la période 1995-1998; ils atteignent même 43,0 % des investissements totaux du secteur en 1997, avec 275,5 milliards de dollars (tableau 24.9). En 2000, avec un montant de 175,5 milliards de dollars, les investissements en produits alimentaires, boissons et tabac sont les plus importants parmi les grossistes. Chez les détaillants, les investissements se font surtout dans le domaine de l'alimentation. Avec 38,8 %, 1997 est une année record, alors qu'en 2000 la part est de 25,2 %.

L'emploi

Les données de l'Enquête sur la population active (EPA) montrent que le secteur commercial demeure au Québec le deuxième plus important employeur après celui de la fabrication; près d'un travailleur sur trois oeuvre dans ces deux secteurs. À titre d'exemple, pour l'année 2000, le nombre total d'emplois est de 3 437 700, dont 629 000 dans la fabrication, soit 18,3 % du total. Le commerce suit de près avec une part de 16,1 %, pour un total de 552 600 emplois (tableau 24.10). En 2000, il s'est créé 80 300 emplois, dont 34 300 nouveaux dans le secteur commercial, un des secteurs les plus performants.

Pour la période de 1991 à 2000, la meilleure année au chapitre de l'emploi dans le secteur commercial est sans contredit l'année 2000, avec une croissance de 6,6 %. La deuxième meilleure performance remonte à 1994 avec une croissance de l'emploi de 3,4 %. Pour l'ensemble de cette période, le commerce a cependant moins bien figuré que l'ensemble des industries, puisque l'emploi dans ce secteur a progressé au rythme annuel de 0,7 %, par rapport à 1,2 % pour le total. À titre comparatif, les meilleures performances proviennent des secteurs « Services professionnels, scientifiques et techniques » et « Gestion d'entreprises, soutien administratif et autres », dont les croissances respectives sont de 5,4 % et 5,9 %.

Le rythme de création d'emploi est plus élevé pour le commerce de gros que pour le commerce de détail, tant au Québec, qu'en Ontario et au Canada. La comparaison avec les données de population fait ressortir par ailleurs que le rythme annuel de croissance de l'activité des commerçants de détail est en étroite relation avec la croissance démographique (tableau 24.11).

Au Québec, le commerce occupe en l'an 2000 près de 29 % de la main-d'œuvre des jeunes âgés entre 15 et 24 ans. Il est le plus important employeur pour cette catégorie de travailleurs, suivi du secteur de la fabrication (16,4 %). Des 510 000 jeunes en emploi, 12 000 travaillent chez les grossistes et 134 000 chez les détaillants (tableau 24.12).

Depuis 1991, le profil des employés par catégorie d'âge ne s'est que légèrement modifié dans le secteur du commerce de détail. Alors que les jeunes fournissent 30,1 % de la main-d'œuvre en 1991, cette proportion atteint 31,8 % en 2000.

La comparaison de l'année 2000 avec l'année 1991 montre que l'importance du travail à temps partiel, avec un taux de 16,9 %, est restée inchangée pour l'ensemble des industries. La situation des jeunes travailleurs s'est toutefois légèrement modifiée puisque 39,9 % sont à temps partiel en 1991, comparativement à 42,1 % en 2000. Le secteur commercial suit sensiblement la même évolution, avec un pourcentage de jeunes employés à temps partiel de 51,9 % en 1991 et de 55,3 % en 2000.

Dans l'ensemble, le marché du travail se caractérise par l'utilisation d'une main-d'œuvre majoritairement à temps plein (83,1 %) et marquant une légère prédominance masculine (54,8 %). Les données présentées montrent que le ratio temps plein/temps partiel est influencé de façon significative par le secteur et l'âge, tandis que le ratio hommes/femmes est variable surtout en fonction du secteur analysé. Le commerce de gros utilise principalement de la main-d'œuvre à temps plein (93,2 %) et cette proportion est encore plus élevée chez les 25 ans et plus, soit 95,3 %. Chez les jeunes, ce ratio tombe à 73,6 %. Du côté du commerce de détail, les différences sont davantage accentuées puisque 42,1 % des jeunes travaillent à temps plein; pour les 25 ans et plus, le ratio est de 86,7 %. Le secteur du commerce de gros emploie majoritairement des hommes, soit près de 70,0 %, tandis que dans le commerce de détail les hommes et les femmes y travaillent pratiquement à part égale.

La comparaison des années 1991 et 2000 indique de légères différences dans la proportion de travailleurs à temps plein. Chez les jeunes, une diminution du ratio est observée, tant dans les secteurs du commerce que dans l'ensemble de l'économie. À titre d'exemple, dans le commerce de détail, 45,2 % des travailleurs sont à temps plein en 1991 par rapport à 42,1 % en 2000. La baisse est du même ordre dans le commerce de gros et dans l'ensemble des industries. Chez les 25 ans et plus, la proportion de travailleurs à temps plein a augmenté dans le commerce de détail de 83,2 % en 1991 à 86,7 % en 2000, mais elle est restée stable dans le commerce de gros et dans l'ensemble des secteurs.

La représentation des femmes a augmenté légèrement au cours de la période à l'étude dans le secteur commercial. Parmi l'ensemble des employés, 44,1 % étaient des femmes en 1991, et cette proportion atteint 45,2 % en l'an 2000. La croissance est encore plus significative dans la représentation des jeunes femmes : elles sont en 1991 pratiquement à part égale avec les hommes (49,8 %), alors qu'en 2000 elles occupent 52,1 % des emplois.

La rémunération

La rémunération hebdomadaire moyenne dans le secteur commercial diffère beaucoup selon que l'on considère le commerce de gros ou le commerce de détail. Pour l'année 2000, la rémunération hebdomadaire moyenne du commerce de gros au Québec atteint 675,05 $, alors qu'elle est seulement de 390,86 $ dans le commerce de détail et de 612,91 $ dans l'ensemble des industries (tableau 24.13).

De 1991 à 2000, la rémunération hebdomadaire moyenne de ces secteurs a connu un rythme de croissance semblable : 1,1 % pour le commerce de gros, 1,2 % pour le commerce de détail et 1,3 % pour l'ensemble des secteurs. En comparaison avec le taux de variation annuel moyen de l'indice des prix à la consommation, lequel a crû de 1,3 % pendant la même période, le pouvoir d'achat des travailleurs n'a pas augmenté.

Les différences entre le commerce de gros et le commerce de détail sur le plan de la rémunération hebdomadaire moyenne s'expliquent en bonne partie par le nombre plus grand des travailleurs à temps partiel et une rémunération horaire moyenne plus faible dans le secteur du commerce de détail. De 1991 à 2000, la rémunération horaire moyenne est systématiquement plus élevée dans le commerce de gros que dans le commerce de détail, avec un maximum d'écart de 4,45 $ en 1997 et un minimum de 2,36 $ en 2000 (tableau 24.14). De 1999 à 2000, la rémunération horaire moyenne, avec une croissance de 7,9 %, atteint 12,06 $ dans le commerce de détail, soit sa plus forte croissance depuis 1991. À titre comparatif, elle a augmenté de 3,3 % dans le commerce de gros et de 3,0 % dans l'ensemble des industries.

Références

INSTITUT DE LA STATISTIQUE DU QUÉBEC. *Comptes économiques du Québec*, publication trimestrielle, Québec, Gouvernement du Québec, 51 p.
INSTITUT DE LA STATISTIQUE DU QUÉBEC. *L'Écostat*, publication trimestrielle, Québec, Gouvernement du Québec, 212 p.
INSTITUT DE LA STATISTIQUE DU QUÉBEC. *Produit intérieur brut par industrie au Québec*, publication mensuelle, Québec, Gouvernement du Québec, 23 p.

Définitions

Commerce de détail

Comprend les établissements dont l'activité principale consiste à vendre au grand public des marchandises, généralement sans transformation, et à fournir des services connexes (voir la note explicative).

Commerce de gros

Comprend surtout les établissements dont l'activité principale consiste à vendre des marchandises en grandes quantités à des détaillants, à des entreprises et à une clientèle institutionnelle. Certains grossistes vendent des biens d'équipement à l'unité (voir la note explicative).

Investissements

Englobent les dépenses relatives aux constructions nouvelles, aux améliorations importantes apportées à des constructions déjà existantes, à l'achat de machines et d'équipement neufs ainsi qu'aux réparations majeures de machines et d'équipement. Ces dépenses comprennent également celles des particuliers au titre de la construction résidentielle, mais excluent l'achat de terrains, de constructions déjà existantes, de machines ou d'équipement d'occasion (à moins qu'ils n'aient été importés).

Produit intérieur brut

Valeur ajoutée par la main-d'œuvre et le capital dans la transformation des intrants achetés auprès d'autres producteurs en produits et services. Le PIB est évalué aux prix de 1992.

Rémunération hebdomadaire moyenne

Calculée en divisant la masse salariale brute imposable par le nombre de salariés inscrits sur la liste de paye.

Rémunération horaire moyenne

Calculée en divisant la rémunération hebdomadaire brute (des salariés rémunérés à l'heure) par le nombre d'heures travaillées (de ces mêmes salariés).

Taux de variation annuel moyen

Taux de variation annuel d'une variable calculé avec la moyenne géométrique plutôt que la moyenne arithmétique.

Voitures particulières

Tout véhicule dont la fonction principale est de transporter des passagers, à l'exception des véhicules utilitaires (les camions légers et lourds, les minifourgonnettes, les véhicules d'utilité sportive, les fourgonnettes, les autocars et les autobus). Les voitures particulières comprennent aussi les véhicules qui servent à des fins commerciales, c'est-à-dire les taxis, les véhicules destinés à la location et autres parcs automobiles.

Note explicative

Le changement de classification a amené certaines modifications à l'univers statistique du commerce. Dans la CTI 1980, les établissements dont l'activité principale est de réparer ou entretenir les marchandises vendues par les grossistes ou les détaillants sont classés dans le secteur du commerce correspondant. Dans le SCIAN, ces établissements sont classés dans le sous-secteur « Réparations et entretien », car cette activité ne relève pas du processus de production aboutissant à la vente dans un commerce. Les boulangeries du coin, auparavant classées dans le commerce de détail, appartiennent maintenant au secteur de la fabrication. Les activités de reconstruction (remises à neuf) classées dans le commerce de gros se trouvent dans le secteur « Fabrication » du SCIAN. Également, les ateliers de confection de vêtements sur mesure, classés dans le commerce de détail, font dorénavant partie de la « Fabrication ».

Tableau 24.1

Distribution de l'emploi comparant la Classification type des industries 1980 (CTI 1980) et le Système de classification des industries de l'Amérique du Nord (SCIAN), Canada, 1998

Secteurs d'activité économique selon le SCIAN	CTI 1980[1]		Secteurs d'activité économique selon la CTI 1980	SCIAN[1]	
	Tous les secteurs	Secteur commerce		Tous les secteurs	Secteur commerce
	%			%	
Ensemble des industries	**100,0**	**100,0**	**Ensemble des industries**	**100,0**	**100,0**
Agriculture	2,9	0,2	Agriculture	3,1	0,2
Foresterie, pêche, mines et extraction de pétrole et de gaz	2,1	0,2	Autres branches du secteur primaire	1,9	–
Services publics	0,8	0,1	Services publics	1,0	–
Construction	5,3	0,4	Construction	5,4	0,2
Fabrication	15,0	1,6	Industries manufacturières	15,7	1,4
Commerce	15,2	87,0	Commerce	16,9	96,6
Transport et entreposage	4,9	0,4	Transport, entreposage et communications	6,5	0,3
Finances, assurances, immobilier et location	5,9	0,3	Finances, assurances et affaires immobilières	5,5	–
Services professionnels, scientifiques et techniques	6,3	0,4	Services aux entreprises	7,9	0,3
Gestion d'entreprises, services administratifs et autres services de soutien	3,4	0,3			
Services d'enseignement	6,6	0,1	Services d'enseignement	6,7	–
Soins de santé et assistance sociale	10,2	0,2	Santé et services sociaux	10,3	0,2
Information, culture et loisirs	4,4	0,4			
Hébergement et services de restauration	6,4	0,2	Hébergement et restauration	6,4	0,3
Autres services	5,0	8,4	Autres services	7,2	0,3
Administrations publiques	5,5	–	Administrations publiques	5,5	0,1

1. Les colonnes 2 et 5 donnent l'importance relative des secteurs tels qu'ils sont définis par le SCIAN (colonne 2) et la CTI (colonne 5). Les colonnes 3 et 6 établissent le lien entre les deux classifications pour le secteur « Commerce ». La colonne 3 montre que sur 100 emplois du secteur « Commerce », classés auparavant dans la CTI, 87 emplois se retrouvent maintenant dans le SCIAN. En contrepartie, la colonne 6 montre que sur 100 emplois du secteur « Commerce », classés dans le SCIAN, 96,6 % correspondent à ce secteur de la CTI.

Source : Statistique Canada, *Le point sur la population active*, printemps 1999 (71-005-XPB).

Tableau 24.2

Produit intérieur brut au coût des facteurs par secteur du commerce, selon la CTI 1980, aux prix de 1992, Québec, Ontario et Canada, 1997-2000

Secteur	Produit intérieur brut				Variation			TVAM[1]
	1997	1998	1999	2000	1998/1997	1999/1998	2000/1999	2000/1991
	'000 000 $				%			
Québec	147 360	151 604	158 517	165 331	2,9	4,6	4,3	2,4
Commerce	18 471	19 668	21 419	22 268	6,5	8,9	4,0	4,5
Commerce de gros	7 937	8 774	10 154	10 610	10,5	15,7	4,5	5,2
Commerce de détail	10 534	10 894	11 265	11 658	3,4	3,4	3,5	4,0
Ontario	284 727	296 621	313 510	329 511	4,2	5,7	5,1	3,4
Commerce	33 807	36 704	40 840	43 525	8,6	11,3	6,6	5,9
Commerce de gros	17 447	19 156	21 984	..	9,8	14,8	..	..
Commerce de détail	16 360	17 548	18 856	..	7,3	7,5	..	..
Canada	700 042	721 879	753 047	786 642	3,1	4,3	4,5	3,1
Commerce	83 390	88 520	95 894	101 081	6,2	8,3	5,4	5,1
Commerce de gros	39 670	42 787	47 907	50 300	7,9	12,0	5,0	6,1
Commerce de détail	43 720	45 733	47 987	50 781	4,6	4,9	5,8	4,2

1. Taux de variation annuel moyen.

Sources : Statistique Canada, *Produit intérieur brut provincial par industrie 1984-1999* (15-203); CANSIM.
    Institut de la statistique du Québec, Direction des comptes et des études économiques.
    Comptes économiques de l'Ontario, 4e trimestre de 2000.

Tableau 24.3
**Ventes des marchands de gros par groupe de commerce, selon la CTI 1980,
Québec, Ontario et Canada, 1997-2000**

Groupe de commerce	Ventes[1]				Variation			TVAM[2]
	1997	1998	1999	2000	1998/1997	1999/1998	2000/1999	2000/1995
	'000 000 $				%			
Québec[3]	**63 445**	**66 258**	**73 562**	**77 838**	**4,4**	**11,0**	**5,8**	**7,7**
Produits alimentaires	14 208	15 062	16 355	16 923	6,0	8,6	3,5	6,2
Boissons, médicaments et tabac	5 220	5 401	5 774	6 585	3,5	6,9	14,0	10,0
Vêtements et articles de mercerie	2 654	2 698	2 876	2 823	1,7	6,6	-1,8	3,6
Articles ménagers	2 466	2 502	2 269	2 155	1,5	-9,3	-5,0	2,8
Véhicules automobiles, pièces et accessoires	5 977	6 400	7 213	7 207	7,1	12,7	-0,1	6,4
Métaux, articles de quincaillerie, matériel de plomberie et de chauffage	4 922	5 514	5 862	6 358	12,0	6,3	8,5	8,0
Bois et matériaux de construction	4 962	5 557	6 782	6 645	12,0	22,0	-2,0	11,9
Machines, matériel et fournitures agricoles	746	853	837	699	14,3	-1,9	-16,4	3,2
Machines, matériel et fournitures industriels et autres	9 310	9 179	10 564	11 775	-1,4	15,1	11,5	8,9
Ordinateurs, logiciels et autres équip. électroniques	3 974	4 529	5 730	5 598	14,0	26,5	-2,3	10,3
Produits divers	9 005	8 562	9 301	11 071	-4,9	8,6	19,0	7,3
Ontario	155 654	162 863	178 225	189 969	4,6	9,4	6,6	9,4
Canada	324 234	331 808	357 799	380 776	2,3	7,8	6,4	7,9

1. Les chiffres ne prennent pas en compte les taxes de vente.
2. Taux de variation annuel moyen.
3. Les arrondissements peuvent briser l'égalité entre le total et la somme des composantes.

Sources : Statistique Canada, *Commerce de gros* (63-008); CANSIM; compilations spéciales.
         Institut de la statistique du Québec, Direction des comptes et des études économiques.

Figure 24.1
Ventes annuelles des grossistes, Québec, Ontario et Canada, 1991-2000

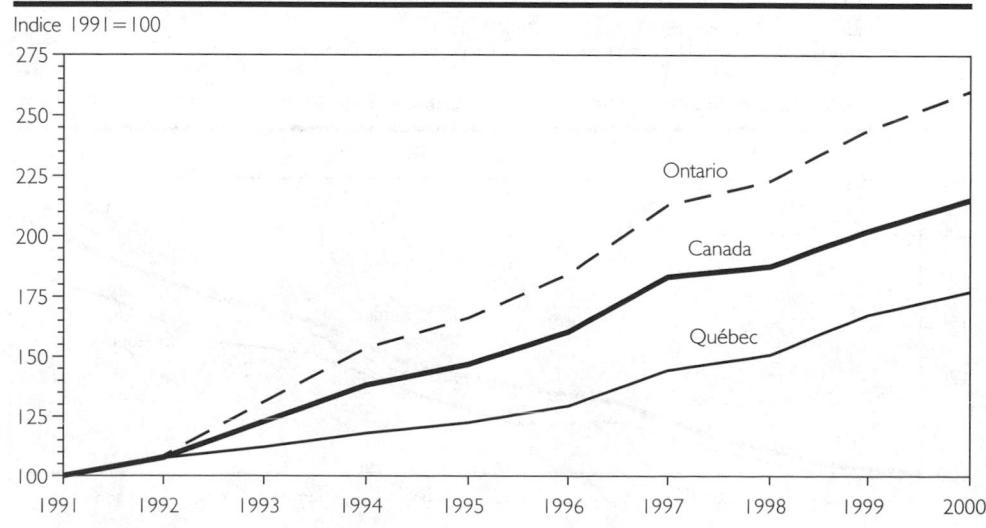

Indice 1991=100

Sources : Statistique Canada, *Commerce de gros* (63-008); CANSIM.
         Institut de la statistique du Québec, Direction des comptes et des études économiques.

Tableau 24.4

Ventes au détail par groupe de commerce, selon la CTI 1980, Québec, Ontario et Canada, 1997-2000

Groupe de commerce	Ventes[1]				Variation			TVAM[2]
	1997	1998	1999	2000	1998/1997	1999/1998	2000/1999	2000/1991
	'000 000 $				%			
Québec[3]	**55 751**	**56 926**	**60 766**	**63 574**	**2,1**	**6,7**	**4,6**	**3,9**
Supermarchés d'alimentation et épiceries	13 259	13 632	14 233	14 428	2,8	4,4	1,4	2,0
Tous les autres magasins d'alimentation[4]	..	..	..	..	...	...	...	...
Pharmacies et magasins de médicaments brevetés	2 770	2 875	2 779	2 871	3,8	-3,3	3,3	1,4
Magasins de chaussures	570	565	548	542	-0,8	-3,0	-1,2	-0,6
Magasins de vêtements pour hommes	356	353	330	320	-0,7	-6,5	-2,9	-3,7
Magasins de vêtements pour femmes	1 230	1 226	1 206	1 222	-0,3	-1,6	1,3	2,9
Autres magasins de vêtements	1 527	1 615	1 689	1 844	5,7	4,6	9,1	4,8
Magasins de meubles et d'appareils ménagers	2 462	2 628	2 907	3 227	6,7	10,6	11,0	6,8
Magasins d'accessoires d'ameublement	453	473	481	495	4,6	1,6	3,0	-1,1
Concessionnaires de véhicules automobiles et récréatifs	15 147	15 278	16 881	17 403	0,9	10,5	3,1	6,9
Stations-service	3 467	3 005	3 775	4 730	-13,3	25,6	25,3	4,2
Magasins de pièces et d'accessoires pour automobiles et services	3 452	3 567	3 707	3 764	3,3	3,9	1,6	3,1
Magasins de marchandises diverses	5 111	5 471	5 816	6 025	7,0	6,3	3,6	4,8
Autres magasins de produits semi-durables	1 774	1 780	1 654	1 679	0,3	-7,1	1,5	2,7
Autres magasins de produits durables	1 204	1 364	1 452	1 507	13,3	6,5	3,8	5,9
Autres magasins de vente au détail	1 644	1 763	1 992	2 126	7,2	13,0	6,7	2,1
Ontario	86 431	92 412	99 150	106 312	6,9	7,3	7,2	5,2
Canada	237 837	246 641	260 691	277 151	3,7	5,7	6,3	4,8

1. Les chiffres ne prennent pas en compte les taxes de vente.
2. Taux de variation annuel moyen.
3. Les arrondissements peuvent briser l'égalité entre le total et la somme des composantes.
4. Les données ne sont pas fiables pour ce groupe de commerce au niveau provincial.

Sources : Statistique Canada, *Commerce de détail* (63-005); CANSIM.
Institut de la statistique du Québec, Direction des comptes et des études économiques.

Figure 24.2

Ventes annuelles des détaillants, Québec, Ontario et Canada, 1991-2000

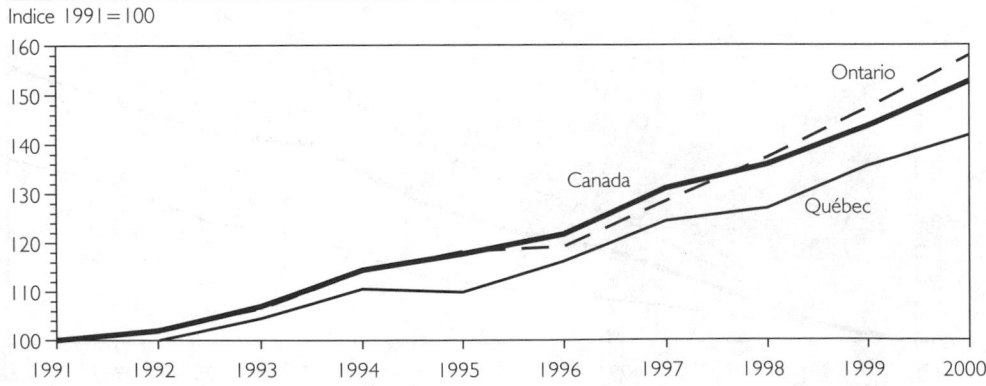

Sources : Statistique Canada, *Commerce de détail* (63-005); CANSIM.
Institut de la statistique du Québec, Direction des comptes et des études économiques.

Tableau 24.5
Ventes de voitures particulières neuves selon le lieu de fabrication, Québec, 1997-2000

Lieu de fabrication	Ventes				Variation			TVAM[1]
	1997	1998	1999	2000	1998/1997	1999/1998	2000/1999	2000/1991
	n				%			
Total	**223 974**	**228 402**	**239 489**	**249 635**	**2,0**	**4,9**	**4,2**	**-0,7**
Amérique du Nord	181 892	167 126	167 393	167 127	-8,1	0,2	-0,2	1,2
Outre-mer	42 082	61 276	72 096	82 508	45,6	17,7	14,4	-3,7
Japon	25 662	41 818	42 703	43 335	63,0	2,1	1,5	-8,0
Autres pays	16 420	19 458	29 393	39 173	18,5	51,1	33,3	5,5

1. Taux de variation annuel moyen.

Sources : Statistique Canada, *Ventes de véhicules automobiles neufs* (63-007-XIB); CANSIM.
    Institut de la statistique du Québec, Direction des comptes et des études économiques.

Figure 24.3
Part de marché des ventes de voitures particulières neuves selon le lieu de fabrication, 1991-2000

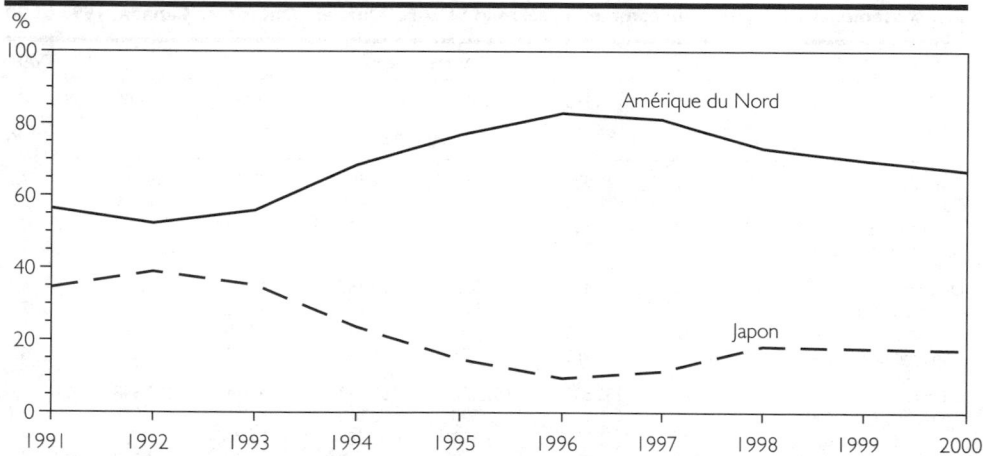

Sources : Statistique Canada, *Ventes de véhicules automobiles neufs* (63-007-XIB); CANSIM.
    Institut de la statistique du Québec, Direction des comptes et des études économiques.

Tableau 24.6
Prix moyen des voitures particulières neuves vendues, selon le lieu de fabrication, Québec, 1997-2000

Lieu de fabrication	Prix moyen				Variation			TVAM[1]
	1997	1998	1999	2000	1998/1997	1999/1998	2000/1999	2000/1991
	$				%			
Total	**21 230**	**21 357**	**21 800**	**22 541**	**0,6**	**2,1**	**3,4**	**4,4**
Amérique du Nord	20 725	21 082	21 402	22 234	1,7	1,5	3,9	4,4
Outre-mer	23 412	22 108	22 723	23 163	-5,6	2,8	1,9	4,5
Japon	20 138	18 894	19 220	19 916	-6,2	1,7	3,6	3,3
Autres pays	28 528	29 014	27 812	26 754	1,7	-4,1	-3,8	4,4

1. Taux de variation annuel moyen.

Sources : Statistique Canada, *Ventes de véhicules automobiles neufs* (63-007-XIB); CANSIM.
    Institut de la statistique du Québec, Direction des comptes et des études économiques.

Tableau 24.7
Indices des prix à la consommation, Québec, Ontario et Canada, 1997-2000

	Indice				Variation			TVAM[1]
	1997	1998	1999	2000	1998/1997	1999/1998	2000/1999	2000/1991
	1992=100				%			
Québec	104,9	106,4	108,0	110,6	1,4	1,5	2,4	1,3
Achat d'automobiles	123,8	125,9	127,5	125,5	1,7	1,3	-1,6	3,0
Ontario	107,9	108,9	111,0	114,2	0,9	1,9	2,9	1,6
Canada	107,6	108,6	110,5	113,5	0,9	1,7	2,7	1,6

1. Taux de variation annuel moyen.

Sources : Statistique Canada, *L'indice des prix à la consommation* (62-001); CANSIM.
         Institut de la statistique du Québec, Direction des comptes et des études économiques.

Tableau 24.8
Investissements par secteur du commerce, selon le SCIAN, Québec, Ontario et Canada, 1995-2000

Secteur	Investissements[1]						TVAM[2]
	1995	1996	1997	1998	1999	2000	2000/1991
	'000 000 $						%
Québec	**25 784**	**26 829**	**29 569**	**31 285**	**32 506**	**34 246**	**2,7**
Commerce[3]	1 152	1 134	1 657	1 355	1 187	1 198	8,0
Commerce de gros	289	381	641	545	600	592	10,9
Commerce de détail	863	753	1 016	811	587	606	5,9
Ontario	**47 268**	**49 426**	**58 322**	**60 387**	**64 496**	**69 362**	**4,1**
Commerce[3]	2 205	2 158	2 576	2 768	2 866	3 016	7,1
Commerce de gros	952	1 198	1 406	1 321	1 067	1 182	7,8
Commerce de détail	1 253	960	1 171	1 447	1 799	1 834	6,7
Canada	**132 677**	**135 537**	**161 726**	**167 377**	**174 544**	**183 848**	**4,4**
Commerce[3]	5 878	5 927	7 590	6 815	6 711	6 855	7,3
Commerce de gros	2 279	2 542	3 333	2 883	2 674	2 765	8,6
Commerce de détail	3 599	3 385	4 257	3 932	4 037	4 090	6,4

1. 1997 et 1998 : dépenses réelles; 1999 : dépenses réelles provisoires; 2000 : perspectives révisées.
2. Taux de variation annuel moyen.
3. Les arrondissements peuvent briser l'égalité entre le total et la somme des composantes.

Sources : Statistique Canada, *Investissements privés et publics au Canada* (61-205 et 61-206).
         Institut de la statistique du Québec, Direction des comptes et des études économiques.

Tableau 24.9

Investissements par secteur et sous-secteur du commerce, selon le SCIAN, Québec, 1995-2000

Secteur et sous-secteur	Investissements[1]						TVAM[2]
	1995	1996	1997	1998	1999	2000	2000/1995
	'000 000 $						%
Commerce de gros[3]	289,1	381,1	640,9	544,7	599,7	592,1	15,4
Produits agricoles	7,2	0,8	0,4	3,6	6,1	7,3	0,4
Produits pétroliers	9,8	4,5	8,1	13,9	14,2	13,4	6,5
Produits alimentaires, boissons et tabac	67,5	111,7	173,9	128,9	174,0	175,5	21,1
Articles personnels et ménagers	32,5	51,4	69,0	48,5	40,8	49,2	8,7
Véhicules automobiles et pièces	31,4	8,9	27,3	105,7	177,2	137,1	34,3
Matériaux et fournitures de construction	30,3	17,5	26,9	35,9	37,4	19,2	-8,7
Machines, matériel et fournitures	83,2	152,8	275,5	132,4	71,9	91,8	2,0
Produits divers	26,6	33,0	58,8	61,9	61,6	79,2	24,4
Agents et courtiers	0,8	0,4	1,2	13,8	16,6	19,4	89,1
Commerce de détail[3]	863,0	752,7	1 016,2	810,7	587,0	605,9	-6,8
Véhicules automobiles et pièces	97,6	86,9	104,1	109,8	47,1	22,5	-25,4
Meubles et accessoires de maison	15,7	22,5	20,9	19,2	16,7	29,7	13,6
Appareils électroniques et ménagers	11,0	16,6	22,3	12,6	21,7	22,0	14,9
Matériaux de construction et matériel et fournitures de jardinage	9,1	5,6	19,6	27,1	18,9	65,6	48,4
Alimentation	248,9	231,7	394,4	252,5	115,2	152,8	-9,3
Produits de santé et de soins personnels	32,7	30,9	34,0	41,2	27,6	15,8	-13,6
Stations-service	72,9	71,4	100,5	53,7	76,3	60,8	-3,6
Vêtements et accessoires vestimentaires	97,5	73,6	104,0	99,9	78,2	60,3	-9,2
Articles de sport, de passe-temps et de musique et livres	48,1	46,7	46,7	40,3	27,6	38,1	-4,6
Fournitures de tout genre	171,7	112,2	113,1	97,4	91,1	68,1	-16,9
Magasins de détail divers	20,2	23,6	31,1	31,5	40,2	33,4	10,6
Détaillants hors magasin	37,8	31,2	25,5	25,4	26,6	37,0	-0,4
Total	**1 152,1**	**1 133,8**	**1 657,2**	**1 355,4**	**1 186,7**	**1 198,0**	**0,8**

1. 1997 et 1998 : dépenses réelles; 1999 : dépenses réelles provisoires; 2000 : perspectives révisées.
2. Taux de variation annuel moyen.
3. Les arrondissements peuvent briser l'égalité entre le total et la somme des composantes.

Sources : Statistique Canada, *Investissements privés et publics au Canada* (61-205 et 61-206); compilations spéciales.
　　　　Institut de la statistique du Québec, Direction des comptes et des études économiques.

Tableau 24.10

Emploi par secteur du commerce, selon le SCIAN, Québec, Ontario et Canada, 1997-2000

Secteur	Emploi				Variation			TVAM[1]
	1997	1998	1999	2000	1998/1997	1999/1998	2000/1999	2000/1991
	'000				%			
Québec	3195,1	3281,5	3357,4	3437,7	2,7	2,3	2,4	1,2
Commerce[2]	499,9	503,9	518,3	552,6	0,8	2,9	6,6	0,7
Commerce de gros	102,6	107,6	127,3	131,6	4,9	18,3	3,4	1,5
Commerce de détail	397,3	396,4	391,0	421,0	-0,2	-1,4	7,7	0,4
Ontario	5 313,4	5 490,0	5 688,1	5 872,1	3,3	3,6	3,2	1,8
Commerce[2]	802,4	813,3	850,2	874,3	1,4	4,5	2,8	1,6
Commerce de gros	171,5	175,3	193,1	209,1	2,2	10,2	8,3	4,4
Commerce de détail	630,9	638,0	657,1	665,3	1,1	3,0	1,2	0,8
Canada	13 774,4	14 140,4	14 531,2	14 909,7	2,7	2,8	2,6	1,7
Commerce[2]	2 128,8	2 156,1	2 248,3	2 318,1	1,3	4,3	3,1	1,3
Commerce de gros	455,5	460,6	536,1	548,2	1,1	16,4	2,3	3,0
Commerce de détail	1 673,3	1 695,5	1 712,2	1 769,9	1,3	1,0	3,4	0,8

1. Taux de variation annuel moyen.
2. Les arrondissements peuvent briser l'égalité entre le total et la somme des composantes.

Sources : Statistique Canada, *La population active* (71-001); compilations spéciales.
　　　　Institut de la statistique du Québec, Direction des comptes et des études économiques.

Tableau 24.11
Population, Québec, Ontario et Canada, 1997-2000

	Population				Variation			TVAM[1]
	1997	1998	1999	2000	1998/1997	1999/1998	2000/1999	2000/1991
	'000				%			
Québec	7 303	7 323	7 349	7 372	0,3	0,4	0,3	0,5
Ontario	11 248	11 386	11 517	11 669	1,2	1,2	1,3	1,3
Canada	29 987	30 248	30 493	30 750	0,9	0,8	0,8	1,0

1. Taux de variation annuel moyen.

Sources : Statistique Canada, Recensements du Canada; Estimations de la population.
    Institut de la statistique du Québec, Direction des comptes et des études économiques.

Tableau 24.12
Emploi par catégorie d'âge et secteur du commerce selon le SCIAN, Québec, 1991 et 2000

Groupe d'âge et secteur	1991					2000				
	Total	Temps plein	Temps partiel	Hommes	Femmes	Total	Temps plein	Temps partiel	Hommes	Femmes
	'000	%				'000	%			
15 ans et plus										
Total des industries	3 082	83,1	16,9	55,9	44,1	3 438	83,1	16,9	54,8	45,2
Commerce[1]	521	76,5	23,5	54,4	45,6	553	77,4	22,6	54,5	45,5
Commerce de gros	116	93,2	6,8	71,2	28,8	132	93,2	6,8	72,0	28,0
Commerce de détail	405	71,8	28,2	49,7	50,3	421	72,5	27,5	49,0	51,0
15-24 ans										
Total des industries	495	60,1	39,9	51,0	49,0	510	57,9	42,1	53,1	46,9
Commerce[1]	134	48,1	51,9	52,1	47,9	147	44,7	55,3	49,7	50,3
Commerce de gros	12	77,1	22,9	70,8	29,2	12	73,6	26,4	70,3	29,7
Commerce de détail	122	45,2	54,8	50,2	49,8	134	42,1	57,9	47,9	52,1
25 ans et plus										
Total des industries	2 586	87,5	12,5	56,9	43,1	2 928	87,5	12,5	55,1	44,9
Commerce[1]	387	86,4	13,6	55,3	44,7	406	89,3	10,7	56,3	43,7
Commerce de gros	104	95,1	4,9	71,3	28,7	120	95,3	4,7	72,2	27,8
Commerce de détail	283	83,2	16,8	49,4	50,6	287	86,7	13,3	49,6	50,4

1. Les arrondissements peuvent briser l'égalité entre le total et la somme des composantes.

Sources : Statistique Canada, *La population active* (71-001); compilations spéciales.
    Institut de la statistique du Québec, Direction des comptes et des études économiques.

Tableau 24.13
**Rémunération hebdomadaire moyenne par secteur du commerce, selon le SCIAN,
Québec, Ontario et Canada, 1997-2000**

Secteur	Rémunération[1]				Variation			TVAM[2]
	1997	1998	1999	2000	1998/1997	1999/1998	2000/1999	2000/1991
	$				%			
Québec	**592,51**	**599,93**	**602,68**	**612,91**	**1,3**	**0,5**	**1,7**	**1,3**
Commerce	473,54	482,50	483,94	486,85	1,9	0,3	0,6	1,7
Commerce de gros	694,11	698,48	681,34	675,05	0,6	-2,5	-0,9	1,1
Commerce de détail	377,76	386,69	390,53	390,86	2,4	1,0	0,1	1,2
Ontario	**663,51**	**672,36**	**681,91**	**697,92**	**1,3**	**1,4**	**2,3**	**2,1**
Commerce	533,03	557,41	566,71	573,99	4,6	1,7	1,3	2,5
Commerce de gros	775,13	805,18	806,53	817,68	3,9	0,2	1,4	2,3
Commerce de détail	411,07	430,10	438,53	439,98	4,6	2,0	0,3	2,1
Canada	**623,23**	**632,02**	**638,69**	**653,55**	**1,4**	**1,1**	**2,3**	**1,9**
Commerce	507,18	523,84	530,08	535,65	3,3	1,2	1,1	2,2
Commerce de gros	732,71	755,72	754,90	758,74	3,1	-0,1	0,5	2,1
Commerce de détail	405,29	416,78	423,16	425,86	2,8	1,5	0,6	1,8

1. Pour l'ensemble des salariés, incluant les heures supplémentaires.
2. Taux de variation annuel moyen.

Sources : Statistique Canada, *Emploi, gains et durée du travail* (71-002); CANSIM.
        Institut de la statistique du Québec, Direction des comptes et des études économiques.

Tableau 24.14
**Rémunération horaire moyenne par secteur du commerce, selon le SCIAN,
Québec, Ontario et Canada, 1997-2000**

Secteur	Rémunération[1]				Variation			TVAM[2]
	1997	1998	1999	2000	1998/1997	1999/1998	2000/1999	2000/1991
	$				%			
Québec	**15,38**	**15,20**	**15,15**	**15,61**	**-1,2**	**-0,3**	**3,0**	**1,3**
Commerce	12,31	12,24	11,91	12,77	-0,6	-2,7	7,2	1,8
Commerce de gros	15,70	15,22	13,96	14,42	-3,1	-8,3	3,3	0,8
Commerce de détail	11,25	11,24	11,18	12,06	-0,1	-0,5	7,9	1,8
Ontario	**16,11**	**16,51**	**16,96**	**17,41**	**2,5**	**2,7**	**2,7**	**2,0**
Commerce	13,66	13,71	13,89	14,66	0,4	1,3	5,5	2,7
Commerce de gros	16,13	15,69	16,16	16,70	-2,7	3,0	3,3	2,4
Commerce de détail	12,73	12,90	12,94	13,69	1,3	0,3	5,8	2,4
Canada	**15,58**	**15,81**	**16,07**	**16,52**	**1,5**	**1,6**	**2,8**	**1,8**
Commerce	13,12	13,06	13,02	13,91	-0,5	-0,3	6,8	2,3
Commerce de gros	15,97	15,57	15,41	15,92	-2,5	-1,0	3,3	1,8
Commerce de détail	12,13	12,16	12,15	13,06	0,2	-0,1	7,5	2,2

1. Pour l'ensemble des salariés, incluant les heures supplémentaires.
2. Taux de variation annuel moyen.

Sources : Statistique Canada, *Emploi, gains et durée du travail* (71-002); CANSIM.
        Institut de la statistique du Québec, Direction des comptes et des études économiques.

25

Services aux entreprises et aux particuliers

Liste des tableaux

Liste des figures

Ce chapitre a été réalisé par Réjean Chevalier, de la Direction des comptes et des études économiques de l'Institut de la statistique du Québec, avec la collaboration de Pierre-Luc Jetté, étudiant en économie.

Une partie des données de ce chapitre sont présentées en fonction de la Classification type des industries de 1980 (CTI), établie par Statistique Canada et utilisée dans les deux dernières éditions du *Québec statistique*. Sur la base de cette classification, le secteur des services aux entreprises et aux particuliers englobe les industries de services aux entreprises, les industries des services personnels et domestiques, les associations et le groupe « autres industries de services ». Les données publiées sur ces industries portent sur la production intérieure brute au coût des facteurs et sur les faillites commerciales. Cependant, la majorité d'entre elles s'arrêtent à l'année 1996.

La nécessité de diffuser des données plus récentes nous oblige à présenter les statistiques relatives aux industries qui s'apparentent le mieux à ces services dans le nouveau Système de classification type des industries de l'Amérique du Nord (SCIAN), instauré en 1997 dans le prolongement de l'entrée en vigueur de l'Accord de libre-échange nord-américain (ALENA). Il s'agit des industries de services professionnels, scientifiques et techniques; de gestion de sociétés et d'entreprises; de services administratifs, services de soutien, services de gestion des déchets et services d'assainissement; des autres services, sauf les administrations publiques. Les données présentées sur ces industries, identifiées sous les termes de services professionnels, de gestion et autres services, portent sur les immobilisations et l'emploi. Diverses statistiques relatives à certaines industries de services professionnels, scientifiques et techniques sont également fournies.

Un chapitre sur les services aux entreprises et aux particuliers est apparu pour la première fois dans l'édition 1989 du *Québec statistique*. Auparavant, quelques rares données touchant aux sujets ici traités étaient présentées avec les statistiques sur le commerce.

Le secteur des services aux entreprises et aux particuliers dans l'économie du Québec (CTI)

La production intérieure brute au coût des facteurs

L'expansion amorcée en 1995 dans le secteur québécois des services aux entreprises et aux particuliers s'est poursuivie en 1999. Ainsi, après des hausses successives variant entre 204,6 millions de dollars et 517,8 millions entre 1995 et 1998, le produit intérieur réel de ce secteur affiche un gain record de 609,5 millions en 1999, pour s'établir à 13,1 milliards de dollars (tableau 25.1). Le taux de croissance de son PIB (+ 4,9 %) surpasse alors celui enregistré pour l'ensemble de l'économie québécoise (+ 4,6 %).

La hausse globale de productivité affichée par le secteur à l'étude s'appuie principalement sur la performance de l'industrie des services aux entreprises. En 1999, le PIB de celle-ci atteint 8,8 milliards de dollars, soit une progression de 6,7 % par rapport à l'année 1998. Cette augmentation de 555,6 millions de dollars représente 91,2 % de la hausse totale enregistrée par l'ensemble du secteur des services aux entreprises et aux particuliers. Par ailleurs, l'industrie des services personnels et domestiques (production totale de 1,3 milliard de dollars) et celle des autres services non classés ailleurs (production totale de 1,8 milliard de dollars) affichent, pour la même période, des augmentations plus modestes de 33,5 et de 47,5 millions de dollars respectivement. Quant aux associations, elles montrent une baisse de 27,1 millions de dollars.

À titre de comparaison, mentionnons que les secteurs ontarien et canadien des services aux entreprises et aux particuliers connaissent des hausses annuelles successives depuis l'année 1992. La valeur du PIB de ces secteurs atteint des sommets respectifs de 30,9 et de 66,8 milliards de dollars en 1999 (tableau 25.2). La progression du secteur ontarien par rapport à l'année précédente (+ 8,8 %) est largement supérieure à celle enregistrée par le secteur québécois (+ 4,9 %). À l'échelle canadienne, cette hausse totalise 3,9 milliards de dollars, soit une augmentation de 6,3 %.

Comme c'est le cas au Québec, l'industrie des services aux entreprises a la part du lion en Ontario (94,6 %) et au Canada (91,0 %) en 1999. Cette année-là, le produit intérieur brut de l'industrie a progressé de 6,7 % au Québec, de 11,8 % en Ontario et de 8,6 % au Canada.

Les faillites commerciales

Le nombre de faillites commerciales pour le secteur des services aux entreprises et autres industries de services du Québec est passé de 713 en 1999 à 580 en 2000 (tableau 25.3). Cette régression de 18,7 % est attribuable à la vigueur de l'économie québécoise en ce début de millénaire. D'ailleurs, une situation similaire prévaut pour l'ensemble des entreprises québécoises, le nombre global de faillites commerciales chutant de 3 281 en 1999 à 3 011 en 2000.

Les 580 cas de faillites répertoriés pour le secteur québécois des services aux entreprises et autres industries de services en 2000 représentent 26,8 % des 2 164 faillites signalées dans ce secteur au Canada; cette part était de 32,5 % en 1999. Le total des déficits accumulés par ces 580 entreprises (102,3 millions de dollars) ne représente plus que 12,4 % des déficits enregistrés à l'échelle canadienne; en 1999, la proportion atteignait 23,3 %.

En Ontario, le nombre de faillites commerciales dans le secteur des services aux entreprises et autres industries de services est demeuré similaire entre 1999 et 2000, passant de 606 à 612. Ainsi, pour la première fois depuis plusieurs années, ce nombre est supérieur à celui du Québec. Néanmoins, le total des déficits combinés montre une hausse spectaculaire de 81,3 % : de 272,3 millions de dollars qu'il était en 1999, il passe à 493,8 millions en 2000. Sur ce point, le Québec affiche une performance nettement meilleure, puisque le déficit accumulé du secteur a régressé de 27,6 % en 2000.

Dans l'ensemble du Canada, le nombre de faillites commerciales du secteur des services aux entreprises et aux particuliers, ainsi que des autres industries de services, décroît légèrement (30 cas) entre les deux années, pour atteindre 2 164 faillites. Par contre, le total canadien des déficits a suivi la même tendance qu'en Ontario en augmentant de 36,0 %, pour s'établir à 824,3 millions de dollars.

Les données compilées par le Bureau du Surintendant des faillites révèlent également que les entreprises en faillite du secteur québécois des services aux entreprises et autres industries de services présentent pour l'an 2000, en moyenne, un déficit accumulé moindre que celui des entreprises correspondantes en Ontario et dans l'ensemble du Canada. Ainsi, il atteint 176 412 $ au Québec, comparativement à 806 555 $ et 380 929 $ pour les entreprises ontariennes et canadiennes.

Le secteur des services professionnels, de gestion et autres services dans l'économie du Québec (SCIAN)

Les immobilisations

Les dépenses réelles en immobilisations du secteur québécois des services professionnels, de gestion et autres services augmentent chaque année entre 1995 (713,8 millions) et 1998 (1,3 milliard), pour ensuite diminuer en 1999 à 1,1 milliard de dollars (tableau 25.4).

Durant cette période, les immobilisations pour les services professionnels, scientifiques et techniques ont progressé de 83,6 %, ce qui correspond à une croissance annuelle moyenne de 16,4 %. Elles passent ainsi de 380,3 millions à 698,3 millions de dollars. En 1999, ces services cumulent 4,3 % des investissements consacrés au secteur tertiaire et 2,2 % de ceux de l'ensemble de l'économie québécoise. Par ailleurs, l'industrie des « autres services » voit ses dépenses en immobilisations s'accroître de 40,9 %, en passant de 158,7 millions de dollars en 1995 à 219,9 millions en 1999, soit un taux de croissance annuel moyen de 8,9 %. Cette industrie réalise 1,3 % des dépenses totales en immobilisations du secteur tertiaire et 0,7 % de celles de l'ensemble de l'économie québécoise en 1999.

Entre 1999 et 2001, le Québec voit progresser ses dépenses en immobilisations pour le secteur des services professionnels, de gestion et autres services de 25,3 %, pour s'établir à 1,3 milliard de dollars[1] (tableau 25.5). Cette progression est largement attribuable aux dépenses effectuées par l'industrie des services professionnels, scientifiques et techniques, qui passent de 698,3 millions de dollars en 1999 à 1,1 milliard en 2001. Les autres industries du secteur à l'étude ont connu des résultats mitigés; celle des « autres services », notamment, montre une baisse de ses dépenses en immobilisations de 52,3 %, lesquelles atteignent 104,8 millions de dollars en 2001.

En Ontario, les dépenses en immobilisations du secteur des services professionnels, de gestion et autres services ont également augmenté durant la période de 1999 à 2001, en passant de 2,3 à 2,7 milliards de dollars. Quant aux dépenses propres aux services professionnels, scientifiques et techniques, elles ont connu une croissance inférieure à celle du Québec. En effet, la poussée de ces services a été freinée à 24,2 %, soit un peu moins de la moitié de la croissance enregistrée au Québec (+ 54,4 %). Les dépenses en immobilisations du Québec, en 2001, demeurent néanmoins inférieures à celles de l'Ontario (1,1 milliard de dollars comparativement à 1,8 milliard).

À l'échelle canadienne, les dépenses en immobilisations dans le secteur des services professionnels, de gestion et autres services atteignent 5,6 milliards de dollars en 2001. Les dépenses associées aux services professionnels, scientifiques et techniques ont progressé de 36,4 % entre 1999 et 2001, pour atteindre un sommet de 3,9 milliards de dollars.

---

1. Les dépenses enregistrées pour l'année 2000 sont des dépenses réelles provisoires, et celles de l'année 2001 constituent des perspectives révisées.

Population active et emploi

La population active rattachée au secteur québécois des services professionnels, de gestion et autres services s'est accrue de 20,6 % de 1995 à 2000, pour atteindre le nombre de 506 400 personnes en fin de période. Dans le même intervalle, une croissance plus grande du nombre de travailleurs occupés (+ 24,5 %) se traduit par une baisse significative du taux de chômage affectant ce secteur (- 3,0 points de pourcentage), lequel se situe à 5,4 % en 2000. Cette amélioration dans la situation de l'emploi est similaire à celle enregistrée par l'ensemble des industries québécoises, même si celles-ci affichent, en 2000, un taux de chômage (8,4 %) significativement supérieur.

Services professionnels, scientifiques et techniques

Pendant la période s'échelonnant de 1995 à 2000, la population active associée à l'industrie des services professionnels, scientifiques et techniques a augmenté de 38,6 %, pour s'établir à 209 700 personnes. Cette hausse, en regard de celle de l'emploi (+ 43,1 %), s'est traduite par une forte baisse du taux de chômage durant la période étudiée, celui-ci passant de 7,5 % en 1995 à 4,6 % en 2000. Précisons que sur la base de la CTI, plus de 90 % des travailleurs de l'industrie des services professionnels, scientifiques et techniques seraient classés dans l'industrie des services aux entreprises.

Le domaine de la conception de systèmes informatiques domine l'industrie des services professionnels, scientifiques et techniques en matière d'emploi (53 100 en 2000). De fait, il occupe plus de 26 % de ses employés en 2000 (tableau 25.6). De plus, 94,4 % des travailleurs de ce domaine ont un emploi à temps plein. Cette situation est bien sûr attribuable à la montée des nouvelles technologies. En fin de période, le taux de chômage affectant ce domaine est de 5,2 %.

Gestion de sociétés et d'entreprises

L'industrie de la gestion de sociétés et d'entreprises présente également une croissance importante de l'emploi (+ 29,1 %) au cours de la période 1995-2000. Le nombre d'emplois passe en effet de 86 500 à 111 700. Sur la base de la Classification type des industries, ces emplois seraient majoritairement (80 %) distribués dans l'industrie des services aux entreprises et dans les autres services, dans des proportions équivalentes. Une hausse moins élevée de la population active de cette industrie (+ 25,1 %) a contribué à faire baisser le taux de chômage de 11,5 % en 1995 à 8,6 % en 2000.

Les services relatifs aux bâtiments et aux logements accaparent 42,1 % des emplois reliés à la gestion de sociétés et d'entreprises en 2000. Près de 70 % de ces emplois sont à temps plein. Le taux de chômage y est de 7,5 %. Notons que dans les services d'enquête et de sécurité, le taux de chômage n'est que de 2,4 %.

Autres services

La seconde catégorie en importance dans le secteur québécois des services professionnels, de gestion et autres services, au regard de l'emploi, est l'industrie des autres services. Cette catégorie englobe les services et les organismes suivants : réparation et entretien; services personnels et services de blanchissage; organismes religieux, fondations, groupes de citoyens et organisations professionnelles et similaires; ménages privés. En 2000, on y dénombrait quelque 167 100 travailleurs, et le taux de chômage y était de 4,2 %. Cette industrie a perdu du terrain entre 1999 et 2000, le nombre de travailleurs baissant de 11 800 personnes (- 6,6 %).

Statistiques diverses sur certaines industries des services professionnels, scientifiques et techniques

Le grand groupe des services professionnels, scientifiques et techniques englobe plusieurs domaines d'activité, dont les principales composantes sont : les services juridiques, les services de comptabilité, l'architecture et le génie, la publicité, la conception de systèmes informatiques. Suivent quelques données relatives à certains de ces domaines.

Conception de systèmes informatiques et services connexes

En 1997, l'industrie canadienne de la conception de systèmes informatiques et services connexes regroupe 16 611 entreprises, pour un total de 77 220 salariés (tableau 25.7). Les statistiques montrent qu'il y a une forte concentration de ces entreprises et de cette main-d'œuvre en Ontario. Près d'une entreprise sur deux, ainsi que plus de la moitié des salariés se retrouvent dans cette province. Pour sa part, le Québec accueille 14,4 % des entreprises et 20,0 % des salariés de l'industrie à l'échelle canadienne. Signalons que le nombre moyen d'employés par entreprise québécoise, soit 6,4, est supérieur aux moyennes canadienne (4,6) et ontarienne (4,5).

Par ailleurs, les recettes totales découlant de la conception de systèmes informatiques et services connexes atteignent 1,9 milliard de dollars au Québec en 1997. Leur part du marché national s'établit à 19,8 %, alors que celle de l'Ontario est de 50,5 %. Néanmoins, bien que la valeur moyenne des recettes des entreprises québécoises (787 000 $) surpasse largement la moyenne nationale (573 000 $) et celle des entreprises ontariennes (584 000 $), la marge d'exploitation du Québec est significativement plus modeste que la marge canadienne ou ontarienne, en raison de dépenses d'exploitation supérieures. De fait, ces dépenses et cette marge atteignent 1,8 milliard de dollars et 2,9 % respectivement, comparativement à 4,5 milliards de dollars et 6,8 % en Ontario. La marge d'exploitation résulte du ratio entre les recettes totales moins les dépenses totales sur les recettes totales, multiplié par 100.

La prestation de services professionnels constitue la principale source de revenus des entreprises canadiennes qui œuvrent dans l'industrie de la conception de systèmes informatiques et services connexes au Canada. Ces prestations représentent 57,3 % des recettes totales des entreprises du Québec (tableau 25.8). Pour les entreprises canadiennes et ontariennes, le ratio atteint 72,3 % et 75,3 % respectivement.

La vente d'équipements informatiques est, en importance, la deuxième source de revenus de l'industrie en question au Québec. Globalement, ces ventes totalisent 13,6 % des recettes en 1997. Notons cependant qu'elles sont considérées comme une source secondaire de recettes, puisque les entreprises dont l'activité principale consiste à vendre du matériel informatique sont exclues de cette industrie. En Ontario et au Canada, c'est l'élaboration de produits de logiciels qui constitue la seconde source de revenus, avec des ratios respectifs de 11,1 % et de 9,5 %.

En excluant la catégorie « autres », c'est le domaine d'activité de la finance et des assurances, ainsi que celui des autres services informatiques qui sont les principaux acheteurs de l'industrie québécoise de la conception de systèmes informatiques et services connexes. Les entreprises du domaine de la finance et des assurances ont accaparé 14,9 % de la production de l'industrie en 1997, tandis que celles du domaine d'activité « autres services informatiques » en ont acheté 10,8 % (tableau 25.10). Les autres clients importants sont les administrations publiques fédérale, provinciale et locales (9,1 %), le secteur des forêts, mines et industries manufacturières (8,7 %) et celui du commerce de gros (5,4 %). En Ontario et au Canada, en 1997, le principal client est aussi le secteur de la finance et des assurances, suivi chez l'un par le secteur des forêts, mines et industries manufacturières, et chez l'autre par le secteur des administrations publiques.

Services de génie

Les recettes d'exploitation des services de génie au Québec atteignent 2,7 milliards de dollars en 1998, ce qui représente une forte hausse de 31,9 % par rapport à l'année précédente (tableau 25.9). Ainsi, le Québec augmente de façon appréciable sa part du marché canadien, celle-ci passant de 24,6 % en 1997 à 28,1 % en 1998. Au cours de la même période, les recettes des services de génie ontariens progressent de 26,2 %, pour s'établir à 3,1 milliards de dollars. La part de marché de cette province s'élève de 29,2 % en 1997 à 31,9 % en 1998.

Par ailleurs, les dépenses de l'industrie québécoise des services de génie ont crû de 42,3 % en 1998. Cette évolution, associée à une croissance moins forte des revenus, a engendré une baisse de la marge d'exploitation qui passe de 20,5 % à 14,2 %. Ces résultats sont similaires à ceux observés au niveau canadien. De fait, la marge bénéficiaire des services de génie au Canada a régressé de 1,7 point de pourcentage entre 1997 et 1998. Les statistiques révèlent que la situation inverse prévaut en Ontario. En effet, les dépenses d'exploitation de cette industrie progressant à un rythme légèrement inférieur à celui des revenus, la marge d'exploitation a un peu augmenté et s'établit à 13,0 % en 1998.

Services d'architecture

L'industrie québécoise des services d'architecture a vu le nombre de ses entreprises croître de 11,2 % entre 1997 et 1998 (tableau 25.11). On en dénombre 686 en 1998, ce qui correspond à 20,7 % des bureaux d'architectes du Canada. En Ontario, cette industrie regroupe 1 199 entreprises, soit 36,2 % du total canadien.

Au Québec, les recettes des services d'architecture atteignent 205,2 millions de dollars en 1998, ce qui représente une progression de 19,2 % par rapport à l'année précédente. Ainsi, la part des revenus des entreprises québécoises dans l'ensemble des recettes canadiennes monte à 19,7 % en 1998, alors qu'elle n'était que de 16,4 % en 1997. Au cours de la même période, la part de l'Ontario passe de 40,5 % à 41,8 %.

En ce qui a trait aux recettes moyennes par entreprise, elles augmentent de 20 000 $ au Québec, pour s'établir à 299 000 $ en 1998. À l'inverse, elles régressent fortement en Ontario et dans l'ensemble du Canada. Néanmoins, elles y sont beaucoup plus élevées, soit 362 000 $ et 314 000 $ respectivement.

Références

STATISTIQUE CANADA. *Classification type des industries 1980*, Ottawa, Gouvernement du Canada, décembre 1980 (12-501F).
STATISTIQUE CANADA. *Système de classification des industries de l'Amérique du Nord*, Ottawa, Gouvernement du Canada, mars 1998 (12-501-XPF).

Définitions

Autres services aux entreprises (CTI)

Entreprises fournissant à d'autres entreprises une variété de services : services de sécurité, d'enquête, de crédit, de recouvrement, de douane, de secrétariat téléphonique, de reproduction et de conception graphique.

Autres services personnels et domestiques (CTI)

Entreprises fournissant des services de cordonnerie, de nettoyage, de réparation et d'entreposage de fourrures, de location de vêtements et de costumes, de traitement par électrolyse, ainsi que les studios de santé, etc.

Autres services (sauf les administrations publiques) (SCIAN)

Comprend les établissements qui ne figurent dans aucun autre secteur et dont l'activité principale consiste : à effectuer la réparation ou l'entretien préventif de véhicules automobiles, de machines, de matériel et d'autres produits pour en garantir le bon fonctionnement; à fournir des services de soins personnels, des services funéraires, des services de blanchissage et d'autres services aux particuliers tels que des soins pour animaux de maison et des services de développement et de tirage de photos; à organiser et à promouvoir des activités religieuses; à appuyer diverses causes par des subventions, à défendre (promouvoir) diverses causes sociales et politiques, ainsi qu'à favoriser et défendre les intérêts des gens qui y adhèrent. Ce secteur comprend aussi les ménages privés.

Conception de systèmes informatiques et services connexes (SCIAN)

Regroupe les établissements dont l'activité principale consiste à fournir une expertise dans le domaine des technologies de l'information. Ces établissements peuvent notamment : concevoir, modifier, tester et prendre en charge des logiciels pour répondre aux besoins d'un client, y compris créer des pages d'accueil Internet; planifier et concevoir des systèmes informatiques intégrant la technologie du matériel, celle des logiciels et celle des communications; gérer et exploiter sur place les installations informatiques et de traitement des données de clients; donner des conseils dans le domaine des technologies de l'information; fournir d'autres services professionnels et techniques de nature informatique.

Services d'architecture (SCIAN)

Comprend les établissements dont l'activité principale consiste à planifier et concevoir la construction de bâtiments et d'autres ouvrages résidentiels, institutionnels, récréatifs, commerciaux et industriels en s'appuyant sur une connaissance du design, des méthodes de construction, des règlements de zonage, du code du bâtiment et des matériaux de construction.

Services de génie (SCIAN)

Comprend les établissements dont l'activité principale consiste à appliquer les principes du génie de la conception à la mise au point et à l'utilisation de machines, de matériaux, d'instruments, d'ouvrages, de procédés et de systèmes. Les tâches entreprises par ces établissements peuvent faire intervenir l'une ou l'autre des activités suivantes : la prestation de conseils, la préparation d'études de faisabilité, la préparation de plans et d'avant-projets sommaires et détaillés, la prestation de services techniques à l'étape de la construction ou de l'installation, l'inspection et l'évaluation de projets d'ingénierie et la prestation de services connexes.

Services de gestion d'entreprises et autres services (SCIAN)

Établissements dont l'activité principale est le soutien aux opérations quotidiennes et ceux dont l'activité principale est la gestion des déchets.

Services professionnels, scientifiques et techniques

Établissements dont l'activité principale repose sur le capital humain qui constitue de ce fait le principal facteur de production.

Tableau 25.1
Statistiques sommaires de l'industrie des services aux entreprises et aux particuliers, Québec, 1995-2000

	Unité	1995	1996	1997	1998	1999	2000
Produit intérieur brut au coût des facteurs aux prix de 1992							
Ensemble de l'économie	'000 000 $	142 857,6	143 549,7	147 360,1	151 604,4	158 517,3	..
Services aux entreprises et aux particuliers	'000 000 $	11 336,9	11 541,5	12 059,3	12 526,1	13 135,6	..
Services aux entreprises	'000 000 $	7 139,7	7 255,0	7 729,4	8 267,7	8 823,3	..
Services personnels et domestiques	'000 000 $	1 159,7	1 218,1	1 244,2	1 259,9	1 293,4	..
Associations	'000 000 $	1 106,1	1 198,7	1 161,5	1 223,7	1 196,6	..
Autres industries de services	'000 000 $	1 931,4	1 869,7	1 924,2	1 774,8	1 822,3	..
Nombre de faillites commerciales							
Ensemble de l'économie	n	5 135	5 771	4 590	3 825	3 281	3 011
Services aux entreprises et autres industries de services	n	956	1 139	882	793	713	580
Services aux entreprises	n	348	420	295	279	286	254
Autres industries de services	n	608	719	587	514	427	326

Sources : Institut de la statistique du Québec, Direction des comptes et des études économiques.
Industrie Canada, Bureau du Surintendant des faillites.

Tableau 25.2
Produit intérieur brut au coût des facteurs par industrie des services aux entreprises et aux particuliers, aux prix de 1992, Québec, Ontario et Canada, 1998 et 1999

Industrie	Québec			Ontario			Canada		
	1998	1999	1999/ 1998	1998	1999	1999/ 1998	1998	1999	1999/ 1998
	'000 000 $		%	'000 000 $		%	'000 000 $		%
Services aux entreprises	8 267,7	8 823,3	6,7	19 864,9	22 217,1	11,8	41 525,0	45 112,0	8,6
Services d'informatique et services connexes	1 759,9	1 917,7	9,0	5 085,6	6 656,1	30,9	9 405,0	11 608,0	23,4
Services de comptabilité, avocats et notaires	1 432,8	1 439,8	0,5	2 989,6	2 967,7	-0,7	7 341,0	7 337,0	-0,1
Services de publicité	420,4	434,4	3,3	1 221,1	1 210,7	-0,9	2 026,0	2 023,0	-0,1
Architectes, ingénieurs et autres services scientifiques et techniques	1 917,8	1 992,9	3,9	3 777,4	3 707,4	-1,9	9 606,0	9 562,0	-0,5
Autres services aux entreprises	2 736,8	3 038,5	11,0	6 791,1	7 675,2	13,0	13 147,0	14 582,0	10,9
Services personnels et domestiques	1 259,9	1 293,4	2,7	2 347,1	2 390,3	1,8	5 727,0	5 843,0	2,0
Services de blanchissage et de nettoyage à sec	187,4	192,0	2,4	445,5	459,5	3,1	979,0	997,0	1,8
Autres services personnels et domestiques	1 072,5	1 101,4	2,7	1 901,6	1 930,9	1,5	4 748,0	4 846,0	2,1
Associations	1 223,7	1 196,6	-2,2	2 195,9	2 155,5	-1,8	5 538,0	5 546,0	0,1
Organisations religieuses	390,8	376,7	-3,6	912,4	922,7	1,1	2 326,0	2 353,0	1,2
Autres associations	833,0	820,0	-1,6	1 283,4	1 232,8	-3,9	3 212,0	3 193,0	-0,6
Autres industries de services	1 774,8	1 822,3	2,7	4 015,5	4 147,9	3,3	10 061,0	10 290,0	2,3
Photographes	53,6	51,8	-3,4	118,8	114,7	-3,5	264,0	255,0	-3,4
Services de voyages	272,8	280,1	2,7	484,7	504,0	4,0	1 221,0	1 249,0	2,3
Services de location de machines et matériel	508,8	528,6	3,9	1 589,0	1 576,8	-0,8	3 809,0	3 809,0	0,0
Autres services	939,6	961,8	2,4	1 822,9	1 952,4	7,1	4 767,0	4 977,0	4,4
Services aux entreprises et aux particuliers	12 526,1	13 135,7	4,9	28 423,3	30 910,8	8,8	62 851,0	66 791,0	6,3

Sources : Institut de la statistique du Québec, Direction des comptes et des études économiques.
Statistique Canada, *Produit intérieur brut provincial par industrie* (15-203-XPB).

Figure 25.1

Répartition du produit intérieur brut (PIB) réel au coût des facteurs, aux prix de 1992, pour les industries du secteur tertiaire, Québec, 1999

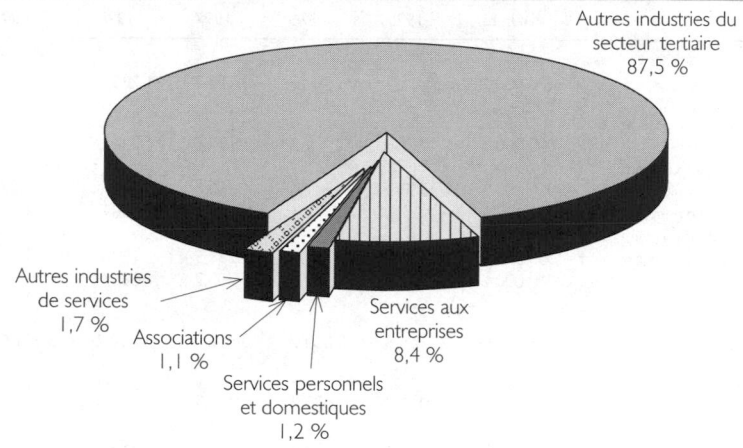

Autres industries du secteur tertiaire
87,5 %

Autres industries de services
1,7 %

Associations
1,1 %

Services personnels et domestiques
1,2 %

Services aux entreprises
8,4 %

Source : Institut de la statistique du Québec, Direction des comptes et des études économiques.

Tableau 25.3

Nombre de faillites commerciales signalées, actif, passif et déficit des industries de services aux entreprises et des autres industries de services, Québec, Ontario et Canada, 1999 et 2000

Faillites commerciales	Services aux entreprises			Autres industries de services			Services aux entreprises et autres industries de services		
	1999	2000	2000/1999	1999	2000	2000/1999	1999	2000	2000/1999
	n		%	n		%	n		%
Nombre signalé									
Québec	286	254	-11,2	427	326	-23,7	713	580	-18,7
Ontario	237	251	5,9	369	361	-2,2	606	612	1,0
Canada	725	753	3,9	1 469	1 411	-3,9	2 194	2 164	-1,4
	'000 $		%	'000 $		%	'000 $		%
Québec									
Actif	19 974	13 567	-32,1	26 317	12 323	-53,2	46 291	25 890	-44,1
Passif	82 184	80 229	-2,4	105 459	47 980	-54,5	187 643	128 209	-31,7
Déficit	62 210	66 661	7,2	79 141	35 658	-54,9	141 351	102 319	-27,6
Déficit moyen	218	262	20,2	185	109	-41,1	198	176	-11,1
Ontario									
Actif	28 279	52 222	84,7	76 205	37 147	-51,3	104 484	89 369	-14,5
Passif	108 111	98 246	-9,1	268 673	484 898	80,5	376 784	583 144	54,8
Déficit	79 832	46 024	-42,3	192 468	447 751	132,6	272 300	493 775	81,3
Déficit moyen	337	183	-45,7	522	1 240	137,5	449	807	79,7
Canada									
Actif	64 085	81 645	27,4	175 368	471 966	169,1	239 453	553 611	131,2
Passif	230 451	276 190	19,8	615 283	1 104 731	79,5	845 734	1 380 921	63,3
Déficit	166 366	191 565	15,1	439 914	632 765	43,8	606 280	824 330	36,0
Déficit moyen	229	254	10,9	299	448	49,8	276	381	38,0

Source : Industrie Canada, Bureau du Surintendant des faillites.

Tableau 25.4
Statistiques sommaires des industries de services professionnels, de gestion et autres services, Québec, 1995-2000

	Unité	1995	1996	1997	1998	1999	2000
Immobilisations							
Ensemble de l'économie	'000 000 $	25 784,0	26 829,0	29 568,9	31 285,3	32 454,7	34 597,4
Services professionnels, de gestion et autres services	'000 000 $	713,8	934,3	1 137,5	1 274,6	1 055,6	1 348,9
Services professionnels, scientifiques et techniques	'000 000 $	380,3	501,6	650,8	722,1	698,3	1 030,4
Gestion de sociétés et d'entreprises	'000 000 $	15,8	42,7	29,6	38,8	42,7	32,2
Services administratifs, de soutien, de gestion des déchets et d'assainissement	'000 000 $	159,0	201,2	251,9	127,7	94,7	103,1
Autres services	'000 000 $	158,7	188,8	205,2	386,0	219,9	183,2
Population active							
Ensemble de l'économie	'000	3 554,5	3 569,2	3 606,2	3 660,2	3 701,6	3 753,2
Services professionnels, de gestion et autres services	'000	419,8	425,5	449,2	491,0	511,2	506,4
Services professionnels, scientifiques et techniques	'000	151,3	153,2	171,2	194,4	205,0	209,7
Gestion de sociétés et d'entreprises	'000	97,7	101,9	101,5	112,8	114,9	122,2
Autres services	'000	170,8	170,4	176,5	183,8	191,3	174,5
Emploi							
Ensemble de l'économie	'000	3 147,5	3 145,9	3 195,1	3 281,5	3 357,4	3 437,7
Services professionnels, de gestion et autres services	'000	384,7	390,6	416,3	459,8	478,0	479,0
Services professionnels, scientifiques et techniques	'000	139,9	143,7	161,5	184,3	196,1	200,2
Gestion de sociétés et d'entreprises	'000	86,5	91,4	88,9	101,9	103,0	111,7
Autres services	'000	158,3	155,5	165,9	173,6	178,9	167,1
Nombre de chômeurs							
Ensemble de l'économie	'000	406,9	423,3	411,1	378,7	344,2	315,5
Services professionnels, de gestion et autres services	'000	35,1	34,8	32,9	31,2	33,2	27,5
Services professionnels, scientifiques et techniques	'000	11,4	9,5	9,7	10,1	8,9	9,6
Gestion de sociétés et d'entreprises	'000	11,2	10,4	12,6	10,9	11,9	10,5
Autres services	'000	12,5	14,9	10,6	10,2	12,4	7,4
Taux de chômage							
Ensemble de l'économie	%	11,4	11,9	11,4	10,3	9,3	8,4
Services professionnels, de gestion et autres services	%	8,4	8,2	7,3	6,4	6,5	5,4
Services professionnels, scientifiques et techniques	%	7,5	6,2	5,7	5,2	4,3	4,6
Gestion de sociétés et d'entreprises	%	11,5	10,2	12,4	9,7	10,4	8,6
Autres services	%	7,3	8,7	6,0	5,5	6,5	4,2

Sources : Statistique Canada, Enquête sur la population active, compilation spéciale.
Institut de la statistique du Québec, Direction des comptes et des études économiques.

Tableau 25.5

Immobilisations de l'ensemble des industries selon le secteur d'activité économique, et immobilisations des industries de services professionnels, de gestion et autres services, Québec, Ontario et Canada, 1999-2001

	Année[1]	Québec	Ontario	Canada
		'000 $		
Ensemble des industries	**1999**	**32 454 529**	**63 604 200**	**171 302 900**
	2000	**34 597 443**	**65 612 800**	**179 904 200**
	2001	**34 781 041**	**69 002 400**	**183 051 900**
Industrie primaire	1999	1 886 292	1 694 500	22 530 100
	2000	2 077 673	1 713 100	27 962 300
	2001	2 079 005	1 701 600	29 528 300
Industrie secondaire	1999	6 041 118	10 441 400	22 981 700
	2000	6 724 557	10 461 300	24 175 600
	2001	5 834 523	11 132 600	22 745 500
Industrie tertiaire	1999	16 382 434	33 605 600	84 670 100
	2000	16 999 468	35 315 900	85 068 200
	2001	17 536 525	35 888 700	85 760 200
Industries de services professionnels, de gestion et autres services	1999	1 055 567	2 268 200	4 688 900
	2000	1 348 923	2 707 500	5 515 000
	2001	1 322 535	2 714 800	5 626 000
Services professionnels, scientifiques et techniques	1999	698 306	1 505 400	2 848 600
	2000	1 030 363	1 844 300	3 707 600
	2001	1 078 505	1 870 300	3 885 300
Gestion de sociétés et d'entreprises	1999	42 677	43 200	191 700
	2000	32 154	39 200	169 000
	2001	33 095	18 800	165 100
Services administratifs, services de soutien, services de gestion des déchets et services d'assainissement	1999	94 663	269 600	590 900
	2000	103 123	341 000	667 400
	2001	106 120	327 700	669 100
Autres services, sauf les administrations publiques	1999	219 921	450 000	1 057 700
	2000	183 283	483 000	971 000
	2001	104 815	498 000	906 500

1. 1999 : dépenses réelles; 2000 : dépenses réelles provisoires; 2001 : perspectives révisées.

Sources : Statistique Canada, *Investissements privés et publics au Canada, perspective 2001* (61-205).
Institut de la statistique du Québec, Direction des comptes et des études économiques.

Tableau 25.6
Population active et emploi par industrie des services professionnels, de gestion et autres services, Québec, 1999 et 2000

Industrie	Population active			Emploi							Chômage			
				Total			Temps plein		Temps partiel		Chômeurs		Taux	
	1999	2000	2000/ 1999	1999	2000	2000/ 1999	1999	2000	1999	2000	1999	2000	1999	2000
	'000		%	'000		%	'000				'000		%	
Services professionnels, scientifiques et techniques	205,0	209,7	2,3	196,1	200,2	2,1	174,9	177,3	21,1	22,9	8,9	9,6	4,3	4,6
Services juridiques	26,1	22,2	-14,9	25,5	21,8	-14,5	24,0	20,2	1,5	1,6	0,6	0,4	2,3	1,8
Services de comptabilité, de préparation des déclarations de revenus, de tenue de livres et de paye	26,2	28,1	7,3	24,8	27,1	9,3	21,2	23,0	3,6	4,1	1,4	1,0	5,3	3,6
Services d'architecture, de génie et de design	41,4	46,5	12,3	39,0	44,5	14,1	36,2	40,5	2,8	4,0	2,4	2,0	5,8	4,3
Conception de systèmes informatiques et services connexes	54,7	56,0	2,4	52,4	53,1	1,3	49,4	50,1	3,0	3,0	2,3	2,9	4,2	5,2
Services de conseils en gestion et de conseils scientifiques et techniques, et services de recherche et de développement scientifiques	25,2	24,2	-4,0	24,4	23,1	-5,3	21,7	20,9	2,7	2,2	0,8	1,1	3,2	4,5
Publicité et services connexes	16,7	18,4	10,2	15,9	17,3	8,8	12,6	12,9	3,3	4,4	0,8	1,1	4,8	6,0
Autres services professionnels, scientifiques et techniques	14,6	14,4	-1,4	14,1	13,3	-5,7	9,8	9,7	4,3	3,6	1,5	1,1	10,3	7,6
Gestion de sociétés et d'entreprises	114,9	122,2	6,4	103,0	111,7	8,4	77,8	85,7	25,2	26,0	11,9	10,5	10,4	8,6
Services d'emploi	15,1	16,6	9,9	12,6	14,4	14,3	10,2	12,7	2,4	1,7	2,5	2,2	16,6	13,3
Services de soutien aux entreprises	9,5	15,4	62,1	8,4	13,3	58,3	6,0	9,5	2,4	3,8	1,1	2,1	11,6	13,6
Services de préparation de voyage et de réservation	12,2	7,4	-39,3	11,3	6,8	-39,8	9,0	5,0	2,3	1,8	0,9	0,6	7,4	8,1
Services d'enquête et de sécurité	14,3	16,5	15,4	13,4	16,1	20,1	11,4	13,8	2,0	2,3	0,9	0,4	6,3	2,4
Services relatifs aux bâtiments et aux logements	47,7	50,8	6,5	42,5	47,0	10,6	28,0	32,5	14,5	14,5	5,2	3,8	10,9	7,5
Gestion d'entreprises et autres services administratifs	9,6	10,1	5,2	8,8	9,2	4,5	7,7	7,3	1,1	1,9	0,8	0,9	8,3	8,9
Services de gestion des déchets et d'assainissement	6,5	5,3	-18,5	6,0	4,9	-18,3	5,4	4,8	0,6	0,1	0,5	0,4	7,7	7,5
Autres services	191,3	174,5	-8,8	178,9	167,1	-6,6	138,9	129,9	40,0	37,2	12,4	7,4	6,5	4,2
Réparation et entretien	76,2	69,8	-8,4	71,4	66,0	-7,6	64,1	57,4	7,3	8,6	4,8	3,8	6,3	5,4
Services personnels et services de blanchissage	53,8	51,4	-4,5	51,4	50,2	-2,3	37,6	37,0	13,8	13,2	2,4	1,2	4,5	2,3
Organismes religieux, fondations, groupes de citoyens et organisations professionnelles et similaires	43,5	39,3	-9,7	40,1	37,7	-6,0	31,2	28,7	8,9	9,0	3,4	1,6	7,8	4,1
Ménages privés	17,8	13,8	-22,5	16,0	13,2	-17,5	6,0	6,8	10,0	6,4	1,8	0,6	10,1	4,3
Services professionnels, de gestion et autres services	511,2	506,4	-0,9	478,0	479,0	0,2	391,6	392,9	86,4	86,1	33,2	27,4	6,5	5,4

Source : Statistique Canada, Enquête sur la population active, compilation spéciale.

Tableau 25.7
**Statistiques sommaires sur l'industrie de la conception de systèmes informatiques et services
connexes, Québec, Ontario et Canada, 1997**

	Unité	Québec	Ontario	Canada
Entreprises	n	2 398	8 230	16 611
Salariés	n	15 414	36 784	77 220
Employés par entreprise	n	6,4	4,5	4,6
Recettes totales	'000 000 $	1 887,0	4 806,0	9 520,0
Part dans l'ensemble du Canada	%	19,8	50,5	100,0
Recettes de sources étrangères	'000 000 $	142,0	1 026,0	1 457,0
Recettes par entreprise	'000 $	787,0	584,0	573,0
Dépenses totales	'000 000 $	1 832,0	4 478,0	8 865,0
Part dans l'ensemble du Canada	%	20,6	50,5	100,0
Salaire, rémunération et avantages sociaux	'000 000 $	737,0	1 872,0	3 706,0
Part dans l'ensemble du Canada	%	19,9	50,5	100,0
Autres dépenses	'000 000 $	1 095,0	2 606,0	5 159,0
Salaire moyen	'000 $	47,8	50,9	48,0
Marge d'exploitation	%	2,9	6,8	6,9

Source : Statistique Canada, Enquête sur le développement de logiciels et les services informatiques, 1997.

Tableau 25.8
**Répartition des recettes totales des entreprises de conception de systèmes informatiques et
services connexes, selon le genre de services, Québec, Ontario et Canada, 1997**

Genre de services	Québec	Ontario	Canada
	%		
Élaboration de produits de logiciels	7,3	11,1	9,5
Services professionnels	57,3	75,3	72,3
Services Internet	—	—	0,1
Services de traitements	11,2	3,6	5,3
Ventes d'équipements informatiques	13,6	3,2	5,9
Location et bail d'équipements informatiques	1,9	0,1	0,5
Entretien et réparation d'équipements informatiques	3,3	0,8	1,2
Autres recettes d'exploitation	3,7	4,8	3,8
Recettes hors exploitation	1,7	1,1	1,5
Total	**100,0**	**100,0**	**100,0**

Source : Statistique Canada, Enquête sur le développement de logiciels et les services informatiques, 1997.

Tableau 25.9
Statistiques sommaires sur les services de génie, Québec, Ontario et Canada, 1997 et 1998

	Unité	Québec		Ontario		Canada	
		1997	1998	1997	1998	1997	1998
Recettes totales	'000 000 $	2 052,5	2 707,2	2 434,5	3 073,0	8 344,4	9 620,1
Part dans l'ensemble du Canada	%	24,6	28,1	29,2	31,9	100,0	100,0
Honoraires professionnels	'000 000 $	1 580,0	1 940,8	2 055,5	2 547,2	6 860,2	7 446,9
Dépenses totales	'000 000 $	1 632,4	2 323,4	2 122,4	2 672,6	7 056,3	8 304,5
Part dans l'ensemble du Canada	%	23,1	27,9	30,0	32,2	100,0	100,0
Salaire, rémunération et avantages sociaux	'000 000 $	708,9	895,5	1 088,1	1 284,6	3 446,3	3 794,1
Part dans l'ensemble du Canada	%	20,6	23,6	31,6	33,9	100,0	100,0
Marge bénéficiaire	%	20,5	14,2	12,8	13,0	15,4	13,7

Source : Statistique Canada, Enquête sur le secteur des services de génie, 1998.

Tableau 25.10

Répartition des recettes des entreprises de conception de systèmes informatiques et services connexes, selon le domaine d'activité du client, Québec, Ontario et Canada, 1997

Domaine d'activité	Québec	Ontario	Canada
	%		
Agriculture	0,2	0,2	0,2
Forêts, mines et activités manufacturières	8,7	14,5	11,3
Finance et assurance	14,9	17,7	14,9
Commerce de gros	5,4	1,1	2,2
Commerce de détail	2,5	1,9	2,9
Transport et entreposage	4,5	1,6	2,5
Construction	0,4	0,4	0,4
Promoteurs et entrepreneurs immobiliers	1,1	0,2	0,4
Autres services informatiques	10,8	7,3	7,9
Services de gestion (comptables, avocats, conseillers en affaires, etc.)	4,1	2,2	3,1
Autres services (hôtels, restaurants, divertissement et loisirs, etc.)	2,2	3,8	2,5
Services de santé (médecins, hôpitaux, associations médicales, etc.)	1,3	2,0	2,7
Éducation	2,8	0,7	1,3
Écoles primaires et secondaires	1,8	0,4	0,8
Collèges et universités	1,0	0,3	0,5
Administrations publiques	9,1	12,7	11,8
Administrations municipales et régionales	3,4	2,5	3,1
Administrations provinciales	3,4	3,8	4,2
Administration fédérale	2,3	6,4	4,5
Organisations à but non lucratif (églises, clubs philanthropiques, syndicats, etc.)	0,8	0,4	0,5
Autres	31,2	33,3	35,4
Recettes totales	**100,0**	**100,0**	**100,0**

Source : Statistique Canada, Enquête sur le développement de logiciels et les services informatiques, 1997.

Tableau 25.11

Statistiques sommaires sur les services d'architecture, Québec, Ontario et Canada, 1997 et 1998

	Unité	Québec		Ontario		Canada	
		1997	1998	1997	1998	1997	1998
Entreprises	n	617	686	1 053	1 199	2 986	3 313
Part dans l'ensemble du Canada	%	20,6	20,7	35,2	36,2	100,0	100,0
Recettes	'000 $	172 215,6	205 207,7	424 414,4	433 984,4	1 049 183,3	1 039 325,1
Part dans l'ensemble du Canada	%	16,4	19,7	40,5	41,8	100,0	100,0
Salaire, rémunération et avantages sociaux	'000 $	47 649,2	64 656,0	141 714,5	156 960,8	355 034,5	369 392,3
Part dans l'ensemble du Canada	%	12,9	17,5	40,0	42,5	100,0	100,0
Bénéfices avant impôt	'000 $	37 459,7	43 738,4	58 011,6	68 439,7	190 577,1	179 879,4
Marge bénéficiaire	%	21,8	21,3	13,7	15,8	18,2	17,3

Source : Statistique Canada, Enquête sur le secteur des services d'architecture, 1998.

26

Institutions financières

Liste des tableaux

Liste des figures

Ce chapitre a été réalisé par James O'Connor et Carl Poulin, de la Direction des comptes et des études économiques de l'Institut de la statistique du Québec.

Dès la première édition de l'*Annuaire statistique,* en 1914, il était déjà question des banques, dans le chapitre sur le commerce, et des Caisses d'Économies de Montréal et de Québec dans le chapitre intitulé « Épargne, Mutualité et Prévoyance ». À ce moment, les statistiques portaient surtout sur le nombre de banques et de succursales faisant affaires dans « la puissance du Canada », ainsi que sur l'état des recettes et déboursés des caisses d'économie. Deux ans plus tard, soit en 1916, une petite section fut ajoutée sur les caisses populaires. Il faut attendre, toutefois, l'*Annuaire statistique* de 1923 pour qu'une véritable analyse du mouvement progressif des caisses y figure. À partir de l'édition 1955, les statistiques des banques et des caisses vont être réunies dans un même chapitre. Le terme « institution financière » sera utilisé pour la première fois dans l'édition de 1970, à la suite de la création, durant les années 60, de plusieurs institutions financières québécoises majeures, notamment la Caisse de dépôt et de placement du Québec, la Société générale de financement du Québec et la Régie de l'assurance-dépôts du Québec.

Les institutions financières

Le rôle des institutions financières consiste à fournir une variété de produits et de services financiers qui permettront à l'emprunteur et à l'épargnant d'établir un échange sur le marché financier. À titre d'intermédiaires de financement, elles cherchent à amortir sur un grand nombre de transactions le risque associé à chaque type de financement et à le refléter dans le coût de celui-ci. Parallèlement, elles offrent une gamme de placements correspondant à différents risques et à autant de taux de rendement. Les institutions financières permettent donc aux divers agents économiques, soit les ménages, les entreprises et les gouvernements, d'avoir accès à un bien plus grand nombre d'occasions d'affaires que s'ils étaient isolés dans un espace économique où ils devraient individuellement entrer en interaction les uns avec les autres.

Les institutions financières se divisent en plusieurs groupes, dont les caractéristiques particulières découlent des pouvoirs et des obligations qui leur sont accordés ou échus par le biais de leur loi constitutive. Ces caractéristiques touchent principalement la structure de l'actif et du passif, la variété des instruments de placement et de crédit offerts à la clientèle et les possibilités de capitalisation auxquelles ces institutions peuvent recourir.

Les institutions de dépôt

Les institutions de dépôt se distinguent des autres institutions financières par le fait que les opérations de prêt et de placement inscrites à leur bilan sont soutenues principalement par les dépôts de leur clientèle. Elles regroupent les banques, les caisses d'épargne et de crédit, les sociétés de fiducie et les sociétés d'épargne ou de prêt hypothécaire. S'adressant à l'ensemble des agents économiques avec une vaste gamme de services et de produits financiers, elles s'appuient sur un réseau incomparable de succursales, de comptoirs et de guichets automatiques, de même que sur l'apport de filiales répondant aux besoins plus particuliers de leurs clientèles.

En 1999, le bilan des institutions de dépôt affiche au Québec des dépôts des particuliers de 88,4 milliards de dollars, des prêts hypothécaires de 66,6 milliards de dollars et des prêts non hypothécaires aux entreprises et aux particuliers de 29,6 et de 24,8 milliards de dollars respectivement (tableaux 26.1, 26.2 et 26.3).

Durant la période de 1989 à 1999, les principaux éléments de l'actif et du passif des institutions de dépôt progressent davantage au cours des cinq premières années que durant la deuxième tranche quinquennale. Les principaux facteurs en cause sont l'évolution des taux d'intérêt, la titrisation croissante des prêts et la diversification accrue des sources du financement corporatif.

Après avoir connu des sommets au début des années 80 (17,8 % en août 1981), les taux d'intérêt accordés sur les certificats de placement garanti (CPG), dont le terme est de cinq ans, ont largement fluctué et sensiblement diminué. De 1989 à la fin de 1994, les taux varient de 11,8 % à 4,9 % et affichent une moyenne de 8,2 % (tableau 26.4). Au cours des cinq années qui ont suivi, les rendements offerts sur les CPG de cinq ans passent de 8,6 % à 4,1 %, pour une moyenne de 5,3 %. Cette conjoncture affecte la progression des dépôts des particuliers (incluant les CPG) en entraînant une perte de leur popularité auprès de l'épargnant qui jette son dévolu sur d'autres produits d'épargne, en particulier sur les fonds communs de placement. De 1989 à 1994, la valeur totale des dépôts des particuliers connaît une croissance de 23,2 %, alors qu'elle diminue de 2,1 % au cours des cinq années suivantes.

La titrisation d'une partie des prêts hypothécaires résidentiels et des prêts non hypothécaires aux particuliers (crédit à la consommation) octroyés par les institutions de dépôt au Canada a pris beaucoup d'ampleur depuis 1997, et le marché québécois n'en a pas été exempt. Lorsqu'une institution de dépôt transforme un prêt en certificat de placement pour la période du terme de celui-ci, un montant équivalent quitte le bilan financier de l'institution prêteuse pour la durée du titre ou du certificat émis, et il ne le réintégrera qu'à l'occasion de la renégociation du terme subséquent, s'il y a lieu.

En décembre 1989, 1,3 % de l'encours canadien des prêts hypothécaires résidentiels avait fait l'objet d'une titrisation. Cette part s'établissait à 5,1 % en 1994 et ne s'est pas accrue avant la fin de 1997. C'est alors que le phénomène s'accélère, et la proportion atteint 11,0 % du marché des prêts hypothécaires résidentiels canadiens à la fin de 1999. Malgré la récession de 1991, la croissance totale de l'encours des prêts hypothécaires résidentiels des institutions de dépôt au Québec s'élève à 32,9 % entre 1989 et 1994 comparativement à 9,3 % de 1994 à 1999.

La titrisation des prêts à la consommation est apparue plus tardivement (1991) que celle des prêts hypothécaires résidentiels (1987), mais s'est accélérée au cours de l'année 1997 en passant de 2,4 % à 6,1 % de l'ensemble des prêts à la consommation octroyés à des Canadiens. De 1997 à 1999, le volume occupé par la titrisation des prêts à la consommation poursuit sa croissance et accapare, à la fin de 1999, 12,5 % de l'encours canadien de ce type de prêts. En dépit des affres de la récession du début des années 90, les prêts non hypothécaires aux particuliers des institutions de dépôt au Québec augmentent de 25,9 % entre 1989 et 1999, mais ne progressent que de 15,7 % au cours des cinq années suivantes.

Durant la période 1989-1999, l'évolution du crédit offert aux entreprises par les institutions de dépôt au Canada a été marquée par un élan de diversification des instruments de financement (figure 26.1). Dans les faits, cette tendance s'est traduite par un usage accru des obligations corporatives, des actions et autres participations au capital, ainsi que des acceptations bancaires. Dans ce dernier cas, un intermède important est survenu durant la récession de 1991.

En 1989, les acceptations bancaires constituent un instrument de financement de court terme très populaire qui représente 10,1 % de l'ensemble du financement des entreprises au Canada. Cependant, la récession du début de la décennie 90 fait reculer cette part à 3,3 % du marché en février 1993; elle progresse ensuite de nouveau pour atteindre 5,2 % en 1994 et 6,6 % à la fin de 1999. Les obligations comptent pour 15,6 % du financement des entreprises au Canada en 1989, 18,0 % en 1994 et 24,5 % en 1999. De leur côté, les actions occupent 23,7 % de ce marché en 1989, 30,1 % en 1994 et 31,3 % en 1999. Les acceptations bancaires, les obligations et les actions des entreprises réunies comptent pour 62,4 % de la totalité du financement des entreprises au Canada en 1999, comparativement à 49,7 % dix ans plus tôt.

L'ensemble des prêts aux entreprises des institutions de dépôt actives au Canada représentait 28,5 % du total du marché canadien en 1989, 24,4 % en 1994 et, enfin, 19,6 % en 1999 (tableaux 26.5 et 26.6). De 1989 à 1994, le marché canadien du crédit aux entreprises s'accroît à un rythme annuel moyen composé de 3,4 %, par rapport à 0,3 % et à 0,7 % respectivement pour le portefeuille des prêts aux entreprises des institutions de dépôt octroyés au Canada et au Québec. Durant la période de 1994 à 1999, ces pourcentages vont augmenter à 7,3 % pour l'ensemble du marché canadien, à 2,7 % pour la part détenue par les institutions de dépôt au Canada et, finalement, à 2,4 % pour celle au Québec.

La progression des principaux éléments du bilan des institutions de dépôt s'est donc réalisée au ralenti entre 1989 et 1999, tant du côté des instruments traditionnels de financement que de celui des activités de crédit. Cette situation reflète paradoxalement le succès rencontré dans l'adaptation de ces entreprises à une longue conjoncture de taux d'intérêt baissiers, aux avancées sans cesse renouvelées des technologies de l'information, ainsi qu'à l'émergence d'une concurrence animée par l'arrivée de nouveaux acteurs internationaux.

Cette adaptation s'est effectuée par la participation directe des institutions, ou par celle de filiales, à la mise sur pied et à la commercialisation de produits concurrents à l'offre traditionnelle des services d'épargne et de crédit telle que présentée dans le bilan financier des institutions de dépôt. Ainsi, face au recul des taux d'intérêt offerts sur les certificats de placement garantis ou des dépôts à terme, ces institutions ont créé et fait l'acquisition de fonds communs de placement. Elles ont confié la gestion de ces fonds à des filiales, et assuré elles-mêmes leur vente en succursale parallèlement à des fonds concurrents. Bien qu'absentes de leur bilan financier, ces opérations contribueront à faire progresser les revenus des institutions de dépôt en permettant encore une fois à celles-ci de jouer le rôle d'intermédiaire par l'émission de titres de créance détenus par des tiers. Cependant, dans le cas des acceptations bancaires, elles seront inscrites au bilan, à la fois comme passif et actif, afin de bien mettre en évidence que ces contrats de financement à court terme sont liés à des garanties offertes par la banque émettrice.

La titrisation des prêts s'est réalisée essentiellement grâce à l'apport des portefeuilles de prêts détenus par l'ensemble des institutions de dépôt. Cette opération permet à la fois de financer différemment une partie de ses activités de prêteur en réduisant la pression sur la croissance du passif-dépôt, de créer un véhicule de placement qui peut intéresser l'épargnant et, aussi, de remplacer par des revenus de gestion une partie des revenus traditionnels liés à la marge brute des taux d'intérêt.

Les activités de financement lié au capital des entreprises (actions et obligations) sont aussi largement l'affaire des institutions de dépôt qui, après une première incursion dans le courtage mobilier au début des années 80, dominent le marché dans les années 90 par l'acquisition de presque toutes les principales firmes de courtage au pays. Le courtage mobilier permet donc maintenant d'inclure un éventail de produits et de services d'épargne et de crédit à l'offre de services des institutions de dépôt, une offre de services qui se démarque par une diversification accrue des sources de revenus.

Les institutions de dépôt sont présentes dans toutes les régions du Québec. En 1999, un total de 3 131 succursales ou comptoirs sont répartis sur tout le territoire québécois (tableau 26.7). Les caisses d'épargne et de crédit regroupent 52 % de ces établissements contre 46 % pour les banques à charte. Les sept banques canadiennes sont responsables du déploiement des centres de services bancaires (98 %) au Québec. Peu impliquées dans le marché au détail, les dix banques étrangères actives sur le territoire québécois sont concentrées dans la région de Montréal (23 de leurs 32 succursales).

Les banques détiennent 52,3 % du marché des dépôts des particuliers au Québec en 1999, contre 44,7 % pour les caisses d'épargne et de crédit. Une présence aussi marquée de la part des caisses au Québec est unique au Canada. À titre de comparaison, les caisses hors Québec occupent 11,8 % de ce marché comparativement à 74,5 % pour les banques. De 1989 à 1997, plus d'une douzaine de milliards de dollars de dépôts passent aux mains des banques au Québec lorsqu'elles acquièrent d'importantes sociétés de fiducie et de prêt hypothécaire. Pour l'ensemble du marché canadien des dépôts des particuliers, ce transfert du bilan des sociétés de fiducie vers celui des banques représente plus de cinquante milliards de dollars. Malgré cet état de fait, la croissance annuelle moyenne des dépôts des particuliers confiés aux caisses s'élève à 4,4 % au Québec entre 1989 et 1999, par rapport à 3,5 % pour ceux recueillis par les banques (tableau 26.1).

L'impact du passage de la majorité des plus importantes sociétés de fiducie et de prêt hypothécaire au sein du giron des banques est plus marquant sur le marché du prêt hypothécaire résidentiel. Au cours de la période de 1989 à 1999, les prêts hypothécaires résidentiels des banques progressent de 7,2 % au Québec, et ceux des caisses d'épargne et de crédit de 4,9 % (tableau 26.2). Il n'en est pas de même pour l'encours des prêts à la consommation. La croissance annuelle moyenne des banques au Québec ne s'élève qu'à 2,4 %, comparativement à 7,2 % pour les caisses (tableau 26.3). Les caisses détiennent 45,0 % des prêts hypothécaires résidentiels consentis par les institutions de dépôt au Québec en 1999, contre 53,6 % pour les banques, et 38,6 % de l'encours des prêts à la consommation des institutions de dépôt, par rapport à 60,4 % pour les banques. Bien que la progression annuelle moyenne du crédit commercial accordé par les caisses d'épargne et de crédit soit supérieure à celle des banques entre 1989 et 1999 (3,7 % en regard de 2,2 %), 66,4 % de ce marché demeure l'affaire des banques en 1999, les caisses détenant une part de 33,2 %.

Les fonds communs de placement

Au cours de la période de 1989 à 1999, les fonds communs de placement ont connu une progression très rapide au Canada. L'ensemble du marché canadien de ces fonds, communément appelés aussi fonds mutuels, affichait approximativement un actif de 31 milliards de dollars à la fin de 1989, contre 389,7 milliards dix ans plus tard, ce qui représente une croissance annuelle moyenne de 28,7 %. Plusieurs facteurs contribuent à cette explosion des fonds communs de placement au Canada, les deux principaux étant la baisse des taux accordés sur les certificats de placement garanti et les nouvelles émissions obligataires des gouvernements, de même que les performances positives enregistrées par les marchés financiers. La progression annuelle moyenne composée de l'indice TSE (300) durant la période 1989-1999 s'élève à 7,8 %, alors qu'elle atteint 15,3 % pour le Standard and Poors 500. Ces taux de croissance excluent cependant les rendements sous forme de dividendes qui ont varié de 1,1 % à 3,9 % sur une base annuelle, leur taux moyen s'élevant à 2,4 % pour l'ensemble de la période.

L'actif détenu par les Québécois dans les fonds communs de placement s'élève à 62,5 milliards de dollars au 4e trimestre de 2000. À la même date, la totalité du marché canadien se chiffrait à 418,9 milliards de dollars. La valeur des unités de fonds communs de placement détenues par des personnes résidant au Québec représente donc 14,9 % du portefeuille des fonds communs de placement des Canadiens à la fin de 2000.

Entre le 4e trimestre 1995, soit au début de la période pour laquelle l'Institut de la statistique du Québec (ISQ) dispose de premiers résultats d'enquête sur la détention de fonds communs de placement au Québec, et le 4e trimestre de 2000, la progression de la vente de ces fonds au Québec est plus rapide que dans l'ensemble du marché canadien (figure 26.2). Le taux de croissance annuel moyen composé s'élève à 27,0 %, comparativement à 23,4 % pour l'ensemble du marché canadien. La valeur du portefeuille de fonds mutuels détenus par les Québécois a donc plus que triplé au cours de cette période, alors que leur part dans le marché canadien est passée de 12,9 % à 14,9 %.

Les différences observées entre le Québec et le Canada dans la répartition selon le type de fonds communs de placement détenus sont demeurées fondamentalement les mêmes au cours de la période pour laquelle des données sont disponibles sur le Québec, c'est-à-dire à partir du 4e trimestre de 1997. À la fin de 2000, les fonds d'actions occupent 58,6 % du portefeuille moyen au Québec, comparativement à 64,8 % des fonds détenus par l'ensemble des Canadiens. À l'opposé, avec une part respective de 22,0 % et de 15,9 %, les fonds équilibrés sont plus populaires auprès des Québécois que des Canadiens. Les préférences du détenteur moyen au Québec diffèrent peu de celles de l'ensemble des Canadiens pour ce qui est des autres types de fonds. Les fonds obligataires constituent 7,1 % des fonds détenus au Québec, contre 7,5 % dans l'ensemble du Canada, alors que les fonds monétaires comptent pour 9,1 % du total du marché québécois et 10,4 % de celui du Canada. Si la comparaison entre le portefeuille moyen de l'ensemble des Canadiens et celui des Québécois témoigne du caractère plus prudent des choix faits par les acheteurs résidant au Québec, elle révèle également l'impact particulier qu'auront les fluctuations des valeurs mobilières sur l'analyse comparative de la progression des marchés québécois et canadien.

La répartition de l'actif des fonds communs de placement détenus au Québec, selon l'affiliation à une institution de dépôt ou à une société d'assurance-vie (les fonds distincts ne sont pas inclus) s'établit comme suit au 4e trimestre de 2000 : 66,9 % du marché québécois est détenu par les familles de fonds dites indépendantes, 29,7 % par celles qui sont affiliées à une institution de dépôt et 3,4 % par les fonds affiliés à une société d'assurance-vie.

Le taux de croissance annuel moyen des fonds affiliés aux institutions de dépôt s'élève à 24,7 % entre le 4e trimestre 1995 et le 4e trimestre 2000. Durant la même période, les familles de fonds dites indépendantes ont affiché une progression annuelle moyenne de 28,0 %, comparativement à 30,5 % pour les fonds communs de placement affiliés aux sociétés d'assurance-vie.

Les sociétés d'assurances

Ce groupe comprend les sociétés offrant de l'assurance et des rentes, et qui sont régies soit par la Loi sur les compagnies d'assurances canadiennes et britanniques, soit par la Loi sur les compagnies d'assurance étrangères ou la loi provinciale correspondante. Il existe deux catégories d'assurances : les assurances de personnes, qui permettent à l'assuré (ou à ses survivants) de toucher une somme d'argent en cas de maladie, d'accident, de retraite ou de décès, et les assurances de dommages, qui garantissent à l'assuré une protection financière en cas de pertes matérielles personnelles ou de préjudices à autrui résultant d'un événement pouvant engager sa responsabilité.

En 1999, 339 sociétés d'assurances sont titulaires d'un permis dans le but de faire des affaires au Québec (tableau 26.8). La majorité, soit 242, sont des sociétés à fonds social et les 97 autres sont des sociétés mutuelles. Au total, 118 possèdent une charte d'un État ou pays étranger, le même nombre, une charte canadienne, 47, une charte québécoise et 13, une charte d'une autre province. De 1994 à 1999, les primes perçues au Québec passent de 10,1 milliards à 10,8 milliards de dollars, soit une croissance annuelle moyenne de 1,3 % (tableau 26.9). Pour leur part, les primes pour les assurances de personnes passent de 6,1 milliards à 6,3 milliards de dollars, soit de 60,5 % à 58,7 % du total. Enfin, les primes perçues pour les assurances de dommages passent de 4,0 milliards à 4,5 milliards de dollars.

Au cours de la même période, les prestations et participations versées aux assurés passent de 8,9 milliards à 9,6 milliards de dollars, ce qui représente une croissance annuelle moyenne de 1,7 % (tableau 26.10). En 1999, les compagnies d'assurances de personnes ont versé 6,3 milliards de dollars, soit 65,7 % de l'ensemble, alors que les compagnies d'assurances de dommages ont distribué 3,3 milliards, soit 34,3 % du total. Dans l'ensemble, de 1994 à 1999, l'accroissement des prestations et participations versées aux assurés (+ 8,6 %) est supérieur à celui des primes ou cotisations perçues (+ 6,8 %) , sauf pour les assurances de personnes dont les primes ont augmenté de 3,6 % comparativement à une baisse de 0,4 % des prestations et participations versées durant cette période.

Les sociétés financières publiques

La Caisse de dépôt et de placement du Québec

Créée en 1965, la Caisse de dépôt et de placement du Québec investit, comme gestionnaire de portefeuilles, les fonds de caisses de retraite, de régimes d'assurance et d'organismes publics québécois. Au 31 décembre 1999, l'avoir des déposants s'élève à 81,1 milliards de dollars (tableau 26.11). Les principaux déposants sont la Commission administrative des régimes de retraite et d'assurances (CARRA), avec 42,7 % de cet avoir, la Régie des rentes du Québec (21,6 %), la Commission de la santé et de la sécurité du travail (10,5 %), la Commission de la construction du Québec (9,5 %) et la Société de l'assurance automobile du Québec (9,1 %). En 1999, les obligations comptent pour 34,0 % du total des placements et les actions, pour 45,4 %. Les obligations émises et garanties par le gouvernement du Québec représentent 52,5 % du portefeuille obligataire de la Caisse de dépôt et de placement du Québec.

Investissement Québec

Cette nouvelle société d'État, constituée par l'Assemblée nationale en juin 1998, a pour mandat d'accroître les investissements privés au Québec, ainsi que de stimuler et de soutenir la création d'emplois, tout en participant à la croissance des entreprises par le biais de la recherche et du soutien à l'investissement et à l'exportation. Investissement Québec a été constituée en regroupant les effectifs et les portefeuilles d'interventions financières de la Société de développement industriel du Québec et de la Direction générale des investissements étrangers du ministère de l'Industrie et du Commerce du Québec.

La Société a reçu comme mandat d'attirer, au cours de ses cinq premières années d'exercice, des investissements de 6,3 milliards de dollars au Québec, qu'il s'agisse d'investissements locaux ou étrangers. Au 31 mars 2000, soit vingt mois après sa création, elle avait atteint un engagement de 8,8 milliards de dollars d'investissements.

La Société générale de financement du Québec

Constituée en 1962 et ayant le gouvernement du Québec pour seul actionnaire, la Société générale de financement du Québec (SGF) assume, en collaboration avec des partenaires, la gestion de groupes industriels d'entreprises manufacturières d'importance dans des secteurs stratégiques de l'économie québécoise. Son mandat est de réaliser des projets de développement économique, notamment dans le secteur industriel.

L'actif consolidé de la SGF atteint près de 2,0 milliards de dollars au 31 décembre 1999, en hausse de 11,3 % par rapport à l'année précédente. Les profits nets enregistrés s'élèvent à 115,8 millions de dollars, comparativement à 78,7 millions en 1998. Le secteur de l'agroalimentaire génère la plus grande partie des bénéfices bruts sectoriels en 1999 avec 47,2 % du total, suivi des produits forestiers (33,7 %). Quant à lui, le secteur de la haute technologie est responsable de 41,7 % des pertes brutes sectorielles de la SGF, contre 39,1 % pour le secteur de la santé.

La Régie de l'assurance-dépôts du Québec

La Régie de l'assurance-dépôts du Québec (RADQ) est un organisme du gouvernement du Québec constitué par la Loi sur l'assurance-dépôts (L.R.Q., c. A-26) sanctionnée le 29 juin 1967. La RADQ a comme mission la protection des petits épargnants. Ses objectifs sont de régir la sollicitation et la réception de dépôts d'argent du public, de garantir le paiement des dépôts d'argent, de gérer le fonds d'assurance-dépôts et d'administrer un régime de permis.

La garantie de la RADQ s'applique jusqu'à concurrence de 60 000 $ par personne, par institution inscrite. Elle s'applique à l'ensemble des dépôts garantis (incluant les intérêts courus sur ces derniers) au nom d'une même personne dans une même institution inscrite.

En 1999, 1 200 institutions étaient inscrites à la Régie de l'assurance-dépôts du Québec. Des 76,5 milliards de dollars de dépôts reçus, 49,8 milliards de dollars étaient garantis par la Régie. Avec un avoir net de 180,8 millions de dollars, la capitalisation du fonds d'assurance-dépôts est de 0,363 % des dépôts enregistrés par la Régie.

La Société de l'assurance automobile du Québec

Créée en 1977, la Société de l'assurance automobile du Québec administre le régime universel d'indemnisation des victimes de dommages corporels causés par une automobile, veille à l'indemnisation et à la réadaptation des accidentés de la route, fait la promotion de la sécurité routière, gère le droit d'accès au réseau routier québécois et perçoit les droits (permis de conduire, immatriculation des véhicules), et contrôle le transport routier de personne et de marchandise.

Les revenus de la Société sont demeurés relativement stables de 1989 à 1999, en passant de 1,0 milliard à 1,2 milliard de dollars (tableau 26.12). En 1999, les contributions et les coûts de permis de conduire et d'immatriculation s'élèvent à 609,8 millions de dollars, soit 51,9 % du total; les revenus de placement atteignent pour leur part 449,2 millions de dollars (38,2 %), et la contribution du gouvernement du Québec se chiffre à 34,0 millions (2,9 %).

La Banque de développement du Canada

En juillet 1995, le gouvernement fédéral a mis à jour et renouvelé la Loi sur la Banque de développement du Canada. La Banque de développement du Canada (BDC), ancienne-ment nommée Banque fédérale de développement (BDF), est une institution financière qui fournit des services financiers et des services de consultation aux PME canadiennes.

En 1999, le nombre de prêts accordés par la BDC au Canada se chiffre à 6 035, dont 1 978 pour le Québec, pour un montant global de 533,4 millions de dollars sur un total de 1,2 mil-liard de dollars pour l'ensemble du Canada. Les prêts de moins de 100 000 $ comptent pour 8,1 % du total canadien, ceux de 100 000 $ à 500 000 $, pour 36,4 %, alors que les prêts de 500 000 $ et plus occupent 55,6 % des montants prêtés en 1999. L'encours des prêts consentis par la BDC atteint 4,9 milliards de dollars au 31 mars 1999. Le total des prêts accordés au Québec se chiffre, quant à lui, à 1,9 milliard de dollars.

La Société de financement agricole

La Société de financement agricole est devenue la Financière agricole du Québec le 17 avril 2001, à la suite du regroupement de la Régie des assurances agricoles du Québec et de la Société de financement agricole. Elle a pour mission de favoriser le développement écono-mique du secteur bioalimentaire québécois, en apportant aux entreprises agricoles et forestières les ressources financières dont elles ont besoin.

Près de 18 000 entreprises agricoles et 2 000 exploitations forestières font appel à ses servi-ces. Le volume de prêts qu'elle garantit représente une part importante du financement agri-cole québécois. En 1999-2000, l'encours des prêts garantis par la Société se chiffre à 3,4 milliards de dollars, comparativement à 2,2 milliards en 1994-1995, soit une augmentation annuelle moyenne de 9,7 %. L'utilisation des prêts en 1999-2000 se concentre à 59,2 % dans le secteur de la production laitière et à 12,0 % dans la production porcine.

Autres institutions financières

Cette section regroupe différents types d'institution financière pour lesquels aucune donnée québécoise n'est disponible. Voici un bref aperçu de leurs activités à l'échelle cana-dienne.

Les sociétés de crédit à la consommation et aux entreprises

Les sociétés financières, les sociétés de prêts aux consommateurs, les sociétés de crédit-bail et les sociétés de financement des entreprises fournissent du financement à court terme aux particuliers et aux entreprises, et elles accordent des prêts aux entreprises en contrepartie de certaines garanties. Ces entreprises financent leurs opérations au moyen de bénéfices non répartis, d'effets à court terme, d'obligations, d'emprunts auprès des banques ou de leur siège social, et par l'émission de titres.

En 2000, elles affichent des prêts à la consommation de 17 milliards de dollars, soit 8,6 % du total canadien. Elles cumulent également des prêts à court terme aux entreprises canadiennes de l'ordre de 14 milliards de dollars, ainsi que des créances résultant du crédit-bail s'élevant à 11 milliards, soit 3,2 % de l'ensemble du crédit octroyé aux entreprises au Canada.

Les sociétés d'investissement

Les sociétés d'investissement comprennent les sociétés de placement, qui incluent notamment les fonds communs de placement dont nous avons traité précédemment, les caisses séparées ou fonds distincts des sociétés d'assurance-vie et de secours mutuels, et diverses sociétés d'investissement actives dans la gestion de fonds de retraite ou de portefeuilles. Ces entreprises se financent presque exclusivement par la participation des actionnaires et le réinvestissement des profits réalisés. Les fonds distincts des sociétés d'assurance-vie cumulent un actif de 66,9 milliards de dollars en 1999, comparativement à 27,5 milliards en 1994, soit un taux de croissance annuel moyen de 19,5 %. Cette progression a été le plus marquée en 1997 et 1998 puisque les épargnants habitués à des rendements élevés ont tenté de protéger leurs gains avec des placements garantissant leur capital. En ce qui concerne les autres sociétés d'investissement, les données qui leur sont propres ne sont pas disponibles.

Les courtiers en valeurs mobilières

En 2000, on compte 191 entreprises de courtage en valeurs mobilières au Canada, parmi lesquelles 7 sociétés intégrées, toutes affiliées aux banques en 2001, couvrent tous les aspects du courtage, du marché institutionnel au marché de détail. Ces dernières génèrent 70 % de l'ensemble des recettes de l'industrie qui s'élèvent à 12,3 milliards de dollars en 2000, en forte progression (39,1 %) par rapport à l'année précédente. Toujours selon les données de l'Association canadienne des courtiers en valeurs mobilières, la croissance annuelle moyenne des revenus de l'industrie atteint 17,7 % entre 1990 et 2000, et se situe à 19,0 % de 1995 à 2000.

Références

ASSOCIATION CANADIENNE DES COURTIERS EN VALEURS MOBILIÈRES. *Site de l'Association canadienne des courtiers en valeurs mobilières*, [En ligne], [http://www.ida.ca/].
BANQUE DU CANADA. *Statistiques bancaires et financières*, publication mensuelle, Canada, 134 p.
INSTITUT DE LA STATISTIQUE DU QUÉBEC. *Institutions de dépôt*, publication trimestrielle, Québec, Gouvernement du Québec.
INSTITUT DE LA STATISTIQUE DU QUÉBEC. *L'activité des institutions de dépôt au Québec*, publication annuelle, Québec, Gouvernement du Québec.

Définitions

Encours

Total accumulé au bilan d'une institution financière, à une date donnée, des dettes contractées auprès d'elle sous forme de prêts.

Indice TSE-300

Indice boursier du Toronto Stock Exchange qui regroupe, en pondérant leur poids respectif, les 300 plus importants titres inscrits à la bourse de Toronto.

Prêts aux entreprises

Incluent les prêts non hypothécaires aux entreprises et aux agriculteurs, et excluent le crédit bail.

Standard and Poors 500

Indice américain S&P500 qui représente le marché boursier américain.

Titrisation

Transformation d'un prêt par une institution financière en certificat de placement qui sera détenu par un tiers pour la période du terme de celui-ci.

Tableau 26.1

Dépôts des particuliers, dont les abris fiscaux, reçus par les institutions de dépôt selon le type d'institutions, Québec, 4ᵉ trimestre 1989, 1994 et 1997-1999

Institutions	Année	Dépôts à vue		Dépôts à terme		Total des dépôts	
		Total	Dont abris fiscaux	Total	Dont abris fiscaux	Total	Dont abris fiscaux
		'000 $					
Banques à charte canadiennes	1989	15 201 869	402 041	17 074 709	5 866 067	32 276 578	6 268 108
	1994	13 343 461	508 093	35 676 354	14 036 196	49 019 815	14 544 289
	1997	13 354 070	552 547	32 483 072	13 832 221	45 837 142	14 384 768
	1998	12 907 902	424 711	31 535 718	12 621 772	44 905 525	13 046 483
	1999	13 268 910	817 757	32 420 715	12 301 607	45 689 625	13 119 364
Banques à charte étrangères	1989	171 892	1 384	378 099	86 194	549 991	87 578
	1994	123 161	1 609	527 036	114 162	650 197	115 771
	1997	134 829	2 419	414 342	114 523	549 171	116 942
	1998	150 227	1 323	416 864	107 894	567 091	109 217
	1999	162 903	1 575	411 280	106 849	574 183	108 424
Fédérations, Caisse centrale et caisses locales Desjardins	1989	8 853 857	307 658	16 923 049	4 275 809	25 776 906	4 583 467
	1994	10 351 652	769 088	25 481 286	9 223 409	35 832 938	9 992 497
	1997	10 609 866	558 599	27 026 188	10 965 973	37 636 054	11 524 572
	1998	10 535 341	442 756	27 683 979	11 064 315	38 219 320	11 507 071
	1999	10 553 912	373 315	28 963 097	11 700 508	39 517 009	12 073 823
Sociétés de fiducie ou de prêt hypothécaire	1989	1 733 503	187 595	12 915 491	3 938 837	14 648 994	4 126 432
	1994	562 626	47 857	4 187 418	1 730 067	4 750 044	1 777 924
	1997	419 008	49 893	2 006 274	944 134	2 425 282	994 027
	1998	880 659	22 287	1 813 547	923 196	2 694 206	945 483
	1999	896 184	20 351	1 715 732	851 871	2 611 916	872 222
Total	**1989**	**25 961 121**	**898 678**	**47 291 348**	**14 166 907**	**73 252 469**	**15 065 585**
	1994	**24 380 900**	**1 326 647**	**65 872 094**	**25 103 834**	**90 252 994**	**26 430 481**
	1997	**24 517 773**	**1 163 458**	**61 929 876**	**25 856 851**	**86 447 649**	**27 020 309**
	1998	**24 474 129**	**891 077**	**61 450 108**	**24 717 177**	**86 386 142**	**25 608 254**
	1999	**24 881 909**	**1 212 998**	**63 510 824**	**24 960 835**	**88 392 733**	**26 173 833**

Sources : Institut de la statistique du Québec.
Statistique Canada.
Inspecteur général des institutions financières (Québec).
Surintendant des institutions financières (Canada).
Banque du Canada.
Confédération des caisses populaires et d'économie Desjardins du Québec.

Tableau 26.2
Prêts hypothécaires des institutions de dépôt, Québec, 4ᵉ trimestre 1989, 1994 et 1997-1999

Institutions	Année	Résidentiels			Non résidentiels	Total
		L.N.H.	Conventionnels	Total		
		'000 $				
Banques à charte canadiennes	1989	4 568 000	11 354 000	15 922 000	681 000	16 603 000
	1994	9 718 623	18 177 101	27 895 724	2 678 904	30 574 628
	1997	15 809 802	16 343 064	32 152 866	2 207 387	34 360 253
	1998	18 375 856	15 021 789	33 397 645	2 133 987	35 531 632
	1999	17 606 182	14 241 049	31 847 231	2 170 233	34 017 464
Banques à charte étrangères	1989	1 000	159 000	160 000	577 000	737 000
	1994	23 259	214 885	238 144	585 516	823 660
	1997	53 899	292 870	346 769	499 163	845 932
	1998	80 653	238 727	319 380	442 396	761 776
	1999	83 476	259 385	342 861	224 474	567 335
Fédérations, Caisse centrale et	1989	839 969	15 958 969	16 798 938	1 159 473	17 958 411
caisses locales Desjardins	1994	3 619 344	20 704 766	24 324 110	3 656 825	27 980 935
	1997	5 307 839	20 728 365	26 036 204	3 697 390	29 733 594
	1998	5 915 277	20 577 146	26 492 423	3 489 853	29 982 276
	1999	6 302 120	20 702 600	27 004 720	3 987 989	30 992 709
Sociétés de fiducie ou	1989	213 352	6 942 490	8 484 541	2 642 438	11 126 979
de prêt hypothécaire	1994	824 269	1 681 507	2 505 776	459 379	2 965 155
	1997	460 897	658 394	1 119 291	129 151	1 248 442
	1998	352 314	647 048	999 362	110 425	1 109 787
	1999	316 195	547 716	863 911	122 599	986 510
Total	**1989**	**5 622 321**	**34 414 459**	**41 365 479**	**5 059 911**	**46 425 390**
	1994	**14 185 495**	**40 778 259**	**54 963 754**	**7 380 624**	**62 344 378**
	1997	**21 632 437**	**38 022 693**	**59 655 130**	**6 533 091**	**66 188 221**
	1998	**24 724 100**	**36 484 710**	**61 208 810**	**6 176 661**	**67 385 471**
	1999	**24 307 973**	**35 750 750**	**60 058 723**	**6 505 295**	**66 564 018**

Sources : Institut de la statistique du Québec.
Statistique Canada.
Inspecteur général des institutions financières (Québec).
Surintendant des institutions financières (Canada).
Banque du Canada.
Confédération des caisses populaires et d'économie Desjardins du Québec.

Tableau 26.3
Prêts non hypothécaires des institutions de dépôt, Québec, 4ᵉ trimestre 1989, 1994 et 1997-1999

Institutions	Année	Prêts non hypothécaires					Contrat de crédit-bail
		Aux particuliers	Aux agriculteurs	Aux entreprises	Autres	Somme partielle	
		'000 $					
Banques à charte canadiennes	1989	11 587 000	1 060 000	14 578 000	2 312 000	29 537 000	679 000
	1994	13 466 589	1 238 968	14 588 593	2 030 620	31 324 770	271 377
	1997	13 922 232	1 626 491	16 176 867	2 496 895	34 222 485	311 830
	1998	13 516 036	1 812 699	18 655 820	2 176 836	36 161 391	367 891
	1999	14 188 570	2 062 883	17 138 861	2 568 380	35 958 694	510 180
Banques à charte étrangères	1989	202 000	18 000	2 448 000	174 000	2 842 000	79 000
	1994	392 757	55	2 523 570	1 264 029	4 180 411	93 561
	1997	533 205	4 728	2 330 804	1 076 894	3 945 631	101 511
	1998	605 131	7 489	1 955 741	1 233 588	3 801 949	103 21
	1999	764 389	8 793	2 353 911	830 412	3 957 505	112 509
Fédérations, Caisse centrale et caisses locales Desjardins	1989	4 761 348	917 069	6 223 141	1 084 516	12 986 074	–
	1994	7 334 077	1 663 313	4 568 663	1 735 551	15 301 604	–
	1997	8 549 879	2 231 535	5 323 859	2 289 518	18 394 791	–
	1998	9 182 516	2 375 566	5 696 888	1 701 138	18 956 108	–
	1999	9 557 512	2 797 522	5 178 604	1 482 744	19 016 382	–
Sociétés de fiducie ou de prêt hypothécaire	1989	456 161	–	640 672	..	1 096 833	–
	1994	219 389	–	92 365	..	311 754	–
	1997	178 749	–	12 693	..	191 442	–
	1998	205 763	–	16 503	..	222 266	–
	1999	256 346	–	14 194	..	270 540	–
Total	**1989**	**17 006 509**	**1 995 069**	**23 889 813**	**3 570 516**	**46 461 907**	**758 000**
	1994	**21 412 812**	**2 902 336**	**21 773 191**	**5 030 200**	**51 118 539**	**364 938**
	1997	**23 184 065**	**3 862 754**	**23 844 223**	**5 863 307**	**56 754 349**	**413 341**
	1998	**23 509 446**	**4 195 754**	**26 324 952**	**5 111 562**	**59 141 714**	**471 108**
	1999	**24 766 817**	**4 869 198**	**24 685 570**	**4 881 536**	**59 203 121**	**622 689**

Sources : Institut de la statistique du Québec.
Statistique Canada.
Inspecteur général des institutions financières (Québec).
Surintendant des institutions financières (Canada).
Banque du Canada.
Confédération des caisses populaires et d'économie Desjardins du Québec.

Tableau 26.4
Taux d'intérêt sur les certificats de placement garantis d'un terme de 5 ans, Canada, 1989-1999

Année	Mois											
	J	F	M	A	M	J	J	A	S	O	N	D
	%											
1989	10,5	10,5	10,8	10,8	10,3	9,8	9,8	9,8	10,0	10,0	10,0	10,0
1990	10,3	10,8	11,0	11,8	11,8	11,8	11,8	11,0	10,8	10,8	10,3	10,0
1991	9,8	9,0	9,0	8,8	9,0	9,0	9,3	9,3	9,3	9,0	8,0	8,0
1992	7,8	7,8	8,5	8,3	8,0	7,6	6,6	6,5	6,3	7,0	7,0	6,8
1993	6,8	6,8	6,8	6,5	7,0	6,5	6,0	6,0	6,0	5,6	5,5	5,0
1994	4,9	5,3	6,8	7,3	7,3	8,5	8,5	7,9	7,6	7,9	7,9	8,4
1995	8,6	8,3	7,8	7,3	6,8	6,5	6,4	6,9	6,9	6,6	6,4	6,4
1996	5,5	5,5	6,3	6,3	6,3	6,3	6,3	5,9	5,9	4,9	4,4	4,4
1997	4,9	4,9	4,9	5,1	4,9	4,6	4,6	4,6	4,6	4,4	4,4	4,6
1998	4,3	4,4	4,4	4,3	4,5	4,5	4,5	4,7	4,4	4,1	4,5	4,0
1999	4,2	4,2	4,4	4,2	4,4	4,9	4,7	5,3	4,9	5,5	5,5	5,5

Source : Statistique Canada, CANSIM.

Figure 26.1
Évolution trimestrielle du crédit octroyé aux entreprises au Canada et répartition en pourcentage selon le type de financement, Canada, 1989-1999

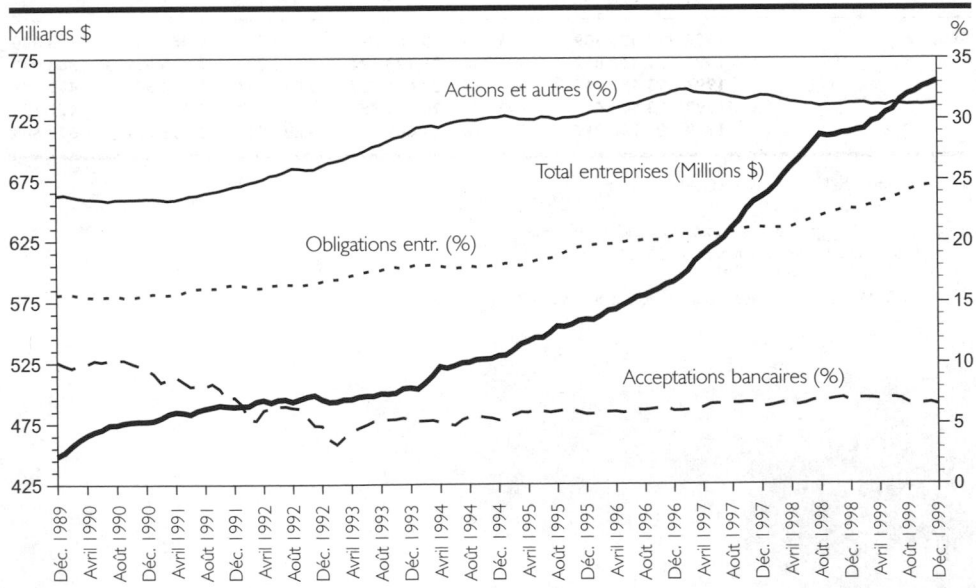

Source : Institut de la statistique du Québec, Direction des comptes et des études économiques.

Tableau 26.5
Prêts hypothécaires des institutions de dépôt, Canada, 4ᵉ trimestre 1989, 1994 et 1997-1999

Institutions	Année	Résidentiels			Non résidentiels	Total
		L.N.H.	Conventionnels	Total		
				'000 $		
Banques à charte	1989	20 503 000	66 969 000	87 472 000	5 595 000	93 067 000
canadiennes	1994	51 806 922	116 195 385	168 002 307	13 582 505	181 584 812
	1997	107 639 207	112 457 568	220 096 775	13 006 896	233 103 671
	1998	130 953 593	100 725 223	231 678 816	12 629 159	244 307 975
	1999	132 986 316	104 640 735	237 627 051	13 027 131	250 654 182
Banques à charte	1989	98 000	2 056 000	2 154 000	1 329 000	3 483 000
étrangères	1994	572 658	4 883 797	5 456 455	1 925 663	7 382 118
	1997	928 668	7 012 542	7 941 210	1 181 384	9 122 594
	1998	1 011 604	6 058 147	7 069 751	1 082 123	8 151 874
	1999	1 389 870	5 824 281	7 214 151	999 713	8 213 864
Fédérations et	1989	1 076 578	28 464 858	29 541 436	4 050 175	33 591 611
caisses locales	1994	4 148 429	41 575 613	45 724 042	6 721 554	52 445 596
d'épargne et	1997	5 935 411	46 037 255	51 972 666	7 766 343	59 739 009
de crédit	1998	6 562 046	46 506 524	53 068 570	7 968 412	61 036 982
	1999	6 935 748	47 450 478	54 386 226	8 788 865	63 175 091
Sociétés de fiducie	1989	10 926 665	53 248 626	64 175 291	12 454 608	76 629 899
	1994	10 324 414	28 710 324	39 034 738	4 880 509	43 915 247
	1997	7 615 384	14 632 348	22 247 732	1 500 810	23 748 542
	1998	7 029 216	13 391 798	20 421 014	1 229 541	21 650 555
	1999	6 609 847	11 265 204	17 875 051	1 311 835	19 186 886
Sociétés de prêt	1989	452 670	3 729 629	4 182 299	843 290	5 025 589
hypothécaire	1994	679 313	3 461 829	4 141 142	442 850	4 583 992
	1997	354 007	850 270	1 204 277	112 412	1 316 689
	1998	303 871	1 022 123	1 325 994	52 074	1 378 068
	1999	285 020	1 063 039	1 348 059	82 328	1 430 387
Total	**1989**	**33 056 913**	**154 468 113**	**187 525 026**	**24 272 073**	**211 797 099**
	1994	**67 531 736**	**194 826 948**	**262 358 684**	**27 553 081**	**289 911 765**
	1997	**122 472 677**	**180 989 983**	**303 462 660**	**23 567 845**	**327 030 505**
	1998	**145 860 330**	**167 703 815**	**313 564 145**	**22 961 309**	**336 525 454**
	1999	**148 206 801**	**170 243 737**	**318 450 538**	**24 209 872**	**342 660 410**

Sources : Institut de la statistique du Québec.
Statistique Canada.
Inspecteur général des institutions financières (Québec).
Surintendant des institutions financières (Canada).
Banque du Canada.
Confédération des caisses populaires et d'économie Desjardins du Québec.

Tableau 26.6
Prêts non hypothécaires des institutions de dépôt, Canada, 4ᵉ trimestre 1989, 1994 et 1997-1999

Institutions	Année	Prêts non hypothécaires					Contrat de crédit-bail
		Aux particuliers	Aux agriculteurs	Aux entreprises	Autres	Somme partielle	
		'000 $					
Banques à charte	1989	60 554 000	7 715 000	68 744 000	19 916 000	156 929 000	2 520 000
canadiennes	1994	75 945 098	8 556 622	67 680 383	37 475 926	189 658 029	1 229 905
	1997	93 047 118	10 577 177	75 044 022	90 204 974	268 873 291	2 122 781
	1998	93 983 924	11 732 825	78 370 913	68 560 113	252 647 775	2 589 021
	1999	101 184 830	12 733 684	78 609 782	68 628 342	261 156 638	3 310 940
Banques à charte	1989	1 853 000	178 000	13 470 000	1 637 000	17 138 000	596 000
étrangères	1994	2 678 105	87 018	14 259 786	6 426 153	23 451 062	538 692
	1997	3 561 757	36 805	16 629 346	12 093 160	32 321 068	325 042
	1998	3 843 044	32 223	17 910 626	13 221 381	35 007 274	460 664
	1999	5 185 505	94 739	18 458 232	9 529 298	33 267 774	629 275
Fédérations et caisses	1989	11 303 198	1 448 856	7 339 399	1 410 817	21 502 270	–
locales d'épargne et	1994	13 419 644	2 433 931	6 206 325	1 922 674	23 982 574	–
de crédit	1997	15 156 348	3 398 121	7 523 986	2 589 271	28 667 726	–
	1998	15 779 483	3 636 614	9 028 522	1 821 928	30 266 547	–
	1999	16 410 426	4 078 958	9 538 875	1 924 128	31 952 387	–
Sociétés de fiducie	1989	7 969 397	–	4 603 421	499 489	13 072 307	1 458 540
	1994	7 924 263	–	2 950 251	101 483	10 975 997	646 136
	1997	13 583 030	–	779 555	44 666	14 407 251	360 136
	1998	15 208 122	–	457 107	64 580	15 729 809	355 914
	1999	17 023 124	–	465 643	279 978	17 768 745	343 894
Sociétés de prêt	1989	41 392	–	33 863	7 906	83 161	141 787
hypothécaire	1994	100 745	–	14 302	–	115 047	273 705
	1997	64	–	3 439	–	3 503	–
	1998	74	–	2 317	–	2 391	–
	1999	3 035	–	2 568	–	5 603	–
Total	**1989**	**81 720 987**	**9 341 856**	**94 190 683**	**23 471 212**	**208 724 738**	**4 716 327**
	1994	**100 067 855**	**11 077 571**	**91 111 047**	**45 926 236**	**248 182 709**	**2 688 438**
	1997	**125 348 317**	**14 012 103**	**99 980 348**	**104 932 071**	**344 272 839**	**2 807 959**
	1998	**128 814 647**	**15 401 662**	**105 769 485**	**83 668 002**	**333 653 796**	**3 405 599**
	1999	**139 806 920**	**16 907 381**	**107 075 100**	**80 361 746**	**344 151 147**	**4 284 109**

Sources : Institut de la statistique du Québec.
Statistique Canada.
Inspecteur général des institutions financières (Québec).
Surintendant des institutions financières (Canada).
Banque du Canada.
Confédération des caisses populaires et d'économie Desjardins du Québec.

Tableau 26.7
**Établissements des institutions de dépôt, par région administrative,
Québec, 4ᵉ trimestre 1989, 1994 et 1997-1999**

Institutions	Année	01	02	03	04	05	06	07	08	09	10	11	12	13	14	15	16	17	Le Québec
Banques à charte	1989	29	46	120	74	56	615	47	29	19	6	18	52	62	32	60	205	..	1 470
	1994	32	50	124	84	60	559	50	32	19	10	18	55	63	42	64	228	..	1 490
	1997	28	45	118	43	50	535	50	31	17	12	17	55	61	40	67	229	37	1 435
	1998	28	45	118	42	50	537	49	31	17	13	17	57	61	40	68	231	37	1 441
	1999	29	48	119	42	55	515	52	31	17	13	17	59	63	42	72	228	37	1 439
Banques canadiennes	1989	29	45	118	72	54	580	47	29	19	6	18	52	59	32	60	203	..	1 423
	1994	32	49	122	83	59	531	50	32	19	10	18	55	61	42	64	226	..	1 453
	1997	28	44	116	42	49	509	50	31	17	12	17	55	59	40	67	227	37	1 400
	1998	28	44	116	41	49	513	49	31	17	13	17	57	59	40	68	229	37	1 408
	1999	29	47	117	41	54	492	52	31	17	13	17	59	61	42	72	226	37	1 407
Banques étrangères	1989	–	1	2	2	2	35	–	–	–	–	–	–	3	–	–	2	..	47
	1994	–	1	2	1	1	28	–	–	–	–	–	–	2	–	–	2	..	37
	1997	–	1	2	1	1	26	–	–	–	–	–	–	2	–	–	2	..	35
	1998	–	1	2	1	1	24	–	–	–	–	–	–	2	–	–	2	..	33
	1999	–	1	2	1	1	23	–	–	–	–	–	–	2	–	–	2	–	32
Caisses d'épargne et de crédit	1989	111	87	159	184	93	256	54	65	36	11	50	162	40	67	70	214	..	1 659
	1994	111	87	157	184	95	248	54	64	38	18	52	162	44	71	78	219	..	1 682
	1997	112	85	149	97	95	253	54	66	39	12	52	159	45	70	82	218	97	1 685
	1998	111	84	155	96	94	255	53	66	39	11	52	156	45	69	84	216	96	1 682
	1999	111	83	147	91	94	240	51	65	37	10	49	154	44	71	82	213	92	1 634
Sociétés de fiducie	1989	1	6	18	4	8	84	4	1	1	–	–	1	7	1	2	10	..	148
	1994	1	4	12	3	4	55	4	1	–	–	–	–	8	1	–	7	..	100
	1997	1	3	10	3	4	34	3	1	1	–	–	1	6	–	–	4	–	71
	1998	1	3	12	3	5	36	3	1	1	–	–	1	6	1	–	5	–	78
	1999	1	3	7	2	3	20	1	1	1	–	–	1	2	–	–	1	–	43
Sociétés de prêt hypothécaire	1989	–	–	–	–	–	13	–	–	–	–	–	–	1	–	–	1	..	15
	1994	–	–	–	–	–	12	1	–	–	–	–	–	1	–	–	1	..	15
	1997	–	–	–	–	–	13	–	–	–	–	–	–	1	–	–	1	–	14
	1998	–	–	–	–	–	13	–	–	–	–	–	–	1	–	–	1	–	14
	1999	–	–	1	–	–	12	–	–	–	–	–	–	–	1	1	–	–	15
Total	**1989**	**141**	**139**	**297**	**262**	**157**	**968**	**105**	**95**	**56**	**17**	**68**	**215**	**110**	**100**	**132**	**430**	**..**	**3 292**
	1994	**144**	**141**	**293**	**271**	**159**	**874**	**109**	**97**	**57**	**28**	**70**	**217**	**116**	**114**	**142**	**455**	**..**	**3 287**
	1997	**141**	**133**	**277**	**143**	**149**	**835**	**107**	**98**	**57**	**24**	**69**	**215**	**112**	**110**	**149**	**452**	**134**	**3 205**
	1998	**140**	**132**	**285**	**141**	**149**	**841**	**105**	**98**	**57**	**24**	**69**	**214**	**112**	**110**	**152**	**453**	**133**	**3 215**
	1999	**141**	**134**	**274**	**135**	**152**	**787**	**104**	**97**	**55**	**23**	**66**	**214**	**109**	**113**	**155**	**443**	**129**	**3 131**

1. Bas-Saint-Laurent (01); Saguenay–Lac-Saint-Jean (02); Capitale-Nationale (03); Mauricie (04); Estrie (05); Montréal (06); Outaouais (07); Abitibi-Témiscamingue (08); Côte-Nord (09); Nord-du-Québec (10); Gaspésie–Îles-de-la-Madeleine (11); Chaudière-Appalaches (12); Laval (13); Lanaudière (14); Laurentides (15); Montérégie (16); Centre-du-Québec (17).

Sources : Institut de la statistique du Québec.
    Confédération des caisses populaires et d'économie Desjardins du Québec.
    Association canadienne des paiements.

Figure 26.2

Croissance trimestrielle de l'actif des fonds communs de placement au Québec et au Canada, 1996-2000

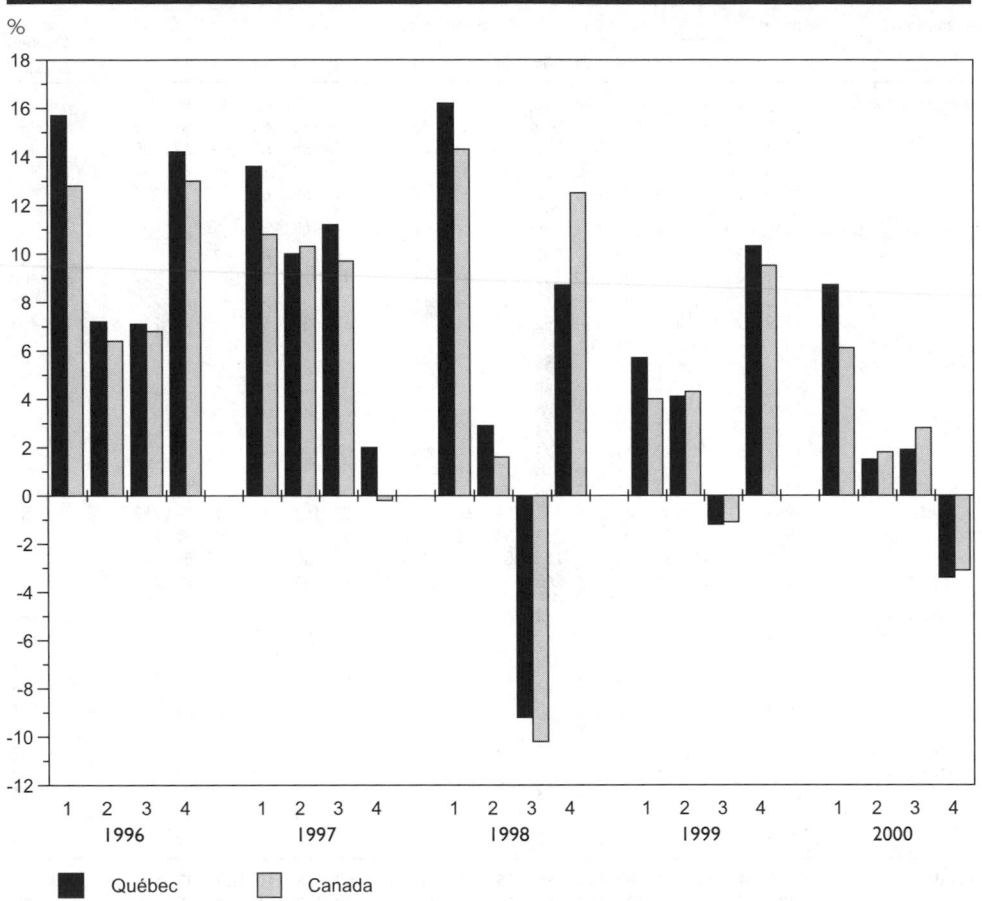

Sources : Institut de la statistique du Québec.
Institut des fonds d'investissement du Canada.

Tableau 26.8

Répartition des assureurs titulaires d'un permis d'exploitation, selon la charte et la catégorie d'assurances, Québec, 31 décembre 1999

Type d'assureur et charte	Assurances			
	De personnes	De dommages	De personnes et de dommages	Total
			n	
Fonds social	99	138	5	242
Compagnie d'assurances	97	134	5	236
Charte du Québec	12	18	1	31
Charte d'une autre province	5	6	–	11
Charte du Canada	44	59	–	103
Charte d'un état ou pays étranger	36	51	4	91
Compagnie d'assurance funéraire	2	–	–	2
Corporation professionnelle	–	4	–	4
Mutuelle	45	49	–	97
Compagnie d'assurances	22	15	–	37
Charte du Québec	4	5	–	9
Charte d'une autre province	2	–	–	2
Charte du Canada	4	2	–	6
Charte d'un état ou pays étranger	12	8	–	20
Société de secours mutuels	23	–	–	23
Charte du Québec	7	–	–	7
Charte d'une autre province	–	–	–	–
Charte du Canada	9	–	–	9
Charte d'un état ou pays étranger	7	–	–	7
Société mutuelle d'assurances	–	37	–	37
Ensemble des assureurs	**144**	**190**	**5**	**339**
Compagnie d'assurances	119	149	5	273
Charte du Québec	16	23	1	40
Charte d'une autre province	7	6	–	13
Charte du Canada	48	61	–	109
Charte d'un état ou pays étranger	48	59	4	111
Société de secours mutuels	23	–	–	23
Charte du Québec	7	–	–	7
Charte d'une autre province	–	–	–	–
Charte du Canada	9	–	–	9
Charte d'un état ou pays étranger	7	–	–	7
Compagnie d'assurance funéraire	2	–	–	2
Corporation professionnelle	–	4	–	4
Société mutuelle d'assurances	–	37	–	37

Source : Inspecteur général des institutions financières (Québec).

Tableau 26.9
Primes ou cotisations perçues selon la catégorie d'assurances et le type d'assureur, Québec, 1989, 1994 et 1997-1999

Catégorie d'assurances et type d'assureur	1989	1994	1997	1998	1999
	'000 $				
Assurances de personnes					
Compagnie	5 383 652	6 108 822	6 426 519	5 767 297	6 330 366
Assurance					
Individuelle	1 280 792	1 675 882	1 926 008	1 888 873	2 121 869
Collective	474 484	611 277	675 610	685 200	720 144
Rente					
Individuelle	1 585 939	1 380 794	1 055 138	508 151	545 542
Collective	814 309	613 636	621 810	432 876	490 867
Maladie et accidents	1 116 446	1 712 002	2 028 129	2 134 220	2 313 910
Société de secours mutuels					
Maladie et accidents	91 796	89 032	94 463	94 079	113 050
Vie et rentes	19 812	26 198	25 361	23 898	24 984
Autres	72	–	–	–	–
Compagnie d'assurance funéraire	2	1	–	–	–
Assurances de dommages	**3 364 419**	**3 988 413**	**4 089 091**	**4 356 943**	**4 456 899**
Compagnie	3 263 016	3 831 620	3 884 896	4 138 547	4 212 086
Automobile	1 545 641	1 835 323	1 801 857	1 965 492	2 022 805
Responsabilité	613 064	..	..	..	..
Accidents corporels	15 306	..	..	..	..
Autres	917 271	..	..	..	..
Biens	1 206 363	1 441 189	1 494 105	1 563 677	1 589 830
Personnels	651 745	..	845 939	925 004	940 031
Commerciaux	554 618	..	648 166	638 673	649 799
Abus de confiance[1]	18 878	20 592			..
Aéronefs	32 720	54 371	48 989	48 281	28 929
Caution[1]	37 825	44 619	40 519	50 112	44 425
Chaudières et machines	31 357	36 086	51 659	42 383	43 714
Garantie	..	..	..	..	..
Hypothèque	13 650	..	..	..	..
Maritime	23 474	27 833	33 521	31 702	30 346
Responsabilité	350 127	361 350	367 565	387 227	394 908
Autres	2 981	10 257	46 681	49 673	57 129
Société mutuelle d'assurances	101 403	156 793	204 195	218 396	244 813
Biens	63 732	81 329	103 689	108 312	121 687
Automobile	29 398	64 445	85 504	93 930	105 736
Responsabilité	8 228	10 005	13 561	14 616	15 379
Autres	45	1 014	1 441	1 538	2 011
Total	**8 748 071**	**10 097 235**	**10 515 610**	**10 124 240**	**10 787 265**

1. Sous la catégorie « Garantie ».

Source :   Inspecteur général des institutions financières (Québec).

Tableau 26.10
Prestations et participations versées aux assurés selon la catégorie d'assurances et le type d'assureur, Québec, 1989, 1994 et 1997-1999

Catégorie d'assurances et type d'assureur	1989	1994	1997	1998	1999
			'000 $		
Assurances de personnes	**3 928 951**	**6 346 897**	**7 280 244**	**6 229 604**	**6 319 394**
Compagnie	3 864 069	6 267 210	7 194 389	6 145 750	6 218 152
Assurance					
Individuelle	748 752	913 262	1 066 666	1 009 208	1 165 317
Collective	374 300	445 713	462 920	447 163	462 328
Rente					
Individuelle	1 048 266	2 192 551	2 866 604	2 063 995	1 686 779
Collective	786 356	945 854	1 101 754	959 528	995 522
Maladie et accidents	906 395	1 769 830	1 696 445	1 665 856	1 908 206
Société de secours mutuels	64 851	79 671	85 844	83 845	101 231
Maladie et accidents	55 343	67 664	67 166	65 954	82 706
Vie et rentes	9 397	12 007	18 678	17 891	18 525
Autres	111	–	–	–	–
Compagnie d'assurance funéraire	31	16	11	9	11
Assurances de dommages	**2 426 075**	**2 505 354**	**3 037 089**	**4 547 439**	**3 294 515**
Compagnie	2 360 162	2 412 078	2 902 404	4 388 129	3 138 521
Automobile	1 292 443	1 231 655	1 427 228	1 474 942	1 492 510
Responsabilité	525 166	473 945	..	..	..
Accidents corporels	5 693	6 920	..	..	..
Autres	761 584	750 790	..	..	..
Biens	724 047	856 190	1 145 603	2 448 238	1 198 987
Personnels	386 818	509 964	674 672	1 484 197	686 702
Commerciaux	337 229	346 226	470 931	964 041	512 285
Abus de confiance[1]	10 531	7 159	..	..	..
Aéronefs	34 665	15 577	1 891	38 323	31 015
Caution[1]	28 865	16 217	29 256	25 318	7 986
Chaudières et machines	14 777	14 477	26 538	82 128	27 395
Hypothèque	1 997	7 704	..	..	..
Maritime	11 814	16 666	15 571	23 703	18 591
Responsabilité	238 858	244 877	235 243	267 143	335 802
Autres	2 165	1 556	21 074	28 334	26 235
Société mutuelle d'assurances	65 913	93 276	134 685	159 310	155 994
Biens	37 320	46 872	63 589	84 062	76 070
Automobile	23 754	40 382	62 699	65 167	70 228
Responsabilité	4 837	5 653	7 877	9 381	9 210
Autres	2	369	520	700	486
Total	**6 355 026**	**8 852 251**	**10 317 333**	**10 777 043**	**9 613 909**

1. Sous la catégorie « Garantie ».

Source :   Inspecteur général des institutions financières (Québec).

Tableau 26.11
Principales données de la Caisse de dépôt et de placement du Québec, 1989, 1994 et 1997-1999

	Unité	1989	1994	1997	1998	1999
Avoir des déposants	'000 000 $	36 662	44 859	63 611	68 568	81 066
Régie des rentes du Québec	'000 000 $	15 411	14 408	15 838	15 831	17 479
Commission administrative des régimes de retraite et d'assurances	'000 000 $	9 656	16 255	26 813	29 950	34 578
RREGOP	'000 000 $	9 591	16 046	26 503	29 612	34 193
Autres	'000 000 $	65	209	310	338	385
Société de l'assurance automobile du Québec	'000 000 $	5 136	4 692	6 028	6 436	7 365
Commission de la santé et de la sécurité du travail	'000 000 $	3 571	4 219	6 883	7 644	8 535
Commission de la construction du Québec, Régime supplémentaire de rentes pour les employés de l'industrie de la construction du Québec	'000 000 $	2 832	4 264	6 128	6 637	7 727
Régie de l'assurance-dépôts du Québec	'000 000 $	37	151	141	166	181
Autres déposants	'000 000 $	19	870	1 780	1 904	5 201
Taux de rendement effectif de l'ensemble de l'avoir	%	16,9	-2,1	13,0	10,2	16,5

Source : Caisse de dépôt et de placement du Québec.

Tableau 26.12
Revenus et dépenses de la Société de l'assurance automobile du Québec, 1989, 1994 et 1997-1999

	1989	1994	1997	1998	1999
	'000 $				
Revenus	1 003 203	963 751	1 066 038	1 024 173	1 174 607
Cotisations d'assurance					
Immatriculation	358 271	412 812	440 648	411 940	491 681
Permis de conduire	90 973	100 698	115 498	116 443	118 069
Frais perçus sur les transactions					
d'immatriculation et de permis	56 453	60 105	76 327	79 384	80 077
Revenu de placement	492 500	386 899	398 197	380 581	449 164
Contribution du gouvernement du Québec					
au financement du coût du contrôle					
du transport routier	–	–	34 000	34 000	34 000
Autres	5 006	3 237	1 368	1 825	1 616
Dépenses	921 662	1 087 753	1 057 674	1 158 867	1 169 825
Indemnisation					
Remplacement du revenu	128 772	167 689	192 612	208 048	215 913
Décès	45 284	96 705	94 324	83 093	82 573
Indemnités forfaitaires pour séquelles	44 085	79 206	107 659	109 682	103 329
Frais de déplacement, de séjour					
et de vêtements	11 935	13 907	10 706	11 741	11 604
Frais de réadaptation	8 522	17 980	31 316	36 683	38 365
Frais médicaux et paramédicaux	–	19 843	23 716	27 297	29 751
Expertise médicale	6 196	6 005	6 626	7 958	9 396
Aide personnelle et autres frais	13 756	27 946	32 693	37 165	39 717
Transport ambulancier	3 149	4 371	4 435	5 529	5 946
Services de santé	6 735	92 185	87 001	88 654	88 654
Frais d'administration	161 146	178 835	212 117	219 008	237 614
Participation au financement	104 882	46 381	47 528	48 165	49 312
Commission des affaires sociales	–	3 793	2 995	–	–
Transport ambulancier	37 000	42 588	44 235	45 032	45 537
Tribunal administratif du Québec	–	–	–	2 937	3 775
Ministère de la Sécurité publique	–	–	298	196	–
Services de santé	67 882	–	–	–	–
Augmentation du passif actuariel	387 200	336 700	179 400	249 960	225 734
Variation de la provision pour fluctuation					
du taux de rendement réel	–	–	27 000	21 512	26 823
Aménagement de véhicules pour					
personnes handicapées	–	–	541	4 372	5 094
Excédent des revenus sur les dépenses					
avant le redressement du passif	81 541	-124 002	8 364	-134 694	4 782
Autres revenus de placement	–	–	100 464	103 290	126 781
Redressement du passif actuariel	253 500	8 700	-59 600	64 883	-27 930
Excédent des revenus sur les dépenses	335 041	-115 302	49 228	33 479	103 633

Sources : Ministère des Finances et Société de l'assurance automobile du Québec.

27

Secteur public

Liste des tableaux

Liste des figures

Ce chapitre a été réalisé par Richard Barbeau et Michel Nadeau, de la Direction des comptes et des études économiques de l'Institut de la statistique du Québec.

Ce chapitre présente, en premier lieu, les finances des administrations publiques du Québec normalisées selon le Système de gestion financière (SGF). La deuxième partie concerne l'emploi dans le secteur public au Québec et, plus particulièrement, l'effectif régi en vertu de la Loi sur la fonction publique.

Des données sur les finances du gouvernement du Québec sont publiées dès la première édition de l'*Annuaire statistique* en 1914. S'y ajoutent dans l'édition de 1915 des statistiques municipales incluant un état financier des municipalités, puis dans celle de 1917 un état financier des corporations scolaires. À compter de 1923, les trois sujets sont réunis dans un chapitre intitulé « Finances ». En 1985-1986, l'Annuaire devient *Le Québec statistique*, et le chapitre sur les finances publiques se concentre sur les finances du gouvernement du Québec et sur celles des administrations publiques locales. Les statistiques relatives à l'emploi dans le secteur public apparaissent dans l'édition 1964-1965 dans laquelle on ajoute au chapitre sur le « Gouvernement » la notion de gestion de la fonction publique. Les deux composantes du chapitre actuel ne sont jointes que depuis les éditions 1989 et 1995.

Les statistiques financières des administrations publiques du Québec

Au Québec, les administrations publiques se divisent en quatre niveaux : l'Administration fédérale, l'Administration provinciale (gouvernement, institutions d'enseignement postsecondaire et institutions de santé et de services sociaux), les administrations locales (administrations municipales et commissions scolaires) et le Régime de rentes du Québec. La présente section porte sur les administrations publiques du Québec et, de ce fait, exclut l'Administration fédérale.

Les recettes

Les recettes consolidées des administrations publiques du Québec atteignent 76,5 milliards de dollars en 2000-2001, comparativement à 54,0 milliards en 1991-1992 (tableau 27.2). En excluant les transferts en provenance des autres niveaux d'administration publique, les recettes de sources propres s'établissent à 67,0 milliards en 2000-2001, comparativement à 46,4 milliards en 1991-1992. En proportion du PIB, les recettes de sources propres représentent 29,9 % en 1991-1992 et demeurent relativement stables, sous la barre des 30 %, jusqu'à 1998-1999; elles sont de 30,7 % en moyenne au cours des trois dernières années.

Les recettes de sources propres, qui comptent pour 79,9 % des recettes de l'Administration provinciale générale du Québec en 1990-1991, atteignent 82,9 % en 2000-2001 (tableau 27.1). Inversement, la part des transferts en provenance d'autres niveaux d'administration publique (essentiellement l'Administration fédérale) passe de 20,0 % à 17,1 %.

La part de la composante la plus importante, soit l'impôt sur le revenu des particuliers, s'établit à 33,0 % en 1990-1991, atteint un creux de 30,2 % en 1995-1996 puis remonte à 32,0 % en 2000-2001. Pendant la première partie de la décennie, caractérisée par une croissance économique plutôt faible jusqu'à 1996, le taux composé d'augmentation de l'impôt sur le revenu s'élève à 2,9 % (figure 27.1). Cependant, au cours de la deuxième partie, la croissance économique est plus forte et l'impôt sur le revenu croît au taux composé de 6,6 %.

On relève le même phénomène dans le cas des taxes à la consommation, lesquelles représentent 20,1 % des recettes en 2000-2001. Le taux composé d'augmentation de ces taxes, qui s'établit à 1,0 % entre 1990-1991 et 1995-1996, grimpe à 5,8 % de 1995-1996 à 2000-2001. Cette forte croissance est attribuable aux recettes provenant de la taxe de vente et des taxes reliées aux boissons alcooliques et au tabac. Dans le cas de ces dernières, toutefois, les variations observées sont davantage tributaires des taux de taxation et de la contrebande que de la conjoncture.

Du côté des administrations locales, les impôts fonciers et autres impôts connexes (impôts municipaux et scolaires) constituent depuis 1997 la composante la plus importante de leurs recettes totales, devant les transferts en provenance des autres niveaux d'administration qui occupaient auparavant la première place (tableau 27.3). Pendant la décennie, les impôts fonciers et connexes affichent un taux composé de croissance de 3,4 % (figure 27.2). Cependant, l'augmentation est nettement plus élevée au début de la période.

Il s'agit là d'une tendance inverse à celle constatée au niveau de l'Administration provinciale. Cela s'explique par le fait qu'étant perçus sur la valeur foncière, les impôts fonciers ne sont pas aussi dépendants de la conjoncture économique que le sont les impôts et taxes prélevés par le gouvernement. Leur évolution est déterminée en grande partie par les taux de taxation. Ainsi, la forte hausse enregistrée de 1990 à 1996 provient en partie du déplafonnement du taux de la taxe scolaire entré en vigueur avec l'année financière 1990-1991 des commissions scolaires, lequel a fait bondir les taxes scolaires, tandis que les taxes municipales augmentaient au rythme des dépenses à financer. Après 1994, la hausse des impôts municipaux a considérablement ralenti. Le taux composé d'augmentation des impôts fonciers et connexes des municipalités est de 4,2 % de 1990 à 1996, comparativement à 2,2 % de 1996 à 2000. Le même phénomène se produit du côté des commissions scolaires, bien que les taux correspondants soient beaucoup plus élevés (11,5 % et 7,0 %) à cause de nouvelles hausses de taux entrées en vigueur dans les années 1996 et 1997.

Les dépenses

Les dépenses par fonction

La fonction de dépenses la plus importante, selon le Système de gestion financière, est la catégorie « services sociaux » (tableau 27.4). Cette catégorie, qui regroupe la majeure partie des différents transferts de soutien de revenus versés aux ménages (aide sociale, pensions de la fonction publique, indemnités de la Commission de la santé et de la sécurité du travail et de la Société de l'assurance automobile du Québec et divers autres transferts), compte pour 28,0 % des dépenses consolidées de l'Administration publique du Québec en 2000-2001. Viennent ensuite les catégories « santé » et « éducation », qui se disputent les deuxième et troisième rangs tout au long de la décennie.

Les dépenses en fonction du PIB

Par rapport au PIB, les dépenses des administrations publiques du Québec, tout comme celles de leurs composantes – les administrations provinciale et locales –, ont continuellement diminué depuis 1995-1996, à l'exception de l'exercice 1998-1999, où elles se sont à peu près maintenues au même niveau que pendant l'exercice antérieur (tableau 27.5). Ainsi, de 37,7 % du PIB qu'elle était en 1995-1996, la proportion des dépenses des administrations publiques du Québec a baissé à 33,7 % en 2000-2001. L'Administration provinciale voit sa part passer de 29,6 % à 26,6 % du PIB au cours de la même période. Quant aux administrations locales, leur part des dépenses passe de 9,7 % à 7,7 % du PIB.

Par personne, les dépenses des administrations publiques du Québec s'élèvent à 9 197 $ en 1995-1996 et à 9 914 $ en 2000-2001. En 1996-1997, elles avaient cependant diminué de 1,5 %.

Le déficit

Depuis 1996-1997, le déficit des administrations publiques diminue continuellement; un surplus est même atteint à compter de 1999-2000 (tableau 27.6). De 5,7 milliards de dollars en 1996-1997, le déficit se transforme en surplus de 0,4 et 3,2 milliards en 1999-2000 et 2000-2001 respectivement.

Au cours de cette période, les dépenses augmentent annuellement mais dans une moindre mesure que les recettes. Leur croissance varie de 1,4 % à 3,6 %, alors que celle des recettes évolue en dents de scie, entre 3,5 % et 10,0 %. L'écart entre les taux de croissance des recettes et des dépenses atteint son plus haut niveau en 1998-1999 (6,6 points de pourcentage).

Le bilan

La dette nette (actif financier moins passif total) consolidée des administrations provinciale et locales du Québec passe de 59,4 milliards de dollars en 1990-1991 à 105,7 milliards en 1998-1999, ce qui représente une augmentation de 77,9 % (tableau 27.7). En pourcentage du produit intérieur brut, la dette nette passe de 38,8 % à 54,6 %.

Pendant cette période, la composition du passif s'est quelque peu modifiée. Ainsi, la part des obligations d'épargne, déjà peu élevée (2,4 %) en 1990-1991, tombe à 0,9 % en 1998-1999. De même, la part des obligations autres que d'épargne passe de 46,6 % à 41,0 %. La place relative des obligations d'épargne et autres est prise par celle des autres titres de dette, dont la part passe de 4,3 % à 15,0 %. Finalement, les obligations envers les régimes de retraite du secteur public, qui constituent le deuxième poste en importance du passif après les obligations, passent de 30,2 % en 1990-1991 à 28,6 % en 1998-1999. La part de cette composante est relativement stable au cours de la période et s'établit en moyenne à 28,9 %.

L'emploi dans le secteur public au Québec

Ensemble du secteur public

Selon les données produites par Statistique Canada, le nombre moyen d'employés dans le secteur public (administrations publiques fédérale, provinciale et locales et entreprises publiques) au Québec s'élève à 702 046 en 2000, en baisse de 1,0 % par rapport à 1999 (tableau 27.8). Le nombre d'employés a atteint un sommet en 1994 avec 785 985 personnes. Depuis cette date jusqu'à l'année 2000, l'effectif total a baissé de 10,7 %. Outre les sous-secteurs de l'Administration fédérale et de l'Administration provinciale générale, qui ont atteint leur sommet respectif en 1991 et en 1992, la plupart des sous-secteurs ont connu leur plus grand effectif en 1994 ou en 1995. En regard de ces années, c'est le sous-secteur de l'Administration fédérale qui enregistre la plus forte diminution (- 15,9 %), suivi des sous-secteurs provinciaux de la santé et des services sociaux (- 13,2 %) et de l'éducation (- 11,9 %), de même que du sous-secteur local des commissions scolaires (- 9,8 %). On observe aussi une chute de 18,5 % dans les entreprises publiques, mais elle s'explique en partie par la vente au secteur privé de certaines entreprises.

En dépit des variations importantes enregistrées dans le niveau de l'emploi pendant la décennie, les parts relatives des différents sous-secteurs de l'Administration publique (excluant les entreprises publiques) ont généralement peu changé, à quelques exceptions près. Ainsi, la part de l'Administration fédérale, qui s'établissait à 12,0 % en 1991, tombe à 10,9 % en 2000. Cette baisse trouve sa contrepartie dans la hausse de 30,4 % à 31,2 % de la part des administrations locales. C'est le sous-secteur provincial de la santé qui détient la proportion la plus importante du nombre d'employés de l'administration publique, avec 34,7 % en 2000. Si l'on combine le sous-secteur provincial de l'éducation avec celui des commissions scolaires, la part attribuée à l'éducation vient en deuxième place (29,2 %).

L'effectif régi en vertu de la Loi sur la fonction publique

L'effectif régulier de la fonction publique diminue de 8,1 % entre mars 1996 et mars 2000 (tableau 27.9). La perte a été particulièrement forte entre mars 1996 et mars 1998 (- 13,1 %), la fonction publique passant de 53 635 à 46 620 personnes, en raison principalement des départs massifs à la retraite. Par contre, l'effectif s'accroît de 5,6 % dès l'année suivante, pour se situer à 49 221 employés. Le transfert de personnel en provenance du gouvernement fédéral et de la Société québécoise de développement de la main-d'œuvre ainsi que la conversion d'emplois d'agents des services correctionnels en emplois réguliers à temps partiel expliquent cette augmentation. En mars 2000, l'effectif régulier demeure sensiblement au même niveau que l'année précédente, soit à 49 269 employés.

La proportion des femmes dans l'effectif régulier de la fonction publique passe de 45,4 % en mars 1996 à 49,5 % en mars 2000 (tableau 27.10 et figure 27.3). En fait, le nombre de femmes demeure sensiblement le même durant cette période, mais le nombre d'hommes diminue de 29 262 à 24 863. Cette progression du taux de représentation des femmes se fait ressentir dans toutes les catégories, et plus particulièrement chez le personnel des agents de la paix (de 12,7 % à 24,6 %), de la haute direction (de 24,1 % à 35,2 %), des cadres intermédiaires (de 18,1 % à 24,4 %), des techniciens (de 44,2 % à 50,1 %) et des cadres supérieurs (de 15,2 % à 20,6 %). De mars 1996 à mars 2000, le nombre de femmes dans la haute direction passe de 137 à 214, soit un accroissement de 56,2 %. Dans la catégorie des agents de la paix, il fait plus que doubler. Malgré une baisse marquée du nombre de femmes dans la catégorie du personnel de bureau (- 13,7 %), celles-ci demeurent largement majoritaires. De 82,9 % en mars 1996, leur part augmente à 85,4 % en mars 2000; leur nombre est alors de 10 597.

L'âge moyen du personnel régulier de la fonction publique passe de 44,5 ans en mars 1996 à 45,8 ans en mars 2000, soit un vieillissement de 1,3 an en l'espace de 4 ans (tableau 27.11). Ainsi, la proportion des employés de plus de 44 ans passe de 45,3 % à 56,4 %, et celle des moins de 45 ans diminue d'autant. À eux seuls, les groupes des 45-49 ans et des 50-54 ans voient leur part respective passer de 20,9 % et 14,5 % en mars 1996 à 27,6 % et 20,1 % en mars 2000. À ce moment-là, le groupe d'âge des 45-49 ans est le plus nombreux (13 619 employés), suivi des groupes des 40-44 ans (11 870 employés) et des 50-54 ans (9 893 employés). En mars 1996, le groupe le plus nombreux était celui des 40-44 ans (13 465 employés).

Toujours au cours de la même période, la moyenne d'années de service de l'effectif régulier de la fonction publique s'accroît de près d'une année (0,8) en 4 ans (tableau 27.12). Cette augmentation s'explique par les changements survenus dans les groupes d'années de service. Les groupes des 10-14, 20-24 et 25-29 années de service voient leur part respective augmenter de 9,3 %, 23,6 % et 10,2 % à 14,6 %, 26,0 % et 16,9 %. Inversement, le groupe des 15-19 années de service voit sa part diminuer de 22,1 % à 9,7 %. Le groupe des 20-24 années de service compte le plus grand nombre d'employés (12 793), réparti en nombre à peu près égal d'hommes (6 589) et de femmes (6 204), suivi des groupes des 5-9 et des 25-29 années.

En mars 2000, la proportion de l'effectif régulier de la fonction publique est le plus élevée dans la région administrative de la Capitale-Nationale (47,8 %). Cette région est suivie de celles de Montréal (20,3 %) et de la Montérégie (6,0 %) (tableau 27.13). Aucune des 14 autres régions ne dépasse les 2,4 % d'effectif. Les régions du Québec atteignent leur plus bas niveau d'effectif en mars 1998, à l'exception de celle de Laval, dont le creux a eu lieu l'année précédente.

Entre 1995-1996 et 1999-2000, la proportion des emplois réguliers de la fonction publique du Québec, en équivalent temps complet (ETC), diminue dans la région de la Capitale-Nationale (de 49,4 % à 48,2 %) et dans celle de Montréal (de 20,3 % à 20,0 %), au profit des 15 autres régions où la part des emplois en ETC passe de 30,2 % à 31,7 % du total provincial (figure 27.4). Le partage de l'effectif occasionnel se modifie également, mais de façon différente : la proportion des emplois occasionnels en ETC augmente dans la Capitale-Nationale, y atteignant 33,4 % de l'ensemble de ces emplois, alors qu'elle diminue un peu à Montréal et davantage dans les autres régions, pour se situer respectivement à 27,1 % et 38,8 % en 1999-2000.

Références

GOUVERNEMENT DU QUÉBEC. Secrétariat du Conseil du trésor, *Site du Secrétariat du Conseil du trésor*, [En ligne], [http://www.tresor.gouv.qc.ca/resource/resour1a.htm].
SECRÉTARIAT DU CONSEIL DU TRÉSOR. *L'effectif de la fonction publique du Québec 2000*, Québec, Gouvernement du Québec, 2001, 70 p.
STATISTIQUE CANADA. *Système de gestion financière (SGF)*, Ottawa, Gouvernement du Canada, janvier 2001 (68F0023XIB).

Notes explicatives

Statistiques financières des administrations publiques du Québec

Cette partie contient des données normalisées sur l'ensemble des administrations publiques du Québec. Elle présente les statistiques financières des administrations publiques des niveaux provincial et local et de leurs composantes. Le mot « composante » renvoie tantôt aux administrations des niveaux provincial et local, tantôt au gouvernement du Québec, aux institutions publiques d'éducation et aux institutions publiques de santé et de services sociaux. Il n'est question ici que du secteur public du Québec; l'administration et les entreprises fédérales au Québec sont donc exclues.

Les données financières de base sont normalisées selon le *Système de gestion financière* (SGF). Ce système vise la production de statistiques financières comparables d'une année et d'une province à l'autre.

Sur la base du SGF, les tableaux statistiques présentent pour l'ensemble des administrations publiques du Québec et pour les administrations des niveaux provincial et local :

- les revenus selon la source;
- les dépenses selon la fonction;
- l'actif financier;
- le passif.

Des tableaux sommaires permettent l'analyse des revenus, des dépenses et des surplus ou déficits des composantes des administrations publiques. Les revenus et les dépenses de certaines de ces composantes sont également présentés avant et après consolidation, avec les autres composantes des administrations publiques du Québec.

En raison de la nature différente des activités en cause, les données des administrations et des entreprises publiques ne font pas l'objet d'une consolidation.

Statistiques sur l'emploi et l'effectif de la fonction publique du Québec

L'enquête, effectuée par l'Office des ressources humaines (ORH) du gouvernement du Québec, concerne exclusivement l'effectif régulier, occasionnel, étudiant et stagiaire régi en vertu de la Loi sur la fonction publique ainsi que l'ensemble du personnel de la « haute direction » (assujetti ou non) faisant partie ou non des ministères, des fonds spéciaux et des organismes autonomes dont le personnel régulier est assujetti. Par contre, elle n'inclut pas le personnel non assujetti de certains ministères et organismes budgétaires (personnel policier de la Sûreté du Québec, juges et hors cadres).

Tableau 27.1

Recettes de l'Administration publique provinciale générale selon la source, Québec, 1990-1991, 1995-1996 et 2000-2001

Source	Recettes			Part relative annuelle			Taux composé
	1990-1991	1995-1996	2000-2001	1990-1991	1995-1996	2000-2001	1990-1991 à 2000-2001
	'000 000 $			%			
Recettes de sources propres	29 528,9	35 236,0	46 688,9	79,9	79,6	82,9	4,7
Impôts sur le revenu	12 981,0	14 986,7	20 653,9	35,1	33,8	36,7	4,8
Impôts sur le revenu des particuliers	12 176,7	13 353,6	18 033,4	33,0	30,2	32,0	4,0
Impôts sur le revenu des corporations	789,7	1 552,9	2 565,1	2,1	3,5	4,6	12,5
Impôts sur l'exploitation minière et forestière	14,6	80,2	55,4	—	0,2	0,1	14,3
Impôts directs des non-résidents	–	–	–	–	–	–	–
Autres impôts sur le revenu	–	–	–	–	–	–	–
Taxes à la consommation	8 127,1	8 540,5	11 324,4	22,0	19,3	20,1	3,4
Taxe générale de vente	4 279,6	5 136,7	6 519,4	11,6	11,6	11,6	4,3
Taxes sur les boissons alcooliques et le tabac	858,8	405,9	696,0	2,3	0,9	1,2	-2,1
Taxe sur les divertissements	42,5	27,5	25,1	0,1	0,1	—	-5,1
Taxe sur les carburants	1 140,4	1 405,5	1 597,4	3,1	3,2	2,8	3,4
Bénéfices sur la vente des boissons alcooliques	359,9	349,9	445,9	1,0	0,8	0,8	2,2
Bénéfices remis tirés des jeux de hasard	445,0	770,0	1 331,0	1,2	1,7	2,4	11,6
Autres taxes à la consommation	1 000,8	445,0	709,5	2,7	1,0	1,3	-3,4
Impôts fonciers et impôts connexes	938,8	1 244,3	1 967,9	2,5	2,8	3,5	7,7
Impôts fonciers	–	–	342,0	–	–	0,6	…
Impôts sur le capital	938,2	1 244,2	1 625,9	2,5	2,8	2,9	5,7
Autres impôts fonciers et impôts connexes	0,6	—	–	—	—	–	…
Autres impôts	4 030,4	5 445,0	6 595,7	10,9	12,3	11,7	5,0
Impôts sur la masse salariale	2 629,7	3 533,8	4 249,8	7,1	8,0	7,5	4,9
Immatriculation, droits et permis–véhicules automobiles	977,2	1 184,7	1 448,7	2,6	2,7	2,6	4,0
Taxes et permis provenant de l'exploitation des ressources naturelles	5,0	7,1	48,0	—	—	0,1	25,3
Impôts divers	418,5	719,5	849,2	1,1	1,6	1,5	7,3
Primes d'assurance-maladie	–	137,3	459,7	–	0,3	0,8	…
Contributions aux régimes de sécurité sociale	1 370,2	1 768,0	1 719,5	3,7	4,0	3,1	2,3
Vente de biens et services	432,6	874,7	919,1	1,2	2,0	1,6	7,8
Revenus de placements	1 560,0	2 063,4	2 937,6	4,2	4,7	5,2	6,5
Autres recettes de sources propres	88,7	176,1	111,1	0,2	0,4	0,2	2,3
Transferts à des fins générales en provenance des autres composantes de l'Administration publique	3 845,9	4 384,1	8 042,6	10,4	9,9	14,3	7,7
Transferts à des fins particulières en provenance des autres composantes de l'Administration publique	3 564,3	4 663,2	1 592,1	9,6	10,5	2,8	-7,7
Total des recettes	**36 939,0**	**44 283,2**	**56 323,6**	**100,0**	**100,0**	**100,0**	**4,3**

Source : Statistique Canada, *Statistiques sur le secteur public, Système de gestion financière* (68-213-XIB).

Tableau 27.2

Recettes consolidées des administrations publiques provinciale et locales du Québec, selon la source, Québec, 1991-1992 à 2000-2001

Source	Unité	1991-1992	1992-1993	1993-1994	1994-1995	1995-1996
Recettes de sources propres	'000 000 $	46 398,6	46 943,2	48 316,4	48 973,2	51 767,5
	% du PIB[1]	29,9	29,6	29,8	28,8	29,2
Impôts sur le revenu	'000 000 $	13 510,9	13 351,8	13 937,2	14 329,5	14 986,7
	% du PIB	8,7	8,4	8,6	8,4	8,5
Taxes à la consommation	'000 000 $	8 879,0	8 705,1	8 109,5	8 082,0	8 540,5
	% du PIB	5,7	5,5	5,0	4,7	4,8
Impôts fonciers et impôts connexes	'000 000 $	6 834,6	7 483,9	7 749,4	7 887,5	8 115,7
	% du PIB	4,4	4,7	4,8	4,6	4,6
Autres impôts	'000 000 $	4 286,0	4 469,0	4 729,6	4 939,1	5 466,2
	% du PIB	2,8	2,8	2,9	2,9	3,1
Primes d'assurance-maladie	'000 000 $	–	–	4,1	220,8	137,3
	% du PIB	...	...	0,0	0,1	0,1
Contributions aux régimes de sécurité sociale	'000 000 $	2 727,3	2 802,1	2 773,7	2 944,4	2 999,4
	% du PIB	1,8	1,8	1,7	1,7	1,7
Contributions au RRQ[2]	'000 000 $	2 584,8	2 631,6	2 774,9	3 072,4	3 242,6
	% du PIB	1,7	1,7	1,7	1,8	1,8
Vente de biens et services	'000 000 $	3 468,7	3 808,3	3 984,9	3 985,7	4 155,5
	% du PIB	2,2	2,4	2,5	2,3	2,3
Vente de biens et services RRQ[2]	'000 000 $	0,2	0,1	0,1	0,0	0,0
	% du PIB	0,0	0,0	0,0	0,0	0,0
Revenus de placement	'000 000 $	1 795,2	1 549,5	1 585,9	1 626,9	2 248,3
	% du PIB	1,2	1,0	1,0	1,0	1,3
Revenus de placement RRQ[2]	'000 000 $	1 106,0	981,0	957,0	934,0	947,0
	% du PIB	0,7	0,6	0,6	0,5	0,5
Autres recettes de sources propres	'000 000 $	1 206,0	1 160,7	1 710,1	950,8	928,2
	% du PIB	0,8	0,7	1,1	0,6	0,5
Transferts à des fins générales en provenance des autres composantes de l'Administration publique	'000 000 $	3 625,0	3 677,8	3 917,3	3 792,7	4 384,1
	% du PIB	2,3	2,3	2,4	2,2	2,5
Transferts à des fins particulières en provenance des autres composantes de l'Administration publique	'000 000 $	4 024,9	5 099,6	4 782,6	4 953,0	4 940,6
	% du PIB	2,6	3,2	3,0	2,9	2,8
Total des recettes	'000 000 $	**54 048,4**	**55 720,6**	**57 016,3**	**57 719,0**	**61 092,2**
	% du PIB	**34,8**	**35,2**	**35,2**	**33,9**	**34,5**

1. Le PIB réfère à l'année civile se terminant trois mois avant la fin de l'année financière.
2. Régie des rentes du Québec.

Source : Statistique Canada, *Statistiques sur le secteur public, Système de gestion financière* (68-213-XIB).

1996-1997	1997-1998	1998-1999	1999-2000	2000-2001	Source
52 364,8	55 379,3	59 284,1	62 894,0	66 955,6	Recettes de sources propres
29,1	29,5	30,6	30,8	30,8	
15 507,0	16 976,3	18 012,3	19 389,9	20 653,9	Impôts sur le revenu
8,6	9,0	9,3	9,5	9,5	
8 387,3	8 823,7	10 171,9	10 736,4	11 324,4	Taxes à la consommation
4,7	4,7	5,3	5,3	5,2	
8 288,7	8 592,6	8 782,2	9 046,4	9 463,8	Impôts fonciers et impôts
4,6	4,6	4,5	4,4	4,4	connexes
5 572,0	5 802,5	6 138,2	6 544,9	6 626,8	Autres impôts
3,1	3,1	3,2	3,2	3,0	
163,3	172,9	429,2	398,9	459,7	Primes d'assurance-maladie
0,1	0,1	0,2	0,2	0,2	
3 081,8	2 645,1	3 017,2	2 942,7	3 070,2	Contributions aux régimes
1,7	1,4	1,6	1,4	1,4	de sécurité sociale
3 372,9	3 723,7	4 327,4	4 951,8	5 986,8	Contributions au RRQ[2]
1,9	2,0	2,2	2,4	2,8	
4 333,0	4 481,5	4 655,6	4 761,6	4 810,1	Vente de biens et services
2,4	2,4	2,4	2,3	2,2	
0,1	0,5	0,1	0,0	0,0	Vente de biens et services RRQ[2]
0,0	0,0	0,0	0,0	0,0	
1 843,8	2 254,5	2 221,2	2 653,3	3 030,7	Revenus de placement
1,0	1,2	1,1	1,3	1,4	
813,4	753,4	709,0	718,6	948,7	Revenus de placement RRQ[2]
0,5	0,4	0,4	0,4	0,4	
1 001,4	1 152,7	819,8	749,6	580,6	Autres recettes de sources propres
0,6	0,6	0,4	0,4	0,3	
					Transferts à des fins générales
6 850,1	5 989,1	7 319,7	6 547,8	8 042,6	en provenance des autres compo-
3,8	3,2	3,8	3,2	3,7	santes de l'Administration publique
					Transferts à des fins particulières
1 135,2	1 097,3	2 090,3	1 731,9	1 523,1	en provenance des autres compo-
0,6	0,6	1,1	0,8	0,7	santes de l'Administration publique
60 350,0	**62 465,8**	**68 694,1**	**71 173,8**	**76 521,4**	**Total des recettes**
33,5	**33,3**	**35,5**	**34,9**	**35,2**	

809

Figure 27.1
Augmentation des impôts sur le revenu et des taxes à la consommation de l'Administration publique provinciale générale, Québec, 1990-1991 à 2000-2001

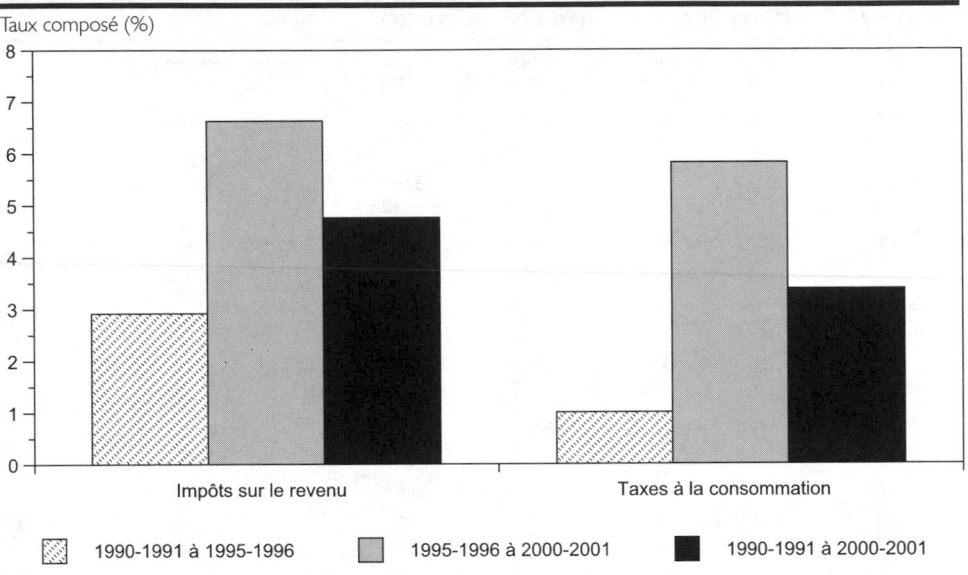

Source : Statistique Canada, *Statistiques sur le secteur public, Système de gestion financière* (68-213-XIB).

Tableau 27.3
Recettes des administrations locales selon la source, Québec, 1990 et 1996-2000

Source	1990	1996	1997	1998	1999	2000	Taux composé 1990-2000
			'000 000 $				%
Recettes de sources propres	7 442,7	9 332,0	9 565,9	9 866,9	10 160,6	10 219,6	3,2
Taxes à la consommation	28,6	–	–	–	–	–	…
Impôts fonciers et impôts connexes	5 352,6	6 867,7	7 089,1	7 234,5	7 462,2	7 495,9	3,4
Autres impôts	37,3	22,3	24,1	27,9	31,1	31,1	-1,8
Vente de biens et services	1 613,5	2 030,5	2 061,8	2 171,9	2 217,8	2 244,5	3,4
Revenus de placement	267,9	215,0	189,9	224,2	226,4	221,9	-1,9
Autres recettes de sources propres	142,7	196,5	201,0	208,4	223,2	226,1	4,7
Transferts à des fins générales en provenance des autres composantes de l'Administration publique	60,3	121,5	135,6	74,3	81,3	81,3	3,0
Transferts à des fins particulières en provenance des autres composantes de l'Administration publique	6 528,7	6 950,3	6 383,4	6 350,9	6 213,3	6 437,1	-0,1
Total des recettes	**14 031,7**	**16 403,9**	**16 084,9**	**16 292,0**	**16 455,3**	**16 738,0**	**1,8**

Source : Statistique Canada, *Statistiques sur le secteur public, Système de gestion financière* (68-213-XIB).

Figure 27.2
Augmentation des impôts fonciers et connexes des administrations locales, Québec, 1990-2000

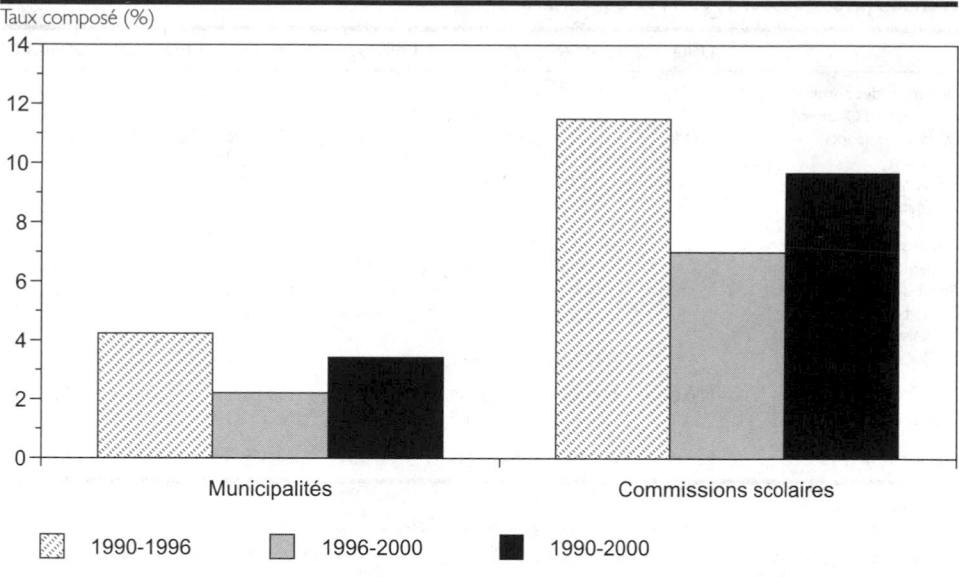

Source : Statistique Canada, *Statistiques sur le secteur public, Système de gestion financière* (68-213-XIB).

Tableau 27.4
Dépenses consolidées des administrations publiques provinciale et locales du Québec, selon la fonction, Québec, 1994-1995, 1997-1998 et 2000-2001

Fonction	Dépenses			Part relative annuelle		
	1994-1995	1997-1998	2000-2001	1994-1995	1997-1998	2000-2001
	'000 $			%		
Principales fonctions	**48 826 288**	**50 127 851**	**55 551 695**	**74,5**	**74,8**	**75,8**
Éducation	12 889 005	12 297 623	13 332 370	19,7	18,4	18,2
Santé	12 020 451	12 660 482	14 447 090	18,3	18,9	19,7
Services sociaux	17 135 586	18 457 909	20 491 646	26,1	27,5	28,0
Service de la dette	6 781 246	6 711 837	7 280 589	10,3	10,0	9,9
Autres fonctions	**16 738 867**	**16 871 263**	**17 733 129**	**25,5**	**25,2**	**24,2**
Transports et communications	3 832 852	3 608 093	3 818 016	5,8	5,4	5,2
Services généraux	2 240 638	2 264 604	2 499 781	3,4	3,4	3,4
Protection de la personne et de la propriété	3 062 903	3 503 370	3 444 434	4,7	5,2	4,7
Environnement	1 659 524	1 638 233	1 408 881	2,5	2,4	1,9
Loisirs et culture	1 571 816	1 548 652	1 726 336	2,4	2,3	2,4
Autres	4 371 134	4 308 311	4 835 681	6,7	6,4	6,6
Total des dépenses	**65 565 155**	**66 999 114**	**73 284 824**	**100,0**	**100,0**	**100,0**
Total des recettes	**57 718 976**	**62 465 758**	**76 521 365**	...	...	...
Surplus ou déficit	**-7 846 179**	**-4 533 356**	**3 236 541**	...	...	...

Source : Statistique Canada, *Statistiques sur le secteur public, Système de gestion financière* (68-213-XIB).

Tableau 27.5
Dépenses consolidées des administrations publiques provinciale et locales du Québec et indicateurs économiques, Québec, 1995-1996 à 2000-2001

	Unité	1995-1996	1996-1997	1997-1998	1998-1999	1999-2000	2000-2001
Dépenses des administrations publiques du Québec							
En dollars courants	'000 $	66 810 234	66 084 494	66 999 114	69 253 596	70 727 230	73 284 824
Variation	%	...	-1,1	1,4	3,4	2,1	3,6
Par personne	$[1]	9 197	9 058	9 156	9 434	9 602	9 914
Variation	%	...	-1,5	1,1	3,0	1,8	3,2
Dépenses/PIB							
Administration provinciale	%	29,6	28,4	27,6	27,9	27,2	26,6
Administrations locales[2]	%	9,7	9,4	8,9	8,6	8,0	7,7
Élimination	%	-1,6	-1,1	-0,8	-0,7	-0,5	-0,6
Administrations publiques du Québec	%	37,7	36,7	35,7	35,8	34,7	33,7
PIB[2]	'000 000 $	177 107	180 199	187 862	193 695	204 062	217 543
Variation	%	...	1,7	4,3	3,1	5,4	6,6
Population au 1er avril	n	7 264 386	7 295 328	7 317 759	7 340 944	7 365 558	7 391 805

1. En dollars courants.
2. Pour l'année civile qui se termine trois mois avant la fin de l'année financière.

Sources : Statistique Canada, *Statistiques sur le secteur public, Système de gestion financière* (68-213-XIB); *Statistiques démographiques trimestrielles* (91-002-XPB); *Comptes économiques provinciaux* (13-213-PPB).
Institut de la statistique du Québec, Direction des comptes et des études économiques.

Tableau 27.6
Recettes et dépenses consolidées et déficit des administrations publiques provinciale et locales du Québec, Québec, 1995-1996 à 2000-2001

	Unité	1995-1996	1996-1997	1997-1998	1998-1999	1999-2000	2000-2001
Recettes consolidées	'000 000 $	61 092,2	60 350,0	62 465,8	68 694,1	71 173,8	76 521,4
Variation	%	5,8	-1,2	3,5	10,0	3,6	7,5
Dépenses consolidées	'000 000 $	66 810,2	66 084,5	66 999,1	69 253,6	70 727,2	73 284,8
Variation	%	1,9	-1,1	1,4	3,4	2,1	3,6
Surplus ou déficit (-)	'000 000 $	-5 718,0	-5 734,5	-4 533,3	-559,5	446,6	3 236,6
Variation	'000 000 $	2 128,1	-16,5	1 201,2	3 973,8	1 006,1	2 790,0
Écart (variation des recettes moins variation des dépenses)	Point de %	3,9	-0,1	2,1	6,6	1,5	3,9

Source : Statistique Canada, *Statistiques sur le secteur public, Système de gestion financière* (68-213-XIB).

Tableau 27.7

Bilan consolidé des administrations publiques provinciale générale et locales du Québec, par composante, Québec, 1990-1991 à 1998-1999

Composante	Unité	1990-1991	1991-1992	1992-1993	1993-1994	1994-1995	1995-1996	1996-1997	1997-1998	1998-1999
Actif financier	'000 000 $	22 751	24 842	27 703	29 327	29 953	32 456	30 935	35 303	43 429
	%	100,0	100,0	100,0	100,0	100,0	100,0	100,0	100,0	100,0
Encaisse et dépôts	'000 000 $	6 478	7 094	8 972	8 593	8 579	8 358	2 672	2 343	2 671
	%	28,5	28,6	32,4	29,3	28,6	25,8	8,6	6,6	6,2
Débiteurs	'000 000 $	4 005	4 374	4 695	5 047	5 052	6 263	6 129	7 525	8 506
	%	17,6	17,6	16,9	17,2	16,9	19,3	19,8	21,3	19,6
Avances	'000 000 $	1 326	1 785	2 446	3 506	3 714	4 143	4 712	5 240	5 610
	%	5,8	7,2	8,8	12,0	12,4	12,8	15,2	14,8	12,9
Titres	'000 000 $	9 756	10 440	10 116	10 692	11 095	12 102	15 684	18 191	23 540
	%	42,9	42,0	36,5	36,5	37,0	37,3	50,7	51,5	54,2
Autre actif financier	'000 000 $	1 186	1 149	1 474	1 489	1 513	1 590	1 738	2 004	3 102
	%	5,2	4,6	5,3	5,1	5,1	4,9	5,6	5,7	7,1
Passif	'000 000 $	82 185	90 852	101 858	112 032	121 601	127 345	130 847	138 077	149 145
	%	100,0	100,0	100,0	100,0	100,0	100,0	100,0	100,0	100,0
Découverts bancaires	'000 000 $	327	527	607	792	834	926	944	821	1 025
	%	0,4	0,6	0,6	0,7	0,7	0,7	0,7	0,6	0,7
Créditeurs	'000 000 $	4 882	4 958	5 257	5 391	5 541	5 803	5 554	7 389	8 995
	%	5,9	5,5	5,2	4,8	4,6	4,6	4,2	5,4	6,0
Avances	'000 000 $	5 497	5 108	4 702	4 701	4 985	5 120	4 753	5 335	6 318
	%	6,7	5,6	4,6	4,2	4,1	4,0	3,6	3,9	4,2
Bons du trésor	'000 000 $	2 019	2 170	2 707	3 368	3 647	3 790	2 949	2 773	2 917
	%	2,5	2,4	2,7	3,0	3,0	3,0	2,3	2,0	2,0
Obligations d'épargne	'000 000 $	1 967	2 043	2 199	2 229	1 801	1 559	1 223	1 397	1 384
	%	2,4	2,2	2,2	2,0	1,5	1,2	0,9	1,0	0,9
Obligations	'000 000 $	38 320	42 488	48 827	53 026	55 544	56 710	56 712	55 687	61 193
	%	46,6	46,8	47,9	47,3	45,7	44,5	43,3	40,3	41,0
Autres titres	'000 000 $	3 534	5 257	6 929	9 312	15 308	16 418	17 776	21 143	22 394
	%	4,3	5,8	6,8	8,3	12,6	12,9	13,6	15,3	15,0
Dépôts	'000 000 $	93	102	217	269	287	172	419	119	268
	%	0,1	0,1	0,2	0,2	0,2	0,1	0,3	0,1	0,2
Dû aux régimes de pension	'000 000 $	24 809	27 376	29 590	31 749	32 268	35 048	38 933	41 617	42 637
	%	30,2	30,1	29,1	28,3	26,5	27,5	29,8	30,1	28,6
Autre passif	'000 000 $	737	823	823	1 195	1 386	1 799	1 584	1 796	2 014
	%	0,9	0,9	0,8	1,1	1,1	1,4	1,2	1,3	1,4
L'avoir (dette nette)	'000 000 $	-59 434	-66 010	-74 155	-82 705	-91 648	-94 889	-99 912	-102 774	-105 716
L'avoir (dette nette)/PIB[1]	%	38,8	42,6	46,8	51,0	53,9	53,6	55,4	54,7	54,6
L'avoir (dette nette) par personne	$	-8 433	-9 299	-10 365	-11 490	-12 674	-13 062	-13 695	-14 044	-14 401
Population au 1er avril	'000	7 048	7 098	7 154	7 198	7 231	7 264	7 295	7 318	7 341

1. PIB pour l'année civile qui se termine trois mois avant la fin de l'année financière.

Source : Statistique Canada, *Statistiques sur le secteur public, Système de gestion financière* (68-213-XIB); *Statistiques démographiques trimestrielles* (91-002-XPB).

Tableau 27.8
Emploi[1] dans le secteur public, par composante, Québec, 1991-2000

Composante	Unité	1991	1992	1993	1994	1995
Administrations publiques au Québec	n	683 466	694 763	694 134	704 891	694 641
Variation annuelle	%	0,9	1,7	-0,1	1,5	-1,5
Part relative	%	100,0	100,0	100,0	100,0	100,0
Administration publique fédérale	n	82 255	80 885	80 283	79 091	74 356
Variation annuelle	%	2,8	-1,7	-0,7	-1,5	-6,0
Part relative	%	12,0	11,6	11,6	11,2	10,7
Dont les militaires	n	19 723	19 079	19 151	19 077	17 618
Variation annuelle	%	4,7	-3,3	0,4	-0,4	-7,6
Part relative	%	2,9	2,7	2,8	2,7	2,5
Administration publique provinciale	n	393 457	399 027	400 151	407 582	407 119
Variation annuelle	%	-0,5	1,4	0,3	1,9	-0,1
Part relative	%	57,6	57,4	57,6	57,8	58,6
Provinciale générale	n	83 483	85 037	83 422	81 246	80 049
Variation annuelle	%	1,4	1,9	-1,9	-2,6	-1,5
Part relative	%	12,2	12,2	12,0	11,5	11,5
Éducation	n	68 571	71 563	71 807	72 937	72 618
Variation annuelle	%	0,5	4,4	0,3	1,6	-0,4
Part relative	%	10,0	10,3	10,3	10,3	10,5
Santé	n	241 403	242 428	244 922	253 400	254 452
Variation annuelle	%	-1,4	0,4	1,0	3,5	0,4
Part relative	%	35,3	34,9	35,3	35,9	36,6
Administrations publiques locales	n	207 753	214 851	213 700	218 217	213 166
Variation annuelle	%	2,8	3,4	-0,5	2,1	-2,3
Part relative	%	30,4	30,9	30,8	31,0	30,7
Locales générales	n	81 372	84 440	83 749	83 396	83 037
Variation annuelle	%	2,5	3,8	-0,8	-0,4	-0,4
Part relative	%	11,9	12,2	12,1	11,8	12,0
Commissions scolaires	n	126 381	130 411	129 951	134 822	130 129
Variation annuelle	%	3,0	3,2	-0,4	3,7	-3,5
Part relative	%	18,5	18,8	18,7	19,1	18,7
Entreprises publiques au Québec	n	80 931	80 344	79 390	81 094	76 478
Variation annuelle	%	0,3	-0,7	-1,2	2,1	-5,7
Secteur public au Québec	n	**764 396**	**775 106**	**773 524**	**785 985**	**771 119**
Variation annuelle	%	**0,8**	**1,4**	**-0,2**	**1,6**	**-1,9**

1. Le nombre d'emplois est une moyenne annuelle simple.

Source : Statistique Canada, *Statistiques sur le secteur public, Système de gestion financière* (68-213-XIB).

1996	1997	1998	1999	2000	Composante
666 405	656 789	649 482	642 799	635 964	Administrations publiques au Québec
-4,1	-1,4	-1,1	-1,0	-1,1	Variation annuelle
100,0	100,0	100,0	100,0	100,0	Part relative
72 214	68 857	66 719	67 141	69 148	Administration publique fédérale
-2,9	-4,6	-3,1	0,6	3,0	Variation annuelle
10,8	10,5	10,3	10,4	10,9	Part relative
16 979	17 882	17 559	17 244	16 565	Dont les militaires
-3,6	5,3	-1,8	-1,8	-3,9	Variation annuelle
2,5	2,7	2,7	2,7	2,6	Part relative
382 269	375 585	376 655	373 567	368 160	Administration publique provinciale
-6,1	-1,7	0,3	-0,8	-1,4	Variation annuelle
57,4	57,2	58,0	58,1	57,9	Part relative
79 456	79 530	80 041	81 741	82 976	Provinciale générale
-0,7	0,1	0,6	2,1	1,5	Variation annuelle
11,9	12,1	12,3	12,7	13,0	Part relative
70 278	71 351	69 031	65 229	64 258	Éducation
-3,2	1,5	-3,3	-5,5	-1,5	Variation annuelle
10,5	10,9	10,6	10,1	10,1	Part relative
232 535	224 703	227 584	226 596	220 926	Santé
-8,6	-3,4	1,3	-0,4	-2,5	Variation annuelle
34,9	34,2	35,0	35,3	34,7	Part relative
211 923	212 347	206 108	202 092	198 657	Administrations publiques locales
-0,6	0,2	-2,9	-1,9	-1,7	Variation annuelle
31,8	32,3	31,7	31,4	31,2	Part relative
80 924	79 401	77 789	78 429	77 074	Locales générales
-2,5	-1,9	-2,0	0,8	-1,7	Variation annuelle
12,1	12,1	12,0	12,2	12,1	Part relative
130 999	132 946	128 320	123 663	121 583	Commissions scolaires
0,7	1,5	-3,5	-3,6	-1,7	Variation annuelle
19,7	20,2	19,8	19,2	19,1	Part relative
67 666	66 110	65 304	66 493	66 082	**Entreprises publiques au Québec**
-11,5	-2,3	-1,2	1,8	-0,6	Variation annuelle
734 071	**722 898**	**714 786**	**709 293**	**702 046**	**Secteur public au Québec**
-4,8	**-1,5**	**-1,1**	**-0,8**	**-1,0**	**Variation annuelle**

Tableau 27.9
Répartition de l'effectif[1] régulier de la fonction publique, par ministère, organisme et fonds spécial, Québec, 1996-2000[2]

Ministère, organisme et fonds spécial	1996[2]	1997[2]	1998[2]	1999[2]	2000[2]
			n		
Affaires municipales et Métropole	518	520	522	498	470
Agence de l'efficacité énergétique	24	24	26	25	26
Agriculture, Pêcheries et Alimententation	2 276	2 043	1 849	1 864	1 873
Assemblée nationale	348	312	297	305	292
Bibliothèque nationale du Québec	121	116	108	105	106
Bureau du coroner	51	47	42	41	40
Comité de déontologie policière	27	25	20	21	20
Commissaire à la déontologie policière	30	30	26	32	32
Commissaire de l'industrie de la construction	–	–	–	–	10
Commission québécoise des libérations conditionnelles	35	31	31	28	28
Commission d'évaluation de l'enseignement collégial du Québec	28	27	28	28	25
Commission administrative des régimes de retraite et d'assurances	447	390	364	361	375
Commission de protection du territoire agricole du Québec	116	108	101	97	102
Commission des biens culturels du Québec	4	4	4	5	4
Commission d'accès à l'information du Québec	43	44	39	40	41
Commission de l'équité salariale	–	–	17	31	37
Commission de la fonction publique du Québec	32	31	28	30	28
Commission des normes du travail	397	391	378	403	397
Commission des transports du Québec	161	144	129	131	127
Commission des lésions professionnelles	239	230	228	362	392
Commission de protection de la langue française	–	–	19	17	18
Commission de la santé et de la sécurité du travail	3 195	3 164	3 044	2 972	2 940
Compte de gestion de la TPS	1 226	1 222	1 071	1 113	974
Conseil de la langue française	27	24	21	18	22
Conseil de la magistrature	3	3	3	4	4
Conseil de la santé et du bien-être	41	40	38	40	32
Conseil du statut de la femme	61	60	54	56	55
Conseil du trésor	1 192	951	855	690	657
Conseil exécutif	316	293	283	297	314
Conseil des relations interculturelles	8	7	5	6	6
Conseil de la science et de la technologie	15	15	15	14	19
Conseil supérieur de l 'éducation	37	31	32	32	28
Culture et Communications	655	620	579	592	606
Curateur public du Québec	207	215	200	193	248
Directeur général des élections du Québec	148	143	138	138	136
Éducation	1 674	1 469	1 303	1 312	1 326
Emploi et Solidarité sociale	3 192	2 932	2 754	2 351	2 315
Environnement	1 940	1 800	1 606	1 584	1 508
Famille et Enfance	135	130	191	226	253
Faune et Parcs	984	893	810	804	798
Finances	620	592	553	557	571
Fonds d'aide à l'action communautaire autonome	14	17	14	21	19
Fonds d'aide aux victimes d'actes criminels	3	4	3	0	0
Fonds de conservation et d'amélioration du réseau routier	1 666	1 641	1 504	1 533	1 548
Fonds de financement	16	14	13	14	11
Fonds de l'état civil	154	148	127	118	106
Fonds de partenariat touristique	205	206	211	216	219
Fonds de perception	561	567	532	554	568
Fonds des pensions alimentaires	51	130	120	169	169
Fonds des registres	429	360	344	326	318

Tableau 27.9 *(suite)*

Répartition de l'effectif[1] régulier de la fonction publique, par ministère, organisme et fonds spécial, Québec, 1996-2000[2]

Ministère, organisme et fonds spécial	1996[2]	1997[2]	1998[2]	1999[2]	2000[2]
			n		
Fonds des services de police	538	539	499	520	532
Fonds de développement du marché du travail	–	–	6	2 202	2 174
Fonds de développement régional	–	–	–	2	1
Fonds forestier	277	251	244	244	249
Fonds de gestion des immeubles du Québec à l'étranger	4	3	3	3	3
Fonds de gestion de l'équipement roulant	–	1	51	193	245
Fonds de l'information gouvernementale	127	121	119	117	117
Fonds de l'information géographique et foncière	24	23	23	23	19
Fonds de lutte contre la pauvreté et de la réinsertion au travail	–	–	4	8	7
Fonds national pour la formation de la main-d'œuvre	–	–	–	42	52
Fonds pour la réforme du cadastre québécois	86	78	79	77	86
Fonds des services gouvernementaux	837	814	758	740	764
Industrie et Commerce	726	705	651	654	637
Inspecteur général des institutions financières	346	314	288	288	291
Institut de la statistique du Québec	177	169	152	152	179
Institut de tourisme et d'hôtellerie du Québec	174	153	134	132	127
Justice	2 716	2 443	2 234	2 216	2 165
Office de la langue française	249	237	213	211	213
Office des professions du Québec	40	37	36	35	32
Office des personnes handicapées du Québec	138	133	127	115	116
Office de la protection du consommateur	121	120	103	96	93
Recherche, Science et Technologie	37	32	25	23	86
Relations avec les citoyens et Immigration	1 091	1 054	983	966	941
Relations internationales	431	366	348	364	375
Ressources naturelles	2 369	2 205	2 003	1 997	1 970
Revenu	3 702	3 662	3 674	3 623	3 701
Régie de l'assurance maladie du Québec	1 114	1 055	1 006	1 023	1 018
Régie des assurances agricoles du Québec	262	258	247	235	237
Régie des alcools, des courses et des jeux	139	130	131	139	140
Régie des rentes du Québec	766	738	713	744	768
Régie du bâtiment du Québec	481	394	348	358	346
Régie du cinéma	55	54	53	48	48
Régie du logement	252	238	214	210	206
Régie des marchés agricoles et alimentaires du Québec	47	42	38	40	40
Régions	143	130	113	129	129
Santé et Services sociaux	856	755	664	646	632
Secrétariat à la politique linguistique	–	6	6	7	8
Société de l'assurance automobile du Québec	2 366	2 247	2 155	2 199	2 246
Société d'habitation du Québec	404	357	334	323	321
Société de financement agricole - financement forestier	10	8	7	7	7
Société de financement agricole - financement agricole	301	288	275	277	284
Sécurité publique	3 200	2 959	2 716	3 371	3 456
Sûreté du Québec	584	566	533	572	604
Transports	3 997	3 471	2 948	2 772	2 695
Travail	342	312	279	278	272
Tribunal administratif du Québec	226	223	206	227	228
Vérificateur général du Québec	208	183	198	199	195
Ensemble de l'effectif	**53 635**	**50 082**	**46 620**	**49 221**	**49 269**
Variation annuelle (en %)	…	-6,6	-6,9	5,6	0,1

1. Effectif assujetti à la Loi sur la fonction publique.
2. Nombre de personnes en emploi à la dernière paie de mars de chaque année.

Source : Secrétariat du Conseil du trésor, *L'effectif de la fonction publique du Québec 2000*.

Tableau 27.10
Répartition de l'effectif[1] régulier de la fonction publique, par sexe et catégorie d'emploi, Québec, 1996, 1998 et 2000[2]

Catégorie d'emploi	1996[2]			1998[2]			2000[2]		
	Hommes	Femmes	Total	Hommes	Femmes	Total	Hommes	Femmes	Total
					n				
Haute direction	431	137	568	366	154	520	394	214	608
Cadre supérieur	1 719	307	2 026	1 381	298	1 679	1 440	374	1 814
Cadre intermédiaire	1 675	371	2 046	1 184	304	1 488	1 141	369	1 510
Professionnel	10 514	4 606	15 120	9 182	4 522	13 704	9 751	5 354	15 105
Enseignant	251	158	409	185	127	312	181	121	302
Technicien	7 804	6 181	13 985	6 505	6 118	12 623	6 698	6 722	13 420
Personnel de bureau	2 531	12 276	14 807	1 935	10 743	12 678	1 818	10 597	12 415
Agent de la paix	1 976	287	2 263	1 672	284	1 956	1 900	619	2 519
Ouvrier	2 361	50	2 411	1 620	40	1 660	1 540	36	1 576
Ensemble de l'effectif	**29 262**	**24 373**	**53 635**	**24 030**	**22 590**	**46 620**	**24 863**	**24 406**	**49 269**

1. Effectif assujetti à la Loi sur la fonction publique.
2. Nombre de personnes en emploi à la dernière paie de mars de chaque année.

Source : Secrétariat du Conseil du trésor, *L'effectif de la fonction publique du Québec 2000*.

Figure 27.3
Part relative des femmes dans l'effectif régulier de la fonction publique, par catégorie d'emploi, Québec, 1996 et 2000[1]

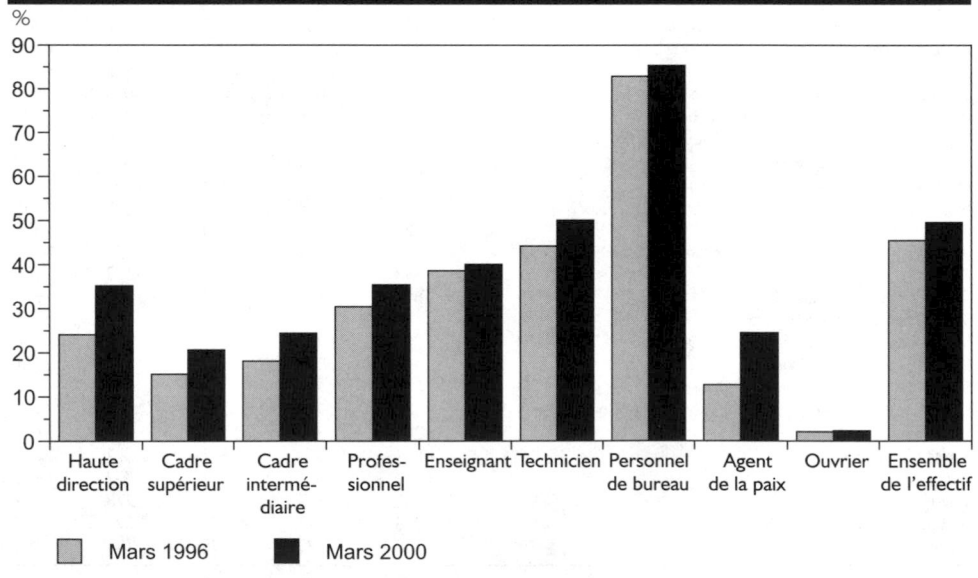

1. Selon le nombre de femmes en emploi à la dernière paie de mars de chaque année.

Source : Secrétariat du Conseil du trésor, *L'effectif de la fonction publique du Québec 2000*.

Tableau 27.11
**Répartition de l'effectif[1] régulier de la fonction publique, par groupe d'âge,
Québec, 1996, 1998 et 2000[2]**

Groupe d'âge	1996[2]		1998[2]		2000[2]		Taux composé 1996-2000
	n	%	n	%	n	%	%
Moins de 25 ans	67	0,1	44	0,1	236	0,5	37,0
25-29 ans	1 262	2,4	588	1,3	717	1,5	-13,2
30-34 ans	4 635	8,6	3 274	7,0	2 417	4,9	-15,0
35-39 ans	9 915	18,5	7 456	16,0	6 247	12,7	-10,9
40-44 ans	13 465	25,1	13 081	28,1	11 870	24,1	-3,1
45-49 ans	11 209	20,9	12 218	26,2	13 619	27,6	5,0
50-54 ans	7 799	14,5	7 073	15,2	9 893	20,1	6,1
55-59 ans	3 711	6,9	2 407	5,2	3 566	7,2	-1,0
60-64 ans	1 291	2,4	378	0,8	607	1,2	-17,2
65 ans et plus	281	0,5	101	0,2	97	0,2	-23,3
Total	**53 635**	**100,0**	**46 620**	**100,0**	**49 269**	**100,0**	**-2,1**
Âge moyen	44,5		44,6		45,8		0,7

1. Effectif assujetti à la Loi sur la fonction publique.
2. Nombre de personnes en emploi à la dernière paie de mars de chaque année.

Source :   Secrétariat du Conseil du trésor, *L'effectif de la fonction publique du Québec 2000.*

Tableau 27.12
Répartition de l'effectif[1] régulier de la fonction publique, par sexe et par groupe d'années de service, Québec, 1996, 1998 et 2000[2]

Sexe et groupe d'années de service	1996[2]		1998[2]		2000[2]		Taux composé 1996-2000
	n	%	n	%	n	%	%
Hommes	**29 262**	**100,0**	**24 030**	**100,0**	**24 863**	**100,0**	**-4,0**
Moins de 5 ans	3 230	11,0	790	3,3	2 306	9,3	-8,1
5-9 ans	4 027	13,8	5 268	21,9	3 813	15,3	-1,4
10-14 ans	2 833	9,7	2 875	12,0	3 632	14,6	6,4
15-19 ans	6 345	21,7	4 059	16,9	2 602	10,5	-20,0
20-24 ans	6 940	23,7	6 947	28,9	6 589	26,5	-1,3
25-29 ans	3 689	12,6	3 142	13,1	4 520	18,2	5,2
30-34 ans	2 065	7,1	910	3,8	1 323	5,3	-10,5
35 ans et plus	133	0,5	39	0,2	78	0,3	-12,5
Moyenne d'années de service	17,6		17,5		17,9		0,4
Femmes	**24 373**	**100,0**	**22 590**	**100,0**	**24 406**	**100,0**	**0,1**
Moins de 5 ans	3 973	16,3	846	3,7	2 664	10,9	-9,5
5-9 ans	4 303	17,7	6 226	27,6	4 790	19,6	2,7
10-14 ans	2 163	8,9	2 470	10,9	3 565	14,6	13,3
15-19 ans	5 511	22,6	3 724	16,5	2 200	9,0	-20,5
20-24 ans	5 698	23,4	6 478	28,7	6 204	25,4	2,1
25-29 ans	1 803	7,4	2 109	9,3	3 786	15,5	20,4
30-34 ans	826	3,4	699	3,1	1 075	4,4	6,8
35 ans et plus	96	0,4	38	0,2	122	0,5	6,2
Moyenne d'années de service	15,4		16,4		16,8		2,2
Total	**53 635**	**100,0**	**46 620**	**100,0**	**49 269**	**100,0**	**-2,1**
Moins de 5 ans	7 203	13,4	1 636	3,5	4 970	10,1	-8,9
5-9 ans	8 330	15,5	11 494	24,7	8 603	17,5	0,8
10-14 ans	4 996	9,3	5 345	11,5	7 197	14,6	9,6
15-19 ans	11 856	22,1	7 783	16,7	4 802	9,7	-20,2
20-24 ans	12 638	23,6	13 425	28,8	12 793	26,0	0,3
25-29 ans	5 492	10,2	5 251	11,3	8 306	16,9	10,9
30-34 ans	2 891	5,4	1 609	3,5	2 398	4,9	-4,6
35 ans et plus	229	0,4	77	0,2	200	0,4	-3,3
Moyenne d'années de service	16,6		17,0		17,4		1,2

1. Effectif assujetti à la Loi sur la fonction publique.
2. Nombre de personnes en emploi à la dernière paie de mars de chaque année.

Source : Secrétariat du Conseil du trésor, *L'effectif de la fonction publique du Québec 2000*.

Tableau 27.13
Répartition de l'effectif[1] régulier de la fonction publique, par région administrative, Québec, 1996, 1998 et 2000[2]

Région administrative	1996[2]		1998[2]		2000[2]		Taux composé 1996-2000
	n	%	n	%	n	%	%
01 Bas-Saint-Laurent	1 332	2,5	1 111	2,4	1 186	2,4	-2,9
02 Saguenay–Lac-Saint-Jean	1 201	2,2	1 047	2,2	1 143	2,3	-1,2
03 Capitale-Nationale	26 345	49,1	22 962	49,3	23 544	47,8	-2,8
04 Mauricie	1 229	2,3	1 095	2,3	1 205	2,4	-0,5
05 Estrie	1 182	2,2	1 024	2,2	1 097	2,2	-1,8
06 Montréal	11 029	20,6	9 414	20,2	9 993	20,3	-2,4
07 Outaouais	1 053	2,0	1 001	2,1	1 119	2,3	1,5
08 Abitibi-Témiscamingue	1 092	2,0	896	1,9	998	2,0	-2,2
09 Côte-Nord	684	1,3	626	1,3	705	1,4	0,8
10 Nord-du-Québec	105	0,2	86	0,2	94	0,2	-2,7
11 Gaspésie–Îles-de-la-Madeleine	630	1,2	521	1,1	588	1,2	-1,7
12 Chaudière-Appalaches	1 247	2,3	1 029	2,2	1 127	2,3	-2,5
13 Laval	1 066	2,0	1 030	2,2	1 069	2,2	0,1
14 Lanaudière	621	1,2	560	1,2	642	1,3	0,8
15 Laurentides	1 101	2,1	1 021	2,2	1 146	2,3	1,0
16 Montérégie	3 019	5,6	2 587	5,5	2 958	6,0	-0,5
17 Centre-du-Québec	570	1,1	449	1,0	528	1,1	-1,9
Hors Québec	94	0,2	80	0,2	71	0,1	-6,8
Indéterminé	35	0,1	81	0,2	56	0,1	12,5
Total	**53 635**	**100,0**	**46 620**	**100,0**	**49 269**	**100,0**	**-2,1**

1. Effectif assujetti à la Loi sur la fonction publique.
2. Nombre de personnes en emploi à la dernière paie de mars de chaque année.
Source : Secrétariat du Conseil du trésor, *L'effectif de la fonction publique du Québec 2000.*

Figure 27.4
Répartition de l'effectif régulier et occasionnel de la fonction publique, par région administrative, Québec, 1995-1996 et 1999-2000

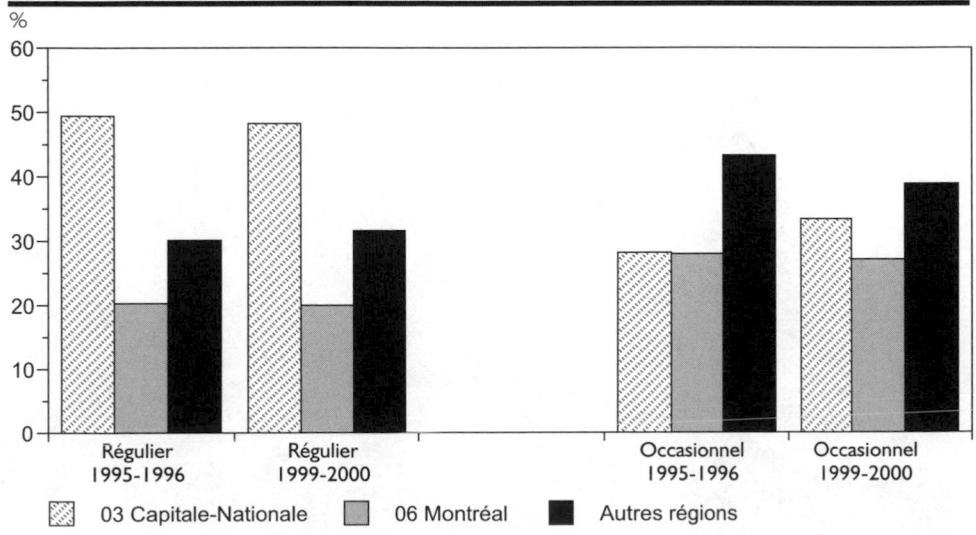

1. En équivalent temps complet (ETC).
Source : Secrétariat du Conseil du trésor, *L'effectif de la fonction publique du Québec 2000.*

28

Tourisme

Liste des tableaux

Liste des figures

Ce chapitre a été réalisé par Maurice Berthelot, de la Direction de la planification stratégique, de Tourisme Québec.

Dans ce chapitre, il est d'abord question de l'évolution du tourisme international et du tourisme intérieur au Québec depuis 1990. On y trouve des données sur l'importance du tourisme pour le Québec et ses régions, de même que des renseignements sur l'impact économique des dépenses touristiques. Le chapitre comporte également des renseignements sur le niveau de compétitivité de l'industrie touristique québécoise en comparaison avec les autres secteurs économiques et par rapport aux autres provinces canadiennes, ainsi que sur l'évolution de la balance commerciale touristique du Québec.

Les Nations Unies ont approuvé en 1993 la définition suivante du tourisme, proposée par l'Organisation mondiale du tourisme (OMT) : « Le tourisme comprend les activités déployées par les personnes au cours de leurs voyages et de leurs séjours dans les lieux situés à l'extérieur de leur environnement habituel pour une période consécutive qui ne dépasse pas une année, à des fins de loisirs, pour affaires ou pour autres motifs ».

Le sujet du tourisme a été abordé pour la première fois dans l'*Annuaire statistique de la Province de Québec* en 1932. Les quelques données disponibles à l'époque, relatives au nombre d'automobiles étrangères entrées au Québec et aux sommes dépensées par les touristes, étaient compilées dans le chapitre portant sur l'activité économique. Au fil des années, cette section de chapitre s'est développée avec l'intégration de données sur l'hôtellerie et la restauration. Il faut toutefois attendre jusqu'à 1979-1980 pour qu'un chapitre complet soit consacré au tourisme.

La contribution du secteur du tourisme à l'économie du Québec

Les recettes découlant de l'activité touristique en 1999 ont été de 6,3 milliards de dollars (tableau 28.1), dont 2,2 milliards provenant des touristes et excursionnistes de l'extérieur du Canada. Cela ferait du tourisme le 6e produit d'exportation du Québec (tableau 28.2). Si l'on ajoute à ce montant les dépenses des visiteurs des autres provinces canadiennes, les recettes découlant du tourisme étranger passent à 3 milliards de dollars, soit 47,6 % de l'ensemble des recettes touristiques.

Entre 1990 et 1999, les recettes touristiques au Québec sont passées de 4,6 milliards à 6,3 milliards de dollars, ce qui représente un taux annuel moyen de croissance de 3,5 %.

Près des trois quarts des recettes sont absorbées par les secteurs de l'hébergement et de la restauration (42 %), et par celui des transports (32 %) (figure 28.1).

Le secteur touristique comprend 32 000 entreprises, dont 17 705 restaurants et 5 352 établissements d'hébergement ou terrains de camping (tableau 28.16).

Le tourisme crée plus de 117 000 emplois directs (tableau 28.3), soit 3,5 % de l'emploi total au Québec. Quant aux emplois indirects créés chez les premiers fournisseurs des entreprises desservant la clientèle touristique, ils seraient de l'ordre de 42 000.

Le secteur touristique engendre de l'emploi à faible coût : des recettes touristiques de 55 000 dollars suffisent pour créer un emploi.

Le tourisme représente 2,1 % du produit intérieur brut, soit plus de 4,4 milliards de dollars (aux prix du marché). Il a engendré des revenus de 1,3 milliard de dollars pour les deux paliers de gouvernement, dont 685 millions pour le gouvernement du Québec, auxquels il faut ajouter 253 millions en recettes parafiscales.

Entre 1991 et 1999, le solde au compte des voyages internationaux, bien que toujours négatif, est passé de - 1,3 milliard à - 404 millions de dollars (tableau 28.5).

L'activité touristique au Québec

Le tourisme international au Québec

En 1999, les visiteurs internationaux n'effectuent que 14,5 % de l'ensemble des voyages touristiques réalisés au Québec (tableau 28.7). Par contre, leurs dépenses (2,1 milliards) représentent 33,9 % de l'ensemble des recettes générées par l'activité touristique (tableau 28.4). Le motif de voyage d'environ 75 % de ces visiteurs est soit l'agrément, soit la visite de parents et d'amis, et les montants déboursés constituent 71,4 % de la totalité des dépenses de la clientèle internationale.

Les parts de marché du Québec en comparaison de celles des autres provinces

Entre 1990 et 1999, le volume de voyages et les dépenses des visiteurs internationaux au Québec ont augmenté respectivement de 19,3 % (de 4,5 millions à 5,3 millions de voyages) et de 87,4 % (de 1,1 milliard à 2,1 milliards de dollars).

Ces dernières années, c'est le marché des touristes en provenance d'autres pays que les États-Unis qui a connu la hausse la plus considérable. Pendant la période à l'étude, le volume de voyages de ce marché est passé de 884 000 à 1,3 million de visiteurs, ce qui représente une augmentation de 43,4 %. De 1995 à 1999, la part du Québec dans le marché canadien des visiteurs d'outre-mer[1] a crû de 19,9 % à 22,0 % (tableau 28.6).

En ce qui concerne les visiteurs américains au Québec entre 1990 et 1999, le volume de cette clientèle a augmenté de 12,6 %, soit de 3,5 à 3,9 millions de voyages. Par contre, pendant cette même période, les Américains ont visité la plupart des autres provinces en plus grand nombre. De 1995 à 1999, la part du Québec dans le marché canadien des visiteurs américains est passée de 13,6 % à 13,2 %.

Les voyageurs des pays autres que les États-Unis au Québec

Au Québec, c'est le marché des visiteurs étrangers autres qu'américains qui a connu la croissance la plus soutenue ces dernières années. Entre 1990 et 1999, le volume de voyages et les dépenses de cette clientèle se sont accrus respectivement de 43,4 % (de 979 000

---

1. Dans le cadre de cette analyse, il est entendu que les visiteurs d'outre-mer sont ceux venant de pays autres que les États-Unis.

à 1,4 million de voyages) et de 92,2 % (de 541 millions à 1,0 milliard de dollars). En 1999, le volume de voyages engendré par les visiteurs d'autres pays que les États-Unis représentait seulement 26,4 % de l'ensemble des voyages effectués par les visiteurs internationaux au Québec. Par contre, les dépenses de cette clientèle ont constitué 49,0 % de la totalité des dépenses des visiteurs internationaux. Ce phénomène s'explique par le fait que les touristes (voyages d'une nuit et plus) représentent 90,3 % de l'ensemble de ces visiteurs et que la durée de leur séjour est beaucoup plus longue en moyenne que celle des visiteurs américains.

Bon an mal an, les Européens composent les deux tiers de la clientèle internationale non américaine (844 000 voyages en 1999). Les Français (411 000 voyages), à eux seuls, représentent presque 50 % des visiteurs européens et 29,3 % de l'ensemble des visiteurs des pays autres que les États-Unis (tableau 28.8). Ce sont ensuite les touristes anglais (8,4 %) et allemands (6,9 %) qui visitent le Québec en plus grand nombre. Finalement, en 1999, les touristes en provenance des pays asiatiques, dont environ le tiers seraient japonais, ont constitué 17,2 % des visiteurs venant de pays autres que les États-Unis.

Près de 70 % de la clientèle d'outre-mer voyage au Québec entre le mois d'avril et le mois de septembre. Seulement 6,9 % de ces visiteurs sont âgés de moins de 15 ans, 52,2 % ont entre 25 et 54 ans, et 17,2 % ont plus de 55 ans (tableau 28.10). Les principaux motifs de voyage sont l'agrément et la visite de parents ou d'amis (77,3 %), de même que les affaires et les congrès (18,0 %) (tableau 28.12). Il est à noter que plus du tiers de cette clientèle est entrée au Québec par les États-Unis ou une autre province (tableau 28.11).

Le tourisme américain au Québec

En 1990, le volume de voyages et les dépenses des visiteurs américains représentaient respectivement 78,1 % et 52,2 % de l'ensemble des voyages et des dépenses des touristes internationaux au Québec. En 1999, les visiteurs américains ont effectué 73,6 % de l'ensemble de ces voyages (3,9 millions), ainsi que 51,0 % de la totalité de ces dépenses (1,1 milliard). Un équilibre semble s'être installé au chapitre de la contribution de chacun des marchés à l'activité économique générée par le tourisme international au Québec.

Le tourisme américain est caractérisé par la brièveté du séjour (soit 3,4 nuitées contre 8,1 pour les touristes des autres pays) (tableau 28.13), et par le fait que 43,9 % des voyages au Québec sont effectués par des excursionnistes (visite sans coucher). Les principaux motifs de voyage de cette clientèle sont l'agrément et la visite de parents ou d'amis (73,3 %), ainsi que les affaires ou l'assistance à des congrès (18,9 %).

Il est à noter que 76,5 % de la clientèle américaine provient de la côte Est des États-Unis, dont 40,3 % de la Nouvelle-Angleterre et 24,1 % de l'Atlantique Centre. Les Américains fréquentent le Québec surtout aux 2e et 3e trimestres; plus de 60 % des voyages sont ainsi réalisés entre le mois d'avril et le mois de septembre (tableau 28.9). La moitié de cette clientèle est âgée entre 25 et 54 ans, 26,8 % a 55 ans et plus et seulement 7,1 % a moins de 15 ans. Pour se rendre au Québec, les moyens de transport privilégiés par les visiteurs américains sont l'automobile (56,4 %) et l'avion (30,8 %). Finalement, plus de 80 % d'entre eux sont entrés directement au Québec sans passer par une autre province.

Les Canadiens des autres provinces au Québec[2]

Selon les données disponibles, entre 1990 et 1999, le volume de voyages ainsi que les dépenses de la clientèle des autres provinces canadiennes auraient augmenté respectivement de 20,6 % et 58,1 %. Ces visiteurs auraient réalisé en 1999 plus de 4,3 millions de voyages au Québec, dont 3,1 millions comportaient au moins un coucher, et ils auraient dépensé 779 millions de dollars.

Presque 85 % de la clientèle canadienne hors Québec provient de l'Ontario et surtout de l'est de cette province. Les principaux motifs de voyage des visiteurs des autres provinces sont la visite de parents ou d'amis (41,3 %), l'agrément (37,4 %), de même que les affaires et l'assistance à des congrès (16,6 %). La durée moyenne de séjour des voyages comportant au moins un coucher est de 3,4 nuitées.

Les Canadiens des autres provinces réalisent plus du tiers de leurs voyages au Québec au 3e trimestre, et entre 20,0 % et 22,0 % pendant chacun des autres trimestres. Pour venir au Québec, les moyens de transport les plus utilisés par ces visiteurs sont l'automobile (76,9 %) et, dans une moindre mesure, l'avion (13,8 %).

Les Québécois en voyage au Québec[3]

Selon les données présentement disponibles (non révisées), entre 1990 et 1999, le volume de voyages ainsi que les dépenses de la clientèle québécoise auraient augmenté respectivement de 13,5 % et 3,1 %. Les Québécois voyageant au Québec en 1999 auraient réalisé plus de 27 millions de voyages, dont 48,1 % comportaient au moins une nuitée. Les dépenses totales de ces voyageurs québécois auraient été de 3,3 milliards de dollars, ce qui représente 52,1 % de l'ensemble des dépenses touristiques. Il est à noter que ce montant global comprend les dépenses des excursionnistes, ainsi que celles réalisées au Québec par les Québécois en prévision de voyages à l'extérieur de la province. Les dépenses auprès des transporteurs étrangers sont exclues.

En 1999, les principaux motifs de voyage de cette clientèle étaient la visite de parents ou d'amis (43,7 %), l'agrément (42,6 %), ainsi que les affaires et les congrès (7,5 %). Bien que la part des voyages dont les motifs principaux sont les affaires et les congrès soit assez faible, les dépenses qui y sont liées représentent presque 20 % de l'ensemble des dépenses touristiques des Québécois.

Étant donné l'importance de la visite de parents et d'amis comme motif principal de déplacement, il n'est pas surprenant qu'un ou des enfants de moins de 15 ans soient impliqués dans plus de 15 % de l'ensemble des voyages réalisés par les Québécois. Les personnes âgées entre 25 et 55 ans réalisent 53,4 % des voyages, alors que celles de 55 ans et plus en effectuent 18,0 %.

La durée moyenne de séjour des touristes québécois dont la destination est le Québec est de 2,8 nuitées, et ces derniers sont responsables de presque 70 % de l'ensemble des dépenses touristiques québécoises. L'automobile est, bien sûr, le moyen de transport le plus utilisé (93,1 %), suivie de très loin par l'autocar (4,4 %) et l'avion (1,6 %).

---

2. Les données de 1996 à 2000 de l'Enquête portant sur les voyages des Canadiens au Canada (EVC) sont en voie de révision. Il semblerait que le volume de voyages ainsi que les dépenses des voyageurs ont été sous-estimés lors de cette période.
3. *Ibid.*

Le tourisme sur une base régionale

Dans la plupart des régions touristiques du Québec, la clientèle est surtout composée de voyageurs venant des autres régions, à l'exception de Montréal, qui n'accueille que 28,0 % de Québécois (tableau 28.14). Hormis Montréal et Québec, les autres régions touristiques se sont partagé 73,0 % de l'ensemble des voyages effectués au Québec par les touristes québécois, et elles ont récolté 68,4 % de leurs dépenses. Il est à noter que ces autres régions touristiques n'ont enregistré que 35,4 % de l'ensemble des visites-régions réalisées par les touristes étrangers[4] au Québec en 1999, ainsi que 27,1 % de leurs dépenses (tableau 28.15).

Toujours en 1999, les régions touristiques de Montréal (24,1 %) et de Québec (16,9 %) ont accueilli, toutes origines confondues, 41,0 % des touristes ayant voyagé au Québec, et elles ont bénéficié de 56,5 % de leurs dépenses totales. Ensemble, elles ont été la destination de 27,0 % des touristes québécois et ont profité de 31,6 % de leurs dépenses. Une constatation intéressante : la région de Québec (2,2 millions de visiteurs) reçoit annuellement plus de touristes québécois que celle de Montréal (1,4 million). Par ailleurs, ces deux régions enregistrent près des deux tiers de la totalité des voyages effectués par les touristes étrangers au Québec et 72,9 % de leurs dépenses.

Presque 60 % des chambres disponibles dans les établissements hôteliers de la province se retrouvent à l'extérieur des régions de Montréal et de Québec. Entre 1999 et 2000, le nombre de chambres disponibles quotidiennement au Québec a augmenté de 2 051. Cela semble témoigner du dynamisme du développement touristique québécois, non seulement dans les grands centres, mais aussi en périphérie de ceux-ci, notamment dans les régions des Laurentides et de Charlevoix qui ont contribué respectivement pour 21,3 % et 11,2 % de la hausse enregistrée au Québec (tableau 28.17). Le taux d'occupation quotidien moyen des établissements hôteliers de l'ensemble des régions a légèrement diminué en 2000 par rapport à 1999 (52,3 % comparativement à 52,7 %), et ce, malgré une augmentation du volume de chambres occupées quotidiennement (de 36 292 en 1999 à 37 055 en 2000). Finalement, la figure 28.2 révèle que c'est au 3e trimestre que le taux d'occupation moyen des établissements hôteliers est à son niveau le plus élevé.

Conclusion

Entre 1991 et 1999, le solde au compte des voyages internationaux est passé de - 1,3 milliard à - 404 millions de dollars, ce qui représente une baisse de presque 70 % du déficit touristique en moins de dix ans.

Plusieurs facteurs se sont conjugués pendant cette période pour produire les résultats intéressants qu'a connus l'industrie touristique québécoise. Le facteur économique ayant le plus contribué à la diminution du déficit touristique du Québec est bien sûr le taux de change. Ces dernières années, la relative faiblesse du dollar canadien par rapport à la devise américaine aurait incité un grand nombre de Québécois à prendre leurs vacances au Québec, en plus d'encourager, mais dans une moindre mesure, les Européens et les Américains (surtout ceux habitant le long de nos frontières) à voyager davantage chez nous.

---

4. Touristes étrangers : touristes provenant des États-Unis et d'ailleurs dans le monde, ainsi que des autres provinces du Canada.

L'activité économique générée par le tourisme est importante pour l'économie du Québec et celle de toutes ses régions. Depuis quelques années, elle est en forte croissance autant au Québec qu'à l'échelle planétaire. Par contre, les attentats et les agressions bactériologiques survenus depuis le 11 septembre 2001 aux États-Unis ont eu et auront à moyen terme un impact certain sur l'industrie du voyage, particulièrement sur celle de l'Amérique du Nord. Pour l'industrie touristique québécoise comme pour celle du continent nord-américain, l'année 2001 sera marquée par un recul significatif de l'apport des clientèles internationales. Toutefois, il faut tenir compte du fait que ces événements ont eu lieu après les mois de grande affluence touristique; les résultats des huit premiers mois s'annonçaient globalement positifs. Pour l'année 2002, étant donné les incertitudes créées par la précarité de la conjoncture économique et l'instabilité de la situation politique internationale, il est encore trop tôt pour faire une évaluation qui permette des prévisions d'une grande fiabilité.

Plus que jamais, pour que le Québec demeure une destination recherchée, le secteur du tourisme doit veiller à l'amélioration et au renouvellement constant de ses produits et services touristiques, et en faire la promotion. Cette exigence de régénération et de positionnement stratégique implique nécessairement une participation soutenue et réfléchie de tous les intervenants œuvrant dans le secteur touristique.

Références

ORGANISATION MONDIALE DU TOURISME. *Site de l'Organisation mondiale du tourisme*, [En ligne], [http://www.world-tourism.org] (octobre 2001).
TOURISME QUÉBEC. *Le tourisme au Québec en bref 2000*, Québec, Gouvernement du Québec, 2001, 11 p.
TOURISME QUÉBEC. *Le tourisme au Québec en 1999 - Une réalité économique importante*, Québec, Gouvernement du Québec, 2001, 100 p.

Définitions

Autres productions

Comprennent la diminution des inventaires de la part des entreprises, et la vente de biens et services par les administrations publiques et les intervenants économiques qui ne sont pas directement associés au cycle de la production.

Autres revenus avant impôts

Comprennent la rémunération de l'entrepreneur, la rémunération du capital (amortissement et dépréciation du matériel et des bâtiments), les intérêts divers ainsi que les autres frais (charges patronales, avantages sociaux, etc.).

Contenu étranger

Un contenu étranger de 28 % en 1999 signifie que chaque fois qu'un touriste dépense 100 $ au Québec, 28 $ servent à acheter des biens et des services à l'étranger sous forme d'importations.

Contenu québécois

Un contenu québécois de 72 % en 1999 signifie que chaque fois qu'un touriste dépense 100 $ au Québec, 72 $ servent à produire des biens et des services au Québec.

Dépense touristique

Dépense totale de consommation effectuée par un visiteur ou pour le compte d'un visiteur, pour et pendant son voyage et son séjour dans le lieu de destination.

Effets directs

Comprennent les retombées économiques dans les entreprises des secteurs d'activité où sont faites les dépenses touristiques.

Effets indirects

Comprennent les retombées économiques dans les entreprises des secteurs d'activité qui fournissent des biens et des services aux entreprises où ont lieu les dépenses touristiques, ainsi que chez les fournisseurs subséquents des premiers fournisseurs.

Excursionniste

Visiteur qui ne passe pas la nuit dans un établissement d'hébergement collectif ou privé dans le pays visité. Il s'agit d'un visiteur dont le déplacement dure moins de 24 heures.

Nuitée

Nuit passée par une personne en voyage. Si deux personnes font un voyage pendant lequel elles passent trois nuits à l'extérieur, on compte six nuitées.

Produit intérieur brut au coût des facteurs de production

Rémunération de tous les facteurs intervenant aux différentes étapes de la production d'un bien ou d'un service, qu'il s'agisse de salaires ou d'autres revenus bruts (dividendes, profits, intérêts) avant impôts.

Produit intérieur brut aux prix du marché attribuable aux dépenses touristiques

Valeur de tous les biens et services produits découlant des dépenses effectuées par les visiteurs.

Touriste

Visiteur qui passe au moins une nuit dans un établissement d'hébergement collectif ou privé dans le pays visité.

Visite-province

Voyage-personne dans une province. Ainsi, un visiteur international qui a visité trois provinces différentes durant son séjour au Canada engendre trois visites-provinces.

Visiteur

Selon l'Organisation mondiale du tourisme (OMT), le visiteur international désigne toute personne qui se rend dans un pays autre que celui où elle a son lieu de résidence habituel, pour une période inférieure à douze mois, et dont le motif principal de visite est autre que celui d'exercer une activité rémunérée dans le pays visité. La même définition s'applique au visiteur interne, personne qui se déplace dans son propre pays de résidence. Il y a deux types de visiteur : le touriste et l'excursionniste.

Tableau 28.1
Répartition des retombées économiques des dépenses touristiques, Québec, 1999

Catégorie de retombées	Effets directs		Effets indirects		Effets totaux	
	'000 000 $	%	'000 000 $	%	'000 000 $	%
Dépenses touristiques	...	...	...	...	6 258	100,0
Valeur ajoutée (PIB au coût des facteurs)	2 234	35,7	1 255	20,0	3 489	55,8
Salaires avant impôts	1 323	21,1	650	10,4	1 973	31,5
Revenu net des entreprises individuelles	126	2,0	65	1,0	191	3,1
Autres revenus bruts avant impôts	785	12,5	540	8,6	1 325	21,2
Taxes indirectes[1]	984	15,7	65	1,0	1 049	16,8
Subventions	-65	-1,0	-40	-0,6	-105	-1,7
Autres productions	37	0,6	42	0,7	79	1,3
Importations	652	10,4	1 094	17,5	1 746	27,9
PIB aux prix du marché[2]	3 153	50,4	1 280	20,5	4 433	70,8
Revenus du gouvernement du Québec	578	9,2	107	1,7	685	10,9
Impôts sur les salaires[3]	76	1,2	68	1,1	144	2,3
Taxe de vente (TVQ)	378	6,0	20	0,3	398	6,4
Taxes spécifiques	124	2,0	19	0,3	143	2,3
Revenus du gouvernement du Canada	566	9,0	84	1,3	650	10,4
Impôts sur les salaires[3]	85	1,4	59	0,9	144	2,3
Taxe de vente (TPS)	346	5,5	7	0,1	353	5,6
Taxes et droits d'accise	135	2,2	18	0,3	153	2,4
Parafiscalités[3,4]	245	3,9	122	1,9	367	5,9
Québécoise[5]	168	2,7	85	1,4	253	4,0
Fédérale[6]	77	1,2	37	0,6	114	1,8

1. Composées de la taxe de vente québécoise (TVQ), de la taxe de vente fédérale (TPS), ainsi que des taxes particulières comprenant les taxes spécifiques québécoises et les taxes et droits d'accise fédéraux.
2. Somme de la valeur ajoutée au coût des facteurs et des taxes indirectes moins les subventions.
3. Ces montants sont inclus dans la valeur ajoutée au coût des facteurs.
4. Les parafiscalités comprennent les contributions des employeurs et des employés.
5. Comprend les cotisations à la Commission de la santé et de la sécurité du travail (CSST), au Fonds des services de santé (FSS) et à la Régie des rentes du Québec (RRQ).
6. Composée des contributions au régime de l'assurance-emploi.

Sources : Études d'impact économique produites à l'aide du modèle intersectoriel de l'Institut de la statistique du Québec, pour le compte de Tourisme Québec.
Tourisme Québec, *Le tourisme au Québec en 1999 - Une réalité économique importante*.

Figure 28.1
Répartition des dépenses touristiques selon les secteurs d'activité, Québec, 1999

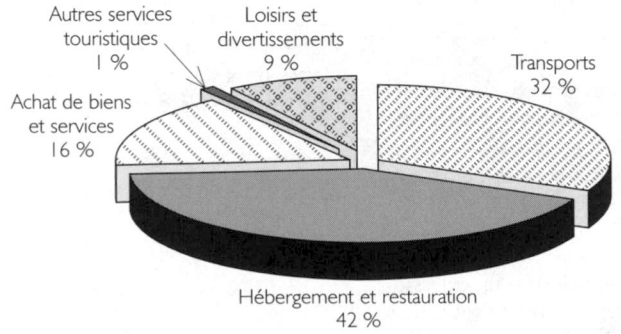

Autres services touristiques 1 %
Loisirs et divertissements 9 %
Transports 32 %
Achat de biens et services 16 %
Hébergement et restauration 42 %

Sources : Statistique Canada.
Tourisme Québec, *Le tourisme au Québec en 1999 - Une réalité économique importante*.

Tableau 28.2

Recettes au chapitre du tourisme international et des principaux produits d'exportation internationale, Québec, 1995 et 1999

Produits d'exportation	1995	Produits d'exportation	1999
	'000 000 $		'000 000 $
Aluminium et alliages	4 545	Autre équipement et matériel de télécommunication	7 109
Autre équipement et matériel de télécommunication	4 184	Aluminium et alliages	4 199
Papier journal	4 001	Avions entiers avec moteurs	4 083
Automobiles et châssis	3 409	Papier journal	3 431
Avions entiers avec moteurs	1 996	Automobiles et châssis	2 300
Tourisme[1]	1 599	Tourisme[1]	2 234
Bois d'œuvre résineux	1 388	Bois d'œuvre résineux	2 178
Pâtes de bois et pâtes similaires	1 361	Autre matériel et outils	1 995
Moteurs d'avion et pièces	1 338	Moteurs d'avion et pièces	1 695
Cuivre et alliages	1 123	Vêtements et accessoires	1 515

1. Recettes provenant des dépenses faites au Québec par les touristes et les excursionnistes internationaux.

Sources : Tourisme Québec, *Le tourisme au Québec en 1995 - Une réalité économique importante; Le tourisme au Québec en 1999 - Une réalité économique importante.*
  Institut de la statistique du Québec, Direction des comptes et des études économiques.

Tableau 28.3

Estimation de l'emploi directement attribuable au tourisme, exprimé en personnes occupées par secteur d'activité, Québec, 1999

Secteur d'activité	SCIAN[1]	Total des emplois[2]	Part du tourisme dans le secteur[3]	Emplois directs dans le tourisme[4]	
		'000	%	'000	%
Secteurs ayant un lien avec le tourisme		329,4	...	108,0	92,0
Hébergement	721	35,0	0,99	34,7	29,5
Restauration	722	162,0	0,23	37,3	31,7
Transport aérien	481	17,0	0,83	14,1	12,0
Transport ferroviaire	482	9,6	0,08	0,8	0,7
Transport par eau	483	2,4	0,16	0,4	0,3
Transport en commun, terrestre et de tourisme	4851-4853, 4855, 487, 488, 5321	41,1	0,24	9,9	8,4
Divertissements et loisirs	711-713	51,0	0,18	9,2	7,8
Services de préparation de voyages	561	11,3	0,16	1,8	1,5
Autres secteurs		3 028,0	...	9,4[5]	8,0
Emploi total		**3 357,4**	**...**	**117,4**	**100,0**

1. Système de classification des industries de l'Amérique du Nord.
2. Compilation spéciale de Statistique Canada, à partir de données de l'Enquête sur la population active.
3. Ratios canadiens provenant du compte satellite du tourisme du Canada.
4. La valeur attribuée aux emplois directs dans le tourisme découle de l'application d'un ratio canadien sur le nombre total d'emplois.
5. Le nombre d'emplois directement attribuable au tourisme dans les secteurs non touristiques a été estimé par Tourisme Québec à l'aide de données provenant de l'Enquête sur la population active, et d'une étude d'impact économique produite par l'Institut de la statistique du Québec pour le compte de Tourisme Québec.

Sources : Statistique Canada, Enquête sur la population active; Indicateurs nationaux du tourisme (13-009-XPB).
  Tourisme Québec.
  Institut de la statistique du Québec.

Tableau 28.4
Dépenses touristiques selon la provenance et le type de visiteurs, Québec, 1990-2001

Provenance et type	1990	1992	1994	1996	1998	1999	2000	2001[1]
					'000 000 $			
Touristes	**4 141**	**4 202**	**4 172**	**4 258**	**4 981**	**5 480**	**5 819**	**6 221**
Québec[2]	2 544	2 635	2 300	1 950	2 368	2 624	2 819[3]	3 025
Visites au Québec	1 387	1 568	1 827	1 540	1 678	1 831	1 959[3]	2 096
Visites à l'étranger[4]	1 157	1 067	473	410	690	793	860[3]	929
Autres provinces du Canada[2]	465	420	457	496	698	735	785[3]	822
États-Unis	591	602	708	853	924	1 081	1 147	1 222
Pays autres que les États-Unis[5]	541	545	707	959	991	1 040	1 068	1 152
Excursionnistes	**453**	**574**	**641**	**624**	**687**	**778**	**821**	**858**
Québec	394	512	582	539	571	638	667[3]	705
Reste du Canada et autres pays	59	62	59	85	116	140	154[3]	153
Ensemble des visiteurs	**4 594**	**4 776**	**4 813**	**4 882**	**5 668**	**6 258**	**6 640[3]**	**7 079**

1. Nouvelles prévisions de Tourisme Québec à la suite des attentats du 11 septembre 2001 aux États-Unis.
2. À la suite des changements dans la méthodologie d'enquête introduits en 1994 et en 1996, ces données ne sont pas comparables entre elles et à celles des années antérieures.
3. Estimations de Tourisme Québec.
4. Sommes dépensées au Québec par un résident en prévision d'un voyage à l'extérieur de la province. Les dépenses faites auprès de transporteurs étrangers sont exclues.
5. Les données de 1998, de 1999 et de 2000 ont été ajustées par Tourisme Québec.

Sources : Statistique Canada, Enquête sur les voyageurs internationaux au Canada (EVI); Enquête sur les voyages des Canadiens au Canada (EVC); Entrées aux frontières.
Tourisme Québec, Direction de la planification stratégique.

Tableau 28.5
Recettes et dépenses au chapitre des voyages internationaux, selon la provenance des visiteurs[1], Québec, 1991-1999

	1991	1992	1993	1994	1995	1996	1997	1998	1999	Variation 1999/1991
					'000 000 $					%
États-Unis										
Recettes	636	681	743	803	901	850	804	989	1 176	85,0
Dépenses[2]	1 649	1 572	1 320	1 247	1 274	1 226	1 146	1 182	1 482	-10,1
Solde	-1 013	-891	-577	-444	-372	-376	-342	-193	-306	-69,8
Autres pays[2]										
Recettes	548	544	709	839	960	989	988	992	1 041	90,0
Dépenses	860	956	970	990	1 156	1 114	1 114	1 164	1 139	32,4
Solde	-312	-412	-261	-151	-196	-125	-126	-172	-98	-68,6
Total[2]										
Recettes	1 184	1 225	1 452	1 642	1 861	1 839	1 792	1 981	2 217	87,3
Dépenses	2 509	2 528	2 290	2 237	2 430	2 340	2 260	2 346	2 621	4,5
Solde	-1 325	-1 303	-838	-595	-568	-501	-468	-365	-404	-69,5

1. Comprend les touristes et les excursionnistes.
2. Les données de 1998 et de 1999 ont été ajustées par Tourisme Québec.

Sources : Institut de la statistique du Québec.
Tourisme Québec, *Le tourisme au Québec en 1999 - Une réalité économique importante.*

Tableau 28.6
Part de marché du tourisme international au Canada selon la provenance des visiteurs, par province, 1995-1999

Province	États-Unis					Autres pays				
	1995	1996	1997	1998	1999	1995	1996	1997	1998	1999
	%									
Québec	13,6	13,4	12,7	12,7	13,2	19,9	20,3	21,4	21,4	22,0
Ontario	48,2	47,5	47,2	47,9	47,1	35,1	35,7	39,3	34,1	32,9
Colombie-Britannique	22,6	22,2	23,1	23,1	23,5	26,0	24,2	20,7	24,8	25,4
Autres provinces	15,6	16,9	17,0	16,3	16,2	19,0	19,8	18,6	19,7	19,7
Canada	**100,0**	**100,0**	**100,0**	**100,0**	**100,0**	**100,0**	**100,0**	**100,0**	**100,0**	**100,0**

Source :   Statistique Canada, *Voyages internationaux, voyages entre le Canada et les autres pays* (66-201).

Tableau 28.7
Visiteurs selon la provenance et le type, Québec, 1990-2001

Provenance et type	1990	1992	1994	1996	1998	1999	2000	2001[1]
	'000							
Québec[2]	23 889	28 130	29 096	26 823	26 530	27 117	28 484	29 562
Touristes	13 204	15 245	14 295	13 284	12 733	13 036	13 557	13 963
Excursionnistes	10 685	12 885	14 801	13 539	13 797	14 082	14 927	15 599
Autres provinces du Canada[2]	3 578	3 077	3 333	3 549	3 965	4 316	4 534	4 647
Touristes	2 759	2 355	2 296	2 445	2 786	3 095	3 240	3 304
Excursionnistes	819	722	1 037	1 104	1 179	1 221	1 294	1 343
États-Unis	3 482	3 169	3 235	3 431	3 611	3 919	3 997	3 653
Touristes	1 865	1 777	1 810	1 920	2 082	2 198	2 257	2 000
Excursionnistes	1 617	1 392	1 425	1 511	1 529	1 720	1 740	1 653
Pays autres que les États-Unis[3]	979	926	1 084	1 364	1 311	1 404	1 510	1 266
Touristes	884	825	959	1 242	1 180	1 268	1 315	1 111
Excursionnistes	95	101	125	122	131	136	195	155
Ensemble des visiteurs	**31 928**	**35 302**	**36 748**	**35 167**	**35 417**	**36 756**	**38 525**	**39 128**

1. Nouvelles prévisions de Tourisme Québec à la suite des attentats du 11 septembre 2001 aux États-Unis.
2. À la suite des changements dans la méthodologie d'enquête introduits en 1994 et en 1996, ces données ne sont pas comparables entre elles et à celles des années antérieures. Les données de 2000 sont des estimations de Tourisme Québec.
3. Les données de 1998 et de 1999 ont été ajustées par Tourisme Québec.

Sources : Statistique Canada, Enquête sur les voyageurs internationaux au Canada (EVI); Enquête sur les voyages des Canadiens au Canada (EVC); Entrées aux frontières.
Tourisme Québec, Direction de la planification stratégique.

Tableau 28.8
Visites-province et dépenses des touristes internationaux provenant de pays autres que les États-Unis, selon les principaux pays d'origine, Québec, 1990, 1995 et 1999

| Pays d'origine | Visites-province | | | | | | | Dépenses | |
| | 1990 | | 1995 | | 1999[1] | | 1999/1995 | 1999[1] | |
	'000	%	'000	%	'000	%	%	'000 000 $	%
France	213	24,1	366	33,4	411	32,4	12,3	373	35,9
Royaume-Uni	94	10,6	114	10,4	106	8,4	-7,0	56	5,4
Allemagne	60	6,8	78	7,1	88	6,9	12,8	55	5,3
Japon	83	9,4	55	5,0	80	6,3	45,5	67	6,4
Mexique	27	3,1	24	2,2	57	4,5	137,5	42	4,0
Suisse	33	3,8	48	4,4	50	3,9	4,2	63	6,1
Italie	40	4,5	40	3,7	34	2,7	-15,0	19	1,8
Belgique	20	2,3	25	2,3	30	2,4	20,0	31	3,0
Brésil	19	2,2	22	2,0	23	1,8	4,5	34	3,3
Pays-Bas	14	1,6	17	1,6	22	1,7	29,4	14	1,3
Chine	..	...	19	1,7	22	1,7	15,8	16	1,5
Espagne	17	1,9	13	1,2	21	1,7	61,5	16	1,5
Taïwan	..	...	16	1,5	21	1,7	31,3	29	2,8
Hong-Kong	24	2,7	17	1,6	19	1,5	11,8	5	0,5
Israël	26	3,0	18	1,6	19	1,5	5,6	10	1,0
Australie	17	1,9	23	2,1	16	1,3	-30,4	9	0,9
Tous les pays	884	100,0	1 095	100,0	1 268	100,0	15,8	1 040	100,0

1. Les données de 1999 ont été ajustées par Tourisme Québec.

Source : Statistique Canada, Enquête sur les voyageurs internationaux au Canada (EVI).

Tableau 28.9
Visites-province selon la provenance des touristes, le trimestre et la saison, Québec, 1999

| Trimestre et saison | Québec | | Autres provinces du Canada | | États-Unis | | Pays autres que les États-Unis | |
	'000	%	'000	%	'000	%	'000	%
Tous les trimestres[1]	13 036	100,0	3 095	100,0	2 198	100,0	1 268	100,0
1er trimestre	2 188	16,8	668	21,6	342	15,5	154	12,2
2e trimestre	3 054	23,4	666	21,5	535	24,4	314	24,8
3e trimestre	5 387	41,3	1 141	36,9	845	38,5	581	45,8
4e trimestre	2 408	18,5	619	20,0	476	21,7	219	17,3
Toutes les saisons[1]	13 036	100,0	3 095	100,0	2 198	100,0	1 268	100,0
Hiver[2]	3 150	24,2	888	28,7	519	23,6	241	19,0
Printemps[3]	1 887	14,5	408	13,2	329	15,0	161	12,7
Été[4]	6 553	50,3	1 398	45,2	1 037	47,2	691	54,5
Automne[5]	1 446	11,1	400	12,9	313	14,2	175	13,8

1. En raison de l'arrondissement des données, le total peut ne pas correspondre à la somme des parties.
2. Décembre, janvier, février, mars.
3. Avril, mai.
4. Juin, juillet, août, septembre.
5. Octobre, novembre.

Sources : Statistique Canada, *Voyages internationaux, voyages entre le Canada et les autres pays* (66-201); *Voyages intérieurs, Canadiens voyageant au Canada* (87-504).
Tourisme Québec, compilations spéciales; *Le tourisme au Québec en bref 1999.*

Tableau 28.10
Visites-province selon la provenance des touristes et le groupe d'âge, Québec, 1999

Groupe d'âge	Québec		Autres provinces du Canada		États-Unis		Pays autres que les États-Unis	
	'000	%	'000	%	'000	%	'000	%
Moins de 15 ans	2 020	15,5	395	12,8	156	7,1	87*	6,9
15-24 ans	1 718	13,2	439	14,2	128*	5,8	124*	9,8
25-34 ans	2 374	18,2	538	17,4	246	11,2	258	20,3
35-44 ans	2 380	18,3	723	23,4	349	15,9	203	16,0
45-54 ans	2 203	16,9	449	14,5	514	23,4	201	15,9
55 ans et plus	2 340	18,0	551	17,8	590	26,8	219	17,2
Non précisé	–	–	–	–	216	9,8	176	13,9
Total[1]	**13 036**	**100,0**	**3 095**	**100,0**	**2 198**	**100,0**	**1 268**	**100,0**

* Donnée fournie à titre indicatif seulement.
1. En raison de l'arrondissement des données, le total peut ne pas correspondre à la somme des parties.

Source : Tourisme Québec, *Le tourisme au Québec en bref 1999.*

Tableau 28.11
Visites-province selon la provenance des touristes, le moyen de transport et le lieu d'entrée, Québec, 1999

	Québec		Autres provinces du Canada		États-Unis		Pays autres que les États-Unis	
	'000	%	'000	%	'000	%	'000	%
Tous les moyens de transport	13 036	100,0	3 095	100,0	2 198	100,0	1 268	100,0
Automobile	12 136	93,1	2 381	76,9	1 240	56,4	246	19,4
Avion	214	1,6	427	13,8	677	30,8	822	64,8
Autocar	572	4,4	94*	3,0	195	8,9	...	..
Train	19*	0,1	180	5,8	18*	0,8	...	..
Bateau	4*	0,0	3*	0,1	1*	0,1	...	..
Autres	91*	0,7	11*	0,4	66*	3,0	200	15,8
Tous les lieux d'entrée	13 036	100,0	3 095	100,0	2 198	100,0	1 268	100,0
Entrée via le Québec	13 036	100,0	...	...	1 793	81,5	841	66,3
Entrée via les autres provinces	...	...	3 095	100,0	406	18,5	427	33,7

* Donnée fournie à titre indicatif seulement.
Source : Tourisme Québec, *Le tourisme au Québec en bref 1999.*

Tableau 28.12
Répartition des voyages et des dépenses selon la provenance des touristes et le but du voyage, Québec, 1999

	Agrément	Affaires et congrès	Visite de parents ou d'amis	Autres	Total
			%		
Québec					
Voyages	42,6	7,5	43,7	6,2	100,0
Dépenses	47,9	19,7	25,4	6,9	100,0
Autres provinces du Canada					
Voyages	37,4	16,6	41,3	4,7	100,0
Dépenses	41,0	33,2	22,6	3,2	100,0
États-Unis					
Voyages	55,9	18,9	17,4	7,8	100,0
Dépenses	59,6	26,3	8,9	5,2	100,0
Pays autres que les États-Unis[1]					
Voyages	51,3	18,0	26,0	4,7	100,0
Dépenses	50,8	21,3	23,7	4,3	100,0
Total					
Voyages	**43,9**	**10,9**	**39,2**	**6,0**	**100,0**
Dépenses	**50,2**	**23,7**	**20,8**	**5,4**	**100,0**

1. Les données ont été ajustées par Tourisme Québec.

Source : Tourisme Québec, *Le tourisme au Québec en 1999 - Une réalité économique importante.*

Tableau 28.13
Statistiques principales sur la durée du séjour et les dépenses, selon la provenance des touristes et le but du voyage, Québec, 1999

	Unité	Agrément	Affaires et congrès	Visite de parents ou d'amis	Tous buts confondus
Durée moyenne du séjour					
Québec	Nuitée	3,1	2,2	2,6	2,8
Autres provinces du Canada	Nuitée	3,3	2,7	3,8	3,4
États-Unis	Nuitée	3,5	2,9	3,8	3,4
Pays autres que les États-Unis[1]	Nuitée	7,6	5,2	10,8	8,1
Toutes provenances	Nuitée	3,5	2,8	3,2	3,3
Dépenses quotidiennes moyennes					
Québec	$	52	171	32	50
Autres provinces du Canada	$	78	176	34	69
États-Unis	$	150	237	66	146
Pays autres que les États-Unis[1]	$	107	185	69	102
Toutes provenances	$	78	189	40	72
Dépenses moyennes par séjour					
Québec	$	158	371	82	140
Autres provinces du Canada	$	260	475	130	237
États-Unis	$	525	685	251	492
Pays autres que les États-Unis[1]	$	812	971	747	820
Toutes provenances	$	274	522	127	239

1. Les données ont été ajustées par Tourisme Québec.

Source : Tourisme Québec, *Le tourisme au Québec en bref 1999.*

Tableau 28.14
Visites selon la provenance des touristes[1], par région touristique visitée, Québec, 1999

Région touristique visitée	Québec		Autres provinces du Canada		États-Unis		Pays autres que les États-Unis[2]		Toutes provenances	
	'000	%	'000	%	'000	%	'000	%	'000	%
01 Îles-de-la-Madeleine	40	0,3	3	0,1	1	0,03	1	0,04	45	0,2
02 Gaspésie	381	2,8	29	1,0	28	1,1	85	3,4	524	2,4
03 Bas-Saint-Laurent	602	4,5	28	1,0	30	1,1	54	2,2	714	3,3
04 Région de Québec	2 167	16,2	318	11,3	532	20,1	599	23,8	3 616	16,9
05 Charlevoix	328	2,4	1	0,04	16	0,6	57	2,3	402	1,9
06 Chaudière-Appalaches	797	6,0	41	1,5	79	3,0	33	1,3	950	4,4
07 Mauricie–Bois-Francs	1 226	9,2	82	2,9	44	1,6	80	3,2	1 432	6,7
08 Cantons-de-l'Est	1 482	11,1	87	3,1	131	4,9	41	1,6	1 741	8,1
09 Montérégie	657	4,9	80	2,8	80	3,0	34	1,4	851	4,0
10 Lanaudière	626	4,7	71	2,5	20	0,7	34	1,3	750	3,5
11 Laurentides	1 420	10,6	166	5,9	121	4,6	113	4,5	1 820	8,5
12 Montréal	1 445	10,8	1 439	51,2	1 297	48,9	975	38,7	5 156	24,1
13 Outaouais	717	5,4	388	13,8	35	1,3	49	1,9	1 189	5,6
14 Abitibi-Témiscamingue	368	2,7	39	1,4	18	0,7	8	0,3	433	2,0
15 Saguenay–Lac-Saint-Jean	695	5,2	17	0,6	9	0,4	108	4,3	829	3,9
16 Manicouagan	193	1,4	3	0,1	8	0,3	119	4,7	323	1,5
17 Duplessis	106	0,8	1	0,04	2	0,1	2	0,1	111	0,5
18 Nord-du-Québec	52	0,4	..	…	1	0,04	..	…	53	0,2
19 Laval	68	0,5	19	0,7	21	0,8	10	0,4	118	0,5
Non précisé	23	0,2	2	0,1	179	6,8	119	4,7	324	1,5
Le Québec	**13 394**	**100,0**	**2 812**	**100,0**	**2 652**	**100,0**	**2 522**	**100,0**	**21 380**	**100,0**

1. Touristes dont la destination finale est le Québec.
2. Les données ont été ajustées par Tourisme Québec.

Source : Tourisme Québec, Le tourisme au Québec en 1999 - Une réalité économique importante.

Tableau 28.15
Dépenses des touristes[1] selon leur provenance, par région touristique visitée, Québec, 1999

Région touristique visitée	Québec		Autres provinces du Canada		États-Unis		Pays autres que les États-Unis[2]		Toutes provenances	
	'000 000 $	%	'000 000 $	%	'000 000 $	%	'000 000 $	%	'000 000 $	%
01 Îles-de-la-Madeleine	20*	1,2	1*	0,1	0*	0,0	0*	0,0	22*	0,5
02 Gaspésie	81	4,8	9*	1,4	10*	0,9	36*	3,5	136	3,0
03 Bas-Saint-Laurent	74	4,4	13*	1,9	5*	0,5	10*	1,0	103	2,3
04 Région de Québec	342	20,2	129	19,5	233	21,6	212	20,3	916	20,4
05 Charlevoix	59*	3,5	1*	0,2	5*	0,5	12*	1,1	77	1,7
06 Chaudière-Appalaches	74	4,4	9*	1,4	19*	1,8	7*	0,7	110	2,5
07 Mauricie–Bois-Francs	110	6,5	15*	2,3	9*	0,8	18*	1,8	152	3,4
08 Cantons-de-l'Est	137	8,1	11*	1,7	31*	2,9	18*	1,7	197	4,4
09 Montérégie	44*	2,6	10*	1,5	16*	1,5	16*	1,5	86	1,9
10 Lanaudière	56*	3,3	16*	2,4	6*	0,6	15*	1,4	93	2,1
11 Laurentides	134	7,9	32*	4,8	72	6,7	47*	4,5	284	6,3
12 Montréal	236	14,0	371	56,0	578	53,4	506	48,7	1 691	37,8
13 Outaouais	73	4,3	31*	4,6	12*	1,1	19*	1,8	134	3,0
14 Abitibi-Témiscamingue	41*	2,4	3*	0,4	6*	0,6	4*	0,3	54*	1,2
15 Saguenay–Lac-Saint-Jean	87	5,1	10*	1,6	3*	0,2	25*	2,4	126	2,8
16 Manicouagan	28*	1,6	0*	0,0	2*	0,2	23*	2,2	52*	1,2
17 Duplessis	26*	1,5	0*	0,0	4*	0,4	1*	0,1	31*	0,7
18 Nord-du-Québec	36*	2,1	..	..	0*	0,0	..	..	37*	0,8
19 Laval	5*	0,3	1*	0,2	6*	0,5	4*	0,4	16*	0,4
Non précisé	31*	1,8	0*	0,0	63*	5,8	69*	6,6	163	3,6
Autres dépenses[3]	137	...	...	...	...	...	...	...	137	...
Le Québec	**1 831**	**100,0**	**663**	**100,0**	**1 081**	**100,0**	**1 040**	**100,0**	**4 616**	**100,0**

* Donnée fournie à titre indicatif seulement.
1. Touristes dont la destination finale est le Québec.
2. Les données ont été ajustées par Tourisme Québec.
3. Sommes dépensées dans une région par un résident en prévision d'un voyage dans une autre région du Québec.
Source : Tourisme Québec, *Le tourisme au Québec en bref 1999.*

Tableau 28.16
Hébergement dans les régions touristiques, selon le type d'établissement, Québec, décembre 1999

Régions touristiques	Hôtellerie	Gîte touristique	Résidence de tourisme	Centre de vacances	Terrain de camping
			n		
01 Îles-de-la-Madeleine	21	18	118	2	7
02 Gaspésie	188	136	64	6	73
03 Bas-Saint-Laurent	122	96	30	11	39
04 Région de Québec	200	173	69	21	34
05 Charlevoix	103	107	53	4	23
06 Chaudière-Appalaches	106	99	45	12	54
07 Mauricie–Bois-Francs	130	103	32	21	79
08 Cantons-de-l'Est	159	181	66	34	82
09 Montérégie	119	66	7	16	102
10 Lanaudière	65	51	30	34	56
11 Laurentides	200	127	106	53	72
12 Montréal	147	104	23	1	..
13 Outaouais	90	60	23	14	68
14 Abitibi-Témiscamingue	76	18	8	8	29
15 Saguenay–Lac-Saint-Jean	98	140	37	13	63
16 Manicouagan	73	47	13	3	14
17 Duplessis	36	23	17	3	15
18 Nord-du-Québec	33	..	3	1	3
19 Laval	13	6	..	1	1
Le Québec	**1 979**	**1 555**	**744**	**258**	**816**

Source : Tourisme Québec, Direction de la qualité des services touristiques.

Tableau 28.17
Nombre moyen de chambres disponibles et occupées quotidiennement, et taux d'occupation quotidien moyen dans les établissements hôteliers, par région touristique, Québec, 1999 et 2000

Région touristique	Chambres disponibles quotidiennement		Chambres occupées quotidiennement		Taux d'occupation quotidien moyen	
	1999	2000	1999	2000	1999	2000
	n				%	
01 Îles-de-la-Madeleine	265	242	101	92	37,9	37,9
02 Gaspésie	2 753	2 771	1 135	1 039	41,2	37,5
03 Bas-Saint-Laurent	2 204	2 237	1 046	1 058	47,4	47,3
04 Région de Québec	10 590	10 865	6 271	6 382	59,2	58,7
05 Charlevoix	1 799	2 029	778	801	43,3	39,5
06 Chaudière-Appalaches	1 992	1 978	767	791	38,5	40,0
07 Mauricie–Bois-Francs	3 299	3 413	1 401	1 408	42,5	41,2
08 Cantons-de-l'Est	4 001	4 189	1 817	1 764	45,4	42,1
09 Montérégie	4 382	4 332	1 976	1 942	45,1	44,8
10 Lanaudière	1 341	1 477	473	525	35,2	35,5
11 Laurentides	6 500	6 937	2 899	3 014	44,6	43,4
12 Montréal	18 088	18 685	12 485	12 827	69,0	68,6
13 Outaouais	2 529	2 710	1 307	1 456	51,7	53,7
14 Abitibi-Témiscamingue	1 659	1 644	578	658	34,8	40,0
15 Saguenay–Lac-Saint-Jean	3 051	3 070	1 375	1 364	45,1	44,4
16 Manicouagan	1 265	1 270	505	467	39,9	36,8
17 Duplessis	977	935	358	357	36,7	38,1
18 Nord-du-Québec	847	815	250	241	29,6	29,5
19 Laval	1 352	1 306	952	958	70,5	73,4
Le Québec	**68 841**	**70 892**	**36 292**	**37 055**	**52,7**	**52,3**

Sources : Institut de la statistique du Québec.
  Tourisme Québec, *L'hôtellerie au Québec en bref 2000*.

Figure 28.2
Taux d'occupation quotidien moyen des établissements hôteliers, Québec, janvier à décembre 1999 et 2000

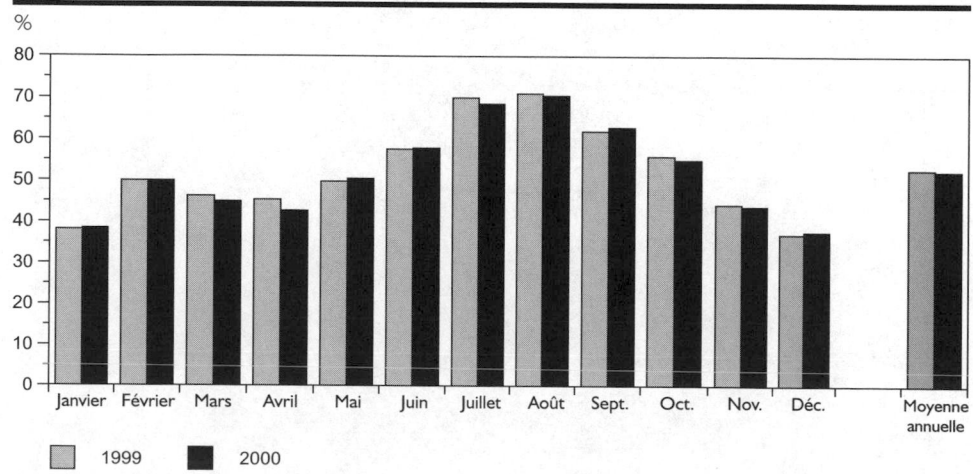

Source : Institut de la statistique du Québec.

29

Économie du savoir

Liste des tableaux

Liste des figures

Ce chapitre a été réalisé par Christiane Charron, de la Direction des comptes et des études économiques de l'Institut de la statistique du Québec.

L'expression « économie du savoir » est issue de la prise de conscience de l'importance grandissante du savoir et de la technologie en tant que facteurs de croissance des économies modernes. L'économie du Québec, comme celles des autres pays industrialisés, est de plus en plus tributaire de la production, de la diffusion et de l'utilisation du savoir et de l'information.

La compréhension des phénomènes liés à l'économie du savoir est fonction de la portée et de la qualité des indicateurs disponibles. Ces derniers sont des mesures qui permettent de résumer en un coup d'œil la performance d'un système. L'un des plus connus est le ratio des dépenses intra-muros de recherche et développement sur le produit intérieur brut (DIRD/PIB).

Plusieurs indicateurs ont été développés au cours des ans. La majorité d'entre eux mesure les ressources allouées à la production du savoir, soit en matière de dépenses ou de personnel; ce sont des indicateurs d'intrant.

Plus récemment, d'autres indicateurs centrés sur les résultats des activités de recherche ont été développés. Appelés indicateurs d'extrant, ils portent entre autres sur les publications scientifiques, les brevets et la diplomation.

Finalement, une troisième catégorie d'indicateurs commence à émerger : les indicateurs d'impact. Ils s'intéressent à l'impact des activités découlant de la recherche et du développement (R-D) sur les différents aspects de la société que ce soit l'économie, la culture ou l'organisation sociale. Certains de ces indicateurs sont issus des enquêtes sur l'innovation technologique ou sur le branchement des ménages et des entreprises à Internet.

C'est dans l'édition 1989 du *Québec statistique* que ce sujet a fait l'objet d'un chapitre pour la première fois. Ce chapitre, tout comme celui paru dans l'édition 1995, était majoritairement consacré à la mesure des dépenses dédiées aux activités de R-D et du personnel affecté à ces activités. Depuis, comme nous le soulignions précédemment, d'autres indicateurs ont été développés, ajoutant ainsi une autre dimension à l'analyse de la performance du Québec au sein de l'économie du savoir. Le présent texte inclut, en plus des indicateurs plus traditionnels, des indicateurs portant sur les brevets d'invention, les publications scientifiques, les échanges internationaux des industries de la haute technologie et l'adoption des technologies de l'information et des communications.

Les activités de recherche et développement au Québec

Les dépenses intra-muros de recherche et développement

Le Québec dans l'économie canadienne et par rapport à l'OCDE

En 1998, la dépense intérieure brute de recherche et développement (DIRD) au Québec s'élève à 4 milliards de dollars, soit la moitié de la DIRD ontarienne (tableau 29.1) : le Québec exécute 26,7 % de la DIRD canadienne et l'Ontario, 52,6 %. Au cours de la période 1989-1996, le Québec a enregistré une croissance continue du ratio DIRD/PIB, lequel est passé de 1,57 % à 2,13 %, devançant même l'Ontario en 1996, où le ratio était de 2,09 % (tableau 29.2). Cependant, au cours des deux dernières années, la croissance des dépenses de R-D n'a pas été assez forte pour permettre au Québec de maintenir sa position (figure 29.1); le ratio a connu une baisse pour atteindre 2,09 % en 1998, soit le même ratio que celui enregistré en 1994.

Le Québec dépense 553 $ par habitant pour la R-D en 1998 et l'Ontario, 700 $. De 1989 à 1998, le Québec a accru ses dépenses par habitant de 218 $ et l'Ontario, d'à peine 3 $ de plus, soit 221 $. Un peu plus de 30 % de cette augmentation s'est produite au cours des deux dernières années, permettant ainsi à l'Ontario d'enregistrer un ratio DIRD/PIB de 2,15 % en 1998, soit 0,06 point de pourcentage de plus que le Québec.

Pour comparer le Québec aux pays de l'OCDE, il faut retrancher du PIB les dépenses liées aux services d'intermédiation financière, ce qui a pour effet de hausser le ratio DIRD/PIB. En 1996, le Québec avait un ratio ajusté de 2,17 % et les dépenses de R-D par habitant étaient de 444 $ PPA (parité du pouvoir d'achat) (tableau 29.3). Pour la même année, l'OCDE enregistrait un ratio de 2,16 % et un niveau de dépenses de 429 $ PPA; le Québec se situait donc favorablement par rapport à l'OCDE. En 1998, le ratio DIRD/PIB du Québec baisse légèrement à 2,13 %, tandis que celui de l'ensemble des pays de l'OCDE atteint 2,23 %. De plus, l'écart entre les dépenses de R-D par habitant n'est plus que de 2 $ PPA à l'avantage du Québec.

Les secteurs d'exécution de la DIRD au Québec

Au Québec, en 1998, 63,7 % des dépenses de R-D sont faites par les entreprises commerciales, contre 54,2 % en 1993 (figure 29.2 et tableau 29.4). Ce pourcentage est plus élevé que le pourcentage canadien, lequel est de 59,9 %, mais légèrement plus bas que celui de l'Ontario (64,8 %). Il est également plus faible que les pourcentages enregistrés au niveau international : 69,3 % pour les pays de l'OCDE et 73,3 % pour l'ALENA.

Un peu plus de 60 % des dépenses de R-D des entreprises commerciales sont effectuées par les entreprises manufacturières en 1998 (tableau 29.5). Ce pourcentage est en baisse depuis plus d'une dizaine d'années, au profit des entreprises des services. En 1998, le tiers des dépenses des entreprises manufacturières sont réalisées par l'industrie des aéronefs et pièces, malgré une diminution des dépenses par rapport à 1997. La deuxième industrie en importance est celle des produits pharmaceutiques et des médicaments (14,0 %). Pour sa part, l'industrie des équipements de télécommunication connaît une forte croissance, ses dépenses ayant plus que doublé depuis 1993 pour atteindre 125 millions en 1998. En Ontario[1], les dépenses de cette industrie atteignent 1 831 millions de dollars en 1998, soit 511 millions de plus qu'en 1996, ce qui expliquerait une bonne part de la remontée de l'Ontario.

Quant aux entreprises des services, elles ont accru leurs dépenses de 330 millions depuis 1993; 56,4 % de cette augmentation est attribuable à l'industrie des bureaux d'ingénieurs et de scientifiques. En 1998, le niveau de dépenses de cette industrie atteint 344 millions de dollars, soit 120 millions de plus que l'industrie pharmaceutique.

Le secteur de l'enseignement supérieur ne réalise plus que 27,7 % des dépenses de R-D du Québec en 1998, alors qu'il en exécutait 35,1 % en 1993, soit 7,4 points de pourcentage de moins. Le secteur de l'État a également enregistré une baisse, son importance relative passant de 10,1 % à 7,8 % de la DIRD. L'Ontario n'a pas échappé à la tendance, mais le recul le plus important a touché le secteur de l'État, soit 4,4 points de pourcentage contre 2,8 points pour le secteur de l'enseignement supérieur.

Les ressources humaines affectées à la recherche et développement

En 1998, 41 850 personnes sont affectées à des activités de R-D au Québec, soit 5 420 de plus qu'en 1995, dont 4 930 nouveaux chercheurs et 490 nouveaux techniciens et autres personnes affectées à des activités de soutien à la R-D (tableau 29.6). Pour la même année, l'Ontario compte 65 130 personnes affectées à la R-D, soit 4 720 chercheurs de plus qu'en 1995, mais 2 410 techniciens et autres employés de soutien de moins, pour un gain net de 2 310 personnes.

Au Québec, le gain s'est fait au sein de deux secteurs : les entreprises commerciales (2 320 nouveaux chercheurs) et l'enseignement supérieur (2 600 nouveaux chercheurs). En Ontario, les entreprises commerciales ont engagé 3 850 chercheurs, mais ont égale- ment mis à pied 1 430 techniciens et autres personnes affectées à des activités de soutien.

Au Québec comme en Ontario, la majorité des chercheurs se retrouve au sein des entre- prises commerciales en 1998, soit 55,7 % d'entre eux pour le Québec et 61,3 % d'entre eux pour l'Ontario. Cela donne des taux respectifs de 40,8 et 44,7 chercheurs pour 10 000 personnes actives (tableau 29.7). Ces taux se comparent avantageusement à celui de l'ensemble des pays de l'OCDE, lequel était de 37,1 en 1997, mais sont inférieurs à celui de l'ALENA, soit 50,9 en 1997.

L'autre secteur d'exécution où l'on retrouve un grand nombre de chercheurs est celui de l'enseignement supérieur. En 1998, ce secteur comptait 10 470 chercheurs au Québec et 12 420 en Ontario. Par rapport au nombre de personnes actives, les ratios étaient de 28,6 au Québec et de 21,0 en Ontario, ce qui est certainement plus élevé que le ratio de l'en- semble des pays de l'OCDE.

1. Statistique Canada, *Recherche et développement industriels, perspective 1999*, août 2000 (88-202-XIB).

Quelques résultats des activités de recherche et développement au Québec

Les brevets d'invention

Les brevets d'invention protègent les aspects techniques d'un produit ou d'un procédé. Ce type de brevet représente un peu plus de 90 % de tous les brevets octroyés par le United States Patent and Trademark Office. Le Québec détient 0,45 % des brevets d'invention émis au cours de la période 1990-1999, soit 4 942 brevets sur un total de 1 108 283 (tableau 29.8). Au cours de la même période, le Canada en a enregistré 20 876. Le Québec détient donc 23,7 % des brevets obtenus par le Canada entre 1990 et 1999. Au Québec, 71,9 % des brevets sont détenus par des institutions[2], ce qui constitue un pourcentage supérieur à celui du Canada (60,8 %), mais inférieur à celui de l'ensemble du monde (83,2 %).

En 1990, 253 brevets ont été octroyés à des institutions du Québec, ce qui représentait 67,5 % du total des brevets émis pour le Québec. Neuf ans plus tard, ce nombre a plus que doublé pour atteindre 624, ou 82,4 % de l'ensemble des brevets accordés, soit un pourcentage comparable à celui du monde où 85,1 % des brevets sont détenus par des institutions en 1999. Le plus fort taux de croissance a été atteint en 1998, alors que le nombre de brevets émis est passé de 321 à 514, soit une augmentation de 60,1 %, tandis que le Canada et le monde affichaient des taux de croissance respectifs de 36,4 % et de 32,6 %.

Publications scientifiques

En 1998, 88,7 % des publications scientifiques publiées dans le monde portaient sur les sciences naturelles, le génie et le domaine biomédical. Au Québec, on retrouve à peu près le même pourcentage, soit 87,3 % (tableau 29.9). Deux disciplines, la médecine clinique et la recherche biomédicale, regroupent plus de la moitié (54,5 %) des publications de ce grand secteur au Québec. Ces mêmes disciplines constituent également des domaines de recherche importants, tant au niveau canadien (49,5 %) qu'au niveau mondial (47,6 %).

Une des mesures qui permet d'évaluer la qualité des articles publiés est le facteur d'impact, car il tient compte de la notoriété de la revue dans laquelle l'article est publié. La discipline où le Québec a le plus d'impact est celle de la recherche biomédicale. Le facteur d'impact pour cette discipline au Québec, en 1998, est de 4,61 (tableau 29.10), mais ceux obtenus par l'Ontario (5,04) et le Canada (4,73) sont supérieurs. Toutefois, pour les publications touchant la médecine clinique, les chercheurs du Québec publient dans des revues qui ont un impact plus important que celles où publient les chercheurs de l'Ontario et du Canada. Ainsi, le Québec obtient un facteur d'impact de 3,20, tandis que ceux de l'Ontario et du Canada sont de 3,11 et de 3,01 respectivement.

Les exportations des industries de la haute technologie

En 1996, les exportations des industries de la haute technologie représentaient 22,5 % des exportations des industries manufacturières du Québec, soit un niveau deux fois plus élevé que celui du Canada (10,8 %) et supérieur à celui de l'ensemble des pays de l'OCDE (17,4 %), mais comparable à celui des pays membres de l'ALENA (22,7 %) (tableau 29.11). La bonne

---

2. Entreprises, agence gouvernementale, institutions d'enseignement, centres de recherche, institutions sans but lucratif, etc.

performance du Québec est attribuable à deux industries : l'électronique et les communications (11,6 %) et l'aéronautique (8,9 %). En 1996, ces deux industries ont enregistré des pourcentages supérieurs à ceux du Canada, de l'ALENA et de l'OCDE. Il convient de rappeler que l'industrie de l'aéronautique est celle qui dépense le plus pour la R-D.

En 1999, la part des industries de la haute technologie dans les exportations manufacturières du Québec atteint 26,6 %, tandis qu'au Canada, le pourcentage est à peu près identique à celui de 1996, soit 10,9 % (tableau 29.12). L'aéronautique représente 10,7 % des exportations manufacturières du Québec, soit 1,8 point de pourcentage de plus qu'en 1996, et l'industrie de l'électronique et des communications, 14,0 %, soit une augmentation de 2,4 points de pourcentage. Malgré cette bonne performance, la balance commerciale du Québec pour les industries de la haute technologie demeure déficitaire; seule l'industrie de l'aéronautique enregistre un surplus de sa balance commerciale.

L'adoption des technologies de l'information et des communications au Québec

Le branchement des ménages

Bien que le taux d'informatisation des ménages québécois ait plus que doublé depuis mai 1994, pour atteindre 42,2 % en décembre 1999, il accuse quand même un retard de 7,6 points de pourcentage par rapport à celui de l'ensemble du Canada (figure 29.3). L'écart est encore plus important, si l'on se limite au taux de branchement à Internet. En effet, seulement 24,3 % des ménages du Québec sont branchés en décembre 1999, comparativement à 33,1 % des ménages canadiens.

Le taux de branchement est fonction du niveau de revenu : plus ce dernier est élevé, plus le taux de branchement l'est. Les ménages gagnant 60 000 $ et plus sont branchés à 47,7 %, tandis que ceux dont le revenu est inférieur à 15 000 $ ne le sont qu'à 7,3 % (figure 29.4). La présence d'enfants joue également un rôle significatif sur le taux de branchement : d'une part, 38,0 % des couples avec enfant(s) sont branchés contre 21,3 % des couples sans enfant et, d'autre part, 23,2 % des personnes seules avec enfant(s) ont accès à Internet contre seulement 9,9 % de celles qui n'ont pas d'enfant.

Finalement, les gens qui habitent les grandes villes sont plus branchés que le reste de leurs concitoyens : 28,8 % des ménages de la RMR de Montréal et 26,9 % de ceux de la RMR de Québec sont branchés comparativement à 18,7 % pour le reste du Québec. Cependant, les habitants de la RMR de Montréal sont sous-branchés par rapport à ceux des autres grandes villes canadiennes[3]. Par exemple, les ménages de Toronto sont branchés à 41,3 %, ceux d'Ottawa, à 45,0 %, ceux de Calgary, à 47,7 % et ceux de Vancouver, à 45,5 %.

Le branchement des entreprises

En janvier 2001, 71,2 % des PME du Québec, c'est-à-dire les entreprises ayant moins de 200 employés, utilisent l'ordinateur (tableau 29.13); les PME ayant 10 employés et plus l'utilisent à 93,0 %. Le secteur d'activité qui se sert le plus des ordinateurs est celui des services aux entreprises (82,5 %), alors que pour les autres secteurs d'activité, le taux oscille entre 66,4 % et 68,7 %.

---

3. Statistique Canada, Enquête sur les dépenses des ménages (compilations spéciales).

Un peu moins de la moitié (47,9 %) des PME sont branchées à Internet et ce taux grimpe à 72,8 % pour les PME de 10 employés et plus. Le secteur des services aux entreprises se trouve encore une fois en tête de liste avec un taux de branchement de 68,3 %; il est suivi du secteur de la production où l'on enregistre un taux de 48,7 %.

Seulement 17,0 % des PME diffusent de l'information sur le WEB. Cependant, chez les PME de 10 employés et plus, ce taux passe à 39,6 %. Bien que le secteur des services aux entreprises occupe toujours la première place avec 22,2 % de PME actives sur le WEB, le secteur des services destinés au grand public, soit les finances et les assurances, les services immobiliers et de location, l'hébergement et la restauration, ainsi que les arts, les spectacles et les loisirs, suit avec un taux de 20,0 %.

Globalement, 28,0 % des PME font des transactions électroniques en janvier 2001, c'est-à-dire qu'elles reçoivent des commandes par le biais d'Internet (12,1 %), placent elles-mêmes des commandes (19,1 %) ou pratiquent l'échange de documents informatisés (ÉDI) (8,3 %) (figure 29.5). Chez les PME de 10 employés et plus, ces pourcentages grimpent à 22,5 %, à 32,2 % et à 19,6 % respectivement. Dans l'ensemble, la moitié (50,3 %) des PME employant au moins 10 personnes font des transactions électroniques.

Références

GOUVERNEMENT DU QUÉBEC. Institut de la statistique du Québec, *Site de l'Institut de la statistique du Québec*, section sur l'économie du savoir, [En ligne], [http://www.stat.gouv.qc.ca/savoir].

INSTITUT DE LA STATISTIQUE DU QUÉBEC. *S@voir.stat, bulletin sur l'économie du savoir*, trimestriel, Québec, Gouvernement du Québec.

OCDE. *Méthode type proposée pour les enquêtes sur la recherche et le développement expérimental*, Manuel de Frascati, Paris, 1993.

OCDE. *La mesure des activités scientifiques et technologiques*, Manuel d'Oslo, Paris, 1992.

Tableau 29.1
Dépenses intra-muros de recherche et développement par région, Canada, 1989-1998

Année	Provinces de l'Atlantique	Québec	Ontario	Provinces des Prairies	Colombie-Britannique	Canada[1]
			'000 000 $			
1989	512	2 331	4 871	1 126	671	9 519
1990	487	2 609	5 138	1 250	772	10 261
1991	482	2 879	5 319	1 289	782	10 756
1992	480	3 160	5 583	1 295	877	11 401
1993	503	3 326	6 087	1 364	916	12 201
1994	525	3 552	6 697	1 512	1 066	13 367
1995	524	3 727	6 995	1 518	1 070	13 836
1996	526	3 836	7 035	1 515	1 010	13 931
1997	497	3 981	7 604	1 592	1 053	14 736
1998	517	4 057	8 000	1 614	1 007	15 201

1. Comprend le Yukon, les Territoires du Nord-Ouest et le Nunavut.

Source : Statistique Canada, *Estimations des dépenses canadiennes au titre de la recherche et du développement (DIRD), Canada, 1989 à 2000 et selon la province, 1989 à 1998*, février 2001 (88F0006XIF01001).

Tableau 29.2
Dépenses intra-muros de recherche et développement en pourcentage du PIB, et par habitant, Québec, Ontario et Canada, 1989-1998

Année	Québec		Ontario		Canada	
	Part du PIB	Par habitant	Part du PIB	Par habitant	Part du PIB	Par habitant
	%	$	%	$	%	$
1989	1,57	335	1,75	479	1,45	347
1990	1,70	371	1,83	496	1,51	369
1991	1,86	407	1,89	508	1,57	382
1992	2,00	443	1,96	526	1,63	400
1993	2,05	463	2,09	567	1,68	423
1994	2,09	492	2,17	616	1,74	459
1995	2,10	514	2,14	635	1,71	470
1996	2,13	527	2,09	631	1,67	468
1997	2,12	545	2,13	673	1,68	490
1998	2,09	553	2,15	700	1,69	501

Source : Statistique Canada, *Estimations des dépenses canadiennes au titre de la recherche et du développement (DIRD), Canada, 1989 à 2000 et selon la province, 1989 à 1998*, février 2001 (88F0006XIF01001); *Comptes économiques provinciaux, estimations annuelles, 1999*, octobre 2000 (13-213-PIB); CANSIM II, tableau 051-0005, données d'octobre 2000.

Figure 29.1
**Taux de croissance réel des dépenses[1] de recherche et développement,
Québec, Ontario et Canada, 1990-1998**

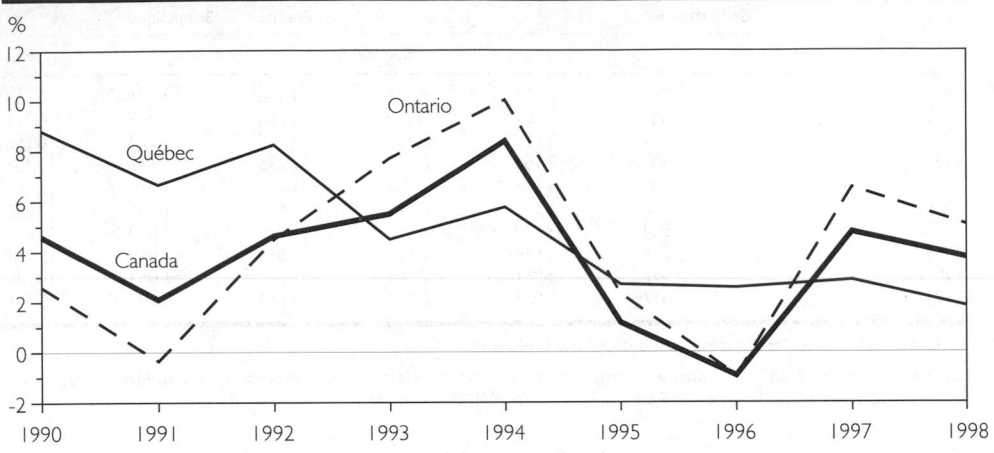

1. En dollars constants de 1992.

Source : Statistique Canada, *Estimations des dépenses canadiennes au titre de la recherche et du développement (DIRD), Canada, 1989
à 2000 et selon la province, 1989 à 1998*, février 2001 (88F0006XIF01001); *Comptes économiques provinciaux, estimations
annuelles, 1999*, octobre 2000 (13-213-PIB).

Tableau 29.3
**Dépenses intra-muros de recherche et développement en pourcentage du PIB, et par habitant[1],
pour certains pays, 1994, 1996 et 1998**

	1994		1996		1998	
	Part du PIB	Par habitant	Part du PIB	Par habitant	Part du PIB	Par habitant
	%	$ PPA	%	$ PPA	%	$ PPA
Allemagne	2,28	458	2,26	487	2,29	527
Canada[2]	1,77	367	1,70	395	1,72	429
États-Unis	2,52	649	2,66	742	2,74	842
France	2,34	447	2,30	464	2,18	462
Italie	1,05	198	1,01	211	1,02	218
Japon	2,84	601	2,83	679	3,06	731
Royaume-Uni	2,08	372	1,92	382	1,83	398
G7	2,37	524	2,41	584	2,48	641
OCDE	2,13	415	2,16	429	2,23	471
Québec[2]	2,12	394	2,17	444	2,13	473
Ontario[2]	2,20	493	2,11	532	2,19	599

1. Tient compte de la parité du pouvoir d'achat.
2. Dans ce tableau, les ratios DIRD/PIB ont été recalculés pour le Québec, l'Ontario et le Canada selon la méthode utilisée par l'OCDE.
Cette méthode retranche du PIB les services d'intermédiation financière indirectement mesurés (SIFIM). Par conséquent, le ratio
DIRD/PIB est plus élevé lorsqu'il est calculé avec la méthode de l'OCDE.

Sources : OCDE, *Principaux indicateurs de la science et de la technologie*, n° 1, 2000; *Comptes nationaux des pays de l'OCDE*, vol. 1,
2000.
Statistique Canada, *Estimations des dépenses canadiennes au titre de la recherche et du développement (DIRD), Canada, 1989
à 2000 et selon la province, 1989 à 1998*, février 2001 (88F0006XIF01001); *L'Observateur économique canadien*, décembre
1999, tableau 39; CANSIM II, tableau 051-0005, données d'octobre.

Figure 29.2
Pourcentage des dépenses intra-muros de recherche et développement par secteur d'exécution, Québec, Ontario, Canada, ALENA et OCDE, 1998

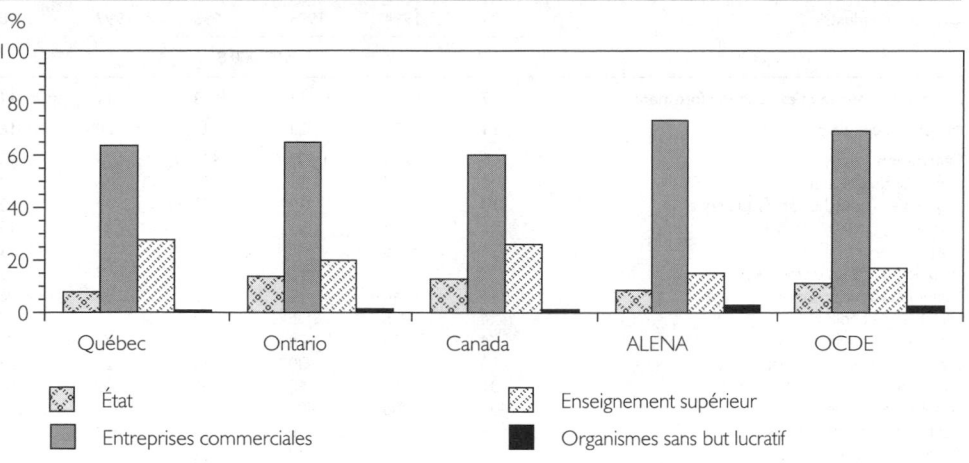

Source : Statistique Canada, *Estimations des dépenses canadiennes au titre de la recherche et du développement (DIRD), Canada, 1989 à 2000 et selon la province, 1989 à 1998*, février 2001 (88F0006XIF01001).

Tableau 29.4
Évolution des dépenses intra-muros de recherche et développement selon le secteur d'exécution, Québec, Ontario et Canada, 1993-1998

Secteur d'exécution	1993	1994	1995	1996	1997	1998
	'000 000 $					
Administration fédérale						
Québec	264	266	246	245	229	256
Ontario	1 022	990	1 025	1 093	1 037	1 054
Canada	1 744	1 741	1 715	1 774	1 705	1 728
Administration provinciale						
Québec	71	67	71	70	57	60
Ontario	83	87	85	67	56	51
Canada	269	261	254	242	214	217
Entreprises commerciales						
Québec	1 802	2 056	2 277	2 399	2 500	2 584
Ontario	3 507	4 114	4 341	4 297	4 823	5 181
Canada	6 424	7 571	8 013	8 042	8 709	9 111
Établissements d'enseignement supérieur						
Québec	1 169	1 136	1 108	1 095	1 163	1 124
Ontario	1 390	1 409	1 444	1 480	1 579	1 600
Canada	3 634	3 642	3 700	3 719	3 940	3 963
Organismes privés sans but lucratif						
Québec	20	27	25	27	32	33
Ontario	85	97	100	98	109	114
Canada	130	152	154	154	168	182
Québec	**3 326**	**3 552**	**3 727**	**3 836**	**3 981**	**4 057**
Ontario	**6 087**	**6 697**	**6 995**	**7 035**	**7 604**	**8 000**
Canada	**12 201**	**13 367**	**13 836**	**13 931**	**14 736**	**15 201**

Source : Statistique Canada, *Estimations des dépenses canadiennes au titre de la recherche et du développement (DIRD), Canada, 1989 à 2000 et selon la province, 1989 à 1998*, février 2001 (88F0006XIF01001).

Tableau 29.5
Évolution des dépenses totales intra-muros en recherche et développement pour certains groupes d'industries, Québec, 1993-1998

Groupes d'industries	1993	1994	1995	1996	1997	1998
	'000 000 $					
Agriculture, pêche et exploitation forestière	7	9	11	13	11	11
Mines et puits de pétrole	13	20	23	27	20	16
Fabrication	1 165	1 214	1 397	1 447	1 579	1 595
Aliments, boissons et tabac	20	29	30	31	26	24
Produits en caoutchouc et en plastique	10	15	19	22	17	12
Textiles	11	18	23	21	23	19
Bois	4	5	5	4	5	11
Meubles et articles d'ameublement	3	5	5	5	3	3
Papier et produits connexes	44	48	70	72	87	96
Imprimerie et édition	4	5	5	8	6	2
Métaux semi-transformés	74	74	76	77	77	80
Fabrication de produits métalliques	18	28	30	30	24	23
Machinerie	31	55	60	45	57	58
Aéronefs et pièces	404	308	401	443	553	524
Véhicules automobiles, pièces et accessoires	7	15	18	15	12	9
Autre matériel de transport	3	2	3	2	10	7
Équipement de télécommunication	58	75	100	95	112	125
Pièces et composants électroniques	12	13	17	25	20	30
Autre matériel électronique	156	174	137	127	122	127
Machines de bureau	37	43	55	50	43	54
Autre matériel électrique	19	22	26	32	31	29
Produits minéraux non métalliques	4	5	4	5	4	4
Produits pharmaceutiques et médicaments	169	185	215	224	215	224
Autres produits chimiques	38	41	43	57	79	80
Matériel scientifique et professionnel	24	28	32	30	30	35
Autres industries de la fabrication	14	21	25	27	23	21
Construction	6	11	11	12	6	10
Services publics	123	138	142	115	103	134
Services	488	664	693	784	781	818
Transport et entreposage	5	9	7	2	3	3
Communications	63	52	31	48	51	35
Commerce de gros	100	138	157	155	166	191
Commerce de détail	7	12	12	29	23	21
Finances, assurances et services immobiliers	41	58	29	29	21	14
Services informatiques et connexes	84	128	142	171	174	163
Bureaux d'ingénieurs et de scientifiques	158	222	262	289	294	344
Bureaux de conseil en gestion	11	19	21	22	11	11
Autres industries des services	18	27	31	40	38	36
Total	**1 802**	**2 056**	**2 277**	**2 399**	**2 500**	**2 584**

Source : Statistique Canada, *Recherche et développement industriels, perspective 1999*, août 2000 (88-202-XIB).

Tableau 29.6

Personnel affecté à la recherche et développement par secteur, selon la catégorie d'occupation, Québec, Ontario et Canada, 1995 et 1998

Secteur et catégorie d'occupation	1995			1998		
	Québec	Ontario	Canada	Québec	Ontario	Canada
			n[1]			
Administration fédérale	2 080	8 900	15 220	2 000	8 140	13 680
Chercheurs	870	3 690	6 310	870	3 540	5 840
Autres	1 210	5 210	8 910	1 130	4 600	7 840
Administration provinciale	860	1 040	3 030	880	580	2 850
Chercheurs	360	510	1 430	360	390	1 450
Autres	500	530	1 600	520	190	1 400
Entreprises commerciales	22 260	36 350	72 070	24 980	38 770	76 490
Chercheurs	12 620	22 610	43 030	14 940	26 460	48 980
Autres	9 640	13 740	29 040	10 040	12 310	27 510
Enseignement supérieur	10 820	15 510	42 360	13 500	16 420	44 160
Chercheurs	7 870	11 320	30 840	10 470	12 420	33 250
Autres	2 950	4 190	11 520	3 030	4 000	10 910
Organismes privés sans but lucratif	410	1 020	1 920	490	1 220	2 390
Chercheurs	150	300	630	160	340	680
Autres	260	720	1 290	330	880	1 710
Total	**36 430**	**62 820**	**134 600**	**41 850**	**65 130**	**139 570**
Chercheurs	**21 870**	**38 430**	**82 240**	**26 800**	**43 150**	**90 200**
Autres	**14 560**	**24 390**	**52 360**	**15 050**	**21 980**	**49 370**

1. En équivalent temps plein (ETP). Nombres arrondis à la dizaine.

Source : Statistique Canada, *Bulletin de service Statistique des sciences*, vol. 21 n° 10 et vol. 25 n° 5 (88-001-XPB).

Tableau 29.7

Nombre de chercheurs pour 10 000 personnes actives par secteur, Québec, Ontario, Canada, ALENA et OCDE, 1995 et 1998

	Entreprises commerciales	État	Enseignement supérieur	Organismes sans but lucratif	Total
			n[1]		
1995					
Québec	35,5	3,5	22,1	0,4	61,5
Ontario	40,2	7,5	20,1	0,5	68,4
Canada	29,2	5,2	20,9	0,4	55,8
ALENA	45,7	0,8	9,7	0,6	56,7
OCDE	34,4	5,4	14,1	0,8	55,0
1998					
Québec	40,8	3,4	28,6	0,4	73,2
Ontario	44,7	6,6	21,0	0,6	72,9
Canada	31,8	4,7	21,6	0,4	58,5
ALENA[2]	50,9	..	..	..	..
OCDE[2]	37,1	..	..	..	57,7

1. En équivalent temps plein (ETP) pour 10 000 personnes actives.
2. Données pour 1997 au lieu de 1998.

Sources : Statistique Canada, *Bulletin de service Statistique des sciences*, vol. 21 n° 10 et vol. 25 n° 5, (88-001-XPB); OCDE, *Principaux indicateurs de la science et de la technologie*, 2000/1.

Tableau 29.8
Brevets dont les droits sont détenus au Québec, au Canada et dans le monde, 1990-1999

Année	Titulaire institutionnel			Tous les brevets		
	Québec	Canada	Monde	Québec	Canada	Monde
			n			
1990	253	974	73 006	375	1 712	90 346
1991	299	1 066	78 330	435	1 882	96 510
1992	293	1 005	80 056	456	1 818	97 382
1993	284	1 045	81 669	424	1 780	98 269
1994	308	1 065	84 313	446	1 862	101 659
1995	312	1 153	83 944	445	1 929	101 429
1996	346	1 266	91 333	462	2 005	109 632
1997	321	1 299	94 217	466	2 156	111 967
1998	514	1 772	124 891	676	2 740	147 538
1999	624	2 046	130 641	757	2 992	153 551
Total	**3 554**	**12 691**	**922 400**	**4 942**	**20 876**	**1 108 283**

Source : United States Patent and Trademark Office, compilation faite par l'Observatoire des sciences et des technologies.

Tableau 29.9
Nombre total des publications scientifiques selon la discipline, Québec, Ontario, Canada, monde, 1998

Discipline	Québec	Ontario	Canada	Monde
			n	
Sciences naturelles, génie et domaine biomédical	6 215	11 097	24 755	557 981
Biologie	571	987	2 863	42 316
Chimie	534	1 064	2 257	71 835
Génie	531	915	2 020	44 673
Mathématique	86	243	514	10 684
Médecine clinique	2 137	3 688	7 808	175 048
Physique	612	1 221	2 302	82 751
Recherche biomédicale	1 252	1 836	4 452	90 522
Sciences de la terre	401	956	2 149	30 577
Inconnu	91	187	390	9 575
Sciences sociales, sciences humaines et arts	903	2 154	4 432	71 232

Sources : Banques Sciences Citation Index (SCI), Social Sciences Citation Index (SSCI), Arts and Humanities Citation Index (AHCI) de l'Institute for Scientific Information (ISI), compilation faite par l'Observatoire des sciences et des technologies.

Tableau 29.10
Facteur d'impact des publications scientifiques selon les disciplines reliées aux sciences naturelles, au génie et au domaine biomédical, Québec, Ontario, Canada, 1998

Discipline	Québec	Ontario	Canada
Biologie	1,47	1,30	1,26
Chimie	2,04	2,24	2,22
Génie	0,69	0,71	0,67
Mathématique	0,70	0,64	0,65
Médecine clinique	3,20	3,11	3,01
Physique	2,18	2,18	2,10
Recherche biomédicale	4,61	5,04	4,73
Sciences de la terre	1,43	1,55	1,46
Total	**2,73**	**2,66**	**2,54**

Sources : Banque Sciences Citation Index (SCI) de l'Institute for Scientific Information (ISI), compilation faite par l'Observatoire des sciences et des technologies.

Tableau 29.11
**Part des industries dans les exportations totales, selon leur niveau technologique,
Québec, Canada, ALENA et OCDE, 1990 et 1996**

Niveau technologique	Québec		Canada		ALENA		OCDE	
	1990	1996	1990	1996	1990	1996	1990	1996
	%							
Haute technologie	24,5	22,5	10,4	10,8	23,1	22,7	15,3	17,4
Aéronautique	7,8	8,9	3,4	2,9	8,9	5,6	3,6	2,6
Machine de bureau et ordinateur	2,0	1,5	2,3	2,7	6,1	6,3	4,2	4,7
Produits pharmaceutiques	0,5	0,6	0,2	0,4	1,0	1,0	1,4	1,9
Électronique et communication	14,3	11,6	4,5	4,8	7,1	9,8	6,0	8,1
Moyenne-haute technologie	19,8	18,6	44,5	44,8	44,5	46,3	45,8	45,8
Moyenne-faible technologie	24,0	25,4	17,0	17,3	13,1	12,7	18,5	17,2
Faible technologie	31,6	33,5	27,2	26,6	18,4	17,5	19,5	18,7

Sources : Institut de la statistique du Québec, Direction des comptes et des études économiques.
        OCDE, *Principaux indicateurs industriels*, 1999.

Tableau 29.12
**Balance commerciale des industries, selon leur niveau technologique,
Québec, Canada, 1990 et 1999[1]**

Niveau technologique	Exportations		Importations		Balance	
	1990	1999	1990	1999	1990	1999
	'000 000 $					
Québec						
Haute technologie	5 463	14 701	6 840	17 138	-1 377	-2 437
Aéronautique	1 741	5 933	1 247	4 578	494	1 355
Machine de bureau et ordinateur	435	612	1 110	2 806	-675	-2 194
Produits pharmaceutiques	101	432	299	1 094	-198	-662
Électronique et communication	3 186	7 726	4 184	8 660	-998	-934
Moyenne-haute technologie	4 413	9 994	10 948	21 369	-6 535	-11 375
Moyenne-faible technologie	5 349	12 370	4 057	6 774	1 292	5 596
Faible technologie	7 044	18 246	4 354	7 428	2 690	10 818
Canada						
Haute technologie	11 856	30 280	18 771	54 072	-6 915	-23 792
Aéronautique	3 900	8 928	3 178	8 801	722	127
Machine de bureau et ordinateur	2 638	5 488	5 675	15 115	-3 037	-9 627
Produits pharmaceutiques	234	1 403	954	4 661	-720	-3 258
Électronique et communication	5 084	14 461	8 964	25 496	-3 880	-11 035
Moyenne-haute technologie	50 638	136 626	63 897	156 254	-13 259	-19 628
Moyenne-faible technologie	19 301	41 824	19 205	44 561	96	-2 737
Faible technologie	30 798	69 721	18 253	39 775	12 545	29 946

1. Les données de ce tableau proviennent des statistiques douanières.

Source : Institut de la statistique du Québec, Direction des comptes et des études économiques.

Figure 29.3

Taux d'informatisation et de branchement à Internet des ménages, Québec et Canada, 1994-1999

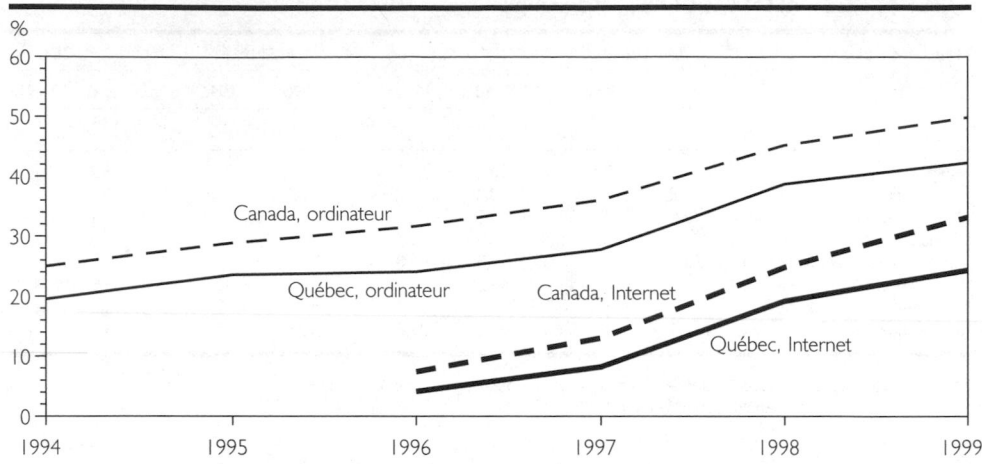

Source : Statistique Canada, Enquête sur l'équipement ménager et Enquête sur les dépenses des ménages.

Figure 29.4

Taux de branchement à Internet des ménages selon certaines caractéristiques socio-économiques, Québec, décembre 1999

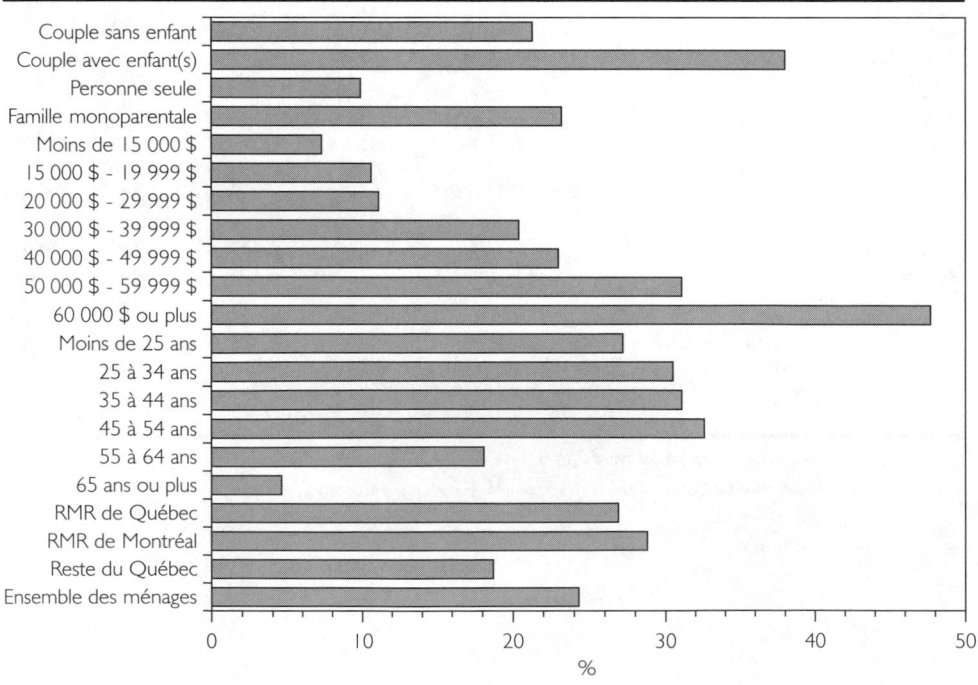

Source : Statistique Canada, Enquête sur les dépenses des ménages.

Tableau 29.13

Utilisation de l'ordinateur, branchement à Internet et présence sur le Web selon la taille et le secteur d'activité des PME, Québec, janvier 2001

Taille et secteur d'activité	Utilisation de l'ordinateur	Branchement à Internet	Présence sur le Web
	%		
Ensemble des PME	**71,2**	**47,9**	**17,0**
Taille			
1 à 4 employés	60,2	37,4	8,6
5 à 9 employés	81,3	53,6	18,8
10 à 200 employés	93,0	72,8	39,6
Regroupement des secteurs d'activité			
Production de biens[1]	67,9	48,7	14,6
Services aux entreprises[2]	82,5	68,3	22,2
Commerce de détail	66,4	36,8	16,7
Services grand public I[3]	68,7	43,6	20,0
Services grand public II[4]	67,8	36,1	12,1

1. Comprend le secteur primaire, la construction et la fabrication.
2. Comprend le commerce de gros, le transport et l'entreposage, l'industrie de l'information et l'industrie culturelle, les services professionnels, scientifiques et techniques, la gestion de sociétés et d'entreprises et les services administratifs et de soutien.
3. Comprend les finances et les assurances, les services immobiliers et de location, l'hébergement et la restauration, les arts, les spectacles et les loisirs.
4. Comprend les services d'enseignement, les soins de santé et d'assistance sociale, les services publics et les autres services sauf les administrations publiques.

Source : Institut de la statistique du Québec, Enquête sur l'adoption du commerce électronique par les PME.

Figure 29.5

Pratique du commerce électronique par les PME selon le nombre d'employés, Québec, janvier 2001

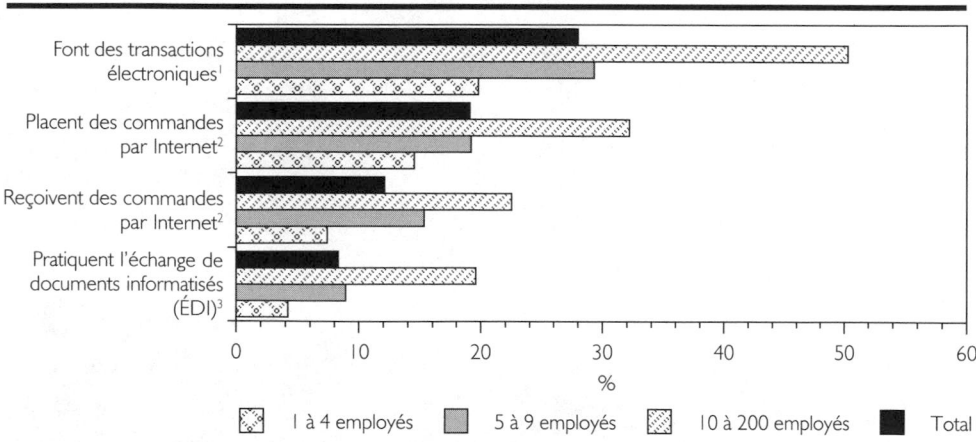

1. Cette mesure fait référence aux PME qui reçoivent ou placent des commandes par Internet, tant par le biais du courrier électronique que du Web, ou encore qui pratiquent l'échange de documents informatisés (ÉDI) sur des réseaux à valeur ajoutée.
2. Le placement ou la réception de commandes peut se faire par le biais du courrier électronique ou du Web, lors de l'ÉDI ou non.
3. Cette mesure inclut les PME faisant de l'ÉDI sur des réseaux à valeur ajoutée ou sur Internet.

Source : Institut de la statistique du Québec, Enquête sur l'adoption du commerce électronique par les PME.

Les régions administratives du Québec

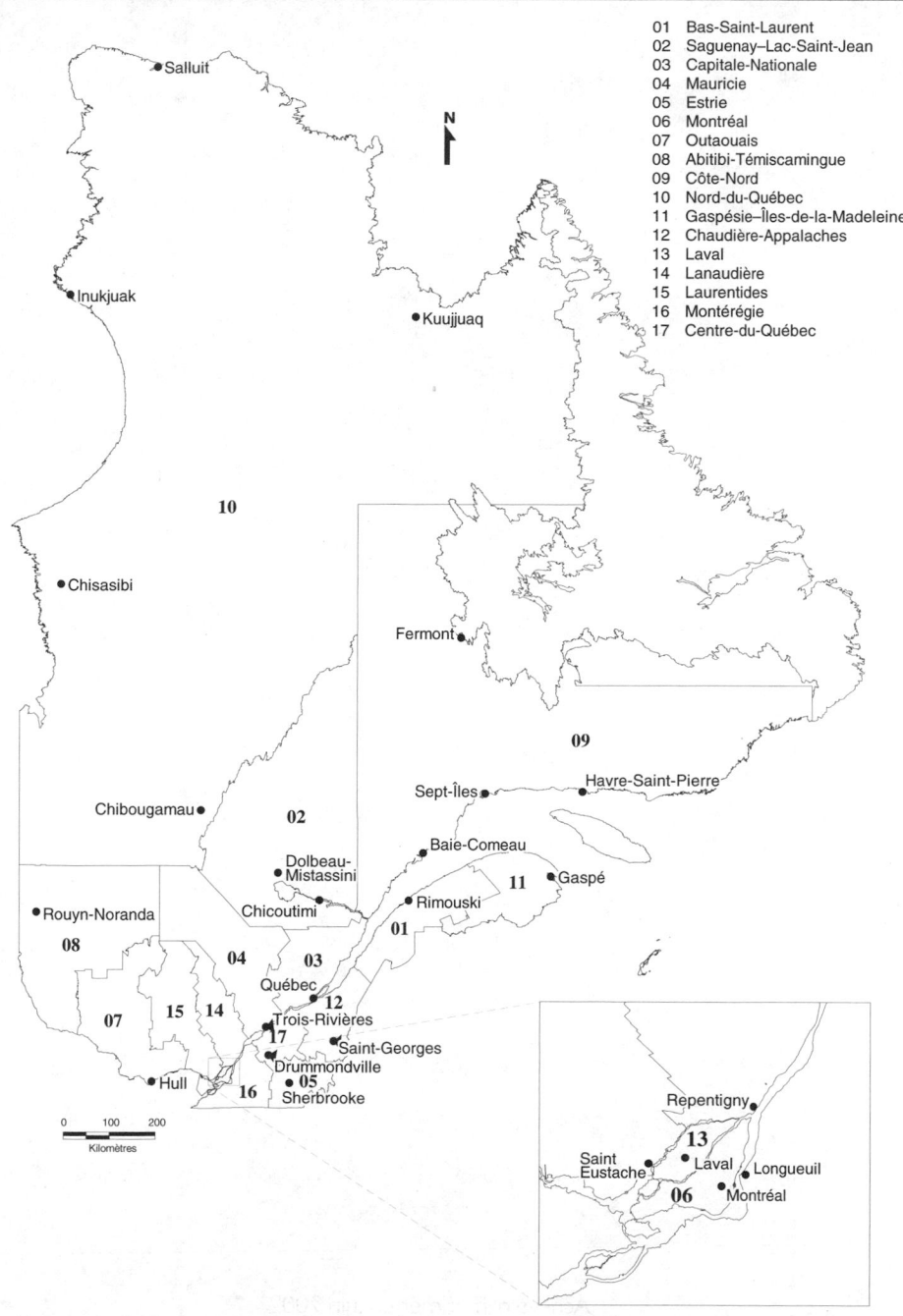

01 Bas-Saint-Laurent
02 Saguenay–Lac-Saint-Jean
03 Capitale-Nationale
04 Mauricie
05 Estrie
06 Montréal
07 Outaouais
08 Abitibi-Témiscamingue
09 Côte-Nord
10 Nord-du-Québec
11 Gaspésie–Îles-de-la-Madeleine
12 Chaudière-Appalaches
13 Laval
14 Lanaudière
15 Laurentides
16 Montérégie
17 Centre-du-Québec

Source : Institut de la statistique du Québec, Direction de l'édition et des communications, 2001.

Achevé d'imprimer en juin 2002
sur les presses de
l'imprimerie AGMV Marquis
Cap-Saint-Ignace (Québec).

Garantie

La seule garantie fournie par Les Publications du Québec est celle qui couvre les défauts matériels du cédérom. Cette garantie est valable pour une durée de 90 jours suivant la date de l'achat. Pour obtenir le remplacement d'un cédérom défectueux, il faut en fournir la preuve d'achat et le retourner.

Les Publications du Québec ne sont responsables d'aucun dommage ni préjudice, y compris la perte de données ou de revenus, qui pourrait être causé directement ou indirectement par l'utilisation du cédérom et de ses fichiers.

À l'exception des cas visés par le premier paragraphe, aucun retour du cédérom ne sera accepté si l'enveloppe de plastique est ouverte.

Conditions d'utilisation

Le cédérom est destiné exclusivement à la consultation. Toute reproduction par quelque procédé que ce soit et toute communication au public par télécommunication sont strictement interdites sans l'autorisation préalable des Publications du Québec. De plus, pour l'installation en réseau, il faut obtenir une licence des Publications du Québec.

Le fait d'ouvrir l'emballage du cédérom implique qu'on a pris connaissance des présentes conditions et qu'on les accepte entièrement.

Tous droits réservés pour tous pays – © Gouvernement du Québec, 2002

Utilisation du cédérom

La consultation du cédérom joint à cet ouvrage est simple et rapide. L'interface générale s'apparente à celle des navigateurs Internet avec l'utilisation des barres de navigation, des barres de menus et des liens. Le menu principal regroupe tous les chapitres et sous-chapitres; l'arborescence cliquable conduit l'utilisateur aux sections désirées.

Le cédérom contient de nombreux tableaux manipulables, soit avec le logiciel **Statis** fourni avec le cédérom, soit avec le logiciel Microsoft Excel.

Le Québec statistique version cédérom offre également la possibilité de visiter les sites Web de nos collaborateurs pour obtenir de l'information complémentaire.

Pour de plus amples détails, référez-vous à l'aide fournie avec le cédérom.

Configuration minimale nécessaire

Ordinateur compatible IBM; système d'exploitation Windows 95 ou plus.

Démarrage du cédérom

Insérez le cédérom dans le lecteur de votre ordinateur.

Si le démarrage automatique ne vous amène pas à la page d'accueil, suivez les instructions suivantes :

1. Cliquez sur le bouton **Démarrer**, puis sur **Exécuter**.
2. Inscrivez **D:\W95-98\Viewer.exe** dans la boîte de dialogue (si « D » est la lettre de votre lecteur cédérom).
3. Cliquez sur **OK**.

Redémarrage du cédérom

Si le cédérom est déjà inséré dans votre lecteur et que vous avez quitté l'application, vous pouvez redémarrer l'application en cliquant sur l'icône **poste de travail**, puis sur le dossier **W95-98** et enfin sur l'icône du **Viewer**.